1 MONTH OF
FREE
READING

at

www.ForgottenBooks.com

By purchasing this book you are
eligible for one month membership to
ForgottenBooks.com, giving you
unlimited access to our entire
collection of over 700,000 titles via
our web site and mobile apps.

To claim your free month visit:
www.forgottenbooks.com/free1212631

ISBN 978-0-428-39985-6
PIBN 11212631

Vorrede.

Die Ansicht, daß die ganze Natur lebendig und göttlich beseelt sei, ist uralt und hat sich in der Religion der Naturvölker, wie der Naturphilosophie der gebildeten Völker bis auf die neuesten Zeiten fortgepflanzt. Sie schließt die Anerkennung einer individuellen Beseelung nicht aus, vielmehr erweitert sich mit Anerkennung der Beseelung des Ganzen von selbst die der individuellen Teilwesen. Inzwischen ist unter uns die Geltung dieser Ansicht fast verschwunden, die Kraft und selbst der Reiz der Gründe dafür hat sich abgestumpft, die Naturphilosophie hat ihr Ansehen verloren oder ihre Bedeutung geändert. Um so mehr hat man sich gesträubt, noch auf diese Ansicht einzugehen, als sie einerseits mit geläuterten religiösen Ansichten, andrerseits mit den Forderungen einer exakten Naturwissenschaft in Widerspruch zu stehen schien.

Dessenungeachtet ist die folgende Schrift nach ihrem allgemeinsten Gesichtspunkte nichts als ein Versuch, dieser fast verschollnen Ansicht wieder Geltung zu verschaffen. Um einen solchen Versuch zu wagen, mußte, wenn nicht die Kraft neuer Gründe, eine neue Kraft der Gründe zu Gebote stehen, um ihn gerechtfertigt zu halten, jener Schein sich in Schein wirklich auflösen lassen. In der Tat wird diese Schrift zwar nichts als die uralten Gründe für die uralte Sache haben, aber sie wird durch Vertiefung und neue Verwendung denselben eine neue Wirksamkeit zu verleihen suchen; sie wird alle Forderungen der Religion und Wissenschaft, um deren Willen man jener Ansicht abgesagt hat, anerkennen, aber zu zeigen suchen, daß es vielmehr einer konsequenten Durchführung der Ansicht, als eines Aufgebens derselben bedarf, um jene Forderungen auch voll zu befriedigen.

Eine frühere Schrift, Nanna, kann insofern als Vorläuferin der jetzigen gelten, als dort wie hier versucht wird, das Gebiet der individuellen Beseelung über die gewöhnlich angenommenen Grenzen hinaus zu erweitern; dort aber in abwärts gehender, hier in aufwärts gehender Richtung.

Ich nenne den Standpunkt, den ich in dieser Schrift einnehme, aus doppeltem Gesichtspunkt den der Naturbetrachtung, einmal, weil es weniger aprioristische Betrachtungen als Betrachtungen über die Natur der Dinge, wie sie eben liegen, sind, auf welchen ich fuße; zweitens, weil ich die Verhältnisse der körperlichen, im engern Sinne sogenannten Natur zum Ausgang der Betrachtung nehme, obwohl nur, um zu zeigen, daß und in welchem Sinne sie der Ausdruck einer geistigen sei. Von einer Naturbetrachtung im Sinne der eigentlichen Naturforschung aber kann hier nach der Beschaffenheit der Gegenstände nicht die Rede sein.

Was den Haupttitel der Schrift anlangt, so wählte ich denselben, in der Verlegenheit, einen andern einfachen Titel aufzufinden, der sie nachbarlich zu ihrer Vorgängerin und zugleich mit passender Beziehung auf den Inhalt zu bezeichnen vermöchte, nach folgenden Motiven:

Zend-Avesta ist (nach gewöhnlichster, wenn auch nicht unbestrittener Auslegung): „Lebendiges Wort". Ich möchte, daß auch diese Schrift ein lebendiges, ja die Natur lebendig machendes Wort sei. Der alte Zend-Avesta enthält mit manchem geographisch-historischen den auf unsre Zeiten bruchstückweis gekommenen Inhalt einer uralten, fast verschollenen, durch Zoroaster nur neu reformierten Naturreligion. Auch unsre Schrift enthält mit manchem profanen Inhalte Bruchstücke einer uralten, fast verschollenen, hier nur neu reformierten Naturreligion, der Wurzel, wenn auch nicht der Ausführung nach derselben, die im Zend-Avesta enthalten ist. Die Naturreligion des Zend-Avesta, obwohl scheinbar weit abliegend von der christlichen, steht doch mit ihr in den wichtigsten, in der Tiefe der Geschichte und des Inhalts vermittelten Beziehungen. Unsre Schrift ist auch in dieser Beziehung nur ein neuer Zend-Avesta. Im Übrigen weiß ich sehr wohl, daß die Ausführung dieser Schrift und des alten Zend-Avesta im Charakter wenig gemein haben.

Hoffentlich wird man keine ungeziemende Anmaßung darin finden, daß es der Titel eines heilig gehaltenen Buches ist, der auf diese Schrift übertragen worden. Gilt es doch als heilig nur noch bei einem kleinen verachteten Stamme; und gilt doch die ganze Religion, die darin enthalten ist, bei uns nur noch als Aberglaube. Sollte aber diese Schrift vermögen, nicht zwar dieser Religion, worauf sie nicht abzielt, aber den wahren Gesichtspunkten derselben, die sich mit unsrer eignen Religion vertragen, eine nicht mehr zugestandene Geltung wieder zu verschaffen, so würde man ihr um so leichter einen Titel gönnen, der daran erinnerte, daß sie nicht sowohl etwas Neues, als die Wiedergeburt des Uralten sein will, was uns mit so manchem, das wir nicht wieder hervorziehen möchten, in jenem Buche aufbehalten ist.

Näher zerfällt der Inhalt der ganzen Schrift in zwei Hauptabteilungen, die ich durch die Titel: „Die Dinge des Himmels" und „Die Dinge des Jenseits" unterscheide. Die erste Hauptabteilung füllt die beiden ersten Teile, die zweite den dritten.

In der ersten suche ich die Lehre von den uns übergeordneten himmlischen Wesen mit ihrem Abschluß durch das höchste Wesen, in der zweiten die Lehre von unserm eigenen zukünftigen Leben aus dem Gesichtspunkte der oben geltend gemachten Grundansicht und mit der Richtung auf dieselbe neu zu begründen.

Von jeher und in allen Religionen hat man die Lehre von der jenseitigen Existenz der Menschenseelen mit der Lehre vom Dasein übermenschlicher Wesen verschwistert gehalten. Diese Verschwisterung hat sich auch hier ungesucht, wenn schon in einer andern Weise als bisher, dargeboten und ift Grund gewesen, die Behandlung zweier Aufgaben zu verknüpfen, die von gewiffer Seite freilich sehr auseinander zu liegen scheinen. Es wird sich zeigen, wie in der Tat die Löfung beider Auf= gaben in einander eingreift und sich wechselseitig stützt; doch kann dies erst aus der zweiten Abteilung diefer Schrift erhellen, da ich in der erften absichtlich alle Begründung durch etwas zu vermeiden gefucht, was selbft erft neu zu begründen.

Ein Überblick der Hauptgefichtspunkte der Lehre von den Dingen des Himmels ift im XX ften, der Lehre von den Dingen des Jenfeits im XXXI ften Abschnitte gegeben; die allgemeinften, insbesondere religiöfen Gefichtspunkte beider Lehren find noch zum Schluß in den Glaubens= fätzen des XXXII ften Abschnitts besonders zusammengefaßt.

Die Prinzipien, worauf der ganze formale Charakter diefer Schrift beruht, finden sich zufatzweise zum Schluffe diefer Vorrede angeführt, wo ich zugleich Gelegenheit nehme, einige in der Schrift zu berück= sichtigende Begriffsbestimmungen geltend zu machen.

Im allgemeinen wünschte ich, daß man das Urteil über diefe Schrift weniger auf vorgefaßte Vorstellungen von dem, was sie ankündigt, als ein Nachdenken über das, was sie enthält, gründe, was nun freilich ebensowohl eine Kenntnisnahme von dem Inhalt derselben, als ein Nachdenken darüber voraussetzt. Wer die Mühe von Beidem scheut, möge wenigstens so billig sein, sein Urteil dahin zustellen, obwohl ich schwerlich hoffen kann, diefer Billigkeit oft zu begegnen. Denn umsonft würde ich versuchen, in Vorrede, Einleitung und Überblick ein Unter= nehmen vollständig zu charakterisieren, zu rechtfertigen und zu resumieren, das sich, wenn irgend eins, nur durch feine Ausführung selbft schildern, darlegen und rechtfertigen kann. Inzwischen kann ich doch nicht umhin, zur vorläufigen Orientierung über Inhalt, Form und Tendenz der Schrift der vorigen allgemeinften Charakteristik noch einiges hinzuzufügen, was denen das Geschäft erleichtern kann, welche die Schrift vor der Sache beurteilen möchten, und vielleicht manche etwas geneigter machen, für welche die Stellung der Aufgaben diefer Schrift schon hinreicht, sie ver= urteilen zu lassen. Wem es um den frischen Angriff der Sache selbft zu tun ift, und wer ein vorgefaßtes Urteil nicht maßgebend halten will, mag immerhin das Weitere in diefem Vorwort überschlagen, das doch nur über das reden kann, was sich später selbft gibt. Auf diefe Bedin= gung hin wird man mir aber auch wohl noch eine etwas breitere Vor= rede geftatten.

Der Gang, den diefe Schrift verfolgt, ift von vorn herein ein andrer, als den die naturphilosophische Betrachtung zu nehmen pflegt. Statt von der Allgemeinbeseelung zur individuellen herabzusteigen, steigt sie von diefer zu jener auf. Sie sucht zu zeigen, daß das Gebiet der individuellen Beseelung weiter und namentlich höher hinauf reicht, als man zumeift meint, und bahnt sich dadurch den Weg zu einer Anerkennung auch der Seele des Ganzen. Sie setzt eine solche zwar gleich von Anfange an voraus, wo es allgemeine Gefichtspunkte vorweg zu stellen gilt, aber nicht um das Besondere dadurch zu begründen, fondern darauf zu richten.

Zwar möchte es klüger und vorsichtiger erschienen sein, im Sinne
des gewöhnlichen Ganges nur als Corollar zu ziehen und zuletzt in
zweideutiges Dunkel zu begraben, womit ich hier vielmehr beginne, was
ich vorweg scharf und entschieden ausspreche. Denn unstreitig wird man
von vorn herein viel leichter geneigt sein, eine Lebendigkeit der Natur
im allgemeinen, als die obere Gliederung und bestimmte Fassung ihrer
Lebendigkeit zuzugeben, welche den Ausgang wie hauptsächlichsten Gegenstand der Betrachtung der ersten Abteilung dieser Schrift bildet.
Eine Lebendigkeit der Natur im allgemeinen und in gewissem Sinne
hat man ja von jeher zugegeben, auch heute noch, obwohl freilich heutzutage nur noch in sehr unlebendigem und in sich widerspruchsvollem
Sinne; immerhin aber ließ sich daran anknüpfen, und es schien nur darauf
anzukommen, ein schon geläufiges Wort in bestimmterm und vertieftem
Sinne fassen zu lassen und auf die Konsequenzen solcher Fassung zu
bringen. Aber es möchte bei jetziger Sachlage in der Tat schwerer
sein, im Ausgange von den geläufigen Ideenkreise über denselben hinauszukommen, als von einem neu eroberten Standpunkt aus wieder in
denselben hineinzukommen. Die allgemeinen Redensarten über das
Leben der Natur haben sich nun schon zu lange im Kreise gedreht und
die Möglichkeit ihrer verschiedenen Wendungen erschöpft, ohne etwas zu
schaffen, man hat den Titel des lebendigen Buchs der Natur nun schon
zu lange gelesen und wiedergelesen, ohne in das Buch selbst zu sehen,
um nicht zu glauben, da nichts der Rede Wertes dabei herauskam, es
enthalte nichts der Rede Wertes. So schlage ich nun hier lieber gleich
ein erstes großes Blatt davon auf, auf die Gefahr hin einer ersten
großen Verwunderung darüber. Im Grunde ist's doch nur das Kleinere,
an die großen Personen der Natur über den unsern glauben, gegen den
Glauben, daß der in der ganzen Natur lebendig waltende Gott eine
Person über allen Personen sei, und das Höhere von dem, daß wir an
unsre eigenen Personen noch glauben, trotzdem, daß eine Person über
uns allen ist.

Einiges Weitere hierüber im folgenden Eingange, dem es gelingen
möge, den ersten Anstoß, den das grelle Hereinbrechen einer neuen Idee
haben muß, in so weit überwinden zu lassen, daß dem Späteren noch
einige Aufmerksamkeit behalten bleibe.

Nicht minder fremdartig als der Versuch, der im ersten Teile
dieser Schrift gemacht wird, die Lehre von den höhern uns übergeordneten himmlischen Geschöpfen aus dem Reich der Fabel und
unbestimmten Vorstellung in das der festen Wirklichkeit zu versetzen,
dürfte vielen der Versuch entgegentreten, der in der zweiten Abteilung
gemacht wird, die Aussicht auf unsre künftige Fortdauer statt auf die
möglichste Loslösung des Geistigen vom Leiblichen oder möglichste überhebung desselben darüber zu gründen, vielmehr auf die möglichste Verknüpfung beider, ja in gewisser Hinsicht geradezu Aufhebung des einen im
andern zu gründen, obwohl er roh in den rohsten Ansichten der Völker
so gut schon enthalten ist, wie die Idee in der ersten Abteilung. Aber
ich glaube, daß dieser Versuch vielen willkommen sein kann, welche das,

was sie sehen, mit dem, was sie glauben sollen und wollen, nicht zu
vereinigen wissen. Die Tatsachen des Lebens, daß unsre Seele mit
unserm Körper leidet und altert, und selbst das höchste Geistige stets
auf den Leib gestützt bleibt, nur begrifflich, nicht real darüber gestellt
werden kann, und die Tatsache des Todes, daß dieser Leib doch endlich
zerfällt, sprechen in der Tat zu laut und deutlich, um nicht für viele
einen bittern Widerstreit theoretischer Ansicht und praktischer Forderung
zu begründen. Es wird aber hier versucht, diesen Widerstreit zu lösen,
nicht durch Absehn von jenen Tatsachen, sondern durch volles Eingehen
darauf. Nun liegt freilich auf der Hand, daß dies nicht auf dem Wege
der jetzt geltenden Weisen, Leibliches und Geistiges in Beziehung zu
denken, geschehen kann, wodurch dieser Widerstreit stets ungelöst geblieben
ist; vielmehr sind die anders führenden Ansichten, die in der Schrift selbst
ihre nähere Erörterung finden, wesentliche Voraussetzungen dazu.

Man mag die Grundansicht dieser Schrift eine pantheistische nennen.
Ich kann und werde es nicht wehren; obwohl sie in gewisser Hinsicht
vielmehr das Gegenteil von dem ist, was man jetzt Pantheismus zu
nennen pflegt. Wie dem auch sei, man sehe nicht danach, ob es ein
Name ist, der allgemach einen schlechten Klang gewonnen, sondern ob
es eine schlechte Sache ist, welche sich hier darbietet. Ich meine, was
ja auch sonst wohl anerkannt wird, es gibt zwei Auffassungen des
Pantheismus, die wie Licht und Nacht aus einander liegen. Wenn nun
der Pantheismus dieser Schrift sich zutraut, jedes echte und tiefe religiöse
Bedürfnis, was bisher empfunden worden ist, nicht nur eben sowohl,
sondern mehr als jede entgegenstehende Ansicht befriedigen zu können
(vgl. Abschnitt XII), so muß er sich auch vielmehr erster, als letzter
Natur halten. Ja ich kann nicht umhin, die Weise, wie nach unsrer
Darlegung die höhere Einigung des Menschlichen sich mit einer Gliederung des Göttlichen begegnet, selbst für ein wesentliches Moment und
einen notwendigen Fortschritt in der gedeihlichen Entwickelung der pan-
theistischen Weltansicht zu halten (über das Nähere unsrer Auffassung des
Verhältnisses von Gott und Welt vgl. Abschnitt XI).

Nach roher Fassung der Grundidee des ersten Teils dieser Schrift
könnte man glauben, es solle hier ein Heidentum statt des Christentums gepredigt werden; wogegen ich es vielmehr als eine der wesentlichsten Aufgaben dieser Schrift rechnen darf, eine derartige Vereinbarkeit
des Christentums mit religiösen Naturansichten, die man ohne ihre
Aufhebung im Christentum freilich heidnisch zu nennen haben würde,
darzutun, daß die Grundlagen des Christentums selbst dadurch
gekräftigt und zu neuer Entwickelung befähigt werden. Wenn man den
zwei Abschnitten (XIII, XXX), in welchen ich die Beziehungen unsrer
Lehre zum Christentum besonders erörtere, einige Aufmerksamkeit schenken
oder auch die Glaubenssätze, mit welchen die ganze Schrift abschließt
(XXXII), nur flüchtig ansehen will, so hoffe ich, daß die Tendenz der
Schrift in dieser Hinsicht keiner Mißdeutung weiter wird ausgesetzt sein,
wenn ich freilich auch nicht hoffen kann, den Sinn und die Forderungen
eines jeden damit getroffen zu haben.

Ohne mir überhaupt Rechnung darauf zu machen, schon fixierte
entgegenstehende Ansichten mit den Betrachtungen dieser Schrift zu über-
wältigen, kann ich doch vielleicht annehmen, daß auch von denen, welche
dem ganzen Zusammenhange ihrer Ansichten und Konsequenzen nicht
beistimmen mögen, mancher manches hier finden wird, was er genehmigt
und was ihn neu anregt. Denn die Natur und Größe der Aufgaben
nötigte sie, sich nach mancherlei Richtungen zu verbreiten, und das
Bestreben, immer von realen Verhältnissen auszugehen und darauf Rückbezug zu nehmen, dürfte jedenfalls verhüten, daß alle ihre Betrachtungen
haltlos erscheinen, sollte es auch nicht verhüten können, daß die Spitze
und Zusammenfassung derselben vielen so erscheine.

Ich selbst bin weit entfernt, die Betrachtungen und Schlüsse dieser
Schrift als absolut sicher anzusehen. Wer möchte überhaupt von vollständiger Sicherheit in Gebieten sprechen, wo nur der Ausgang von
der erfahrbaren Wirklichkeit genommen werden kann, doch keine direkte
Bewährung darin möglich ist und die Methoden der exakten Forschung
keinen Angriff finden? Auch weiß ich, daß diese Schrift kein Evangelium
ist. Ja wohl manchmal habe ich mich, im Rückblick auf dieselbe und
betroffen von ihrem Widerspruch gegen das, was ringsum gilt, selbst
gefragt: ist nicht das Ganze doch nur ein geistiges Spiel? Lassen sich
nicht Gründe für alles finden, wenn man es darauf anlegt, solche zu
finden? Hast du nicht früher, dich selbst parodierend, bewiesen, daß auch
der Schatten lebendig ist; ist nicht umgekehrt die Lebendigkeit, die du
jetzt beweisest, ein Schattenspiel?

Aber es war diesmal nicht das Interesse der Verfolgung einer
Paradoxie, sondern das uns alle verfolgende Ungenügen der bestehenden
Ansichten selbst, was darüber hinauszugehen drängte, ein Ungenügen,
das ja wohl jeder, wenn auch von andern Seiten, zugibt, und sollte
er nicht auch zugeben, daß demselben mit keiner halben Ansicht wird
abzuhelfen sein, welche aus Scheu, Gewohnheiten zu verletzen, eben die
Konsequenzen zu ziehen fürchtet, welche Abhilfe gewähren können? Und
welches Mißtrauen ich auch in die Schlüsse und Resultate dieser Schrift,
als menschlichem Irrtum unterworfen, zu setzen geneigt blieb, war es
hauptsächlich Dreies, was mich bei mir selbst beruhigte: einmal, daß die
Naturbetrachtung im obigen Sinne doch von den verschiedensten Seiten zu
demselben, alle diese Seiten verknüpfenden Ziele führt, zweitens, daß sich
dadurch im Grunde nur die ursprüngliche Naturansicht wiederherstellt,
endlich daß den höhern praktischen Interessen des Menschen ein um so
volleres Genüge dadurch geschieht, je mehr man auf den ganzen
Zusammenhang derselben eingeht, während freilich ein Stück davon auf
das alte Kleid nicht frommen kann. Ich gebe aber etwas auf den
ursprünglichen Naturinstinkt der Menschen und glaube, daß nichts wahr
sein kann, was nicht auch gut ist zu glauben, am wahrsten aber das,
was am besten. Freilich auch in dem, was man für gut hält, kann
man irren, aber einmal muß doch ein Punkt kommen, wo der Mensch
sich selbst glaubt.

Ich glaube demnach wirklich das, was in dieser Schrift niedergelegt ist, ich glaube, daß wenigstens ein lebendiger und fruchtbarer Kern der Wahrheit darin enthalten ist, den ich zum Schluß der ganzen Schrift zu formulieren versuche, obwohl sicher dieser Kern noch nicht so rein und klar herausgeschält und so fruchtbar entwickelt worden ist, wie es die Natur der Sache verträgt und fordert. Ja manches macht überhaupt keinen andern Anspruch, als bei der Dunkelheit des Gegenstandes einen möglichen Anhalt für die Vorstellung zu geben, ohne binden zu sollen, (so namentlich die meisten Erörterungen des XVIten, XVIIten und XVIIIten Abschnitts, und so manche Ausführungen in der Lehre von den Dingen des Jenseits).

Auf die jetzt im Schwange gehenden philosophischen Betrachtungsweisen der höchsten und letzten Dinge ist fast nur in so weit Rücksicht genommen, als eine Rechtfertigung der eigenen Ansichten gegen philosophische Einwände vor einem größern Kreise als dem der Philosophen selbst nötig schien, da ja manche ihrer Betrachtungsweisen schon ganz populär geworden. Der Grund ist einfach der, daß es nicht möglich gewesen sein würde, mit den neuern Richtungen der Philosophie, sei es in Betreff der Methode oder Sache hier zu einer Verständigung zu gelangen, eine Polemik aber, die nicht auf einem gemeinschaftlich zugestandenen Boden fußt, eine sehr unfruchtbare sein müßte. Nicht mit der heutigen Philosophie, sondern nur mit denen, welche sie nicht befriedigt, kann ich hoffen, mich zu verständigen. Ich halte es, offen gesagt, für einen Grundfehler der neneren, ja der meisten Philosophie überhaupt, aus dem Begriffe mehr oder andres Sachliches ableiten zu wollen, als er nach seiner tatsächlichen Entstehungsweise von unten begreifen und wieder hergeben kann. Meine eignen Ansprüche an die Philosophie sind, ich gestehe es, beschränkter, sofern man sie aber zu beschränkt findet, verzichte ich auch gern auf den Titel eines Philosophen.

Indem ich mich gegen die neuern philosophischen Richtungen im allgemeinen erkläre, ist diese Erklärung natürlich auch nur sehr im allgemeinen zu verstehen. Wie viel diese Schrift Weiße, bei sonst wesentlichen Differenzen von seinen Ansichten, in einem Hauptpunkte verdankt, ist an seinem Orte (Bd. I. S. 321) gesagt, und wenn sie dem jüngern Fichte auch nicht direkt etwas verdankt, da sich der ganze Zusammenhang der hier dargelegten Ansichten in der Tat zu unabhängig von den seinigen entwickelt hat; so freue ich mich doch, mich in Hauptgesichtspunkten mit ihm zu begegnen (vgl. Bd. I. S. 234. 312; Bd. II, A. XXIX, 11, c.). Zu den strengern Anhängern der Hegel'schen wie der Herbartschen Schule steht aber diese Schrift, nur von verschiedenen Seiten, in fast gleich scharfem Gegensatz. Zwar gibt es einige Punkte des Zusammentreffens mit Hegels Ansichten hier, doch sind sie nur Ausgangspunkte um so größerer Divergenz.

Im Hintergrunde der ganzen Schrift liegt eine Grundansicht über die Beziehungen von Leib und Seele oder von Körper und Geist, die, an die Spitze tretend, allerdings auch eine philosophische Bedeutung annehmen kann, falls man dazu nur nicht, wie gewöhnlich, verlangt, daß sie hinter das Erkennbare zurückführt, da sie in der Tat nur durch

Verallgemeinerung des tatsächlich Erkennbaren und des Redegebrauchs gewonnen ist und keine andere Bewährung hat, als sich diesen auf das natürlichste anzuschließen. Sie scheint mir den obern Grundgesichtspunkt für die einträchtige Verknüpfung sonst sehr heterogen, ja widersprechend erscheinender Weltanschauungsweisen oder Grundrichtungen der Philosophie zu enthalten; doch ist sie mit Fleiß hier beiseit und zurückgestellt worden*), da die ganze Tendenz dieser Schrift vielmehr dahin geht, das Allgemeine auf das Besondere, als das Besondere auf das Allgemeine zu gründen, was bis zu gewissen Grenzen gestattete, die allgemeinste Grundansicht oder wenigstens deren Ausdrucksweise im Hintergrunde zu lassen.

Die Aufmerksamkeit der Psychologen und Physiologen, welche zugleich Mathematiker sind, wünschte ich noch insbesondere auf das mit jener Grundansicht in Beziehung gesetzte neue Prinzip mathematischer Psychologie, welches zugleich das einer mathematischen Behandlung der gesamten Beziehungen von Körper und Seele ist, zu lenken, da es etwas zu versprechen scheint, jedoch seine Triftigkeit ebenso noch der Prüfung, als seine Entwickelung der Unterstützung durch andere bedarf. Ich habe es im Abschn. XIX, D, Zus. 2 so darzulegen gesucht, daß es einer Beurteilung unabhängig vom übrigen Inhalt der Schrift unterliegen kann. Nachdem man den innigsten Zusammenhang des Körpers und der Seele von jeher, nur in verschiedener Weise, überall anerkannt hat, dürfte ein erster Versuch, das gegenseitige Abhängigkeitsverhältnis ihrer Veränderungen unter einen scharfen Ausdruck zu fassen, immerhin einiger Beachtung wert sein.

Vielleicht habe ich zu besorgen, daß die zahlreichen teleologischen Betrachtungen, welche in einigen Abschnitten dieser Schrift (III. XV. XVII.) vorkommen, denen Anstoß geben, welche einer teleologischen Motivierung dessen, was eine kausale Ableitung zuläßt, überhaupt nicht hold sind. Inzwischen würde ein Tadel in dieser Beziehung unrecht haben, sofern er außer acht ließe, daß durch teleologische Betrachtungen Kausalbetrachtungen hier in keiner Weise ausgeschlossen oder verdrängt werden sollen, da vielmehr die Ansicht einer Kausalität, welcher ein teleologisches Prinzip immanent ist, hier überall zugrunde liegt. Nun kann es bei Anerkennung dieses doppelten Gesichtspunkts der Betrachtung einmal mehr am Orte sein, den kausalen, andremale mehr den teleologischen Gesichtspunkt hervortreten zu lassen, und das Letztere war unstreitig hier vorwiegend der Fall.

Blumenbach schreibt in seinen Beiträgen zur Naturgeschichte (I. S. 41): „Noch in unsern Tagen versicherte ein berühmtes Mitglied der königlichen Akademie der Wissenschaften zu Paris, es sei eben so lächerlich zu glauben, daß das Auge zum Sehen bestimmt wäre, als zu behaupten, die Steine seien bestimmt, einem damit den Kopf einzuschlagen. In der Tat vermute ich, das berühmte Mitglied hat, da es dieses schrieb, ein wenig, ich will uur sagen, — sich übereilt.“

Ich vermute meinerseits nicht, daß jemand heutzutage in betreff

---

*) Das Allgemeinste davon ist Abschn. XI, J kurz dargelegt, eine nähere Entwickelung derselben findet sich Abschn. XIX, D.

des Auges eine solche Übereilung noch begehen wird; doch dünkt mich eine Übereilung nicht geringer, die sich gegen das Prinzip, als die sich gegen eine einzelne Folgerung des Prinzips wendet.

Leid würde es mir immerhin tun, wenn ich durch diese Schrift bei den Männern strenger Wissenschaft den Verdacht erregte, oder einen vielleicht schon durch meine vorige Schrift erregten Verdacht bestärkte, als seien mir ihre exakten Gesichtspunkte und Interessen fremd geworden. So gewiß aber diese Schrift nicht als im Sinne exakter Forschung betrachtet werden kann, welche nur im erfahrungsmäßig Bewährbaren und mathematisch Berechenbaren ihr Gebiet hat, so gewiß läuft sie nicht gegen den Sinn derselben, so wahr etwas nicht gegen das laufen kann, womit es sich überhaupt nicht begegnen kann.

Die Sache ist die: es gibt eine äußere sichtbare Seite der Natur, und ich fuße darauf, daß es auch eine innere unsichtbare oder nur sich selbst sichtbare Seite derselben gibt. Reicht es aber nicht hin, überhaupt an einen Gott und dessen Bezug zur Natur zu glauben, um dies wenigstens im allgemeinen zuzugestehen? Geschäft des Naturforschers als solchen ist nun doch bloß, die äußere und äußerer Beobachtung unterliegende Seite der Natur zu verfolgen, indes es sich für uns um die innere, unmittelbar bloß der Selbsterscheinung zugängliche Seite derselben handelt, die er deshalb nicht leugnen wird, oder doch nicht leugnen sollte, weil sie einem andern Gebiet der Betrachtung als dem seinigen angehört. Genug nur, wenn seinen Interessen durch Betrachtungen, die sich auf diesem Gebiete bewegen, nicht widersprochen wird. Es wird aber der, wer dieser Schrift einige Aufmerksamkeit schenken will, finden, daß die höhere Lebendigkeit, welche der Natur darin zugesprochen wird, doch dem exakten Naturforscher seine Rechte daran nicht im mindesten verkümmert, nicht in ähnlicher Weise verkümmert, wie es durch die naturphilosophischen Betrachtungsweisen, die von Schelling und Hegel ausgegangen, allerdings mehr oder weniger geschieht. Nur eine Nutzung, nicht eine Verfälschung der Resultate der Naturforschung kommt hier vor. Kein Naturgesetz erscheint hier weniger bindend, als es dem strengsten Forscher erscheint, und der Zweck, der eine so große Rolle bei uns spielt, vermag nichts, außer sofern er mit dem Gesetz des Wirkens Hand in Hand geht. Die Naturnotwendigkeit besteht überall, wie und wo sie der Naturforscher verlangen kann und verlangt. Aber auch der Freiheit wird ihr Gebiet gelassen; ja ich glaube, die Vereinbarkeit einer unverbrüchlichen Gesetzlich=keit mit Freiheit unter einem klarern Gesichtspunkt dargestellt zu haben, als man gewöhnlich findet (XI, B. XIX, B.).

Erscheint nach allem der Ton der Schrift mitunter etwas ent=schiedener und minder bescheiden, als es sich nach dem Verhältnis der Kräfte und Leistungen des Verfassers zur Größe, Schwierigkeit und Dunkelheit der Aufgaben ziemen möchte, so möge dies einiger Nachsicht begegnen. Schwer ist es, daß sich nicht etwas von der Größe des Gegenstandes auf die Stimmung des damit beschäftigten Geistes über=trage, falls er nicht bloß äußerlich daran herantritt, und ein Rückblick läßt die Unangemessenheit demgemäßer Darstellung leichter gewahren,

als verbessern. Der Dünkel absoluter Standpunkte ist dieser Schrift
gewiß fremd; aber die Aufgabe, die sie sich gesetzt, ist selbst unbescheiden
genug, daß der Versuch ihrer Lösung schon von selbst und unwillkürlich
anspruchsvoll erscheinen muß.

.

———————

Zusatz über die formalen Gesichtspunkte, welche den Entwickelungen dieser Schrift im wesentlichen zu grunde liegen.

Alle Gesetze und Realprinzipien der Naturwissenschaften sind bekanntlich
auf dem Wege der Induktion und Analogie gewonnen, und die Vernunft
hat dabei kein anderes Geschäft gehabt, als das freilich sehr wichtige und
im bloßen Sinne an sich gar nicht liegende der Verallgemeinerung des
Besondern und der widerspruchslosen Kombination des von verschiedenen
Seiten her gewonnenen Allgemeinen, auf welchem Wege, insbesondere mit
Hilfe der Mathematik, allerdings Sätze erhalten werden konnten, welche
über das unmittelbar in der Erfahrung Gegebene weit hinausgreifen und
doch eine Rückanwendung darauf gestatten. Alles, was die Philosophie auf
andern Wegen von höhern Prinzipien für die Naturwissenschaft zu gewinnen
gesucht hat, war eine Frucht ohne Samen. Nicht anders aber ist es meines
Erachtens mit der Wissenschaft aller Existenz überhaupt. Verallgemeinerung
durch Induktion und Analogie und vernünftige Kombination des von verschiedenen Seiten her gewonnenen Allgemeinen sind meines Erachtens die
einzigen theoretischen Wege und Weisen, die uns im Gebiete der geistigen
wie materiellen Wirklichkeit zu in sich haltbaren und für die Erfahrung
wieder fruchtbaren Grundlagen des Wissens über das Selbstverständliche und
unmittelbar Gegebene hinaus führen können. Natürlich, daß die innere
Erfahrung für das Gebiet des Geistes so viel bedeutet, als die äußere für
das des Körperlichen; und beide sind zu verknüpfen, wo es sich um
Beziehungen des Geistigen und Körperlichen handelt. Die höchsten Realitäten,
Gott, Jenseits, höhere Wesen über uns, machen aber hiervon am wenigsten
Ausnahme, indem es gerade hier der erschöpfendsten und umfassendsten, über
das ganze Gebiet der Existenz hingreifenden Induktionen und Analogien
und höchsten Kombinationen bedarf, um (so weit überhaupt der theoretische
Weg hierbei ausreicht) zu Ansichten in diesem Gebiete zu gelangen, welche
Lebenskraft in sich haben und Kraft für das Leben wieder entwickeln können.
Nicht ein vorangestellter Gottesbegriff bestimmt Gottes Wesen, sondern, was
von Gott in der Welt und in uns spürbar ist, bestimmt seinen Begriff.
Nie zulänglich, es ist wahr, aber nichts reicht hier zu, und eben weil nichts
zureicht, einen vollkommen adäquaten Begriff von Gott, den höchsten und
letzten Dingen überhaupt zu bilden, kann man auch den irgendwie erlangten
Begriff nicht als ein vollkommen adäquates Mittel der Ableitung im Bereiche
dieser Dinge nutzen. Auch kann man sich der Schwierigkeit der Aufgabe
nicht durch Überfliegen derselben entziehen, sondern nur durch Rücksichts-

nahme auf das Praktische und Historische des Glaubens der Unzulänglichkeit des theoretischen Weges zu Hilfe zu kommen suchen.

Es könnte scheinen, daß man auf dem hier bezeichneten Wege, welcher keine Schlüsse als auf Grundlage der Erfahrung gestattet und sich noch dazu durch Rücksichten auf das Historische und Praktische gebunden achtet, nicht über das Gewöhnlichste und Alltäglichste hinauskommen kann und auf den nächsten Kreis von Vorstellungen beschränkt bleibt. Die vorliegende Schrift selbst beweist das Gegenteil und die Gefahr liegt ganz auf der entgegengesetzte Seite: diese Schrift entwickelt, indem sie wesentlich nur auf dem täglich Gegebenen fußt, Ansichten, die über alles Gewöhnliche und Tägliche weit hinausgehen, ja führt, trotz ihres empirischen Charakters, doch weiter und höher über das Empirische hinaus als die Methoden, die das Empirische vielmehr selbst zu begründen oder zu meistern, als sich durch das Empirische zu begründen suchen; vielleicht sogar zu weit hinaus, gestehen wir es immer, aber dann eben nur darum, weil die zu große Möglichkeit des Hinausgehens zur Voreiligkeit verführt hat. Der Grund liegt darin, daß die Methoden, die das Empirische selbst von oben zu begründen suchen, doch stillschweigend und halb unbewußt ihre obern Prinzipien nur auf demselben Wege haben gewinnen können, den wir offen als den unsern darlegen, aber indem sie ihn teils vor sich selbst verbergen, teils in zu geringer Breite fassen, denselben nicht zur vollen Entwickelung gelangen lassen, zu der er hier gelangt, wo er als Grundlage aller Betrachtungen auftritt.

In den Naturwissenschaften tritt die Analogie sehr gegen die Induktion zurück. In den Betrachtungen dieser Schrift wird man das Umgekehrte finden. Dies liegt in der Natur der Gegenstände. Sie schließt auf Geist, wo man keinen sehen kann. Die Statthaftigkeit solchen Schlusses wird im allgemeinen nicht bestritten; man schließt ja überall auf den Geist andrer Menschen und Tiere, den man auch nicht sehen kann, und dieser Schluß beruht, abgesehen von praktischen Motiven, ganz auf Analogie; erst auf Grund dieser Analogie erhebt sich dann die Induktion. Wir erweitern nur hier den Schluß nach Analogie und hiermit die Basis für die Induktion; indem wir die Notwendigkeit dieser Erweiterung durch den erweiterten Blick auf die Sachverhältnisse von Natur und Geist selbst begründen. Noch von andrer Seite aber bedingt sich hier das Vorwalten der Analogie. Wir handeln von den höchsten, letzten, allgemeinsten Dingen im Gebiete des Geistes und der Materie. Diese aber liegen in keiner solchen Vielheit vor uns ausgebreitet, wie sie die Induktion zur Unterlage bedarf; wir stehen vielmehr als einzelne im Ganzen derselben, sie schließen uns in ihrer Einheit ein, wir blicken von der Vielheit unsrer untern Standpunkte nach ihrer einsamen Höhe. Aber Spiegelbilder derselben im einzelnen liegen allwegs vor, an die sich die Analogie halten kann. Nicht ohne Gefahr freilich, das, was am Teilsein, der Endlichkeit dieser Bilder hängt, mit einer Spiegelung von Verhältnissen des Ganzen zu verwechseln. Doch zieht sich von andrer Seite das Allgemeine des Höchsten und Letzten auch durch alle Einzelheiten durch, und hierdurch gewinnt allerdings auch die Induktion von gewisser Seite her einen Angriff. Was wir überall als Spur, Zeichen oder Ausdruck des Höchsten und Letzten finden, wo wir gehen und stehen, werden wir auch da noch suchen und annehmen dürfen, wo wir nicht mehr oder noch nicht stehen und gehen können. Aus diesem Gesichtspunkt wird man auch hier die Induktion nicht vermissen. Die Kombination aber der Analogie mit der Induktion und mit sich selbst in verschiedenen Wendungen, und der Umstand, daß mit dem Gesichtspunkt des Gleichen der des Ungleichen von uns mehr berücksichtigt wird, als es sonst im Gebrauch der Analogie zu geschehen pflegt, dürfte die Unsicherheit mindern, die man sonst der Analogie beilegt, ohne freilich eine absolute Sicherheit daraus machen zu können. Zuletzt, wir haben es gesagt, muß Rücksicht auf die praktischen Forderungen und das Historische des Glaubens noch ergänzend, wie von vornherein richtungs- und zielgebend zutreten, falls man nicht überhaupt von praktischen Gesichtspunkten ausgehen und den theoretischen Weg nur zur Ergänzung und Läuterung des praktischen nutzen will; denn kein Weg, auf dem sich der Wahrheit mächtig werden läßt, soll einseitig den andern meistern wollen, obwohl alle einander wechselseitig.

Hier hat nun zwar der theoretische Weg, im bisherigen Sinne verstanden, die Grundlage und den Kern der Betrachtungen gebildet; zu groß wäre die Aufgabe gewesen, allen Wegen der Betrachtung in gleichem Maße gerecht zu werden, genug nur, wenn die Absicht dahin ging, es in der Sache zu tun. Und so würde man doch irren, wenn man meinte, die Gesichtspunkte des theoretischen Weges seien hier allein, oder auch nur vorwiegend maßgebend gewesen; selbst da war es nicht der Fall, wo sie sich in der Darstellung allein geltend machen. Vielmehr war dies das oberste maßgebende Prinzip, keine theoretische Folgerung zu gestatten, die praktischen Forderungen widerstrebte, wie aber auch umgekehrt die Vereinbarkeit der praktischen Forderungen mit theoretischen Folgerungen zu verlangen. Ja ich halte es für unmöglich, auf einem Wege allein fußend, sich im Gebiete der höchsten und letzten Dinge nicht zu verirren. Wie oft habe ich das gefühlt. Wie nahe lag es oft, in den Analogien vom Endlichen aufs Unendliche das, was an der Seite der Endlichkeit hängt, aufs Unendliche zu übertragen, und dies dadurch selbst in den Staub der Endlichkeit herabzuziehen; die ganze Lehre von einem Leben nach dem Tode konnte aus Erfahrungsgründen erst gefolgert werden, nachdem sie ohne Erfahrung schon gefordert war; denn der rohe Blick auf das Erfahrungsmäßige konnte nur das Gegenteil zu verlangen scheinen; und es konnte ohne die höhere praktische Forderung kein Anlaß sein, ihn dahin zu erweitern und zu steigern, daß er nun seiner frühern Rohheit selbst sich schämen muß. Wie nahe lag es andrerseits oft, die Forderungen des Menschen hier und da mit göttlichen Forderungen zu verwechseln. Nun hat das Hinüberblicken von einem Wege auf den andern beigetragen, auf jedem recht zu führen, und ist der Irrtum nicht vermieden, ist er doch vermindert. Zuletzt hat der scheinbare Konflikt zwischen theoretischem und praktischem Wege sich doch immer mindestens zur eignen Befriedigung in eine höhere Einheit auflösen lassen; was einer dem andern zu opfern schien, war bald sein höherer Gewinn, und zuletzt ergab sich stets der beste Zusammenhang der theoretischen wie der praktischen Gesichtspunkte in sich durch ihren Zusammenhang untereinander.

Auch der Hinblick auf das Historische des Glaubens aber ist nicht zu verachten, ja die historische Grundlagen des Christentums über alles zu achten.

Was hülfe alles Reden von theoretischem und praktischem Wege, wären wir den rechten Weg nicht schon von Anfang an mit höherer Vernunft historisch geführt, wir würden ihn mit aller unsrer neuen Vernunft nicht finden; ja hätten unsere neue Vernunft selbst nicht gefunden. Das Ewige aber kommt nur zu uns in den Schuhen des Zeitlichen und geht nur unter uns damit, und wechselt von Zeit zu Zeit die Schuhe, denn der Fuß wächst im Schreiten, und es zerreißt der Schuh; nun gilt es, wenn die Zeit des Wechselns gekommen, nicht den Fuß zu schnüren in den Schuh, sondern ihn daraus zu lösen; so wächst alsbald ein neuer Schuh. Doch um Christus auch nur den Schuhriemen zu lösen, und wer vermöchte mehr, gilt es vor allem selber los sein; da muß erst die Vernunft die eignen Fesseln brechen. Und aller menschliche Versuch wäre vergeblich, ginge nicht Christus noch heutigen Tages lebendig nicht nur zwischen und unter uns, sondern auch in uns, also, daß er durch uns an sich selber tut, was wir an ihm zu tun meinen. So ist mein Glaube.

Über das Verhältnis dieser drei Wege, die ich kurz, wenn auch nicht bezeichnend genug, den theoretischen, praktischen und historischen nenne, ließe sich noch viel sagen; auch manches wohl, was noch nicht gesagt ist; aber es würde zu weit führen. Einige Hauptgesichtspunkte über ihre Verknüpfung sind in Abschnitt XIX, A dargelegt. Alle drei Weisen, die Wahrheit zu suchen, haben jedenfalls Fleisch und Bein, was, wie ich glaube, vom Wege dialektischer Erörterungen sich nicht sagen läßt; aber nur im Zusammenwirken gibt dies Fleisch und Bein ein lebensvolles Ganze.

Vielleicht vermißt man strenge Definitionen der in dieser Schrift vielfach gebrauchten allgemeinen Begriffe, wie Seele, Geist, Leben, Organismus, Zweckmäßigkeit, Individualiät, Selbständigkeit, Bewußtsein, Freiheit, Willen, Kraft u. s. w. Im allgemeinen gebe ich die Regel, die Worte in dem Sinne zu fassen, der sich am ungesuchtesten nach dem Sprachgebrauche und Zusammenhange darbietet, aus ihm so zu sagen von selbst versteht. Mit allen Definitionen würde ich nicht mehr Klarheit und Bestimmtheit zu erreichen gewußt haben. Ja ich habe einige Gründe gehabt, von Definitionen jener Begriffe möglichst abzusehen, nämlich folgende:

Alle jene Begriffe werden im Leben in schwankender Bedeutung, bald in weiterm, bald in engerm, bald in höherm, bald in niederm, bald in eigentlichem, bald in uneigentlichem Sinne gebraucht. Nun kann man freilich durch scharfe Definition ihre Bedeutung für wissenschaftlichen Gebrauch abgrenzen und sich an das einmal Festgestellte halten. Aber teils wird es immer eine gewisse Beliebigkeit bleiben, Grenzen der Bedeutung festzusetzen, wo sie im lebendigen Sprachgebrauche nicht fest liegen, und diesem wird stets dadurch ein gewisser Zwang geschehen, denn, wie sich die Beziehungen wenden, liebt er die Bedeutungen zu wenden; teils wird man es ganz recht doch niemand mit seinen Abgrenzungen machen, der sich schon selbst etwas in dieser Beziehung zurecht gemacht, und nun um so leichter um eitel Worte zanken, wenn man nicht mehr dieselbe Sache zu treffen weiß, teils wird jede Definition von Begriffen jener Klasse, um ihrem Zwecke scharfer Bestimmung zu entsprechen, auf weitere Definitionen der darin gebrauchten Begriffe rückführen, und so gar leicht eine ganze Philosophie heraufbeschwören, wo es sich doch nur um einen besondern Gegenstand derselben handelt, und endlich mit den schärfsten Definitionen nichts in Betreff der Sachen, sondern eben nur in Betreff der Sicherheit ihrer Beziehungen gewonnen sein, obwohl man freilich hiervon oft das Gegenteil zu meinen scheint. Alle diese Weitschichtigkeiten und teilweis Übelstände suchte ich zu vermeiden, indem ich die Worte sich so zu sagen überall sachlich selbst auslegen ließ, und man dürfte finden, daß dieses Verfahren in der Tat nicht sowohl benutzt worden ist, im Trüben unbestimmter Begriffe zu fischen, als es zu vermeiden, da sachliche Auslegungen doch viel weniger Unbestimmtheit lassen als wörtliche, und der schönste Bau in Worten oft vor einer einzigen Tatsache zusammenfällt. Dabei gebe ich gern zu, daß die Schwierigkeit, welche in der sichern Handhabung jener Begriffe überall liegt, auch bei unserm Verfahren nicht hat vermieden werden können, und daß unsere Tendenz, von Definitionen möglichst abzusehen, selbst vielleicht nur insofern Rechtfertigung oder Entschuldigung findet, als diese Schrift, ohne wissenschaftlichen Gesichtspunkten widerstreiten zu wollen, doch auf den Namen einer streng wissenschaftlichen gern verzichtet. Zuletzt muß ich an die Erfahrung appellieren. Ich glaube, daß man jedenfalls leichter verstehen wird, was mit dem Ganzen und Einzelnen dieser Schrift gesagt sein soll, und mehr aus Realitäten darin argumentiert finden wird, als in mancher andern Schrift über ähnliche Gegenstände der Fall sein dürfte, welche Definitionen aus Definitionen spinnt und damit doch zuletzt nur Worte aus Worten ableitet.

Nur über folgende Bedeutungen glaube ich ausdrücklich noch eine besondere Erklärung geben zu müssen.

Im weitern Sprachgebrauche gilt der Gegensatz von Körper und Geist, Leib und Seele merklich gleich, und macht man demgemäß keinen bestimmten Unterschied zwischen dem Geist und der Seele des Menschen, bezeichnet dasselbe, dem Körper oder Leibe überhaupt gegenübergestellte, sich selbst erscheinende Wesen damit. Ein engerer Sprachgebrauch aber unterscheidet aus verschiedenen Gesichtspunkten zwischen Geist und Seele, wobei der philosophische Sprachgebrauch vom gewöhnlichen mehrfach abweicht, und der gewöhnliche selbst verschiedene Wendungen nimmt. Da uns indes die Gesichtspunkte, aus denen diese Unterscheidungen geschehen, teils nicht besonders beschäftigen werden, teils durch andere Ausdrücke von uns gedeckt werden, erklären wir ausdrücklich, daß wir uns hier an den weitern Sprachgebrauch halten.

Wir verstehen demnach in dieser Schrift unter Geist und Seele unterschiedslos dasselbe, dem Körper oder Leibe überhaupt gegenüber gedachte sich selbst erscheinende Ganze, welchem Empfinden, Anschauen, Fühlen, Denken, Wollen usw. als Eigenschaften, Vermögen oder Tätigkeiten beigelegt werden, rechnen dazu alle Bewußtseinsphänomene überhaupt im weitesten Sinne des Wortes Bewußtsein, und nennen demgemäß auch geistig im weitern Sinne oder schlechthin, was unter die Kategorie von solchen fällt, ohne das sinnliche Empfinden von dieser weitesten Bedeutung auszuschließen, wohl wissend, daß dies im engern Sinne geschehen kann und geschehen muß; indes wir zum Körperlichen, Leiblichen alles rechnen, was als Objekt äußerer sinnlicher Wahrnehmung faßbar ist oder einem solchen Objekte zukommt, in ein solches Objekt fällt, wie Bewegung und chemischer

B*

Prozeß mit allen wägbaren und unwägbaren Substraten. Wir brauchen also hier die Ausdrücke Seele und Geist nicht in dem Sinne der Philosophen, welche die Seele dem Geiste als eine niedere Basis unterordnen, sondern bewirken die sachlich entsprechende Unterordnung, wo sie nötig wird, durch die Unterordnung des Sinnlichen unter das Geistige im engeren Sinne, oder um Niederes und Höheres unter ein Wort zu fassen, wozu sich oft das Bedürfnis herausstellt, des niedrigern unter das höhere Geistige. Diese Unterordnung ist allerdings ziemlich unbestimmt, aber auch die philosophische Unterordnung von Seele unter den Geist kann erst durch zutretende Erörterungen eine bestimmte werden, und es findet darüber keine Einstimmung unter den Philosophen statt.

Ferner gebrauche ich je nach Umständen und Bequemlichkeit gleichbedeutend mit obigem allgemeinen Gegensatze von Körper und Geist, Leib und Seele auch die Ausdrücke Physisches und Psychisches, Materielles und Ideelles, ohne zu verkennen, daß auch diese Ausdrücke im engern Sprachgebrauche abweichende Bedeutung annehmen können und von verschiedenen Philosophen in verschiedenem Sinne gebraucht werden. Indes, da es einmal nicht möglich ist, hier auf etwas allgemein Gebräulichem und Feststehendem zu fußen, muß wohl jeder seine Grenzen des Gebrauchs sich selbst ziehen, und ich ziehe hier mit Fleiß die weitest möglichen; um den Konflikt, der zwischen verschiedenen Weise der engern Bestimmung stattfindet, möglichst zu vermeiden.

In Betrachtung der materiellen und geistigen Welt und ihrer Erscheinungen rechne ich alles, was als Allgemeines daraus abstrahierbar ist, in die eine oder andere Welt mit ein, je nachdem es eben aus der einen oder andern abstrahierbar, je nachdem es in die eine oder andere fällt, als Bestimmung oder innere Relation derselben anzusehen, natürlich anerkennend, daß der Gedanke eines Abstraktum in uns stets ein Geistiges, Ideelles ist. So ist mir der Gedanke an die Zahl Fünf immer ein Ideelles; aber fünf Steine sind mir ein Materielles, worin ich deshalb noch nichts Ideelles finde, weil ich die Zahl Fünf daraus abstrahieren kann, da erst mein bewußtes Denken die Fünf zum Ideellen (nach meiner Fassung des Ideellen) macht, und eben nur der Gedanke daran dieses Ideelle ist. Mein Denken des Gravitationsgesetzes ist mir ein Ideelles, aber in den Bewegungen der Himmelskörper, die nach demselben vor sich gehen, finde ich darum noch nichts Ideelles, daß ich dieses Gravitationsgesetz daraus abstrahieren und in meine Idee fassen kann. Andre fassen dies anders, sofern sie alles in die bewußte Idee aufnehmbare Abstrakte, Allgemeine ideell nennen, auch objektiv ins Gebiet der materiellen Welt fallend gedacht, wie Kräfte, Gesetze, Relationen der Körperwelt, welchem gemäß sie einen reichen ideellen Gehalt in der Natur finden, ohne ihr doch ein Bewußtsein dieses ideellen Gehalts, als welches vielmehr nur in uns liege, beizulegen. So sagt Schaller (Briefe S. 87): „Die Kraft (es ist die Rede von Kraft in der Natur) ist der innere Grund bestimmter Erscheinungen; sie ist also wesentlich ein Allgemeines, Ideelles," und (S. 26): „Schon der Lebensprozeß für sich (abgesehen von Seele, welche Schaller z. B. den lebenden Pflanzen nicht beilegt) ist ein selbständiger ideeller Gehalt, eine energische, produktive, sich selbst durch=

führende Allgemeinheit." Ich rechne dagegen die Kräfte der Körper ins materielle, und nur die des Geistes ins ideelle Gebiet. Ob so oder so, bleibt zuletzt eine Sache willkürlicher Definition des Ideellen; mein Gebrauch scheint mir eine Restriktion, der andere Gebrauch eine Erweiterung des gewöhnlichen Sprachgebrauchs; sowohl jene Restriktion als diese Erweiterung aber hängt mit der Konsequenz und Bequemlichkeit des Systems zusammen, worein der Gebrauch des Wortes eingeht. In der Tat versteht man im Leben unter ideell auch oft etwas, was nach unsrer Fassung nur Ausdruck einer Idee im Körperlichen sein würde; geht aber andrerseits nicht so weit, Kräfte der Körperwelt und alles aus der Körperwelt Abstrahierbare überhaupt ideell zu nennen. Beharrungsvermögen, Stoßkraft, Elastizität werden nach dem Sprachgebrauch ins materielle, körperliche, nicht ideelle Gebiet eingerechnet, unbeschadet dessen, den Gedanken daran ideell zu nennen, wie wir tun. Jedenfalls scheint mir der von mir eingehaltene Gebrauch besser geeignet, Begriffsverwechselungen zwischen Bewußtem und Bewußtlosem, Subjektivem und Objektivem zu verhüten; doch verlange ich nur, daß unser Sprachgebrauch in unserm Zusammenhange anerkannt werde.

Freiheit brauche ich im allgemeinen eben so unbestimmt, als sie gebraucht wird, und suche nur die verschiedenen Wendungen, welche Einwürfe, die sich an ihren Begriff in verschiedenen Fassungen knüpfen können, durch eben so viele Wendungen zu begegnen, ohne das Wesen des Begriffs selbst im Laufe dieser Erörterungen fixieren oder klären zu wollen. Was ich in dieser Beziehung zu sagen, habe ich an einem besondern Orte (**XIX**, C.) gesagt. Bei der wirklich großen Vieldeutigkeit des Wortes könnte keine bestimmte Fixation des Begriffs dem in sich selbst ganz unklaren Sprach= gebrauche Genüge tun, der vielmehr eben die entsprechende Begriffsverwirrung selbst ganz gut ausdrückt, die im gemeinen Bewußtsein darüber statt hat.

Über die verschiedenen Bedeutungen des Gottesbegriffs ist hinreichend in Abschnitt XI, A gesprochen, und es ist insofern gut, darauf Rücksicht zu nehmen, als man je nach dem verschiedenen Gebrauche dieses Begriffes in verschiedenem Zusammenhange leicht sachliche Widersprüche zu finden meinen könnte, die bloß im Worte liegen. Der Gottesbegriff wird aber schon im gewöhnlichen Sprachgebrauche so verschieden in verschiedenem Zusammenhange gebraucht, daß sich dem entziehen wollen zu sehr gezwungenen Wendungen geführt haben würde. So viel möglich, haben wir auch hierbei das Sachliche im Sinne des Sprachgebrauchs auszudrücken gesucht; aber nur durch den Zusammenhang der ganzen Schrift kann das einzelne selbst hierbei in triftigem Zusammenhange erscheinen.

Inhaltsverzeichnis.

Erster Band.
Über die Dinge des Himmels.

Über die Dinge des Himmels.

I. Eingang.

Ich habe früherhin, der gewöhnlichen Meinung gegenüber, behauptet, daß die Pflanzen beseelte Wesen seien. Nun behaupte ich, daß auch die Gestirne es sind, mit dem Unterschiede nur, daß sie eine höhere Art beseelte Wesen sind als wir, indes die Pflanzen eine niedrigere Art.

Diese Behauptung ist nicht eine bloß nachträgliche, vielmehr mit der frühern aus derselben Wurzel erwachsen, und tritt hier in derselben Absicht auf, über die gewöhnliche Ansicht der Naturdinge in eine andre hinauszuführen, die mir gewinnbringender erscheint. Es ist nur zum kleinen ein größeres Fenster, das sich hier zur Aussicht in das weite Seelenreich und Seelenleben einer Natur eröffnet, die man freilich seit lange gewohnt ist, dunkel, kalt und tot einigen lichten Seelenpunkten gegenüber zu halten. Zu diesen Seelenpunkten sollen nun die Seelensonnen kommen, von denen die Punkte selbst ihr Licht haben.

Zunächst zwar erscheint unsere Behauptung absurd. Wie sollte sie nicht! Sie widerspricht noch mehr, als jene frühere, Ansichten, von denen sich beherrschen zu lassen uns schon zur andern Natur geworden ist. Und ist Gewöhnung Recht, so haben wir von vornherein und in aller Weise Unrecht.

Inzwischen sind zwei Fälle möglich: entweder die Behauptung oder die herrschenden Ansichten sind falsch, mithin zu ändern. Ich behaupte und verlange nun das Letztere, und, sofern der Widerspruch sich aus dem ganzen Grunde und der ganzen Ausdehnung der herrschenden Ansichten erhebt, gilt es auch eine entsprechende Änderung derselben. Aber ist dies Verlangen nicht noch absurder?

Ehe man abspricht, beherzige man folgendes: unsere Behauptung widerspricht herrschenden Ansichten; aber kann das gegen sie beweisen, wenn sich diese selbst so sehr widersprechen? Sie versteht sich mit keiner, aber verstehen sich diese untereinander? Was will unsre Frage? Sind gewisse Materienhaufen beseelt oder nicht? Also um die Beziehung von

1

Materie und Seele handelt es sich hier nur in einem besonders wichtigen Falle. Wie aber steht es um das ganze Gebiet der hieher gehörigen Fragen? Gibts darin nicht bloß Widersprüche und Unklarheiten? Ihr Meer möchte sich immer erschöpfen und leeren, und gebiert doch immer nur ein neues Meer von Widersprüchen und Unklarheiten. Der Wind, der dieses Meer beschwichtigen, oder vielmehr in einem neuen zusammen= hängenden Zug treiben soll, kann nun nicht aus dem Meer selber kommen. Er muß allem widersprechen, was darin ist, um alles zu einigen, was darin ist.

Oder wie? Versteht und einigt sich wohl die Religion mit der Naturwissenschaft, die Philosophie mit der Religion, die Philosophie mit der Naturwissenschaft, oder auch nur jede derselben in sich recht darüber, wie das Verhältnis des göttlichen Geistes zur Natur, der menschlichen Seele zum menschlichen Leibe in der Schöpfungsfrage, der Unsterblich= keitsfrage, der Frage über das Walten materieller und ideeller Kräfte in Welt und Leib zu fassen sei? Ja wissen wir nur, was in unserm eigenen Leibe eigentlich beseelt zu nennen sei, ein Punkt im Gehirn, ein Stück im Gehirn, das ganze Gehirn, das ganze Nervensystem, der ganze Leib? Oder sind die Ansichten des gemeinen Lebens klarer über alle diese Punkte als die wissenschaftlichen und religiösen? Sind nicht vielmehr alle Hauptwidersprüche der wissenschaftlichen und religiösen in sie über= gegangen? Natürlich, daß, wenn unsere Weisen, die Beziehungen des Leiblichen und Geistigen zu fassen, überall unklar und verwirrt sind, wie sie es gewiß sind, auch grobe Irrungen überall unvermeidlich sind. Wir leugnen die Pflanzenseelen, weil die Pflanzen unsere Ansprüche an die grobe oberflächliche Analogie mit uns selber nicht befriedigen; aus demselben Grunde leugnen wir die Seelen der Gestirne. Aber eben die Unmöglichkeit, beim Fortfußen auf solch grober Analogie zu einer in sich zusammenhängenden, für Religion, Philosophie und Naturwissenschaft zugleich durchgehends befriedigenden Grundansicht zu gelangen, sollte uns über dieselbe hinausführen. Und nun sage ich: in demselben allgemein befriedigenden Zusammenhange, in dem die Seele der Pflanzen liegt, liegt auch die Seele der Gestirne. Es fordert uur, weil die Analogie hier noch mehr von der Oberfläche zurücktritt, ein Zurückgehen in noch größere Tiefe. Wir können uns hier nicht mehr auf Ähnlichkeiten im Zellenbau, im Wachstums= und Fortpflanzungsprozeß berufen, woran sich die Analogie zwischen Tier und Pflanze noch gröblich halten konnte; die ganze Erde mit ihren Prozessen tritt aus dem heraus, was wir gewöhnlich als organischen Prozeß und hiermit als möglichen Träger von Leben und Seele zu fassen pflegen; soll sie, sollen ihre Geschwister dennoch Leben und Seele besitzen, so muß das Vermögen der Seele und des Lebens noch weiter und tiefer als durch jene Erscheinungsweisen reichen, und sicher ist es so.

Der gemeine Verstand zweifelt freilich gar nicht, daß die Gestirne tote Massen sind, und da er den Himmel mit diesen toten Massen gefüllt sieht, weiß er nicht mehr, wo Gott und Engel suchen. Er treibt sie nun aus der Welt, ja aus der Wirklichkeit hinaus. Er hält diese weltverödende Ansicht für die sich von selbst verstehende, natürliche, weil er sie mit der Muttermilch eingesogen hat; es scheint ihm Torheit, nur zu überlegen, ob es nicht auch anders sein könne. Aber ist diese Ansicht denn auch wirklich die natürliche? Die beschränkte Analogie, auf der sie fußt, die ursprüngliche, dem Menschen von selbst kommende? Liegt ihr etwa ein eingeborner Instinkt unter? Hat nicht vielmehr unser Instinkt abgenommen, wie unsere Verständigkeit gewachsen ist? Und sind nicht, wie sie gewachsen ist, auch die Wirren unsers Verstandes gewachsen? Ja geben wir doch dem ursprünglichen Naturinstinkt seine Ehre, denn sicher ist er ein gotteingeborner, aber gerade der Naturinstinkt leitet eben dahin, wohin uns unsere Betrachtung leiten wird. Die Naturansicht der Völker ist gerade, daß die Gestirne beseelt, in höherm Sinne beseelt sind als wir. Ja, so wenig es jetzt noch der Gründe zu bedürfen scheint, die Beseelung der Gestirne zu verwerfen, so wenig bedurfte es derselben anfangs, sie anzunehmen. Kann aber das jetzt ohne Gründe verworfen werden, was von vornherein keiner Gründe bedurfte, um den Menschen einzuleuchten? Dazu mußten doch hinter unsern, gerade in diesem Bezirke so bodenlos schwankenden und sich wechselseitig nur bekriegenden, nicht stützenden Schlüssen Realgründe in der unirrbaren eingebornen Natur der Menschen und Dinge liegen. Nun mögen wir, zu schließen beginnend, über die ursprüngliche Ansicht hinausgehen; aber kann es nicht, ja muß es nicht sein, dereinst mit entwickeltem Bewußtsein darauf zurückzukommen? Sind wir am Ende unsrer Schlüsse, unsrer Bildung?

Freilich sieht die Welt, die sich jetzt die gebildete nennt, mit tiefer Verachtung herab auf jenen Kinderglauben der Menschheit, der überall Seele in der Natur fand, wie wir es wieder tun, und in Sonne, Mond und Sternen individuelle göttlich beseelte Wesen sah, wie wir es auch wieder tun. Daß wir es tun, wird uns selbst werfen lassen unter die Narren und Kinder. Doch ist in den Narren und Kindern manchmal mehr Wahrheit als in den Weisen und Greisen.

Erinnern wir uns des inhaltſchweren Wortes: was kein Verſtand
der Verſtändigen ſieht, das ſiehet in Einfalt ein kindlich Gemüt, und
dazu noch des zweiten, daß Anfang und Ende ineinander zu greifen
pflegen. Der ganz entwickelte Vogel legt dasſelbe Ei wieder, aus dem
er erſt erwachſen iſt. Alles Wiſſen, alle Religion iſt aus jenem Kinderglauben erwachſen und wird zuletzt jenem Kinderglauben wieder erzeugen,
aber nur aus der Fülle der Entwickelung wird es ſein können. Inmitten
über der Arbeit, das Ei in ſeine Folgerungen klar zu zerlegen, den
Vogel zu bilden und auszuarbeiten mit ſeinen Flügeln, ſeinem Schnabel,
geht das Ei verloren. Erſt wenn alles klar und rein ſich auseinander-
geſetzt hat, kommt es wieder, und das Leben der Menſchheit beſteht in
dieſer Entwickelung.

Doch heben wir es ſpätern Betrachtungen auf, welche Bedeutung
dieſer Geſichtspunkt für uns haben muß; nur daß wir ihn nicht überhaupt für bedeutungslos halten. Jedenfalls, um darauf pochen zu können,
daß die ſpäte Lehre des Menſchen mehr Recht hat als die urſprüngliche
der Natur, müßte jene eine andere Haltbarkeit und Einſtimmung in ſich
zeigen, als es der Fall.

Die Hauptſchwierigkeit unſrer Aufgabe liegt nach allem darin, daß
wir gewohnt ſind, die Seele nicht als Regel, ſondern als Ausnahme in
der Natur zu betrachten. Iſt die ganze Natur beſeelt, ſo handelt es ſich
nur noch um die Frage, was nun individuell darin beſeelt iſt, und auf
welcher Stufe der Beſeelung es gegen andres ſteht. Nun ſind die
Geſtirne für die einfachſte Anſchauung wie für die gründlichſte Prüfung,
der wir uns nicht entziehen werden, ſelbſtändigere Geſchöpfe als wir,
und uns übergeordnet, weil wir, recht betrachtet, ſelbſt nur ihre Glieder.
Iſt alſo alles beſeelt, ſo ſind ſie ſicher auch ſelbſtändigere und höher
beſeelte Glieder dieſes Ganzen als wir. Da iſt keine Schwierigkeit als
die, welche man ſich macht. Und zu aller Zeit, wo die Natur ſelbſtverſtehend für beſeelt galt, galten auch die Geſtirne ſelbſtverſtehend für
höher beſeelte Weſen. Wie ſollen wir dagegen die Glieder für lebendig
halten, wenn wir den ganzen Leib für tot halten und nur uns, die
letzten zerſtreuten Spitzen dieſer Glieder, für lebendig, ja wohl deshalb
ihn für tot halten, weil wir ſelbſt lebendig ſind; den Baum für tot,
weil die Blätter leben. Statt unſer Leben als genährt aus dem größern
Leben, ſtatt unſre Individualität als geeinigt und getragen durch die
größere Individualität anzuſehen, ſtatt unſre Selbſtändigkeit und unſer
Bewußtſein für ein Zeichen zu halten, daß das, was ſo Selbſtändiges,
Bewußtes aus ſich gebiert und doch als Momente in ſich behält, noch

selbständiger und bewußter sein müsse, als alle seine Ausgeburten, halten
wir alles außer unserm Leben nur für eine Schlacke des Lebens, sehen
wir in unsrer Individualität und Selbstmacht und unserm Bewußtsein
nur einen Widerspruch gegen eine höhere Individualität und Selbstmacht
und ein höheres Bewußtsein. Und wenn die Allmacht der Beziehungen,
die durch die ganze Welt gehen, den Philosophen dennoch zwingt, einen
Geist der Menschheit, der Geschichte und über alles der Welt anzuerkennen,
was ist dieser bewußtlose Geist mit bewußten Einzelmomenten, dessen
Außersich, nicht Äußerung die Natur, anders als ein Widerspruch in sich
selbst, oder ein hohles Wort, das noch in keiner individuellen Gestaltung
sich lebendig ausgewirkt, statt dessen uns die besten Glaubensgüter geraubt,
das klarste Wissen verwirrt hat. Oder wenn wir, den Eintausch ver=
schmähend eines Gottes, der nicht besser und weiser als wir, aufrichtig
an einen allwissenden, allgegenwärtigen, allwaltenden Gott glauben, durch
den alles ist, was ist, durch den die Sonnen gehen und die Meere
fluten, dem jede Falte unsers Herzens klar, ja klarer wie uns selber; was
hat die Natur von seiner Allgegenwart und seinem Wirken, wenn auch
dies Wort ein totes bleibt, Gott doch leiblos auf der einen Seite, die
Natur geistlos auf der andern bleibt, und was frommt es uns, wenn
unser und aller individueller Geist von Gott vielmehr abgefallen als
innerlich getragen ist? Alle Vordersätze gestehen wir zu, keine Folgerungen
ziehen wir, oder nur solche, die den Vordersätzen widersprechen. Wie
kann solche Lehre Leben und Frieden gewinnen und geben? Da welkt
alle Pflanze; da versteinern die Gestirne; da wird uns unser eigner Leib
für den Geist zu schlecht und nur noch ein Gehäuse für die Sinne; da
wird das ganze lebendige Buch der Natur uns nur noch zu einem Lehr=
buch der Mechanik und die Organismen seltsame Ausnahmen darin;
über alles aber da bleibt eine Scheidewand zwischen Gott und uns;
unsere Wünsche und Gebete verblassen, durch den hohlen leeren Raum
zu ihm auffsteigend; gräuliche Bilder von ewiger Verdammnis statt von
bessernder Zucht befangen uns; Verstand und Herz liegen ewig um Gott
im Haber, und was das eine glaubt und will, versagt das andre.

Ist es denn nicht verzeihlich wenigstens, an eine Lehre zu denken,
die, statt sich mit den besten, höchsten und schönsten Gedanken unserer
Religion in Widerspruch zu setzen, auf ihrer Wahrheit fußen, nicht ihre
Worte bloß immer im Munde, sondern ihre Gedanken ins Leben führen
möchte, hiemit aber freilich zugleich Versöhnung unsers Glaubens bringen
möchte mit einem andern Glauben, den wir immer nur hochmütig ver=
achtet oder feindlich bekämpft haben, und der doch auch sein Teil von

Gott hat. Da erkennt der Christ auf einmal in dem Heiden wieder seinen Bruder, der wie er ein Auge auf Gott hatte und, indes er, der Christ, nach dem Höchsten blickte, im Niedern noch Gottes Spur festhielt, und wird nun gewahr, daß Gott überhaupt nicht bloß oben, nicht bloß unten, nicht bloß außer, nicht bloß in den Menschen ist, daß er wahrhaft alles ist in allem, der wahrhaft Einige, Ewige, Allgegenwärtige, Allwissende, Allmächtige, Allliebende und Allgerechte. Im ganzen freilich vergaß es der Christ nie, aber ins einzelne bildete er es nie durch, indes der Heide es in tausend Einzel-Anwendungen durchgebildet und nur im ganzen immer vergessen hat. So schwände auf einmal mit dem Zwiespalt beider Religionen der Zwiespalt, den jede in sich selbst trägt; was jede an ihrer eignen Erfüllung noch vermißt, das fände sie erfüllt in der andern, und der Vernichtungskrieg beider würde zu einem Frieden, wo jede nur die Mängel der andern hebt, den Gewinn der andern teilt; von seiten des Heidentums freilich ein Gewinn, den es nur mittelst der Wiedergeburt in dem Christentum und aus dem Christentum wird zu erlangen im Stande sein.

Doch es ist nicht meine Absicht, hier von der Höhe des Gesichtspunktes auszugehen, wo Gott als der allwaltende Hort alles Lebens, alles Geistes in aller Natur wahrhaftig auftritt. Suchen wir hier nur wieder eine Stufe von unten dazu zu bauen. Wer nicht von unten aufsteigt, schwindelt auf der Höhe. Nicht um die Seele, das Leben des Ganzen wird es sich hier handeln, sondern um ein individuelles Seelenleben in dem Ganzen. Wo von Leben die Rede, meinen wir ein solches, nur immer ein vom Ganzen getragenes, und was uns darauf hinweist. Auch würde eine erschöpfende Untersuchung über die Gegenstände, die hier zur Sprache kommen werden, weiter greifen, als die Absicht dieser Schrift greift, deren Gründe überall nicht aus dem Letzten, sondern aus dem Ersten hergeholt werden. Sie macht nicht den Anspruch, den Panzer der Verhärtung, der uns gegen das Naturleben abschließt, durch schwere Schläge zu sprengen, sondern nur durch so viel Ritze, als noch darin verblieben, soviel Gedanken und Anschauungsweisen, als sich darbieten wollen, einzunisteln, die ihn lockern mögen. Wie könnte ich mir auch einbilden, mit den für den gewöhnlichsten Verstand berechneten einfachen Betrachtungen, die ich hier darbieten werde, und welche sich keine Philosophie als die früheste auch nur die Mühe genommen hat aufzunehmen, eine Revolution durchsetzen zu können, die weit über die Wissenschaft hinausgreifen müßte, eine verjährte, mit allem unsern Leben und Denken verwebte Betrachtungsweise von Natur und Geist entwurzeln zu können, in der wir alle erzogen und groß geworden sind. Ich gestehe ja selbst, die folgenden Betrachtungen werden nichts Zwingendes haben für den, der widerstreben will, und in wem wird nicht schon die Gewohnheit widerstreben? Auch wünsche ich nur, daß sie etwas Anregendes haben. Man verfolge sie ihm Scherz, und sie werden doch vielleicht einige ernsthafte Gedanken hinterlassen. Müssen doch überhaupt jeder Revolution Versuche dazu vorausgehen, die nicht gleich das Gelingen mitführen, aber es vorbereiten helfen. Ein erster Versuch findet weder die Zeit reif genug zum Gelingen, noch ist er selbst reif genug, das Gelingen zu verdienen. Dies wird auch von diesem Versuche gelten, in dem mit noch kindischen Händen ein Spiel von hohem Sinn gewagt wird.

Ich sage, die folgenden Betrachtungen werden nichts Zwingendes haben für den, der widerstreben will. Sie können es sogar nicht haben. Es widerspricht der Natur ihres Gegenstandes. An die Seele der Gestirne glauben, wird stets nur Glaubenssache bleiben. Und genügt es, einen Glauben zu verwerfen, weil er immer nur Glauben zu bleiben bestimmt ist, so ist auch über den unsern von vorn herein der Stab gebrochen. Der Glaube an die Seele der Gestirne steht aber in der Tat in dieser Hinsicht nur ganz auf derselben Stufe, wie der Glaube an andere Seelen als meine eigne, ja sogar an meine eigne Seele jenseits und einen Gott über uns. Das heißt: Alles das läßt sich nie und nimmer mit Händen greifen, naturhistorisch darlegen und abbilden. Es ist so wenig exakt erweislich, daß ein anderer Mensch, ein anderes Tier eine Seele hat, als daß ein Stern eine solche hat. Nur von meiner eignen Seele weiß ich und werde ich je erfahrungsmäßig wissen können. Jede andere stellt sich mir bloß im leiblichen Scheine dar, und kein Experiment läßt mich im Scheine das Scheinende selber erkennen. Wenn wir über unsere eigene Seele hinaus an irgend welche Seele glauben, so können nur Analogieen und Zusammenhänge, die den Verstand und das Gemüt befriedigen, nach mehr als einer Seite befriedigen, uns dahin leiten, oder Gewohnheit jede Leitung entbehrlich machen. Nun freilich, wie Gewohnheit solche Leitung entbehrlich machen kann, wir erwachsen und atmen in einem Glauben wie in der Luft, so kann sie uns auch dagegen unempfänglich machen. So steht es mit dem Glauben an die Seele der Gestirne.

Auch das ist wahr, die Bedürfnisse des Verstandes und des Herzens, die uns an die Seele unserer Nebenmenschen, an unsere eigene Seele jenseits und einen Gott über uns glauben lassen, sind bringender, ja nötigender, als die Bedürfnisse, die uns an die Seele der Gestirne glauben lassen, und werden es immer bleiben. Aber wie, wenn wir, suchend nach einem Zusammenhange, der jene dringenden Bedürfnisse am besten befriedigte, die Seele der Gestirne selbst als bindendes Mittelglied darin erkennten? Es möchte jemand sagen: bei allen Widersprüchen in Religion, Wissenschaft und Leben über Seele und Leib sind wir doch alle einig, daß eben die Gestirne keine Seele haben. Und daß wir eben alle darin einig sind, macht, daß wir in allem, was damit zusammenhängt, uneinig sind; hier eben liegt einer der wichtigsten Knoten der vermißten Einigung, oder im Knoten der allgemeinen Einigung liegt auch dieser. In der Schwierigkeit, das ganze Reich der höchsten Ideen und Realitäten in eins zugleich zu gliedern und zu verknüpfen, hat man freilich den Knoten, der das eigene Leben bindet, und der das allgemeinste bindet, als die wichtigeren eher festgezogen als die mittleren, da hängen noch die Fäden wirr und lose. Aber wir spüren es auch, daß sie wirr und lose hängen.

Also man stelle nicht die sich selbst widersprechende Anforderung eines sinnlichen Darlegens, wo kein sinnliches Objekt vorliegt. Die Seele der Erde ist kein Tier, aufzeigbar in seinem Käfig, nur der Käfig ist aufzeigbar und seine Einrichtung für das geistige Tier. Was paßt am besten in den besten Zusammenhang dessen, was wir nicht sehen können und doch glauben müssen, und zwar glauben müssen als selbst den besten Zusammenhang vermittelnd zwischen dem, was wir sehen können, das müssen wir uns fragen, dabei fragen, ob wir schon den besten Zusammenhang haben. Wer aber überhaupt nichts glauben mag, als was er sieht oder zu glauben gewohnt ist, für den ist dies ein Buch mit sieben Siegeln.

II. Vorläufige Betrachtungen.

Wenn man die Erde nur als einen starren trocknen Klumpen faßt, so will es uns freilich nicht einleuchten, wie da von Leben oder gar Seele die Rede sein könne. Und unsre gewöhnliche Vorstellung von der Erde ist nur eine Vergrößerung derjenigen, die wir teils aus dem Anblicke des sie abbildenden Globus, teils der Betrachtung einzelner Stücke ihrer Oberfläche schöpfen, die wir mit dem Grabscheite oder Pfluge aufgerührt oder worein wir den Schacht des Bergmannes vertieft sehen. Ein Ball solch trockner Masse, im leeren Raum von Kräften umgetrieben, deren Wirkung in der trockensten Wissenschaft nach trockensten Formeln berechnet wird, kann uns natürlich nicht lebendiger erscheinen als der kleine Klumpen, den wir etwa mit der Hand vom Boden aufnehmen und in die Luft werfen. Doch werfen wir lieber unsere trockene Ansicht fort. Denn ist die Erde auch wirklich nichts weiter als ein solcher Klumpen, vergrößert gedacht? Gibt es auf solch kleinem Klumpen auch ein Meer mit Ebbe und Flut und strömenden Flüssen und Bächen und Kreislauf der Gewässer, eine Luft- und Dunsthülle, die ihm eigentümlich angehört, mit Regen, Sturm und Wetter, wovon die Saaten ergrünen und das Meer erbraust, einen solchen Wechsel von Jahres- und Tageszeiten und Klimaten, worin Freiheit und Regel so merkwürdig durcheinander greifen? Strebt alles darin so einig nach einer Mitte hin; vermag er alles, was sich von ihm losreißen will, eben so wieder zu haschen? Ist er in ähnlicher Weise aus einer größern Sphäre herausgeboren worden, als wir es von der Erde wissen? Hat er sich eben so durch ein Walten selbsteigner Kräfte geformt, ausgearbeitet und fährt noch so fort, es zu tun? Vermochte er eben so ein organisches Reich aus sich zu erzeugen, ja eines über das andere zu bauen, und durch Bande des Wirkens und des Zweckes untereinander und mit sich verknüpft zu halten? Tritt er eben so eigentümlich und fern und in sich geschlossen andern Erdklumpen gegenüber wie die Erde andern Weltkörpern? Ist nicht vielmehr die Erde in all diesem etwas total Andres als ihr Teil, die Scholle? Wenn sie es aber ist, wird nicht auch bei den Fragen, was sie für die Welt bedeutet, und was die Welt für sie bedeutet, ob ihr ein Leben im Ganzen, oder ob ihr nur Lebendiges einzeln inwohnt, die Antwort für sie ganz anders ausfallen, ganz anderer Anspruch für sie erwachsen müssen als für die Scholle, in der freilich auch einige Würmer zerstreut wohnen mögen? Alles, was uns bei Beantwortung dieser Fragen leiten kann, verhält sich ja eben entgegengesetzt bei der Erde und der Scholle. Dennoch ist gewiß, daß wir für die ganze Erde nicht um ein Haar größere oder andere Ansprüche in dieser Hinsicht anerkennen wollen als für ihr Teilchen, die Scholle; ja Menschen und Tiere selbst nur in eben so äußerlichem Verhältnis dazu betrachten wie Käfer und Würmer zur Scholle.

Was uns hiebei irre führt, ist eine Verwechselung der Erde in weiterm Sinne mit der in engerm Sinne; der Name hilft uns die Sache verwirren. In weiterm Sinne, und dieser wird fortan allein für uns

gelten, haben wir unter Erde die Gesamtheit, das System alles dessen
zu verstehen, was durch die Schwere um den Erdmittelpunkt zusammen=
gehalten wird, also nicht bloß alles Feste, sondern auch alles Wasser und
alle Luft und alles was in der Erde und in Wasser und Luft lebt und
webt, und fleucht und kreucht, und außer der Gesamtheit alles Schweren
noch alles Unwägbare, was in das System des Schweren eingeht. Dies
Alles hängt in Ursprung, Materie, Zweck und Wirken zu einem einigen
System zusammen, wie ein Leib, ja fester und inniger als unserer; und
das ist unsere lebendige Erde. Nun aber in engerm Sinne versteht man
freilich unter Erde bloß die trockne krümliche Masse, die durch Verwitterung
eines Teils jener Erde entstanden ist und ihre feste Oberfläche bedeckt,
und dehnt man die Vorstellung hiervon zu der des Ganzen aus, so er=
scheint das Ganze freilich selbst trocken und tot. Man hat das Sprich=
wort ex ungue leonem; wir aber machen ex leone unguem.

Auch die Gewohnheit, die Erde durch die Betrachtung des Globus
kennen zu lernen, ist gewiß nicht einflußlos auf die Art, wie wir sie
auffassen. Von Pygmalion wird erzählt, er habe ein ausnehmend schönes
weibliches Bildnis verfertigt und solch Gefallen daran gefunden, daß er
Aphroditen gebeten, es zu beleben, und es sei lebendig geworden, gleich
dem menschlichen Urbilde. Wir kehren es nur um, indem wir aus Freude
darüber, daß es uns gelungen ist, ein totes, leicht zu umfassendes Abbild
der Erde gewonnen zu haben, das Urbild dazu töten. Es ist wie bei
Verehrung der Götzenbilder. Man vergißt zuletzt den Geist über dem
Bilde und sieht endlich gar nur einen toten Kunstgegenstand darin. Wir
verehren im Globus jetzt nur noch unsre eigne Kunst und Wissenschaft,
die ihn verfertigte; die Wissenschaft, die der Globus selber in sich hat, ist
längst verloren gegangen.

· Tritt hinaus an das Meeresufer, höre, sieh die Welle, wie sie an
das Ufer schlägt, wie eine Welle nach der andern kommt, das ganze Meer
ist bedeckt mit einer wandelnden Herde; und jede sagt: nicht ich bin's,
des Ganzen Kraft ist's, was mich und meine Gesellen treibt; was ver=
möchte ich einzelne Welle; höre, sieh, wie der Sturm kommt, und die
Wellen höher und höher hebt, und die Wolken jagt und das Schiff
schüttelt, und alle Wimpel nach einer Richtung flattern; in derselben
Richtung ziehen die Wolken, in derselben gehen die Wellen; und du selbst
erbebst äußerlich und innerlich; so hast du wohl ein ander Gefühl, als
da du auf der Schulbank sitzend den weißen Fleck auf dem Globus
anschautest und der Lehrer zu dir sagte: das ist der atlantische Ozean und
dies das mittelländische Meer. Jenes Gefühl ist ein aus dem Leben der

Erde, deſſen dein Leben ein Teil iſt, hervorgewachſenes Gefühl, da dich
dies Leben in ſeiner Schwingung mit ergreift; aber ſo lange haſt du auf
der Schulbank geſeſſen und den Globus für die Erde angeſehen, daß du,
was du jetzt fühlſt, nur für einen Schein, nur für deine Empfindſamkeit,
nur gut zu einem Gedicht und alles Gedicht für eine Erdichtung hältſt;
was der Lehrer dir da auf dem Globus gezeigt und was er dabei geſagt
von Wellen-Bewegung, Ebbe und Flut und Anziehung des Mondes,
das ſei die ganze Wahrheit von der Sache; und ſicher iſt es Wahrheit,
nur ſicher nicht die ganze. Das war freilich anders bei den erſten
Menſchen, die noch nicht reflektierten ſtehend über der Natur, ſondern
fühlten ſtehend in der Natur, die noch nicht die Scheibe geſetzt hatten
zwiſchen Organiſchem und Unorganiſchem, zwiſchen dem, was mit Seele
und was ohne Seele geht; ſondern, weil ſie fühlten, daß die Kraft, ihren
Arm zu bewegen, ihre Füße zu regen, eine Seelenkraft ſei, ihr Blut unter
dem Einfluß der Seele ſtröme, ihr Atem aus dem Beſeelten wehe, kein
Regen und Bewegen, Fließen und Wehen denken konnten, dem nicht eine
Seelenkraft unterliege, und weil ſie in der Natur ein mächtigeres Regen
und Bewegen, Strömen und Wehen ſahen als in ihrem kleinen Leibe,
ſo beugten ſie ſich vor ihr als vor einer göttlichen.

Zwar der Menſch verſucht auch, ſich von der Betrachtung des einzelnen
Teils oder des Abbildes der Erde zur allſeitigen Betrachtung der Erde
ſelber zu erheben. Aber dann nur um ſo ſchlimmer, da dieſe allſeitige
Betrachtung doch keine ganze iſt, vielmehr das Gegenteil davon.

Die Erde bleibt immer ein zu großer Leib, als daß wir mit unſerm
Blick ſie auf einmal umſpannen, mit unſern Maßſtäben auf einmal meſſen
könnten; nun verteilen wir die Betrachtung und das Meßgeſchäft, und
bald wird uns die Erde etwas eben ſo Zerteiltes als unſre Betrachtung
und unſer Geſchäft. Wir gehen mit dem Geologen in die Tiefe der Erde,
mit dem Geographen über die Oberfläche von Land und Meer, mit dem
Meteorologen in die Lüfte, mit dem Botaniker in das Pflanzenreich, mit
dem Zoologen in das Tierreich, mit dem Phyſiker in das Reich der
Maſſen und Kräfte, mit dem Chemiker in das der Elemente. Jedes
hievon fällt in eine beſondre Wiſſenſchaft, die wir aus beſondern Büchern,
in beſondern Stunden, zum Teil in beſondern Anſtalten ſtudieren, und
wovon ſelbſt jeder Menſch nur dies und jenes ſtudiert. Die Wiſſenſchaften,
die davon handeln, ſuchen ſelbſt durch ſtreng ſcheidende Definitionen ihre
Gebiete recht rein abzugrenzen, und ſo wenig es ihnen gelingt, dies zu
erreichen, ſo ſehr gelingt es ihnen doch, uns die zerſtückelte Betrachtungsweiſe geläufig zu machen, ja uns feſt darauf einzurichten. Zwar geben

wir bei einiger Überlegung wohl noch zu, daß diese Zersplitterung in der Natur nicht so besteht, wie in unsrer Betrachtung, aber sie ist uns nun schon einmal so zur Gewohnheit geworden, daß sie uns in unsrer Ansicht von der Erde unwillkürlich viel mehr bestimmt als jene Überlegung, und alle unsre Folgerungen nur aus dieser zerstückelten Betrachtung fließen. Wie kann dann in einem so zerfleischt, ja aufgelöst vorliegenden Leibe noch an Seele gedacht werden? Würden wir sie wohl in unserm Leibe finden, wenn wir ihn ähnlich betrachten wollten? Kann ein Anatom sie überhaupt finden? Wir aber tun nichts, als die Erde entweder in totem Stoff abbilden oder anatomieren, und glauben dann, was nicht in dem toten Bilde oder zerlegten Leibe liege, liege überhaupt nicht darin.

Zwar wer möchte diese trennende Betrachtungsweise tadeln, in so weit sie nur dient, die Arbeit zu teilen, Seiten des Gegenstandes zu unterscheiden; sie ist sogar ganz unerläßlich; ließen wir uns nur nicht auch dadurch verführen, das Objekt selbst für ein geteiltes anzusehen und in den Seiten und Teilen selbstständige Objekte zu sehen. Dies wäre nicht so unerläßlich.

„Nur einen Schimmer läßt ins dunkle Zimmer streifen,
Wer in dem Strale will das ganze Licht begreifen.
Dann mach das Fenster auf, damit du auch erkennst,
Das Licht ist mehr noch als sein farbiges Gespenst."
(Rückerts Weisheit des Brahmanen. I. S. 59.)

Zu jeder Klasse von Naturerscheinungen haben wir ein solches dunkles Zimmer, worein wir in einzelnen Experimenten einzelne Lichtschimmer fallen lassen, und wir lernen aus diesen einzelnen Schimmern in der Tat besser die Naturgesetze kennen, als wenn wir das volle Licht auf einmal in die Kammer ließen. Aber haben wir auch nachher die Kammer wieder aufgemacht, um zu erkennen, daß die ganze Natur noch mehr ist als ihr farbiges Gespenst? Das haben wir nicht.

Zwar in der allgemeinen Erdkunde, scheint es, muß das Band liegen, das wir vermissen. Aber kann man einen Leib auch wieder aus den Stücken zusammensetzen, in die man ihn erst zerlegt hat? Und was tun wir anders in dieser Lehre, als die Stücke wieder zusammensetzen, in die wir ihn in andern Lehren erst zerstreut haben? Sie ist eine Sammlung, wo alle Präparate, nicht ein Leib, wo alle Glieder beisammen sind. Auch eine solche Sammlung ist gut, aber kann sie uns den Leib ersetzen?

Wir erfreuen uns schöner Arbeiten von Humboldt, Gauß, Buch u. a. über große Zusammenhänge, die durch das Ganze greifen; wir achten sie mit Recht der Bewunderung würdig. Gefallen uns aber diese großen Zusammenhänge, bewundern wir den Blick, der sie erkannte, sollte es nicht einmal an der Zeit sein, sich auch eine Idee gefallen zu lassen und nicht zu sehr über sie zu wundern, welche auf eine Anerkennung des Zusammenhangs aller dieser Zusammenhänge bringt?

Der Astronomie zwar täten wir Unrecht, wollten wir leugnen, daß sie die Erde, andern Himmelskörpern gegenüber, wirklich als Ganzes ins Auge faßt. Aber dann auch wieder bloß als Ganzes, und das gibt uns nur das andere Extrem zu jener zerstückelnden Betrachtungsweise, ohne uns die ganze Sache zu geben, um die es sich handelt. Dort die Teile ohne das Ganze, hier das Ganze ohne die Teile; oder dort das Ganze nur äußerlich aus Stücken zusammengesetzt; hier die Teile nur als trockne Massenteile in Betracht genommen. Menschen, Tiere, Pflanzen, Luft, Wasser, Erdreich, alles wird vom Astronomen in eine unterschiedslose Masse zusammengeschlagen, der ganze Himmel ist dem Astronomen nichts als eine Sammlung solcher Massen, die er lieber gar in Punkte zusammenzieht. Liegt denn aber nichts zwischen jenen beiden Betrachtungsweisen? Ist denn nicht auch eine dritte möglich, welche, wo es doch einmal ein Ganzes und individuell geartete Teile des Ganzen gibt, die Teile nun auch wirklich als Teile des Ganzen und das Ganze als Einheit der Teile auffaßt, im ganzen eine Verknüpfung, statt Aufhebung und Regierung des Individuellen erkennen läßt? Nur eine solche Betrachtungsweise kann uns dienen. Aber wo wäre sie?

Nehmen wir eine Uhr. Um zu wissen, was die Uhr eigentlich ist, ist es etwa genug, Feder, Räder, Zifferblatt, Zeiger, Gehäuse, alles einzeln oder den Zusammenhang davon nach einzelnen Richtungen zu studieren? Oder ist es genug, die ganze Uhr als einen Ballen andern Uhren gegenüber abzuwägen? Und was tut man anders, wenn man einmal Menschen, Tiere, Pflanzen, Luft, Meer, Erdreich, alles einzeln oder nach einzelnen Richtungen ihres Zusammenhanges studiert, ein andresmal aus allen einen einzigen Ballen macht, um diesen gegen andre Weltkörper abzuwägen.

Erst dann, meine ich doch, hat man die ganze Uhr ganz und recht begriffen, wenn man weiß, wie jeder Teil und jede Bewegung sich dem ganzen Zusammenhange der Uhr anschaulich, wirkend und teleologisch einordnet, wozu aber doch vor allem nötig, daß man auch an einen Zusammenhang aller Materien, Bewegungen und Kräfte der Uhr denkt, und nicht bloß einzelne Zwecke für die einzelnen Teile, sondern auch einen einheitlichen Zweck für das einheitliche Ganze gestattet. Soll ich

sagen: die Uhr ist darauf eingerichtet, daß die Feder gehe? Aber warum
dann das Anhängen der Räder? Oder sie ist eingerichtet, damit die
Räder gehen? Aber wozu dann die Zeiger? Oder sie ist da, damit die
Zeiger gehen? Aber wozu dann die Ziffern? Sie ist freilich wirklich zu
allem diesen da; aber es sind das alles nur untergeordnete Zwecke, unter=
geordnet dem einen Zwecke, dem Menschen die Zeit zu zeigen. Nun ist
die Erde keine Uhr, mechanisch von uns und für uns zu unsern äußern
Zwecken gemacht, sondern eine naturwüchsige, die in ihrem Gange unsern
eignen Lebensgang inbegreift; also wird es sich auch hier nicht um die
Einheit eines äußern toten Zwecks, dem sich die Zwecke ihrer Teile
unterordnen, sondern eines innerlichen lebendigen Zwecks, dem sich unsre
Zwecke selbst unterordnen, handeln können. Unsre Zwecke aber sind in
letzter Instanz Seelenzwecke. Wird es der einige übergeordnete der Erde
weniger sein können?

Als ein Hauptfehler liegt in unsrer trennenden Betrachtung der
inbegriffen, daß wir das organische und unorganische Reich der Erde
einander so streng gegenüberzusetzen, das eine auf die eine, das andre
auf die andre Seite zu legen pflegen, als sei da keine Brücke. Es ist
dasselbe, als wenn jemand die nach einmaligem Aufziehen von selbst
gehende Feder der Uhr auf die eine Seite, das ruhende Gehäuse und die
getriebenen Räder auf die andere Seite legte, indem er sagte, das sind
ja ganz verschiedene Dinge und Kräfte, die man sorgfältig auseinander
halten muß. Wenn nicht der Irrtum dort noch größer ist. Denn die
Organismen bedürfen ja doch noch eines fortgehenden Aufziehens durch
die Anregungen der unorganischen Außenwelt, des Stoffwechsels mit ihr,
soll ihr Lebensgang fortgehen, dahingegen eine einmal schwingende Feder
der andern Uhrteile nicht mehr bedarf, vielmehr ohne dieselben nur um
so rascher fortgehen würde.

Sonderbarerweise scheint man freilich zu meinen, Menschen und
Tiere lösten sich von ihrer irdischen Außenwelt doch viel schärfer los,
als Steine, Felsen. Statt dessen sind sie in der Tat unsäglich mehr
damit verwachsen. Der Stein, der Fels liegt ruhig, müßig, kümmert sich
nicht um das, was um ihn her vorgeht; er läßt der Außenwelt ihre
Stoffe, sie ihm die seinen; er empfindet nichts von ihr, sie nichts von
ihm; nur in äußerlicher Berührung grenzen Stein und Außenwelt
zusammen. Wie wenig will das sagen! Aber Mensch oder Tier und
Außenwelt sind über die Berührung hinaus auch noch in einem steten
wechselseitigen Durchdringungsprozesse begriffen, gehen beständig in ein=
ander ein und aus; Menschen und Tiere setzen sich immer neu aus der

Außenwelt zusammen und lösen sich immer neu in sie auf, empfinden alles ringsum und alles ringsum empfindet sich in ihnen. Und das sollte eine größere Geschiedenheit bedeuten? Menschen und Tiere sind gerade die Glieder der Erde, in denen die größte verknüpfende und mischende Kraft der gesamten irdischen Stoffe und Verhältnisse liegt; nicht uneben in dieser Hinsicht vergleichbar Knoten eines Gewebes, in welche die draußen mehr einfach und verstreut verlaufenden Fäden der Stoffe und Kräfte eintreten, um sich im engsten Raume zu begegnen und aufs innigste zu verschlingen und neu zu verspinnen; in jedem auf besondre Weise. Nun aber der Knoten ist doch nichts Getrenntes von den Fäden, die in ihm zusammenlaufen, es ist vielmehr der innigste Zusammenschluß derselben selbst, als Knoten aller freilich unterscheidbar von allen, aber darum nicht scheidbar. Beides verwechseln wir nur zu gern. Und je mehr der Knoten von den Fäden des ganzen Systems zusammenfaßt, je mehr er sie verschlingt und verwickelt, desto mehr unterscheidet er sich freilich von dem ganzen Gewebe, desto selbständiger tritt er heraus, aber desto weniger scheidet er sich von dem ganzen Gewebe; desto vielseitiger und fester ist er mit allen andern Knoten verknüpft. So ist der Mensch das am meisten unterscheidbare und das am wenigsten scheidbare Glied der ganzen Erde. So fest aber das Gewebe von den Knoten, so fest werden hinwiederum die Knoten vom Gewebe zusammengehalten; und es bedarf nur der neuen Ballung, so haben wir einen größern Knoten. Ein solch größerer Ball und hiermit Knoten ist die Erde, ein verschlungener Knoten aller Einzelknoten. Ist sie es aber organisch, wie sollte sie es nicht geistig sein? Ist nicht auch das Insekt ein verschlungener Knoten aller seiner Nervenknoten, und weiß nicht der Geist des Insekts mehr als sie alle wissen, gewinnt nicht auch das an sich Gleichgültige, das Fett, die Zelle, der harte Panzer solchergestalt Bedeutung, was freilich für sich keine hätte? Ist doch alles das ein Bindeglied des Ganzen, und ein Gebundenes im Ganzen; so Wasser, Feuer, Luft und Erdreich zwischen, um und an und unter den lebendigen Geschöpfen. Die lebendigen Geschöpfe sind aber schon höher und selbständiger bewußte Knoten, als die Nervenknoten, die sich in ihnen verschlingen; so wird auch der Knoten, der sie wieder verschlingt, ein höher und selbständiger bewußter als sie selber sein.

Natürlich freilich, wenn man, wie gewöhnlich, von der Erde die ganze Menschheit, Tierwelt und Pflanzenwelt wegdenkt, und bloß das Übrige Erde nennt, wird diese ihrer edelsten Teile beraubte Erde vielleicht nicht viel mehr bedeuten können, als ein trockner Stamm, von dem man alle Blätter und Blüten abgerissen, oder als ein Gerippe, das man von Fleisch, Blut und Nerven entblößt. Man mag Recht haben, wenn man sich eine solche Erde tot denkt, aber man hat Unrecht, wenn man sich die Erde als eine solche denkt. Denn das Gerippe der Erde steht nnn einmal nicht ebenso apart wie das Gerippe eines Menschen in der anatomischen Kammer. Noch ist alles organische Leben und Weben so fest und innig in Stoffen, Wirken und Zwecken damit verwachsen wie Nerven, Fleisch und Blut mit unserm Knochenbau. Was sage ich, nur ebenso? Viel inniger. Denn Nerven und Fleisch kannst du wohl vom Knochen losreißen, kannst du aber auch den Menschen oder ein Tier oder eine Pflanze von dem irdischen System losreißen? Das kannst du nicht. Und gesetzt, du könntest es, setze doch einmal, der das Organische so hoch über das Unorganische erheben möchte, den Menschen in eine wirkliche Höhe über Luft und Erdreich, wo er seine Selbständigkeit am besten beweisen könnte, er würde gerade so verdorren, wie ein ab- geschnittenes Glied; setze ihn auf einen andern Planeten; es wäre, als wolltest du die Gliedmaße eines Frosches an den Leib eines Vogels setzen; der Mensch kann da nicht anwachsen; er ist nun einmal so, wie er ist, in aller Weise, bloß darauf eingerichtet, im Zusammenhange mit dem irdischen System, als ein wahrhaftes Glied desselben, zu bestehen, zwar dessen wichtigste Funktionen zu vermitteln, aber auch seine Lebens- bedingungen aus ihm zu ziehen, und so viel der Philosoph dem Menschen von seiner Selbständigkeit vorsprechen mag, er kann diese Selbständigkeit nur in dieser Abhängigkeit zeigen. Die Erde mag ohne den Menschen ein Krüppel sein, der Mensch ohne die Erde zerfiele in nichts oder ein müßiges Häuflein Staub.

Niemand glaubt, daß lebendiges Fleisch mit totem Stein, mit trocknem Holz verwachsen könne. Wenn ich nun doch, nicht zwar mit einem besondern Stück Erde, aber mit der Erde als ganzem, noch fester verwachsen bin als mein Fleisch mit mir, so entsteht, denke ich, bloß die Frage, ob ich mich als einen toten Teil einer im ganzen toten oder als lebendigen Teil einer im ganzen lebendigen Erde betrachten will. Da ich aber das Erste nicht kann, so kann ich nur das Letzte.

Man lasse sich nur überall nicht durch den Ausdruck unorganisch irren. Was wir so nennen und gegen das Organische als etwas sehr Niedriges, dem Leben Unzugängliches oder davon Abgefallenes betrachten, ist es eben nur, aus seiner natürlichen Verbindung mit dem Organischen losgerissen gedacht, wie in Physik, Chemie u. dergl., dagegen seine Ver- bindung mit dem Organischen, wie sie sich im irdischen Gebiet leibhaftig darstellt, und unlösbar trotz aller trennenden Physik und Chemie fortbesteht, in jeder Beziehung sogar die Kennzeichen einer höheren Organisation darbietet als irgendwelche einzelne Organismen auf der Erde, wie sich künftig noch deutlicher machen lassen wird.

Betrachten wir eine Pflanze, so erhebt sich über einer verhältnismäßig rohen, einfachen, dunkeln Wurzel mannigfaltig und licht Kraut und Blüte. Ebenso erhebt sich über der verhältnismäßig rohen, einfachen, dunkeln Wurzel des unorganischen Reichs der Erde mannigfaltig und licht Pflanze und Tier. Wie Kraut und Blüte an der Wurzel, worüber und woraus sie erwachsen, bleibt das Organische ans Unorganische gebunden, worüber und woraus es erwachsen. Wo wäre mehr Grund zur Trennung hier als dort? In Kraut und Blüte verarbeiten und mischen sich die rohen Stoffe der Wurzel, in Pflanze und Tier die rohen Stoffe des unorganischen Reiches. Es trifft alles zu. Du sagst: aber nie habe ich doch aus unorganischem Wasser, Luft und Erdreich wirklich ein organisches Geschöpf, Tier oder Pflanze neu entstehen sehen; ist es aber nicht daraus entstanden, wie Kraut und Blüte aus der Wurzel, wie kann es noch so daran gebunden sein? Und ich erwidere: ei ebenso wenig habe ich je aus einer Wurzel Kraut und Blüten neu entstehen sehen, die Wurzel wächst vielmehr zugleich nach unten, Kraut und Blüte wachsen nach oben; nur, nachdem sich einmal das ursprünglich unklare Samenkorn der Pflanze in Wurzel, Kraut und Blüte klar geschieden, dient die Wurzel zur Ernährung und Unterstützung von Kraut und Blüten; und ebenso, nachdem sich einmal das ursprünglich unklare, freilich etwas größere Korn der Erde in Organisches und Unorganisches klar geschieden hat, dient nun das Unorganische dem Organischen zur Ernährung und Unterstützung. Also paßt doch wieder alles. Irgendwie, Gott freilich nur weiß wie, mußte doch der Keim des Organischen uranfänglich im Ball der Erde schlummern, wie der Keim von Kraut und Blüte im Samenkorn. Als sich das Unorganische abklärte, wuchs das Organische, und nur nach Maßgabe als das unorganische Reich neue Entwicklungs=Revolutionen erlitt, erlitt auch das organische solche. So hing beider Bildung und Entwicklung von Anfang an in eins zusammen wie noch jetzt ihr Bestand. Alles wie bei der Pflanze.

Sehr unrecht denkt man es sich daher gewöhnlich so: das irdische System habe freilich anfangs eine quellende organische Triebkraft oder lebendige Zeugungskraft im ganzen gehabt; aber indem es die Organismen erzeugte, habe es all seine Lebenskraft an sie abgesetzt, und somit sei die Scheidung in Lebendiges und Totes erfolgt. Alles außer den Orga nismen, insbesondere aber das trockne Erdreich, sei als müßiger Rückstand geblieben, wogegen sich das Lebendige nun im Gegensatz befinde.*)

Es ist gerade so, als ob man sagen wollte, die Wurzel sei als müßiger Rückstand geblieben, nachdem sich Kraut und Blüte davon abgesondert, oder, der Knochen sei als müßiger Rückstand geblieben, nachdem sich Fleisch und Nerven von ihm abgesondert. Es hat sich aber gar nicht davon abgesondert, sondern der eine Organismus hat sich nur in Nerven, Fleisch und Knochen gegliedert; nur starke Unterschiede sind entstanden, keine Scheidung; und je größere Unterschiede ein Organismus in sich hervorbringt, so mehr beweist es für die lebendige Kraft des Ganzen. So mag nun der Unterschied zwischen Fels und Tier noch größer sein als zwischen Wurzel und Blüte, Knochen und Nerven; aber das beweist nur, daß die organische Gliederung der ganzen Erde aus einem gewaltigern Lebensquell hervorgeht, von einem höhern Punkte beginnt und darum auch tiefer reicht als die ihrer Glieder. Sollte die Erde nur ein vergrößerter Mensch sein, so würde in ihren Felsen, ihrem Wasser, ihrer Luft freilich dies menschliche Leben versteinern, zerfließen, verblasen; ein Mensch kann einmal nicht Steine statt Knochen, Wasser statt Blut haben; aber da die Erde den Menschen, ja die Menschheit selbst nur in Unterordnung begreift, so ist ihr Fels, ihr Wasser, ihre Luft eben nur die tiefere Gründung für diese organische Höhe. Die tiefsten Fundamente und haltbarsten Klammern des höchsten Baues sind überall aus den gröbsten Werkstücken und rohesten Massen geformt. Wenn also das Knochengerüst dient, den Leib des Menschen und Tieres kompakt zusammenzuhalten, so kann ein ebensolches Knochengerüst nicht noch einmal dienen, auch den Leib der ganzen Menschen=, Tier= und Pflanzenwelt kompakt zusammenzuhalten; dazu dient eben das Steingerüst der Erde.

Wenn jetzt nicht mehr Menschen und Tiere frisch aus der Erde heraus entstehen, wie das erstemal, sondern Menschen nur wieder von Menschen, Tiere von Tieren, Pflanzen von Pflanzen erzeugt werden, geht es etwa in uns anders her? Werden denn in unserm fertigen Leibe Knochen, Muskeln, Nerven frisch wie das erstemal aus dem Allgemeinen und Ganzen erzeugt? Auch hier schießt das Neue nur noch aus und an

---

*) „Im Grunde ist es nur die Gestaltung des Kosmos und der Erde, in welche wir wohl mit dem größten Rechte organische Mächte einführen. Allein die Erde erstarrt, stirbt ab mitten in dieser organischen Selbstgestaltung; sie wirft das organische Leben aus sich heraus, und bleibt als totes, durch mechanische, physikalische, chemische Gewalten beherrschtes Residuum zurück." (Schaller, Briefe S. 25 f.)

dem einmal Erzeugten hervor, freilich nicht ohne die Kräfte und Stoffe
des Ganzen, aber doch nur durch spezielle Vermittelung des schon erzeugten
Einzelnen; das Ganze ist aber noch so ganz und lebendig als zuvor, ja wohl
lebendiger zu nennen als vordem. Warum soll die Erde unlebendiger
geworden sein, weil sie uns nicht mehr wie das erstemal aus dem Allgemeinen und Ganzen, sondern nur durch zuvor von ihr erzeugte und
noch ihr angehörige spezielle Vermittelungen erzeugt? Erinnern wir uns,
der Mensch, das erzeugende Organ anderer Menschen, ist inniger mit der
Erde verknüpft geblieben, als ein Stein es ist.

Aber sind nicht doch die Kräfte des Organischen und Unorganischen
grundwesentlich verschieden? Sehen wir zur Antwort darauf die Sache
statt der Worte an. Man kann Kräfte bloß durch Gesetze charakterisieren;
nun aber bei der Wirkung unsers Auges, unserer Stimmorgane, des
Herzens, der Adern, der Lungen, der Gliedmaßen geht es ganz nach den
Gesetzen der camera obscura, der Blasinstrumente, der Pumpe mit
Leitungsröhren und Klappen, des Blasbalgs, der Hebel mit ziehenden
Seilen, also nach den Gesetzen unorganischer Einrichtungen her, freilich
nur insoweit ganz, als die Einrichtungen in uns mit den Einrichtungen
dieser Werkzeuge ganz übereinstimmen; soweit es aber nicht der Fall ist,
versteht es sich auch nach den Gesetzen des Unorganischen von selbst, daß
sie anders wirken müssen. Aber sie stimmen bis zu sehr weiten Grenzen
wirklich damit überein. Ja, was ließe sich nicht alles anführen, worin
unser Körper die sogenannten Kräfte des Unorganischen benutzt, d. h. nach
den Gesetzen derselben verfährt? Freilich alles das reicht bei weitem
nicht aus; und wenn wir alles zusammennehmen, was in unsern Lehr-
büchern der Physik und Chemie steht, es bleibt noch viel in den organischen
Prozessen, was wir nicht dadurch erklären oder darauf zurückführen können.
Aber darum handelt es sich ja auch gar nicht; es beweist sich jedoch, daß
die sogenannten unorganischen Kräfte in organisch lebendige Systeme mit
eingehen und organische Funktionen mit vermitteln, also in sofern auch
als organische Kräfte auftreten können; wenn aber in unserm Leibe,
warum nicht auch in einem größern Leibe? Wir behaupten ja nicht, daß
die Erde lebendig sei bloß durch das Walten der sogenannten unorganischen Kräfte. Wir gehören auch dazu, und die Kraft, die uns selbst
gebildet hat, gehört auch dazu, und der Wechseleingriff dessen, was in uns
und außer uns geschieht, gehört auch dazu, und endlich der ganze zweckmäßige Zusammenhang aller Kräfte, alles Wirkens der Erde, Organisches
und Unorganisches in eins fassend, gehört auch dazu. Natürlich müssen
wir nicht in der Erde ganz dieselbe Kombinationsweise des organischen

unb unorganiſchen Waltens ſuchen wie in uns; bie Erde iſt noch etwas
mehr als unſer Körper; wir ſind vielmehr nur ein Bruchſtück derſelben.
Verwirft man aber eine Trennung organiſcher unb unorganiſcher Kräfte
in uns, weil boch alle in Zuſammenhang unb Wechſeleingriff wirken, ſo
iſt es ganz natürlich, dieſelben Verwerfungsgründe auf die Trennung des
organiſchen unb unorganiſchen Waltens der Erde zu erſtrecken. Ein
Unterſchied der Kräfte oder Gebiete wird ſich ba unb bort machen laſſen,
wir beſtreiten bas nicht; iſt aber ba unb bort nur ein relativer, in
höherer Einigung ſich aufhebender, an ben man nicht ben abſoluten
Unterſchied von Leben unb Tod, Seele unb Seelenloſigkeit knüpfen kann.
Oder will man es bennoch, ſo trifft man bamit ben Menſchen ſo gut
wie die Erde.

Die ganzen Unterſchiede des Organiſchen unb Unorganiſchen halten
überhaupt nur ſo lange Stich, als man einen ganzen irbiſchen Orga=
nismus mit einem Stück der ganzen Erde vergleicht. Kann man aber
aus einem ſolchem ſchiefen Vergleiche triftige Schlüſſe ziehen? Dennoch
zieht man Schlüſſe, wenn auch keine triftigen, baraus, indem man ben
Vergleich eben nicht anſtellt, die Frage nach Leben unb Seele der Erde
zu unterſuchen, ſondern die vorgefaßte Entſcheidung um jeden Preis zu
rechtfertigen.

Doch es iſt genug gegen die unlebenbige Auffaſſung der Erde geſagt;
tun wir jetzt einige Vorblicke in die Weiſe, wie wir ihre Lebenbigkeit
faſſen werden; für jetzt erſt in vorweiſenden erläuternden Bildern; bald
werden wir die Sache direkter faſſen.

Betrachten wir nochmals eine Pflanze. Wir ſehen, die Blätter der=
ſelben gleichen ſich ungefähr, die Blüten gleichen ſich ungefähr. Mit
allen Pflanzen der Erde iſt es ſo. Du fragſt: wie möchte die Pflanze
einer größern überirbiſchen Welt beſchaffen ſein? Wird es auch wieder
eine Pflanze wie in unſerer kleinen Welt ſein, wo die Blätter ſich un=
gefähr gleichen, die Blüten ſich ungefähr gleichen? Aber haben ſich nicht
ſchon alle einſeitigen Möglichkeiten erſchöpft in unſerer niebern Pflanzen=
welt? Was gewönnen wir bamit als eine neue ähnliche Einſeitigkeit
in der höhern? Ich denke mir vielmehr, die höhere Pflanze wird aus
tieferem Grunde des Naturlebens emporgewachſen und mit dem Charakter
einer ganz andern Totalität imſtande ſein, aus ihrem Samenkorn
nicht bloß dieſe oder jene Seite, ſondern alle verſchiedenen Seiten des
pflanzlichen Lebens unb Strebens in wechſelſeitiger Ergänzung zu ent=
falten. Wohlan, die Erde iſt eine ſolche höhere Pflanze, nur daß ſie
nicht bloß alle Seiten des irbiſch pflanzlichen, ſondern auch alle Seiten

des irdisch tierischen und irdisch menschlichen Lebens zugleich entfaltet. Es ist eine Pflanze, gepflanzt in das lichte Ätherbeet des Himmels, Wurzel treibend nicht in das unorganische Reich von Erdreich, Wasser und Luft hinein, sondern, wie wirs schon betrachtet, dies selbst zur Wurzel habend; das Organische als Blatt und Blüte.

Es gibt aber in dem großen Garten des Himmels nicht bloß eine, sondern tausend und abertausend solche höhere und sich in höherem Sinne ergänzende Pflanzen, deren jede nach ihrem Standpunkt so gut anders wächst und blüht als die Pflanzen auf der Erde; das sind die verschiedenen Gestirne. Und Gott ist der ganze Baum des Lebens, aus dem alle gewachsen und an dem noch alle hängen.

Ein Bild, nichts weiter, Pflanze für Erde; denn im Grunde ist die Erde doch keine Pflanze, weil sie die Pflanzen selber in sich hat, und die Tiere dazu. Wie nun überall Extreme sich berühren, so sind schon die niedersten irdischen Geschöpfe Wesen, worin sich tierische und pflanzliche Charaktere begegnen. Wer kann mir daraus sagen, wie das höchste irdische Wesen wird beschaffen sein? Sie werden sich eben wieder darin begegnen, nur mit dem Unterschiede, daß sie sich nicht mehr wie dort unklar mischen, unentwickelt blöde verschmelzen, sondern klar in den größten Reichtum der Entwicklung auseinanderlegen. Dieses vollkommenste irdische Wesen ist die Erde selbst.

Gewöhnlich meint man zwar, der Mensch sei das höchste irdische Wesen; aber kann es auch viele höchste Wesen geben? Wir treiben ein Heidentum mit uns selber und verehren uns als Götzen statt des einigen Erdengottes, der Erde. Obwohl wir in gewisser Beziehung auch wieder Recht haben, uns als höchste irdische Wesen zu betrachten, weil die Erde vielmehr ein himmlisches als selbst irdisches Wesen ist, da sie allen irdischen Wesen als himmlischer Hort und Träger übergeordnet ist. Wie sie es aber materiell ist, wird sie es geistig sein. Und wenn ein Mensch die ganze Erde beherrschte, obwohl es doch nie einen gegeben hat, von dem sich dies sagen ließe, wäre doch die Erde etwas Höheres als dieser Mensch, so wahr meine Seele etwas Höheres ist als ein einzelner Gedanke in mir, von dem ich auch wohl uneigentlich und zeitweise sagen möchte, daß er meine ganze Seele beherrscht. Was anders tut der Mensch, als sein Moment zur Fülle der Entwicklung der Erde hergeben, ein im Hiersein kurzes, kleines, und die Erde geht groß und ewig durch den Himmel.

Jeder Mensch ist wie ein lebendiges Wort, das bloß seinen Sinn hat und fühlt, die Erde ist eine Rede, welche den Sinn aller dieser

Worte, aber noch etwas Höheres als diesen Sinn der einzelnen Worte hat und fühlt, einen Sinn, der in den Beziehungen und der Geschichte der Menschheit, ja mehr als hierin waltet, denn Menschen und Tiere sind bloß wie die Hauptworte dieser Rede, und wieviel geht noch sonst in die Rede ein. Dazu hat die Zusammenstellung der Worte soviel Anteil am Sinne wie die Worte selbst, ja in ihr liegt eben der höhere Sinn, dessen kein einzelnes Wort mächtig zu werden vermag.

Das Bild trifft freilich, wie alle Bilder, bloß von einer Seite, denn des Menschen Geist hat ja nicht bloß wie ein Wort seinen eignen Sinn, sondern faßt den Sinn der ganzen Erde, ja der ganzen Welt auf; aber doch eben nur in seinem Sinne, und jeder in einem andern Sinne, und alle diese verschiedenen Sinne gehen in einen höheren Sinn ein; eben wie der Sinn verschiedener Worte in den einer Rede. Dies einfache Verhältnis läßt sich durch das einfache Bild immerhin erläutern. Mehr aber muß man nicht darin suchen,

Auch darin fehlt das Bild: in einem einzigen unserer Worte kann sich nicht wohl eine Reflexion über die ganze Rede aussprechen. Aber ein Menschengeist kann auch über die ganze Geschichte des Geistes, dem er angehört, reflektieren. Indes, wollen wir das Bild hiezu pressen, brauchen wir bloß statt eines unsrer Worte ein amerikanisches zu nehmen, wo jedes Wort ein Satz ist. Zwar läßt sich in der kurzen Reflexion eines Satzes nicht das Wesen der ganzen Rede, aber ebenso wenig in der kurzen Reflexion eines Menschengeistes über den höhern Geist das Wesen dieses ganzen Geistes oder seiner Geschichte erschöpfen. Beides erschöpft sich nur selbst.

Freilich, daß der Mensch sich als selbständiges Wesen fühlt, scheint uns nicht dazu zu passen, daß sein Geist in einem höhern Geist aufgeht. Doch wer sagt, daß er darin aufgeht? Geht doch auch sein Leib nicht im Leibe der Erde auf, trotzdem, daß er ihm untrennbar angehört. Vielmehr individualisiert sich der höhere Geist und Leib durch den Menschen. Ein höheres Wesen von höherer Selbständigkeit als wir hat auch ver- hältnismäßig selbständigere Glieder oder Momente als wir, das sind wir selbst. Betrachten wir nur unsre Selbständigkeit, was wir davon haben, nicht als einen Raub, sondern als eine Seite der höhern Selbst- ständigkeit. Wie Christus sagt: ich und der Vater sind eins; d. h. seine Macht ist des Vater Macht, doch zergeht er nicht im Vater. In dem- selben Verhältnisse stehen wir alle zu einem Höhern, denn wir sind; obwohl wie einzelne Anschauungen, Gedanken und Empfindungen in uns gegen die Richtung, ja den Willen unsers ganzen Geistes gehen können, doch sind sie in uns, es so auch mit uns in dem höhern und dem höchsten Geiste ist, und insofern sind wir nicht alle so einig mit dem höhern und höchsten Geiste, wie es Christus war. Der ganze Unterschied unsrer

Vorstellung von der gewöhnlichen ist zuletzt nur der, daß wir unsre Selbständigkeit statt als äußere Gabe von einem Höhern, als innerliche Habe in einem Höhern besitzen sollen. Fahren wir aber damit schlechter? Absolut selbständig ist überhaupt nichts in der Welt, außer Gott; sonst gibts nur Grade relativer Selbständigkeit.

In der Tat, wie selbständig wir uns immer dünken mögen, liegt doch unsre Abhängigkeit nach leiblicher und geistiger Beziehung in tausend Richtungen klar genug vor, sind alle unsre Selbständigkeiten näher besehen doch nur der Ergänzung bedürftige und ohne solche halt- und bedeutungslose Einseitigkeiten. Jeder Mensch und jedes Tier und jede Pflanze dazu erfaßt und erfüllt in seiner besondern Weise des irdischen Seins, auf seinem besondern irdischen Standpunkt, mit allem, was es für sich weiß, will, denkt, empfindet, erstrebt, nur eine besondere Seite von der ganzen sich wechselseitig fordernden und nur durch den Wechsel- zusammenhang bestehenden Fülle der irdischen Existenz, der Möglichkeit dessen, was überhaupt auf dem individuellen Standpunkt der Erde andern himmlischen Standpunkten gegenüber gewußt, gewollt, gedacht, empfunden, erstrebt werden kann. Und es sollte keine geistige Einheit geben, in der sich diese geistigen Einseitigkeiten einigen, kein geistiges Ganze, wozu sie sich ergänzen? Große und gesonderte himmlische Standpunkte sind da, Wesen sind da, groß und ganz, die darauf stehen, wir glauben sonst gern an höhere himmlische Wesen, und wir wollten in Widerspruch mit unsrer Anschauung und unserm Glaubensbedürfnis nur an die Splitter dieser Wesen glauben? In jenen Wesen nur geistige Sammelsurien sehen, indes wir in den Menschen geistige Einheiten sehen, verwechselnd größere Ein- seitigkeit mit größerer Einheit.

Ist denn der Strahl aus dem Kreise einer Rosette, das Blatt aus der Fülle einer Rose ein einigeres und selbständigeres Ganze, als es die ganze Rosette, die ganze Rose ist? Und ist nicht die Erde die Rosette, Rose aller ihrer Geschöpfe, die, aus ihrem Kreise, von ihrem Stiele ab- gerissen, nichts mehr bedeuten? Fühlt aber der Strahl, das Blatt seine einseitige Stellung in der Rosette, der Rose, soll nicht auch die Rosette, die Rose der allseitigen Stellung ihrer Strahlen, ihrer Blätter inne werden; oder soll es nur geistige Blätter, Strahlen, nicht auch eine geistige Rosette, Rose geben? Oder ist die Materie allein der höhern Einigung fähig? Ist sie es nicht vielmehr überall eben nur durch den Geist?

Nur gar zu leicht verwechseln wir, wie im Leiblich-Organischen, so im Geistigen, die Unterscheidung mit einer Scheidung. Aber daß wir uns geistig voneinander unterscheiden können, bringt noch nicht

mit ſich, daß wir auch geiſtig voneinander geſchieden ſind, da vielmehr
derſelbe höhere Geiſt, der uns in ſich unterſcheidet, und in dem wir uns
demgemäß unterſcheiden, unſre Verknüpfung zugleich ſo gut vermittelt, wie
mein Geiſt das zugleich verknüpft, was er in ſich unterſcheidet, und was
ſich demgemäß in ihm unterſcheidet. Freilich unterſcheiden ſich unſre Geiſter
in ganz anderm höhern und ſelbſtbewußtern Sinne im höhern Geiſte und
werden von ihm unterſchieden, als ich meine Gedanken unterſcheide und
als ſich meine Gedanken in mir unterſcheiden, aber gerade die höchſten
und bewußteſten geiſtigen Unterſcheidungen kommen nur aus der höchſten
und bewußteſten verknüpfenden geiſtigen Einheit, widerſprechen alſo nicht
einer ſolchen, ſondern beweiſen dafür.

Schließt denn überhaupt irgend Sonderung in Individualitäten die
Verknüpfung in einer höhern Individualität aus? Setzt ſie nicht vielmehr
überall ſolche voraus? Wie individuell iſt die Säule des Tempels geſtaltet,
geartet in Bau, Schmuck, Zweck, anders geartet als alle andern Glieder
des Tempels; doch iſt ſie nur ein untergeordnetes Glied des ganzen
Tempels, mittragend am ganzen, wie gehalten vom ganzen, mehr ſcheint
es ſeinetwegen als ihretwegen da; doch was wäre auch der Tempel ohne
die Säulen? Jeder Tempel aber ordnet ſich wieder als Glied dem ganzen
Bauwerk der Kirche ein, das ſich in tauſend einzelne Kirchen und Menſchen
und Schriften und Handlungen gliedert und im Zuſammenhang des
Sichtbaren einen unſichtbaren Zuſammenhang des Geiſtigen trägt, wovon
der Tempel auch ſein individuelles Teil hat. Der Menſch iſt die Säule,
die Erde der Tempel, die allgemeine Kirche Gott. Jede höhere Individualität iſt das Band der niederen Individualitäten. Gott iſt die höchſte
Individualität, oder auch keine, wie Extreme ſich überall berühren, Band
und Träger aller Individualitäten, in ſich einiger und ſelbſtändiger als
alle, ſich aber von keiner mehr unterſcheidend, weil ſelber alle in ſich
unterſcheidend.

Betrachten wir unſer Auge, unſer Ohr; jenes ſieht nicht, was dieſes
hört, dieſes hört nicht, was jenes ſieht. Jedes hat ſein Reich für ſich.
Was weiß mein Ohr von der Farbe, was tut es mit Farbe? Farben
und Töne ſelbſt miſchen ſich weniger als Öl und Waſſer. Ein Ton hat
ein Verhältnis zum andern, verſteht ſich mit dem andern, ſie machen etwas
zuſammen; der Ton c gibt mit dem Ton e eine Terz, aber was gibt
der Ton c mit der Farbe blau? Und auch die Farben haben ein Verhältnis zuſammen, in einem Garten, einem Kleide, einem Geſicht, einem
Gemälde; welche Augenweide liegt in der ſchönen, welcher Mißſtand in
der häßlichen Zuſammenſtellung; jede Farbe wirft einen Schein auf

die Nachbarfarbe und empfängt einen Schein von der Nachbarfarbe; schickt sich oder schickt sichs nicht, fragt sich der Maler; aber kann er auch fragen, schickt sich dieser Ton zu diesem Gemälde oder nicht? Die ganze Frage schickt sich nicht. Der Ton will ein für allemal zur Farbe nicht scheinen und die Farbe zum Ton nicht klingen. So ganz für sich ist das Reich der Farben, so ganz für sich ist das Reich der Töne; jedes abge= schlossen in sich, in sich verkehrend und dem andern fremd, scheinbar ohne Brücke des Verständnisses zwischen beiden.

Gibt es wohl zwei menschliche Individuen, deren Individualität im geistigen Gebiete so weit abwiche, die so rein gegeneinander abgeschlossen wären, so gar keine Brücke des Verhältnisses und Verständnisses zu ein= ander hätten oder zu haben schienen, als hier die Gebiete der Farben und Töne? Verhalten sich nicht Menschen zu Menschen viel eher zueinander wie Farben zu Farben, wie Töne zu Tönen? Sie machen, sie geben doch etwas miteinander.

Und dennoch ist das ganze Reich der Farben und das ganze Reich der Töne durch einen höhern Geist in uns verknüpft, die Farbe weiß nichts vom Tone, der Ton nichts von der Farbe, aber ich, der höhere Geist, weiß von Ton und Farbe zugleich und fühle und denke und sehe sie in Beziehungen, die weder in das Ton= noch das Farbenreich fallen, die nur in mich fallen. Und so mögen immerhin auch die menschlichen Geister, deren jeder auch ein ganzes Reich, wie Ton= und Farbenreich, sich noch so individuell gegeneinander absetzen, ja in gewisser Beziehung sich gegeneinander abschließen, obwohl es doch viel mehr offenkundige Vermitt= lungen zwischen ihnen gibt als zwischen Tönen und Farben, — so wird auch dies nicht hindern, daß es einen höhern Geist gebe, der um sie alle zugleich weiß und sie in Beziehungen fühlt und denkt, die über alle hin= ausgreifend in ihn selber fallen.

Der höchste Geist, der Geist des Ganzen, ist Gott; aber gibt es einmal eine Gliederung des Höhern zum Niedern, so wird der Leib, deß unser Leib ein Teil, der viel selbständiger andern seinesgleichen gegenüber= tritt als unser Leib andern Menschenleibern, auch einen selbständigern Geist einschließen, durch und in dem der unsre sich Gott einverleibt. Fassen wir es nur nicht so, als ob diese uns übergeordnete Individuali= tät nun als scheidendes Zwischenwesen zwischen der unsern und der gött= lichen stände. Die Säule, die im Tempel steht, wird durch ihn nicht von dem allgemeinen Bau der Kirche geschieden, sondern durch ihn selbst ihm einverleibt. Das Bild, das meinem Auge angehört, gehört darum nicht weniger mir selber an; weil ja auch das Auge mein ist.

Also steht auch die Erde nicht wie eine Mauer zwischen uns und Gott, sondern ist das Beet, auf dem wir alle in Gott eingepflanzt sind. Nur der Ausdruck, daß die Erde ein Zwischenwesen zwischen uns und Gott sei, kann einen Irrtum verschulden; aber es gibt hier gar kein Zwischen als das der Betrachtung. Wir können das im Materiellen wie Geistigen verfolgen.

Indem ich ein Teil der Erde bin, bin ich ein Teil der Welt, und es ist nicht nötig, daß ich meine Beziehungen zum Weltganzen überall erst durch die übrige Erde hindurch gewinne, da ich vielmehr als Teil der Erde auch ihre Beziehungen zum Weltganzen unmittelbar mit teile, ja solche selbst mit vermitteln helfe. Die Erde braucht meine Masse selbst mit, sich durch den Himmel zu schwingen, gestaltet in meinem Auge das Sonnenlicht zum Bilde; ich bin, obwohl einer ihrer kleinsten, doch einer ihrer wichtigsten Vermittler mit dem Himmel. Und so steht auch mein Geist zum Geiste der Welt darum in keiner weniger unmittelbaren Beziehung, daß er dem Geist der Erde angehört, trägt vielmehr selbst bei, die Beziehungen dieses Geistes zu Gott zu vermitteln.

Denke dir einmal einen Teich, in den eine Menge Steine oder Tropfen geworfen sind. Der Teich ist ganz bunt von Wellenzirkeln, alle Zirkel greifen ineinander, doch verfließen nicht ineinander; eines jeden Triebkraft sitzt in einem besondern Mittelpunkte. Ists nicht ähnlich mit den Wirkungskreisen, welche die lebendigen Wesen im irdischen System um sich schlagen? Der Teich des Irdischen ist ganz bunt davon, alle Wirkungskreise greifen ineinander, doch verfließen nicht ineinander, eines jeden Triebkraft sitzt in einem besondern Mittelpunkte. Du sagst: wohl, aber nun ist des Teiches Bedeutung doch nur die einer trägen, gleichgültigen Unterlage für die Wellenzirkel; jeder Wellenzirkel hat seine Einheit für sich; aber der Teich hat keine Einheit seiner Zirkel, ein zerstreutes Leben durch die Zirkel, kein einiges Leben für sich und durch sich; so mit dem Teiche des Irdischen und den Wellenschlägen, welche von den beseelten Wesen dahinausgehen.

Und ich erwidere: ja genau so wärs, wenn wirklich Menschen und Tiere in den Teich des Irdischen so von außen geworfen wären, wie Steine oder Tropfen in den Teich, zufällig, ohne daß er etwas dazu oder davon täte. Nun aber, der Teich des Irdischen hat sich so in sich selbst erschüttert, daß die Wellenzirkel ihres Lebens und Webens aus ihm entstanden sind und fort und fort entstehen, und alles Entstehen, Regen und Bewegen steht in solchem Zusammenhange, so tiefer durchgreifender Beziehung zueinander, daß unsre eigne Vernunft inmitten dieses Spiels nicht satt werden kann, es abzuspiegeln; das ist ein Teich ganz andrer Art; und alles nun auch anders an ihm zu fassen. So ist es zu fassen: wie ich Bilder und Gedanken emporwerfe im Gehirn; mein ist die Einheit und die Kraft und das Wissen und Wirken aller dieser Bilder und Gedanken; so wirft die Erde ihre lebendigen Seelen und deren Geschicke empor; ihre ist die Einheit und die Kraft und das Wissen und das Wirken aller dieser Seelen und Seelengeschicke; der leibliche Wellenschlag trägt dabei den geistigen. Die ganze Erde selbst aber ist nur wie ein großer Tropfen, emporgeworfen im Meere des Weltalls, ein Mittelpunkt einer großen Selbsterschütterung desselben, da der Geist Gottes nicht darüber, sondern darin fährt. Und alle Gestirne sind solche Tropfen, solche Mittelpunkte geistiger und leiblicher Erschütterung zugleich; und Gottes ist die Einheit und die Kraft und das Wissen und Wirken ihrer aller.

Umgekehrt betrachtet treibt der Stamm des göttlichen Geistes die Geister der Gestirne wie Äste hervor, diese die Geister ihrer Geschöpfe wie Zweige, diese die Gedanken wie Blätter; jedes Geistige heftet sich an etwas Leibliches, denn selbst unsre Gedanken können nicht gehen, ohne daß etwas in unserm Gehirn mitgeht, und Gottes Gedanken können nicht gehen, ohne daß etwas in seinen Welten mitgeht, ja seine Gedanken drücken sich im Weltgang aus. Jedes Geistige hat das unmittelbare Bewußtsein alles dessen, was es hervortreibt und was sich hieraus weiter hervortreibt, aber nicht das Bewußtsein dessen, von dem es hervorgetrieben wird, noch dessen, was mit ihm zugleich nachbarlich hervorgetrieben wird, denn in dem Akt des Hervortreibens liegt der Akt des Bewußtwerdens selbst. Jeder Geist weiß unmittelbar um seine Erzeugnisse und weiß unmittelbar nur um sie, und er stößt seine Erzeugnisse nicht von sich, sondern die frühern Erzeugnisse werden ihm Grundlagen fernerer Erzeugung. So weiß der Geistesstamm der Welt um alles Treiben seiner Äste, Zweige und Blätter zugleich, da diese eben nur die Teile sind, in die er sich sukzessiv entfaltet, aber die Äste wissen unmittelbar nur jeder um das Treiben seiner Zweige und Blätter, und jeder Zweig nur um das seiner Blätter. D. h. Gott weiß alles, was in den Seelen der Gestirne, die Gestirne alles, was in den Seelen ihrer Geschöpfe, die Geschöpfe alles, was in ihren eigenen Gedanken vorgeht.

Ich habe manchmal einen Ameisenhaufen und Bienenkorb betrachtet und mich gefragt, was bindet doch die unverständigen Ameisen und Bienen zu so zweckmäßigem Handeln zusammen. Ich habe von großen Schmetterlings- und Raupenzügen gelesen, wo immer ein Individuum hinter dem andern fliegt oder kriecht, und mich gefragt, was treibt doch diese Tiere so alle nach einer Richtung? Die Seelen der einzelnen Tiere erklärens nicht. Sieht nicht vielmehr das Ganze aus wie das Getriebe einer einigen Seele? Wo aber sitzt sie? Im Ameisenhaufen, im Bienenstocke? Aber der Ameisenhaufen wird erst zusammengetragen von den Ameisen, die Waben erst gebaut von den Bienen, die Ameisen zerstreuen sich zwischen allen Wurzeln, die Bienen fliegen zu allen Blumen, die Raupen und Schmetterlinge kriechen und fliegen über das Land. Wenn die Seele irgendwo sitzt, so kann sie nur in dem sitzen, was alles dies befaßt, in dem alles dies kriecht und fliegt, und wächst und liegt und steht, Ameisen, Bienen, Blumen, Land, Ameisenhaufen und Bienenstöcke. Und das ist unsre Erde. Im weiteren Sinne die Welt; aber zunächst doch unsre Erde, da schließt sich doch alles dies zunächst ab und zusammen, mehr, als sich unser eigner Leib ab- und zusammenschließt. Da also wird das liegen, was alle jene Wesen teils miteinander, teils gegeneinander treibt. Man nennt es bewußtlos, was sie treibt. Das heißt den Fahrenden bewußtloser als Kutsche und Pferde erklären.

Ist es anders mit den Menschen als mit Ameisen, Bienen, Raupen, Schmetterlingen? Werden sie nicht auch getrieben nach Zielen, die kein einzelner gesetzt hat? Jeder arbeitet nach seiner Weise, nach seinem Wissen und Kräften daran mit; aber sein Wissen und seine Kräfte dienen nicht, das Ziel zu verrücken, das über allen Einzelheiten schwebt, sondern tragen nur bei, es zu erfüllen. Die ganze Menschheit ist eine Einheit nicht durch sich selbst, sondern nur durch Vermittlung des ganzen Erdenreichs.

III. Vergleichende physische Erd- und Himmelskunde.

Lassen wir jetzt einmal die Seelenfrage eine Zeitlang ruhen, und beschäftigen uns vor allem erst damit, die materiellen Verhältnisse der Erde etwas genauer aus den für uns bedeutsamen Gesichtspunkten zu betrachten. Nur um den Leib der Erde soll es sich jetzt handeln; erst später wollen wir auf die Frage zurückkommen, ob wir in diesem Leibe die

Zeichen der Seele nicht vermiſſen. Das Haus muß erſt geordnet ſein,
bevor die Bewohnerin kann einziehen wollen. Und ſo viel und vielerlei
Ordnung man ſchon in das Hans gebracht hat, war es doch immer nicht
die, mit der eine Seele darin beſtehen kann.

Aber läßt ſich denn die Erde überhaupt als ein Leib darſtellen?
Gewiß nicht ganz als ein Leib wie unſrer, aber doch in vielen Beziehungen.
Achten wir alſo ſowohl auf die Ähnlichkeiten, als die Verſchiedenheiten;
und ſehen ſpäter zu, wohin ſie weiſen, indem wir uns ſchon jetzt erinnern,
daß, um aus Leiblichem auf Geiſtiges zu ſchließen, die Analogie mit dem,
woran ſich in uns ſelbſt das Geiſtige knüpft, das wichtigſte, ja in letzter
Inſtanz einzige Fundament iſt. Nur daß freilich nicht jede Ähnlichkeit
mit unſerm Leiblichen das Daſein, noch jede Verſchiedenheit die Abweſen-
heit einer Seele beweiſen kann.

Die Hauptähnlichkeiten der Erde mit unſerm Leibe liegen in folgenden Punkten: Alle Materie der Erde (des irdiſchen Syſtems) bildet wie
die unſers Leibes ein in ſich kontinuierlich zuſammenhängendes, durch eine
beſtimmte Geſtalt äußerlich abgeſchloſſenes, durch ein Wirken von Kräften
und durchgreifende Zweckbeziehungen innerlich verknüpftes Ganze, das andern ähnlichen, obwohl auch wieder individuell davon verſchiedenen Ganzen
(andern Weltkörpern) im Weltraume ähnlich gegenüberſteht, wie unſer Leib
auf der Erde ſelbſt andern ähnlichen, doch auch wieder individuell davon
verſchiedenen Leibern.

Wie unſer Leib beſteht die Erde aus feſten, flüſſigen, dunſtigen,
luftigen und unwägbaren Stoffen in mannigfachen Verbindungen und
Verwicklungen, und gliedert und untergliedert ſich in eine Mannigfaltigkeit größerer und kleinerer, teils einfacher, teils zuſammengeſetzter Beſtand-
ſtücke, Formteile, als da ſind: der wahrſcheinlich geſchmolzene Inhalt der
Erde, die feſte Schale darum, das Meer, die Atmoſphäre, das organiſche
Reich, hierin das Pflanzenreich, Tierreich, die Menſchenwelt, hierin
die einzelnen Pflanzen und Tiere und Menſchen; ohne eine wahre Trennung von all dem, da vielmehr all das im ganzen der Erde unlösbar
zuſammenhängt.

Wie bei uns gibt bei der Erde ein feſtes Gerüſt einem Spiele
beweglicher Teile Anſatz und Form; und bleiben im Spiele der beweglichen Teile die Hauptzüge dauernd und feſt, die Richtung und
Weiſe der Ebbe und Flut, die Hauptſtrömungen des Meeres, der Flüſſe
und Winde, alles was mit dem Wechſel von Jahres- und Tageszeiten
zuſammenhängt, die Art, wie die Prozeſſe des organiſchen und unorganiſchen Reichs, der Pflanzen- und Tierwelt ineinander greifen, die

Zeichen der Seele nicht vermissen. Das Haus muß erst geordnet sein, bevor die Bewohnerin kann einziehen wollen. Und so viel und vielerlei Ordnung man schon in das Haus gebracht hat, war es doch immer nicht die, mit der eine Seele darin bestehen kann.

Aber läßt sich denn die Erde überhaupt als ein Leib darstellen? Gewiß nicht ganz als ein Leib wie unsrer, aber doch in vielen Beziehungen. Achten wir also sowohl auf die Ähnlichkeiten, als die Verschiedenheiten; und sehen später zu, wohin sie weisen, indem wir uns schon jetzt erinnern, daß, um aus Leiblichem auf Geistiges zu schließen, die Analogie mit dem, woran sich in uns selbst das Geistige knüpft, das wichtigste, ja in letzter Instanz einzige Fundament ist. Nur daß freilich nicht jede Ähnlichkeit mit unserm Leiblichen das Dasein, noch jede Verschiedenheit die Abwesenheit einer Seele beweisen kann.

Die Hauptähnlichkeiten der Erde mit unserm Leibe liegen in folgenden Punkten: Alle Materie der Erde (des irdischen Systems) bildet wie die unsers Leibes ein in sich kontinuierlich zusammenhängendes, durch eine bestimmte Gestalt äußerlich abgeschlossenes, durch ein Wirken von Kräften und durchgreifende Zweckbeziehungen innerlich verknüpftes Ganze, das andern ähnlichen, obwohl auch wieder individuell davon verschiedenen Ganzen (andern Weltkörpern) im Weltraume ähnlich gegenübersteht, wie unser Leib auf der Erde selbst andern ähnlichen, doch auch wieder individuell davon verschiedenen Leibern.

Wie unser Leib besteht die Erde aus festen, flüssigen, dunstigen, luftigen und unwägbaren Stoffen in mannigfachen Verbindungen und Verwicklungen, und gliedert und untergliedert sich in eine Mannigfaltigkeit größerer und kleinerer, teils einfacher, teils zusammengesetzter Bestandstücke, Formteile, als da sind: der wahrscheinlich geschmolzene Inhalt der Erde, die feste Schale darum, das Meer, die Atmosphäre, das organische Reich, hierin das Pflanzenreich, Tierreich, die Menschenwelt, hierin die einzelnen Pflanzen und Tiere und Menschen; ohne eine wahre Trennung von all dem, da vielmehr all das im ganzen der Erde unlösbar zusammenhängt.

Wie bei uns gibt bei der Erde ein festes Gerüst einem Spiele beweglicher Teile Ansatz und Form; und bleiben im Spiele der beweglichen Teile die Hauptzüge dauernd und fest, die Richtung und Weise der Ebbe und Flut, die Hauptströmungen des Meeres, der Flüsse und Winde, alles was mit dem Wechsel von Jahres- und Tageszeiten zusammenhängt, die Art, wie die Prozesse des organischen und unorganischen Reichs, der Pflanzen- und Tierwelt ineinander greifen, die allgemeinsten Hergänge in Pflanzen=, Tier= und Menschenwelt selbst; indes Mannigfaltigkeit, Freiheit, Wechsel in der Ausarbeitung und den nähern Bestimmungen dieser Grundzüge waltet, um so mehr, je mehr wir ins einzelne und Feine gehen.

So gibt bei uns das Knochengerüst einem Spiele beweglicher Teile Ansatz und Form, sind alle Muskelbewegungen durch diesen Ansatz fest bedingt, bewegt sich das Herz nach dem Rhythmus des Pulses, geht der Blutstrom seinen bestimmten Gang im ganzen, nimmt der Atem seine bestimmten Wege, folgt der Stoffwechsel seinen allgemein bestimmten Regeln, sind bestimmte Bahnen im Gehirn gezogen; aber im einzelnen wechselt das Muskelspiel und der Herzschlag tausendfach, die Adern sind bald voller, bald leerer, die einzelnen Blutströmchen und Blutkörperchen laufen bald so, bald so, der Atem bringt bald mehr in diese, bald in jene Lungenzellen, geht bald langsamer, bald leiser, der Stoffwechsel ändert in tausend feinen Variationen, und wer mag die Freiheit des Spieles im Gehirn ermessen. Diese Freiheit, dieser Wechsel, ist selbst ein Teil der Freiheit, des Wechsels der Erde, das Regelmäßige und Feste in uns ist selbst ein Teil des Regelmäßigen und Festen der Erde.

Das ganze Spiel der Prozesse der Erde ist wie das unsers Leibes räumlich in größere und kleinere Kreisläufe, zeitlich in größere und kleinere Perioden gegliedert; und wiederum sind die Kreislaufs= und periodischen Erscheinungen unsers Leibes nur untergeordnete Abzweigungen der allgemeinen Kreislaufs= und periodischen Erscheinungen der Erde.

Wie der Mensch steht die Erde in Wechselwirkung mit einer Außenwelt und unterliegt bei ihren äußern Bewegungen wie innern Prozessen der Mitbestimmung durch dieselbe, schließt sich aber dabei durch die eigentümliche Art ab, wie sie teils ihre innern Wirkungen verknüpft und vollzieht, teils gegen die äußern Einwirkungen reagiert, und charakterisiert sich eben dadurch als ein individuell geartetes Wesen den andern Himmelskörpern gegenüber wie der Mensch andern irdischen Geschöpfen gegenüber.

Die Erde zeigt ferner insofern einen ähnlichen Entwicklungsgang wie unser Leib, als sie (nach den jetzigen kosmogonischen Vorstellungen) zu einer gewissen Zeit aus einer größern materiellen Sphäre, deren Teil sie früher war, herausgeboren worden ist, sich durch innere Kräfte selbst gestaltet und in Hauptmassen gegliedert hat, und nach Bildung ihrer Hauptgestalt und Sonderung ihrer Hauptmassen fortwährend tätig ist, ihre Gestalt in feinern Bestimmungen fortzubilden, ihre Massen ferner aus= und durchzuarbeiten, in welcher Beziehung sowohl in ihrem

Innern als an ihrer Oberfläche Kräfte beständig tätig sind, wodurch Stoffe beständig hin= und wiedergeführt, immer neue Formen und Formänderungen erzeugt werden. Sowohl die erste Bildung, als die ganze Entwicklung und Fortbildung des organischen Reiches, wie alles, was durch die Tätigkeit der Menschen und übrigen organischen Wesen auf der Erde sich gestaltet, fallen selbst dieser Fortentwicklung anheim, sofern es anfangs noch kein organisches Reich mindestens in der Form, wie wir es jetzt kennen, auf ihr gab. Alles aber, was sich so aus der Erde hervorbildet, trennt sich ebensowenig, wie was sich an und in unserm Leibe hervorbildet, ab von ihr; ist vielmehr immer nur etwas, was sich in und an ihr neu unterscheiden läßt, als daß es sich von ihr schiebe.

Wie bei uns, erscheint bei der Erde eine in gewisser Beziehung besonders unterscheidbare obwohl nicht davon scheidbare Sphäre als bevorzugter Träger psychischen Lebens und Vermittler von Verkehrs= beziehungen mit der Außenwelt. Bei uns ist es die hauptsächlich nach oben (ins Gehirn) und außen (in Haut und andre Sinnesorgane) verlegte Sphäre des Nervensystems und der damit zusammenhängenden Sinne; bei der Erde ist es die zugleich äußere und obere Sphäre, welche das organische Reich und hierunter die Menschheit mit allen Wechseltätigkeiten und Verkehrsbeziehungen derselben untereinander und zur himmlischen Außenwelt enthält.

Während nun nach allen diesen Beziehungen die Erde die größte, schlagendste Ähnlichkeit mit unserm Leibe zeigt, so zeigt sie aber andrerseits nach andrer Beziehung auch die größten, schlagendsten Verschieden= heiten von ihm, die jedoch alle an einem Hauptumstande hängen, dem nämlich, daß unser Leib selbst eben seinen Stoffen wie seinen Tätigkeiten nach nur als ein Glied in das ganze System der Stoffe und Tätigkeiten der Erde eingeht; als eins der kleinsten, besondersten, aber zugleich als eins der verwickeltsten, ausgearbeitetsten, oder vielmehr wirklich als das verwickeltste, ausgearbeitetste.

Ein Glied muß nun zwar in vieler Beziehung dem Ganzen gleichen; aber in andrer kann es ihm nicht gleichen, dies liegt im Verhältnis des Gliedes zum Ganzen; so hängen Ähnlichkeiten und Verschiedenheiten im Grunde an einer Wurzel.

Das erste, daß wir eins der kleinsten besondersten Glieder der Erde sind, bringt als Unterschiede der Erde vom Menschen mit sich, daß die Erde im ganzen betrachtet großartiger, gewichtiger, gewaltiger, dauer= hafter nach Umfang, Masse, Kräften und Bestand, demgemäß größere Kreisläufe umspannend, größeren Entwicklungsepochen unterliegend, durch weitergreifende Zwecke gebunden, höheren Individualitäten in höherm Sinne gegenüberstehend, im einzelnen betrachtet aber mannigfaltiger, vielseitiger, vielgliebriger und abgestufter, demgemäß auch reicher an Unter=, Über= und Nebenordnungen, an besondern Vermittlungen und Beziehungen, und durch mannigfaltigere und tiefergreifende Unterschiede im Verhältnis zu andern gegenüberstehenden Individualitäten charakte= risiert ist.

An diesen wirklichen Unterschieden hängen dann früher betrachtete scheinbare. Weil wir als kleiner Teil der Erde sie nicht so leicht im ganzen zu überschauen vermögen wie unsern Leib, suchen wir durch Über= schauung des kleinen aber toten Abbildes oder Zerlegung ihres Ganzen in Einzelheiten ihrer Auffassung beizukommen, und so geht die Ähnlichkeit des Lebens im ganzen, die sie mit uns doch wirklich nach so vielen Be= ziehungen hat, für die Betrachtung vollends verloren.

In betreff dessen, daß die Erde so viel in sich hat, was der Mensch außer sich hat, findet fast ein geradezu verkehrtes Verhältnis zwischen ihr und uns statt. Die Erde schließt uns selbst ganz in ihre Innenwelt ein, indes wir sie zwar nicht ganz, sofern wir doch einen Teil derselben bilden, aber fast ganz als unsre Außenwelt ausschließen, daher auch für sie unzählig viele Außenverhältnisse wegfallen müssen, die uns zukommen, und viele Innenverhältnisse ihr zukommen müssen, die uns abgehen. Unsre Außenverhältnisse, soweit sie auf die Erde Bezug haben, werden nämlich selbst für sie zu Innenverhältnissen und gewinnen daher für sie eine andre Bedeutung als für uns; der Wind, der uns äußerlich anweht, weht innerlich in ihr, das Meer, dessen Wellenschlag wir äußerlich sehen, ebbt und flutet in ihr; der ganze Verkehr der Menschen, wo jeder sich immer durch den andern äußerlich bestimmt findet, gehört zu ihren innern Bewegungen; die ganze Geschichte der Menschen, wo ein Geschlecht immer das andre ablöst, ein Mensch an die Stelle des andern tritt, gehört zu einem Fluß innerer Bestimmungen, in dem sie sich immer als Ganzes forterhält; die ganze äußere Seite unsers Stoffwechsels gehört zu ihrem innern Stoff= wechsel. Jeder von uns wird äußerlich nach einem ihm fremden Mittel= punkte gezogen, sie schließt diesen Mittelpunkt als ihren ein; jeder von uns dreht sich täglich als peripherischer Teil der Erde um eine ihm äußere Achse, die Erdachse, für sie ist diese Achse eine eigene innere. Wir haben bald Sommer und bald Winter, bald Tag und bald Nacht, bald Sturm und bald Stille; sie hat immer Sommer und immer Winter, immer Tag und immer Nacht, immer Sturm und immer Stille; alles zugleich, nur an verschiedenen Orten; alle Periodizität in dieser Hinsicht bezieht sich in ihr

nur auf einen Wechsel des Orts, indes sie für uns ein Wechsel in der
Zeit ist.

Alles aber, was so über den Menschen hinaus zur innern Wesens=
fülle der Erde gehört, trägt auch zu ihrer Machtvollkommenheit bei,
indes es zur äußeren Bedingtheit und Bestimmtheit des Menschen gehört,
der sich solchergestalt in allseitiger äußerlicher Abhängigkeit von ihr zeigt,
tausenderlei Ergänzungen außer sich zu suchen hat, wozu die Erde das
in sich Ganze ist, dem tausend äußere Gewalt geschieht, wozu sie die
innerlich Gewaltige ist. Er hat gar keinen vollkommen in sich geschlossenen
Besitz und Kreislauf von Stoffen und Kräften wie sie; nur durch Aus=
tausch und Ergänzung seiner Stoffe und Kräfte mit der Erde vermag
er sich zu erhalten, und jeder Versuch des Abschlusses gegen sie tötet ihn.
Wenn man einen Menschen von der Erde nähme, er stürbe; aber die
Erde stürbe nicht, sie ersetzte ihn alsbald durch einen neuen. Wie er ihren
erzeugenden und erhaltenden Kräften unterliegt, so ihren schädigenden und
zerstörenden, in Erdbeben, Stürmen, Gluten und Fluten. Aber nur ihn
schädigen und zerstören sie; dagegen seine Schädigung und Zerstörung,
anstatt der Erde etwas anzuhaben, selbst zu ihrem innern Lebens=
wechsel gehört, vermöge dessen sie immer Altes wegschafft, um es durch
Junges und Frisches zu ersetzen; nicht anders, als es auch in unserm
Leibe geschieht. Und so viel der Mensch wirtschaftet auf der Oberfläche
der Erde, ist es nicht etwas, was er als Fremder über sie vermag,
sondern etwas, was sie über sich selbst vermag; jede Gewalt, die er
äußerlich auf sie zu üben glaubt, ist nicht minder ihre eigne Gewalt; er
kann ihr, als ihr Teil oder Organ, nichts tun, was sie sich nicht selber
tut, dahingegen sie ihm Unzähliges tun kann, was er nur von ihr
leiden muß.

In all diesem Betracht haben wir wohl recht zu sagen, die Erde
sei ein verhältnismäßig weniger von äußern Mitbedingungen abhängiges,
reiner auf sich stehendes, mehr in sich geschlossenes, vollständiger in sich
kreisendes, im ganzen also selbstständigeres Geschöpf als der Mensch,
dessen ganze Selbständigkeit, soweit er solche besitzt, nur ein Teil, eine
Seite ihrer Selbständigkeit ist, dagegen die ihrige nach unzähligen Be=
ziehungen über ihn hinausgreift, aus welchen ihm äußere Abhängigkeits=
verhältnisse erwachsen.

Zwar auch die Erde ist kein absolut selbständiges Wesen; ein solches
ist nur das den ganzen Gott tragende Weltganze. Die Erde hat noch
ihre äußern Abhängigkeitsverhältnisse von der himmlischen Außenwelt,
der sie eingepflanzt ist, nur steht sie auf einer höhern Stufe der Selb=

ständigkeit als der Mensch, sofern der Mensch diese ihre äußern himmlischen Abhängigkeitsverhältnisse teilt, nun aber noch darüber oder vielmehr darunter so viel äußere irdische Abhängigkeitsverhältnisse hat, die
zu ihren innern Wesensbedingungen gehören. Die Erde wird durch die
Anziehung der Sonne umgeschwungen, der Mensch muß da mit; die Erde
bedarf der Sonne zur Entwicklung des organischen Lebens, dazu gehört
auch das Leben des Menschen; die Erde verdankt ihr Zeitmaß den äußern
Beziehungen zum Himmel, daher hat es auch der Mensch und eben durch
ihn die Erde. In dieser Beziehung hat also der Mensch vor der Erde
nichts voraus, oder nur das voraus, wenn hierauf ein Voraus zu gründen,
daß er als kleiner Teil der Erde auch ihre äußern Abhängigkeitsverhältnisse vom Himmel nur von der Seite und zu dem Teile spürt,
zu dem er eben in sie eingeht. Weil er ihr Meer nicht in seinem Leibe
hat, spürt er freilich auch nichts von ihrer Ebbe und Flut, und weil
er nicht mit ihrer grünen Pflanzenwelt bekleidet ist, so spürt er deren
Wachsen und Welken, den Wechsel des Sommers und Winters nicht so
wie die Erde.

Da es einmal nur Stufen der Selbständigkeit gibt, so hat dann
freilich auch der Mensch die seine, andern irdischen Geschöpfen gegenüber,
und es liegt ein neuer Unterschied der Erde von dem Menschen darin,
daß sie, im ganzen selbständiger als er, nun auch selbständigere Bestandstücke oder Glieder hat als er, da sie ihn selbst mit Tieren und Pflanzen
darunter zählt, und da seine Glieder doch nicht wieder eben so selbständige Menschen, Tiere, Pflanzen sind. Nur ist die Selbständigkeit, die
er gegen seine Nachbargeschöpfe hat, nicht mit einer solchen gegen die
übergeordnete Erde selbst zu verwechseln.

Der andere Umstand, daß der Mensch und die irdischen Organismen
überhaupt die verwickeltsten und ausgebildetsten Glieder des Erd-
leibes sind, bringt mit sich, daß die Erde, nach ihren allgemeinsten Zügen
ohne Rücksicht auf diese Glieder aufgefaßt, einfachere und klarer geordnete
Verhältnisse darbietet, roher gebaut und tätig scheint als diese Organismen, mit Rücksicht aber darauf und unter Mitbetracht des vorigen
Umstandes aufgefaßt, sich als ein bei weitem verwickelteres oder in
höherem Sinne verwickeltes, tiefer ausgearbeitetes und lebendiger tätiges
Ganze darstellt, als irgendeiner der ihr untergeordneten Organismen,
sofern die Erde ja nicht nur alle Verwicklungen der Menschen-, Tier-
und Pflanzenleiber und ihrer Prozesse einschließt, sondern auch eine
Verwicklung aller dieser Verwicklungen unter sich und mit dem unorganischen Reiche enthält, die sich in den gegenseitigen stofflichen Zweck- und

Wirkungsbeziehungen der organischen Wesen teils unter sich, teils mit der übrigen irdischen Welt kund gibt.

Wie einfach und geregelt ist der Gang der Erde am Himmel, wie einfach ihre Drehung um sich selbst, wie einfach ihre Hauptform, wie einfach die Gliederung ihrer Hauptmassen. Wie unregelmäßig und verwickelt ist dagegen alles in Lebensgang, Form und Gliederung des Menschen. Wenn wir aber deshalb sagen wollten, die ganze Erde sei ein einfacheres und roheres Wesen als wir, so wäre es derselbe Irrtum, als wenn wir unsern Leib ein einfacheres und roheres Wesen als seine verwickeltsten, ausgearbeitetsten Glieder, Auge oder Gehirn, nennen wollten. Denn diese verwickeltsten Glieder tragen nicht nur ihre ganze Verwicklung zu unserm Leibe bei, sondern gehen nun auch noch Verwicklungen miteinander und mit den andern Organen in unserm Leibe ein.

Wir verglichen früher das irdische System mit einem Geflecht, einem Knoten, dessen Fäden stellenweis in kleinere Knoten, d. s. die einzelnen organischen Wesen, zusammenlaufen. Gewiß wird man auch einen solchen großen Knoten etwas in höherm Sinne Verwickeltes, Reicheres, mehr Ausgebildetes nennen als alle kleinen Knoten, die in ihn eingehen, weil alle kleinen Knoten selbst zu seiner Verwicklung, seinem Reichtum, seiner Ausarbeitung gehören. Aber freilich, wenn man die kleinen Knoten und hiermit die wichtigsten Verknüpfungsglieder des großen Knotens wegdenkt, fällt er roh in seine Elemente auseinander, und so bezuglos zu den Organismen betrachten wir gewöhnlich das irdische System.

Verglichen wir andrerseits die organischen Geschöpfe der Erde mit Blättern und Blüten einer Pflanze oder eines Baumes, so kann ja der ganze Baum nichts Einfacheres und Roheres sein als seine Blätter und Blüten, da er vielmehr der ganze Komplex derselben selbst, nur noch mehr als dieser Komplex ist. Obwohl dies Bild bloß halb zulänglich ist. Denn die Abzweigungen des Stammes, die Blätter und Blüten des Baumes hängen bloß in einer Richtung, sozusagen von hinten, durch den Stamm zusammen, aber die organischen Geschöpfe, nachdem sie hervorgewachsen sind aus dem irdischen System, treten auch in den innigsten mannigfaltigsten Verkehr unter sich, gehen eine höhere Verwicklung ein.

Nehmen wir alles zusammen, was es von Ähnlichkeiten und Verschiedenheiten zwischen Erde und Mensch gibt, so finden wir in den Ähnlichkeiten wohl Gründe genug, die Erde einen individuell gearteten Organismus wie den Menschen zu nennen, in den Verschiedenheiten aber statt Gegengründe nur Gründe, sie einen Organismus sogar in noch höherm Sinne. als Menschen, Tiere und Pflanzen zu nennen. Alle

Merkmale der Einheit, Mannigfaltigkeit, Eigentümlichkeit, Selbständigkeit, Gliederung, Entwicklung von innen heraus, zweckmäßigen Durchbildung, die wir, sei es einzeln oder in Verbindung, aus diesem oder jenem philosophischen Gesichtspunkte, zum Charakter eines individuellen Organismus machen mögen, finden wir in der Erde nicht weniger, sondern in höherm Sinne als im Menschen wieder.

Zwar soll uns auf den Namen Organismus hier nichts ankommen, daher wir uns auch um eine bestimmte Definition desselben nicht abmühen wollen. Was hülfe uns auch der Name Organismus? Die Pflanzen gelten auch für Organismen und doch für seelenlos. Es ist ein Titel, der noch nicht Sitz und Stimme im Seelenreiche gibt, sondern nur die Anwartschaft darauf, und so brauchte es auch des Titels nicht, wenn sich nur die Mittel der Seele aufzeigen ließen. Gewiß ist, daß, wenn man sich ein für allemal entschlossen hat, bloß Menschen, Tiere, Pflanzen Organismen zu nennen, die Erde keiner ist. Ebenso gewiß andrerseits, daß, wenn man sich fragt, weshalb man doch eigentlich Menschen, Tiere und Pflanzen Organismen nennt, man keinen wesentlichen Charakter finden wird, der nicht der Erde in noch strengerm und höhern Sinne zukäme. Und nur eben daß es in höherm Sinne der Fall, bringt Unterschiede mit sich, die, wenn man den Begriff der Organismen niedrig und eng fassen will, die Erde davon ausschließen.

Wie oft hat man schon die Erde wirklich mit einem menschlichen oder tierischen Organismus verglichen, und oft genug auch eben in der Absicht, ein lebendiges Wesen aus ihr zu machen. Manche haben sie geradezu für ein Tier erklärt*). Aber gerade das, wodurch man den Zweck am sichersten zu erreichen hoffte, die einseitige Hervorhebung ihrer Ähnlichkeiten mit einem Menschen oder Tiere, mußte ihn notwendig verfehlen lassen. Es blieben immer zu starke Inkongruenzen und die

---

*) So hat schon der große Kepler in seiner Harmonia Mundi den Erdkörper als ein lebendiges Untier geschildert, „dessen walfischartige Respiration, in periodischem, von der Sonnenzeit abhängigem Schlaf und Erwachen, das Anschwellen und Sinken des Ozeans verursacht." Ich entlehne diese Notiz aus Humboldts Kosmos III. 19, da mir das Keplersche Werk selbst nicht zu Gesicht gekommen. Noch sonst bemerkt Humboldt darüber (S. 81): „Dieselbe Schrift, welche so viel Herrliches darbietet, ja die Begründung des wichtigen dritten Gesetzes, wird durch die mutwilligsten Phantasiespiele über die Respiration, die Nahrung und die Wärme des Erdtieres, über des Tieres Seele, sein Gedächtnis, ja seine schaffende Einbildungskraft verunstaltet. Der große Mann hielt so fest an diesen Träumereien, daß er mit dem mystischen Verfasser des Microcosmos, Robert Fludd aus Oxford, über das Prioritätsrecht der Ansichten vom Erdtiere ernsthaft haderte. (Harm. mundi. S. 252)." Auch später ist die Idee vom Erdtiere wiederholt aufgetaucht.

Künstelei ward sichtbar. Die Erde ist nun einmal weder Mensch noch Tier, und es ist unmöglich, das Kleinere zu erreichen, sondern nur das Größere, wozu es freilich auch gilt, den geistigen Blick zu erweitern. Die Erde ist ein höheres Wesen als Mensch und Tier; aus diesem Gesichtspunkte werden alle ihre Verschiedenheiten von Mensch und Tier verständlich und treten zu den Gründen für ihr Leben hinzu, statt sich davon abzuziehen. Dann gilt es nichts mehr zu deuteln, sondern nur noch zu deuten.

Eine durchgreifende Ähnlichkeit der Erde mit Mensch und Tier ist aus diesem Gesichtspunkte, wie wir sie nicht gefunden haben, auch gar nicht zu erwarten. Schon von Tier zu Mensch, von einem Tier zum andern, von Tier zu Pflanze findet ja keine reine Vergleichbarkeit statt; in jedem organischen Geschöpfe sind die Organe und Funktionen anders teils zusammen-, teils auseinandergelegt, in andrer Weise verschmolzen, differenziert, übertragen, versetzt. Gilt aber das von den untergeordneten Geschöpfen der Erde in bezug zueinander, wie sollte man es nicht umsomehr als selbstverständlich in bezug zu dem übergeordneten Wesen halten? Es liegt ja doch auf der Hand, daß ein Wesen, was Menschen, Tiere, Pflanzen selbst wie Organe einschließt, nicht eine einfache Wiederholung eines einzelnen dieser Organe sein kann; so wenig man in dem ganzen Menschen eine einfache Wiederholung irgend eines einzelnen seiner Teile oder Organe sehen kann. Keins, und wäre es das höchste, kann doch den ganzen Reichtum, die ganze Fülle, die ganze Vielseitigkeit und die ganze Abstufung des vollen Organismus in sich wiederspiegeln, und also kann es auch der Mensch nicht als Teil oder Organ der Erde. Höchstens stellt jeder in seiner Einzelheit eine der obersten Spitzen im Bauwerk der ganzen Erde dar. Wiederholen aber wohl die Spitzen eines gothischen Doms das ganze Gebäude? Sie steigen auf, spitzen sich zu, gliedern sich, sind aus gleichem Material, sehen nach demselben Himmel wie der ganze Dom; wie sollten sie nicht, da sie eben Glieder des Doms, und als solche beitragen müssen, ihm den Charakter zu geben, da sie überdies höchste Glieder des Doms, und also die Charaktereigentümlichkeit des Doms sich in ihnen gipfeln soll; aber dennoch bleibt der Dom unsäglich mehr als eine vergrößerte Wiederholung seiner höchsten Spitzen und kann man Ähnlichkeiten zwischen ihm und seinen Spitzen nicht insbesondre durchführen wollen.

So liegt nun auch in dem ganzen Bau der Erde unsäglich viel, was man nicht im Menschen wiederfinden kann, obwohl nichts im Menschen, was man nicht in der Erde wiederfände, sofern sie den Menschen selbst enthält.

Manche, indem sie die Erde mit dem Menschen vergleichen, begehen den großen Irrtum, daß sie das, was die Erde eben in und durch den Menschen hat, noch einmal außerhalb des Menschen in der Erde suchen. Der Mensch hat eine Lunge, ein Gehirn, ein Herz; durch und in ihm hat es die Erde, aber nicht noch einmal außer ihm, auch nicht in einem Äquivalent. Des Menschen Lunge ist der Erde Lunge, des Menschen Gehirn ist der Erde Gehirn; obwohl freilich sein Gehirn nicht für die ganze Erde dieselbe Bedeutung hat wie für ihn; vielmehr ordnet sich die Bedeutung, die es für ihn hat, der Bedeutung, die es für die ganze Erde hat, unter. Nun könnte man allerdings nach etwas suchen, was wirklich für die Erde im ganzen dieselbe Bedeutung hätte wie für uns Gehirn, Lunge, Herz u. dergl., aber die Erde wiederholt uns eben nicht im ganzen, sondern wir ergänzen uns mit anderm Disparaten erst zur ganzen Erde; so daß die Erde uns immer nur nach dem Teile ganz gleicht, den wir eben davon bilden. Wenn ein Turm einen Knopf als Gipfel hat, so verlangt man ja auch nicht eine Wiederholung dieses Knopfes noch außer dem Knopfe im Turme. Vielmehr ist eben der eine Knopf dazu da, das zu leisten, was der Knopf dem Turm leisten soll. Und so ist eben unser Gehirn da, der Erde zu leisten, was ein Gehirn der Erde leisten kann, und man muß nicht noch einmal ein Gehirn in ihr suchen, um Gedanken wie unsre in ihr zu finden. Sie mag zwar noch etwas über unser Gehirn hinaus haben, nämlich die Verknüpfung unsrer Gehirne, aber muß alles Oberste ein Gehirn sein und heißen? Wir haben selbst oben einen Teil der Erde mit einem Gehirn verglichen, aber wollen wir damit mehr sagen, als daß er ihm nach gewisser Beziehung gleiche? Und alles gleicht sich nach gewisser Beziehung; nach anderer nicht; nur ist bei jedem Vergleiche nötig, die Beziehung anzugeben.

Nicht selten vergleicht man Ebbe und Flut mit dem Puls der Erde, den Kreislauf der Gewässer mit dem Kreislauf des Blutes, die Atmosphäre mit einer Lunge, Sommer und Winter oder Tag und Nacht mit Schlaf und Wachen der Erde usw. Alle solche Vergleiche treffen von gewisser Seite und können nach dieser oder jener Hinsicht sehr erläuternd sein, weil in der Tat bedeutungsvolle Analogien sich vom Teile, dem Menschen, aufs Ganze, die Erde, und umgekehrt erstrecken, aber im Zusammenhange und konsequent lassen sie sich nie durchführen, ohne auf Inkongruenzen zu stoßen, weil sich eben nichts ganz gleicht; und wenn wir uns daher selbst mitunter auf solche Vergleiche einlassen, werden sie eben auch überall nur zur Erläuterung nach gewisser

Beziehung dienen und nicht weiter gelten sollen, als in dieser Beziehung, die eben geltend gemacht wird.

Manche naturphilosophische Ansichten stellen sich in dieser Hinsicht sehr anders, indem danach die untergeordneten Glieder das höhere Ganze geradezu nur auf andrer Stufe wiederholen, ja im Grunde alles in der Welt sich gegenseitig wiederholt. Der Versuch, dergleichen durchzuführen, ist aber stets mißglückt. Betrachten wir einige der obigen Beispiele etwas näher in dieser Hinsicht. Es hat auf den ersten Anblick allerdings viel für sich, zu sagen: der Kreislauf der Gewässer ist für die Erde das, was der Blutkreislauf für uns. Das Wasser geht aus dem Meere durch Verdampfung in die Lüfte, aus den Lüften durch die Flüsse über Land zurück ins Meer. Das Meer mit dem Puls der Ebbe und Flut erinnert stark an das pulsierende Herz, die Fluß- und Bachverzweigungen an die Aderverzweigungen, und die Atmosphäre, in welche das Wasser immer von neuem übergeführt wird, an die Lunge. Der Stoffwechsel auf der Erde ist wesentlich an diesen Kreislauf geknüpft. So weit scheint alles zu passen. Aber alles hinkt, wenn man den Vergleich des Nähern auszuführen versucht. Unser Herz treibt durch seinen Puls das Blut in alle Adern, aber das Meer treibt durch den Puls der Ebbe und Flut keineswegs das Wasser sei es in die Flüsse oder in die Luft, vielmehr ist die Ebbe und Flut ganz beziehungslos hierzu. Ebbe und Flut führen das Wasser (oder vielmehr nur immer einen Teil des Wassers) in einem besondern Kreislauf um die Erde, wobei von einem Analogon mit Adern und Lunge nicht die Rede ist, und ein andrer Kreislauf ist es, der das Wasser aus dem Meere durch die Lüfte auf das Land und vom Lande durch die Flüsse in das Meer zurückführt, wo dann wieder von einem Analogon des Pulses nicht die Rede ist. Dazu verdankt der Puls des Meeres viel unmittelbarer äußern Anregungen seinen Ursprung, als der Puls unsers Herzens, der nur in entfernter Abhängigkeit davon steht. Auch das Verhältnis unsers Kreislaufs zur Lunge läßt sich nur sehr schlecht im Verhältnis des Wasserkreislaufs zur Atmosphäre wiederfinden. Das Wasser wird keineswegs in der Atmosphäre so oxydiert, als das Blut in unsern Lungen.

Von einer andern Seite hat es viel für sich, das Tierreich in der Erde mit den sogenannten animalen Systemen, d. i. Nerven- und Muskelsystem in uns, als vorzugsweisen Trägern und Vermittlern von Empfindung und willkürlicher Bewegung, zu vergleichen, zumal da die Hauptmassen des Nerven- und Muskelsystems ebenso die Neigung zeigen, klumpige Massen zu bilden wie die Tiere; das Pflanzenreich andrerseits mit den Systemen, welche Träger und Vermittler der sogenannten vegetativen Funktionen für uns sind, d. i. hauptsächlich Gefäßsystem und Verdauungssystem, da zumal die Gefäße ebenso eine verzweigte Form zeigen wie die Pflanzen, und die Därme mit ihren Zotten sehr gut die Wurzel mit ihren Fasern repräsentieren können; endlich das unorganische Reich mit dem Knochensystem, Zellgewebe, Haaren, Nägeln, Oberhaut u. dergl., als welche hauptsächlich nur dienen, dem Ganzen Halt und Hülle zu geben und die Hauptsysteme in sich Wurzel schlagen zu lassen, wie denn namentlich das Knochensystem in sehr vieler Beziehung dem Felsgerüst unsrer Erde entspricht.

Aber auch dieser Vergleich trifft nur teilweis; denn um nur an Naheliegendes zu erinnern, so kann das Felsgerüst der Erde gar nicht so durch
die Tiere bewegt werden, wie die Knochen durch Wirkung der Muskeln und
Nerven bewegt werden; die Pflanzen vermitteln gar nicht so viel von dem
Umtrieb der Stoffe wie das Gefäßsystem in uns usw. Dazu kommt
dieser Vergleich mit dem vorigen in Konflikt. Wenn das verzweigte System
der Flüsse und Bäche das verzweigte Gefäßsystem der Erde vorstellen soll,
so kann das verzweigte Pflanzenreich nicht dasselbe in demselben Sinne vorstellen und umgekehrt. Und im Grunde kann weder das eine oder das andre
es recht in demselben Sinne wie in uns vorstellen, da die Bewegung der
Säfte in unserm Leibe, die Bewegung der Säfte in den Pflanzen und die
Bewegung der Flüsse und Bäche auf der Erde und der Dünste in der Luft
sich vielmehr in dem allgemeinen irdischen System erst zu etwas Vollem
ergänzen (vgl. den Anhang). Dies schließt gewisse Ähnlichkeiten nicht
aus, die man verfolgen kann, ohne gegen die Verschiedenheiten blind sein
zu dürfen.

Ebensowenig als die reine Durchführung eines Vergleichs des
Menschen mit der Erde entspricht unsrer Ansicht von der Sache die Aufstellung einer naturphilosophischen Vergleichung, wie sie Oken seiner Ein-
teilung des Tierreichs und Pflanzenreichs zugrunde gelegt hat. Derselbe
betrachtet (Allg. Naturgesch. f. alle Stände S. 396) die selbständigen Tiere
nur als Teile des großen Tieres, welches das Tierreich ist. Dieses gilt
ihm als ein Ganzes, welches in den einzelnen Tieren seine Organe hat.
Ein einzelnes Tier entsteht, wenn ein einzelnes Organ sich von dem
allgemeinen Tierleib ablöst und zu relativer Selbständigkeit gelangt. Das
Tierreich ist sozusagen nur das zerstückelte höchste Tier: Mensch; indem
der Mensch alles, was auseinandergelegt in den einzelnen Tieren vorkommt, in sich verschmolzen und geeinigt enthält. Aber nach uns bildet
weder das Tierreich, noch Pflanzenreich einen als selbständig zu betrachtenden
Leib, sondern nur beider Zusammenhang mit dem ganzen irdischen System
bildet einen solchen. Hiermit fällt für uns das Prinzip der ganzen
Betrachtungsweise.

Sogar der allgemeine Vergleich des Menschen oder der Menschheit mit
einem Organe der Erde trifft zwar nach gewisser Beziehung sehr gut, nach
anderer aber wieder sehr wenig, wenn wir dabei das Verhältnis unsrer
Organe zu unserm Organismus wiedergespiegelt verlangen, und es kann
daher auch eben so nur in uneigentlichem oder weiterm Sinne sein, daß
man den Menschen oder die Menschheit ein Organ der Erde nennt, als man
die Erde selbst in weiterm Sinne einen Organismus sich zu nennen erlaubt,
und es ist auf eine Übereinstimmung dabei nach allen Besonderheiten von
vornherein zu verzichten.

Die Erde ist also nicht bloß etwas quantitativ Größeres als Mensch
und Tier, sondern auch etwas qualitativ Anderes. Sofern sie Menschen
und Tiere selbst befaßt, gewinnt sie notwendig andre innere und äußere
Verhältnisse als sie, die von ihr befaßten, zwar unter Beibehaltung

gewiſſer gemeinſchaftlicher Grundverhältniſſe, doch nur ſehr allgemeiner. Ja, daß ſie ſoviel größer iſt als ihre Menſchen und Tiere, trägt ſelbſt weſentlich bei, ſie ſo viel anders zu machen.

Goethe ſagt einmal (i. ſ. Nachtr. zur Oſteol. Geſ. W. B. 55. S. 231): „Dem erſten Anblicke nach ſollte man denken, es müſſe ebenſo möglich ſein, daß ein Löwe von zwanzig Fuß entſtehen könnte als ein Elefant von dieſer Größe, und daß ſich derſelbe ſo leicht müſſe bewegen können als die jetzt auf der Erde befindlichen Löwen, wenn alles verhältnismäßig proportioniert wäre; allein die Erfahrung lehrt uns, daß vollkommen ausgebildete Säugetiere über eine gewiſſe Größe nicht hinausſchreiten, und daß daher bei zunehmender Größe auch die Bildung anfange zu wanken und Ungeheuer auftreten.“ Goethe hat ſehr recht. Wenn es aber wahr iſt, daß über eine gewiſſe Größe hinaus kein Säugetier mehr beſtehen kann, ſo folgt daraus natürlicherweiſe, daß die Natur, wollte ſie doch noch größere Geſchöpfe machen, es nach einem andern Plane tun mußte, als der den Säugetieren zugrunde liegt; dann aber iſt es auch töricht, Vergleiche der Erde mit den Säugetieren insbeſondere zu ſuchen und durchführen zu wollen. Kann ein Froſch ſich nicht zur Größe eines Ochſen aufblähen, ohne zu platzen, wie will man vom Ochſen verlangen, daß er ſich zur Kleinheit des Froſches zuſammenziehe, ohne daß er zerkrache; doch verlangt man viel mehr, indem man verlangt, daß das große Geſchöpf, die Erde, Einrichtungen wie der kleine Menſch, das kleine Tier, zeige. Wenn aber das Extrem der Vergrößerung bei Säugetieren ungefüge Ungeheuer gibt, ſo folgt daraus noch nicht, daß ein Geſchöpf, das noch größer als Walfiſch, Elefant und Nashorn, noch ungefüger ſein werde; ſondern es wird eben nur darauf ankommen, einen andern paſſendern Plan für ſeine Bildung zugrunde zu legen, der die ungeheure Größe zu nutzen, zu beherrſchen und zu bewegen geſtattet. Bei der Erde iſt das wirklich der Fall; ſie ſchwingt ſich gewandt genug durch den Himmel, und ihre Glieder, d. i. ihre Geſchöpfe, bewegen ſich frei genug an ihr. Nur mit vier Beinen wie bei einem Säugetiere ging es nicht bei der Erde. Überhaupt aber, wenn wir die Frage aufwerfen, welche Abänderungen müßte die Organiſation eines Tieres erfahren, um noch lebendig und zweckmäßig beſtehen zu können, wenn es ſo groß wie die Erde ſein ſollte, würden wir eben diejenigen erforderlich finden, welche wir wirklich durch die Erde erfüllt ſehen. Ich ſpreche aber jetzt hiervon nicht weiter, weil es künftig der Fall ſein wird (vgl. Nr. 2 u. 3).

Faſſen wir von den bisher bloß flüchtig und im Überblick berührten

Punkten jetzt einige noch etwas näher ins Auge, ohne andern Zweck, als für die gewöhnliche zerstückelnde Betrachtungsweise der Erde die verknüpfende etwas geläufiger zu machen, die das Fundament unserer Betrachtungen ist, wie sie selbst ihr Fundament in der Natur hat. Es sind Bruchstücke einer kleinen (vergleichenden) physischen Erd- und Himmelskunde, die wir hier bieten, von der gewöhnlichen fach- und schulmäßigen Behandlungsweise einer solchen Lehre bloß darin unterschieden, daß die Stücke hier im ganzen aufgezeigt, statt aus dem Ganzen gebrochen und wieder dazu zusammengelegt werden, von der gewöhnlichen naturphilosophischen darin, daß auf die Unterschiede zwischen Erde und Mensch ebenso sehr hingewiesen und soviel Gewicht gelegt wird wie auf die Ähnlichkeiten. Wir werden hierbei nichts sagen, als was jeder weiß und zugibt; wir werden es bloß etwas anders sagen, als es jeder zuzugeben gewohnt ist. Nun sehe man zu, ob man Herr oder Sklave der Gewöhnung ist, die immer zur zerstückelnden und isolierenden Betrachtung zurückgedrängt. Ich nehme vom überall Zugegebenen einige Hypothesen über den Urzustand und das Innere der Erde aus, die sich anfechten lassen, auf die jedoch zuletzt nichts ankommen wird. Sie betreffen ein Gebiet, wo es einmal nur Hypothesen gibt, und die unsrigen werden doch im Grunde nichts sein, als eine etwas weitere Entwickelung derjenigen, über die sich die gründlichsten Forscher ohnehin so ziemlich, wenn auch nicht völlig, vereinigt haben.

In betreff der nicht seltenen speziellen Vergleiche zwischen Teilen oder Funktionen der Erde und unsers eignen Körpers lasse man die Bemerkung S. 38 nicht außer Acht. Solche Vergleiche sollen, wo sie vorkommen, nur dienen, gewisse, für uns und die Erde faktisch übereinkommende Gesichtspunkte schlagend hervortreten zu lassen; im übrigen aber nicht weiter gelten, als sie eben wirklich treffen. Ich behaupte nochmals, daß sie nicht weiter als bis zu gewissen Grenzen treffen können. Nach andrer Hinsicht trifft dann wieder etwas andres. Daher auch derselbe Teil der Erde oft aus verschiedenen Gesichtspunkten mit sehr verschiedenen Teilen des Menschen verglichen wird.

Um diesen Abschnitt nicht zu sehr anzuschwellen, verweise ich einen Teil der hierher gehörigen Betrachtungen, als für den Verfolg nicht gerade wesentlich, in einen Anhang.

1. Alle Stoffe der Erde bilden wie die unsers Leibes eine einzige vollkommen in sich zusammenhängende und zusammenhaltende Masse, in welche die Masse unsers Leibes selbst unlösbar mit eingeht. Diese Vorstellung ist uns nicht in der Art geläufig, wie sie es der Natur

der Sache nach sein sollte. Wenn wir über den Boden emporspringen,
ein Luftballon aufsteigt, ein Vogel fliegt, ein Stein in die Luft geschleudert
wird, meinen wir, hiermit löse sich etwas von der Erde los, ja unser
Gang über die Erde beweise unsre lose Verbindung mit der Erde. Aber
das gilt nur von jener beschränkten Auffassung der Erde, welche die feste
Erde für die ganze halten läßt. Der Vogel der durch die Luft fliegt,
hängt, abgesehen, daß ihn die Schwere noch an die Erde fesselt, noch
durch die ganze Luft mit der Erde zusammen; es ist bloß ein dichterer
Teil der Erde, der Wellen in einem dünnern schlägt; und wenn wir
über den Erdboden laufen, schiffen, ist dies nicht anders, als wenn die
Blutkügelchen im Blute schwimmen, so ganz bleiben unsre Leiber von
der Materie der Erde dabei umfangen, wenn wir uns nur erinnern,
daß die Luft auch mit zur Erde in weiterm Sinne gehört. Im Grunde
schließt uns die Erde mit Zuziehung ihres durchsichtigen Teiles ebenso
ein wie ein Bernstein die Mücke, nur mit dem Unterschiede, daß die Mücke
durch Einschließen in den Bernstein getötet ist, wir aber durch solchen
Einschluß allein unser Leben erhalten, wie jedes Organ nur durch Verband mit seinem Organismus; daß wir überhaupt nicht bloß in äußerlich
zufälligen Beziehungen zu unsrer Umgebung stehen, sondern durch tausend,
organischen gleich zu achtende, Beziehungen damit verwachsen sind.

Aber die Erde übertrifft an der Festigkeit des Zusammenhanges noch
unsern Leib. Wir können große Stücke unsers Leibes verlieren, wie
mancher Soldat läßt sein Bein auf dem Schlachtfelde zurück. Die Erde
ist eine une et indivisible, unverwundbar, ein wahres Atom des Weltalls,
kein mathematisches, aber ein physisches; es gibt in der Natur kein
Messer, das sie teilen, keinen Wind, der etwas von ihr wegblasen könnte.
Was sie hat, das hat sie. Wie locker hält im Grunde der ganze Mensch
zusammen; wenn er sich ganz beisammen zu haben meint, hält er nur
Wasser im Siebe, wenn er auf die Festigkeit seiner Konstitution pocht,
pocht er nur auf einen vergänglichen Schein. Er ist ja in einem
beständigen Auflösungs- und Rekonstruktionsprozesse begriffen; die Stoffe
ziehen durch ihn nur durch; endlich zergeht er ganz; nach tausend Jahren
ist sein Leib zerstreut in tausend Winde; sie aber hat den ihren nach
tausend Jahren noch ganz beisammen wie heute, und selbst von seinem
längst zerstobenen Leibe nicht ein Stäubchen losgelassen. Nur stelle man
es sich nicht so vor, als sei die Erde darum, daß sie so viel fester
gebunden ist als unser Leib, auch um ebensoviel toter, starrer; nein,
sie hat ja unser aller Auflösungs- und Rekonstruktionsprozeß selbst in
sich; jene tausend Winde, die unsern Leib zerstreuen, fahren alle in ihr,

nie über sie hinaus. Sie ist lebendiger als wir alle zugleich und gebundener als wir alle, weil sie unser aller Leben zugleich mit dem Bande aller unsrer Bande einschließt. Die Stoffe, die sie hier zerstreut, schlingt sie anderwärts in ein andres Band; unsern Leib aber schauerts, einmal aus dem Bande zu gehen, er weiß, er kann es nie wieder finden.

2. Die Erde ist an Größe, Gewicht und bewegender Kraft ein Ungeheuer gegen uns; doch sind wir es relativ gegen sie, wenn wir bedenken, daß sie ein soviel kleinerer Teil von der Welt ist, der sie angehört, als wir von ihr. So mögen wir uns deshalb doch nicht für gar zu unbedeutende Wesen halten, daß sie viele trillionenmal uns an Gewicht und Größe übertrifft, zumal das Größte im Kleinsten seine höchste Bedeutung suchen muß.

In der Tat, wenn der ganze organische Überzug der Erde nur eine verschwindende Wenigkeit gegen die Totalmasse der Erde und die Gesamtheit der organischen Bewegungen nur einen verschwindend kleinen Teil der Gesamtbewegungen der Erde bildet, so ist diese quantitative Bedeutungslosigkeit des organischen Reichs nicht mit einer qualitativen zu verwechseln, da vielmehr die Mannigfaltigkeit und Verwickelung der organischen Gestaltungen und Bewegungen denselben immer eine eminente Bedeutung nicht zwar der Erde gegenüber, aber in der Erde und für die Erde beilegen lassen wird. Überhaupt scheinen überall die in höherm Sinn bedeutsamsten Erscheinungen auf kleinsten Abwandlungen einer sie ganz unverhältnismäßig überwiegenden Hauptgröße zu beruhen, wie hinwiederum derselben als Unterlage zu bedürfen; auf Änderungen von einer Kleinheit höherer Ordnung ·(nach einem mathematischen Ausdruck), wozu aber auch ein sich Änderndes niederer Ordnung gehört. So sind die leiblichen Änderungen, von denen unsere eigenen Gedanken getragen werden, unfaßbar sein und wie es scheint verschwindend klein gegen die gewaltigen Strömungen des Bluts und die Bewegungen der Muskeln in unserm Leibe, die sozusagen ihre grobe Unterlage bilden; ohne diese grobe Unterlage könnten aber jene feinen Bewegungen auch nicht sein. Wenn eine Turmglocke geläutet wird, hat sie den ganzen Turm unter sich und schwingt in großen Bogen hin und her, ihr Klöppel dann noch nach anderem Takte in ihr; aber all das ist nur die grobe Unterlage für die unsichtbar kleinen Schwingungen der Glocke, welche eigentlich erst den Ton geben, auf den es zuletzt ankommt. Ebenso trägt ein großes Pianoforte mit dem Spiel der schweren Tasten keine andre Frucht als die feinen Schwingungen seiner Saiten. Der größte Reiz eines Gemäldes beruht nicht in dessen gröbsten, sondern dessen feinsten Zügen, die der

rohe Blick sogar ganz übersieht, aber den feinsten Zügen muß doch die
Anlage des Gemäldes in großen Zügen unterliegen. Die Entstehung
der Farben durch Prismen wußte man lange nicht nach der Undulations-
theorie zu erklären, weil man Änderungen höherer Ordnung in Betracht
zu ziehen versäumt, usw.

Unstreitig beruht die Bedeutsamkeit kleiner feiner Abwandlungen
einer Hauptgröße nicht auf ihrer Kleinheit und Feinheit an sich, sondern
darauf, daß eine vielfältigere, mannigfaltigere, innigere, sozusagen durch-
dringendere Begegnung, Verwicklung, Verschlingung, Kreuzung, Interferenz derselben dadurch möglich wird. Denn man sieht leicht ein, daß
sich bei Gleichheit der Masse oder in gleichem Raum ein unsäglich ver-
wickelterer und inniger verschlungener Knoten aus vielen feinen Spinnefäden als aus wenig dicken Bindfäden bilden läßt, und ebenso, daß
bei gleicher lebendiger Kraft (im Sinne der Mechanik) viele kleine
Wellen eine verwickeltere Interferenz geben können als wenige große.
Es setzt aber die Erzeugung und Erhaltung einer großen Menge und
Mannigfaltigkeit kleiner Veränderungen selbst im allgemeinen einen
großen und nachhaltigen tätigen Quell, die hohe, leichte und feine Entwicklung eine breite massive Basis voraus. Wäre die Erde kleiner im
Verhältnis zu ihren Geschöpfen oder diese größer im Verhältnis zur
Erde, so würden wenigere auf ihr zusammenleben und diese in viel
weniger mannigfaltige Verhältnisse zueinander versetzt werden können;
es würde ein weniger reiches und verwickeltes Zusammenspiel derselben
eintreten; die Basis der Entwicklung der Menschheit würde hiermit kleiner,
und also auch die Höhe der Entwicklung geringer werden. Eine recht
große Erde im Verhältnis zu recht kleinen Geschöpfen war daher für die
hohe Entwicklung der Erde das Günstigstmögliche, und wir sehen dieser
Zweckrücksicht in einem vorzüglichen Grade entsprochen. In der Erde
zwar noch nicht in einem absoluten Grade, wohl aber in der Welt, in
bezug zu welcher die Erde selbst zu den Größen von einer Kleinheit
höchster Ordnung gehört.

Gesetzt der Mensch wäre noch einmal so lang, so breit und so dick als
er ist, so würde seine Masse zweimal zweimal zweimal, also achtmal so viel
als jetzt betragen; es würde also auch achtmal so viel Acker nötig sein,
einen Menschen zu nähren, als jetzt, und die Dichtigkeit der Bevölkerung
würde nur achtmal kleiner sein dürfen als jetzt. Es hälfe nichts, daß
Pflanzen und Tiere, von denen er sich nährt, entsprechend wüchsen, sie
würden so auch umsomehr Platz und umsomehr Bodenfläche zur Nahrung brauchen. Das ganze Leben würde eine massive, isolierte und in Betracht dessen, was wir unter Nr. 8. c. sehen werden, träge Beschaffenheit

annehmen, da die Muskelkraft nicht im Verhältnis der Größe zunehmen würde; statt daß jetzt jeder einen kleinen Umkreis mit Leichtigkeit beherrscht und sich in rasch wechselnde Beziehungen mit andern setzt.

Encke hat im Berl. astronom. Jahrb. f. 1852, Anh. S. 318—342 eine Abhandlung über die Dimensionen des Erdkörpers nebst Tafeln für die Gestalt der Erde nach Bessels Bestimmungen gegeben. Es mag von Interesse sein, folgende Data, als die neuesten, hieraus mitgeteilt zu finden.

Unter den Toisen in der Abhandlung und in den Tafeln ist die Toise von Peru oder das in Paris aufbewahrte eiserne Modell bei 13° R. zu verstehen.

a halbe große Achse der Erde 3272077,1899 Toisen;
b halbe kleine Achse — — 3261189,8284 —

$$\text{Abplattung} \quad \frac{a-b}{a} = \frac{1}{299,152818}$$

$$\frac{a-b}{a+b} = 0{,}0016741848$$

Nach Enckes neuerer Untersuchung über die Sonnenparallachse beträgt die mittlere Entfernung der Erde von der Sonne 20682329 geogr. Meilen, von denen 15 auf 1 Grad des Äquators gehen.

Ferner 1 geogr. Meile = 3807,23463 Toisen = 1970,25008 preuß. Ruten à 12 Fuß.

Oberfläche der ganzen Erde = 9261238,314 geogr. □Meil.

Kubikinhalt — — — = 2650184445,1 geogr. Kubikmeilen.

Nach vorigen Angaben berechne ich für Annahme einer mittlern Dichtigkeit der Erde = 5,55 (nach dem Mittel aus Reichs und Bailys Versuchen) das Gewicht der Erde zu 116635 Trillionen Preuß. Zentner (zu 110 Pfd.). In Cottas Briefen ist es zu 114256 Trillionen Leipz. Zentner berechnet, in Gehlers Wörterbuch (Artikel Weltsystem) von Littrow, nach der früher zu klein angenommenen Dichtigkeit der Erde $^9/_2$, nur zu 87142230000 Billionen Wien. Zentner.

An der größten Pyramide dem Wunderwerke nicht sowohl der Welt als der Menschen, haben 360000 Menschen 20 Jahre lang zu bauen gehabt; ihr Inhalt beträgt doch nur etwa den millionsten Teil einer Kubikmeile, und Bessel bemerkt[*], daß alles, was die Kräfte des Menschen und die ihm zu Gebote stehenden Mittel von der Sintflut bis jetzt beträchtlich von der Stelle bewegt haben, vielleicht noch nicht eine Kubikmeile messe, dahingegen die Erde nach Bessels Berechnung in der Flutbewegung jeden Vierteltag an 200 Kubikmeilen Wasser aus je einem Viertel des Erdumfanges in den andern schafft, und der Ganges nach Everest jährlich nahe an 6400 Millionen Kubikfuß Schlamm zum Meere führt, was eine Erdschicht von 16 □=Meilen Ausdehnung von 1 Fuß Dicke gibt.[**] Hier findet nun zwar insofern keine völlige Vergleichbarkeit statt, als die Flut= und Flußbewegung eine

---

[*] Populäre Vorles. über Astronomie. S. 166 ff.
[**] Burmeister, Schöpfungsgeschichte. 3. Aufl. S. 22.

innere Bewegung der Erde ist, wobei sie einen Teil ihrer Masse selbst fortschafft; das Fortschaffen der Lasten beim Bau der Pyramide durch Menschen aber eine Bewegung von ihnen äußern Lasten ist; doch hängen die Bewegungen, welche die Menschen äußerlich hervorbringen, von der Kraft ihrer innern Bewegungen ab und können selbst mit als Maß derselben dienen. Näher liegt der Vergleich der Pulskraft des Meeres mit der Puls-kraft des Herzens. Natürlich ist auch letztere Kraft, welche in einer Minute ungefähr 70 mal einige Unzen Blut aus einem Viertel des Herzens in das andere oder aus dem Herzen in die Adern schafft, verschwindend klein gegen die Pulskraft des Meeres.

3) Im Vorigen findet sich schon eine Bestätigung dessen, was wir früher sagten, daß eine vermehrte Größe die Dinge nicht bloß größer, sondern auch anders macht. Aber noch nach gar manchen andern Be-ziehungen macht sich dies Prinzip geltend.

a) Das kleine Modell einer Maschine oder eines Gebäudes, in welchem die Verhältnisse aller Teile möglichst zweckmäßig für seine Leistung abgewogen sind, muß andere Verhältnisse bei der Ausführung im Großen annehmen, soll der Zweckmäßigkeit noch eben so genügt sein. In je größerem Maßstabe die Ausführung erfolgt, desto dicker, massiver müssen die tragenden Teile in Verhältnis zu den getragenen sein, sonst leidet Festigkeit und Haltbarkeit, weil das zu tragende Gewicht nach dem kubischen Verhältnis, die vom Querschnitt abhängige Haltbarkeit der Träger bloß nach dem quadratischen Verhältnisse der Dimensionen wächst. Dasselbe Prinzip erstreckt sich aber auch auf die Organismen. Wollte man eine Maus unter Beibehaltung ihrer Verhältnisse zum Elefanten vergrößern, die Beine würden sie nicht mehr tragen können; vielmehr, weil der Elefant so groß ist, muß er sogar in Verhältnis seiner Körper-last noch so viel plumpere Beine haben. Wäre er noch größer, müßte er noch plumpere Beine haben. Die Berge, die doch auch stehen wollen, sind wirklich noch größer als ein Elefant, deshalb haben sie wirklich noch plumpere Beine, ja diese sind in ein einziges breites Bein, die breite Basis des Berges zusammengezogen, und die Last verschmälert sich nach oben immer mehr. Die Erde ist nun noch größer als die Berge, indem sie die Berge selber zu tragen hat; so ist nun ihr Tragendes ganz und gar zu einem dicken, festen Gewölbe zusammengezogen; denn in der Tat ist die feste Erdrinde nur ein Gewölbe um ihren flüssigen Inhalt, und alles Getragene erscheint dagegen unbedeutend.

b) Von selbst versteht es sich, daß man das in einer Verkleinerung nicht wiedergeben kann, was selber die feinstmögliche Ausarbeitung an einem Großen ist. Ist etwas Großes mit allem Fleiße des Künstlers

ausgearbeitet, so müssen sich entweder die feinsten Züge bei der Verkleinerung verwischen, oder das Kleine kann nur ein Stück des Großen
wiedergeben. Ebendarum kann auch der Mensch die Erde nicht im
Kleinen wiederholen, gibt vielmehr nur ein Stück von der feinen Ausarbeitung der großen Erde wieder, indem er ein solches selbst unmittelbar
darstellt; sollte er aber in seinem kleinen Raume auch noch Meer und
Flüsse und alle Tiere und Pflanzen mit wiedergeben, es ginge nicht;
die Natur der Materie gibt es nicht her. Große Künstler versuchen
sich daher auch lieber in großen Kunstwerken als in kleinen, weil die
Kleinheit sie hindert, die ganze Fülle und Tiefe ihrer Kunst zu entwickeln.
Nur daß manche in den Fehler fallen, das Große plump und leer zu
machen. Aber die großen göttlichen Geschöpfe sind deshalb so groß gemacht, um in ihnen die großartigste Grundlage aufs Feinste und Reichste
auszuarbeiten.

Also zeigt sich die absolute Größe der Erde als ein sehr wesentliches
Moment für ihre Vollkommenheit, nicht zwar an sich, denn sonst wäre
ein Berg und ein Elefant vollkommener als ein Mensch, aber als
Grundlage für ihre reiche und hohe Entwicklung. Eine Erde so klein
wie ein Mensch hätte das auch im kleinen Maßstabe nicht zu leisten
vermocht, was sie jetzt im großen leistet; hätte keinen einzigen Menschen
im kleinen tragen können; so groß wie sie ist, trägt sie tausend Millionen
Menschen, das macht sie zu einem erhabenen Wesen. Wollte aber der
Mensch sich bis zum Umfange der Erde vergrößern, so würde er nur
ein plumpes Ungeheuer sein, weil ihm die ganze Ausarbeitung der Erde,
von der er nur einen winzigen Teil darstellt, abginge. Für die
Wenigkeit, die er enthält, ist seine Kleinheit gerade recht. Wir werden
hier wieder an ein Kunstprinzip erinnert. Ein Gott verträgt wohl die
Darstellung in übermenschlicher Größe, nicht die unbedeutende Figur eines
Genrebildes. Der Mensch aber stellt nur ein solches vor im Bereiche
der Wesen. Doch könnte auch der Gott nicht zu groß von uns dargestellt
werden, ohne vielmehr ungeheuerlich als erhaben zu erscheinen, weil wir
ihn doch in menschlicher Gestalt darstellen müßten und die großen Formen
nicht zu füllen wüßten. Aber anders ist es mit den wirklichen höhern
Wesen.

Das eigene Gehirn kann dem Menschen Zeugnis geben, daß die
Größe mehr tut als vergrößern. Unstreitig hätte der Mensch nicht ein
verhältnismäßig so großes Gehirn, wenn sich mit einer kleinen Masse
dieselbe Höhe der Entwicklung, welche noch etwas mehr ist als quantitative Vermehrung, hätte beschaffen lassen, nur daß es freilich auch hier

die Größe des Gehirns nicht allein und an sich tut, sondern nur, sofern sie einer durchgebildetern und vielseitigern Entwicklung Raum gibt. Nun aber steht die Erde auch hierin wieder direkt über dem Menschen, da sie die Gehirne aller Menschen und Tiere hat; eine solche Mannigfaltigkeit und Höhe hätte sich mit einem einzigen kleinen Menschen- oder Tiergehirn nicht beschaffen lassen. Doch der Einfluß der Größe läßt sich noch weiter verfolgen.

c) Dächten wir uns den Menschen oder einen Elefanten bis zum Umfange der Erde vergrößert, so würden sie, auch wenn ein geeigneter Boden vorhanden, um darauf zu wandeln, doch nicht im Geringsten sich von der Stelle, und ebensowenig ihre Gliedmaßen bewegen können, wieder aus dem Grunde, weil die Körper- und Gliederlast im kubischen, die (vom Querschnitt abhängige) Muskelkraft nur im quadratischen Verhältnisse der Dimensionen zunimmt. Mit Muskeln ließ sich also die Bewegung eines so großen Geschöpfes, als die Erde ist, überhaupt weder im Ganzen, noch nach großen Teilen zweckmäßig bewerkstelligen. Demgemäß sehen wir Muskeln wirklich bloß zu den Bewegungen verhältnismäßig sehr kleiner Teile der Erde verwandt, die Bewegungen im Großen aber durch andere Mittel bewirkt. Wie denn selbst im Tierreich schon die Bewegungen nicht allein durch Muskeln bewirkt werden.

Ein Erfolg des vorigen Prinzips ist unstreitig, daß ceteris paribus die Bewegungen kleiner Tiere schneller sind als großer Tiere. Ein springender Floh von der Größe eines Elefanten hätte sich gar nicht herstellen lassen.

d) Man hat die Bemerkung gemacht, daß die sehr kleinen Infusorien einer Lunge und eines Magens nicht ebenso benötigt sind, als wir, weil ihr ganzer Leib unmittelbar durch die äußere Oberfläche sich mit Luft und Nahrungsstoffen schwängern kann, da auch die innersten Teile des Körpers der Oberfläche ganz nahe sind. Diese Tierchen sind gewissermaßen nichts als Oberfläche. Aus dem entgegengesetzten Grunde würde ein sehr großes Geschöpf Lunge und Magen nicht als innere Organe brauchen können, weil der Weg nach dem Innern zu lang wäre, daher wirklich alle Lungen und Mägen und Gehirne an der Oberfläche der Erde angebracht sind. Man erläutert sich das noch besser durch folgendes Beispiel:

Wenn man ein Haus unter Beibehaltung seiner Verhältnisse so sehr vergrößern wollte, daß es ein Land deckte, so versteht sich von selbst, daß es im Innern sehr finster werden und der Verkehr zwischen dem Innern des Hauses und der Außenwelt durch den langen Weg von Innen nach

Außen sehr behindert werden würde. Statt eines großen Hauses baut man daher lieber mehrere kleinere. Aber gesetzt, man hätte Gründe, ein großes Haus zu bauen, wie würde die Einrichtung sein müssen? Die bewohnten Zimmer könnten bloß am Umfang angebracht sein, wo es an Licht und Luft nicht fehlt und der Verkehr mit der Außenwelt leicht ist. Soll also ein einzelnes Geschöpf so groß wie die Erde sein, so müssen sich aus ähnlichen Gründen die Lebensphänomene vorzugsweise an der äußern Oberfläche zusammendrängen, weil der innere Verkehr oder Lebenswechsel in einem Geschöpfe selbst nur durch den Zusammenhang mit dem äußern Verkehr unterhalten werden kann. So aber ist es wirklich bei der Erde.

Bei dem großen Hause würde freilich die Unzweckmäßigkeit eintreten, daß das Innere müßig würde, und eben darum baut man Häuser nicht über eine gewisse Größe, oder baut sie mit einem großen Hofe. Aber bei der Erde tritt diese Unzweckmäßigkeit nicht ein, weil hier das Innere zugleich das Untere, und mithin anders als bei einem Hause zugleich die Grundmauer vertritt.

e) Je mehr ein Körper sich unter Beibehaltung seiner Verhältnisse vergrößert, desto schwerer muß es überhaupt werden, ihn durch die Oberfläche aus der Außenwelt zu nähren, weil die Oberfläche sich hiebei bloß im quadratischen Verhältnisse vergrößert, indes die Masse im kubischen. (Immer macht sich dies Verhältnis bei diesem Gegenstande geltend.) Dagegen führt seine Größe auch die vergrößerte Möglichkeit mit, ihn selbst zur Vorratskammer für seine Subsistenzmittel zu machen. Während daher die kleinen Menschen und Tiere ganz im Stoffwechsel mit der Außenwelt aufgehen und dadurch sehr abhängig von derselben werden, ist die große Erde unabhängiger geworden, indem ihr alles was sie zur Erhaltung und Erneuerung des Lebens von gröbern Stoffen braucht, mitgegeben ist; was gestattet hat, sie in den reinen Äther zu hängen, von dem sie nun um so ungehinderter und reichlicher mit Licht und Wärme versorgt wird. Die Größe der Erde ist also auch ein sehr wesentliches Bedingnis ihrer äußern Bedürfnislosigkeit in grob materieller Hinsicht.

f) Man schaffte einmal Wasser aus dem heißen Gasteiner Heilquell nach dem ungefähr 10 Meilen entfernten Salzburg, um dort zum Baden zu dienen, und es kam noch so heiß dort an, daß man schloß, das Gasteiner Wasser habe die wunderbare Eigenschaft, die Wärme sehr fest zurückzuhalten. Spätere Erfahrungen ergaben, daß gemeines Wasser sich ganz gleich verhielt. Es kam nur darauf an das Wasser in recht großen

Tonnen fortzuschaffen; in einem kleinen Becher wäre das Gasteiner Wasser so gut als das gemeine ganz kalt in Salzburg angelangt. Die Erde ist nun auch eine sehr große Tonne voll heißer Flüssigkeit, die aber, weil viele trillionenmal größer als das Gasteiner Faß, mit meilendicken Wänden, selbst in Jahrtausenden um nichts Merkliches erkaltet. Nun sieht man leicht ein, daß, wenn beim Menschen und den warmblütigen Tieren ganz besondere Maßregeln getroffen sind, die innere Wärme gleichförmig zu erhalten (Atmen, Verdauen und noch manches Andere müssen dazu zusammenwirken), bei der Erde diese Mittel einfach durch die Größe und durch die Dicke der Wand erspart worden sind; doch sind sie supplementar da angebracht, wohin die Größe ihren Wärme zurückhaltenden Einfluß nicht erstreckt, das ist an der Oberfläche der Erde bei Teilen, wo es besonders wichtig erschien. (Vergl. den Anhang.)

Auch bei den Organismen kann man den Einfluß der Größe auf die Wärme darin erkennen, daß es keine warmblütigen Tiere, d. h. solche, die eine merklich höhere Temperatur als die Umgebung haben, von sehr kleinen Dimensionen gibt. Zwar erzeugen Insekten Wärme, da es in einem Bienenstocke beträchtlich wärmer als braußen ist, aber nur bei gehäufter Menge der Bienen in eingeschlossenen Räumen wird diese Wärme merklich; bei einer einzelnen Biene im Freien wird sie zu schnell nach außen abgeleitet; auch sind bei Insekten nicht wie bei uns Mittel vorhanden, die Wärme so zu regulieren, daß sie sich immer auf demselben Grade erhält; da diese Mittel bei der Kleinheit der Insekten doch fruchtlos sein würden, den veränderlichen Einwirkungen der Umgebung zu widerstehen. Die kleinsten warmblütigen Geschöpfe sind die Kolibris; aber sie gedeihen nur unter den Tropen, wo die Wärme ohnehin sich der Blutwärme nähert, und unterstützen die innere Wärmeentwicklung durch sehr lebhafte Bewegungen. Dazu atmen kleine Vögel viel stärker als große. Mit dem Atmen hängt aber die Wärmeentwicklung zusammen. So ist (nach Regnault und Reiset) der Sauerstoffverbrauch für gleiche Zeitdauer und gleiche Gewichte bei Sperlingen 10 mal größer als bei Hühnern. Vögel sind überhaupt durchschnittlich kleiner als Säugetiere; aber dafür auch durch Federn durchschnittlich wärmer gehalten. Die größten Säugetiere, Elefant, Nashorn, Walfisch, sind nackt, weil die Größe die Bedeckung ersparen hilft. Interessante Erörterungen über diesen Gegenstand enthält folgendes Schriftchen von C. Bergmann: „Über die Verhältnisse der Wärmeökonomie der Tiere zu ihrer Größe. Göttingen 1848".

g) Nehmen wir an, die Erde wäre klein wie ein Mensch oder noch kleiner, so würde es für die Erwärmung ihrer Oberfläche durch die Sonne ziemlich gleichgültig sein, wie sie gestaltet wäre, weil die in den Senkungen liegenden schattigen Teile doch von den benachbarten bestrahlten Teilen die Wärme leicht durch Überleitung und Überführung (mittels

Waſſer und Luft) empfangen würden; nun ſie aber ſo groß, iſt ihre
verhältnismäßige Glätte und Rundung ganz weſentlich für ihre allſeitige
und relativ gleichförmige Verſorgung mit Wärme; denn wenn die Un=
gleichförmigkeiten ihrer Oberfläche (Berge, Täler), die gegen die Größe
der Erde doch faſt verſchwinden, ſchon jetzt in dieſer Hinſicht nicht un=
erhebliche Hinderniſſe darbieten, ſo läßt ſich einſehen, wie viel größer
ſolche ſein würden, wären die Ungleichförmigkeiten verhältnismäßig noch
größer. Nur die kleinen Geſchöpfe auf der Erdoberfläche durften dem=
gemäß die ſo ſtark ein= und ausgebauchte Geſtalt haben, die ſie haben,
nicht die Oberfläche der großen Erde ſelbſt. Sonſt wären ſelbſt jene
kleinen Geſchöpfe auf vielen Teilen der Erde hinſichtlich der Befriedigung
ihres Wärmebedürfniſſes zu kurz gekommen; oder vielmehr, viele Teile
der Erde hätten ſolche Geſchöpfe gar nicht tragen können. Alſo ſteht die
Größe der Erde auch mit ihrer Geſtalt in Zweckbezug, die freilich noch
durch viele andere Rückſichten mitbeſtimmt iſt.

4) Die Geſtalt der Erde iſt im Hauptzuge überhaupt einfach,
regelmäßig, kugelig, nur mit einer leiſen Ausweichung ins Elliptiſche
(woher die Abplattung an den Polen), ins Einzelne und Feine aber aufs
Mannigfaltigſte durch Berge und Täler und ins noch Feinere durch
die Geſtalten und geſtaltenden Tätigkeiten der organiſchen Geſchöpfe aus=
gearbeitet; die Geſtalt des Menſchen dagegen iſt gleich im Hauptzuge eine
Sammlung von Bergen und von Tälern, ſo unregelmäßig, ſo verwickelt,
daß nur die ſymmetriſche Fügung aus zwei Hälften den Zuſammenhalt
durch eine Idee verrät.

Durch die elliptiſche Abwandlung individualiſiert ſich die Kugelgeſtalt
der Erde gegen die von andern Geſtirnen, etwa wie die im ganzen
kugelige Hauptform des Schädels verſchiedener Menſchen und Menſchen=
raſſen ſich durch gewiſſe Abwandlungen gegen einander individualiſiert.

Zwiſchen der Abwandlung, welche die Kugelgeſtalt der Erde im
ganzen durch die Elliptizität oder Abplattung erleidet, und der, welche
in Bergen und Tälern gegeben iſt, ſcheint ein großer Sprung ſtattzu=
finden; ſo klein iſt letztere gegen erſtere. Doch gibt es ein Mittelglied,
das man erſt neuerdings erkannt hat. Die feinen Züge ſetzen ſich bei
der Erde ſo wenig als bei uns unvermittelt auf den Hauptzug der Geſtalt.

Die wahre Geſtalt der Erde iſt (abgeſehen von den Unregelmäßigkeiten
derſelben) die eines Sphäroids, d. i. eines Körpers, welcher durch Umdrehung
einer Ellipſe um eine ihrer Achſen entſtanden gedacht werden kann. Da nun
bei der Erde die kleine Achſe als Drehungsachſe auftritt, ſo erſcheint hierdurch
die Erde an den Polen abgeplattet.

Die Abplattung der Erde oder der Verhältnisteil, um welchen die kleine Achse (Polarachse) der Erde kleiner als die große Achse (Äquatorialachse) ist, beträgt ungefähr $^1/_{300}$ der großen Achse; d. i. der Durchmesser der Erde, von Pol zu Pol genommen, ist zwischen 5 bis 6 geogr. Meilen kürzer als der 1719 Meilen betragende Durchmesser der Erde in der Äquatorebene genommen.

Die Abplattung kann eigentlich bei keinem Weltkörper, der sich dreht, ganz null sein, und wenn sie bei Sonne, Merkur, Mond (dessen Rotation um sich mit der Bewegung um die Erde zusammenfällt), nicht merklich ist, so heißt das nur, sie ist zu klein, um unsern Messungen zugänglich zu sein. Durch theoretische Untersuchungen hat sich ergeben, daß die Mondkugel abgesehen von der unmerklichen Abplattung an den Rotationspolen eine gegen die Erde hin gerichtete Verlängerung haben müsse, die indes nur wenig Hundert Fuß beträgt. Im Übrigen ist die Abplattung bei den verschiedenen Planeten sehr verschieden. Bei der Erde, wie bemerkt, ungefähr $^1/_{300}$, beim Jupiter $^1/_{16}$, beim Saturn $^1/_9$, beim Uranus $^1/_{10}$.

Über die obenerwähnten Abweichungen von der Kugelgestalt, die kleiner als die Abplattung, größer als die Berge und Täler sind, geben folgende Stellen in Bessels populären Vorlesungen über Astronomie gute Auskunft.

S. 292. „Es sind zwar Gründe vorhanden, welche wahrscheinlich machen, daß die Figur der Erde, im ganzen genommen, sich nicht sehr beträchtlich von der Figur eines, durch Drehung einer Ellipse um ihre kleinere Achse erzeugten, Sphäroides entfernt; allein, wenn man von den vorhandenen Gradmessungen auch die ausschließt, welche wegen ungenügender auf ihre Ausführung verwandter Mittel, oder aus andern Gründen, ihren Anspruch auf Sicherheit mehr oder weniger verlieren, so lassen die noch übrigbleibenden (es sind deren 10) sich keineswegs durch die Voraussetzung jener sphäroidischen Figur der Erde vereinigen, wodurch sie zeigen, daß die Oberfläche der Erde an einigen Stellen mehr, an andern weniger gekrümmt ist, als jene. Die zuletzt ausgeführte dieser Gradmessungen, die in Ostpreußen, hat wahrscheinlich gemacht, daß die wirkliche Figur der Erde sich zu einer regelmäßigen etwa verhält, wie die unebene Oberfläche eines bewegten Wassers zu der ebenen eines ruhigen, so wie auch, daß die einzelnen Ungleichheiten geringe, vielleicht einige Meilen nicht überschreitende Ausdehnung besitzen."

S. 57. „Das aus den genauesten Erdmessungen hervorgegangene Hauptresultat ist, daß man keine regelmäßige Figur der Erde angeben kann, welche alle diese Messungen zugleich erklärte, es bleiben Unterschiede übrig, deren Erklärung nirgends anders mehr gesucht werden kann, als in Unregelmäßigkeiten der Figur der Erde selbst; in Unregelmäßigkeiten, deren Ursache eine unregelmäßige Verteilung der Masse von verschiedener Dichtigkeit im Innern der Erde ist."

S. 60. „Die Unregelmäßigkeiten der Figur der Erde sind, im allgemeinen, nicht so weit ausgedehnt, daß sie das Durchblicken der Figur im ganzen verhinderten. Diese Grundform scheint fast oder ganz regelmäßig zu sein; die Abweichungen scheinen so wenig ausgedehnt zu sein, daß, wenn die wirkliche Krümmung an einem Punkte größer ist als die der

Grundform, sie vielleicht schon in 5 oder 10 Meilen Entfernung kleiner gefunden wird."

5) Die Erde hat sich ihre Gestalt in der Hauptsache selbst gegeben. Ein Töpfer klumpt einen Tonball äußerlich mit der Hand zusammen und dreht einen Teller daraus mit Hilfe des Fußes äußerlich rund und flach ab. Die Erde hat sich selbst durch eigene innere Kräfte zusammengeballt und dann durch eigene Drehung sich flach abgedreht, hat aus eignen Kräften ihre Berge hervorgetrieben und die organischen Formen aus sich erzeugt. Allgemeine Einflüsse des Himmels wirkten hiebei mit, doch konnten nur beitragen, teils die selbständig erzeugte Hauptform zu modifizieren, teils die vorhandene Anlage der Organisation zu entwickeln.

Wie nahe es liegt, bei der Oberflächegestaltung des Erdkörpers an Verhältnisse zu denken, wie sie uns im Organischen begegnen, mag folgende Stelle lehren, die mir in Cottas Briefen (S. 54) begegnet:

„Durch Anziehung der Sonne und des Mondes während des Erstarrens und durch ungleiche Dichtigkeit der Masse sind kleine Anschwellungen an der Erdoberfläche bedingt, welche sich der Vorausberechnung entziehen und durch welche zum Teil vielleicht die wechselnden Kraftwirkungen einer längst vergangenen Zeit gewißermaßen fixiert sind, so wie manchmal ein mächtiger Eindruck im kindlichen Alter eine gewisse dauernde Schattierung des Charakters des Mannes bedingt. Die Form der Erde ist eben so wie unsre psychische oder physische Individualität ein Resultat unendlich mannichfaltiger äußerer Einwirkungen auf das ursprünglich Gegebene, welches stets als wesentlich vorherrscht."

„Wenn wir alle die Unebenheiten der Erdoberfläche, welche in Beziehung auf die Gestalt im ganzen fast verschwindend klein sind und welche, weil sie die Richtung der Schwere nur ganz unmerklich verändern, auf die Resulte der Gradmessungen nicht merkbar einwirken können; wenn wir alle Unebenheiten des Landes- und Meeresbodens, alle Gebirge, Berge, Ebenen und Täler, teils durch äußere, teils durch innere Ursachen bedingt, ins Auge fassen, so ist die Mannigfaltigkeit, die Verwicklung, die Schwierigkeit, alles Einzelne auf seine Ursachen zurückzuführen, ebensogroß, als wenn wir versuchen wollten, alle individuellen Eigenschaften eines Menschen aus seiner ursprünglichen Organisation und den Ereignissen seines Lebens abzuleiten. Solche Aufgaben sind für uns nicht lösbar; wir müssen uns in beiden Fällen begnügen, die Hauptzüge zu begreifen oder isolierte Einzelnheiten zu erklären."

6) Wie bei Menschen und Tieren hängt die äußere Gestalt der Erde ganz mit der Beschaffenheit des Innern zusammen, als dessen Abschluß sie ja anzusehen. Wäre die Erde im Innern anders dicht und schwer, so wäre auch ihre Abplattung eine andere geworden, jede Bergeshöhe wäre eine andere geworden, die Fluß- und Meeresbetten hätten sich anders gestaltet, ja selbst die Größe und Form der lebendigen Geschöpfe

an der Oberfläche hätte aus Zweckrücksichten eine andere sein müssen, als sie jetzt ist, wie weiterhin zu zeigen.

Indem Newton seine Berechnung der Abplattung auf die Annahme gründete, daß die Masse der Erde gleichförmig im Innern verteilt ist, fand er das Verhältnis der Achsen 230:229 (d. i. $^1/_{230}$), welches zu groß deshalb ist, weil die Masse der Erde nach Innen wirklich dichter ist als nach Außen. Die kleinste Größe, welche bei der allergrößten Verdichtung um den Mittelpunkt stattfinden würde, wäre $^1/_{576}$. Also so beträchtlich kann die Beschaffenheit der Stoffverteilung die Gestalt ändern. (Bessel, Popul. Vorlesungen S. 42).

Clairault zeigte, daß, wie auch die Lagerung der Schichten im Innern der Erde beschaffen sein möge, die Summe der Abplattung und der Zunahme der Schwerkraft vom Äquator bis zu den Polen dritthalb mal so groß sein muß, als die Fliehkraft unter dem Äquator.

Daß die Hauptform der Erde im ganzen° viel einfacher ist als die ihrer Geschöpfe, ist sehr erklärlich daraus, daß die große Mannigfaltigkeit der irdischen Verhältnisse, in welche die Organismen unmittelbar eingebettet sind, und in bezug zu denen sie sich zweckmäßig zu benehmen haben, auch unstreitig bei ihrer Bildung eine Rolle mitgespielt hat. Dies läßt sich im allgemeinen übersehen, wenn man es auch im besondern nicht verfolgen kann. Dagegen sind der Erde die Bedingungen der Außenwelt, die einen dehnenden oder drückenden Einfluß auf sie hätten äußern können, ferngerückt. Auch dieser Gesichtspunkt der Betrachtung läßt den Gestaltungsprozeß der Erde als einen verhältnismäßig selbständigen gegen den des Menschen erscheinen. Die Erde hat verhältnismäßig viel mehr äußerlich zur ersten Gestaltung des Menschen, als der Himmel zur Gestaltung der Erde gewirkt; obwohl einige Mitwirkung der Gestirne auch bei ihr statt gefunden. Sie ist ja selbst ein erheblicherer Teil des Himmels, und hat daher auch einen erheblichern Teil von dessen gestaltenden Kräften in sich als der Mensch.

Wenn es manche niedere irdische Wesen gibt, die auch eine sehr einfache, fast kugelige, Gestalt haben, so sind es im allgemeinen solche von beschränkten Lebensverhältnissen, bei deren Bildung unstreitig auch keine große Vielseitigkeit und Ungleichförmigkeit der nähern Gestaltungsbedingungen obwaltete. Hier wirkte weder viel auswendig, noch viel inwendig zur Erzeugung einer komplizierten Gestalt.

7) Bei ästhetischer Beurteilung der Gestalt der Erde werden wir uns zu hüten haben, daß nicht unser Gefühl als Menschen uns täusche und dieselben Forderungen, die wir im Gebiet des Menschlichen natürlicherweise geltend machen und geltend machen müssen, auch noch da stellen lasse, wo es sich um ein übermenschliches Gebiet handelt. Dem

Menschen wird und muß die menschliche Gestalt, bei aller ihrer Unregel=
mäßigkeit und scheinbaren Prinziplosigkeit, aus Verwandtschaftsgründen
stets als die schönste erscheinen; erscheint doch sogar dem Hottentotten
die Hottentottenphysiognomie als die schönste. Ist sie es auch deshalb?
Aus demselben Grunde kann aber für ein höheres Wesen, als der Mensch
ist, die menschliche Gestalt gar nicht als die schönste erscheinen, und kann
in höherm Sinne nicht die schönste sein. Fragen wir uns nun,
welche Gestalt wir nach Verstandesgründen, da uns Gefühlsgründe hier
nicht leiten können, für höhere Wesen als die schicklichste halten dürfen;
so wird es unstreitig eine solche sein müssen, welche die harmonischste
Entwicklung und durchgebildetste Erfüllung höherer Zwecktendenzen
möglich macht. Denn auch bei unsrer eignen Gestalt läßt sich das
Zusammenstimmen der Schönheits= und Zweckmotive bis in größte
Einzelnheiten verfolgen. Es wird sich aber im Verfolg immer deutlicher
zeigen, wie die so einfache, doch ins Feinste ausgewirkte, Hauptgestalt
der Erde den höchsten Forderungen in dieser Hinsicht genügt. Mehr
über diesen Gegenstand im Anhang.

Freilich auch die niedrigsten Geschöpfe, Infusorien, kleine Pilze,
haben die einfache, fast kugelige Hauptform, und für sich allein würde
daher die einfache Hauptform der Gestirne nichts für die hohe Stufe, die
sie auf der Leiter der Wesen einnehmen, beweisen. Es kommt aber hier,
wie so oft, in Betracht, daß sich das Niedrigste mit dem Höchsten in der
oberflächlichen Erscheinung berührt. Der Schädel der genialsten Menschen,
wo alle Gallschen Organe recht gleichmäßig ausgebildet wären, würde
eben so glatt sein, als der des einfältigsten, wo gar keins ausgebildet
ist; aber unter dem Schädel würde es doch in beiden Gehirnen sehr
verschieden aussehen. Der Unterschied liegt darin, daß die niedern
Organisationsentwicklungen bloß die einfache Hauptform ohne die Aus=
arbeitung haben, die höchsten wieder die einfache Hauptform haben, aber
damit die reichste, feinste und tiefste Ausarbeitung. Nun geht bei der
ganzen Erde offenbar die Ausarbeitung noch mehr ins Feine und Tiefe,
als sogar im Menschen, weil sie bis in den Menschen selbst hineingeht.

8) Das physiognomische Aussehen und die Schönheit der Erde
beruht nicht allein auf ihrer Gestalt, sondern noch vielmehr auf ihrem
Glanz und ihrer Farbe und ihrem Glanz= und Farbenwandel.

In der Hauptsache ist sie eine glänzende Kugel, auf einer Hälfte
das Himmelblau und die Sonne, auf der andern die Nacht des Himmels
und die Sterne spiegelnd, in Betracht dessen, daß über ³/₄ der Erde mit
Meer bedeckt sind. Die Erde ist des Himmels Spiegel, da sie nicht der

ganze Himmel selber sein kann. Nur streitet und wechselt das eigene Grün des Meeres mit dem gespiegelten Blau des Himmels. Aber wie dereinst aus dem glatten Spiegel des Meeres Land und Berge in tausendfachen Windungen und Krümmungen mit Tälern und Tiefen dazwischen brachen, entsprang damit auch ein Schauplatz tausendfacher irdischer Farben und Farbenreflexe, mit Schattentiefen dazwischen, aus der Monotonie des himmlichen Spiegelbildes. Der Grund des Landes ward wieder grün; denn das bleibt immer die Hauptfarbe der Erde; doch auf dem grünen Grunde spielen alle Farben. Wo das Land zu Ende, beginnt wieder des Himmels Spiegel, also daß wie die ganze Erde sich im Himmel badet, so noch einmal ihr Land in seinem Bilde.

9) Wenn man auf einem hohen Berge steht, wie freut man sich der Pracht; so aber geht es um die ganze Erde. Ja die Oberfläche der Erde ist eine Landschaft aller Landschaften, die man von allen hohen Bergen sehen könnte. Alles Anmutige, alles Stille, alles Wilde, alles Romantische, alles Öde, alles Heitere, alles Üppige, alles Frische, was wir in den einzelnen Landschaften erblicken, wäre in der Physiognomie der Erde auf einmal zu erblicken, wenn nur das menschliche Auge das alles auf einmal umspannen könnte. Porträt- und Landschaftsmalerei geht hier in eins zusammen, weil eben die Landschaft das Gesicht der Erde ist. Es ist aber nicht bloß eine Landschaft aus Bergen und Bäumen, sondern auch mit den Menschen darin. Ihre Gesichter sind selbst nur Teile ihres Gesichtes. Der Menschen Augen zählen darin neben den Tautropfen wie lebendige Diamanten neben leeren Kieseln. Dazu welcher Wechsel im Blühen und Welken unten, im Wandel der Wolken oben, und wie sich der Himmel wandelt, wandelt sich immer des Himmels Spiegel, das Meer.

„Jedem Erdstriche (sagt v. Humboldt) sind besondere Schönheiten vorbehalten: den Tropen Mannigfaltigkeit und Größe der Pflanzenformen: dem Norden der Anblick der Wiesen und das periodische Wiedererwachen der Natur beim ersten Wehen der Frühlingslüfte. Jede Zone hat außer den ihr eigenen Vorzügen auch ihren eigentümlichen Charakter..... So wie man an einzelnen organischen Wesen eine bestimmte Physiognomie erkennt; wie beschreibende Botanik und Zoologie, im engern Sinne des Wortes, Zergliederungen der Tier- und Pflanzenformen sind: so gibt es auch eine Naturphysiognomie, welche jedem Himmelsstriche ausschließlich zukommt. Was der Maler mit den Ausdrücken: Schweizer Natur, italienischer Himmel bezeichnet, gründet sich auf das dunkle Gefühl dieses lokalen Naturcharakters. Luftbläue, Beleuchtung, Duft, der auf der Ferne ruht, Gestalt der Tiere, Saftfülle der Kräuter, Glanz des Laubes, Umriß der Berge; alle diese Elemente bestimmen den Totaleindruck einer Gegend. Zwar bilden unter

allen Zonen dieselben Gebirgsarten: Trachyt, Basalt, Porphyrschiefer und
Dolomit Felsgruppen von einerlei Physiognomie .... Auch ähnliche
Pflanzenformen, Tannen und Eichen, bekränzen die Berggehänge in Schweden,
wie die des südlichsten Teils von Mexiko. Und bei aller dieser Übereinstimmung in den Gestalten, bei dieser Gleichheit der einzelnen Umrisse,
nimmt die Gruppierung derselben zu einem Ganzen doch den verschiedensten
Charakter an. (v. Humboldts Ansichten I. S. 16—18.)

Man kann fragen, wozu der ganze schöne Zusammenhang der Landschaft um die Erde, wenn niemand den zusammenhängenden Anblick derselben hat? So frage ich auch, und möchte eine Antwort darauf. In
der Weise, wie man die Erde gewöhnlich faßt, liegt keine. Wenn ich
eine große Landschaft in oder über einen einfachen runden Rahmen ausgespannt sehe, und die Erde ist ein einfach runder Rahmen, wenn ich
einen durchgehenden Charakter derselben sehe, und sicher hat sie einen
Charakter in Verhältnis zu den Landschaften andrer Gestirne, wie auch
derselbe nach untergeordneten Beziehungen wechsle, befriedigt es mich doch
nicht zu glauben, daß sie bloß da ist, in Stücken betrachtet zu werden,
wie wir die Erde bloß mit unsern Augen betrachten können. Aber warum
betrachten wir unsere Augen selbst nur als vereinzelte Stücke; warum nicht
als Augen eines und desselben Wesens, die ihr Bild in eine Seele
werfen? Ist dies nicht ein Fehler der oft gerügten Betrachtungsweise?
Und sollte es nicht auch noch Augen über den menschlichen geben? Doch
hierauf kommen wir erst künftig.

Daß wir mit unsren Augen sehen, kann jedenfalls nicht hindern, daß
die Erde mit uns sieht. Man schöpft ja sonst gern mit kleinen Bechern,
schüttets von da in größere Eimer, und aus den Eimern in ein Faß
zusammen; aber jeder Eimer kann nur wissen, was in ihm, nicht was im
Fasse. Unsere Augen sind die Becher, wir die Eimer, die Erde das Faß.
Fallen nicht auch in jedem unserer Augen tausend und abertausend verschiedene Sonderbilder auf eben so viel einzelne Nervenenden und setzen sich
doch alle zu einem einzigen Bilde zusammen, das in eine Seele fällt,
ungeachtet die Fasern, zu denen jene Enden gehören, nirgends in einen
Punkt zusammenlaufen? Mit einer nur freiern Disposition über andere
größere Mittel könnte ja wohl ein ähnlicher Zweck in größerem und höherem
Sinne erreicht sein. Aber das gehört schon in die Seelenfrage.

10) Immer bleibt Grün die Hauptfarbe, ja man kann in eigentlichem Sinne sagen, die Leibfarbe der Erde. Es ist nur mit der Hauptfarbe wie mit der Hauptgestalt. Wie sich die Hauptgestalt an den Polen
abflacht, am Äquator anschwillt, und sonst mannigfaltig ins Kleine
und Feine abwandelt, so flacht sich auch die Hauptfarbe der Erde an
den Polen zu Weiß ab und schwillt unter den Tropen vermöge der

üppigen Vegetation stärker an und wandelt sich vielfach ins einzelne durch andere Farben ab. Die blaue Atmosphäre mit den Wolkenschleiern hüllt dazu die Erde wie in ein durchsichtiges, leichtes und leicht faltbares Gewand ein; und die Erde wird nicht müde, die Wolkenschleier immer neu zu legen und zu falten. Dazu dienen ihr die Winde. Kein griechisches Gewand läßt eine Gestalt so schön durchblicken und vermag sie doch auch wieder so gut zu verhüllen und den Faltenwurf so frei zu wechseln. Überall, wo's ihr dient, webt sie alsbald die Schleier neu und läßt sie wieder zerrinnen. Den Stoff zum Kleide und den Schleiern gibt sie selbst, die blaue Farbe und die goldnen Säume gibt der Himmel; mindestens das Licht gibt er dazu, die Farbe und das Gold daraus zu bereiten.

Wenn die Atmosphäre hier als Kleid, andremale aber als Teil der Erde gefaßt wird, widerspricht sich das nicht; auch bei Tieren gehört das Kleid zum Leibe; überhaupt aber vertritt die Atmosphäre für die Erde die verschiedensten Funktionen zugleich, die sich bei den Geschöpfen der Erde anders teils kombinieren, teils auseinander legen, wie künftig noch bestimmter erhellen wird. Zuletzt bleiben Vergleiche immer Vergleiche.

Unstreitig wird nicht jeder Weltkörper eine gleich grüne Hauptfarbe, eine gleich blaue Hülle, ein gleiches Spiel von weißen Wolken und rotem Morgen- und Abendgold, dieselbe Austeilung von spiegelndem Meer und buntem Lande, denselben Wechsel von Wiesen, Wald und Feld und Sand haben wie die Erde. Jeder wird dafür etwas Anderes und in anderer Weise haben; vielleicht sogar in den Augen der Geschöpfe andere Farbenempfindungen haben; wer kann es wissen. Wie die Geschöpfe der Erde sich charakteristisch durch eine Hauptfarbe und besondere Ab= zeichen und Abwandlungen derselben unterscheiden, so also auch die des Himmels. Die Geschöpfe der Erde, vor allem die Pflanzen, tragen selbst wesentlichst zur charakteristischen Farbe der Erde bei. Ein Vogel färbt und zeichnet sich durch trockne Federn; die Erde durch grüne und blühende Kräuter und Bäume.

Man kann bemerken, daß der Mars, der Erde Nachbar, rötlich erscheint, indes sie grün. Grün und Rot ergänzen sich aber optisch zu Weiß. Vielleicht ergänzen sich die Hauptfarben der verschiedenen Planeten überhaupt in verschiedener Weise zum Weiß des Sonnenlichts[*]), von dem ursprünglich alle stammen, wie die Planeten selbst ursprünglich alle von der Sonne stammen; so daß die Planeten in ihren Bahnen gleichsam

---

[*]) Wie Grün und Rot sich optisch zu Weiß ergänzen, so auch Violet und Gelb Orange und Blau.

die Elemente eines großen Regenbogens durch den Himmel ziehen, wie auch unser irdischer Regenbogen durch Kugeln (Tropfen), freilich viel kleinere, erzeugt wird. Doch das sind Phantasien.

Der Wahrscheinlichkeit einer eigentümlichen Färbung der Planeten scheint der Umstand entgegen, daß wir, abgesehen von der schwachen rötlichen Färbung des Mars, ihre Scheiben doch nicht als gefärbte erblicken. Aber auch die Erde möchte schwerlich von andern Planeten aus mit unsern Augen gesehen in der eigentümlichen grünen Färbung erscheinen, die ihr doch sicher nach Land und Meer zukommt. Die Eismassen der Erdpole, die winterlichen und wüsten Gegenden des Landes, die Wellenspiegel der Meere*), die Wolken und Nebel der Atmosphäre und die Luftmasse der Atmosphäre selbst (vermöge ihrer lichtreflektierenden Kraft) geben zu viel weißes oder fremdgefärbtes Licht, was dem außerhalb stehenden Beobachter mit dem grünen vermischt zukommt, und dieses leicht für ihn zum Unmerklichen abschwächt. Manche Planeten, wie Venus, Jupiter haben wirklich eine sehr dicke, wollige oder neblige Atmosphäre. Dazu kommt folgender Umstand: Wir sehen Sonne, Mond und Sterne vielmehr gelblich oder rotgelblich, als weiß oder anders gefärbt, weil unsere Atmosphäre vorzugsweise geneigt ist, rotgelbliches Licht durchzulassen und blaues zurückzuwerfen. Die Himmelskörper erscheinen uns nun vielmehr nach Maßgabe dieser Eigentümlichkeit unserer Atmosphäre, mithin alle in derselben Weise, als nach ihrer eigenen Weise, gefärbt; und nur wo, wie beim Mars, die eigentümliche Färbung sehr intensiv ist, wiegt sie etwas vor. Die Erde hat so zu sagen das Auge eines Gelbsüchtigen, sie sieht alles außerhalb gelb, oder ist wie ein Glashaus mit gelben Glaswänden. Alles, was draußen nicht eine sehr entschiedene Farbe hat, erscheint nun gelb.**)

12) Unser ganzer Leib und jedes organischen Geschöpfes Leib ist aus Zellen gebaut, jede Zelle eine Wand, gefüllt mit Flüssigkeit, und die Wandung sich allmählich von außen nach innen verdickend. Die Erde mit ihrer verhältnismäßig dünnen, doch auch allmählich von außen nach innen sich verdickenden, festen Schale und ihrem flüssigen Inhalt, ist nur das größte Vorbild und zugleich die Mutterzelle aller dieser Zellen; denn alle organischen Zellengebäude sind ja doch Produkte der großen Erdzelle, wenn auch unbekannt, durch welchen Prozeß. Sie stellt in größter Einfachheit und einfachster Großartigkeit das Muster vor, nach

---

*) Ungeachtet nämlich das Meer an sich grün, erscheint doch jeder Sonnenreflex davon weiß, und diese Reflexe, wie sie jede Welle zeigt, sind viel intensiver als das grüne Licht.

**) Es gibt manche Gläser, die beim Daraufsehen blau erscheinen, vermöge des Lichts, das sie ins Auge zurückwerfen, dagegen alles Dahinterliegende gelb oder rotgelb erscheinen lassen, indem sie vorzugsweise nur so gefärbte Strahlen durchlassen; ein solches Glas ist unsere, beim Daraufsehen blau erscheinende, Atmosphäre, die aber vorzugsweise nur rotgelbes Licht durchläßt.

dem sich die Elemente der organischen Wesen gebildet; aber sie ist nicht
selbst ein ihnen äquivalentes Element, sondern das höhere Ganze, das
sich im Bau dieser kleinen Elemente wiederspiegelt. Größtes berührt
sich wieder mit dem Kleinsten. Schon die Pflanzenzelle hat man einen
kleinen selbständig für sich lebenden Organismus genannt, und hat die
ganze Individualität der Pflanze der Individualität der Zelle unterordnen wollen.*) Man hat sich nur versehen. Aller Pflanzen, aller
Tiere Individualität dazu, ist wirklich der Individualität der Zelle untergeordnet, nur nicht der Zelle, die sie in sich haben, sondern der, die sie
in sich hat. Im Bauwerk der Welt freilich tritt die Erde und jedes
Gestirn so gut wieder als eine untergeordnete Zelle auf, wie eine Zelle
in unserm Leibe.

13) Die Erde enthält alle Einzelstoffe in sich, welche der
Menschenleib enthält, aber nicht umgekehrt enthält der Menschenleib alle
Einzelstoffe, welche die Erde enthält, nicht Gold, nicht Silber, nicht Zink,
nicht Blei, nicht Jod, nicht Brom usw. Die Erde muß wohl alle
Stoffe enthalten, die der Menschenleib enthält, da alle Stoffe des
Menschenleibes selbst erst aus dem Erdleibe herrühren und wieder in
ihn übergehen. Insofern ist streng triftig, was die Bibel sagt: der
Mensch sei aus einem Stück Erde gemacht und werde wieder zu Erde
werden. Man muß nur Erde in dem weitern Sinne nehmen, wie wir
es immer tun; sonst hätte auch die Bibel unrecht. Die Menschen und
Tiere bestehen sogar aus den gemeinsten Stoffen der Erde, und das ist
gut, sonst würden Menschen und Tiere selten sein müssen. Es kommen
aber viele zusammengesetzte Stoffe im Menschen- und Tierleibe vor,
die nicht außerhalb vorkommen, Fett, Eiweiß, Milch, Blut. Hierauf
fußend, sagt man oft zur Rechtfertigung der Scheidung zwischen Organischem und Unorganischen: also haben Menschen und Tiere doch noch
ganz andre Kräfte als die Erde; denn sie vermögen die Stoffe auf eine
Weise zu zwingen, zu binden, zu wandeln, wie sie es nicht vermag.
Aber doch vermag sie es; sie vermag es ja eben mittels der organischen
Geschöpfe, die bloß ihre Glieder. Nur mittels ihrer, ganz natürlich.
Um Schwefelsäure, Schießpulver zu erzeugen, bedarf es ja auch eigens
dazu eingerichteter Fabriken, und daneben entsteht und kann nichts davon
entstehen; so nun freilich auch Milch und Blut nicht außer und neben
den organischen Geschöpfen, weil sie allein eben die geeigneten Fabriken
zu ihrer Erzeugung sind. Die Erde erzeugt aber dergleichen nicht nur

---

*) Vergl. Nanna S. 282.

mittels dieser Fabriken, sie hat auch diese Fabriken selbst zu erzeugen
gewußt. Man fragt, aber warum erzeugte sie solche nur früher, nicht
jetzt? Auch jetzt, nur auf andere mühelosere Weise als anfangs. Die
erste Schmiede herzustellen mochte schwer sein, nun gehen aus alten
Schmieden leicht immer neue hervor, indem in den alten die Werkzeuge
für die neuen geschmiedet werden, und keine Schmiede wächst mehr aus
der Erde. So gebären sich, nachdem einmal organische Geschöpfe entstanden, die neuen müheloser daraus wieder, als sie anfangs entstanden
sein mochten.

Finden wir nicht auch in uns selbst, daß Galle nicht ohne Leber,
Speichel nicht ohne Speicheldrüsen, Tränen nicht ohne Tränendrüsen
erzeugt werden können? Nun ist natürlich, daß auch die Erde die Stoffe,
die in den organischen Geschöpfen vorkommen, nicht ohne diese organischen
Geschöpfe zu erzeugen vermag. Aber gehören deshalb die organischen
Geschöpfe weniger zu ihr, als die Leber zum übrigen Leibe, der auch
nicht das ohne und außer der Leber kann, was er mit und durch sie
kann? Vermöchten doch die organischen Geschöpfe diese Stoffe auch eben
so wenig ohne die übrige Erde zu erzeugen, als unsere Leber und Speicheldrüse, Galle und Speichel ohne den übrigen Organismus. Nur bei gehöriger Stoffaufnahme aus der Umgebung und gehöriger Stoffabgabe an
die Umgebung kann der organische Leib seine Produkte erzeugen, wie
Leber und Speicheldrüse. Man sieht, das Verhältnis des Organs zum
Organismus kehrt in dieser Beziehung zwischen organischem Individuum
und Erde genau wieder.

14) Je nach der Zusammenhangsweise (Aggregationsform) der Stoffe
können wir in der Erde wie in unserem Leibe Festes, Flüssiges, Luftiges,
Dunstiges und Unwägbares unterscheiden. Wir haben Felsen in unseren
Knochen, Ströme laufen durch unsre Adern, Dämpfe und Luft blasen
durch unsre Atemwerkzeuge, Licht bringt durch unsre Augen, Wärme
durchbringt unsern Leib, ein feines Agens mag in unsern Nerven
kreisen. Makrokosmos, Mikrokosmos. Nun aber sind, näher betrachtet,
unsre Knochen doch nicht reiner Stein, unser Blut nicht reines Wasser,
unser Atem nicht reine gewöhnliche Luft und reiner Wasserdampf, und
was in unsern Nerven kreist, sehen wir nirgends draußen so kreisen.
Das kann aber auch nicht anders sein, wenn unser Leib wirklich das
verwickeltste Organ der Erde ist; das Einfachste in unserm Leibe wird
doch schon mit etwas mehr Verwicklung behaftet sein müssen, als das,
was wir draußen sehen; daher geht in die Knochen doch mehr von
Feuchtem ein, als in die Felsen, und in das Blut mehr von Festem und

von Luft, als in das Wasser, und ist der Atem mehr mit Dunst versetzt, als die Luft, und ist das Unwägbare in uns in solcher Verwicklung mit dem Wägbaren befangen, daß eine reine Absonderung seiner Gesetze und seines Ganges nicht möglich gewesen.

Die speziellen Verhältnisse des Festen, Flüssigen, Luftigen und Unwägbaren werden im Anhange zu diesem Abschnitt weiter besprochen.

15) Die Erde zeigt wie unser Leib Bewegungen, die teils äußere, teils innere sind, wenn wir unter äußern Bewegungen solche verstehen, wo sie sich im ganzen durch die Außenwelt fortbewegt, oder (durch Drehung) ihre Lage gegen die Außenwelt im ganzen ändert, unter innern solche, wo ihre eigenen Teile ihre Lage zueinander ändern. Sie bewegt sich im ganzen um die Sonne, dreht sich im ganzen um ihre Achse, und zwischen ihren Teilen, namentlich auf ihrer Oberfläche, finden Bewegungen mannigfachster Art statt. Erstere Bewegungen sind viel einförmiger als die, welche wir vornehmen können; letztere viel mannigfaltiger, unbestimmbarer, wechselnder.

Dieser Unterschied läßt sich so auslegen:

Eine große vollkommene Maschine mit vielen Rädern und Hebeln, und darin ist ein Organismus der Maschine analog, kann durch den Zug eines einfachen Gewichts im Gange der mannigfaltigsten Tätigkeiten und Leistungen erhalten werden; das einfache Rad, der einfache Hebel selber bedarf der verschiedenartigsten Anbringung und äußern Handhabung, um vielerlei zu leisten. So ist es mit unsrer Erde gegen uns. Die Erde hat so viel mehr Mittel der Bewegung in sich, als wir, daß der einfache Gang um die Sonne, die einfache Drehung um sich selbst hinreicht, das lebendigste, mannigfaltigste Spiel in ihr zu unterhalten. Unsre Nötigung, uns unregelmäßig hin- und herzubewegen, unsre Glieder nach allen Seiten zu recken und zu strecken, ist nicht ein Beweis unsrer Vorzüglichkeit, sondern unsrer Halbheit, unsrer Mangelhaftigkeit; denn statt, was wir brauchen, um unser inneres Getriebe in Gang zu erhalten und fortzubilden, in uns selbst zu finden, haben wir den größten Teil der Hilfsmittel dazu außer uns zu suchen; das ist der Zweck unsres unruhigen Umhertreibens, Umherlangens. Warum dasselbe der Erde zumuten, da sie alles innerlich hat, was wir äußerlich suchen, ja uns selbst die Suchenden und unser Suchen? Sollte die Erde ähnliche äußere Bewegungen machen wie wir, wäre sie nur ein Affe ihrer selbst, ja kleinster Teilchen ihrer selbst.

Börne sagt einmal (Ges. W. II. S. 51): „Der Zorn der Mächtigen zeigt sich äußerlich sehr verschieden von dem der Schwachen. Letzterer

ift zappelnder Art: benn er fucht fich Luft zu machen burch Worte und
Zeichen. Die Seelenbewegung der Großen ift mehr nach innen gerichtet.
Warum follte eine Königin felbft die Fauft ballen, da taufend fremde
Fäufte zum Dienfte ihrer Rache bereit find?" —

Man kann dies leicht auf unfre Königin, die Erde übertragen. Ihre
Seelenbewegung ift eben auch mehr nach innen gerichtet. Sie braucht
auch keine Fäufte nach außen zu ballen, da alle unfre Fäufte fich fchon
für fie ballen, nur daß es keine fremden find, fondern die innerlich ge-
ballten eigenen.

Ift nicht auch der ganze Menfch ein ruhigeres Wefen als die nimmer
raftenden, immer kreifenden Ströme und Blutküglein in feinen Nerven
und Adern? Was fie in feinem Innern tun, woran fich feine Gedanken
und Empfindungen heften, das tut er nicht äußerlich noch einmal nach,
er tut bloß in größeren Zügen fo viel äußerlich, daß dies innere Spiel
immer in gedeihlichem Gange bleibt. So ift es mit der Erde und dem
raftlofen Spiele in ihr. Aber weil fie ein noch höheres, in fich voll-
endeteres Wefen als wir ift, fo tut fie noch weniger äußerlich als wir,
und noch mehr in fich als wir. Die Welt, der Gott innewohnt, tut gar
nichts äußerlich, alles in fich.

Wie überall, gibts auch hier eine Berührung der Extreme. Der
tote Stein bewegt fich äußerlich fo wenig wie die Welt voll des leben-
bigen Gottes. Aber der Unterfchied ift, daß der tote Stein fich auch
nicht innerlich bewegt, indes die Welt voll des lebendigen Gottes alles
Bewegen überhaupt innerlich hat. Die Erde nähert fich dem höhern
Extrem mehr als wir. Weil jedoch über der Erde und den Geftirnen
überhaupt noch die Welt fteht, fo können fie der äußerlichen Bewegung
nicht ganz miffen, da ihr äußeres Bewegen die größten innern Bewegungen
der Welt zu geben hat.

Nun werden fich auch die Zweckrückfichten, warum die Erde einen
fo einfachen Hauptzug ihrer Geftalt behaupten konnte, vollftändiger als
früher überfehen laffen. Die Geftalt der Wefen fteht nämlich überall
in direktem Zweckbezuge zur Art ihrer Bewegung. Wie anders würden
wir ausfehen, wenn wir nicht Beine zum Laufen, Arme zum Langen,
einen Hals zur Drehung des Kopfes und Sinnesorgane, den Weg zu
finden, brauchten. Die Erde aber, wozu bedurfte fie der Beine, fie hat
nach nichts außer fich auf feftem Boden zu laufen, der fefte Boden und
die laufenden Beine find in ihr; wozu bedurfte fie der Arme, fie hat
nach nichts außer fich zu langen, taufend Arme langen nach taufend
Dingen fchon in ihr; wozu bedurfte fie eines Halfes, fie hat keinen

befonberen Kopf zum brehen, fie breht fich felbft ganz ringsum, unb
bie Menfchen in ihr, unb bie Köpfe auf ben Menfchen unb bie Augen
in ben Köpfen brehen fich noch befonbers, um im einzelnen zu ergänzen,
was bie Bewegung im ganzen noch zu wünfchen übrig läßt; wozu
beburfte fie befonberer Augen unb einer befonbers vorftehenben Nafe,
fie finbet ihren Weg ohne Augen unb Nafe unb hat taufenb Augen
unb Nafen in fich, bie Wege in ihr zu fuchen unb bie Blumen in ihr
zu riechen.   Weil fie aber fo alles in fich hat, was wir erft außen fuchen
müffen, brauchte fie auch überhaupt unfere äußeren Mittel bes Suchens
nicht, unb bies gibt ihr bie rein abgefchloffene in fich vollenbete Geftalt.

Durch ähnliche Betrachtungen beweift Cotta in Cic. de natura deorum
(I. c. 33.) gegen Velleius, baß bie Geftalt ber Götter nicht notwenbig eine
menfchliche fein müffe.

„Ne hoc quidem vos movet, considerantes, quae sit utilitas, quaeque
opportunitas in homine membrorum, ut judicetis, membris humanis Deos
non egere? quid enim pedibus opus est sine ingressu? quid manibus,
si nihil comprehendendum? quid reliqua descriptione omnium corporis
partium, in qua nihil inane, nihil sine causa, nihil supervacaneum est?
Itaque nulla ars imitari sollertiam naturae potest.   Habebit igitur lin-
guam Deus, et non loquetur: dentes, palatum, fauces nullum ad usum:
quaeque procreationis causa natura corpori affinxit', ea frustra habebit
Deus: nec externa magis, quam interiora, cor, pulmones, jecur, cetera,
quae, detracta utilitate, quid habent venustatis?"

17) Zwar ift bie Erbe nicht ganz ohne äußeres Bebürfnis; fie hat
bas Bebürfnis, aus einem höhern himmlifchen Licht= unb Wärmequell zu
fchöpfen.   Nun aber zeigt fich ihre fo einfache Hauptgeftalt mit ihrer
ebenfo einfachen Bewegung unb Stellung gerabe auf bas Vorteilhaftefte
kombiniert unb mit ber feinern Ausarbeitung unb Glieberung ber Geftalt
unb Bewegung, ja, wie wir früher fahen, felbft mit ber Größe in
Beziehung gefetzt, um biefem Bebürfnis in vollkommenfter Weife zu
genügen, fo baß fie, obfchon ihr immer nur eine unb biefelbe Hauptquelle
von Licht unb Wärme unb biefe immer nur von einer Seite unb in
nahe gleichbleibenber Entfernung gegenüberfteht, boch allfeitig baraus zu
fchöpfen unb bie im ganzen immer gleich große Gabe fich felbft ver=
fchiebentlichft einzuteilen unb verfchiebentlichft bamit zu fchalten vermag.

Wäre bie Erbe eine flache Scheibe, fo würbe bie Sonne immer
über beren ganze Oberfläche eine unb biefelbe Wirkung äußern; aber bie
Kugelgeftalt ber Erbe bringt mit fich, baß bie Sonnenftrahlen unter allen
Schiefen barauf treffen; nun äußern fie bie volle Wirkung auf bie
Stellen, auf bie fie fenkrecht treffen, unb eine nach Maßgabe fchwächere,

als sie schiefer darauf treffen. So entsteht die Verschiedenheit der Klimate
vom Äquator nach den Polen hin. Wäre die Erde eine flache Scheibe,
so würde auch der Himmel überall auf der Erde gleich aussehen; nun
hat jede Stelle der Erde einen andern Himmel über sich; es entsteht die
Verschiedenheit der geraden, parallelen und schiefen Sphäre. Nur eben
die einfachste, allseitig symmetrische Hauptgestalt der Erde aber machte
die Erschöpfung aller möglichen Verschiedenheiten der Klimate und
Anschauungsweisen des Himmels nach einem zusammenhängenden Grund-
plane möglich, ohne lokalen Modifikationen irgendwie zu widerstreben.
Schösse die Erde geradeswegs fort durch den Himmel, wie ein Pfeil,
so würde sie sich von ihrem Licht- und Wärmequell immer mehr entfernen; bliebe sie ihm aber regungslos gegenüber, so würde sie immer
nur auf einer Seite und immer nur auf dieselbe Weise davon erleuchtet
und erwärmt werden. So aber umkreist sie ihren Lichtbronnen, die
Sonne, so, daß sie beständig bei ihm bleibt, und dreht sich so um sich
selbst, daß sie das Licht und die Wärme, deren sie bedarf, nach und
nach von allen Seiten empfängt; was aber dessen zeitweise nicht genießt,
verfällt derweile in Schlummer, indem die Periodizität der Organismen
so eingerichtet ist, daß das Bedürfnis dieses Schlummers eben so oft
kommt, als die Sonne geht. Stünde die Achse der Erde senkrecht auf
ihrer Bahn, so würde der Wechsel von Tag und Nacht über die ganze
Erde und im ganzen Jahre gleich beschaffen sein, und es würde keine
Jahreszeiten geben; so aber neigt die Erde ihre Achse so, daß Tage und
Nächte über der Erde zugleich die verschiedenste Länge annehmen und
an jedem Orte durch das Jahr durch wechseln, und daß alle Jahreszeiten
zugleich an den verschiedenen Orten der Erde vorkommen, und jeder Ort
während eines Jahres alle Jahreszeiten durchläuft, indem der Winter
abwechselnd zwischen der südlichen und nördlichen Hälfte hin- und wieder-
geht. Richtete die Erdachse sich immer nach demselben Sterne, so würde
jeder Ort der Erde immer denselben Himmel über sich behalten, so aber
macht die allmähliche Änderung in der Richtung der Erdachse, daß jeder
Ort nach und nach den Himmel wechselt. Es ist wunderbar, wie mit
so einfachen Mitteln der Plan der mannigfaltigsten Abänderungen
realisiert werden konnte. Inzwischen ist dieser Grundplan nur die Basis
weiterer freierer Abänderungen von einer höhern Ordnung. Wäre die
Erde eine ganz glatte Kugel von gleichförmiger Oberfläche, so würden
doch Licht- und Temperaturverhältnisse und alles, was damit zusammenhängt, in jedem dem Äquator parallelen Gürtel sich gleich bleiben;
jedes Jahr würde an jedem Orte dieselben Erscheinungen an selbem Tage

wieder mitführen. So bräche trotz jenen großen Anlagen, welche berechnet
schienen, eine Monotonie der Verhältnisse zu verhüten, dieselbe innerhalb
des erzielten Wechsels von neuem in der festen Regel desselben hervor.
Nun wiederholt sich aber zuvörderst derselbe Temperaturwechsel, der sich
vom Äquator nach den Polen im Großen zeigt, auf jedem höhern Berge
im kleinen, und die Lage der Berge und Wässer befolgt so inkommen-
surable Verhältnisse, daß durch ihre Einwirkung auf die klimatischen und
Jahresverhältnisse allein schon jede Möglichkeit örtlicher oder zeitlicher
Wiederkehr derselben aufgehoben wird. Der hundertjährige Kalender ist
ein Unding. Da aber doch durch diese lokalen Einflüsse die klimatischen
und Jahresverhältnisse nur abgeändert, nicht aufgehoben werden, so bleibt
in ihnen immer eine gemeinschaftliche Basis und ein gemeinschaftliches
Band für alle Abänderungen, welche von den Lokaleinflüssen abhängen.
Jeder Berg wirkt selbst ganz verschieden in einem verschiedenen Klima
und einer verschiedenen Jahreszeit, und diese Verschiedenheiten, die er
hervorbringt, bleiben den klimatischen und Jahresänderungen immer untergeordnet.*) Luftdruck und Wind fügen zu dem festen Bande, das in
dem Prinzip der Klimate und Jahreszeiten begründet liegt, noch ein
bewegliches, welches alle lokalen Änderungen, die durch irgenwelche
Einflüsse im Luftkreise der Erde erzeugt sind, in lebendige Beziehung
setzt, so daß jede Änderung, die irgendwo erfolgt, wie durch ein gespanntes
Seil oder eine gespannte Saite weiterläuft.

Nach einer interessanten (wenn ich nicht irre von Humboldt herrührenden) Vorstellung, kann man die ganze Erde selbst als aus zwei
hohen Bergen zusammengesetzt denken, die mit der Basis im Äquator
zusammengefügt sind und in den Polen ihre beeisten Gipfel haben.
Ihre Jungen, die kleinen Berge, suchen es ihnen dann im kleinen nach-
zutun. Doch nach einem andern Prinzip; denn während die Abkühlung
der Pole von der größern Schiefe der Sonnenstrahlen abhängt, so die
der Bergesspitzen von der größern Erhebung über den erwärmten Erdboden. Dies ist ein Umstand nicht ohne Interesse. Wenn wir sehen,
daß die Erde analoge Erscheinungen in großem und kleinem Maßstabe
schon außer uns nach sehr verschiedenen Prinzipien hervorbringt, so
können wir uns nicht wundern, wenn sie in uns, im Kleinsten, abermals

---

*) So ist die Schneegrenze an der norwegischen Küste (71° 1/4 N. B.) in
720 Meter Höhe, in den Alpen (45° 3/4 bis 46° N. B.) in 2708 Meter Höhe; in
Quito, ziemlich unter dem Äquator, in 4824 Meter Höhe. Im Sommer braucht
man viel weniger hoch auf einem Berge aufzusteigen, um die Temperatur um eine
gegebene Größe sinken zu sehen als im Winter usw.

neue Prinzipien anwendet, und also z. B. die Flüssigkeiten nicht mit denselben Kräften in uns umtreibt als außer uns, ohne daß wir uns deshalb für getrennter von der Erde ansehen dürfen als die Berge von der Erde, was wir ja auch faktisch nicht sind.

Während die Berge im Gipfel der Höhe zugleich einen feststehenden Gipfel der Kühlung haben, wedeln sie zugleich mit ihren Schatten Kühlung über die umgebende Fläche, und zwar ist die Bewegungsweise dieser Fächer je nach der Lage der Berge und der Jahreszeit eine sehr verschiedene; zugleich blasen sie vom Gipfel auch Kühlung in die Ferne, wie es der beeiste Polgipfel im Großen tut, und tragen dadurch nicht nur zur Erfrischung der heißen Gegenden bei, sondern schlagen auch den Regen dadurch nieder. Abgesehen von den Bergeshöhen und Wässern schaltet das grüne Land, der gelbe Wüstensand, das schwarze Ackerland, jedes anders mit den auffallenden Sonnenstrahlen, und die unregelmäßige Austeilung von all diesem trägt bei, den Wechsel der Erscheinungen auf der Erde zu einem unberechenbaren zu machen.

Die Regelmäßigkeit und Symmetrie, die so in der feinern Ausarbeitung der Erdoberfläche und ihrer Prozesse ganz aufgegeben und verloren schien, kehrt aber auf den Gipfeln dieser Ausarbeitung, in der Gestaltung und Periodizität der organischen Geschöpfe, zwar nicht so vollendet, wie in den Hauptverhältnissen der Erde, aber doch angenähert bald von dieser, bald von jener Seite wieder; ohne daß eine Monotonie der Verhältnisse für diese organischen Geschöpfe selbst daraus hervorgeht, weil sie doch in ein irdisches Reich von so inkommensurabeln Verhältnissen eingetaucht sind. Die Natur besinnt sich in ihnen gleichsam wieder auf die Regel, aber zeigt selbst noch die größte Freiheit in Abwandlung dieser Regel, und zwar hängen diese Abwandlungen des Regelrechten in den organischen Geschöpfen selbst ganz teleologisch mit den Freiheiten zusammen, die sich die Natur in Abwandlung der Hauptverhältnisse der Erde genommen; die Gestalt und innere Einrichtung jedes Wesens richtet sich nach den besondern äußern Umständen, in bezug auf welche es sich zu benehmen hat; während andererseits auch das Regelrechte in den organischen Geschöpfen seine deutliche Beziehung zu dem Regelrechten der irdischen Hauptverhältnisse zeigt. Weil die Hauptverhältnisse der Erde in horizontaler Richtung bei aller Änderung doch gleichförmiger sind als in vertikaler, wo Licht und Wärme von oben, Schwere von unten wirkt; sehen wir die Symmetrie der Gestalt sich auch mehr in horizontaler als vertikaler Richtung entfalten, und die periodische Wiederkehr des Bedürfnisses von Schlaf und Wachen, der Brunst, des Wander-

triebes, der Menstruation, des Blütentriebes, hängt teils der Größe der
Periode, teils auch der Zeit des Eintritts nach mit Periodizitäten, welchen
die Erde unterliegt, zusammen.

18) Ein Unterschied der Erde vom Menschen kann darin zu liegen
scheinen, daß Menschen und Tiere sich zu ihren äußern Bewegungen
durch sich selbst von innen bestimmen, die Erde aber dabei bloß fremdem
äußern Zuge folgt. Doch verhält es sich damit nicht ganz so, wie man
es sich zumeist vorstellt. Ein Mensch kann sich durch sich allein ganz
ebensowenig durch den Raum bewegen wie die Erde am Himmel;
jener braucht den äußern Widerstand der Erde dazu, diese den äußern
Zug der Sonne; ins Leere gesetzt, möchte der Mensch zappeln wie er
wollte, er könnte seinen Schwerpunkt nicht um ein Haar verrücken. Nur
der Zusammenhang mit der übrigen Erde verleiht ihm das Vermögen
dazu. Er kann sich an der Erde in der Tat nur gerade ebenso
bewegen, wie sich ein Glied am festen Leibe bewegen kann, indes sich
zwei Weltkörper vielmehr wie zwei Leiber gegen einander bewegen. Nun
ist wahr, die Bewegungen des Menschen an der Erde sind viel komplizierter, unbestimmbarer, und, sofern man hieraus auf Freiheit schließt,
freier als die des Weltkörpers gegen den Weltkörper; nur daß dies kein
Mangel der Erde ist, da die freien Bewegungen ihrer Geschöpfe in sie
selbst fallen.

19) Man kann es für den ersten Anblick auffallend finden, daß,
während sonst die von uns verfertigten Werkzeuge den Werkzeugen unsers
eignen Körpers so vielfach ähneln, die camera obscura dem Auge, der
Blasbalg der Lunge, die Pumpe dem Herzen, das Filtrum der Niere,
der Meißel den Zähnen, der Hebel dem Arme, der Hammer der Faust,
die Natur sich ebenso standhaft gesträubt hat, das Prinzip der Räder
zur Fortbewegung der Organismen anzuwenden, als wir das Prinzip der
Beine oder Stelzen zur Fortbewegung unserer Wägen anzuwenden uns
weigern. Und doch scheint in Rädern großer Vorteil zu liegen, und
ein angenähertes Streben, diesen Vorteil zu erreichen, ist sogar wirklich
in der Einrichtung unsers Körpers sichtbar, denn unsre Beine sind zwar
nicht einem ganzen Rade, aber einer Radspeiche mit einem Stück Felge
(Fuß) vergleichbar, da sie sich im Gehen eben so vom Boden abwickeln
als es die Felge eines Rades tut*); sollten unsre Füße auf dem Boden
fortschleifen oder stelzen, würde es schlecht gehen. Aber doch fehlt viel
zum eigentlichen Rade. Indes sieht man auch leicht ein, daß ein wirk-

---

*) Vergl. Webers Mechanik der Gehwerkzeuge.

liches Rad nur auf glattem Boden gute Dienste leisten kann; dagegen, wenn es gilt, über Stock und Steine zu steigen, Berge, Treppen hinan zu steigen, unsre Beine uns viel bessere Dienste leisten, und Räder ganz unpassend gewesen wären. Sicher, wenn uns ein glatter Boden gegeben worden, wir hätten auch Räder statt der Beine bekommen. Nun aber der Erde ist wirklich der glatteste Boden gegeben, der sich denken läßt, so glatt wie der Äther ist nichts; und so ist auch ihr Bewegungsorgan ganz als Rad gestaltet; ja, wie sie alles, was sie einmal ist, nicht bloß stückweis ist wie wir, sondern ganz, so ist sie auch ganz und gar Bewegungsorgan und als solches ganz als Rad gestaltet; bei ihr sitzt nicht erst wie bei unsern Wägen ein besondrer Kasten auf den Rädern; sondern das Rad vertritt zugleich den ganzen Wagen; sie trägt, was sie trägt, gleich am Umfange ihres Rades, da das, was sie trägt, im Rollen nicht leidet. Nun sind die Fahrenden nicht abgeschlossen von der Aussicht des Himmels, durch den sie fahren, wie uns der Kasten unsrer Wägen abschließt; sondern die Aussicht ist allwärts frei. Also hat die Natur doch auch das Prinzip des rollenden Rades zur fortschaffenden Bewegung angewandt, und zwar in viel größerm Maßstabe und mit viel vollendeterer vielseitigerer Leistung angewandt als wir; sie konnte oder mochte es aber nur in dem himmlischen Reiche, wo die einfachen großartigen Verhältnisse die volle Entwicklung des Prinzips und seiner Vorteile auch gestatteten. In der irdischen Holprigkeit, Stolprigkeit und Kleinlichkeit mußte sie dann zu andern entsprechend stolprigen und kleinlichen Hilfsmitteln ihre Zuflucht nehmen, um über die Hindernisse hinwegzukommen, das sind unsre Beine; doch überläßt sie es uns, auf das himmlische Prinzip zurückzukommen, nach Maßgabe als wir uns selber den Weg dazu ebnen.

Man könnte fragen, warum sind nicht aber auch die Fische und die Vögel, die sich so gut in einem durchsichtigen glatten Medium bewegen als die Weltkörper, gleich ihnen Kugeln und zur rollenden Bewegung eingerichtet? Es möchte sein, wenn sie sich eben so ohne Flügel- und Flossenschlag in diesem Medium schwebend zu erhalten und darin fortzukommen wüßten, und das Futter, das sie mit vorgestrecktem Schnabel und Schnauze erst sich suchen müssen, ebenso in sich hätten, wie die Erde. Damit kommen wir auf frühere Betrachtungen. Nur ein Weltkörper eben konnte ganz Rad sein, weil er alles ganz ist, was er ist. Die Geschöpfe auf den Weltkörpern müssen noch vieles andere nebenbei sein, weil sie selbst etwas Nebenbei sind und sich gegen andres Nebenbei in Nebenbeziehungen mancherlei Art zu setzen haben. Damit aber gingen die Vorteile der Gestaltung als Rad so weit verloren, daß die Natur lieber gleich zu einem andern Prinzip griff. Doch sehen wir bei einigen Infusorien die rollende Bewegung, was in das Kapitel von der Berührung der Extreme gehört.

Die Erde ist Rad und Wagen in eins, man kann aber die Erde samt den übrigen Planeten auch als Räder an einem großen Wagen betrachten, dem Sonnenwagen nämlich, da man ja weiß, daß er durch die rollenden Planeten wirklich im Kreise um die Mittelsäule einer länglich runden Rennbahn, d. i. den Schwerpunkt des ganzen Systems, auf fester Ebene (plan invariable) umhergeführt wird.*) Wie aber auch hier wieder eins ins andere fällt, so bedarf es nicht besondrer Pferde, den Wagen zu ziehen, weil die Räder zugleich die lebendigen Pferde vertreten, es bedarf auch nicht erst eines besondern Lenkers auf dem Wagen, weil der Wagen selbst sein eigner Lenker ist; der lichtweiße Lenker treibt an seine bunten Pferde; die Alten stellten es vor im Bilde von Phöbos Apollon auf dem Sonnenwagen. Es lag mehr Wahrheit darin, als wir dachten. Gern ließen sie die Zügel im Bilde weg; man soll die Zügel sich bloß denken; auch am Himmel sind sie weggelassen, wirklich weggelassen; die Räder drehen sich, die Pferde gehen nach dem bloßen leuchtenden Blicke des Gottes; oder folgt sein Blick etwa den Rädern, Pferden? Keins folgt dem andern; sie gehen selbstverständlich mit einander.

20) Für den ersten Anblick möchte es scheinen, daß bloß an der Oberfläche der Erde Bewegungen stattfinden. Das Innere scheint eine müßige Masse. Aber es ist hier wie sonst oft. Was man nicht sieht, daran denkt man nicht. Es gibt Bewegungen im Innern der Erde, so gut wie draußen, wenn auch nicht so mannigfaltige. Eine einfache Betrachtung wird hinreichen es zu zeigen.

Setzen wir, wir hätten einen Ballon voll Flüssigkeit, worin eine Bleikugel liegt, und ein starker massenanziehender Körper nähere sich auswendig dem Ballon.**) Dann wird zwar die Masse des Wassers

---

*) Die Sonne steht in der Tat nicht wirklich still, sondern bewegt sich vermöge des Zuges der Planeten um den Schwerpunkt des Planetensystems, nur in kleinerm Kreise als sie. Der plan invariable hat eine astronomische Bedeutung.

**) Dieser massenanziehende Körper könnte eine zweite Bleikugel sein, da vermöge der allgemeinen Gravitation oder Schwere eigentlich alle Körper sich anziehen. Inzwischen wird die Anziehung zwischen kleinen Körpern auf unsrer Erde nicht bemerklich, weil sie gegen die stärkere Anziehung durch die Erde selbst verschwindet. Dies würde daher auch im obigen Beispiele von dem Versuche mit dem Ballon und den Kugeln auf der Erde gelten, nicht mehr aber von einem Versuche mit der

unb Bleies beibes babon angezogen, aber bas bichtere Blei brängt mit
feiner größeren Wucht (wegen ftärfern Anziehungsbeftrebens) bas bünnere
Waffer aus bem Wege, um fich an bie bem anziehenben Körper gegen-
überliegenbe Stelle ber Wanb anzulegen unb ihm fo nahe als möglich
liegen zu bleiben, fo lange er feine Lage behält. Geht aber ber anziehenbe Körper um ben Ballon herum, fo folgt ihm notwenbig bie
Bleikugel, um ihm immer fo nahe als möglich zu bleiben, geht alfo
inwenbig mit an ber Wanb herum. Setzen wir nun, ber Inhalt bes
Ballons beftänbe, ftatt aus Blei unb Waffer, aus einer bichtern unb
bünnern (fpezififch fchwerern unb leichtern) Flüffigkeit, wie Waffer unb
Öl, ober Queckfilber unb Waffer, fo würbe ftatt ber Bleikugel bie
bichtere Flüffigkeit nach gleichem Prinzip fich vorzugsweife vor ber
bünnern nach ber anziehenben Maffe hinbrängen unb, wenn biefe auswenbig um ben Ballon herumginge, fich ihr folgenb innerlich an ber
Wanb herumbewegen. Einen hierauf zurückführbaren Fall haben wir
aber bei ber Erbe. Die Flüffigkeit inwenbig ift ber gefchmolzene Inhalt
ber Erbe, von bem wir wiffen, baß er (ohne Rückficht auf äußerlich
ftörenbe Kräfte) eine von außen nach innen beträchtlich zunehmenbe
Dichte hat, alfo aus einer auswenbig bünnern unb inwenbig bichtern
Flüffigkeit beftehenb gebacht werben kann; boch fo, baß nichts hinbert,
bies Verhältnis burch äußerlich ftörenbe Kräfte fich auch abänbernb zu
benken. Der anziehenbe Körper auswenbig wirb burch Sonne ober Monb
vorgeftellt, welche bekanntlich burch ihre Anziehung auch bie Flutbewegung bes Meeres an ber Außenfeite ber feften Erbfchale bewirken.
Es muß aber nach vorigem Prinzip burch ihre Wirkung inwenbig fo
gut als auswenbig eine Flutbewegung ftattfinben, nur baß fie fich wegen
ber umfchließenben Schale nicht in einer fortfchreitenben Erhebungswelle
äußern kann, fonbern in einer fortfchreitenben Dichtigkeitswelle, welche
jeboch nicht fortfchreiten kann, ohne wie ein Quirl bie ganze innere
Maffe mit in Bewegung zu fetzen. Auch überfieht ber Sachkenner leicht,
baß, währenb bie äußere Flutbewegung bes Meeres mehr von bem
Monbe als ber Sonne abhängt, bie innere Flutbewegung mehr von ber
Sonne als bem Monbe abhängt.

Die Flutbewegung bes Meeres hängt nämlich von bem Unterfchiebe
ber Anziehungen ab, welche bie Weltkörper auf ben Mittelpunkt ber Erbe
unb bie gegenüber liegenben Enben ber Erbe äußern. Obwohl nun bie

---

Erbe, wenn nämlich bie Erbfchale felbft ben Ballon vorftellte, unb eine große
Kugel äußerlich wirkte, eine anbere innerlich im flüffigen Inhalt ber Erbe angebracht
würbe.

anziehende Kraft der Sonne auf die Erde im ganzen betrachtet viel größer
ist als die des Mondes, fällt doch dieser Unterschied der Anziehung von
seiten des nähern Mondes größer aus als von seiten der Sonne.*) Dagegen hängt die Flutbewegung der innern Flüssigkeit nicht von dem Ent-
fernungsunterschiede eines der Erde äußern Weltkörpers, sondern von ihrem
eignen innern Dichtigkeitsunterschiede und der absoluten Größe der äußern
Kraft ab, muß also von seiten der Sonne etwa 160 mal mehr betragen als
von seiten des Mondes.

Es ist mir nicht bekannt, daß jemand auf diese innere Flutbewegung
schon hingewiesen; doch scheint mir ihre Annahme notwendig, sofern man
das Innere der Erde als flüssig und von ungleicher Dichte anzunehmen
genötigt ist.

Ich habe daran gedacht, ob man von der Reibung der bewegten
Flüssigkeit an der festen Kruste und der hierdurch erweckten Elektrizität den
Erdmagnetismus abhängig machen könnte. Doch unterliegt eine solche An-
nahme großen Schwierigkeiten.

Sehr wahrscheinlich mögen zu diesen allgemeinen Gründen innerer
Bewegung noch lokale kommen. Unstreitig war die Erde vom Anfange
an nicht gleichförmig gemischt, und bei ihrer ungeheuren Masse mögen
diese Ungleichförmigkeiten auch nach längster Zeit sich noch nicht vollständig ausgeglichen haben und so beitragen, innere Bewegungen zu
unterhalten. Schon die vulkanischen Erscheinungen scheinen für innere
Bewegungen zu sprechen, doch hängen sie wenigstens zum Teil von Wasserdämpfen ab, zu deren Entstehung äußerlich eingedrungenes Wasser den
Anlaß gibt.

21) In unserm Leibe finden Kreislaufsphänomene mancherlei Art
statt; und ebenso im größern Leibe der Erde. Das Blut kreist in den
Adern, dann kreisen die Stoffe zwischen den Adern und unserm übrigen
Leibe, sofern Stoffe aus dem Blute in den Leib zu dessen Ernährung
ausgeschieden und durch Aufsaugung immer wieder darein zurückgenommen
werden; dann kreisen die Stoffe in noch weiterm Zirkel zwischen unsern
Leibern und dem größern irdischen Außenleibe, sofern Stoffe aus der
irdischen Außenwelt in unsre Leiber fortgehends übergehen und von da
wieder in die Außenwelt zurückgehen; und sehen wir näher zu, so sind
die engern Kreislaufsphänomene in unsern Leibern nur abgezweigte

---

*) „Wenn man die Kräfte, mit welchen die Sonne und der Mond die Erde (im
ganzen) anziehen, miteinander vergleicht, so findet man, daß jene etwa 160 mal so groß
ist als diese; da aber von jener nur etwa der 12000 ste Teil auf die Erzeugung der Flut
und Ebbe verwandt wird, von dieser der 30 ste (weil die Entfernung der Sonne von
der Erde ungefähr 12000, die des Mondes von der Erde 30 Erdburchmesser beträgt),
so geht hervor, daß die von der Sonne erzeugte Flut nur ³/₅ der Flut betragen kann,
welche der Mond erzeugen muß." (Bessel.)

Schlingen von diesem weitern Kreislauf, zu welchem die Welt des
Organischen und Unorganischen in gegenseitiger Ergänzung zusammentritt.
Über diesen weitern Kreislauf hinaus aber sehen wir noch größere
Kreisläufe durch das ganze irdische Gebiet, wovon alles Vorige nur wie
abgezweigt erscheint. Die Flüsse gehen ins Meer, das Meer in die
Wolken, die Wolken in die Flüsse, die Flüsse wieder ins Meer; zu diesem
Kreislaufe geben auch die Bäume ausdünstend ihren Saft und daher
bekommen sie auch ihren Saft, dahin geht der Schweiß von unsrer
Arbeit, und daher bekommen wir den Trank, der uns erquickt. Das
ganze Meer schickt eine kreisende Flutwelle um die Erde, die führt Fische,
Krebse und Gewürme mit; entsprechend mag unter der Erdrinde, wie
wir gesehen, eine Flut von Glut kreisen. Die Winde kreisen durch
allen unregelmäßigen Wechsel durch, doch im ganzen regelmäßig um die
Erde, und die obern ergänzen sich mit den untern zum Kreislauf; da
kreist auch der Atem aller lebendigen Wesen mit; und die Schiffe richten
ihre Segel danach; die feste, ja die ganze Materie der Erde kreist um
ihre Achse, und inmaßen, als sie es tut, kreist die Helligkeit und Wärme
mit; endlich geht noch die Erde in den größern himmlischen Kreislauf
um die Sonne und den noch größern Kreislauf der Sonne um ein
höheres Zentrum mit ein.

Als die Grenze der eigentlich irdischen Kreisläufe jedoch, d. i. die
sich in der Erde selbst abschließen, hat die Drehung um ihre eigne Achse
zu gelten, die andern höhern Kreisläufe haben auf ein Zentrum außer
ihr bezug. Dieser Kreislauf der Erde um sich selbst ist zugleich der
selbständigste, ursprünglichste, einfachste, regelrechteste, allgemeinste, dauer-
hafteste, unveränderlichste aller irdischen, ganz in der Individualität der
Erde begründet, und die ganze Materie der Erde in eins begreifend; dagegen
die andern irdischen Kreisläufe großenteils erst von ihm abhängig sind
und nur besondere Teile der Erde ergreifen. Man kann sagen, daß die
Bewegung der Erde um ihre Achse die Hauptgröße ist, wozu sich alle
andern Bewegungen auf der Erde nur wie Änderungen höherer Ordnung
verhalten.

Alle Kreisläufe der Stoffe in der Erde überhaupt sind, wenn nicht
rein in sich, doch alle in der Erde abgeschlossen, nichts geht über sie
hinaus; dahingegen von den Stoffen in unserm Leibe immer nur ein
Teil innerlich umhergeführt wird, der andre geht immer über uns
hinaus, um in die andern Kreisläufe der Erde mit einzugehen.

Die Drehungsrichtung der Erde um sich ist unveränderlich nur in
bezug auf die Erde selbst, d. h. die Drehungsachse der Erde geht immer

durch dieselben Punkte der Erde; obwohl ihre Richtung veränderlich gegen den Himmel ist, wie weiterhin zu betrachten.

In der Atmosphäre lassen sich Kreislaufserscheinungen mancherlei Art unterscheiden. Faßt man die Verhältnisse aus allgemeinstem und übersichtlichsten Gesichtspunkte im ganzen und großen, so kann man zwei aufeinander senkrechte Kreislaufsbewegungen unterscheiden, deren jede sich wieder in zwei Kreisläufe von entgegengesetzter Richtung gliedert. Einmal nämlich strömt die Luft an der Erdoberfläche von den kältern Zonen nach dem Äquator zu, mithin von Norden her nördlich, von Süden her südlich, steigt zwischen den Tropen in die Höhe und kehrt in den höhern Regionen in entgegengesetzter Richtung, also einerseits nach Norden, andrerseits nach Süden zurück, und kommt jenseits der Tropen wieder in den kühlern Zonen herab. Dieser doppelte Kreislauf wird jederseits bloß durch den Temperaturunterschied zwischen Polar- und Äquatorialgegenden bewirkt. Zweitens aber kreist die Luft an der Erdoberfläche in der Richtung von Osten nach Westen, in höhern Regionen aber in entgegengesetzter Richtung von Westen nach Osten. Dieser Kreislauf hängt von dem Einfluß der Drehung der Erde auf die zwischen Polen und Äquator hin- und herströmende Luft ab. Die Bewegungen, welche die Luft in der Richtung beider Doppel-Kreisläufe annimmt, setzen sich jedoch zusammen, daher man nicht die Erscheinungen des einen unabhängig von denen des andern beobachten kann. Auf solcher Zusammensetzung beruhen dann die Erscheinungen der Passate zwischen den Wendekreisen und der merkwürdige Umstand, daß jenseits derselben auf der Nordseite der Erde die Winde sich in der Regel in der Folge N. O. S. W., auf der Südseite in der entgegengesetzten Richtung S. O. N. W. drehen. Dove hat dies alles sehr gut in seinen meteorologischen Untersuchungen auseinandergesetzt. Zu diesen allgemeinen Kreisläufen der Luft kommen noch die lokalen, welche die Temperaturdifferenz von Land und See erzeugt. „Wenn bei Tage das Land sich stärker erwärmt als die See, so wird die Luft über dem Lande in die Höhe steigen, die kältere Luft unten zuströmen. Über der See fällt die Luft herab, wie im Schatten einer vorüberziehenden Wolke an einem heißen Sommertage, von der es kalt herweht. In der Nacht kühlt sich das Land stärker ab als die Oberfläche des Wassers, diese wird endlich wärmer, die Luft strömt vom Lande nach der See. Jener senkrechte Kreislauf ist also einem gedrehten Rade zu vergleichen. Ist die Temperatur gleich, so steht es, wird sie ungleich, so dreht es sich, zuerst nach der einen Seite hin, dann nach der entgegengesetzten. Es steht zweimal täglich still, wenn die eine Drehung in die andere übergeht. Ist das Land ein halbes Jahr wärmer als die See, und umgekehrt, so wird das Rad im Jahre zweimal stillstehen, und zweimal sich drehen. Wir werden also erhalten: zwei Luftströme nach entgegengesetzten Richtungen, getrennt durch Perioden keiner vorherrschenden Richtung. Dies ist aber die Erscheinung des Moussons." (Dove, Meteorol. Unt. S. 250.)

Die Frage, woher die Drehung eines Himmelskörpers, wie der Erde, um sich selbst kommt, ist noch nicht genügend gelöst. Könnte man einen exzentrischen Stoß annehmen, so wäre keine Schwierigkeit. Aber woher sollte er kommen? Inzwischen kann man eine mit den gewöhnlichen kosmogonischen

Anfichten wohl verträgliche Vorstellung faffen, welche diefen Stoß entbehrlich macht, indem fie ein Äquivalent dafür gibt. Man hat nur anzunehmen, was ja auch andere Gründe fordern, daß die Teilchen, aus denen fich die Erde ballte, nicht von der Ruhe ab, fondern mit verfchieden gerichteten Initialbewegungen behaftet dem Zuge der Schwere gegeneinander zu folgen begannen. Wenn diefe Teilchen in folche Nähe zueinander gekommen, daß eine gegenfeitige Abhängigkeit derfelben voneinander eintrat, fo mußten diefe Initialbewegungen nach Maßgabe der eintretenden Abhängigkeit, die noch nicht die eines feften Körpers zu fein brauchte, eine Refultante für die Gefamtmaffe geben, welche, wenn ihre Richtung nicht gerade durch den Schwerpunkt ging, nach mechanifchen Gefetzen notwendig eine Rotation des Körpers um fich zugleich mit einer fortfchreitenden Bewegung hervorrufen mußte.

Inzwifchen ift bei der Erde und unftreitig auch bei den andern Welt= körpern keine folche durchgehende Abhängigkeit aller Teile eingetreten, wie fie bei einem überall feften Körper ftattfindet; und unftreitig war es in frühern Perioden noch weniger als jetzt der Fall. Wäre die Erde ganz feft geworden, fo hätten alle Initialbewegungen fich zur Bewirkung der Rotations= bewegung und fortfchreitenden Bewegung zufammenfetzen müffen; nun dies aber nicht der Fall ift, können in der im ganzen immer gleichförmig rotierenden Erde doch einzelne Teile auch Bewegungen machen, die der allgemeinen Rotation entgegengefetzt find.

Da die Rotationen der Planeten im allgemeinen in derfelben Richtung vonftatten gehen, fo hat die vorige Theorie über die Entftehung der Rotation unftreitig eigentlich auf die ganze Materienkugel Anwendung zu finden, aus der fich die Planeten abgelöft haben. Rotierte aber diefe in einer gewiffen Richtung, fo mußten dann auch die fich peripherifch davon ablöfenden Maffen eine Rotation in derfelben Richtung annehmen, da die Teilchen diefer Maffen, fo lange fie der großen Kugel noch angehörten, eine größere Gefchwindigkeit an der peripherifchen als zentralen Seite (in bezug zur großen Kugel betrachtet) hatten, und bei der (anfangs unftreitig in Geftalt eines Ringes erfolgenden) Ablöfung behielten, was diefelbe Wirkung haben mußte, als ob ein exzentrifcher Stoß auf die abgelöften Maffen an der peripherifchen Seite derfelben in Richtung der Rotation der großen Kugel erfolgt wäre.*) Sofern indes die Teilchen der fich ablöfenden Maffen, außer der ihnen verbleibenden allgemeinen Rotationsrichtung der großen Kugel, auch noch teilweife eigene Bewegungen hatten, da fie fich in der großen Kugel befanden (wie denn felbft an unferer Erde noch heute an der Peripherie Bewegungen vorkommen, die der allgemeinen Rotationsrichtung zuwiderlaufen), mußten auch diefe Bewegungen auf den Erfolg Einfluß haben; fo daß doch die Rotationsrichtung für die fich ablöfenden Maffen etwas verfchieden von der Rotationsrichtung der Hauptmaffe und unter= einander abweichend ausfallen konnte.

---

*) Plateau hat diefe Erfolge künftlich nachgeahmt. S. Karften, Fortfch. d. Phyf. 2ter Jahrg. 1848. S. 80.

22) Der ganze Mensch ist ein periodisches Wesen, d. h. alle seine Prozesse laufen in kleineren und größeren Epochen ab, teils solchen, welche angenähert immer den alten Zustand zurückführen, teils solchen, die als Entwicklungsepochen immer neue Zustände herbeiführen. Erster Art sind die Perioden des Pulsschlages, des Ein- und Ausatmens, des Hungers und der Sättigung, des Wachens und Schlafens; zweiter Art die großen Stufenperioden des Embryonenzustandes und des gebornen Menschen, in diesem wieder die allerdings undeutlichern eines Überganges vom Kindesalter in den zeugungsfähigen und aus diesem wieder in den zeugungsunfähigen Zustand.

Periodische Erscheinungen erster Art bieten sich auf der Erde dar im Wechsel von Ebbe und Flut, in Tag und Nacht, in Sommer und Winter, im Umlaufe der Apsidenlinien und in der Frühlingsnachtgleichenperiode. Entwicklungsperioden der zweiten Art können wir nur erschließen, doch müssen solche dagewesen sein: die Erde ward einmal geboren, und auf der Erde ward einmal ein organisches Reich geboren, und im organischen Reich ward einmal der Mensch geboren, und hiemit trat jedesmal die Erde in eine große neue Entwicklungsphase ein.

Die periodischen Erscheinungen hängen teilweis mit den Kreislaufserscheinungen zusammen, so daß man im allgemeinen sagen kann, was für die ganze Erde eine Kreislaufserscheinung gibt, gibt für einen bestimmten Ort der Erde eine periodische Erscheinung, indem ein Objekt oder Phänomen, das im Kreise der Erde geht, immer von Zeit zu Zeit wieder an demselben Orte des Kreises anlangen und wieder daselbst vorübergehen, also periodisch dort erscheinen und verschwinden muß. Wie denn z. B. die Fluthöhe, die Tageshelle, indem sie um die ganze Erde kreisen, eben deshalb immer nur periodisch an demselben Orte der Erde erscheinen. So beruht auch der Puls des Menschen auf einer Blutwelle, die durch den ganzen Körper ihren Umlauf macht. Doch gehört eine Ungleichförmigkeit zur Kreislaufserscheinung, soll wirklich eine eigentlich periodische Erscheinung daraus hervorgehen. Denn wenn z. B. Wasser gleichförmig in einer Kreisrinne sich herumbewegt, wird keine Stelle der Rinne eine periodische Erscheinung spüren. Zwar geht auch hier dasselbe Wasserteilchen immer nur periodisch an derselben Stelle vorüber, aber weil ein Wasserteilchen wie das andere ist, fällt dies nicht in die Erscheinung; dagegen es sofort eine periodische Erscheinung geben würde, wenn ein Farbeteilchen oder eine Flutwelle im Wasser kreiste. Andrerseits kann es auch periodische Erscheinungen geben, die statt auf Kreislaufsphänomenen auf Oszillationsphänomenen beruhen. Daher fallen Kreislaufserscheinungen und periodische Erscheinungen doch nicht schlechthin zusammen.

23) Dieselbe fundamentale Bedeutung, welche dem Umlauf der Erde um ihre Achse in räumlichem Bezuge zukommt, kommt der von diesem

Umlauf abhängigen Tagesperiode nach zeitlicher Beziehung zu. Beides läßt sich überhaupt nicht trennen. Die Jahresperiode hängt von Beziehung der Erde zu andern Weltkörpern ab; die Tagesperiode ist in der Erde selbst gegründet und die feste Maßeinheit für alle irdische Zeitbestimmung. Denn auch, wenn Sonne und Mond wegfielen, würde die Erde fort-fahren, sich noch in derselben Zeit um sich selbst zu drehen; der Tag würde noch als Sterntag unveränderlich fortbestehen, wenn er als Sonnentag nicht mehr bestünde, und selbst wenn alle Sterne wegfielen, würde die Erde sich noch blind um sich wie jetzt zu drehen fortfahren, nur daß sie aus keinen Zeichen mehr wissen könnte, wenn eine Umdrehung fertig. Es ist diese Drehung etwas, was sie ganz und nur von sich hat. Alle Zeit, die auf der Erde gemessen wird, kann nur mit der Elle des Tages und dessen Abteilungen gemessen werden; es gibt keine andere feste und sichere, überall auf Erden gleich gültige Zeiteinheit als den Schritt, den die Erde selber durch die Zeit macht. Wie der Schritt des gleichförmig trabenden Kamels dem Reisenden, den es trägt, als Wegesmesser durch die Wüste des Raums dient, so der Schritt der Erde dem Menschen, den sie trägt, als Wegesmesser durch die Wüste der Zeit.

Die Erde ist solchergestalt ihre eigene Uhr. Alle unsere Uhren müssen von ihr lernen; ihre Räder werden im Grunde alle gemeinschaftlich aufgezogen, getrieben und geregelt durch das große Rad der Erde mittels .des zwischeneingreifenden Getriebes der menschlich organischen Maschine. Während aber unsere Uhren immer bloß eine Zeit auf einmal anzeigen, zeigt die Erduhr alle Tagesstunden, Minuten, Sekunden zu gleicher Zeit an, indem es für jeden Ort der Erde von anderer geographischer Länge auch andere Zeit ist. Nichtsdestoweniger findet überall derselbe Gang der Stunden auf ihr wie auf unsern Uhren statt. Sie ist die kombinierende Uhr für alle unsere Uhren.

Unsere Uhren leiden an einer großen Unvollkommenheit; daß sie nämlich, wenn nicht sehr künstliche Abhilfe getroffen ist, in der Kälte schneller laufen als in der Wärme. Unsere Erde ist der Gefahr hiervon nicht entzogen. Wenn sie kälter würde, als sie ist, würde sie sich zusammenziehen, wie alle Körper sich durch Erkältung zusammenziehen, und nach mechanischen Gesetzen schneller zu kreisen anfangen, der Tag und alle Stunden würden hiermit kürzer werden. Nun wissen wir, daß die Erde inwendig sehr heiß ist und sich durch einen sehr kalten Raum bewegt; dennoch bleiben Tages= und Stundenlänge sich gleich, weil die ungeheure Größe und die dicke Kruste der Erde das Erkalten verhüten.*) Die Erdschale nimmt so die Bedeutung eines Uhrgehäuses an, welches so dick gemacht ist, daß es die Erde zur Bedeutung eines Chronometers erhebt, eines solchen, welches alle unsere Chronometer an Genauigkeit übertrifft.

Außer der gemeinen irdischen Zeitrechnung, welche von der Drehung der Erde um ihre Achse abhängt, zeigt die Erde noch mittelst der Drehung ihrer Achse selbst, wie mittelst eines kreisenden Weisers, die Stunde in einer höhern himmlischen Zeitrechnung. Der Himmel ist das Zifferblatt, und der Kreis von Polarsternen, welche der Weiser nach und nach durchläuft, der Zifferkreis. (Vgl. Nr. 43.) Es ist mit der Erde, wie mit unsern Uhren, die auch gemacht sind, beides, längere oder kürzere Zeitabschnitte zu zeigen.

24) Nicht bloß das Messen der Zeit, auch das Geschehen in der Zeit auf Erden ist in gründlichster Abhängigkeit von der Tagesperiode. Der Wechsel von Tag und Nacht, Morgen und Abend, regelt überall Tätigkeit und Ruhe, Geschäft und Vergnügen auf eine, für die ganze Erde nicht gleichförmige, aber ganz zusammenhängende Weise. Die Tagesperiode ist für den Gang des irdischen Geschehens ungefähr dasselbe, was für den Gang eines Musikstückes das unveränderliche Taktmaß, dem sich aller noch so mannigfaltige Wechsel in der Folge und Geschwindigkeit der Töne unterordnet, und wodurch der wichtigste Halt in das Ganze gebracht wird. — Kein irdisches Geschäft hat in sich selbst so festen Takt, als ihn die Erde hat, braucht ihn auch nicht, verträgt ihn auch nicht, weil es selbst getragen wird vom Takte der Erde und Wechsel zu dem Gleichmaß bringen soll. Des Menschen Puls wankt hin und wieder, je nachdem es draußen, drinnen stürmt oder stille wird, geht in den Wechsel ein, aber beherrscht ihn nicht. Der Erde Takt wird durch keinen Sturm gestört, durch keine Stille verzögert, sondern Sturm und Stille und schlagende Herzen wogen auf dem Grunde ihres festen Taktganges auf und nieder.

25) In unserem Leibe erstreckt jede irgendwo vorgenommene Veränderung außer dem örtlichen Einfluß auch einen Einfluß auf das Ganze. Das Herz zieht sich örtlich zusammen, und der Puls durchdringt in dessen Folge alle Adern; die Hand wird mit einer Nadel geritzt und eine Wirkungswelle flutet von da aus durch Blut und Nervengeist des ganzen Leibes. Nicht anders mit der Erde. Der Schmied meint, er schlägt bloß auf seinen Amboß; die ganze Erde ist sein Amboß; denn

---

*) Die Erwärmung durch die Sonne reicht hierzu nicht hin, so lange die Erde inwendig noch heißer ist als ihr Außenraum.

von dem Amboß geht die Kraft seines Armes weiter fort durch Schmiede und Land, und jedes Teilchen Erde gewinnt sein Teilchen von der Erschütterung. Es meint einer, seine Stimme ist verhallt, wenn er und sein Nachbar sie nicht mehr hört, indes breitet sich die tönende Erschütterung der Luft nur immer mehr aus, teilt sich mit an Festes, Flüssiges, wird zurückgeworfen und abermals zurückgeworfen, durchschreitet und durchkreuzt das ganze irdische Bereich. Jeder Stein ins Meer weckt Wellen, die das ganze Meer durchlaufen und am Ufer angelangt sich teilen zwischen einen Stoß aufs Land und eine in sich zurückgeworfene Bewegung. Jedes Teilchen der Erde und des Wassers will wieder sein Teilchen von den Wellen.

Man kann nicht einmal sagen, daß sich die Wirkung mit der Ausbreitung im ganzen schwäche; sie wird bloß schwächer für eine einzelne Stelle, indem sie aber entsprechend an Ausdehnung zunimmt. Das kompensiert sich. Ein Schall, eine Erschütterung, die sich durch eine Röhre oder einen gespannten Faden fortpflanzt, ohne sich ausbreiten zu können, bleibt ungeschwächt im ganzen Laufe. Auch das ist wie in unserm Körper. Nur eben deshalb sind soviel Röhren, Fäden, das sind Adern, Nerven, in unserm Körper angebracht, daß Stoffe und Wirkungen möglichst zusammengehalten und ungeschwächt nach gegebenen Richtungen fortgeleitet werden; weil aber die Adern doch sich verzweigen und damit ihr Gesamtlumen erweitern, schwächt sich doch auch im Fortgange der Puls und fließt das Blut langsamer, als es aus dem Herzen ausgestoßen worden. Wer die Sachverhältnisse kennt, weiß das. Wenn anderseits einst Telegraphennetze das Land überziehen werden, wird die Erde in ihnen in größerm Maßstabe etwas Ähnliches haben, als sie schon jetzt in kleinerm Maßstabe in unsern Nerven hat.

26) Gibts nicht aber auch Kräfte, oder nennen wir es lieber wirksame Bezüge in unserm Leibe, die ihn auf einmal umspannen und durchdringen, das Fernste mit dem Nächsten verknüpfen, ohne erst allmählich ihre Wirkung aus der Nähe in die Ferne fortzupflanzen? Wir sollten es glauben, wenn wir sehen, wie die Gestalt des Menschen so aus einem Gusse und Flusse gebildet ist, und alle Verrichtungen durch den ganzen Leib in Wechselzusammenhange erfolgen. Der Kopf hat doch nicht das Bein, das Bein nicht den Kopf gebildet, beide sind in einem Zusammenhange gebildet und wirken noch im Zusammenhange. Da müssen Kräfte, Bezüge walten, die in eins durch das Ganze greifen.

Aber nicht mehr im Menschen als in der Erde. Die Gestalt der Erde ist eben so aus einem Flusse und Gusse gebildet, und die Gestalt der Menschen und Tiere selbst ist nur als ein feineres Spiel dieses Gusses und Flusses hervorgegangen. Alles auf und in und an der Erde wirkt noch in durchgreifendem Zusammenhange; die halbe Atmosphäre hält die andere halbe in Spannung, das halbe Meer hält das andere halbe im Gleichgewicht, und alle Störung dieser Spannung, dieses Gleichgewichtes, empfängt ein Gesetz von der Art dieser Spannung, dieses Gleichgewichtes, wozu jeder Teil das Seine beiträgt. Drückte sich nicht die Luft im ganzen so zusammen, hielte sich nicht das Meer im ganzen in solchem Niveau, wie es eben geschieht, jeder Windstoß, Schall und jede Welle würden anders gehen. Warum haben Teiche und Seen nicht ebensogut Ebbe und Flut wie das Meer, da Sonne und Mond doch ebensogut ziehend darüber hingehen? Weil die ganze Größe und Tiefe des Meeres sich zusammentut zur Größe und Gewalt des Phänomens. In einem Wasserglase kann keine Ebbe und Flut und kann auch kein Sturm entstehen. Und ob auch ein Wind nur über einen kleinen Erdstrich wehe, aber daß er dort so wehen kann, daran ist die ganze Luft Schuld; ja nicht bloß die ganze Luft, die ganze Erde.

In der Tat, wenn schon die Luft leicht und leichtsinnig über den Boden hinzustreichen scheint, als ginge sie derselbe nichts an, ist es doch eigentlich der Boden, der sie bläst. Ohne den Gegensatz der kalten Pole und der warmen Tropenländer, der kalten Bergesspitzen und der wärmeren Ebenen, der kühlen See und des wärmeren Landes, gäbe es keine Winde. Auch Wolken und Regen, die von oben nach unten wirken, verdanken erst der Wirkung von Unten nach Oben ihren Ursprung. Hierbei ist viel von allmählich fortgepflanzter Wirkung; aber die Möglichkeit der sukzessiven Fortpflanzung selbst und die Art und Größe der fortgepflanzten Wirkungen gründet sich auf die ganze Zusammenstellung von Erdreich, Wasser, Luft und Wärme in der Erde. Jedes greift mit seiner Wirkung in das andere über.

„Das geübte Auge des Indianers liest am Himmel den Lauf der Flüsse ab, da wo Mangel an Bebauung des Bodens zu den natürlichen Unterschieden derselben keine künstlichen hinzugefügt hat, und es ist klar, wie eine kräftige Vegetation sich ihren Regen erzeugt, der sie umgekehrt wieder ernährt.“ — „Was über Wald und Wiese zur Wolke sich verdichtet, löst sich über der wärmeren Sandfläche wieder auf.“ — „Manche Landgüter verhageln fast immer, andere dicht daneben bleiben frei. So lokal ist denn auch die Bildung des Hagels. Casalbero in der Provinz degl' Irpini in Neapel war gegen NW. von einem bewaldeten Bergrücken geschützt und frei von Hagelschlägen. Seitdem der Abhang beackert ist, hagelt es fast jedes Jahr.“ (Dove, Meteorol. Unters. S. 61, 60, 69.)

„Eine merkwürdige Wirkung der wasser=erkältenden Untiefen ist die, daß sie, fast wie flache Korallen= oder Sandinseln, auch auf die höhern Luft=schichten einen bemerkbaren Einfluß ausüben. Fern von allen Küsten, auf dem hohen Meere, sieht man oft Wolken sich über die Punkte lagern, wo die Untiefen gelegen sind. Man kann dann, wie bei einem hohen Gebirge, bei einem isolierten Pic, ihre Richtung mit dem Kompaß aufnehmen." (Humboldts Kosmos. I. S. 329 f.)

Betrachten wir einen Fluß. Wir wissen, er läuft um so schneller, je geneigter sein Bett. Laß nun sein Bett an einer einzelnen Stelle geneigter sein als an der andern, so läuft er deshalb nicht bloß schneller an dieser einzelnen Stelle, er läuft im ganzen schneller; und laß ein Hindernis des Laufes an einer einzelnen Stelle eintreten, so läuft er deshalb nicht bloß langsamer an dieser einzelnen Stelle, er läuft im ganzen langsamer; so wirkt, was ihm an einer Stelle begegnet, in einem Zusammenhange durch das Ganze; wir merken nur den Einfluß der kleinern Stelle auf den ganzen Fluß nicht leicht, weil der kleine Einfluß auf das Ganze sich verteilt. Wie hier mit dem Flusse des Wassers ists mit dem Flusse der ganzen irdischen Begebenheiten, iu dem auch die Lebensprozesse der Menschen, Tiere, Pflanzen mit begriffen sind. Was auch geschehe, und wo etwas geschehe, und wie etwas geschehe, es erstreckt außer dem lokalen auch einen allgemeinen Einfluß auf das Ganze.

27) Wie aber steht es mit den Tiefen der Erde? Wir wissen, die feste Erdschale schließt einen wahrscheinlich metallisch=flüssigen Inhalt ein, und eine Schicht von Wasser, Luft und organischem Leben, worin wir selbst inbegriffen sind, aus. Schließt sie nicht hiermit, wie beider Sein, so beider Wirken voneinander ab? Ein Versuch mag es uns lehren. Wir bohren ein Loch in die Erdschale und zapfen ihren flüssigen Inhalt ab. Es scheint, wir tun hiermit nichts anders, als wenn wir ein Faß mit steinernen Wänden abzapfen. Kann das, was außen am Fasse, eine Wirkung von dieser Entleerung spüren, da es mit dem Inhalt in gar keiner Verbindung steht? Kaum scheint es so. Doch siehe, was geschieht? So wie sich das Innere der Erde entleert, überspült das Meer draußen auf einmal in der Flut alles Land, die Flüsse werden träge und finden ihren Weg nicht mehr abwärts; die Steine fragen, wohin fallen wir; die Pflanze weiß nicht mehr, wohin die Pfahlwurzel treiben; der Mensch wird federleicht, aber auch vom leichtesten Winde wie eine Feder über die Erde hinweggeblasen; die Atmosphäre dehnt sich weiter und weiter aus; alle Menschen und Tiere fühlen sich wie unter der Glocke einer Luftpumpe, deren Kolben man auszieht, und schnappen nach der sich immer mehr verdünnenden Luft. Ist aller Inhalt entleert,

so fliegen sie gar mit allen Steinen und allem Wasser weg von der
Erde wie Sand, den man auf einen gedrehten Kreisel streut. Und das
alles bloß, weil jetzt das, was früher innerhalb der festen Erdschale
war, nicht mehr auf das wirkt, was außerhalb war.

Wir meinen zumeist, eine Bleikugel drücke bloß durch sich selbst.
Aber so ist es nicht. Mit jedem Stück Erde, das du aus der Mitte
der Erde wegnimmst, wird die Bleikugel ein Stück leichter, geradeso,
als wenn du von ihr selbst ein Stück wegnähmst. Sie hat ihre Schwere
gar nicht für sich allein. Eben wie auch in meinem Leibe kein Teil
durch sich und für sich seine Kraft allein hat, er verdankt sie seinem
Zusammenhang und Zusammenwirken mit dem Ganzen.

28) Man kann die Schwere, an deren Verminderung all dies hängt,
eine tote Kraft nennen, und sie ist es so gut wie die optische Kraft
unsres Auges; eine wie die andere ist nach gleich toten physikalischen
Regeln schätzbar, berechenbar; doch ist es die optische Kraft unsres Auges,
welche alle Lichtstrahlen zum Bilde zusammenfügt, dessen sich eine lebendige
Seele zu bemächtigen weiß. Doch ist es die Schwere, welche alle Massen
der Erde, darunter unsre eigne, zu einem Leibe zusammenfügt, dessen
sich nun wohl auch eine lebendige Seele bemächtigen mag. Alle Kräfte
sind tot in unserer trennenden wissenschaftlichen Abstraktion, die des
Leibes so gut wie die des Außenleibes. Alle Kräfte sind lebendig in
ihrem realen Zusammenwirken, die des Außenleibes so gut wie die des
Leibes.

Die Schwere ist freilich eine allgemeine Kraft, die durch die ganze
Welt geht, und die Erde soll doch nach uns ein besonderes Geschöpf
sein. Aber auch die Kräfte meines Leibes sind etwas Allgemeineres als
eben bloß meinem Leibe Zukommendes, der ja selbst erst von andern
Leibern durch solche Kräfte gezeugt und geboren ist; doch bleibt mein
Leib deshalb etwas Besonderes. Es kommt bei einem Individuum nur
darauf an, daß es die allgemeinen Kräfte in sich besonders verwalte und
verwerte, und so ist es bei der Erde mit der Schwere.

Daß die Erde, daß die andern Gestirne der allgemeinen Kraft der
Schwere, die durch die ganze Welt nichts tut, als Teilchen gegen
Teilchen ziehen, hier wie da, ihre besondere Gestaltung abzugewinnen
vermochten, sich aus dem Chaos der allwärts hin und wieder ziehenden
und gezogenen Teilchen zu besonderen Körpern mit besonderen Mittelpunkten, mit besondern Drehungsachsen zu ballen vermochten, zeigt sogar
am besten, daß ein individualisierendes Prinzip in der Allgemeinheit des
Gesetzes der Schwere selbst still eingeschlossen liegt.

6*

29) Außer der Schwere wirkt noch ein anderes still mit wunderbarer Macht aus der Tiefe an die Oberfläche. Es ist die magnetische Kraft, welche das Schiff wie die Meßkette droben leitet und alles Eisen auf der Erde mit einem geheimen sympathetischen Zuge erfüllt. Welch Rätsel liegt noch hier begraben! Die Magnetnadel ist wie ein stummer Fingerzeig auf ein tief inneres Geheimnis, wir sehen den Fingerzeig und wissen · ihn nicht zu deuten. Von Ort zu Ort, von Stunde zu Stunde, von Tage zu Tage, von Jahre zu Jahre, von Jahrhundert zu Jahrhundert ändert er seine Richtung, bezeugend einen Kreislauf, eine Wandlung innerer Wirkungen, die wir nicht verstehen. Das Nordlicht draußen knüpft sich dran mit verwandten gleich geheimnisvollen Kräften.

Es bleibt nicht bloß bei dieser stummen fernen Gemeinschaft des Innern und des Außern. Mitunter durchbricht das Innere die Schale, heben sich neue Gebirgsketten, ordnet sich damit der Stand der Meere neu, und entstehen, unbekannt auf welche Weise, doch sicher in etwelcher Beziehung damit, neue organische Schöpfungen. Noch immer glüht es im Innern und mag es noch gähren; Vulkane und heiße Quellen verraten es uns; aber die Produkte der früheren Evolutionen müssen sich erst ausarbeiten, das Leben sich entwickeln, bis die Erde zu einer neuen Schöpfung reif ist. Dann geht die alte Schöpfung ganz oder großenteils unter, die Erde ersetzt sie, alle Kräfte des Innern mit allen Kräften des Außern zugleich anspannend und mischend, durch vollkommenere Bildungen, so wenigstens ists mehrmals früher geschehen. Wer weiß ob der Mensch die letzte Bildung ist.

Halten wir es für ein Vorrecht eines organisch lebendigen Wesens, mit unerforschlichen Kräften all unsrer Wissenschaft zu spotten, haben wir denn nicht in dieser, alle organischen Wesen selbst erst erzeugenden, wie in jener, die ganze Erde durchdringenden magnetischen Kraft auch solche Kräfte, rätselhafter als die rätselhaftesten in unserm Leibe?

30) Den tiefsten Blick in den Zusammenhang alles irdischen Wirkens, die schönsten Gleichungspunkte mit dem, was wir in unserm eignen Leibe erblicken, die klarste Einsicht, daß dieser Leib selbst unterscheidbar, einem größern Leibe angehört, ja daß ein wahrer Leib ist, dem er angehört, läßt uns das Achten auf den durchgreifenden Zweckbezug tun, der durch das ganze irdische System waltet, wodurch alle Teile und Seiten desselben in eins geschlungen werden, also, daß wir selbst eben so in das Band mit gefaßt werden, als es selbst mit bilden helfen.

Es wäre ein Unendliches, diesen Zweckbezug, der durch alles bis ins Kleinste durchgreift, auch allseitig zu verfolgen; blicken wir hier nur auf ganz Naheliegendes, so Naheliegendes, daß eben deshalb jeder darüber hinwegsieht.

Was wollen die Flügel des Vogels, die Flossen der Fische, die Beine des Pferdes? Die Luft, das Wasser, der feste Boden hat diese Bewegungswerkzeuge nicht machen können, noch haben sie die Luft, das Wasser, das Erdreich sich zurecht gemacht. So mußte doch beides, Organisches und Unorganisches, in demselben in sich zusammenhängenden Schöpfungsgusse und Flusse gemacht sein, und dieser muß noch heute in seinen Wirkungen zusammenhängend fortfließen. Denn noch heute fliegt der Vogel durch die Luft, schwimmt der Fisch durch das Wasser, läuft das Pferd über das Land, wie es auch nur eine Fortwirkung desselben schöpferischen Prinzips ist, welches erst Muskeln und Knochen in Zweck= bezug zu einander gebildet hat und dann den Muskel an dem Knochen ziehen läßt, um diesen Zweckbezug auch zu betätigen. Der Vogel paßt aber nicht bloß zu einem Stücklein Luft, er paßt zur ganzen großen Weite derselben; der Walfisch paßt nicht zu einem Tümpel, er paßt zum großen Weltmeer, das Pferd paßt nicht bloß für den Erdfleck unter seinen vier Füßen, sondern für eine unbegrenzte Ebene. Ungeachtet also der Vogel, der Walfisch, das Pferd nur an einem kleinen Orte entstehen konnten, mußte doch die Luft, das Meer, das Erdreich in weitester Ausdehnung in den Entstehungsprozeß des Vogels, des Walfisches, des Pferdes mit verrechnet sein. Statt Flügel, Flossen, Füße könnte man aber auch Haut, Haare, Schuppen, Maul, Schnabel, Zähne, Zunge, Lunge, ja beliebige äußere und innere Teile setzen. Das ganze Tier, ja alle Tiere und Menschen sind ringsum und bis ins Innerste so ausgearbeitet, als ob sie mit der Luft, dem Wasser, dem Erdreich in eins zusammengehörten, aus demselben Schöpfungsgusse und Flusse wären, betätigen auch noch heute dieses Zusammengehören, vertragen noch heute so wenig ein Losreißen davon, als ein Teil unsers Leibes das Losreißen aus dem Zusammenhange verträgt, in dem er ent= standen ist.

31) Besonders merkwürdig und schlagend gegen die gewöhnliche zerbröckelnde Betrachtungsweise der Erde ist mir immer erschienen, daß sogar die wirkliche Zerbröckelung der Erde mit der Entstehung organischer Geschöpfe auf selbst ganz organische Weise verwebt und in eins ver= rechnet ist. Zertrümmerung der Felsgesteine durch Fluten, Verwitterung durch Angriff von Salzwasser und Luft hat zur Entstehung des Sandes und mürben Erdreiches Anlaß gegeben. Das scheint himmelweit von der Bildung organischer Geschöpfe abzuliegen, ja das Gegenteil davon

zu sein; und doch muß beides ein, wenn auch nicht gleichzeitiger, doch
ursächlich, weil teleologisch genau verknüpfter, Prozeß gewesen sein. Was
wir für sich mechanisch, chemisch tot nennen, zeigt sich auch hier wieder
im Zusammenhange als ein Faktor des Lebens. Niemand wird ja doch
glauben, daß die Grabefüße des Maulwurfs und das lockre Erdreich,
worin sie wühlen, zufällig bei einander sind.*) Auch hat sich wieder
nicht eins das andre zurecht gemacht; also mußte der einen Bildung
und des andern Zerbröckelung der gemeinschaftliche Erfolg einer in eins
zweckmäßig wirkenden Ursache sein. Und noch heute wirkt sie in eins
zweckmäßig fort, da noch heute der Maulwurf in der Erde fortgräbt.
Sein Grabefuß und das lockre Erdreich sind, wie sie nur Zweies aus
Einem waren, auch jetzt noch nur Zweies in Einem. Alle Säugetiere,
die ihre Bauten in der Erde haben, alle Würmer, die in der Erde
wühlen, alle Raupen, die sich unter der Erde verpuppen, alle Pflanzen,
die in der Erde wurzeln, gehören nur in anderer Weise mit dem lockern
Erdreiche zusammen. Auch der Ameisenlöwe, der sich den Trichter im
Sande macht, muß mit diesem Sande aus einem Gusse und Flusse sein,
und die Ameisen dazu, die er in dem Trichter fängt. Selbst das Kamel,
das durch die Sandwüste geht, zeigt in seiner Organisation Eigentüm=
lichkeiten, die beweisen, daß seine Entstehung mit der Entstehung dieser
Wüste zusammenhängt.

32) Nicht bloß über die ganze Weite, auch durch die ganze Tiefe
der Erde reicht der wirkende Zweckbezug und das zweckmäßige Wirken.
Wäre die Erde anders schwer, weil etwa die Materie in ihrem Innern
dichter oder dünner, oder weil die Erde größer oder kleiner, oder hohl,
so müßte auch der Vogel, der Fisch, das Pferd, der Elefant, der Mensch
selbst anders abgewogen sein nach ihrer Körperlast und ihrer Muskel=
kraft, nach allen Verhältnissen des Tragenden zum Getragenen, des Be=
wegenden zum Bewegten. Auf derselben Wage, auf welcher der grobe
Erdleib abgewogen, sind also auch alle organischen Glieder desselben in
Verhältnis zu ihm abgewogen.

Setzen wir einmal, die Erde wäre noch einmal so dicht, als sie ist,

---

*) „Die vordern Extremitäten dieses Tieres sind wundersam passend für das
Durchwühlen, zu dem es sein Leben anwendet. Der erste Umstand, der uns auffällt,
ist die Stärke, Breite und Solidität der Hände, die Kürze der Finger, die Größe und
Festigkeit der Nägel, welche unten konkav sind und sich mit einer scharfen Spitze
endigen. Als Werkzeuge zum Aushöhlen können sie nicht übertroffen werden, und
es findet sich, daß das Ganze der Vorderglieder und die Anordnung des ganzen
Knochengebäudes in vollkommener Harmonie sind." (Linnäus Martin, Naturgeschichte
des Menschen. S. 91.)

an den Geschöpfen wäre aber nichts verändert, so würde sich doch das von selbst damit ändern, daß sie nun mit doppelt so großer Kraft als vorher abwärts gezogen und von der Erde festgehalten würden; es wäre gerade so, als wenn sie einen Leib von doppelter Schwere, doch ohne doppelte Kraft, ihn zu tragen und zu bewegen, hätten.*) Die Menschen und Tiere würden also nur noch höchst mühselig gehen, laufen, fliegen, schwimmen können. Wie wollte ein Reiter noch ein Pferd benutzen, das mit seiner einfachen Pferdekraft schon die doppelte Pferdelast zu tragen hätte, wie wollte eine Lerche und Schwalbe im Herbstzug über das Meer kommen, eine Forelle so munter im Bach schwimmen, wenn jedes noch das Gewicht einer Lerche oder Schwalbe oder Forelle mit-zutragen hätte**), ja die dicken Füße des Elefanten würden nicht mehr imstande sein, ihn nur kurze Zeit ohne Ermüdung aufrecht zu erhalten.

Wäre andrerseits die Erde noch einmal so leicht, als sie ist, so würden alle Bewegungen der Geschöpfe zwar sehr erleichtert, aber in demselben Verhältnisse die Fähigkeit, einen festen Stand und Halt zu gewinnen, verringert sein.

33) Nicht bloß quantitativ, sondern auch qualitativ ist die Wirkung der Schwere in die ganze Einrichtung unsers Leibes aufs Zweckmäßigste und bis ins Speziellste verrechnet, und wir spüren die Wirkungen der Schwere nur deshalb nicht als lästige, weil sie es ist. Daß der Kopf so auf dem Rumpfe ruht, die Wirbelsäule sich so hin- und herbiegt, sich nach unten verstärkt, ein Becken als Schüssel die abwärts lastenden Eingeweide aufnimmt, der Oberschenkel sich nach Innen richtet, der Fuß nach vorn, des Herzens Lage und was nicht alles noch, hängt alles damit zusammen, daß wir schwere Wesen sind, und Blut und alle Säfte laufen darum anders. Gewöhnlich stellt man die Lebenskräfte der Kraft der Schwere entgegen, aber die Schwere gehört selbst mit zu den Lebens-kräften, die in der zweckmäßigen Erhaltung und Tätigkeit unsers Leibes wesentlich beteiligt sind, nur nicht zu denen, die in der Wechselwirkung unsrer eignen Körperteile, sondern die in der Wechselwirkung unsers

---

*) Die Entwickelung der Muskelkraft hängt nämlich mit chemischen und Nerven-Prozessen im Körper zusammen, die durch die größere Schwere des Körpers um nichts gefördert werden würden.

**) Untriftig wäre die Vorstellung, als ob der Vogel und Fisch schon vermöge vermehrter Schwere in ihren Medien sinken müßten, da vielmehr Luft und Wasser in demselben Verhältnis an Schwere gewinnen würden. Nur alle durch eigne Kraft des Körpers zu vollziehende Bewegung würde erschwert sein, da sie die doppelte Last zu bewältigen hätte.

Körpers mit dem übrigen Erdkörper begründet liegen, vermöge deren wir zur Erde gehören, wie unsre Teile zu uns gehören. Die Pflanzen zeigen das beinahe noch deutlicher als wir. Wie wollte die Pflanze Nahrung und Licht finden, wenn sie nicht ihre Wurzel abwärts, ihren Stengel aufwärts schickte? Nun aber, daß sie wirklich diese Richtung nimmt, macht nicht der abstrakte Zweck, sondern macht die zweckmäßig wirkende Schwere. Man kann es gleich beweisen, indem man die Schwere durch eine andre mechanische Kraft ersetzt oder überbietet. Befestigt man einen keimenden Samen auf dem Umfange eines vertikalen oder horizontalen Rades und veranstaltet eine anhaltende rasche Drehung des Rades, so ersetzt oder überbietet die Schwungkraft, die vom Zentrum der Drehung wegtreibt, die Schwerkraft, und der Stengel wächst nach dem Zentrum der Drehung, als ob da die Sonne wäre, und die Wurzel vom Zentrum weg, als wenn sie durch die Schwere in diese Richtung getrieben würde.[*]

34) Nicht minder als das Organische mit dem Unorganischen hängt das Organische der Erde unter sich durch Zweckbeziehungen zusammen, die über die einzelnen Organismen hinausgreifen, eine durch das ganze irdische System in eins waltende Kraft verraten.

Wenn ich sehe, wie die Wickelschwänze und Greifhände der Affen so ganz und gar zu den Ästen der Bäume und die Spitzzähne der Affen zu den harten Nüssen derselben passen, so kann ich mir nicht anders denken, als daß beide so zusammenpassend aus einem Ei oder Samen entstanden sind; und wenn ich nach diesem Samenkorn oder Ei suche, finde ich kein anderes, als das der ganzen Erde; denn mit was allem sind nicht sonst noch die Bäume und auf ihnen lebenden Tiere zusammenpassend erwachsen, was auch der Erde angehört. Ein Stückchen irdisches Reich für sich hätte freilich nicht Affen und Bäume hervorbringen können, sondern nur die ganze Erde, indem sie aber zugleich noch unzählig mehr als Affen und Bäume gebar, wie sich auch unser Leib nur in die Gesamtheit seiner Organe im Zusammenhange, nicht in diese oder jene besonders entfalten konnte. Der Affe hätte nicht im Süden entstehen können, wenn nicht auch der Bär im Norden entstanden wäre, auf dem ihn später der Bärenführer reiten läßt. Das Wie dieses Zusammenhangs mag uns ganz und gar verborgen sein, daß aber ein solcher besteht, daran können wir nicht zweifeln.

---

[*] Dutrochet, Recherches p. 188.

Naturtraum.

Der grüne Baum und der Vogel drauf,
Sie liegen im Traum und wachen nicht auf,
Sie grünen im Traum und singen,
Und können es nicht durchdringen,
Wie einem Ei
Sind alle Zwei
Entsprossen und entspringen.

(Rückerts Ged. IV. S. 234.)

Ähnliche Betrachtungen mögen wir an das Zusammenpassen der Honigkelche der Blumen und der Saugrüssel der Schmetterlinge und Bienen, an das Entsprechen der nach vorn gekehrten Ohröffnungen der Raubtiere und der nach hinten gekehrten Ohröffnungen der furchtsamen Tiere u. s. w. knüpfen. Es sind alles das Beispiele naher Zweckbeziehungen, die doch nur durch Inbegriffensein in einem Reiche weiterer Zweckbeziehungen, welche das ganze Irdische umfassen, ihre Möglichkeit finden. Aus den Stoffen und Kräften allein, die einer Blume und einem Insekt angehören, konnte weder Blume noch Insekt entstehen, sondern nur aus einem Ganzen, was auch die Stoffe und Kräfte zu allen andern Tieren und Pflanzen mit enthielt, und die Luft und das Wasser und Erdreich dazu, so wie es für diese Geschöpfe nötig.

33 a) Man kann innere und äußere Zweckmäßigkeit unterscheiden. Sache innerlich zweckmäßiger Einrichtung ist es, wie Herz und Lunge in mir zur Erhaltung meines Lebens wirken; wenn aber Luft und Wasser und Boden mir Atem, Trank und Stützpunkt gewähren, so ist dies Sache für mich äußerlich zweckmäßiger Veranstaltungen. Aber dieser Unterschied trifft nicht das Wesen der Zweckmäßigkeit selbst; ist bloß ein relativer. Denn alles innerlich Zweckmäßige ist auch äußerlich zweckmäßig, und alles äußerlich Zweckmäßige ist auch innerlich zweckmäßig, nur in anderm Bezuge. Heben wir einen einzelnen Teil von uns in der Betrachtung heraus, z. B. das Auge oder Gehirn, so steht ja der übrige Leib, dem wir eine innere Zweckmäßigkeit als Ganzem beilegen, ebenso in Verhältnis äußerer Zweckmäßigkeit dazu, als wenn wir uns in selbstischer Betrachtung aus der Erde herausheben, ohne doch weniger ein Teil davon zu sein und unabhängiger davon bestehen zu können als Auge oder Gehirn von ihrem Leibe; ja wir können jeden beliebigen Teil, Lunge, Magen, Hand von uns herausheben, der übrige Organismus ist für die Erhaltung dieses Teils nur äußerlich zweckmäßig eingerichtet; und ebenso, welches Tier, welche Pflanze wir aus der

Erde herausheben wollen, so zeigt sich die übrige Erde auch nur äußerlich zweckmäßig zur Erhaltung des Lebens und der Funktionen desselben ein= gerichtet. Aber ebenso besteht für die ganze Erde so gut wie für uns eine durchgreifende innere Zweckmäßigkeit, indem der allgemeine Zusammen= hang des Organischen und Unorganischen, dann beider organischen Reiche insbesondere, dann in diesen großen Zusammenhängen noch jedes Geschöpf von seiner Seite beiträgt, den Lebensprozeß der Erde im Ganzen fort= zuerhalten und fortzuentwickeln, wogegen das Ganze wieder passend zur Forterhaltung und Erneuerung des Lebens des einzelnen eingerichtet ist. Wenn aber wir auch fühlen, was uns der innerlich zweckmäßige Zusammenhang unsers Organismus leistet, und hierin erst den letzten Gesichtspunkt innerer Zweckmäßigkeit finden, so können wir natürlich dies Gefühl nicht deshalb der Erde absprechen. weil wir es weder selber haben, noch äußerlich sehen können, da sich Gefühl überhaupt nicht äußerlich sehen, sondern nur eben von dem Wesen selbst spüren läßt, das es hat. Wir aber sind dieses Wesen nicht. Wir sind es wenigstens nicht ganz, soweit wir es aber sind, haben wir auch jenes Gefühl. Im Übrigen sehen wir soviel äußerlich davon, als sich sehen läßt, d. h. ganz analoge Veranstaltungen zu seinen Gunsten, wie wir in uns selber zur innern Zweckmäßigkeit rechnen.

„Verschieden in Gestalt, Form, Bau und Gebräuchen haben alle Tiere, von dem riesigen Elefanten an bis zum mikroskopischen Tierchen, ihre angewiesene Rolle und tragen bei zur Ordnung und Harmonie der Natur, ein jegliches in seiner Art. Mitten unter dieser Überfülle des Lebens ist eine genaue Abwägung von Kraft und Zahl aufrecht erhalten durch den Einfluß einer Gattung auf die andere. Sie sind angewiesen auf einander zu wirken und zurückzuwirken, und ein Gesetz von Zerstörung und Erneuerung ist stets in Wirksamkeit, durch welches die Verhältnisse des tierischen Daseins im Gleichgewicht erhalten werden. Massen sind bestimmt, anderer Beute zu sein, ganze Geschlechter scheinen geboren, nur um gemordet zu werden; aber wie groß der Verlust auch ist, der Zuwachs ist gleich, daß die Gattung erhalten werde. Anlangend die Individuen, sind die angebornen Mittel des Angriffs einerseits und die der Selbsterhaltung andrerseits von der Art, daß sie die jedesmaligen Lose ausgleichen. Schnelligkeit, Vorsicht, Wachsamkeit, unzugängliche Zufluchtsorte, die Art der Bedeckung und selbst die Farbe beschützen gleicher Weise die Furchtsamen und Wehrlosen, während die Kühneren Kraft der Kraft entgegensetzen. Die, welche am meisten dem Untergang unterworfen sind, vermehren sich am meisten; schnell sind ihre Reihen ergänzt, während andere, sicher durch ihre Körpermasse, Stärke, ihren Mut, nur zunehmen in dem Maße, daß die Verluste ersetzt werden, welche Zufall oder natürlicher Tod verursacht haben. Insekten z. B. sind die gewöhnliche Beute der Vögel und vierfüßigen Tiere, der Reptilien und

Fische, ja sogar der Insekten selbst. Doch wer sah je ihre Reihen merkbar
gelichtet? Nach allem ist es unzweifelhaft, daß die zerstörten Myriaden
durch andere Myriaden ersetzt werden. Wie groß ist die tägliche Verwüstung
unter den Fischen! Sie verzehren sich untereinander. Der Pottwal (Cachelot),
der Schwertfisch (Delphinus Orca), das Meerschwein (Delphinus Phocaena),
die Otter und der Seehund verschlingen sie in großer Zahl; Tausende von
Seevögeln finden in ihnen ihre Speise, während der Mensch sie in Massen
aus der Tiefe zieht. Ihre staunenswerte Fruchtbarkeit ist jedoch so groß,
daß alle Verluste völlig ersetzt werden. Die Zahl der Eier im Rogen des
Stockfisches ist berechnet worden auf 8 686 760, des Flinders auf 1 857 400,
des Herings auf 36 960, der Makrele auf 546 680, des Stint auf 88 280,
der Scholle (Pleuronect. Solea) auf 100 869, der Schleihe auf 888 250.
Von einem solchen Zuwachs findet kein Beispiel sich bei den höheren Klassen
der Wirbeltiere, nämlich den Vögeln und Säugetieren; doch ist das Gesetz
des Gleichmaßes in Ab= und Zugang bei diesen nicht minder geltend. Mit
Recht folgern wir daraus, daß ein Teil der Schöpfung von dem andern
abhängt; und obgleich bei oberflächlichem Blick alles in Verwirrung erscheinen
mag, zeigt sich nach reifer Überlegung, daß Ordnung und Verhältnis die
Erfolge sind eines ebensowohl angemessenen, als weise eingerichteten Planes.“
(Linnäus Martin, Naturgesch. des Menschen. Einl. 1 f.)

34 a) Gewissermaßen in das Zentrum der irdischen Zweckbeziehungen
erscheint der Mensch gestellt und bietet darum das wichtigste und reich=
haltigste Thema ihrer Betrachtung dar.

Die Erde gibt ihm das Ackerland für den Pflug, das Eisen, den
Pflug daraus zu schmieden, Holz und Kohlen, das Eisen damit zu
schmelzen, Luft und Regen, das Holz wachsen zu lassen, eine Hand, das
Holz zu fällen, das Feuer zu schüren, die Pflugschar zu schmieden, den
Pflug zu führen, den Acker zu besäen und davon zu ernten.

Je mehr man ins einzelne geht, desto mehr findet man zu
bewundern, wie so ganz und nach allen Seiten der Mensch für die Erde
und die Erde für den Menschen gemacht erscheint, und doch auch wieder
nur, wenn man dabei nicht bloß auf das Nächste, nicht bloß auf den
einzelnen Menschen und nicht auf den Menschen allein geht, sondern
immer den Bezug auf die Totalität des Irdischen festhält, von der doch
der einzelne Mensch nur ein Glied bleibt. Denn der einzelne Mensch
hat oft Not genug, findet gar nicht immer zur Hand, was er braucht,
und dieselben Kräfte, die seinen Zwecken dienen, können entfesselt auch
oft zerstörend auf ihn wirken. Aber selbst, was für den einzelnen und
im unmittelbarem Erfolge Not und Hemmnis ist, ist Förderungsmittel
für die Menschheit und hiermit für die Erde im ganzen. Ohne Not,
Hemmnis, Gefahr keine Fortentwickelung menschlicher Anlagen. Der
einzelne mag darüber untergehen, aber die Menschheit wächst im Kampfe

mit Hindernissen und Gefahr, und im Siege über Hindernisse und Gefahr, die Zerstörung betrifft doch immer nur einzelne oder höchstens einzelne Fraktionen der Menschheit, nie die Menschheit im ganzen, und je mehr Menschen zerstört werden, desto rascher erneuern sie sich nur. Die Erde bleibt doch immer vortrefflich eingerichtet, daß zu aller Zeit und aller Orten eine große Menge Menschen auf ihr leben und die Menschheit sich im ganzen fortentwickeln könne. Oder sind manche Lokalitäten der Bewohnbarkeit entzogen, so werden die übrigen nur um so bewohnbarer daburch. (Vergl. den Anhang.)

35) Zumeist bleibt man bei der einseitigen Betrachtung stehen, daß doch die ganze Erde so vortrefflich für den Menschen eingerichtet sei, betrachtet sie demgemäß bloß im Verhältnis äußerer und hiemit bienender Zweckmäßigkeit zu ihm, und vernachlässigt darüber ganz die entgegengesetzte gleich berechtigte, gleich vollständig durchführbare Betrachtung, daß der Mensch ganz ebenso zweckmäßig für die Erde eingerichtet ist, der Erde ebenso die wichtigsten Dienste zu leisten hat wie sie ihm. Ja, je höher er seine Leistungen stellt, desto höher stellt er nur die Dienste, die er der Erde leistet. Es sind die Dienste, die ein höchst entwickelter Teil dem Ganzen zu leisten hat; das Ganze braucht den Teil nach besondern Beziehungen, wie der Teil das Ganze nach allgemeinen. In diesem Verhältnis stehen wir zur Erde.

Wir haben unsre Hände nicht für uns allein, sondern um Schiffe, Wagen und Werkzeuge damit zu bauen und sonst sie zu rühren, um Verbindungen auf der Erde damit herzustellen, einen Stoffverkehr zu unterhalten und andere Leistungen zu vollführen, welche die Erde ohne uns und unsre Hände eben nicht zu vollbringen vermöchte. Welche Lücke für den irdischen Verkehr, wenn der Mensch wegfiele! Freilich, es gab einmal eine Zeit, wo der Mensch noch nicht da war; aber dann war auch unstreitig das Bedürfnis seiner noch nicht da, wie er umgekehrt die Erde noch nicht für sein Bedürfnis eingerichtet gefunden hätte. Es war damals noch keine Lücke, wie es jetzt eine solche sein würde. Der Mensch gehört nur zum feinern Ausbau der Erde und ist selbst nur Werkzeug feinern Ausbaues. Früher richtete sie sich erst im Groben ein, und hat noch fürs Grobe andere Mittel.

36) Mit nicht minderem Unrecht und nicht minderer Einseitigkeit bezieht der Mensch die Zweckeinrichtungen der Erde oft bloß auf sich.*)

---

*) So lese ich in einer neuern philosophischen Schrift: „Die ganze Natur überhaupt hat eine andere Bestimmung als die der Basis und des Organs für die menschliche Entwickelung nicht; der Mensch ist die Spitze und der Herr der

Ist doch für die Tiere und Pflanzen ganz ebensogut, wenn auch nicht so vielseitig, weil sie überhaupt nicht so vielseitige Geschöpfe sind, durch Zweckeinrichtungen gesorgt, als für den Menschen, und zwar nicht bloß für die, die dem Menschen nutzen, wo man eine mittelbare Zweckbeziehung in Anschlag bringen kann, sondern auch für die, die ihm schaden, Heuschrecken, Waldraupen, Skorpione, giftige Schlangen, Unkraut, giftige Kräuter, nicht minder für solche, die in fernen Einöden oder in der Tiefe des Meeres leben und zu ihm in keinem Bezuge des Nutzens und Schadens überhaupt stehen. Ja wie viel tausend Jahre lang hat die Erde das Leben von unzähligen Tieren und Pflanzen gehegt, ehe denn ein Mensch auf ihr lebte. Was konnten diese dem Menschen nutzen, da er noch nicht da war?

Zwar kann man sagen, um dennoch alles auf den Menschen zu beziehen: wenn Not bis zu gewissen Grenzen die Menschheit fördert, so wird auch die Not, welche Heuschrecken, Waldraupen usw. ihm machen, dazu gehören. Und wenn sich in der menschlichen Existenz das Irdische überhaupt gipfelt, so konnte nach Kausalgründen der Mensch freilich nicht ohne eine Basis vorausgegangener und mit existierender niederer Geschöpfe entstehen und bestehen; sind und waren ihm also viele Geschöpfe auch im einzelnen nicht nützlich, so doch nach dem Zusammenhange, den ihre Existenz mit der seinigen im ganzen hat, sofern seine Existenz durch den Zusammenhang mit der ihrigen mit begründet wird. Ohne daß sie sind oder waren, hätte er auch nicht sein können. Auf ihn aber war und ist es doch nur abgesehen. Was vor ihm, scheinbar zwecklos für ihn, von organischen Wesen herging, diente nur, seine Bildung vorzubereiten; was abseits von ihm, scheinbar zwecklos, besteht, ist nur der Abfall der Werktätigkeit, die ihn hervorgebracht hat.

Nichts kann triftiger sein, als diese Betrachtung, insoweit sie nur darauf zielt, zu zeigen, daß alles Irdische, und wir erweitern es gern zu allem Existierenden überhaupt, was nicht in naher oder einzeln verfolgbarer Zweckbeziehung zum Menschen steht, doch in ferner oder allgemeiner Zweckbeziehung zu ihm steht, nichts aber untriftiger, sofern damit eine ausschließliche Zweckbeziehung zu ihm nachgewiesen werden soll; wenn man doch nähere Zweckbeziehungen nicht gegen fernere hintansetzen kann.

Die Not, welche den Menschen Heuschrecken und Waldraupen machen, indem sie sein Getreide und seine Holzungen verwüsten, mag in ferner Beziehung dem Menschen dienlich sein, aber das liegt in der Tat sehr fern, dagegen den Heuschrecken und Raupen der Nutzen davon unmittelbar zugute kommt. Die Zweckbeziehung, welche das Dasein so vieler Geschöpfe abseits von ihm und vor ihm zu seiner Entstehung hat, ist sehr fern; dagegen diese Geschöpfe ihres Lebens unmittelbar genießen und genossen haben. Auch kann man ja die Betrachtung umkehren. Nur eine so ein-

tellurischen Schöpfung, wo in der Beziehung auf ihn alles einzelne seine Bestimmung findet.“

gerichtete Naturordnung, welche den Menschen zu erzeugen und zu tragen vermochte, vermochte die andern Geschöpfe zu erzeugen und zu tragen; also steht auch sein Dasein in ferner Zweckbeziehung zu ihnen; in vieler Beziehung aber sogar in direkter.

Unstreitig nutzt der Mensch den Läusen und Flöhen mehr, als sie ihm nutzen. Die Rinder und Schafe melkt und schlachtet er zwar; aber der Hunger, Frost und Wolf im Winter würden die Tiere viel eher schlachten, wenn sie der Mensch nicht hegte. Also kann man nicht sagen, alles auf der Erde sei nur um des Menschen willen da.

Vielmehr ist es eine und dieselbe irdische Welt, welche in eins Zwecke für Menschen, Tiere und Pflanzen erfüllt, in solcher Weise, daß das, was zu den einen in ferner äußerer Zweckbeziehung steht, immer zu den andern in näherer äußerer oder gar in innerer Zweckbeziehung steht; indes zu ihr alles im Verhältnis innerer Zweckbeziehung steht, was sie in sich hat.

Dies hindert nicht, daß der Mensch, als das vielseitigste und bedeutendste irdische Geschöpf, auch die vielseitigsten und bedeutendsten Zweckbeziehungen in der Erde und für die Erde entwickelt und vermittelt, und im Konflikt näherer Zweckbeziehungen in der Regel die Oberhand, aber doch nichts weniger als allein den Platz behält. Er ist von allen individuellen Geschöpfen nur das wichtigste Glied einer das ganze irdische Reich umfassenden Zweckverknüpfung.

In letzter Instanz wird man vielleicht zugeben können oder müssen, daß in der Erde, wie in der Natur und Welt überhaupt, nicht alles wirklich zweckmäßig ist; es kommt das auf die Art und Weise der Definition der Zweckmäßigkeit an, auf deren Erörterung wir uns hier mit Fleiß nicht eingelassen haben, da für unsre Aufgabe hier nur wesentlich ist und genügt, zu zeigen, daß das, was man gewöhnlich unter dem Namen Zweckmäßigkeit oder zweckmäßige Einrichtung als Charakter der organischen Wesen ansieht und mit einem einheitlichen ideellen Prinzip in Beziehung denkt, dem Komplex des ganzen irdischen Systems nicht minder und in demselben Sinne zukommt, wozu die obige Zusammenstellung ausreichen dürfte.

Gesetzt aber, man hätte in gewissem Sinne anzuerkennen, daß nicht alles zweckmäßig in der Welt überhaupt ist (und kann man wohl das Dasein des Übels überhaupt zweckmäßig nennen? In engerm Sinne gewiß nicht); so beweist sich jedenfalls eine allgemeine Tendenz, das Unzweckmäßige immer zweckmäßiger zu gestalten, das Übel zu immer Besserm zu wenden, ja selbst zum Quell von etwas Gutem zu machen. Es ist aber hier nicht der Ort, diesen allgemeinen Betrachtungen weitere Folge zu geben.

37) Fassen wir die irdischen Zweckbeziehungen aus allgemeinstem Gesichtspunkte, so ergibt sich folgendes: Wie in unserm Leibe stimmt in der Erde die Abmessung, Abwägung und Zusammenordnung und das Ineinandergreifen aller Teile, Seiten, Prozesse mit der Stellung und den Beziehungen zu ihrer Außenwelt dahin zusammen, sie als das individuelle Ganze von Stoffen und Tätigkeiten, als was sie einmal in die Welt getreten ist, nicht nur fortzuerhalten, sondern auch auf der

Grundlage des frühern Bestandes in solcher Weise fortzuentwickeln, daß
ihre charakteristischen Hauptverhältnisse sich je länger je mehr feststellen,
und die Ausarbeitung und Gliederung derselben sich je länger je mehr
ins Feinere auswirkt. In beiderlei Beziehungen überbietet sie alles, was
wir als zweckmäßige Einrichtung und Ordnung in uns selbst betrachten,
bei Weitem. Keine Krankheit, kein Tod droht ihrem Bestande ebenso
wie dem Bestande unsers Leibes Zerrüttung oder gar Zerfallen; keine
Schranken sind ihrer Fortentwickelung ins Feinere und Feinste gesetzt,
sofern .der Menschheit selbst, dem Hauptsitz und Hauptwerkzeug dieser
feinern Fortentwickelung, keine Schranken gesetzt sind. Ihre anfangs
ungeheuer von den jetzigen verschiedenen, doch als Ausgang der jetzigen
organisch damit verknüpften Grundverhältnisse sind im Durchschreiten
durch gewaltige Entwickelungsepochen nur immer stabiler geworden, haben
sich in immer bestimmtere Kreislaufs= und periodische Erscheinungen
geordnet und sind darum doch nicht toter geworden, da vielmehr die
Ausarbeitung der Gestaltung und Bewegung zugleich mitgewachsen ist,
und der lebendigste Wechsel im einzelnen fortwährend besteht. In diesem
Sinne ist die sukzessiv eintretende Gliederung der Erde in die großen
Sphären des flüssigen Kerns, der festen Schale, des Meeres und der
Atmosphäre, sind die verschiedenen sich folgenden Schöpfungen organischer
Reiche, das Entstehen, Vergehen und Leben der einzelnen Organismen,
die immer fortschreitende Entwickelung der Menschheit und ihr gestaltendes
und schaffendes Rückwirken auf die Erde aufzufassen.

38) Wir sagen von den organischen Geschöpfen auf unsrer Erde,
daß sie sich durch sich selbst aus innerem Prinzip entwickeln. Dies ist
richtig zu verstehen. Ein Ei legt sich zuvörderst nicht selbst, sondern
bedarf der Henne dazu, und bedrütet sich dann auch nicht selbst, sondern
bedarf ebenfalls der Henne oder des Brütofens dazu, und das aus=
gekrochene Hühnchen bedarf dann noch Luft, Nahrung und Trank. Alles
das kommt nicht aus ihm selbst, doch kann es sich ohne das nicht ent=
wickeln. Aber es bleibt wahr, daß das junge Geschöpf den Anregungen,
die darauf wirken und wirken müssen, soll die Entwickelung gelingen,
nicht passiv folgt, sondern auf eine, nur eben ihm eigentümliche, durch
nichts Äußeres vorgeschriebene Weise dagegen reagiert, die aufgenommenen
Stoffe in einer nur durch seine Individualität bedingten Weise ver=
arbeitet. Die Erde nun unterscheidet sich bloß dadurch von ihren
Geschöpfen, daß sie in jeder Hinsicht noch unabhängiger von äußern
Einflüssen sich in ihrer individuellen Weise entwickelt hat; sofern irdische
Außeneinflüsse, welche die Geschöpfe zu ihrer Entwickelung noch brauchen,

Momente der innern Selbstentwickelung der Erde sind. Bedarf sie aber ihrerseits des äußern Einflusses der Gestirne und insbesondere der Sonne doch auch mit zur Entwickelung, namentlich des organischen Lebens auf ihr, so teilen die organischen Geschöpfe dies Bedürfnis.

In gewisser Weise kann man die Sonne selbst mit einer großen Bruthenne vergleichen, welche, nachdem sie das Ei der Erde gelegt, denn so stellt man sichs jetzt vor, über dem Ei sitzt und das organische Leben daraus brütet; und die Entwickelung jedes Hühnereies auf der Erde ist hiervon mittelbar mit abhängig; aber außerdem braucht das Hühnerei auch noch eine kleine Bruthenne, die sich darüber setze; diese braucht die Erde nicht; ihr ist an der großen genug und sie liefert selbst dem Hühnerei seine kleine. Auch hat die Erde von Anfange an sich viel mehr unter dem Einflusse einer ihr eigenen, als der Sonnenwärme, ent=wickelt. (Weiteres hierüber s. im Anhang.)

39) Betrachten wir die individuellen Geschöpfe, die ein- und dasselbe irdische Element bewohnen, oberflächlich, so scheinen sie sich in Bau und Lebensart fast zu gleichen, die Säugetiere untereinander, die Vögel untereinander, die Fische untereinander; aber je mehr wir die Be=trachtung schärfen, um so deutlicher treten die individuellen Unter=schiede hervor. Ein anderer Grundcharakter, eine andere räumliche und zeitliche Ordnung verknüpft und beherrscht bei jedem Tiere die Mannig=faltigkeit der innern und äußern Lebensbedingungen, und alles scheinbar noch so Gleiche zeigt sich verschieden, und verschieden gestellt im Sinne dieses Grundcharakters, dieser Ordnung. Jedes Geschöpf ist ein ver=schiedenes System, durch das ein verschiedenes Prinzip durchgreift, und dieses andere Prinzip, welches das leibliche beherrscht, hängt zusammen, obwohl uns dies jetzt noch nicht näher kümmert, mit einem andern Seelenprinzip, oder ist dieses selbst.

Ganz dasselbe bei der Klasse der höhern Wesen, die das himmlische Element bewohnen, nur daß in den allgemeinen Grundzügen die Ähnlichkeit noch größer, in den individuellen Eigentümlichkeiten der Unterschied noch tiefer greifend ist. Alle scheinen Kugeln, alle stehen in Wechselverkehr des Lichts und der Schwere miteinander, alle ziehen krumme Bahnen durch den Himmel. Allein jede ist anders schwer und anders groß und anders geschwungen und schwingt sich selbst anders im Raum; aber in jeder eine ganz andere Abwägung der Kräfte und Massen gegeneinander, eine Periodizität von andrem Takte, jede ist anders gewandt gegen den Himmel, wie anders gestellt in sich.

Die eine (Sonne) ist ein Riese, wogegen alle andern winzige Zwerge,

und unter diesen wieder eine (Jupiter) ein Riese gegen alle andern.
Die eine (Saturn) fast platt, andere (Sonne, Merkur, Mond) fast rein
kugelig; die eine (Mond) rauh von Gebirgen, andere (Erde) verhältnismäßig viel glätter, eine (Merkur) dichter als die Erde, eine andere
(Saturn) 10 mal dünner als die Erde, dünner als Kork und Äther;
auf einer (Sonne) eine Feder bleischwer, auf andern (den Asteroiden)
Blei federleicht, auf der einen (Erde, Mars) Nebel, Wolken, Wasser,
Eis; auf der andern (Mond) ewige Trocknis und klarer Himmel, auf
der einen (Mond) ein Tag von einem Monat, auf andern (Saturn,
Jupiter) nur von 10 Stunden, auf der einen (Merkur) das Jahr 88
unserer Tage, auf einer andern (Neptun) ein paar Hundert unserer
Jahre lang, die eine um die Sonne schleichend, die andere eiligst rennend,
die eine (Venus) in fast kreisförmiger Bahn, die andere (Pallas) in
gestrecktester Ellipse, die eine (Merkur) ganz nahe um die Sonne, die
andere (Neptun) unsäglich weit davon, fast alle rechtläufig, doch einige
(Uranusmonde) rückläufig, fast alle Bahnen sich umschließend, doch einige
(die der Asteroiden) wie Kettenglieder ineinander greifend; für den einen
Planeten (Merkur) die Sonne groß wie ein Wagenrad und glühend wie
ein Ofen am Himmel stehend, für andere (Uranus, Neptun) wie ein
ferner kalter Stern, dort der Tag blendend hell, hier dämmerig dunkel,
manche (Venus, Mars) mit einer Nacht ohne Mond, andere (Erde,
Jupiter, Saturn) mit 1, mit 4, mit 8 Monden; die meisten nackt, einer
(Saturn) mit Reifen usw. Und das alles Unterschiede, die sich schon
in vielen Tausenden, ja Millionen Meilen Entfernung beobachten oder
erschließen lassen; wie mag nun alles in der Nähe verschieden auf den
verschiedenen Weltkörpern aussehen; wie ganz anders muß sich das organische Leben infolge der andern Lebensbedingungen gestalten, wo die
Schwere so ganz anders wirkt, wo die Sonne so viel glühender oder so
viel kälter, wo ein so ganz anderes Jahres- und Tagesmaß, die Mischung
und Kohärenz der Stoffe so ganz anders.

So tief wie zwischen den Weltkörpern greifen die Unterschiede
zwischen den Geschöpfen unsrer Erde nicht; ja können sie nicht greifen,
weil die Unterschiede zwischen den Geschöpfen der Erde selbst nur in
untergeordneter Weise zu dem Unterschiede der Erde von andern Weltkörpern beitragen. Aller Materie hängt doch in ähnlicher Weise zusammen;
alle leben doch unter ähnlichen allgemeinen Verhältnissen der Schwere,
der Jahreszeiten, der Tageszeiten, des Lichts, der Luft, des Wassers,
tauschen und teilen diese Verhältnisse mehr oder weniger miteinander.
Aber Jahres- und Tageszeiten, Schwere, Licht und Luft und Wasser

und Festes sind alles von Grund aus verschieden zwischen den ver=
schiedenen Weltkörpern, und die Verhältnisse derselben greifen nicht so in=
einander über. Jeder Mensch, jedes Tier hat sogar eine Menge ihm
insbesondere gleichender Wesen; wo hat Erde, Mond, Venus, Jupiter
eben so ihresgleichen? Jedes Gestirn ist so einzig, als seine Stellung
in der Welt eine einzige ist. Über allen Menschen und Tieren steht
derselbe Polarstern, die gemeinsame Stellung und Beziehung zum Pol
bezeichnend; jedes Gestirn hat einen andern Polarstern, obwohl alle doch
zuletzt nur einen Himmel.

Die Sonne ist so groß, daß, wenn man die Erde in ihrem Mittelpunkt
dächte, die ganze Mondesbahn innerhalb derselben Platz finden würde, sogar
dann noch, wenn sie fast den doppelten Durchmesser hätte, als sie hat. Die
Masse des Jupiter aber, ungeachtet nur $^1/_{1047}$ der Sonne, übertrifft wieder
die Summe aller übrigen Körper des Planetensystems erheblich. Verschwände
die Sonne aus unserm System, würde Jupiter sein Zentralkörper werden,
und die Erde sich in 383 Jahren etwa um ihn bewegen (Mädler). Aus
der Sonne könnte man 1407000 Körper von der Größe unsrer Erde
machen, aus dem Jupiter 1414, aus dem Saturn 735. Winzig klein sind
dagegen die Asteroiden, so klein, daß ihre Masse bis jetzt unbestimmbar
gewesen.

Wir sehen nachts am Himmel die kleine Mondscheibe, welche uns eine
mäßige Helligkeit gewährt; die Mondbewohner, wenn es welche gibt, sehen
nachts am Himmel eine im Durchmesser mehr als 3mal, in der Fläche
$13^1/_2$ mal größere helle Scheibe am Himmel, die Erdscheibe, welche die Nacht
demgemäß auch $13^1/_2$ mal heller erleuchtet. Auf der Erde genießen alle
Bewohner mondhelle Nächte, dagegen haben von den Mondbewohnern bloß
die auf der einen, der Erde zugekehrten Seite erdhelle Nächte, für die
Bewohner der abgekehrten Seite bleibt die Nacht, abgesehen vom Sternen=
himmel immer ganz dunkel und sie müssen erst einmal eine Reise machen,
wenn sie der hellen Erdscheibe ansichtig werden wollen. Die Erdscheibe
erleuchtet dagegen den Bewohnern der diesseitigen Mondseite alle Nächte,
geht ihnen nie unter; indes der Mond nicht ganz die Hälfte der unsrigen
erleuchtet. Die Erde steht ferner beständig in der gleichen Gegend des
Himmels einer Mondlandschaft, sie schwankt nur langsam hin und her,
durchläuft übrigens ihre Phasen ganz in derselben Zeit und Ordnung, wie
der Mond die seinigen für uns.

Bei uns steht die Sonne im Mittel 12 Stunden über dem Horizonte
und 12 Stunden unter dem Horizonte; auf dem Monde dagegen ungefähr
354 Stunden; bei den Mondbewohnern wechselt also ein viel längerer Tag
mit einer viel längern Nacht; an den Polarbergen des Mondes verschwindet
der Sonnenschein gar nie.

Gehen wir auf andere Körper unseres Planetensystems über, so zeigen
sich noch auffallendere Unterschiede. Uns und den Mondbewohnern erscheint
die Sonne im Mittel gleich groß; obwohl den Bewohnern der diesseitigen

Hälfte des Mondes ein wenig (durchschnittl. um 4,8") kleiner; denen der jenseitigen ein wenig größer als uns; dagegen erscheint den Bewohnern des Merkurs die Sonnenscheibe bei der größten Entfernung von der Sonne über 2mal, bei der größten Nähe gar über 3mal so groß im Durchmesser als uns (im Aphelium unter einem Durchmesser von 68$^4/_7$ Min., im Perihelium von 99$^1/_3$ Min.); und das Licht der Sonne erstenfalls 5mal, letztenfalls 11mal heller als uns. Der Unterschied der Jahreszeiten ändert also den scheinbaren Durchmesser der Sonne beinahe im Verhältnis von 2:3, und die Helligkeit mehr als um das Doppelte; während für uns die Sonnengröße und Helligkeit sich wenig mit den Jahreszeiten ändert. Die Venus erscheint den Merkurbewohnern so viel glänzender als uns, daß sie hinreichen muß, einer Landschaft Licht und Schatten zu geben; auch die Erde, wie ihr Mond, erscheint denselben groß und glänzend. Auf der Venus erscheint die Sonne um etwa $^1/_3$ größer im Durchmesser als auf der Erde (zwischen 44' 32" und 45' 56" schwankend) und der Glanz der Erde 6 bis 8mal größer als der, welchen die Venus für uns erlangen kann. (Von keinem Hauptplaneten aus wird die Erde so groß und glänzend gesehen als von der Venus.) Auf dem Jupiter erscheint die Sonne nur etwa $^1/_5$, auf dem Saturn $^1/_{10}$, auf dem Uranus $^1/_{20}$ so groß im Durchmesser als auf der Erde. „Das Licht eines Jupitertages ist etwa dem zu vergleichen, was während der Sonnenfinsternis am 16. Mai 1886 in einem großen Teile des nördlichen Deutschlands wahrgenommen wurde, und was noch immer stark genug war, um die gewohnten Tagesgeschäfte nicht unterbrechen zu müssen. Die Schatten auf Jupiter sind dagegen sehr scharf, denn da sie sich nach der Größe der Sonnenscheibe richten, so werden sie über 5mal schärfer begrenzt sein, als auf der Erde." (Mädler.)

Die Stärke der Erleuchtung auf dem Saturn ist 81—101mal schwächer als auf der Erde und mag etwa dem Schimmer gleichen, den wir $^1/_2$ St. nach Sonnenuntergang haben. Die Größe der Sonne variiert zwischen 3$^1/_2$ und 3$^1/_6$ Min.

Die Stärke der Erleuchtung auf Uranus ist 334—403mal schwächer als bei uns; die Sonne hat nur noch 1$^7/_{12}$ bis 1$^3/_4$ Min. Durchmesser; ist etwa so hell, als ein Fixstern mäßiger Größe in einem mäßigen Fernrohre. Doch scheint sie noch beträchtlich stärker als unser Mond.

Sehr verschieden ist der Anblick der Monde auf den verschiedenen Planeten und der Planeten auf den verschiedenen Monden. Merkur, Venus, Mars haben gar keinen Mond, also immer ganz dunkle Nächte, Jupiter hat 4, Saturn gar 8 Monde; beim Jupiter können zuweilen alle 4 Monde zugleich über dem Horizont eines gegebenen Ortes erscheinen, öfter jedoch auch gar keiner, und für die polaren Gegenden erscheint nie ein Mond über dem Horizont; der nächste davon erscheint ungefähr so groß als unser Mond, die übrigen aber kleiner. Statt Vollmonden erscheinen fast bloß Mondfinsternisse (alle Vollmonde der drei innern und die meisten des äußern Mondes); ja es tritt von den ersten Monden alle 42$^1/_2$ Stunden eine Finsternis ein. Während eines seiner Jahre erblickt der Jupiter gegen 4400 Mondfinsternisse. Vom ersten Jupitermond erscheint der Jupiter unter 19°, ungefähr 36mal so groß im Durchmesser als uns unser Mond.

7*

Auch die Dauer der Tage und Nächte, der Jahre und die Länge, die Beschaffenheit der Jahreszeiten, die Unterscheidung der Klimate ist für die verschiedenen Planeten außerordentlich verschieden. Bei uns unterscheiden sich Sommer und Winter auf der südlichen und nördlichen Halbkugel zwar etwas, aber doch nur wenig; auf dem Mars hat die nördliche Halbkugel einen verhältnismäßig langen, aber wenig intensiven Sommer und kurzen milden Winter, die Südhalbkugel einen kurzen heißen Sommer und langen strengen Winter*); auch sind die Ungleichheiten der Tageszeiten auf dem Mars viel größer als auf der Erde; auf dem Jupiter dagegen gibt es weder große Ungleichheiten der Jahres= noch Tageszeiten.

Ganz eigene wundervolle Erscheinungen bringt noch insbesondere der Ring auf dem Saturn hervor. Für die Bewohner am Äquator des Saturns erhebt er sich wie ein großer Bogen, der von Ost nach West durchs Zenith geht, unter dem sie wie unter einem großen Gewölbebogen stehen, so daß sie bloß dessen innere dem Saturn zugekehrte Fläche erblicken. In andern Gegenden zeigt sich der Ring tiefer am Horizont stehend, und auch nicht mehr dessen Hälfte umspannend, man sieht aber mehr von seiner breiten Fläche Im Sommerhalbjahre jeder Hemisphäre ist der Ring am Tage erleuchtet, des Nachts aber im mittleren Teile durch den Saturnschatten verdunkelt, und dieser Schatten verändert seine Lage im Laufe jeder Nacht. Der erleuchtete Teil des Ringes hilft die Nächte erhellen wie ein Mond. Im Winterhalbjahre bleibt der Ring Tag und Nacht ganz dunkel, ja er veranlaßt große, mehrere Erdjahre hindurch dauernde Finsternisse, während welcher Zeit die schwärzeste Nachtdunkelheit herrscht. Für jede gegebene Breite auf dem Saturn gibt es eine Zone von Fixsternen, die für eine lange Reihe von Jahrtausenden durch den Ring verdeckt ist. (Mädler.)

Man könnte meinen, das Licht, auch wenn es von verschiedenen Sonnen kommt, müsse doch immer einerlei sein. Auch das ist nicht der Fall. Im prismatischen Farbenbilde (Spektrum), das durch unsere Sonne erzeugt wird, zeigen sich, wenn es nur mit gewisser Vorsicht erzeugt wird, dunkle Linien von fest bestimmter Lage. In den Farbenbildern, welche das zurück= geworfene Licht des Mondes, der Venus, des Mars und der Wolken gibt, zeigen sich die dunkeln Linien in derselben Lage. Natürlich, es ist Licht von unsrer Sonne. „Dagegen sind die dunkeln Linien des Spektrums des Sirius von denen des Kastor oder anderer Fixsterne verschieden. Kastor zeigt selbst andere Linien als Pollux und Procyon. Amici hat diese, schon von Fraunhofer angedeuteten Unterschiede bestätigt." (Humboldt's Kosmos III. S. 63.)

40) Die individuellen Geschöpfe unsrer Erde sind nicht bloß formell voneinander unterschieden, sondern auch materiell voneinander

---

*) Nordhalbkugel:
		Südhalbkugel:
Frühling	191 1/5 Tag	Herbst
Sommer	181	Winter
Herbst	149 1/3	Frühling
Winter	147	Sommer.

geschieden. Sie hängen zwar alle mittelbar durch das allgemeine
irdische System, doch nicht unmittelbar körperlich zusammen, jedes
schließt seine Masse in einer besondern Gestalt ab, jedes hat seine
besondern Kreisläufe von Stoffen und Tätigkeiten, jedes sein in sich
zusammenstimmendes, mit dem des andern nicht zu identifizierendes
Zweckgebiet.

Auch diese reelle Scheidung ist zwischen den Gestirnen viel vollständiger, als zwischen den irdischen Geschöpfen. Die Entfernung der
Gestirne ist ungeheuer; sie nähern und entfernen sich nur in bezug zu
einander, ohne je in unmittelbare Berührung zu treten; haben keine grobe
Materie, sondern nur die immaterielle Schwere und den feinen Lichtäther
als gegenseitiges Bindemittel; tauschen nie etwas von wägbaren Stoffen
aus, tragen ihre rein abgeschlossenen Kreisläufe von Stoffen und Wirkungen
in sich; haben ihre ganz besondern Zweckgebiete.

Dahingegen treffen Menschen und Tiere und Pflanzen doch vielfach
in Berührung zusammen, sind alle miteinander in dasselbe Konvolut
grober Stoffe, aus denen sie selbst bestehen, auch eingewebt, tauschen und
mischen diese Stoffe wechselseitig, haben viel weniger einen abgeschlossenen
Kreislauf von Stoffen und Tätigkeit in sich als die Erde; und ihre Zweckgebiete greifen mit viel mehr Besonderheiten ineinander über und begegnen sich so, daß für verwandte Geschöpfe dieselben äußern Umstände
auch nahe dieselbe Bedeutung haben.

Man kann hier einen deutlichen Klimax finden. In uns selbst
lassen sich mancherlei Organe, Glieder, Teile unterscheiden, aber wie
viel mehr sind sie in und mit der Masse des ganzen Körpers verwachsen
als die Menschen untereinander; wie viel mehr sind dann wieder die
Menschen in und mit der Masse des ganzen irdischen Systems verwachsen
als die Weltkörper in und mit der Masse der ganzen Welt. So stimmen
sowohl die Umstände, welche die Unterscheidung, als welche die Scheidung
betreffen, dahin überein, die Weltkörper als besondere Individualitäten in
höherm und strengerm Sinne einander gegenüberstellen zu lassen als die
einzelnen Menschen.

Aber man muß bei keiner Stufe vergessen, daß individuelles
Gegenübertreten die Unterordnung unter ein Höheres und Verknüpfung
durch ein Allgemeineres nicht ausschließt. Man würde Unrecht haben,
wenn man, sei es in den formellen Unterschieden, sei es der materiellen
Scheidung der individuellen Geschöpfe von einander etwas Absolutes
sehen wollte. Was sich nach gewissen besondern Beziehungen unterscheidet
und scheidet, verknüpft sich vielmehr immer wieder nach höhern und

allgemeinern. Alle individuellen Geschöpfe der Erde sind, wie sehr sie sich auch in ihrer innern Einrichtung und Ordnung unterscheiden mögen, doch der allgemeinen Ordnung der irdischen Verhältnisse unterworfen; bieten nur besondere Fälle dieser irdischen Ordnung dar; und so sind alle Weltkörper, indem sie sich noch individueller unterscheiden als die irdischen Geschöpfe, doch alle der allgemeinen himmlischen Ordnung untertan, bieten in ihren innern und äußern Verhältnissen nur besondere Fälle dieser Ordnung dar. Wie wenig die Menschen unmittelbar durch ihre eigene Materie zusammenhängen mögen, so sehr hängen sie doch durch die Gesamtheit der irdischen Materie zusammen und treten durch dieselbe in Tätigkeitsbeziehungen; und die Weltkörper, ob sie schon noch viel getrennter erscheinen als die Menschen, sind doch durch den Äther des Himmels und die allgemeinen himmlischen Kräfte so gut zu einem allgemeinen Ganzen gebunden wie die Menschen. Wie sehr endlich die Zweckgebiete, sei es der Menschen oder in höherm Sinne der Gestirne, nach gewisser Beziehung auseinanderliegen, vertragen und fordern und verknüpfen sich doch alle Zweckgebiete der Menschen im allgemeinen Zweckgebiete des irdischen Systems und alle Zweckgebiete der Gestirne in dem des Himmels.

41) Indes die individuelle Gegenüberstellung und materielle Trennung zwischen den Gestirnen schärfer ist als zwischen deren Geschöpfen, ist anderseits der Verkehr derselben nach gewissen Beziehungen inniger und unmittelbarer, sofern kein Gestirn auch nur die kleinste Bewegung machen kann, auf die nicht alle andern Gestirne reagierten, die entfernten freilich leiser als die nähern; sofern die Wirkung von einem auf das andere ohne Zeit sich auf unmeßbare Weiten erstreckt; sofern der ganze Spielraum der Wirkungen, die sie durch Licht und Wärme aufeinander äußern, und wodurch sie zu ihrer gegenseitigen Entwickelung beitragen, ganz an die Oberfläche gelegt ist, die sie einander zuwenden. In all diesen Beziehungen steht der Verkehr der Menschen oder Tiere untereinander dem der Gestirne gar sehr nach. Wie vieles kann einer äußerlich tun, ohne daß sich andere darum kümmern, es sei denn in fernen Erfolgen. Was einer auf des andern innere Ausbildung wirkt, gewinnt Eingang nur durch die spärlichen äußern Zugänge von Auge und Ohr und muß verhältnismäßig lange Nervenbahnen durchlaufen, bevor im Gehirn der tätige Bezug und die Verarbeitung mit andersher oder zu anderer Zeit geschöpften Anregungen eintritt, wovon die höhere Entwickelung des ganzen Menschen abhängt. Aber die Erde ist so zu sagen über ihre ganze Oberfläche Sinnesorgan und Gehirn zugleich,

b. h. sie schafft an derselben Oberfläche im lebendigen Verkehr mit der Sonne und dem übrigen Himmel immer neue einzelne sinnliche Gestaltungen, b. s. die einzelnen organischen Wesen, und an derselben Oberfläche tritt in dem Verkehr dieser organischen Wesen miteinander ein allgemeines höheres Leben auf.

42) Das feste Gesetz, nach welchem die Gestirne ihren Gang in Bezug zu einander einrichten, kann leicht aus einem falschen Gesichtspunkte gedeutet werden, sofern man teils Gesetzlichkeit mit Passivität und Zwang verwechselt, teils den ganzen Verkehr der Gestirne in diesem sozusagen festen Teile desselben sieht, teils eine Mannigfaltigkeit der Verhältnisse zwischen ihnen dadurch ausgeschlossen hält.

43) Man irrt in der Tat, wenn man meint, ein Planet werde in seiner Bahn so passiv herumgezogen wie ein Wagen in einer Rennbahn vom Pferde. Vielmehr ist der Planet sein eignes Pferd. Er läuft durch sich selbst, obwohl, wie auch ein Mensch, nicht, ohne nach oder um etwas zu laufen, was bestimmend auf ihn einwirkt, und so viel er bestimmt wird zur Bewegung, bestimmt er wieder. Aber das ist wahr, er läuft entweder noch gesetzlicher als der Mensch, oder mindestens nach einer noch einfachern Gesetzlichkeit. Auch das Treiben der Menschen zwar untereinander ist nicht rein gesetzlos. Sie folgen den Antrieben ihrer innern Natur und den äußern Anlockungen nach allgemein gültigen Gesetzen der Menschlichkeit und irdischen Natur überhaupt; aber entweder ist diese Gesetzlichkeit wandelbarer oder ist verwickelter als die, nach der die Himmelskörper gehen. Wie man es nehmen will, kommt auf die Freiheitsansicht an, der man folgt. Wenn man nun jedenfalls nach der einen oder andern Hinsicht die Menschen freier in ihrem äußern Lebensgange nennen muß als die Planeten, so schlägt doch, wie wir schon erinnert, dieses Übergewicht der äußern Freiheit, das die Menschen haben, für die Erde zu einem Übergewicht innerer Freiheit aus, da das äußerlich freie Treiben die Menschen selbst ihr innerlich mitangehört. Und dabei ist das freie Spiel der organischen Geschöpfe auf der Erde selbst so verwebt mit ihren Beziehungen zu Tag und Nacht, Sommer und Winter und den himmlischen Beziehungen überhaupt, die aus dem Verkehr der Weltkörper untereinander hervorgehen, es liegen so viel Anregungen der menschlichen und tierischen Freiheit in diesen Verhältnissen, daß wir nicht sagen können, der Verkehr der Gestirne laufe bloß auf Erfolge von mechanischer Notwendigkeit heraus, da er vielmehr in dies Spiel der Freiheit aufs Wesentlichste mit eingreift.

44) In den Verhältnissen, die aus den äußern Bewegungen der

Planeten hervorgehen, ist ferner viel mehr Mannigfaltigkeit, als wir
zumeist meinen; denn obschon die Hauptbahn jedes Planeten um die
Sonne Jahr aus Jahr ein dieselbe bleibt, schlängelt sie sich doch in
feinen Biegungen hin und wieder, je nachdem die andern Planeten von
dieser oder jener Seite her lockend näher treten. Es ist mit der Bahn,
wie mit der Gestalt der Erde. Der Hauptzug der Bahn ist wie der der
Gestalt nahe kreisförmig, eigentlich elliptisch, aber dieser Hauptzug
gewinnt, den Bergen und Tälern der Hauptgestalt vergleichbar, kleinere
Aus- und Einbiegungen, die im Ganzen den Hauptgang nicht stören,
aber mit der Mannigfaltigkeit der äußern Verhältnisse der Erde eben
so wesentlich zusammenhängen, als die Biegungen der Gestalt mit der
der innern; der unveränderliche Hauptzug der Bahn ist gleichsam nur
der feste Boden, auf dem sich die Schlange des veränderlichen äußern
Lebensganges der Erde fortbewegt, indem sich in den Biegungen derselben der wechselnde Einfluß der äußerlichen Beziehungen der Erde zu
ihren Mitgesellen abspiegelt. Jedes Jahr macht diese Schlange andere
Windungen; denn solange die Welt steht und stehen wird, werden die
Verhältnisse der Planeten in Beziehung zueinander in keinem Jahre
ganz wieder dieselben werden; ja überhaupt kann kein Planet irgend einmal ganz dieselbe Stellung zur Gesamtheit der übrigen Planeten einnehmen, die er schon einmal gehabt hat, nur annäherungsweise kann es
der Fall sein. Eine Inkommensurabilität der Verhältnisse besteht zwischen
den Wegen der Planeten ebenso wie zwischen den Lebenswegen der
einzelnen Menschen. So ist der äußere Lebensgang der Planeten so gut
ein ins Unbestimmte veränderlicher wie der unsere.

Es ist wahr, die Störungen, welche die Planeten durch ihren
wechselseitigen Einfluß hervorbringen, sind verhältnismäßig sehr gering.
„Denkt man sich die Planetenbahnen genau auf einer Karte verzeichnet,
so würde nur eine mikroskopische Betrachtung uns zeigen, daß die Hand
etwas gezittert hat, welche sie gezeichnet."[*]) Die Erde kann sich (von
der Sonne aus gesehen) nie mehr als höchstens 40 Gradsekunden vom
rein elliptischen Orte ihrer Bahn vermöge der Störungen entfernen. Inzwischen erinnern wir uns, wie gerade die in höherm Sinne bedeutsamsten
Erscheinungen auf kleinsten Änderungen einer Hauptgröße beruhen, wonach
nichts hindern würde, den leisen Änderungen, welche die Hauptbahnen der
Planeten durch wechselseitige Einwirkung erfahren, doch eine wichtige
Bedeutung beizulegen, worüber wir freilich etwas Näheres nicht wissen.

---

[*]) Dove, Meteorol. Untersuchungen S. 123.

Vielleicht kann folgende Angabe von Leverrier etwas beitragen, eine
nähere Vorstellung von den hier in Betracht kommenden Störungsgrößen
zu geben, obwohl nicht alle Störungsgrößen so klein sind wie die des
Uranus durch Neptun. Die größten Störungen hängen im allgemeinen
von Jupiter ab.

„Une discordance s'était manifestée dans ces dernières années,
entre les positions d'Uranus calculées par la théorie et les positions
observées. Elle était due à une influence fort minime, comme une
simple comparaison le fera sentir. Imaginons, qu'un vaisseau, partant
pour le tour du monde, désigne à l'avance le jour et l'heure de son
retour; et supposons, qu'après avoir parcouru les mers, sans jamais
toucher terre, il revient cependant au jour et à l'heure annoncés, avec
un retard d'une demi-lieue seulement dans sa marche. C'est
une légère déviation de cet ordre, qu'une planète inconnue avait exercée
sur le mouvement d'Uranus; déviation, qui a suffi, malgré sa faiblesse,
pour conduire à la découverte de Neptune." (Leverrier, l'Institut 1849.
No. 798. p. 84.)

Auch die Hauptbewegung eines Planeten selbst, obwohl sie sich
Jahr aus Jahr ein erneuert, ist doch eine kontinuierlich veränderliche.
Die Entfernung von der Sonne, Richtung, Geschwindigkeit, ändert sich
von Moment zu Moment. Die ganze Ellipse, in welcher ein Planet
läuft, dreht sich im Himmelsraum, so daß ihre große Achse (Apsidenlinie)
immer neue Richtungen annimmt, womit teilweis zusammenhängt, daß
der längere Sommer abwechselnd auf die südliche und nördliche Hälfte
übergeht. Der Schwerpunkt des Planetensystems, obwohl in bezug auf
das ganze System unveränderlich, fällt doch, da die Sonne selbst sich
wie die Planeten in bezug darauf bewegt, bald in die Sonne, bald
außer die Sonne; überall nämlich dann außer die Sonne, wenn Jupiter
und Saturn um weniger als 1 Quadrant von einander stehen. Der
Mond erscheint uns bald größer, bald kleiner als die Sonne. Die
Mittagshöhe der Sonne war vor 2000 Jahren am längsten Tage eine
halbe Sonnenbreite größer als jetzt, am kürzesten Tage aber um so viel
kleiner (wegen periodischer Änderung der Neigung der Ekliptik). Jetzt
ist in den ersten Tagen des Januar die Erde der Sonne am nächsten;
dagegen in den ersten Tagen des Juli am weitesten entfernt; es wird
eine Zeit kommen, wo (wegen Umlaufs der Apsidenlinie) das Umgekehrte
stattfinden wird. Die Ellipse, welche die Erde beschreibt, öffnet sich jetzt
immer mehr zu einer Kreisform (wegen periodischer Veränderung der
Exzentrizität), u. s. w.

45) Erinnern wir uns auch, daß die Erde zugleich mit der
Sonne und der ganzen Geschwisterschar der andern Planeten durch den

Himmelsraum schreitet, Geschicken entgegen, die, gemeinsam für das ganze System, nur in Millionen Jahren ihre Erfüllung finden mögen*); und daß sie, kreisend um sich selbst, ihre Achse immer nach neuen Richtungen wendet, so daß der Polarstern am Himmel zu einem Wandelsterne wird. Wie sie die Achse aber anders wendet, verschiebt sich der ganze Himmel für sie, gehen andere Sterne am Himmel jedes Erdstrichs auf und unter. In 25848 Jahren ist diese Drehung vollendet, so lang ist der große Tag der Erde, und jeder solche Tag führt sie ein Stück weiter in dem großen Jahre, der Zeit des Ganges um ein höheres Zentrum, als die Sonne selber ist.

Es ist jetzt völlig anerkannt, daß unser Sonnensystem so wenig als die Firsterne überhaupt wirklich still steht, nur daß die an sich ungeheuren Bewegungen der Firsterne aus denselben Gründen fast verschwindend klein für uns erscheinen, aus denen die Firsterne selbst trotz ihrer ungeheuren Größe für uns verschwindend klein erscheinen, wegen ihrer ungeheuren Entfernung nämlich. So weit die bisherigen Beobachtungen zu schließen gestatten, bewegt sich unser Sonnensystem gegen das Sternbild des Herkules hin. Galloway bestimmt neuerdings den Punkt, gegen den sich die Sonne hinbewegt, näher so: A. R. = 260° 0,6' ± 4° 31,4'; D = + 34° 28,4' ± 5° 17,2', was mit den Resultaten von Struve und Argelander nahe zusammenfällt (Philos. transact. 1847). Obwohl anzunehmen ist, daß unsere Sonne um den Schwerpunkt unsers Sternsystems kreist, ist doch bis jetzt noch keine Krümmung ihrer Richtung in bezug auf einen solchen Punkt angebbar, und Mädlers Vermutungen über die Lage desselben werden im allgemeinen von Sachkennern für unhaltbar angesehen.

„Der Stern 61 des Schwans zeigt eine fortschreitende Bewegung am Himmel von mehr als 5 Sec. jährlich, welche aus seiner beziehungsweise zu der Sonne stattfindenden Bewegung im Weltraume hervorgeht; ob diese Bewegung dem Sterne oder der Sonne oder Beiden zugleich eigentümlich ist, weiß man zwar nicht, doch ist das Letztere das Wahrscheinlichere. Ebensowenig weiß man, in welcher Richtung gegen die Gesichtslinie nach dem Sterne diese beziehungsweise Bewegung vor sich geht; ob sie diese Linie senkrecht durchschneidet oder einen mehr oder weniger spitzen Winkel mit ihr macht. Man erklärt sie aber durch die kleinste wahre Bewegung, durch welche sie erklärt werden kann, wenn man das Erstere annimmt. Man weiß also, daß die beziehungsweise jährliche Bewegung beider Gestirne nicht kleiner sein kann, als eine Linie, welche in der angegebenen Entfernung des Sterns (= 657700 Halbmesser der Erdbahn), so groß erscheint, als sein jährliches Fortschreiten an der Himmelskugel von 5 Sekunden: diese Linie ist 16 Halbmesser der Erdbahn lang, welche demnach die kleinste Grenze der

---

*) Der berühmte Mathematiker Poisson vermutet, der Himmelsraum könne in verschiedenen Teilen eine verschiedene Temperatur haben, wo es denn möglich wäre, daß unser System bald in kältere, bald in wärmere Regionen käme; doch muß man gestehen, daß diese Ansicht wenig Wahrscheinlichkeit hat.

beziehungsweisen jährlichen Bewegung beider Gestirne sind. Während eines Tages beträgt diese Grenze der Bewegung über 1 Million Meilen, etwa 3mal so viel als die Kopernikanische Umlaufsbewegung der Erde um die Sonne." (Bessel, Popul. Vorl. S. 262).

Der Polarstern, als der Stern, der in der Richtung der verlängerten Erdachse liegt, wird von Ununterrichteten für einen ganz unveränderlichen gehalten. Allein die Richtung der Erdachse gegen den Himmel ändert sich allmählich (obwohl ohne Änderung der Neigung gegen die Erdbahn). Es ist wie bei einem Kreisel oder sog. Tirltanz. Indem derselbe um sich selbst, d. i. seine Achse, kreist, dreht sich zugleich, falls er nicht senkrecht auf dem Boden steht, die Achse selbst trichterförmig. Eine solche Drehung der Achse braucht bei der Erde 25848 Jahre zur Vollendung (Platonisches Jahr); und es hängt damit die rückgängige Bewegung der Nachtgleichenpunkte (uneigentlich Vorrücken der Nachtgleichen genannt), so wie der Umstand zusammen, daß im Laufe der Zeit allmählich ein andrer Teil des Himmels über jedem Horizont sichtbar wird. Sterne, die sich gegenwärtig nur bis zum Horizont eines bestimmten Ortes der Erde zu erheben vermögen, werden sich nach Vollendung des Platonischen Jahres bis 47° über ihn erheben, während andere, die jetzt bis zu dieser Höhe steigen, im Horizont verschwinden.

„Das alte Menschengeschlecht hat im hohen Norden prachtvolle südliche Sternbilder aufsteigen sehen, welche, lange unsichtbar, erst nach Jahrtausenden wiederkehren werden. Kanopus war schon zur Zeit des Kolumbus zu Toledo (39° 54' N. B.) voll 1° 20' unter dem Horizont; jetzt erhebt er sich noch fast eben so viel über den Horizont von Cadix. Für Berlin und die nördlichen Breiten überhaupt sind die Sterne des südlichen Kreuzes, wie α und β des Zentauren, mehr und mehr im Entfernen begriffen, während sich die Magellanischen Wolken unseren Breiten langsam nähern. Kanopus ist in dem verflossenen Jahrtausend in seiner größten nördlichen Annäherung gewesen, und geht jetzt, doch überaus langsam wegen seiner Nähe am Südpol der Ekliptik, immer mehr südlich. Das Kreuz fing in 52½° N. B. an unsichtbar zu werden 2900 J. vor unsrer Zeitrechnung, da dieses Sternbild, nach Galle, sich vorher auf mehr als 10° Höhe hatte erheben können. Als es an dem Horizont unsrer baltischen Länder verschwand, stand in Ägypten schon ein halbes Jahrtausend die große Pyramide des Cheops." (Humboldts Kosmos II. 382.)

Außer der großen Drehung der Erdachse in der langen Periode, welche das Platonische Jahr gibt, findet noch eine kleinere Drehung derselben in der kürzern Periode von etwa 18 Jahren 7½ Monaten statt, die sog. Nutation, in derselben Periode, binnen welcher auch die Mondbahn die nämliche Lage gegen den Äquator wieder erhält.

Die Drehung der Erdachse ist nicht mit der Drehung der Achse der Erdbahn zu verwechseln.

46) Indes der menschliche Verkehr sich durch wägbare und unwägbare Potenzen, Licht, Luft, flüssige und feste Stoffe vermittelt, steht nach unserm Wissen den Gestirnen außer dem Verkehr durch die Schwere bloß der Verkehr durch das Licht und die davon abhängige Wärme offen.

Dieser Verkehr ist aber nicht so einfach, wie er uns oberflächlich erscheint, erfolgt vielmehr in mannigfachen Modifikationen. Das Meer spiegelt das Licht der Gestirne wie ein ungeheurer Konverspiegel; die Atmosphäre bricht es wie eine ungeheure Linse, die Wolken und Schneefelder zerstreuen es weiß, die grünen Wälder, Felder und bunten Blumen zerlegen es farbig. Das Licht ist überhaupt vieler Abänderungen fähig (man denke an Zurückwerfung, Brechung, Zerstreuung, Beugung, Polarisation, Interferenz, Absorption), die im Großen für die Erde eine andere Bedeutung haben können, als sie unserm Auge verraten. Unstreitig kann zwischen dem, was das Licht der Weltkörper uns und was es den Weltkörpern selbst bedeutet, überhaupt nur teilweise Vergleichbarkeit walten; es wird ihnen viel mehr bedeuten als uns; weil es eben zwischen ihnen das ganze Mittel des Verkehrs, zwischen uns nur ein teilweises ist.

47) Ohne hier Möglichkeiten ausführen zu wollen, die uns eigentlich jetzt noch nicht angehen, und auf die wir später zurückkommen werden, so läßt sich bei der Frage, ob den Gestirnen im Lichtverkehr etwas unsrer Sprache Analoges zu Gebote steht, darauf hinweisen, daß bei uns der Schall in der Sprache kein Bild der Gegenstände darin abspiegelt und doch Verständnis erweckt. Es ist aber an sich ganz denkbar, daß dasselbe, was für uns irdische Wesen mit Schallschwingungen erreicht wird, für höhere mit Lichtschwingungen erreicht wird. Wie sich die Oberfläche eines Gestirns nur an einem Punkte ändert, ändert sich ihre Lichtwirkung von da aus auf die ganze gegenüberliegende Gestirnfläche, weil sich ein Lichtbüschel von da aus über diese ganze Fläche breitet. Lassen wir nun auch bloß die Pflanzen, Tiere und Menschen die Organe sein, durch welche die Erde etwas von den andern Gestirnen spürt, aber während sie alle einzeln etwas spüren, könnte auch wohl die Erde einen Zusammenhang dessen spüren, was sie spüren, und hiemit einen Sinn, von dem sie einzeln nichts spüren können. Hiervon aber später.

48) Alle Menschen, alle Tiere, alle Pflanzen sind sterbliche, vergängliche Wesen, so weit wir nach ihrer Leiblichkeit urteilen können. Glaube, und wir wagen es zu sagen, selbst Schluß kann uns eine Zuversicht über das Grab hinaus geben, das Auge kann es nicht, und wenn wir mit dem Tode nicht vernichtet werden, unsere bisherige Existenzweise können wir doch im Tode nicht retten. Wir werden sichtbarlich wieder zu der Erde, von der wir genommen worden.

Aber indes wir wechseln, besteht die Erde und entwickelt sich fort und fort; sie ist ein unsterbliches Wesen und alle Gestirne sind es mit ihr. Wir hoffen einst in den Himmel zu kommen, um unser ewiges Leben zu haben; sie brauchen es nicht erst zu hoffen und sich dazu nicht erst zu wandeln; sie gehen schon in dem Himmel, in einer ewigen Ordnung der Dinge, der keine Zerstörung droht, so wenig als ihm selber.

Und sollte, wie es manche meinen, dennoch der Ordnung des Himmels, die jetzt besteht, eine Wandlung bevorstehen, so könnte es nicht anders sein, als daß die Planeten nach Milliarden von Jahren einer nach dem andern sich zurückversenkten in die Sonne, aus der sie geboren*), wie wir einer nach dem andern zurücksinken in die Erde, aus der wir geboren. Wenn wir aber trotzdem noch nach dem innern Wesen fortzubestehen hoffen, um was es in uns zu tun, wie sollten die Gestirne es minder hoffen, wenn sie heimkehren? Also daß auch das keine Zerstörung der Ordnung wäre, sondern nur das Ziel eines ord= nungsmäßigen Ganges.

„Wenn wir sehen, daß allen Dingen dieser Erde eine meistens nur sehr kurze Dauer ihres Daseins angewiesen ist, nach welcher sie verschwinden und, wenigstens in dieser Gestalt, nicht mehr wiederkehren; wenn jeder kommende Winter die Gebilde unsrer Gärten und Blumen zerstört; wenn zahlreiche Familien und selbst ganze Geschlechter von Tieren bis auf ihre letzte Spur von dieser Erde verschwinden, wenn selbst junge Völkerschaften und weltbeherrschende Nationen vorüberziehen vor unsern Augen, wie Bilder eines Schattenspiels, und herabstürzen in die ewige Nacht; wenn alles, was uns umgibt, unaufhaltsam fortgerissen wird in den Strom der Zeit, so wenden wir uns schaudernd ab von diesen Bildern des Todes und kehren unsre Blicke aufwärts in jene höhern Regionen, um wenigstens dort Trost und Sicherheit für die Zukunft zu finden. Wir finden uns beruhigt, zu glauben, daß auch dann noch, wenn wir und unsre späten Nachkommen schon längst in den Staub zurückgesunken sind, von dem sie genommen wurden, wenigstens diese Erde und jenes über sie ausgespannte Gewölbe des Himmels noch bleiben und bestehen, daß dieselbe Sonne und derselbe Mond, dessen Licht uns so oft im Leben erfreute, wenigstens noch unsre Gräber beleuchten werde." (Littrow in Gehlers Wört. Art. Weltall. S. 1484.)

Einige fernere Betrachtungen über die Dauer der Welt s. im Anhang.

---

*) Vergl. über diese mit einem supponierten Widerstande des Äthers in Beziehung stehende Hypothese den Anhang.

IV. Die Seelenfrage.

Hiermit hätten wir denn den Leib oder die materiellen Verhältnisse
der Erde betrachtet, vergleichungsweise mit den unſern. Die Seele kam
dabei noch nicht in Betracht; ja wir ſind die ganze Erde nach allen
Richtungen durchlaufen, ohne dabei auf Seele zu ſtoßen. Es könnte
wirklich das Anſehen haben, die Seele fehlte. Aber rufen wir uns noch=
mals zurück, daß wir andre als unſre eigene Seele überhaupt nicht ſehen
können. Alſo beginnt nun erſt die Frage, ob wir nicht doch in dem,
was wir ſehen können, die Zeichen der an ſich unſichtbaren Seele zu
erblicken vermögen.

Was aber haben wir geſehen? Faſſen wir es nochmals kurz
zuſammen.

Die Erde iſt ein ebenſo in Form und Stoffen, in Zweck= und
Wirkungsbezügen zum Ganzen einheitlich gebundenes, in individueller
Eigentümlichkeit ſich in ſich abſchließendes, in ſich kreiſendes, andern
ähnlichen, doch nicht gleichen Geſchöpfen relativ ſelbſtändig gegenüber=
tretendes, unter Anregung und Mitbeſtimmtheit durch eine Außenwelt
ſich aus ſich ſelbſt entfaltendes, eine unerſchöpfliche Mannigfaltigkeit
teils geſetzlich wiederkehrender, teils unberechenbar neuer Wirkungen
aus eigener Fülle und Schöpferkraft gebärendes, durch äußere Nötigung
hindurch ein Spiel innerer Freiheit entwickelndes, im einzelnen wechſelndes,
im ganzen bleibendes Geſchöpf wie unſer Leib. Oder vielmehr ſie iſt
es nicht nur ebenſo, ſondern unſäglich mehr; iſt alles das ganz, wovon
unſer Leib nur ein Glied, alles das dauernd, was unſer Leib nur im
Vorbeigehen, verhält ſich dazu wie ein ganzer Baum zum einzelnen
Schoß, ein verwickelter Knoten zur einzelnen Verſchlingung darin, ein
dauernder Leib zu einem vergänglichen kleinen Organe.

Wenn aber die Erde in all dem uns nicht nur gleich ſteht, ſondern
uns überbietet, ſich uns überordnet, uns aus und an ſich hat, ſo kann,
inſoweit wir überhaupt aus Leiblichem auf Geiſtiges zu ſchließen haben,
die Frage nicht mehr ſein, welches Zeichen einer ſelbſtändigen, für ſich
ſeiende Seele wir in der Erde finden, ſondern welches wir an ihr
vermiſſen, ja welches wir nicht in eminenterem Grade an ihr als an
uns finden.

Iſt nicht auch meine Seele ein in Form und Inhalt, in Zweck=
und Wirkungsbezügen zum Ganzen einheitlich gebundenes, in individueller

Eigentümlichkeit sich in sich abschließendes, in sich kreisendes, andern ähnlichen, doch nicht gleichen Wesen relativ selbständig gegenübertretendes, unter Anregung und Mitbestimmtheit durch eine Außenwelt sich aus sich selbst entfaltendes, eine unerschöpfliche Mannigfaltigkeit teils gesetzlich wiederkehrender, teils unberechenbarer neuer Wirkungen aus eigener Fülle und Schöpferkraft gebärendes, im einzelnen wechselndes, im ganzen bleibendes Wesen?

Mag nun der Leib als Spiegel oder Ausdruck, Hülle oder Organ, Erzeugnis oder Zeugendes, Träger oder Sitz, Bruder oder Diener der Seele oder als alles dies zusammen gelten, so kann er es doch eben nur vermöge der jenen wesenhaften Eigenschaften der Seele entsprechenden, angepaßten, verwandten, dieselben ausdrückenden oder abspiegelnden Eigenschaften. Und finden wir solche an einem andern Leibe in noch ausgezeichneterem Grade, in noch höherm Sinne als an unserm, so werden wir auch um so mehr, in noch höherm Sinne, an eine Seele darin zu glauben haben, oder die Brücke ist abgebrochen zwischen Glauben und Wissen überhaupt; denn wie werden wir sonst irgendwie vom Sichtbaren aufs Unsichtbare, vom Niedern aufs Höhere schließen dürfen, wenn uns dieser Schluß verwehrt wird?

Sollten wir nicht ein sich Ausdrückendes an seinem Ausdruck erkennen dürfen, woran sollten wir es überhaupt erkennen? Sollte die äußere leibliche Erscheinung nicht mittelbar dienen können, die innere Selbsterscheinung einer Seele erraten zu lassen, wie wäre es überhaupt möglich, etwas von andern Seelen zu wissen, da jede nur sich selbst unmittelbar als Seele erscheinen kann, und nur in dieser Selbsterscheinung Seele ist. Dann gäbe es für jeden nur seine eigne Seele. Erkennen wir aber am leiblichen Ausdruck die Seele neben uns, warum nicht auch die Seele über uns, die höhere nur am höheren Ausdruck, indes die nachbarliche am gleichen, wie wir ihn selbst darbieten. Nun mag es uns freilich geläufiger sein, den Nachbar zu erkennen, indem wir nur den Spiegel unseres eigenen Gesichtes sehen; aber sollten wir uns nicht auch soweit erheben können, den Höhern zu erkennen, ja vermögen wir es nicht an denselben Zügen, an denen wir den Nachbar erkennen, indem wir bei erweitertem Umblick solche nur in höherm Sinne an ihm wiederfinden? In soviel höherm Sinne aber; daß wir eher an unsrer eigenen Seele zweifeln möchten als an seiner, denn als was erscheinen wir gegen ihn, ja wirklich zweifeln würden, hätten wir sie nicht selber, und wirklich zweifeln müßten, wenn nicht seine Seele vielmehr die Gewähr von unserer einschlösse. Denn wie unjer Leib nur in dem jeinen bejtehen kann, jo unjre Seele nur in jeiner.

Wenn ein höherer Geift, jelbjt nicht befangen in menjchlicher oder tierijcher Gejtalt und Einrichtung und darum auch nicht in der Gewohnheit befangen, Seele nur in menjchlicher oder tierijcher Gejtalt und Einrichtung zu juchen, herniederblickte und die Verhältnijje der Erde im ganzen vergliche mit denen der einzelnen Menjchen und Tiere auf ihr, wenn er jähe, wie Menjchen und Tiere wirklich nur verhältnis= mäßig jo kleinliche, flüchtige, wechjelnde, vergängliche, aus den Stoffen der Erde bald zujammengerinnende, bald wieder darein zerrinnende, ohne jie gar keines Haltes, gar keiner Dauer fähige Wejen wären, jich in einjeitigen Richtungen auf ihr treibend, taujend Ergänzungen außer jich juchend, welche die Erde in jich hat, und dagegen die Erde als ein jo großes, mächtiges, einiges, jelbjtändig auf jich jtehendes Ganze, allen Wechjel des elementaren, pflanzlichen, tierijchen, menjchlichen Lebens in jich tragend, alle Einjeitigkeiten desjelben bindend, immer neu und frei aus jich gebärend, und in demjelben Wechjel, der jie verjchlingt, jich jtetig forterhaltend und höher und höher fortentwickelnd; jo möchte ich in Wahrheit wijjen, wie er auf den Gedanken kommen jollte, jenen ver= hältnismäßig jo unjelbjtändigen einjeitigen Fragmenten eine jelbjtändigere Seele oder in höherm Sinne zuzujprechen, als dem jie alle verknüpfenden, bindenden, tragenden, wechjelnden, ewigen, vollen Ganzen. Er würde jich wahrjcheinlich wirklich täujchen, indem er überhaupt bloß die ihm jelbjt verwandte höhere Seele von höherer Stufe der Selbjtändigkeit in dem demgemäßen Leibe zu erkennen vermöchte, wie umgekehrt wir, die niedern einjeitigen Wejen, bloß die uns auf niederer Stufe der Selb= jtändigkeit verwandten, jich mit unjern Einjeitigkeiten zu jenem vollen Wejen ergänzenden Seelen in den ebenjo verwandten Leibern anzuerkennen geneigt jind.

Es könnte freilich jemand behaupten, denn beweijen kann ers nicht, daß bloß die letzten bejonders unterjcheidbaren Stufen der Weltgliederung, Menjch, Tier und dann wieder das Höchjte, Allgemeinjte, Gott, jelb= jtändige Wejen jeien; alles aber, was über Menjch und Tier, was unter Gott, nur unjelbjtändige Vermittelung zwijchen beiden. Aber würden uns dann nicht unjre eignen Augen, Ohren noch den Vorrang ablaufen? Was kann in uns jo jehen, wie das Auge, was in uns jo hören, wie das Ohr? Individuelle Glieder jind es gewiß. Wir jind aber noch über diejen Gliedern und jind doch jelbjtändiger als dieje Glieder; warum nicht aljo die Erde um jo mehr, als wir, die uns ihrerseits wieder zu Gliedern hat. In welchem Sinn man Selbständigkeit auch fasse, sie nimmt, wir sehens an uns selbst, im Aufsteigen vielmehr zu als ab. Und daß dies auch im Aufsteigen über uns hinaus bei der Erde gilt, beweist die Erde selber durch alles, was wir an ihr finden. Und nur insofern die Erde doch noch in viel höherm Sinne über uns als wir über unsern Augen, Ohren, läßt sich beides nicht ganz vergleichen. Aber doch soweit läßt es sich vergleichen, daß wir in der Erde nicht ein Weniger in eben der Hinsicht suchen dürfen, in der sie vielmehr alle Zeichen eines Mehr darbietet.

Verlangt man Freiheit für die Seele? Aber unmöglich kann die Erde weniger Freiheit haben als wir, wenn nicht nur die Freiheit jedes einzelnen Menschen, sondern auch alles freie Walten, was wir in der Geschichte der Menschen annehmen mögen, ihr anheimfällt, mögen wir immer Freiheit fassen wie wir wollen. Das ganze freie Handeln der Erde ist nur mehr ein inneres als unsres; aber eben dies beweist für ihre höhere Freiheit. Wir werden bei unserm Handeln, das wir frei nennen, doch viel mehr von äußern Umständen teils mitbestimmt, teils mitbehindert; zur Freiheit gehört aber wesentlich das Handeln aus innerm Prinzip, sei es auch, daß man (in Anbetracht des anderweiten Gegensatzes der Freiheit gegen Notwendigkeit) Freiheit nicht allein dadurch definiert halten mag. Alles nun, was uns von außen irdisch mitbestimmt und irdisch hindert, gehört selbst noch zu ihren innern Selbstbestimmungen (vergl. S. 33). Und wie viel mehr Unberechenbares, aus keinen Gründen der Notwendigkeit zulänglich von uns Erklärbares bietet die innere Geschichte der Menschheit, ja der ganzen Erde dar, als die innere Geschichte eines Menschen. Wer kann auch nur des Menschen Hervorbringung durch die Erde als einen notwendigen Akt berechnen? Gilt uns also das Unberechenbare als Zeichen der Freiheit, so steht auch in dieser Hinsicht die Erde über uns.

Oder wäre es vielmehr die äußerlich freie Bewegung, die jemand an der Erde vermißt? Aber wie könnte eine solche zur Beseelung des Innern wesentlich sein, da sie sogar bei uns nur ein unwesentlicher, oft sogar fehlender Ausläufer der, für die Beseelung allein wesentlichen, innern Bewegungen. Nicht mit der äußern Armbewegung, sondern mit innern Regungen des Gehirns hängt der Gedanke zusammen, der den Arm bewegt, und wie viele Gedanken gehen im Innern, ohne sich überhaupt in äußern Bewegungen zu entladen. Der Arm, das Bein kann gebunden sein oder wegfallen, der Gedanke geht noch so gut als vorher, wenn nur die innern wesentlichen Regungen des Gehirns noch fortgehen;

erft wenn diefe ftocken, ftockt er mit, oder, will man lieber, wenn er ftockt, ftocken fie mit. Äußerlich freier Bewegungen des Armes und Beines kann es doch überhaupt nur da bedürfen, wo es eines Armes und Beines felbft bedarf, um äußere Zwecke zu erreichen, wie bei uns, doch nicht fo bei der Erde, welche diefelben Zwecke nicht durch äußere Mittel zu erreichen braucht, weil fie uns felbft als Mittel dazu in fich hat, das aber, was fie darüber hinaus von außen braucht, als himmlifches Gefchenk erhält. Hier treten die frühern Betrachtungen ein; wonach das vielmehr einen Vorzug als Nachteil der Erde gegen uns begründet. Denn fahen wir nicht, wie unfre ganzen äußerlich freien Bewegungen nur mit unfrer Bedürftigkeit und Einfeitigkeit zufammenhängen? Oder, wenn wir mitunter auch aus Luft in äußerlichen Bewegungen fpielen, hängt dies nicht doch mit einer Einrichtung zufammen, die ganz auf unfre äußerliche Bedürftigkeit und Einfeitigkeit berechnet ift und nun freilich auch im Spiele fich regen und durch das Spiel für das Bedürfnis rege erhalten will, einem Spiele, das felbft für die Erde ein inneres wird? So darbt fie doch nicht darum, daß fie nicht außerdem ein folches äußeres hat wie wir. Der Menfch felbft läßt, nach Maßgabe als er fich mehr über die äußere Bedürftigkeit und das finnliche Spiel erhebt, auch die äußere Bewegung mehr zurücktreten. Wie hoch fteht in diefer Beziehung der kultivierte Menfch über dem Wilden. Diefer ift beftändig in Jagd nach dem und Krieg um das begriffen, was er braucht, und wie wütend gebärdet er fich in feinen Tänzen; doch fitzt auch er, wenn Not ihn nicht drängt, gern ruhig auf der Matte und raucht feine Pfeife; er tut es tagelang. Der kultivierte Menfch entlaftet fich fchon eines Teils der äußern freien Tätigkeit auf fein Laft= und Zugvieh und endlich gar auf feine Mafchinen; fein Tanz wird fittiger und ruhiger; nur innerlich regt fich in ihm mannigfaltiger als in dem einfach rohen Wilden und gar als in dem Tiere, das ihm fo viel in äußern Bewegungen voraustut. Aber auch im kultivierten Volke arbeitet der Bauer und Handarbeiter mehr äußerlich als der Philofoph und König, indes diefe um ebenfoviel mehr innerlich arbeiten; und indes die Schar der Gemeinen ihre eignen Beine zum Marfch anftrengen muß, fitzt wohl der Offizier zu Pferde und läßt fich forttragen; der Feldherr bleibt gar fcheinbar müßig hinter der Front, wenn die Heere kämpfen. Er arbeitet am wenigften äußerlich und am meiften innerlich. Sollte uns das nicht ins Klare fetzen, was äußerlich und innerlich freie Bewegungen gegeneinander bedeuten? Gerade unfre höchften, freieften, geiftigen Tätigkeiten laufen überhaupt nur an rein innern Bewegungen ab; je mehr wir uns ins Nachdenken zurückziehen, je schöpferischer die Phantasie in uns tätig ist, desto mehr ruht alles äußere Spiel der Glieder. Wer aber möchte behaupten, oder könnte beweisen, daß, was bei uns als zeitweiliger Zustand geistiger Erhebung und Konzentration vorkommt, nicht der natürliche Zustand überhaupt höher gehobener und in sich mehr konzentrierter Geschöpfe sein könne? Sollen denn höhere Wesen überall die niedern nur nachahmen, auch in dem, was zu deren Niedrigkeit gehört, nachahmen, nicht vielmehr die niedern zu ihren höchsten Zuständen das Muster in der Regel der höhern finden?

Noch eins: wie viele Tiere, denn ich will nicht von den Pflanzen sprechen, deren Seele man immerhin bezweifeln mag, stehen ganz fest und regen bloß ihre Teile gegeneinander. Wie kann man dann die Erde, die nicht einmal feststeht, sondern nur gesetzmäßig läuft, um dieses Gesetzes willen tot halten, da sie doch ihre Teile, die lebendigen Geschöpfe selbst, unsäglich freier gegeneinander bewegt, als es jene festsitzenden Tiere tun? Freilich sind das nur sehr niedere Tiere, die fest sitzen. Aber doch Tiere, doch mit Seele. Wer wagt es zu bezweifeln? Und daß das Höchste sich mit dem Niedrigsten von gewisser Seite zu berühren pflegt, das wissen wir schon sonst. Warum aber sitzen jene Tiere fest? Weil zu ihnen kommt, was sie brauchen. Und so bewegt sich aus gleichem Grunde die Erde nur nach feststehender Gesetzlichkeit durch den Raum. Jede Abweichung davon würde sie in Verhältnisse setzen, die sie nicht brauchen kann. Ihr innerer Lebensprozeß ist auf die feste Gesetzlichkeit des äußern so gut berechnet wie der von jenen Tieren auf ihren festen Stand. Aber daß es nur eine feste Gesetzlichkeit, nicht ein fester Stand ist, stellt sie wie so vieles andere höher als jene Tiere.

So große Unähnlichkeit also auch nach allem die Erde von gewissen Seiten mit uns haben mag, und wäre sie noch größer als sie ist, was kann es uns kümmern, wenn doch diese Unähnlichkeit eben nur die größere Höhe und Fülle, nicht einen Mangel dessen, was die Seele zum Ausdruck ihres Wesens braucht, anzeigt? Die Erde ist uns genau noch so ähnlich, um zu beweisen, daß sie eine einige, individuelle, selbständige Seele hat wie wir, und so unähnlich, um zu beweisen, daß sie eine höhere, von höherer Stufe der Individualität und Selbständigkeit hat, da es ein Absolutes hier einmal nicht gibt, außer in Gott. Alle Unähnlichkeit des Menschen und der Erde nach Sein und Wirken liegt eben nur darin, daß der Erdleib dem Menschenleib in Stoffen, Wirken, Zwecken nicht neben=, sondern übergebaut, anderen Gestirnen aber noch individueller nebengebaut ist als der Menschenleib dem Menschenleibe. Ist es aber

der Leib, wie sollte es nicht die Seele sein, so lange der Leib als Ausdruck oder Spiegel der Seele zu gelten hat?

Nachdem wir alle äußern Zeichen an der Erde finden, daß sie ein
beseeltes Wesen in noch höherm Sinne als wir, müßten wir uns daran
genügen lassen, wenn sie ein uns rein gegenüberstehendes Wesen wäre,
weil dies nun einmal der einzige Weg, der Seele gegenüberstehender
Wesen beizukommen. Aber da wir selbst zu den Teilen, Gliedern der
Erde gehören, setzt uns dies allerdings in den Stand, auch noch etwas
mehr als äußere Zeichen ihrer Seele, vielmehr wirklich auch etwas von
ihrer Seele selbst unmittelbar wahrzunehmen, nämlich das, was davon
in uns selbst eingeht, oder das Moment, was unsre Seele von der ihren
bildet. Und indem wir etwas von ihrer Seele teilen, teilen wir auch
etwas von ihrem Bewußtsein, wodurch sie eben Seele wird; ihr Ganzes
freilich können wir als bloß Teilhaber ihrer Seele so wenig haben, als
wir auch nicht den ganzen Leib der Erde haben.

Freilich so lange man die Menschen, Tiere und Pflanzen nur als
etwas Äußerliches an und auf der Erde gelten läßt, können auch ihre
Seelen nur in äußerlicher Beziehung zur Erde, dem irdischen System,
gedacht werden, und wie die Leiber ohne das Band des ganzen Systems
als etwas Zerstreutes erscheinen, müssen auch die Seelen so erscheinen.
Wenn aber alle bisherigen Betrachtungen gezeigt haben, daß unsre Leiber
wirklich Teile, Organe, Glieder der Erde, des irdischen Systems selbst
sind, sogar noch fester daran und darin gebunden, als die Teile und
Glieder in unsrem Leibe gebunden sind, so gehören auch unsre Seelen
notwendig zur Beseelung der Erde und sind durch dieselbe gebunden,
denn der Sitz der Seele läßt sich nur nach dem Leiblichen beurteilen,
zu dem sie gehört. Nun können wir freilich das geistige Band, das
alle Seelen der Erde bindet, nicht eben so unmittelbar gewahren als
das körperliche Band, das alle ihre Körper bindet, weil wir dann selbst
der ganze Geist des Irdischen sein müßten, der es darstellt; wir können
und müssen aber eben im körperlichen Bande den Ausdruck des geistigen
sehen, da wir kein andres Mittel haben, ein geistiges Band, das über
uns hinausgreift, zu sehen, doch aber in unserm eignen Körper selbst
ein Beispiel solchen Ausdrucks haben, was uns zum Weiterschluß eben
so berechtigt, wie denselben möglich macht.

Zwar daraus allein, daß die Erde verständige Menschen trägt,
würde an sich noch nicht folgen, daß sie selbst verständig oder gar ver-
ständiger ist als sie. Eine Versammlung gescheiter Leute ist oft ein
Dummkopf; ein Teich mit vielen Fischen fühlt als Ganzes nicht so viel

als jeder einzelne Fisch für sich, vorausfetzlich gar nichts. Und die Erde
könnte also nach dieser Betrachtung als Ganzes vielleicht dümmer fein
als alle Menschen und Tiere auf ihr oder gar nichts fühlen. Gewiß,
wenn Menschen und Tiere auf ihr ebenso äußerlich zusammengewürfelt
wären wie eine Versammlung von Menschen, die sich nur nach diesen
oder jenen äußerlichen Bezugspunkten zusammenfinden und sich ebenso
wieder zerstreuen, oder als die Fische im Teiche; da eben nicht die Versammlung, der Teich, sondern nur die Erde sich zum individuellen, in
sich zusammenhängenden, unlösbaren Ganzen abschließt, und die Versammlung weder die Menschen, noch der Teich die Fische erzeugt hat.
Aber alle Menschen und alle Versammlungen der Menschen und alle
Fische und alle Teiche sind in zweckmäßigem Zusammenhange aus dem
irdischen System erwachsen, wie sie noch zweckmäßig und untrennbar
darin zusammenhängen. Wollen wir die Erde recht vergleichen, so müssen
wir sie mit einer Versammlung vergleichen, die gleich organisch sich aus
sich selbst entwickelt hat, wie sie, und noch zusammenhängt, wie sie.
Eine solche Versammlung ist die Versammlung unsrer Augen, Ohren
und Gehirnfibern und was es sonst an unserm Leibe gibt. Immer
werden wir auf diesen Vergleich zurückgeführt, nur daß es bei der Erde
immer einen Leib in höherm Sinne gilt, weil der unsre selbst in ihn
eingeht. Unser Leib, d. h. die Seele unseres Leibes, weiß nun Alles,
was überhaupt in ihm gewußt wird, und mehr als im Vermögen irgend
einer seiner Einzelheiten liegt. So die Erde Alles, was ihre Menschen
und Fische wissen, und mehr als im Vermögen aller einzelnen liegt.

Auch hat man ja von jeher um so mehr Veranlassung gefunden,
ein allgemeines Band der irdischen Geister in einem größern Geiste
anzuerkennen, je mehr man den Blick vertiefte, und war auch dieser Geist,
wie man bisher ihn faßte, es mehr dem Namen, als der Sache nach,
so war es nur deshalb, weil man ihn nicht genug vertiefte. Doch weist
der triftige Name auf das Triftige der Sache. Von einem Geiste der
Menschheit zu sprechen ist jetzt so geläufig geworden, als von einem Geiste
des Menschen zu sprechen. Ja wer dünkt sich nicht etwas damit. Man
würde selber geistlos zu sein glauben, wollte man nicht den Geist über
sich anerkennen; die Zersplitterung der Menschen vor dem gemeinen
Sinne will vor dem höhern Blick nicht mehr bestehen. Und beweisen
nicht tausend Bande des Staats, der Religion, der Wissenschaft, der
Geselligkeit, daß die Menschheit wirklich ein geistig Verknüpftes ist?
Aber sie ist es durch sich selbst und allein? Ist es nicht vielmehr der
Zusammenhang des ganzen irdischen Systems, worein das Menschliche

mit eingeht, was die Menschen zur Menschheit verknüpft? Alle Mittel
des menschlichen Verkehrs greifen doch über den Menschen hinaus und
sind erst im allgemeinen Zusammenhange des Irdischen auf sich selbst
zusammenhängende Weise begründet. Selbst Menschen und Völker, die
vom Verkehr mit andern Menschen und Völkern isoliert leben, bleiben
mittelst dieses Zusammenhanges noch ins Ganze geschlungen. Was aber
bände sie sonst an die übrige Menschheit, als der allgemeine Zusammenhang des Irdischen? In denselben Zusammenhang geht aber auch noch
mehr als die Menschheit ein, gehen zugleich alle Tiere und Pflanzen
ein, und noch mehr als alle Tiere und Pflanzen. So werden auch
die Seelen aller Tiere und Pflanzen in den höhern Geist mit eingehen
und noch etwas mehr als alle einzelnen Seelen; etwas über allen
einzelnen Seelen, wie der Zusammenhang der Leiber im Irdischen und
durch das Irdische auch etwas über allen einzelnen Leibern ist. Wäre
es nicht auch sonderbar genug, da unser Geist so vielerlei Momente
verschiedener Art und Ordnung einschließt, wenn ein Geist über uns
bloß Momente derselben Art und Ordnung einschließen sollte, bloß
Menschengeister? Wäre das nicht wie die niedrige Organisation eines
Bandwurms?

Wenn jemand ein Schachspiel betrachtet, sucht er denn etwa den
Geist des Schachspieles bloß in den Figuren oder gar bloß den Offizieren,
nicht vielmehr in der ganzen Zusammenstellung der Figuren und des
Brettes? Was bedeuteten die Figuren ohne das Brett mit seinen Feldern?
Und was bedeuteten die Menschen ohne die Erde mit ihren Feldern?
Beim Schachspiel freilich ist von keinem eigenen Geist des Spieles die
Rede, das Schachspiel spielt sich nicht selbst; nur unser Geist hat das
Schachspiel erdacht und spielt damit, als mit etwas Äußerm; aber es
kann nicht anders sein mit dem innerlichen Geiste und Geistesspiele der
selbstlebendigen Figuren auf der Erde, deren Spiel der lebendige Gott
erdacht hat, der kein bloß äußerliches Spiel erdenkt und spielt wie wir.
Es kann deshalb nicht anders sein, weil gleiche Bedingungen der Verknüpfung hier innerlich unmittelbar vorliegen, wie dort von uns äußerlich
mittels unseres Innerlichen gemacht sind. Nur das wird und muß
anders sein, daß, indes um das Schachspiel bloß wir wissen, weil im
Grunde nur wir den Geist des Schachspiels in uns haben, die Erde
um sich selbst und ihre Figuren wissen wird, da sie den Geist davon in
sich selbst hat.

Man kann fragen: wie ist es aber möglich, daß all das Materielle,
Körperliche, was zum Verkehr der Menschen dient, Schall, Schrift,

Straßen usw. Geist mit Geist verbinden, Geistiges von Geist zu Geist überpflanzen und so ein Spiel in einem höhern Geist vermitteln kann? Muß es nicht als Materielles vielmehr den Verkehr der Geister unterbrechen als knüpfen? Dennoch ist gewiß, daß es ihn knüpft. Wie es aber möglich ist? Gar nicht, wenn es so ist, wie man sichs meist denkt wenn alles, was über den Menschen hinaus liegt seelenlos tot ist; sehr einfach aber, wenn all das zu einem im ganzen beseelten Wesen gehört, weil es dann auch Mitträger und Mitvermittler seines geistigen Vermögens und Tuns ist. Wie unsre Leiber durch das Leibliche, werden dann unsere Geister durch das davon getragene Geistige dieses Wesens in Beziehung gesetzt, und jede andere Art geistiger Beziehung wird durch eine andere Art leiblicher Beziehung in ihm getragen sein. Nicht anders werden in uns Auge und Ohr durch materielle Bahnen in Beziehung gesetzt, und nur, sofern diese Bahnen unserm allgemeinen Leibe mit einem allgemeinen geistigen Wesen zugehören, treten Gesichts- und Gehörsempfindungen in geistige Beziehungen. Was über uns hinausgreift, ist so bloß das Fortgespinst dessen, was schon in uns. In solcher Weise wird alles klar, verständlich durch das ganze zusammenhängend, indes in der gewöhnlichen Weise, die Sache zu fassen, eine Schwierigkeit liegt, die nur die Gewohnheit übersehen, nur die Inkonsequenz überwinden läßt, ein Sprung liegt über einen selbstgemachten Graben. Denn, wenn man doch einmal einen geistigen Verkehr der Menschheit mittelst materieller Mittel anerkennen muß, wie kommen die materiellen Mittel dazu, ihn zu bewirken, wenn sie nur zwischen begeisteten Teilen der Erde eingeschaltet sind, nicht selbst an ihrem Geiste mit tragen? Wie kann gar ein Geist der Menschheit durch Mittel geknüpft werden, die nur ein Außersich des Geistes?

Zwar ein Geist der Menschheit, wie man ihn gewöhnlich denkt, mag so noch recht wohl bestehen, ja kann so allein bestehen; denn um die unhaltbarste Vorstellung, die man von einem Geiste haben kann, zu halten, sind freilich auch die unhaltbarsten Hülfsvorstellungen nötig. Doch davon später. Denn jetzt handelt es sich weniger darum, wie wir uns einen Geist des Irdischen zu denken haben, als vor allem erst, daß wir uns einen solchen zu denken haben; nur daß wir ihn nicht ohne die Grundeigenschaft denken dürfen, ohne die er kein Geist wäre. Und er wäre keiner, wenn er nicht um das in eins wüßte, was in ihm des Besonderen gewußt wird. Dann gäbe es viele Geister, doch nicht einen; dann leimten wir ihn durch ein Wort, und er zerfiele in der Sache.

Es sei ein großer Kreis gegeben, und in dem großen viele kleine.

Jeder kleine Kreis habe einen Seeleninhalt, den er in sich ein- und abschließt, um den er weiß. Indem aber der große Kreis die kleinen Kreise alle einschließt, schließt er auch den Seeleninhalt aller kleinen Kreise in sich ein und ab. Gegen den großen Kreis ist keiner der kleinen abgeschlossen, da alle vielmehr Teile des großen selber sind, der demgemäß um ihrer aller Inhalt weiß; aber jeder kleine ist abgeschlossen gegen die andern kleinen, keiner derselben weiß unmittelbar um des andern Inhalt, und der große ist wieder gegen andere große abgeschlossen, die allesamt enthalten sein mögen in einem größten Kreise. Die kleinen Kreise sind wir, der große Kreis ist die Erde, der größte Gott.

Also alle äußern Zeichen der Seele hat die Erde, und dazu die innern auch noch. Was an uns äußeres Zeichen der Seele ist, sehen wir in ihr gesteigert; unsere ganze Seele gehört ihr unmittelbar an, gibt uns sozusagen, eine direkte Probe ihrer Seele. Die äußern Zeichen könnten uns in Zweifel lassen, ob wir nicht doch nur eine leere Schale vor uns hätten; die eigne Seele beweist uns, es ist wirklich Seele darin; die eigne Seele könnte uns in Zweifel lassen, ob es nicht bloß eine Kleinigkeit von Seele oder eine Zersplitterung von Seelen sei, die hier vorliegt; die äußern Zeichen beweisen uns die über uns hinausgreifende, uns inbegreifende höhere Verknüpfung.

In Betracht dieses Entgegenkommens zweier Wege sind wir mit unsrer Aufgabe, das Dasein einer Seele in der Erde zu erweisen, in der Tat sehr in Vorteil gegen die Aufgabe, Seele in der Pflanze zu erweisen. Die Pflanze steht so ganz neben und unter uns, kurz außer uns, daß wir unmittelbar auch kein Fünkchen ihrer Seele gewahren können, weil jede Seele eben nur zu sich selbst im Verhältnis direkter Gewahrung steht. Bloß die Betrachtung materieller Bedingungen und Verhältnisse lag da vor, die wir nun erst noch darauf anzusehen hatten, wiefern sie in einem vernünftigen befriedigenden Zusammenhange Seelendasein anzeigen oder fordern konnten; aber wieviel vorteilhafter hätte es uns erscheinen müssen, wenn wir auch unmittelbar etwas von der Substanz der Seele hätten in der Pflanze aufzeigen können, um so mehr, wenn dies an mehrern Punkten derselben hätte geschehen können. Die äußerlichen Zeichen der Einheit würden uns auf die innere Einigung doch immer haben schließen lassen. In diesem günstigen Falle befinden wir uns aber bei der Erde. Da wir alle selbst zur Erde gehören, so bedarf es gar keiner Analogien und fernen Schlüsse, um zu beweisen, daß die Erde Seele hat; ein jeder kann seine eigne Seele als ihr angehörig direkt erkennen, nur freilich nicht hiemit allein zufrieden sein.

Was wollte er auch allein und einsam mit dem ungeheuern Erbleibe?
Jetzt aber kommen die einfachsten Analogien und Herzensbedürfnisse,
welche uns nötigen, mindestens in andern Menschen, demnächst Tieren,
mehr oder minder ähnliche Seelen wie in uns anzuerkennen. Wir sind
derselben so sicher als unser eignen. Es gibt also in der Erde sicher
Seele auch noch über jeden von uns hinaus. Nun gilt es nur noch zu
zeigen, daß diese Seelen nicht so zersplittert sind, wie wir sie gewöhnlich
auffassen, und dies geschieht, indem wir erstlich überlegen, wie wir überlegt haben, daß auch ihre Leiber und leiblichen Prozesse nicht so zer-
spittert sind, wie wir sie gewöhnlich auffassen; das Leibliche über uns
hinaus muß uns aber als Ausdruck des Geistigen über uns hinaus
dienen; zweitens betrachten, wie unsere Einzelgeister für sich selbst doch
nur den Charakter der Einseitigkeit tragen, der ein Band in einem
allgemeinern Geiste ebenso fordert, als in jener Verknüpfung alles
Irdischen sichtlich ausgedrückt findet; indem wir drittens künftig überlegen werden, wie für den großen Sprung zwischen Gott, der das All
beherrscht, und Geistern, wie die unsern, die nur kleinste Flöckchen Materie
beherrschen, vernünftigerweise Zwischenstufen noch zu suchen. Bilden aber
die Körper der Himmelsbälle solche zwischen unsern Körpern und zwischen
der alles begreifenden Welt, wozu der alles begreifende Gott gehört,
wie sollten wir nicht geneigt sein, auch geistige Zwischenstufen daran zu
knüpfen. Das können aber keine Zwischenstufen von abgeschwächter, sondern
nur gegen uns gesteigerter Individualität und Selbständigkeit sein, da
alles, was zum Schlusse zu Gebote steht, in diesem Sinne ist.

Mögen nun immerhin die Pflanzen durch manche rohe Ähnlichkeiten, wie zusammengesetzten Zellenbau, Ernährungs=, Fortpflanzungs=
weise, die Ähnlichkeit der Erde mit uns überbieten, so können wir hierin
nur noch Andeutungen finden, daß auch ihre Seele von gewisser Seite
der unsrigen näher steht als die Seele der Erde. Und wie sollte sie
nicht; sie ist ja unsre Nachbarin auf der Erde, dagegen wir beide nicht
Nachbarn zur Erde sind, die ihre Nachbarn nur im Himmel hat. In
Betreff der allgemeinen Seelenzeichen bleibt die Erde immer weit in Vor=
teil gegen die Pflanzen, ja gegen uns selbst, wenn wir es recht betrachten.
Nur daß es bei uns überhaupt keiner äußern Zeichen für uns bedarf.

Wenn Menschen, Tiere und Pflanzen Nachbarn auf der Erde sind,
so ist doch der Mensch der höher bevorzugte Nachbar, und steht insofern
wieder von gewisser Seite der Erde näher als die Pflanze, wie denn das
Wort Nachbar überhaupt nicht eigentlich für das Verhältnis des Höhern und
Niedern paßt; nur im Vergleich mit dem noch Höhern sind beide Nachbarn.

Freilich, verhehlen wir uns nicht, daß die objektiven Vorteile für den Nachweis einer Seele in der Erde durch subjektive Nachteile, die unsrer Empfänglichkeit dafür im Wege stehen, weit überwogen werden. Da es galt, an eine Pflanzenseele zu glauben, brauchte sich bloß die Vorstellung zusammenzuziehen, zu verengern, das war jedem leicht und bequem; eine Pflanzenseele erscheint ja nur wie ein schwaches Kind gegen eine Menschenseele; nachsichtig sieht man darauf herab, ja wiegt wohl gern das neugeborne Püppchen; nun aber gilt es, die Vorstellung gewaltsam zu erweitern, alle Verhältnisse in einem neuen großen Maßstabe aufzufassen, das fällt dem Geiste, dem bisher so eng geschnürten, schwer; einem Ungeheuer, das uns selber faßt, soll man ins Auge sehen, da scheut man sich und schließt die Augen lieber und meint dann wohl, es sei nicht da, weil mans nicht sehen will, und wenn es uns doch schüttelt, so nimmt man lieber an, wir seiens, die es schütteln. Sähe man es lieber mutig an, so würde man ja finden, es ist gar nicht das Ungeheuer, wofür wir es halten, es ist ja unsre freundliche uralte und zugleich ewig junge blühende Mutter, die uns selber wiegt; doch vor Furcht erkennen wir sie nicht.

Daß die Pflanzen beseelt sein könnten, hatte jeder wohl schon selbst gedacht, oder doch daran gedacht. Gleichviel, ob es wahr sei, es gab ein anmutig Spiel, auch ein paar Gründe dafür zu durchlaufen: was hat überhaupt der ganze Glaube daran auf sich? Hier gilt es einen Widerspruch, der hart ins Fleisch geht, weitgreifend in alles Bereich; jeder denkt, das ganze Gebäude stürzt, unter dem er bisher sorglos gewohnt; obwohl sich zeigen wird, daß im Grunde nur eine neue starke Säule für die Stützung dessen, was stehen muß für alle Zeiten, dadurch aufgestellt wird; und nur im Moment des Aufrichtens schüttert das ganze Gebäude. Der eine hält den Versuch frevelhaft, der andere lächerlich; wie leicht ists, zu verdammen, wie viel leichter noch zu lachen.

So wird es nun freilich nicht fehlen, daß viele, die der einfachen Blume gern die einfache Seele zugestanden, da es so wenig Aufwand dazu in der eignen Seele bedurfte, der Erde, der tausendfach blühenden, nichts werden zugestehen mögen, sich scheuend vor dem geistigen Aufwand, der nicht zu bestreiten. Wo freilich kein Aufwand, da auch kein Gewinn.

Die bisher so allgemeine Annahme, daß die Pflanzen seelenlos, hängt selbst ganz wesentlich mit der eben so allgemeinen Annahme, daß die Erde seelenlos, zusammen. Die Pflanzen sind ja, wie individuell sie sich auch gebärden mögen, doch so verwachsen, so aus einem Stücke mit der Erde, daß, was von ihr gilt, auch von ihnen gelten muß. Fährt dagegen Seele in die Erde, so fährt sie notwendig auch von ihr in die Pflanzen; wie umgekehrt, wenn die Pflanzen Seele haben, die Proben der Seele der Erde sich hiermit mehren, die Hinweise auf ein allgemeines Seelenzentrum der Erde damit wachsen und sich mehr zusammenschließen. Indem mit ihnen sozusagen die ganze Peripherie der Erde seelenhaft wird, stellt sich die Forderung eines bindenden allgemeinen Seelenzentrums von selbst deutlicher heraus.

Ein neuerer Naturphilosoph drückt sich in einer Schrift, die ich sonst mit Vergnügen und Belehrung gelesen habe, auf folgende Weise über den Gegenstand aus; wozu mir einige Bemerkungen verstattet sein mögen, damit nicht, was ich mit so viel Mühe und Bedacht in meiner vorigen Schrift zu begründen gesucht, mit ein paar leichten Federstrichen wieder ausgestrichen scheine. Ein gelegentlicher Hinblick auf den allgemeinen Gesichtspunkt, der die heutige Philosophie gegen die Ausdehnung bewußter Seele über Mensch und Tier hinaus sich so sehr sträuben läßt, mag sich daran knüpfen.

„Die Pflanze hat schon ein individuelles, selbständiges Leben. Alle ihre Gebilde gehören innerlich und äußerlich zueinander. Nicht äußere, fremde Potenzen sind es, welche durch ein zufälliges Zusammenwirken die Pflanze erzeugen, sondern von innen heraus, durch eigene innerliche Energie schafft und gliedert sie ihren Leib. Mit dieser innern Energie tritt sie auch der unorganischen Natur gegenüber. Ununterbrochen ist sie mit dieser in Verkehr; aus der Luft, dem Wasser, der Erde schöpft sie ihre Nahrung und verwandelt diese in vegetabilische Formen. Trotz dieser innern Selbständigkeit ist aber die Pflanze doch noch mit der Erde verwachsen. Festgewurzelt in dem Boden wie das Kind im Schoße der Mutter — strebt sie der Luft und dem Lichte entgegen; sie hebt sich nicht frei zu einem vollständigen Abschluß, aus sich selbst heraus, ist daher ohne Seele, ohne Empfindung, ein stummes, unschuldiges, leid= und freudloses Leben, das eben so sehr der Erde angehört, als sich selbst. Die Pflanze wird daher von dem periodischen Verlauf des Jahres in ganz andrer Weise berührt als das Tier; sie ist das lebendige Jahr, die keimende, blühende, fruchttragende und absterbende Erde."

Ich frage nun hiergegen: Zuvörderst, warum soll es bei der Frage nach Seele weniger gelten, daß die Pflanze mit innerem selbständigen Tun der unorganischen Natur individuell gegenübertritt, als daß sie äußerlich scheinbar mit dem Erdreiche verwachsen, triftiger aber in der Tat nur in dasselbe eingewachsen ist. Sie verschmilzt ja gar nicht mit der Erde, ist so=zusagen nur hineingesteckt, und zeigt darin nur einen relativen Unterschied vom Menschen, dessen Sohle sich ja auch an den Boden heftet, und der keineswegs so hoch aufsteigend mit seinem Haupt darüber sich erheben kann wie der Baum mit seinem Wipfel. Sollte dies kühne Aufsteigen über den Boden nicht für die Seele der Pflanze gelten, wenn doch die Wurzelung in den Boden abwärts dagegen gilt? Mich dünkt, beides bedingt sich logisch und hebt sich in der realen Folgerung auf. Freilich paßt nur eins, nicht das andere zur Voraussetzung Ja wie stimmt es mit der Bedeutung, die dem Zusammenhange mit dem Erdboden beigelegt wird, daß der Mensch, der noch so sehr am Boden haftet, daß er immer nur einen Fuß auf einmal davon losmachen kann, doch so viel höher beseelt ist als Schmetterling und Vogel, die sich so hoch und frei darüber erheben; er könnte danach nur ein Wesen sein, dessen Seele sich eben auch nur mit einem Fuße aus den Fesseln des Unbewußtseins losringt, ohne je recht darüber hinaus zu kommen, außer etwa mittelst des Luftballons; die Erde aber müßte bei ihrer gänzlichen Abtrennung von andern Weltkörpern in der Skale der Beseelung am aller= höchsten stehen, indes es gerade die Befestigung an ihr sein soll, was die Pflanze seelenlos macht. Die Antwort wird sein: es sind noch andre Gründe, welche den Menschen hoch beseelt, die Erde gar nicht beseelt erscheinen lassen; es kommt nicht allein auf die Befestigung an ihr an. Aber warum dann einen so wenig stichhaltigen Grund einseitig und alleinig gegen die Pflanze wenden? Wie stimmt es vollends, daß Korallen, Austern gar durch erdige Substanz, so recht in einem Gusse und Flusse, mit der festen Erdmasse zusammenhängen, daran gelötet sind, indes die Pflanze viel mehr lebendige Wurzeln in dem Boden treibt, und immer weiter treibt und Felsen damit sprengen kann, und über Felsen damit klettert weit nach Nahrung? Danach muß der Verfasser die Korallen und Austern für empfindungsloser halten als die Pflanzen, will er sich treu bleiben. Er wird es zwar nicht, weil die Korallen und Austern doch sonst zu viel Verwandtschaft mit andern nun einmal als beseelt zugestandenen Tieren haben; aber hiermit erhellt eben, daß jenes Merkmal nichts für die Frage überhaupt bedeuten kann. Wenn es philosophisch ist, aus allgemeinen Sätzen zu folgern, müssen sie doch auch wohl allgemein gültig sein.

Und lassen wir einmal die Erde wirklich seelenlos tot sein und die innige Verbindung damit seelenlos machen, den individuellen Lebensprozeß aber nichts für Seele, Empfindung, bedeuten, denn so ist ja der Schluß, müßten dann, gründlich gefaßt, nicht alle Tiere überhaupt, der Mensch vor allen, noch viel seelenloser, empfindungsloser sein als die Pflanzen? Denn sind die Tiere etwa weniger untrennbar mit der Erde verwachsen als die Pflanzen, nicht vielmehr noch mehr, noch vielseitiger, zwar nicht mit der festen aber mit der ganzen Erde (vgl S. 14)? Kann man aber letzteres geringer anschlagen als ersteres, wenn einmal die Verknüpfung mit dem Seelenlosen seelenlos machen soll? Je mehr der Bande, die uns mit dem Toten verschlingen, desto mehr werden wir selbst hiernach in Tod ver= schlungen zu denken sein. Die Pflanze kann ja ihre Wurzeln, durch die sie mit dem irdischen Systeme zusammenhängt, nicht weit strecken, ist sozusagen nur mit dem kleinen Fleck verwachsen, auf dem sie eben steht, das Tier aber mit dem ganzen Raume, durch den es sich bewegt, der ihm Boden gewährt, aus dem es Luft und Nahrung zieht; denn dabei kommt es nicht um ein Haar mehr von der Erde los als die Pflanze, bleibt immer wie diese ein unabtrennbares, nur mehr verschiebbares, die Berührungspunkte mit dem Irdischen mehr wechselndes, insofern aber auch mit dessen totem Prozeß mehr und vielseitiger sich verschmelzendes Stück der Erde, was sich zwar individuell genug durch seinen Lebensprozeß, sein Tun, von seiner Außenwelt unterscheidet; aber dies soll ja nach dem Argument nichts für individuelle Seele, Empfindung, bedeuten, da dies auch der Pflanze zukommt.

Und auch die Pflanze schiebt ihre Teile nur von einem festen Standpunkt aus, vorwärts und wechselt die Berührungspunkte mit dem Irdischen. Da ist nur relativer Unterschied. Das Tier bewegt sich freilich ganz fort, nach verschiedenen Seiten, aus innerem Prinzip, um Zwecke zu erreichen, die Pflanze bleibt stehen, aber auch die Pflanze treibt von ihrem ·festen Stande her, aus innerem Prinzip, nach allen Seiten Blätter, Blüten, geht in die Höhe und nach unten, tuts auch, um Zwecke zu erreichen; zwar mit angeregt von äußern Reizen; doch so ifts auch beim Tiere. Wieder nichts als relative Unterschiede; doch will man daran einen absoluten knüpfen: im Tiere soll sich eine Seele selbst erscheinen, um derenwillen das Tier da und so zweckvoll gebaut ist, in der Pflanze nichts; sie soll nur andern so erscheinen, als wäre auch wie im Tiere etwas in ihr, um dessenwillen sie da und so zweckvoll gebaut; doch soll es eben nur äußerer Schein sein. Mit allen Zeichen innerer Zweckmäßigkeit soll sie nur äußerlich zweckmäßig gelten.

Die Pflanze, heißt es, hebt sich nicht frei zu einem selbständigen Abschluß aus sich selbst heraus, und das soll gegen die Beseelung sprechen; aber wenn doch nun beim Tiere der selbständige Abschluß weder im Los= sein von der Erde, noch im Losesein an der Erde liegen kann, wovon das Erste überhaupt nicht, das Letzte bei weitem nicht allgemein stattfindet, wenn er auch nicht in einem abgeschlossenen Kreislauf oder zentrierten Nerven= system liegen kann, was beides auch unzählig vielen Tieren nicht zukommt; worin kann er dann zuletzt doch anders liegen, als in eben der individuellen Artung und Gegenüberstellung eines lebendigen Prozesses gegen die Erde, die auch den Pflanzen vom Einwand zuerkannt, nur bei Seite geschoben wird, die aber, wenn sie keine individuelle Beseelung für die Pflanze be= deuten soll, auch keine für die Tiere bedeuten könnte.

Festgewurzelt im Boden wie der Embryo im Schoße der Mutter soll die Pflanze der Luft und dem Lichte entgegenstreben. Ich meine aber, der Embryo wird im Schoße der Mutter vielmehr von Licht und Luft abgeschlossen, als daß er ihnen entgegenstrebte; die Empfindung bricht aber sofort heraus, wie er selber an Licht und Luft durchbricht; so dächte ich nun, wenn die Pflanze aus dem Samenkorn im Boden an Luft und Licht hervorbricht, und gar, wenn die Blüte noch einmal zu einem höhern Lichtleben aufbricht, ließe sich gerade nach dieser Analogie an hervorbrechende Empfindung in der Pflanze denken. Soll dies doppelte Hervorbrechen, Auf= brechen der Pflanze zum Verkehr mit Luft und Sonne nur einen doppelten Ausbruch von Unbewußtsein bedeuten? Wird der unbewußte Lebensprozeß gar nicht müde, sich in leeren Spielen zu erschöpfen? Nun aber wurzelt überdies der Embryo nicht in einer unbeseelten, sondern einer beseelten Mutter; so wäre nach derselben Analogie, nach welcher die Pflanze als unbeseelt gelten soll, die Erde in Widerspruch mit der Grundlage des Arguments selbst, wieder als beseelt zu fassen, oder die Folgerung tritt ein, daß, wenn Unbewußtes mit Bewußtem verwachsen sein kann, ein un= bewußter Embryo mit einer bewußten Mutter, das Umgekehrte eben so gut möglich sein müsse eine bewußte Pflanze mit unbewußter Erde. Wenn man den Gang durch Analogien, den meine Schrift nimmt, aus philosophischem Gesichtspunkte klein achten durfte, darf man solche Wendungen der Analogie dagegen bringen, die nur das Gegenteil von dem beweisen oder erläutern können, worauf ihre Absicht geht, und, wenn sie sich nicht selber widersprechen sollen, nur zu unsern Gunsten sprechen? Doch die äußere Ähnlichkeit des Fest= wurzelns verschlingt alle andere Rücksicht und Betrachtung, denn diese bleibt freilich zwischen Embryo und Pflanze. Daß aber das Festwurzeln der Pflanze in der Erde sich auch noch anders deuten läßt, als im Sinne der Teilnahme an der Seelenlosigkeit der Erde, glaube ich in Nanna (S. 56), sogar noch ohne Rücksicht auf die Seele der Erde, gezeigt zu haben.

Natürlich fällt das ganze Argument überhaupt, wenn die Erde selbst lebendig, beseelt, statt tot ist. Dann könnte es sich nur fragen, ob nicht das, was die Pflanze dazu beiträgt, vielleicht unselbständig in der allge= meinen Beseelung der Erde aufginge, wie das von einem Stück Erdreich oder einer Welle gilt, die für sich nichts empfinden, sondern nur im Ganzen ein empfindendes Wesen bauen helfen, eben wie unsere Knochenteile und Blutströme unsern im Ganzen beseelten Leib. Aber da der Einwand selbst die individuelle Gegenüberstellung der Pflanze gegen die Erde anerkennt, so haben wir hiemit alles, was wir brauchen, um auch eine individuelle Be= seelung derselben annehmen zu können.

Jene Argumentation gegen die Seele der Pflanzen ist in einer populär gehaltenen Schrift vorgetragen, muß also wohl dem Verfasser als besonders einleuchtend und am meisten auf der Hand liegend erschienen sein. Nun ist nicht zu bezweifeln, daß sie bei der philosophischen Durchbildung des Ver= fassers auch noch mit tiefern philosophischen Ansichten desselben zusammen= hängt, die sich hier nicht im Zusammenhange anführen und also auch nicht bestreiten lassen; aber kann er es uns verdenken, wenn wir uns nun doch lieber in solchen Dingen auf die einfachsten, natürlichsten, nur freilich etwas umsichtigern Schlußweisen verlassen als auf philosophische Begründungen, die eine solche Argumentation als die faßlichste und schlagendste zur Frucht haben? Da es ein Mann von Geist ist, von dem sie herrührt, kann in der Tat der Grund, daß sie nicht triftiger ausgefallen, nur von einer tieferliegenden Untriftigkeit abhängen; sie muß aber freilich für eine gute gelten, und ist wahrlich nicht schlimmer, als man sie allenthalben findet, so lange die untriftige Voraussetzung von der Erde Tode alles mit töten, was daran hängt und nicht ähnlich aussieht wie der Mensch, dem freilich sein Leben zuletzt noch lieber als seine Konsequenz, da er sonst demselben Tode verfallen müßte.

Woher kommt zuletzt die philosophische Seelenlosigkeit der Pflanze wie der Erde? Aus folgender Grundansicht: Die Idee soll sich erst stufenweise aus der unbewußten Natur unter Bewältigung des mechanischen Prozesses zum Bewußtsein losringen und endlich im Menschen in selbstbewußten Geist überschlagen; da bedarf es erst einer mechanisch toten Natur und dann noch eines toten, d. h. seelenlosen Lebensprozesses als Stufen der Erhebung dazu. Nach dieser philosophischen Ansicht konstruiert man dann die Natur, legt sie zurecht; wo not beiseit; tut man es nicht wirklich? Ist Obiges nicht ein Beispiel, daß und wie man es tut? Und kommt dabei auf Schlüsse und Widersprüche wie die vorigen. Wäre es aber nicht besser, die

Ansicht umgekehrt aus der Natur zu konstruieren? So käme man wohl
auch auf Betrachtungen wie die unsrigen. Zwar auch die philosophische tut
es wenigstens im Stillen; aber nach welchem Prinzip? Nach diesem: Alles
nach Maßgabe weniger bewußt in der Natur zu halten, als es dem Menschen
weniger äußerlich, ich sage äußerlich, ähnlich ist; und nun versteht es
sich freilich von selbst, daß man nicht über den Menschen hinaus mit dem
Bewußtsein kommt, weil die Erde und Welt dem Menschen äußerlich ganz
unähnlich aussieht; und nicht zu tief unter den Menschen hinabkommt,
weil die Pflanzen ihm wieder äußerlich sehr unähnlich werden; und da man
wirklich weder in der Erde noch den Pflanzen Bewußtsein sieht, so sieht
das ja ganz aus wie Gewinn oder Bestätigung der Ansicht durch Erfahrung,
indes freilich die Erfahrung noch weiter geht und sagt, daß niemand
irgends Seele, Bewußtsein sieht, außer jeder in sich das, womit er selber
sieht. Wirklich kann die Ansicht nur aus jenem Anhalt an die handgreifliche
Ähnlichkeit, die in ganz äußerlichen Verhältnissen ruht, und dieser halb
aufgefaßten Tatsache erwachsen sein, weil nur sie sich danach wiederfinden
lassen. Aus solchem a posteriori hat sich ganz unbewußt das a priori dieser
philosophischen Grundansicht über Natur und Geist gebildet, die freilich nicht
die jetzt allein geltende, doch jetzt weit vorherrschende ist. Von den Gesichts=
punkten höhern Zusammenhanges, höherer Teleologie, die sich uns, im Gange
durch die Natur selbst, auf jedem Schritte um so mehr darboten, je höher
hinauf, je weiter im Umkreis wir den Blick streifen ließen, doch eben nur
aus dem Gesichtspunkte oder in bezug zu dem Gesichtspunkte darboten, daß
hier die äußere Erscheinung eines im ganzen der Natur, nicht bloß durch
uns, in uns, sich selbst erscheinenden Geistes zu suchen sei, davon kann dann
freilich in den Folgerungen dieser Grundansicht nichts zum Vorschein kommen,
weil sie eben selbst nicht erst daraus hervorgegangen. Oder was hätte man
für das reale Band, das sich uns zwischen allen irdischen Einzelnheiten in
einer vollen ganzen Erde, zwischen dem organischen und unorganischen
Gebiete in einer höhern Organisation der Erde, zwischen allen einzelnen
Bewußtseinsgebieten in einem höhern Bewußtsein aufgetan und noch ferner
auftun wird, anders als ein Band in Worten? Durch solches verknüpft
man freilich alles; aber indem man im Schatten oder Spiegelbilde des
Fleisches das Tiefe zu ergreifen meint, versinkt das Fleisch. Alles geht
unter im Wort und Wortspiel einer Idee, die sich in der Natur äußerlich
geworden ist, von der niemand inmitten der Natur, ja niemand über sie
hinaus weiß, als wir mit unserm spät gebornen vereinzelten Bewußtsein;
damit erklärt, ersetzt, versteckt man sich selber alles, damit entkräftet man
die Kraft der Natur und entgeistet den Geist der Natur, damit wirft man
Gott aus der Natur, die Natur aus Gott heraus; damit macht man die
Unwissenheit zum Lehrer des Bewußtseins, den Menschen zum wissenden Gott
und seinen Dünkel zum König; es ist ein blasses, von sich selbst nichts
wissendes Gespenst, statt des lebendigen göttlichen Geistes, das als Idee im
Totenreiche der Natur noch umgeht und an ihr einstiges Gewesensein in
Gott erinnert, oder gar ihn unbewußt erst vorbedeutet. Ein schwüler Nebel
hat sich damit über die Natur gelegt, darin die philosophische Leuchte einen
weiten Schein verbreitet, und die Sonne selber ist verdeckt. Das Licht des

Bewußtseins über dem menschlichen vermag nicht durchzuleuchten, und der Fortschritt der Naturforschung verwandelt sich in einen irren Kreis, oder würde sich darein verwandeln, wenn die Naturforscher durch den Schein jener Leuchte sich wirklich verlocken ließen. Aber, obwohl sie noch unter demselben Nebel gehen, sie gehen abseits mit prüfendem Schritt und prüfender Hand, und wenn einst der Nebel weichen wird, so werden sie dann um so leichter das in höherm Licht Erblickte zu deuten wissen, wie der operierte Blinde das, was er aus der Ferne sieht, nur deuten lernen kann nach dem, was er erst in der Nähe gefühlt. Dann wird man sich wundern, wie doch so viele jenem Scheine so lange folgen konnten.

Zuletzt ist alles Erbschaft von Hegel. Wie, sagt man, von Hegel? War nicht die Ansicht von dem Tode der Erde und dem toten Leben der Pflanzen längst schon die gemeine Ansicht? Ja wirklich nichts als die gemeine Ansicht ist uns in philosophischem Gewande wiedergeboren; leider aber nun ohne alle die Heilmittel gegen ihre Konsequenzen, welche die gemeine noch glücklicherweise durch ihre eignen Inkonsequenzen hat. Diese Inkonsequenzen der gemeinen Ansicht sind aber die Konsequenzen der unsern.

In gewisser Weise verhält sich, so dünkt mich, unsere Ansicht, welche die Erde selbst für das Hauptseelenwesen erklärt und alles unser Leben sich um das ihrige drehen läßt, in Abhängigkeit davon, zur gewöhnlichen Ansicht, welche umgekehrt in dem Menschen das Hauptseelenwesen erkennt und alles Geschehen der Erde sich um ihn drehen läßt, wie die Koper= nikanische Weltansicht, welche die Planeten, die kleinen Ausgeburten der Sonne, sich um die Sonne drehen läßt, zur Ptolemäischen, welche die große Sonne sich um die kleine Ausgeburt, die Erde, drehen läßt.

Es ist wahr, die Ptolemäische Ansicht liegt uns näher, wie es jedem Wesen überhaupt am nächsten liegt, sich selbst als Mittelpunkt des Ganzen zu fühlen, und es hat manch Jahrtausend und anfangs bitteres Wider= streben gekostet, um den Gedanken, den großen Schritt durchsetzen zu lassen, der ihn aus der peripherischen Verwickelung, in der unsre Wirk= lichkeit befangen ist, ins klare und wahre Zentrum dieser Wirklichkeit versetzt hat. Denn schien sich nicht alles zu verkehren bei diesem Schritt, der Augenschein seine Kraft zu verlieren; was ordnend und regelnd über unsern Häuptern ging, zu erstarren, was fest und sicher unter unsern Füßen war, zu wanken, sich zu drehen? Wer konnte sich noch zurecht finden, wer halten in dem Umsturz? Der ganze alte Himmel schien ja kopfüber zu fallen. Und doch, nachdem der Schritt gelungen ist, der Mensch einheimisch geworden ist auf dem neuen Standpunkt, liegt das ganze Weltsystem klarer, schöner, geordneter, in sich gerundeter und gegründeter, vernünftiger, würdiger vor uns. Nicht bloß die irdische Ordnung, auch die Gründe der irdischen Ordnung in einer himmlischen,

nicht bloß Regeln, welche die Zeit binden, auch ein ewiges Band der
Regeln gibt sich kund, und das Auge fängt an, Sterne zu finden, ehe
es sie noch sah.

Ähnlich, wenn wir uns zu dem nicht minder großen, nicht minder
bedenklich erscheinenden, nicht minder scheinbar alles verkehrenden Schritt
entschließen, den Seelenschwerpunkt des Irdischen nicht mehr in uns,
sondern in der Erde, wie den des Ganzen in Gott, zu suchen, oder vielmehr jenen in dem System, das die Erde mit uns in eins bildet, wie
ja auch der Schwerpunkt des Sonnensystems nicht eigentlich in der von
den Planeten abgesondert gedachten Sonne, sondern dem System zu
suchen, das sie mit den Planeten in eins bildet.

Dabei mag es immer geschehen, daß, wie wir im alltäglichen Leben
die Sonne immer noch um die Erde gehend denken, so auch Mensch und
Erde im alltäglichen Leben noch im hergebrachten Verhältnis denken
dürfen. Wo es sich nur um Naheliegendes handelt, wird diese Vorstellungsweise stets die beste, weil eben die nächstliegende sein. Aber
anders, wo Forderungen über die Bedürfnisse des Tages hinausgehen
und aus oberem Gesichtspunkte die Bedürfnisse vieler Tage im Zusammenhange befriedigt werden sollen.

Wird nicht auch folgendes hier Anwendung finden, was man von
Kopernikus gesagt hat?

„Vor allem müssen wir bedenken, daß Kopernikus nicht bloß wissenschaftlichen Autoritäten gegenübertrat, sondern zugleich einem Glauben, der
durch die Kirche geheiligt nach allen Seiten hin mit dem Gemüte und der
Vorstellungsweise aller einzelnen verwachsen war. Es handelte sich hier
nicht bloß um Einführung einer neuen astronomischen Hypothese, sondern es
galt einen Kampf mit den Schranken der bisherigen Denkweise überhaupt.
Wie sollten wir uns daher über die Angriffe wundern, die das System des
Kopernikus von allen Seiten her erfahren mußte. Selbst Melanchthon, der
sonst so Versöhnliche, schrieb, als die Kunde von der neuen Weltansicht sich
allgemeiner zu verbreiten anfing, an einen Freund, daß man die Obrigkeit
bewegen müsse, eine so böse und gottlose Meinung mit allen ihr zu Gebote
stehenden Mitteln zu unterdrücken." (Schaller, Briefe S. 885 f.)

Der rohen Betrachtung drängt sich freilich bei unsrer Frage gleich
wieder, wie bei der Frage nach der Pflanzenseele, auf, daß die Erde doch
kein im ganzen ähnlich eingerichtetes Nervensystem hat, nicht im ganzen
läuft, schreit, frißt und andres dergleichen hat und tut wie wir und
die Tiere, an welchen äußerlichen groben Handhaben wir die Seele
fassen zu können meinen, indes wir doch nur eine besondere Art Gefäß
derselben damit fassen und nichts hindert, daß es auch Gefäße ohne
solche Henkel gebe.

Soll ich nun nochmals ausführlich zeigen, wie ich es in meiner frühern Schrift getan, daß, wenn das Dasein solcher Merkmale freilich das Dasein einer menschlichen oder tierischen Seele beweisen kann, ihre Abwesenheit auch eben nichts weiter als die Abwesenheit einer menschlichen und tierischen Seele beweisen kann, aber nicht die Abwesenheit einer Seele überhaupt, nicht einmal einer niedern, geschweige einer höhern? Und wer wird sich auf den beschränkten Standpunkt stellen wollen, zu glauben, daß es in der ganzen Welt nur menschliche und tierische Seelen geben könne? Gibt es aber noch anders geartete, gibt es namentlich noch höher geartete Seelen als menschliche und tierische, so muß es auch noch anders- und höhergeartete Weisen und Mittel für dieselben geben, sich äußerlich darzustellen, als jene, die nun eben nur für menschliche und tierische Seelen charakteristisch sind. Und wollen wir solche Seelen suchen, so gilt es nicht, sie nach solchen besondern Merkmalen aufzusuchen, sondern nach allgemeinern, nach solchen, die auf das gehen, was unangesehen aller menschlichen und tierischen Besonderheiten die menschliche und tierische Seele selbst zur Seele macht, die mit dem eigensten Wesen der Seele zusammenhängen, die wir nicht fehlend denken könnten, ohne daß das Wirken der Seele im Leiblichen sich ihrer eigensten Natur nach verleugnen müßte. Dergleichen aber liegen nicht im Dasein eines Nervensystems von menschlicher und tierischer Einrichtung, sondern in allgemeinern Charakteren, wie den eingangs angeführten, die nun eben alle der Erde in höherm Sinne als uns selbst zukommen.

Freilich der Anatom und Physiolog möchte gern ein einzelnes handgreifliches Reagens für das Dasein einer Seele haben. Wie der Chemiker das Dasein oder die Abwesenheit von Eisen in einer Flüssigkeit am Erscheinen oder Nichterscheinen einer blauen Färbung bei chemischer Behandlung der Flüssigkeit erkennt, so möchte der Anatom und Physiolog das Dasein oder Nichtdasein einer Seele eben so einfach am Erscheinen oder Nichterscheinen weißer Fäden bei der anatomischen Behandlung des Leibes erkannt wissen, als ob Seele im Körper und Körper im Körper suchen dasselbe wäre; und wo er solche Fäden nicht mehr sieht oder nicht mehr nach Analogie vermuten kann, da sieht und vermutet er auch keine Seele mehr. Doch hat kein Experiment ihm je für eine über das Tierreich hinausgehende Notwendigkeit der Nerven zur Seele irgend einen Beweis geben können, da sogar deren Dasein innerhalb des Tierreichs für viele niedere Geschöpfe mehr als zweifelhaft ist, kein Experiment ihn je Seele überhaupt irgendwo und irgendwie sehen lassen, also auch keins irgendwo und irgendwie sie leugnen lassen können. Ja es ist überall nicht sein Fach, sie zu suchen, oder zu leugnen; denn sein Gebiet ist der Körper. Wo er auch Seele in andern Körpern als in seinem eigenen annimmt, da entlehnt er die Annahme, erfahren hat er nichts davon; und auf welcher Erfahrung könnte er fußen, wenn er dieser Annahme dann Grenzen setzt? Es ist nur eine neue Annahme, eine Annahme der Gewohnheit; doch er verwechselt Gewohnheit und Erfahrung.

Ja müßten wir, was das Nervensystem nach seiner Materie, Form und Fügung in uns selbst so tauglich macht, zu Diensten der Seele zu stehen, fände sich, daß es wirklich etwas ist, was nur eben Nerven der Seele leisten können, so hätten wir Recht, ihre und der Seele Abwesenheit zu identifizieren; nun aber ist für uns ganz und gar unerklärt, was den fadenförmigen Nerven und dem unzentrierten Gehirn jene so wichtige Bedeutung für unsre eigne Seele gibt, es bleibt für uns ganz rätselhaft, ja unbegreiflich; wie können wir also eine notwendige Bedingung aller Seele in ihnen sehen, da wir nicht einmal begreifen können, wiefern sie eine solche für die unsrige sind? Und wenn wir uns mühen, es zu begreifen, kommen wir immer darauf: sie sind es dadurch, daß sie doch erfahrungsmäßig, denn kein Schluß könnte es uns lehren, jene allgemeinen wesentlichen Beziehungen, Verknüpfungen im Leiblichen vermitteln, die wir als wahrhaft charakteristisch für das Seelendasein halten; können aber diese wesentlichen Punkte auch ohne eiweißartige Stränge und Gehirnklumpen vorkommen, warum wollen wir solche zum Seelendasein noch fordern? Das heißt nicht, den Leib durch das Band der Seele, sondern die Seele durch leibliche Stricke binden.

Ich trage hierbei gelegentlich etwas zu Nanna nach, was doch auch für unsre jetzigen Betrachtungen nicht ohne Belang ist.

In Nanna (S. 38) sagte ich: Wenn eine Flöte ohne Saiten Töne geben kann, welche eine Violine nur mit Saiten geben kann, so ist kein Hindernis zu glauben, daß auch eine Pflanze ohne Nerven Empfindungen geben kann, welche ein Tier nur mit Nerven geben kann; denn was von objektiver Erregung, kann ebensogut von subjektiver Entstehung der Empfindung gelten; es gilt für die eine keine andre Logik als für die andre. Nun will ich erinnern, daß man eine Bestätigung hiervon schon im Tierreich selbst finden kann, die mir damals noch nicht zu Gebote stand. Früher glaubte man, wenn die Polypen, Infusorien und manche Eingeweidewürmer empfinden, hänge dies am Dasein von Nerven, die man nur noch nicht aufzufinden gewußt. Jetzt, nach neuern Untersuchungen von Dujardin und Ecker, ist man wohl so ziemlich allgemein überzeugt, daß sie wirklich keine Nerven haben, weil sie zugleich auch keine Muskeln haben; denn beides findet man immer beieinander. Sie haben statt Nerven und

Muskeln nur ein lückiges oder maschiges kontraktiles Gewebe, das die Funktion von Nerven und Muskeln verbindet. Ja es ist der Konnex von Nerven und Muskeln überall so wesentlich, daß man selbst bei menschlichen Mißgeburten Muskeln und Nerven einer Gliedmaße stets gleichzeitig fehlend findet. Hier sieht man recht deutlich, wie bei einem andern als dem gewöhnlichen Organisationsplane Empfindung auch ohne Nerven möglich ist. Oder will man lieber nun den Polypen und Infusorien Empfindung absprechen? Das wird man nicht; man wird den Schluß, obwohl nicht die Schlußweise ändern. Auch was ein kontraktiles Gewebe hat, kann nun empfinden; nur nichts weiter. Ich meine aber, ein höherer Blick sieht hier eine höhere Erweiterung. Wenn es Wesen gibt, die nur mittels Nerven, und andre, die wieder nur mittels eines kontraktilen Gewebes empfinden können, so wird es überhaupt nicht wesentlich darauf ankommen, ob Nerv, ob kontraktiles Gewebe; sondern auf etwas, was beiden Mitteln gemein; so lange man aber nicht weiß, was das ist, kann es auch noch einer großen Menge andrer Mittel gemein sein, die von Nerv und kontraktilem Gewebe so verschieden oder noch verschiedener aussehen als diese unter sich.

Nun fehlt aber noch überdies der Erde nicht einmal ein Nerven= system, nicht Fleisch, nicht Blut, nicht Laufen, Schreien, Fressen; es kommt ihr alles auch mit zu, indem die Menschen und Tiere ihr selbst mit zukommen. Nur daß die einzelnen Gehirne der Menschen und Tiere im ganzen nicht wieder ein menschliches oder tierisches Gehirn bilden, die Beine im ganzen nicht wieder ein Bein, die Stimmen im ganzen nicht wieder eine einzige Stimme usw. Aber bilden denn in uns die Nervenfasern im ganzen wieder eine Nervenfaser? Nein, sie bilden eben ein Gehirn oder Nervensystem, eine komplexe Zusammenordnung von vielen Nervenfasern, die im Zusammenhange des ganzen Leibes etwas ganz andres, nach höherm allgemeinern Prinzip Wirkendes, in höherm Sinne Einiges ist als alle einzelnen Nervenfasern für sich. Nun eben so bilden auch die menschlichen Gehirne im Zusammenhange des ganzen irdischen Gebietes etwas ganz andres als ein Gehirn, etwas nach höherm, allgemeinern Prinzip Wirkendes, höher Bedeutendes, in höherm Sinne Einiges als alle einzelnen Menschengehirne. Bilden doch auch, um ein früheres Bild hier eingreifen zu lassen, die einzelnen Buchstaben oder Worte, die wir aussprechen oder schreiben, nicht wieder einen Buchstaben oder ein Wort, sondern eine Rede von viel höherm Sinne, viel größerer Bedeutung, als der Buchstabe, das Wort hat. Nicht anders wird es mit dem Sinn sein, welcher der Verknüpfung unsrer Gehirne inwohnt, nur daß wir einzelne diesen höhern Sinn nicht lesen können, da wir viel= mehr selbst darein eingehen.

Daß die gesamte Gehirnmasse, welche auf der Erde existiert, nicht

eine einzige zusammenhängende kompakte Masse bildet, sondern in Partien,
d. s. die einzelnen Menschen= und Tiergehirne, geteilt und jedes davon
mit seinen besonderen Sinnesorganen versehen ist, hat seine sehr wichtige
teleologische Bedeutung, die nun eben auf alles andre eher hinzielt, als
ein zertrenntes Wesen aus der Erde zu machen. Jede Partie vermag
nämlich solchergestalt sich zum Zentrum besonders gearteter Einwirkungen
zu machen und diesen auf das Passendste darzubieten, und die freie
Beweglichkeit unsrer Gehirne kommt dem zu Hilfe. Hätten alle Gehirne
der Erde in einen Klumpen, alle Augen in ein oder zwei Augen
vereinigt und durch Nerven fest verknüpft werden sollen, damit das
Ganze ganz wie ein Mensch aussehe, so hätte die Erde viel weniger
allseitige und mannigfaltige Eindrücke aufnehmen, sich mit viel weniger
innerer Freiheit behaben können, als es jetzt der Fall ist. Wenn wir
doch glauben müssen, daß die Freiheit unsrer Gedanken selbst mit einer
entsprechenden Freiheit von Bewegungen in unserm Gehirn zusammen=
hängt, so können wir eine geistige Freiheit höherer Art an die der Bande
doch nicht ledige Freiheit geknüpft halten, mit der die ganzen Gehirne
gegen einander bewegt werden. Es geschehen nicht bloß freie Bewegungen
in unserm Gehirne, sondern unsre Gehirne werden selbst in freien Be=
wegungen im höhern Ganzen der Erde umhergeführt; und die Veran=
lassungen dazu liegen größtenteils in Wechselbeziehungen dieser Gehirne,
die in sie selbst eingreifen.

Einen andern teleologischen Grund der Zerfällung der Gehirnmasse
und der Sinneswerkzeuge der Erde in Partien kann man darin suchen,
daß solchergestalt die Verletzung der einzelnen unschädlicher für das
Ganze wird.

Es sind dieselben Gründe, die uns statt eines Auges, eines Ohres,
einer Gehirnhälfte zwei gegeben und den Augen eine gewisse Beweglich=
keit verliehen haben. Nur daß sie bei der Erde nach viel höherm Maß=
stabe in viel höherm Sinn gewaltet haben. Sehen wir aber etwa mit
zwei Augen, denken wir mit zwei Gehirnhälften weniger in Eins, als
wenn wir bloß ein Auge, eine Gehirnhälfte hätten? Warum es bei der
Erde voraussetzen?

„Im Grunde (so lese ich in der Schrift eines gründlichen Natur=
forschers) besteht ja auch das Gehirn und Rückenmark aus vielen einzelnen,
nur durch Nervenfäden in Verbindung gesetzten Zentralorganen, denn wenn
man einen Frosch z. B. der Quere nach in drei Stücke teilt, so kommen
in jedem einzelnen noch Tätigkeiten vor, welche die Wirksamkeit eines
Zentralorgans unwiderleglich dartun. Aber freilich werden die drei Stücke
keine unter sich harmonierenden Bewegungen ausführen, auch dann nicht,

wenn man, statt den Frosch in mehrere Stücke zu teilen, nur das Rücken=
mark an mehreren Stellen zuvor durchschneidet. — Man wird also an=
nehmen müssen, daß Gehirn und Rückenmark aus mehreren Zentralorganen
bestehen, deren jedes für sich und bis zu gewissem Grade unabhängig von
den übrigen seiner spezifischen Tätigkeit vorsteht, daß aber alle diese Zen=
tralorgane durch die Faserverbindung, welche sie zusammenhält, zu einem
Zentralorgan höherer Potenz werden." (Volkmanns Hämodynamik S. 895.)

Warum soll, was von den verschiedenen Teilen des Gehirns gilt, nicht
in noch höherer Potenz von den verschiedenen Gehirnen selbst gelten? Statt
Faserverbindungen haben wir alle die Verbindungen, welche den menschlichen
Verkehr vermitteln, von dem es ja faktisch ist, daß sie geistige Beziehungen
vermitteln, deren unmittelbares Bewußtsein freilich nur eben in den höhern
Geist fallen kann. Die höhere Verknüpfung geschieht nur mittels anderer
Mittel als die niedrigere.

Es scheint mir, daß man manchmal in einen eignen Widerspruch
gerät. Wenn ich sage: das Gehirn ist das Hauptorgan der Seele im
Menschen und jeder Gedanke wird von einer Bewegung im Gehirn
getragen; so sagt man etwa, um den Geist recht hoch über die Materie
zu erheben: wie kann die Freiheit des Gedankens sich an die Bahnen,
die im Gehirn gezogen sind, halten; da sieht man nichts als feste Fasern
in ein für allemal bestimmter Lage. Umgekehrt fragt man, wenn ich
der Erde eine einige Seele zuspreche, wo sie doch ein ähnliches in sich
festgebundenes Organ wie das Gehirn habe, und vermißt, da die Menschen
frei untereinander herumlaufen, nicht aneinander gebunden sind, wie
die Gehirnfasern, den Ausdruck des einigenden Bandes ihrer Seelen.
Man hat beidenfalls Unrecht. Auf den Straßen des Gehirns sind doch
so freie Bewegungen als auf den Straßen eines Landes möglich, die
ja auch fest liegen, und so frei die einzelnen Menschen sich zwischen=
und gegeneinander bewegen, sind sie doch im Ganzen ihren Anlagen,
ihrer Entwicklung und dem Ineinandergreifen ihrer Tätigkeiten nach
so gut gebunden, als es irgendwie das, was in unserm Gehirn geht,
sein kann.

Leicht irren wir auch darin, daß wir die sorgfältig in sich ver=
schlungene Ausarbeitung unsers Gehirns als Ausdruck oder Bedingung
der verknüpfenden Einheit unsers Bewußtseins ansehen, da sie doch nur
der hohen, obwohl immer der der ganzen Erde untergeordnet bleibenden
Entwicklung unsers Geistes zum Ausdruck oder zur Vermittlung
dient. Käme es auf nichts an, als die Einheit unsers Geistes in Gefühl
oder Bewußtsein leiblicherseits zu bedingen oder zu tragen, so bedürfte
es gar keiner sorgfältigen oder verwickelten Anstalten. Das Infusorium,
der Polyp, der Wurm, das Insekt fühlen bei ihrem einfachern rohern

Bau ihren zerstreuten oder fehlenden Nervenzentren das, was sie einmal fühlen, gewiß so gut als Bestimmung derselben Seele wie wir, aber sie fühlen nicht so Hohes, Reiches, Verwickeltes und Entwickeltes wie wir; ihre Seeleneinheit gliedert sich nicht in so mannigfaltige, durch- und übereinandergreifende, sich spiegelnde und wiederspiegelnde individuell-geartete Momente und Bezüge wie die unsre. Alles in der Welt ist ohne besondere Anstalten in der Einheit des göttlichen Bewußtseins verbunden, die Einheit oder Verknüpfung des Bewußtseins ist überhaupt eine allgemeine, an den ganzen Naturzusammenhang geknüpfte, göttliche Tatsache, in welchen Zusammenhang Licht und Luft, Wasser und Feuer, mit ihren bezugsreichen Kräften, so gut eingehen wie alles Organische, und wozu es weder der Nerven, noch eines Nervenzusammenhanges bedarf. Wir müßten einen in der Natur allgegenwärtigen und allwissenden Gott leugnen, um es zu leugnen. Was sich nicht für sich in eine selbst-bewußte Sphäre zusammenfaßt, und auch in unsrem Leibe tut es nicht der einzelne Knochen, nicht der einzelne Muskel, nicht die einzelne Nerven-faser für sich, das geht doch ein in eine solche Sphäre. Es fragt sich also überall nicht, wo Bewußtsein angeht und aufhört, kommt überall nicht darauf an, Bewußtes und Bewußtloses grundwesentlich zu scheiden, da im Zusammenhange alles beiträgt, Bewußtes zu bilden, sondern höhere und niedere Bewußtseinssphären und diese von einander zu unter-scheiden, und was niedern Bewußtseinssphären äußerlich und hiermit fremd erscheint, trägt doch bei, sie in einer höhern Bewußtseinssphäre zu verknüpfen.

So mögen nun immerhin zwischen unsern Gehirnen die Nerven-fasern fehlen, die wir noch zwischen den Ganglien der Insekten wahr-nehmen. Sie sind zur Bewußtseinsverknüpfung an sich nicht nötig; der allgemeine Naturzusammenhang reicht dazu allein schon hin. Wäre es freilich nur der allgemeinste Naturzusammenhang, der hier vorläge, so wäre es auch nur das allgemeinste göttliche Bewußtsein, was die Ver-knüpfung unsrer Geister begründete; aber da das irdische System, in dem sich unsre Gehirne verknüpfen, den andern Weltkörpern in jeder Hinsicht noch individueller gegenüber steht als unser Körper, in dem sich unsre Nervenfasern verknüpfen, andern irdischen Körpern, so wird auch der Geist, in dem sich unsre Geister verknüpfen, den andern himmlischen Geistern noch individueller gegenübergestellt sein. Die hohe Entwicklung aber, die unsre Geister mit Bezug auf die Verwicklung ihrer Gehirne gewinnen, kommt dann natürlich dem höhern Geist in noch höherm Sinne zu; da sein Leib eine Verwicklung aller dieſer Gehirne durch noch andere Mittel als Gehirn- und Nervenmaſſe enthält.

Man ſagt etwa: aber wieviel Aufwand feiner innerer Konſtruktion bedurfte es in unſern Sinnesorganen und unſerm Gehirne, um nur die einfachſten ſinnlichen 'Empfindungen, und dann den Gang unſers ver=nünftigen Denkens leiblicherſeits zu begründen; und doch ſollte das bloße rohe Einſchieben des Unorganiſchen zwiſchen uns und die andern Orga=nismen die Erde zu einem geiſtig noch viel höher befähigten Weſen machen, als wir ſelber ſind?

Nun freilich das Unorganiſche außer uns für ſich könnte nicht ein geiſtiges Mehr oder Höher für die Erde geben, als das Organiſche in uns für ſich gibt, ſo wenig Leinewand und Farben zwiſchen den Figuren eines Gemäldes für ſich etwas geiſtig Bedeutenderes geben können, als die Figuren für ſich; aber ein andres iſt es mit dem Zuſammenhange des einen durch das andre, einem Zuſammenhange der, wie wir wiſſen, nicht beiläufig, loſe und roh, ſondern im Urgrunde des irdiſchen Reiches bedingt, innig und nach allen Beziehungen durchgreifend und zweckmäßig iſt. Hüten wir uns nur, in jene ſcheidende Betrachtung des Organiſchen vom Unorganiſchen und hiermit jene erniedrigende Betrachtung des letztern zurückzufallen, die uns leider ſo geläufig iſt, als könne das Unorganiſche bloß unterbrechend für das Organiſche wirken, da es viel=mehr deſſen Bindemittel zu einem höhern Organiſchen iſt und in dieſer Bindung gar nicht mehr den Charakter trägt, den wir gewöhnlich daran knüpfen, indem wir es außer dieſem Zuſammenhange betrachten.

Eine Eiſenbahn, im Zuſammenhange des menſchlichen Verkehrs und als Vermittlung desſelben betrachtet, iſt doch noch etwas andres als eine Eiſenſchiene nach ihren Kohäſions= und Dichtigkeitsverhältniſſen für ſich oder nur wieder zu andern Schienen betrachtet, eben wie ein Stück Nervenbahn, im Zuſammenhange unſers innern leiblichen Verkehrs und als Vermittelung desſelben betrachtet, etwas ganz anders iſt als ein Stück Nervenfaſer, nach ſeinen Kohäſions= und Dichtigkeitsverhältniſſen für ſich oder in Verhältnis zu andern Nervenfäden betrachtet. Die Nervenfaſer bedeutet nun bloß inſofern etwas mehr als eine Eiweißfaſer, als Bewegungen drauf gehen, die Träger von etwas Geiſtigem ſind, und ſo bedeutet auch die Eiſenbahn nur inſofern etwas mehr als eine Eiſenſchiene, als Menſchen drauf fahren, die etwas Geiſtiges tragen. Aber es müſſen doch Bahnen da ſein hier und dort zum drauf gehen, drauf fahren, ſoll ein höherer Verkehr, ja ein Verkehr überhaupt ſtattfinden. Laß alle Straßen zwiſchen zwei Städten wegfallen, und die Städte fallen bezugslos auseinander, wie Auge und Ohr bezugslos auseinanderfallen würden, wenn alle Nerven= und Aderbahnen dazwischen wegfielen. Nerven= und Aderbahnen sind aber auch, einzeln betrachtet, etwas viel Einfacheres als Auge und Ohr selbst, doch geht aus ihrer Verbindung mit den verwickelten Organen ein höheres Ganze hervor; ja das Höhere wird vielmehr durch die Verbindung als das Verbundene begründet, und sehen wir näher zu, so bildet der vielfache Komplex der verknüpfenden Nerven= und Aderbahnen doch im ganzen Zusammenschluß (als Gehirn) sogar eine noch höhere Verwicklung, als in den dadurch verknüpften Organen selbst zu finden, wie näher betrachtet das Kreuzen und Verweben der nur viel freiern Bahnen der menschlichen Tätigkeit an der Oberfläche der Erde eine noch höhere Verwicklung gibt, als sie in den Menschen selbst zu finden.

Wir können das Paradoxon, daß an dem scheinbar Einfachsten, Rohsten, als bindendem Mittelglied, gerade die höchste Höhe des Geistigen hängt, solchergestalt in unserm eignen Leibe bestätigt finden; und was wir draußen in dieser Hinsicht sehen, nur als eine Steigerung des in uns gültigen Prinzips ansehen, welche durch die größere Höhe des höhern Wesens über uns gefordert wird. Nichts scheint dem rohen Blick roher und ist seinen Elementen nach wirklich einfacher als das Gehirn; es erscheint als eine gleichförmige, weiche, unorganisierte Masse; auch hielt man es früher nur für einen abkühlenden Schwamm des Blutes, im übrigen ganz träge. Der feinern Betrachtung aber eröffnen sich im Gehirn unzählige verknüpfende, sich kreuzende, obwohl nirgends in einen Mittelpunkt zusammengehende Bahnen für alles, was im Leibe wirkt und geht. Nicht nur Auge, Ohr, auch Zunge, Nase, Magen, Haut, Gliedmaßen, alles fiele bezuglos auseinander ohne diesen sein durch= furchten Klumpen. Nicht anders roh, als unsre einstige Betrachtung des Gehirns gewesen, ist noch heute unsre Betrachtung dessen, was das organische Leben an der Erdoberfläche bindet. Wir halten Luft und Meer und Land auch sozusagen nur für einen abkühlenden Klumpen in Verhältnis zum warmen Körper des organischen Lebens; doch ist Luft und Meer und Land durchfurcht von tausend Schallstrahlen, die Gedanken von Menschen zu Menschen tragen, von tausend Lichtstrahlen, die den Blick von Menschen zu Menschen tragen und die Menschen selbst in ihrem Verkehr leiten, von tausend festen Straßen und Kanälen, auf denen sich die Menschen selbst zueinander bewegen, von tausend Schiffen, die über das Meer gehen, von tausend Boten, Briefen und Büchern, die Gedanken in die weiteste Ferne tragen und zum Teil durch die längste

Zeit forterhalteu. Häuser, Kirchen, Städte, Denkmäler, tausend Werk=
zeuge des Verkehrs und der Erinnerung, die das menschliche Leben
zusammenhalten und ausbauen, entwickeln sich in demselben Bereiche, wie
im Laufe der Ausbildung des Menschen sich tausend Werkzeuge des
innern Verkehrs und der Erinnerung im Gehirn entwickeln mögen, die
wir freilich nicht so deutlich erblicken können, weil das Gehirn nicht so
ins Breite und Große vor uns ausgebreitet liegt wie die Erdoberfläche.
Und können wir wohl das Bewußtsein und die Bewußtseinsbezüge, die
sich an all das im Gehirn knüpfen, selber mehr sehen, als was wir davon
in der Außenwelt suchen, wenn wir das Gehirn nicht selber haben?

Wer kann nach allem leugnen, daß alles, was wir an der Erde
und dem Himmel betrachtet haben, sich auch anders deuten und zurecht=
legen läßt? Ich sage nur: wir werden keinen natürlichern, klarern, ein=
fachern, schlagendern, höhern Gesichtspunkt finden, unter den sich der
ganze Zusammenhang dessen, was wir auf Erden und im Himmel sehen,
bringen läßt, als der sich in dem Satze ausspricht: die Erde und ihre
Nachbarn sind individuell beseelte Geschöpfe Gottes wie wir, aber sind
höher beseelte Geschöpfe von höherer Stufe der Individualität und
Selbständigkeit.

Und nicht nur keinen klarern, sondern auch keinen schönern, so wahr
die Ausprägung höherer Geistigkeit in individueller Gestaltung zum Kern
und Wesen der Schönheit gehört. Nun kann uns die Erde schön
erscheinen wie ein Menschenleib, da sie Seele hat wie dieser. Was
aber von ihrer Schönheit hinaus reicht über unsre Faßlichkeit, das schlägt
nun über in Erhabenheit. Alles, was zerfallen und zerfahren erschien
in Natur= und Geisteswelt, oder ins Unbegrenzte zu zerfließen, ins
Unfaßliche zu zerblasen drohte, das bindet und rundet sich nun für den
Geist überschaulich und erfreulich in greiflicher Sphäre ab; und das
Begrenzte weist hinaus ins Unbegrenzte, alles Umgrenzende.

Und endlich keinen bessern; denn zu wissen, daß wir alle eines
Geistes sind, der Gottes ist, wird es uns allen erleichtern, daß wir nun
auch alle eines Geistes werden in solchem Sinne, daß der höhere und
der höchste Geist Friede in und mit uns habe. Doch hiervon künftig.

Und bennoch bleibt die ganze Ansicht Glaubenssache; nichts darin läßt
sich mit dem Finger zeigen; nichts mit einem, aber wohl mit allen.

———

Einige Argumente, die bisher mehr beiläufig berücksichtigt, als voll
entwickelt und ihrem Gewichte nach gewürdigt sind, sollen nun in den
drei folgenden Abschnitten noch etwas näher erwogen werden.

V. Die Erde, unsre Mutter.

Man sieht wohl mitunter, daß eine lebendige Mutter tote Kinder gebiert; kann aber auch eine tote Mutter lebendige Kinder gebären? Wer möchte es behaupten wollen? Und wer behauptet es nicht wirklich? Denn nennen wir nicht die Erde unsre Mutter und halten sie doch tot; und ist sie nicht wirklich unsre Mutter? Denn wo sind wir hergekommen?

Wir lachen des Glaubens so mancher Wilden, welche die Menschen ursprünglich aus Steinen entstehen lassen. Aber ist es ein Unterschied, ob wir sie aus einem großen Steine entstehen lassen, oder aus mehreren kleinen; ist das alles, was wir mehr wissen als sie? Halten wir nicht die Erde wirklich tot wie einen Stein und nennen sie doch unsre Mutter?

Wir würden meinen, man spotte unsrer, sollte man uns zumuten, die Kinderfabel im Ernst zu glauben, daß ein Berg ein Mäuslein gebar. Warum? Weil Totes nicht Lebendiges gebären kann. Aber die Fabel ist uns nur nicht unglaublich genug, um sie zu glauben, denn daß der tote Berg außer lebendigen Mäuslein auch lebendige Menschen gebar, glauben wir wie die Kinder.

Mich aber dünkt es natürlicher, die Mutter mindestens so lebendig, ja lebendiger zu halten als alle ihre Ausgeburten, weil sie nicht bloß eine, weil sie alle ausgebären konnte; ja, nachdem sies einmal getan, hat sie in wiederholten Geburten immer neue und immer lebendigere Geschöpfe ausgeboren; das sieht doch nicht aus, als wäre sie einst in den Wehen gestorben und hinter dem Gebornen tot zurück geblieben, wie sichs die vorstellen, die am meisten in die Tiefe zu gehen meinen und doch in der halben Tiefe bleiben. Ist es nicht aber ebenso wunderlich, zu glauben, daß des Menschen Mutter durch das Gebären sich in einen Stein verwandelte, als daß ein Stein des Menschen Mutter war?

Freilich, die größte Torheit erscheint zuletzt als die größte Weisheit, hat man sich einmal daran gewöhnt, umsomehr, wenn sie ganz unbegreiflich ist, und was in keiner Weise zu verstehen ist, wird gleich selbstverständlich gehalten wie das, was sich von selbst versteht. Und in Wahrheit, so töricht und unbegreiflich, und doch zugleich so fest und zuversichtlich ist der Glaube an die tote Mutter lebendiger Kinder,

daß man auf einen tiefen Grund dieser Torheit und dieser Festigkeit
schließen muß. Auch hat sie einen tiefen und sogar weisen Grund, der
sie freilich selbst nicht weiser macht; es ist zuletzt derselbe, der überhaupt
alle Torheiten hervortreibt und sie eine Zeitlang hält, um durch
Abarbeiten und endliches Abtun derselben eine höhere Weisheit und
Sicherheit der Weisheit zu gewinnen. Und je größer die Torheit, die
sich abarbeitet und endlich abtut, um so größer ist der Fortschritt und die
Festigkeit der Weisheit. Und so ist auch zu hoffen, daß, wenn einst die
Torheit von der toten Mutter lebendiger Kinder abgetan sein wird,
wir einen guten Schritt vorwärts sein werden in der lebendigen und
lebendig machenden Weisheit.

In der Tat, wo wäre ein Grund, ein Schluß, eine Erfahrung,
die uns wirklich glauben oder den Glauben rechtfertigen lassen könnte,
daß je Beseeltes anders als wieder von Beseeltem geboren werden könne;
ein Leib, der Seele einschließt, von einem Leibe, der keine einschließt?
Oder wie denkt man sichs? Die Erde war ein roher Materienball,
ohne Geist, ohne Seele, nur mit einem merkwürdigen Getriebe materieller
Kräfte. Infolge derselben entstanden eigentümliche Zusammensetzungen
von Materie, deren Produkt auf einmal die Seele. Aber wäre das
nicht der krasseste Materialismus, ist dergleichen nicht längst abgetan?
Und kann man sich ernstlich denken, daß es möglich, Seele durch bloße
neue Zusammensetzung von Materie zu machen? — Oder so: Die Erde
hatte freilich Seele, aber eine unbewußte, und zeugte nun aus diesem
Unbewußtsein die bewußten Seelen ihrer Geschöpfe. Nun haben freilich
ihre Geschöpfe Bewußtsein; sie aber hatte früher keines und hat noch
keins; es entstand erst mit den Geschöpfen und sie haben es jetzt. Entsteht
nicht auch in der Seele des Kindes Bewußtes aus Unbewußtem? —
Ja freilich; aber es macht hiermit eben die vorher unbewußte Seele
bewußt; das Bewußte verläßt die Seele nicht, aus der es geboren. Die
Bewußtseinsmomente, die ein Geist aus sich gebiert, bleiben sein und
machen eben sein bewußtes Leben aus. Kein Geist zerfällt in die
Bewußtseinsmomente, die er aus sich gebiert, obwohl er sich solche unterordnen kann. Es hieße dies also nur, die vorher unbewußte Seele der
Erde war mit Schöpfung ihrer Seelen bewußt geworden. So könnte
es vielleicht sein, ich will darum nicht streiten; aber das gäbe immer
eine jetzt bewußte Seele der Erde. — Oder so: Gott formte den Leib
des Menschen aus der Materie der Erde und setzte die Seele aus der
Fülle seines Geistes hinein. Aber ist das nicht noch heute so; wird
nicht noch heute der Leib des Kindes unter Zutun Gottes, der bei

allem zutut, aus irdischer Materie gebildet, und glauben wir nicht,
daß noch heute des Kindes Geist der Fülle des göttlichen Geistes ent-
quillt; aber bleibt der Satz darum heute weniger wahr, daß Beseeltes
nur von Beseeltem geboren wird; wenn er aber heute wahr bleibt, warum
soll er vor tausend oder millionen Jahren unwahr gewesen sein? Zuletzt
kommt alles aus Gott; aber überall muß man fragen: wie und aus
was und nach welcher Ordnung macht Gott das, was er macht? Und
so mag aller Geist aus dem Allgeist Gott kommen, aber nach ewigen
Gesetzen fließt er nur durch schon beseelte Kanäle von ihm in neue
Abzweigungen dieser Kanäle. Um nun in des Menschen Leib zu fließen,
mußte er erst durch den Leib der Erde fließen, denn das ist der große
Kanal, an dem der kleine Kanal seines Leibes hängt.

Freilich, die Umstände der ersten Schöpfung der Menschen- und
Tiergeschlechter waren anders als die der jetzigen Erzeugung und
Geburt. Es ist nur eine Analogie, die, wie jede Analogie, bloß bis zu
gewissen Grenzen trifft, wenn wir die erste Geburt des Menschen- und
Tiergeschlechts aus der Erde mit der jetzigen Geburt des Menschen
durch den Menschen, des Tieres durch das Tier vergleichen. Und in
diesem Falle fehlt sie sogar in sehr wichtigen Gleichungspunkten. Jetzt
gebiert jede Mutter nur Wesen, die einander und ihr selbst ungefähr
gleichartig an Körper und Seele sind; sie vermag nur sich selbst zu
wiederholen; mit ganz anderer Schöpferkraft hat die Erde aus sich
unzählige verschiedenartige Wesen geboren, die weder sie selbst, noch
einander in Leib und Seele wiederholen, obwohl immer durch Verhältnisse der Stufenfolge und Ergänzung und des zweckmäßigen Zusammenwirkens beweisen, daß ihre Schöpfung aus einigem Prinzip erfolgt ist.
Ein Tier wirft ferner seine Jungen; sie trennen sich von ihm. Aber
Menschen und Tiere werden nicht in ähnlicher Weise von der Erde
geworfen. Alle Menschen und Tiere hängen vielmehr fortgehends an
der Erde als selbsteigene Entwicklungsmomente derselben.

Aber schwächen diese Abweichungen unsern Schluß? Verstärken sie
ihn denn nicht vielmehr? Um eine Fülle des neuen Geistigen zu
produzieren, bedarf es ja doch einer gewaltigern, vollern, tiefer gegründeten
geistigen Schöpferkraft, als das einmal Erzeugte bloß zu wiederholen;
ja dies kann ohne allen geistigen Aufwand geschehen; und verläßt der
Leib des Menschen die Erde nicht ebenso, wie ein Junges den Mutterleib, so kann das eben nur den Unterschied bedingen und beweisen, daß
auch die Seele des Menschen den Muttergeist nicht ebenso verläßt, da
überhaupt nichts Geistiges den Geist verläßt, der es erzeugt hat. Auch

des Kindes Geist würde nicht den Geist der Mutter verlassen, wenn er wirklich aus ihm flösse; aber es bedarf mehr dazu als ihren Geist, einen neuen Menschengeist hervorzubringen, obwohl der ihre als äußerer Anlaß immer dabei nötig bleibt. Die Entwicklung der Menschen= und Tierseelen im irdischen Bereiche verhält sich also wie die Entwicklung neuerer geistiger Momente in uns selbst. Was immerhin diese geistigen Momente in uns leiblich tragen mag, verläßt ja auch den Leib nicht, der den ganzen Geist trägt.

Daß die Erde doch jetzt nicht mehr so wie früher neue Organismen zu erzeugen vermag, läßt sich in gewisser Weise damit vergleichen, daß die Sprache jetzt nicht mehr so wie früher neue Wortwurzeln zu erzeugen vermag. Nachdem einmal eine gewisse Anzahl Worte entstanden, ent= stehen alle neue nur noch als Kinder und Abänderungen der alten; wie jetzt alle neuen Geschöpfe. Wie sind die ersten Worte entstanden? Wir wissen es so wenig, als wie die ersten Geschöpfe. Das aber wissen wir, oder können wir sicher schließen, daß der Geist bei erster Schöpfung der Wortwurzeln nicht minder lebendig, nur nicht so hoch bewußt war als beim jetzigen Gebrauch in der Sprache, und daß er sich nicht an die Einzelheiten der Worte dahin gegeben, sich darin verloren und zerstreut hat, sondern daß es noch derselbe einige, ganze Geist ist, der jetzt in der Fortentwicklung und dem Gebrauche der Sprache fortwirkt, als der, der sich bei Bildung ihrer ersten Wurzeln betätigt hat. Und so wird es auch mit der Schöpfung der irdischen Seelen sein. Derselbe Geist, der sich bei ihrer Schöpfung betätigt hat, wirkt jetzt noch in der Fort= entwicklung und dem Gebrauche derselben fort.

Vergessen wir nicht, daß, indem wir den Geist der Erde als unsern Schöpfer betrachten, wir damit nicht ausschließen, daß Gottes Geist in höherm Sinne unser Schöpfer sei. Er ist es eben durch Vermittlung des Geistes der Erde, durch ihn zeugt er uns.

Es hindert daher auch nichts, dasselbe Argument, das wir für Beseelung der Erde geltend machen, in weiterer Ausdehnung für Beseelung der Welt durch Gott geltend zu machen. So ist es schon vorlängst von den Stoikern geschehen, wie Cicero (de nat. deor. L. II. c. 8) anführt.

Pergit idem (Zeno) et urget angustius: „Nihil“, inquit, „quod animi quodque rationis est expers, id generare ex se potest animantem compotemque rationis. Mundus autem generat animantes compotesque rationis. Animans est igitur mundus composque rationis.“ Idemque similitudine, ut saepe solet, rationem conclusit hoc modo: „Si ex oliva modulate canentes tibiae nascerentur: num dubitares, quin inesset in oliva tibicinii quaedam scientia? Quid, si platani fidiculas ferrent

numerose sonantes? idem scilicet censeres in platanis inesse musicam.
Cur igitur mundus non animans sapiensque judicetur, quum ex se
procreet animantes atque sapientes?"

Obwohl die Erde eigentlich unfre Mutter nicht in gemeinem
menschlichen Sinne heißen kann, kann sie es doch immer noch in einem
höhern, wie Gott, der uns durch ihre Vermittlung erzeugt, nicht in
gemeinem menschlichen Sinne unser Vater heißen kann, aber in einem
höhern. Der gemeine menschliche Vater, die gemeine menschliche Mutter
laſſen uns von ſich, der höhere himmliſche Vater, die höhere himmliſche
Mutter behalten uns immerdar in ſich. Ein neues Zeugen iſts nur
hinein in ſich ſelber, was uns in ihnen den Urſprung gibt, denn was
aus Gott kommt, das bleibt auch in Gott, und was die Erde trägt,
verläßt ſie nicht. Dein gemeiner Vater und deine gemeine Mutter, zu
denen du in einem äußerlichen Verhältnis ſtehſt, ſind nur die für dich
äußerlichen, für ſie aber innerlichen Werkzeuge dieſer Werkzeuge.

Einige Gedanken über die materiellen Gründe, welche bei Schöpfung
der organiſchen Weſen wirkſam geweſen, ſiehe in einem beſondern Anhange.

VI. Von den Engeln und höhern Geſchöpfen überhaupt.

Jedes Element hat ſonſt ſeine lebendigen beſeelten Geſchöpfe, die
eben auf dies Element in Bau und Lebensart eingerichtet ſind. Das
feſte Erdreich hat unten ſeine Würmer und Maulwürfe, oben ſeine
Schafe, Rinder, Menſchen, das Waſſer ſeine Krebſe und Fiſche, die Luft
ihre Schmetterlinge und Vögel. Aber das ſind alles Elemente, die noch
zur Erde ſelbſt gehören. Glaubt man, daß das himmliſche Äthermeer,
dieſes reinſte und feinſte, ſchönſte und klarſte, allgemeinſte, verbreitetſte
Element, deſſen Wellen das Licht ſind, worin die Erde ſelbſt ſchwimmt,
keine Geſchöpfe habe, die darauf eingerichtet ſind, darin zu leben? Wo
ſind ſie, wenn nicht die Weltkörper ſelber es ſind? Sie aber ſind
wirklich ganz auf ihr Element eingerichtet, wie der Fiſch auf das Waſſer,

der Vogel auf die Luft, als höhere Wesen im höhern Element auf höhere Weise zu einem höhern Leben eingerichtet, wie es freilich uns in unsrer niedern Weise des Seins nicht gleich ganz verständlich erscheinen will. Sie schwimmen darin ohne Flossen, sie fliegen darin ohne Flügel, getragen im halb geistigen Elemente von einer halb geistigen Kraft, wandeln darin, groß und ruhig, wie alles Erhabene groß und ruhig wandelt, suchen und laufen nicht ängstlich umher nach körperlicher Nahrung, begnügt mit dem Licht, das sie einander zusenden, drängen und . stoßen sich nicht, sondern ziehen einher in klarer Ordnung und einträchtiger Richtung, doch jedes dem leisesten Zuge des andern folgend, wir nennen es Störung, und es ist nur das feinste, immer neue, sich nie wiederholende Spiel ihres äußern Lebens, und entwickeln dabei, indem sie so äußerlich sich ganz einer ewigen und doch ewigen wechsels= vollen Ordnung fügen, innerlich die größte Freiheit, den unerschöpflichsten Reichtum geistiger und leiblicher Schöpfungen, Gestaltungen und Regungen, in deren Fluß die unsern selbst eingehen.

Hat man nicht von jeher gefabelt von Engeln, die im Lichte wohnen, und durch den Himmel fliegen, unbedürftig irdischer Speise und Trankes, Zwischenwesen zwischen Gott und uns, seinen Geboten reinste Folge leistend. Hier hat man Wesen, die im Lichte wohnen und durch den Himmel fliegen, unbedürftig irdischer Speise und Trankes, Zwischenwesen zwischen Gott und uns, seinen Geboten reinste Folge leistend. Und ist wirklich der Himmel das Haus der Engel, so können nur die Gestirne die Engel des Himmels sein, denn es gibt keine andern Bewohner des Himmels. Auch hält man sie nur deshalb nicht für Engel, weil sie nicht wie Menschen aussehen und keine Vogelflügel haben; sie sollen aussehen, wie sie der Maler malt; aber glaubt man denn, daß unsäglich viel höhere Wesen als der Mensch in einem unsäglich feinern Elemente gebaut und eingerichtet sein und sich benehmen können wie der Mensch, das kleine einseitige, auf die Erde geklebte Wesen?

Dennoch ist unsre Vorstellung von den Engeln noch so richtig und zutreffend, als sie nur immer bei dem Prinzip, sie ganz zu vermensch= lichen, sein kann.

Unser Mythus von den Engeln dünkt mir in der Tat wie ein kindliches Vorspiel, eine liebliche Ahnung, ein anthropomorphotisches Gleichnis für die wahre Lehre von den Engeln; es tritt nur in dieser alles, was man sonst sich selbst nicht getraute zu glauben und wider= sprechend fand mit all seinem Wissen, da man die Engel phantastisch und menschlich spielen ließ ohne Boden zwischen den Welten, jetzt auf einmal groß, gewaltig, festgegründet in den Kreis des Wirklichen, nichts abstreifend als die unwesentliche äußere Form. Die kleine Vorstellung erweitert sich riesenmäßig, indem wir die übermenschlichen Wesen nicht mehr in unserer menschlichen, sondern in ihrer übermenschlichen Weise des Seins selbst erfassen; aber die kindlichsten Züge gehen nicht verloren, sie werden nur zu den erhabensten Zügen.

Glaubte nicht jeder Mensch sonst seinen besondern Engel zu haben, der vor den andern allen ihm beigesellt sei, zur Vermittlung der göttlichen Sorge? Es hat auch jeder Mensch den seinen, der ihm vor allen andern Engeln nahe ist, sich ganz um ihn kümmert, alles, was der Mensch tut und denkt, vor Gott bringt und bei Gott vermittelt. Ja Gott ist noch barmherziger gewesen, auch jedem Tier, jeder Pflanze gab er einen Engel bei zur Vertretung bei ihm. Nur weil es der höhern Wesen nicht so viele gibt als der niedern Menschen, Tiere, Pflanzen, stellte er nicht neben jeden Menschen, jedes Tier, jede Pflanze einen besondern Engel, klein wie der Mensch, das Tier, die Pflanze selber, — müßten sich nicht auch die vielen Engel streiten, wie es die Menschen, Tiere, Pflanzen selbst genug schon tun, wenn jeder nur ein besondres Interesse verträte — sondern er stellte allen gemeinsam einen einzigen großen Engel vor, der all ihre Interessen in Zusammenhang bei ihm vertritt. Der ganze Himmel fliegt voll solcher Engel, deren jeder für eine andre Gesellschaft Wesen Gottes Sorge und Obhut übernimmt und vertritt. Ist das nicht eine viel bessere Einrichtung, als wir sie dachten?

Auch darin müssen wir unsre kindische Vorstellung ändern: wir meinen, der Engel gehe wie eine Wärterin oder ein Wärter neben dem Menschen her und halte immer ein äußerlich Auge auf ihn; da wäre er ja aber nur wie ein Diener zum Menschen und könnte keine eigenen Angelegenheiten besorgen. Auch meinen wir, weiche wohl manchmal der Engel vom Menschen oder entziehe sich der Mensch der Obhut des Engels. All das hat Gott viel besser eingerichtet. Auf daß der Engel den Menschen gewiß immer besorge wie sich selber, und sich selber nicht zu vergessen brauche, indem er ihn besorgt, und daß er nie vom Menschen und der Mensch nie von ihm weichen könne, und damit er auch seine geheimsten Gedanken, böse und gute, wisse und ihm, Gott, hinterbringe, so hat er den Engel gar nicht neben den Menschen gestellt, sondern er hat den Geist des Menschen dem Geist des Engels selber ganz eingetan. Nun besorgt der Engel die Menschen, indem er sich besorgt, verläßt sie nie, so wenig er sich selbst verläßt; wenn wir aber

fagen, der Engel ift von dem Menſchen gewichen, im Grunde ift es
umgekehrt, ſo ift es nur, wie auch in uns ein einzelner Gedanke ſich
wohl von der Bahn des ganzen Geiſtes verirren kann und bleibt doch
dieſem Geifte angehörig, und der ganze Geift ruht nicht, bis Friede und
Eintracht ift zwiſchen allem, was ihm angehört. Gott hat den Engel
ſelber verantwortlich dafür gemacht, daß keiner deren, die er ihm innerlich
anvertraut, verloren gehe; und wie Gott uns ſtraft, gehts in des Engels
eigene Seele.

Alle Himmel ſollen voll ſein von des Ewigen Lobe; die Engel
ſollen ſich in Chören ſammeln, ihm zu ſingen und zu muſizieren, ihn
anzubeten? Und das ſoll ſein ihr oberſtes Geſchäft; ſiehe, ſie drängen
ſich um ihn, ihr Auge richtet ſich auf ihn, ſie faſſen an den Saum von
ſeinem Kleide. Und ſammeln ſich die Geſtirne nicht in Chören in allen
Himmeln; und wird es anders ſein mit andern Sternen, als mit unſrer
Erde, in welcher der höchſte Gedanke Gott und Gottesdienſt der höchſte
Dienſt heißt; die lobſingt und ſpielt Gott nicht bloß mit einer ſchwachen
Zunge und einem Inſtrumente, nein, gar mit tauſend Chören und
tauſend Inſtrumenten, mit Flöten und Poſaunen, mit Orgeln und mit
Glocken? Ringsum in den Himmel ruft ſie Gottes Lob hinaus, und mit
den lauten Stimmen geht ihr ſtilles Beten. Und ſucht in allen Weiſen
des Denkens und Trachtens Gott zu nahen, und wird nicht ſatt zu
ſinnen und mit ſich ſelbſt zu ſtreiten, wie ſie ihm am beſten möchte
dienen, und reicht doch nur zum Saume ſeines Kleides. So wird es
ſein mit allen Sternen in allen Himmeln. In allen wird der höchſte
Gedanke Gott und Gottesdienſt der höchſte Dienſt heißen. Alle werden
ſingen und ſpielen zu des Einen Preis und beten zu dem Einen, und
ſtreiten, wie ſies am beſten faſſen und wers vermag am beſten.

Nicht Sänger bloß und Spieler, auch Boten Gottes ſollen die
Engel ſein, als ſolche nicht ſelbſtgewählte, ſondern von ihm vorgezeichnete
Wege gehen; ſo tun die Geſtirne; und ſollen die Menſchen führen,
ihnen die Wege weiſen, wo irdiſche Führer nicht reichen; ſo tun die
Geſtirne auch. Indes der Engel der Erde uns innerlich führt entgegen
ſeinem und unſerm Frieden, helfen die andern Engel dazu äußerlich.
Zwiſchen den Engeln ſelbſt beſteht ſchon ewige Ordnung, ewiger Friede;
ſie gehen, eine Herde unter einem Hirten, als leuchtendes Vorbild am
Himmel für ihre Geſchöpfe, daß auch dieſe eine Herde werden wie ſie
ſelber zu des Höchſten Dienſte. Ihren ſichern Wandel droben erblickend
ahnt der Menſch einen höhern Wandel über der Wandelbarkeit der
menſchlichen Dinge; ſeine Hoffnungen gehen durch die Nacht ſo hoch wie

die Sterne gehen; den alle Sterne preisen, will er auch preisen. Und indes er seine Gedanken an ihrem Anblick aufschwingt ins Unbegrenzte, Freie, ordnen und regeln sie ihm den ganzen irdischen Haushalt unten. Die feste Ordnung nach der sie sich untereinander äußerlich richten, gibt dem Leben, das ihre Geschöpfe in ihnen führen, selbst überall Ordnung, Gesetz, Maß und Ziel, leitet deren Freiheit, ohne sie aufzuheben. Wahrlich nicht eine Erniedrigung, sondern ein sehr schöner Gesichtspunkt liegt darin, daß die im Grunde unerschöpfliche Mannigfaltigkeit der äußern Verhältnisse, in welche die höhern Wesen treten können (S. 103), doch durch ein unverbrüchliches, ewiges, der innern Freiheit noch jeden Spielraum lassendes Gesetz beherrscht und gebunden ist. Ja möchten wir nicht auf menschlichem Standpunkt wünschen, daß es ebenso zwischen uns Menschen wäre? Und nur, daß es zwischen den höhern Geschöpfen so ist, erspart, daß es zwischen uns ebenso ist. Wenn die höhern Geschöpfe so zügellos und regellos am Himmel umherliefen, wie die Menschen auf der Erde untereinander, wie sollten sich die Menschen selber auf der Erde in Zeit und Raum zurechtfinden, sich über Jahr, Tag und Stunde, Ort und Richtung verstehen, wie den Weg zueinander über die Erde und durch ihre Geschichte finden? Daß sie das können, verdanken sie bloß dem Blick auf die himmlische Ordnung. Soll es aber bloß Wesen geben, die das einer Ordnung äußerlich absehen, nicht auch solche, die in ihr selbst leben und weben? Ist die Ordnung etwas so Schlimmes? Wenn wir doch in unsern eignen Verhältnissen Regel, Gesetz, Ordnung hoch genug halten, sollen wir nicht umsomehr Regel, Gesetz, Ordnung, würdig genug des Wandels höherer Wesen, als wir selbst sind, halten?

„Caelestem ergo admirabilem ordinem incredibilemque constantiam, ex qua conservatio et salus omnium omnis oritur, qui vacare mente putat, is ipse mentis expers habendus est." (Cic. de nat. Deor. II. c. 21.)

Der Vater mit dem Sohn ist über Feld gegangen;
Sie können nachtverirrt die Heimat nicht erlangen.
Nach jedem Felsen blickt der Sohn, nach jedem Baum,
Wegweiser ihm zu sein im weglos dunklen Raum.
Der Vater aber blickt indessen nach den Sternen,
Als ob der Erde Weg er woll' am Himmel lernen.
Die Felsen blieben stumm, die Bäume sagten nichts,
Die Sterne deuteten mit einem Streifen Lichts.
Zur Heimat deuten sie; wohl dem, der traut den Sternen!
Den Weg der Erde kann man nur am Himmel lernen.
(Rückerts Weisheit des Brahmanen. I. S. 29.)

10*

„O blicke, wenn den Sinn dir will die Welt verwirren,
Zum ew'gen Himmel auf, wo nie die Sterne irren.
Es weichen Sonn' und Mond einander freundlich aus;
Selbst ihnen wäre sonst zu eng ihr weites Haus."

(Rückert, Gedichte I. S. 22.)

„Sieh! wie im Staube blind Ameisenheere wimmeln,
Gehn sie so wenig irr', als Sternenchör' an Himmeln."

(Ebendas. S. 24.)

Auch die Engel sind noch keine vollkommenen Wesen; sie suchen
und streben noch, suchen und streben mit uns und durch uns; nur
vollkommener sind sie als wir, weil sie die Ergänzung unsrer irdischen
Einseitigkeiten durch andre irdische Einseitigkeiten, die wir außer uns
haben, in sich tragen; weil sie den Kampf, den wir egoistisch und
äußerlich mit unsern Nachbarn kämpfen, innerlich in sich auskämpfen,
und hiermit im ganzen unverbrüchlich dem Höhern und Bessern zu-
schreiten; sei es, daß sie auch jetzt noch Kinder sind gegen ihren dereinst
zu vollendenden Zustand. Halten wir denn nicht auch die Engel noch
für Kinder!

Schöner und edler soll die Gestalt der Engel sein als die unsre;
aber ungewohnt, das Übermenschliche anders als im menschlichen Bilde
vorzustellen, denken wir doch immer dabei an die schönste menschliche
Gestalt; obwohl auch hier unwillkürlich gerade das kindlichste Spiel am
meisten von der vollsten Wahrheit getroffen. Sehen wir nicht in so
manch altem Gemälde geflügelte Engelsköpfe ohne Arme, Beine und
schweren Leib durch den Himmel fliegen; denn wozu brauchen die Engel
Arme, Beine, schweren Leib; ganz recht, aber sie brauchen auch nicht
einmal die Flügel; sie brauchen überhaupt nichts, was des Menschen
und Tieres Bedürftigkeit und Einseitigkeit verrät; ihre Gestalt ist die
der Vollkommenheit und Fülle. Und ist nicht ein Wesen, was nicht
einmal Flügel braucht, um durch das feinste Element den gewichtigsten
Leib zu tragen, noch etwas Höheres als solche, welche für ein schweres
Element schwere Flügel brauchen?

Wir malen die Engel bunt von Flügeln und Gewändern, wir geben
den Engeln einen leuchtenden Blick. Aber so herrlich, mit so lebendigen
Farben angetan, könnten wir uns doch keine Engel denken, als es die
Erde wirklich ist, deren Gewand gewirkt ist aus tausend bunten Blumen;
so leuchtend keine Blicke des Engels, als das Blicken der Erde mit dem
gewaltigen Sonnenbilde im Meeresauge.

Was fruchtet freilich all das! Ein Engel ohne Flügel, Arme, Beine wird, da wir einmal gewohnt sind, die Engel menschlich vorzustellen, der gewöhnlichen Vorstellung immer wie ein menschlicher Krüppel erscheinen; da er doch in Wahrheit nur ein Wesen ohne menschliche Krücken ist. Aber wenn wir selber diese Krücken brauchen, um auf dieser niedern festen Erde zu gehen, so sollten wir doch nicht mit diesen Krücken auch die höhern Wesen im heitern reinen Himmel belasten wollen, nicht da noch die Hilfen unserer irdischen Bedürftigkeit suchen.

Der Mäusehimmel.

Ein Mäuslein sprach einst zu der Maus:
Wenn sein wird unser Leben aus,
Das wir geführt auf dieser Erden,
Was wird doch künftig aus uns werden?

Die Maus spricht: Mäuslein, hast du hier
Gelebt in Tugend für und für,
Wirst du zwei schöne Flügel kriegen,
Als Engel in dem Himmel fliegen;

Wirst finden dort ein voll Gedeck
Von himmlischem statt irb'schem Speck,
Wirst schweben hoch ob allen Katzen
Und nimmer fürchten ihre Tatzen.

Das Mäuslein spricht: o Seligkeit,
Hätt' ich doch schon mein Engelskleid!
Doch sprich, wills denn kein Engel gönnen,
Daß wir ihn hier schon schauen können?

Die Maus zum Mäuslein spricht darauf:
Wer schaut recht stät nach oben auf,
Dem mags zuweilen wohl geschehen,
Daß sich ein Engel lässet sehen.

Das Mäuslein schrieb sichs in den Sinn,
Lief manchen Tag noch her und hin,
Und kam, verlockt durch Wohlgerüche,
Einstmals auch auf den Herd der Küche.

Als es da hat empor geblickt,
Wie wird sein ganzer Sinn entzückt!
Erfüllet ist nun all sein Hoffen,
Den Himmel siehts auf einmal offen.

Der hänget ganz voll Himmelsspeck,
Und wirkend an dem höhern Zweck
Schaut nieder auf die Welt voll Mängel
Die Fledermaus als Mäuseengel.

Das Mäuslein, dem ward dies Gesicht,
Vergaß es all sein Lebtag nicht!
Ein Maler wards von heilgen Bildern,
So schön wußt' Engel keins zu schildern."

(Mises, Gedichte S. 148.)

Was tun wir zuletzt anders hier, als den Glauben an die Engel in den Ursprung selbst zurückleiten, aus dem er hervorgegangen ist. Im ganzen alten Glauben des Orients treten die Gestirne als der Gottheit dienende höhere Wesen auf, die seiner schöpferischen und ordnenden Kräfte teilhaftig sind; und der biblische Engelglaube hängt damit zusammen. Ja sind nicht in der Bibel selbst noch dunkle, oder sogar mehr als dunkle Erinnerungen an diesen Ursprung ihres Engelglaubens aufbehalten?*)

Also spricht Hiob 38, 7: „da mich (den Herrn) die Morgensterne miteinander lobeten, und jauchzeten alle Kinder Gottes"; und Jesaias 40, 26: „hebet eure Augen in die Höhe, und sehet! Wer hat solche Dinge geschaffen, und führet ihr Heer bei der Zahl heraus? Der sie alle mit Namen rufet."

Dort rufen die Sterne Gott, hier ruft Gott die Sterne an; deutet das auf tote Geschöpfe?

Und weiter heißt es in Jes. 24, 21: „zu der Zeit wird der Herr heimsuchen die hohe Ritterschaft, so in der Höhe sind, und die Könige der Erde, so auf Erden sind."

Wer aber kann diese hohe Ritterschaft sein, als dieselben Sterne, die Jesaias von Gott mit Namen rufen läßt? Und sie sollen heimgesucht werden, wie die lebendigen Könige der Erde.

Und in Tobias 12, 5 steht: „und ich bin einer von den sieben Engeln, die vor dem Herrn stehen"; und in der Offenbarung 8, 2: „und ich sahe sieben Engel, die da traten vor Gott."

Wer erkennt nicht in dieser Siebenzahl die sonst geltende Siebenzahl der Planeten wieder?

---

*) Strauß (Christl. Glaubenslehre I. S. 661) sagt geradezu, daß: „die Begriffe von Engeln und Sternen im Hebraismus öfters zusammenfließen, und insbesondere der Name צְבָא הַשָּׁמַיִם beiden gemein" ist.

Auch der Name Elohim, welcher die Vielheit des göttlichen Wesens in einer Person bezeichnet, beruht wohl in der ursprünglichen Naturansicht, daß Gott, der wesenhaft Eine, sich in einer Mannigfaltigkeit von Naturwesen offenbare, die zugleich als seine Engel und als Momente seines eigenen Wesens betrachtet werden können; wie denn Gott in der Bibel sogar auch noch mit einzelnen Engeln verwechselt wird.*) Ebenso sind nach uns die Engel nicht außer Gott, sondern in Gott, wie wir nicht außer den Engeln, sondern in den Engeln.

Einen zwar nur indirekten aber sehr sprechenden Beweis, daß in den ältesten biblischen Urkunden die Gestirne noch als beseelt gegolten, kann man in folgendem finden.   Der biblische Bericht von der Schöpfungsgeschichte lautet kurz so: am ersten Tage schuf und schied Gott Licht von Finsternis und machte aus Abend und Morgen den ersten Tag; am zweiten schied er den Himmel vom Wasser; am dritten das Wasser vom Lande und schuf die Pflanzen; am vierten schuf er Sonne, Mond und Sterne; am fünften Fische und Vögel; am sechsten die übrigen Landtiere und die Menschen. Am siebenten ruhete er. Nun hat man sich lange gewundert, wie doch hier so grobe Verstöße gegen den Naturgang gemacht worden sind, Tag und Nacht vor der Sonne, Pflanzen vor der Sonne, da doch Tag und Nacht nur durch den Lauf der Sonne entstehen, und die Pflanzen der Sonne zum Wachstum bedürfen. Auch der Unwissendste hätte dies wissen müssen. Bis endlich zuerst Herder**) folgenden Gesichtspunkt dichterischer Komposition in jener Darstellung aufzeigte, welche die Art der Aufeinanderfolge erklärlich macht. Es ordnen sich nämlich je 3 Tagewerke in betreff ihres Schöpfungsinhaltes symmetrisch einander gegenüber, und beide Gedritte schießt der siebente Tag zu einem Ganzen ab. Die drei ersten Tagewerke umfassen die Schöpfung der unbeseelten Geschöpfe, wozu die Pflanzen mit gerechnet wurden. Die drei andern die der beseelten Geschöpfe, wozu die Sterne gerechnet wurden. Jede beider Schöpfungen wurde mit einer Lichtschöpfung eingeleitet; die der ersten mit der Schöpfung des allgemeinen Lichts, die der zweiten mit der Schöpfung der individuellen beseelten Lichtwesen; ebenso entsprechen dem Himmel und Wasser der ersten Hälfte Vögel und Fische der zweiten, und den Pflanzen der ersten Hälfte die Landtiere und Menschen der zweiten. Auf diese Weise harmoniert alles bestens; aber eben nur, indem man die Gestirne als beseelte Wesen faßt.

Man kann noch eine Menge einzelner Züge in den gelegentlich vorkommenden Schilderungen von Engeln in der Bibel finden, die, wenn nicht von einer ursprünglichen Identifizierung derselben mit den Gestirnen abhängig, doch eine Bezugsetzung dazu wohl gestatten. Ich teile in dieser Beziehung einiges aus Strauß, Christl. Glaubenslehre (Th. I. S. 662 ff.) mit, wo sich die biblischen Vorstellungen von den Engeln besonders ausführlich dargelegt finden.

---

*) 1. Mof. 81, 11. 18., 2. Mof. 8, 2 ff.; 18, 21; 14, 19. Richt. 6, 11 ff. 18, 20 ff.
**) Herders älteste Urkunde des Menschengeschlechts. T. I. S. 128, vgl. Buttmanns Mythologus T. 1. S. 188 ff.

„In den biblischen Erwähnungen der Engel unterscheidet sich anihnen die doppelte Seite der Beziehung auf Gott und auf die Welt. In ihrer reinen Beziehung auf Gott erscheinen sie als sein Hofstaat oder als seine himmlische Ratsversammlung*), deren Geschäft ist, ihm zu dienen**) und ihn zu preisen.***) Die Zahl dieser himmlischen Dienerschaft ist ungeheuer[1]; allmählich tut sich auch eine Rangordnung unter denselben hervor. Nachdem schon ein Engel sich als Heeresfürst Jehovas angekündigt hatte[2], wird von obersten Engelfürsten die Rede[3], deren Anzahl nach der Zahl der Amschaspands in der Zendreligion auf 7 bestimmt[4], und denen der unmittelbare Dienst um die höchste Person übertragen wird. Auch in der paulinischen Hervorhebung eines ἀρχάγγελος[5], in seiner Aufzählung von θρόνοι, ἀρχαί, ἐξουσίαι, δυνάμεις, κυριότητες[6], ist eine Rangordnung der himmlischen Mächte kaum zu verkennen.

Schon der Beziehung der Engel auf die Welt zugewendet ist ihre Bezeichnung als Heer Gottes[7], in welcher Eigenschaft sie bald mit feurigen Rossen und Wagen sich um die Männer Gottes schützend lagern[8], bald als himmlischer Chor einfallend die großen Taten Gottes auf Erden preisen[9]..... Die (sonst vermenschlichte) Gestalt und das Aussehen der Engel wird immer mehr ins Furchtbare und Übermenschliche gesteigert[10]; die kriegerischen oder strafenden insbesondere†) tragen ein gezücktes Schwert[11]; die Seraphim[12] und sofort auch die ausdrücklich sogenannten Engel fliegen[13], und in den prophetischen Gesichten der spätern Zeit werden die Beschreibungen von dem Aussehen der Engel aus Erz, Edelsteinen, Feuerflammen u. dgl. zusammengesetzt[14].... Die sieben obersten Engel haben insbesondere das Geschäft, die Gebete der Frommen vor Gott zu bringen[15].... Daß die Engel als Lichtwesen gedacht werden[16], hat zugleich den bildlichen Sinn der höchsten sittlichen Reinheit[17], welche jedoch weder eine schlechthinnige ist[18], noch allen zukommt[19]; wie auch ihre Einsicht die menschliche zwar überragt, ohne doch der göttlichen gleichzukommen.[20] Wegen dieser ihnen mit den Menschen gemeinsamen Beschränktheit und Abhängigkeit von Gott nehmen sie zwar den im Orient auch vor menschlichen Herrschern gewöhnlichen Fußfall an[21], weisen aber die Anbetung, als ihnen nicht gebührend, zurück.“[22]

Der eigentümliche jüdisch = christliche Standpunkt, der Gott, in Widerspruch zwar mit andern Betrachtungsweisen desselben Standpunktes, aus der Welt heraus ins Leere erhebt, mußte freilich auch

*) 1. Mos. 28, 12. 1. Kön. 22, 19. 2. Chron. 18, 18. Hiob 1, 6; 2, 1. Pf. 89, 8.
) Dan. 7, 10. *) Jes. 6, 8. †) Wohl mit Kometen in Beziehung.
[1] 5. Mos. 33, 2 f. Matth. 26,53. Dan. 7, 10. [2] Jes. 5, 14. [3] Dan. 10, 13.
[4] Tob. 12, 15. Offenb. 8, 2. [5] 1. Thess. 4, 16. [6] Ephef. 1, 22; 3, 10. Kol. 1, 16.
[7] 1. Mos. 32, 1 f. Jos. 5, 14. Pf. 148, 2. [8] 2. Kön. 6, 17. [9] Hiob 38, 7.
Luc. 2, 13 f. [10] Vergl. Richt. 13, 6. [11] 4. Mos. 22, 23. Jos. 5, 13. 1. Chron.
21, 16; vergl. 1. Mos. 3, 24. [12] Jes. 6, 2. [13] Dan. 9, 21. [14] Dan. 10, 5 f.
Offenb. 1, 13 ff. [15] Tob. 12, 15. [16] 1. Kor. 11, 14. [17] 2. Sam. 19, 27.
[18] Hiob 15, 15. [19] Jud. 6. [20] Matth. 24, 36. [21] Jos. 5, 14. Richt 13, 19 f.
[22] Offenb. 19, 10; 22, 9; vergl. Kol. 2, 18. Hebr. 1 ff.

konsequent die Gott untergeordneten Wesen aus den Weltkörpern herausheben und über sie ins Leere rücken; und derselbe Anthropomorphismus,
der Gott nach unserem Bilde gestaltet, statt daß das Umgekehrte das
Richtige, da das Abbild sein Urbild stets nur einseitig und unvollkommen
spiegelt, mußte auch die Engel so anthropomorphisch gestalten. Daher
nun freilich nicht alles, was in der Bibel von Engeln gesagt ist, und
noch weniger, was wir jetzt davon denken, auch auf die Gestirne passen
wird. Lassen wir aber wieder Gott mit seiner Allgegenwart den Körper
der Welt erfüllen, so werden auch die Engel von selbst wieder in die
Weltkörper einrücken, und ihr Körper ein übermenschliches Urbild des
Menschen statt eines menschlichen Abbildes werden.

Wie die Sachen jetzt stehen, weiß man nicht recht, was den Engeln zu
tun geben, wo den Engeln Platz geben, und so nimmt man solche lieber gar
nicht mehr an. Ein Engel, ein Märchen! Alle Wirksamkeit, die man den
Engeln als Boten Gottes zu den Gestirnen und Vertretern desselben auf
den Gestirnen beilegen möchte, findet man schon durch Vermittlungen, die
in Wechselbeziehungen der Gestirne oder in die Gestirne selbst fallen, vertreten, der Platz zwischen den Gestirnen ist leer, der Platz auf den Gestirnen
schon von Wesen eingenommen, die voraussetzlich nicht mehr bedeuten als
wir. Was also sollen die Engel noch tun, wo sollen sie noch Platz haben?
An das einzige, was übrig bliebe, die Engel statt zwischen, statt auf den
Gestirnen zu suchen, mit ihnen selbst zu identifizieren, ihre Wirksamkeit nicht
über das Wirken der Welten hinaus, sondern in dem höhern seelenvollen
Wirken der Welten selbst zu suchen, denkt man nicht mehr; ja fällt bei allem
Hin- und Herwenden der Möglichkeiten, an die sich etwa zur Rettung des
Engelglaubens denken ließe, nur eben nicht auf diese, in der doch der
ganze Engelglaube seine Wurzel hat. Natürlich, wenn man diese Wurzel
abschneidet, muß der Glaube verdorren. Man möchte hier das Sprichwort
anwenden: „Der Bauer sucht ein Pferd, darauf zu reiten, und sieht nicht,
daß er darauf sitzt." Da er es nun gar nicht finden kann, behauptet er,
es sei aus der Welt verschwunden. Zum Belege für diese Bemerkungen
folgende Stelle aus Strauß, Christl. Glaubenslehre (Th. I. S. 670):

„In demselben Verhältnis, in welchem die Menschheit sich aus dem
Mittelalter herausarbeitete, und sich des Prinzips der modernen Welt in
seinen verschiedenen Beziehungen bemächtigte, mußte in diesem fremden Boden
die Engelvorstellung allmählich absterben, die auf einem ganz andern Boden
erwachsen war. Was fürs erste die weltliche Wirksamkeit der Engel betrifft,
so ist es ein Widerspruch gegen die moderne Weltanschauung, Naturerscheinungen, wie Blitz und Donner, Erdbeben, Pest u. dgl., oder Ereignisse des
Menschenlebens, wie unerwartete Rettung des einen, plötzlichen Untergang
eines andern, als spezielle Veranstaltungen Gottes anzusehen, die er zu
besondern Zwecken, sei es unmittelbar selbst, oder durch die Vermittlung
von Engeln, ausführe; vielmehr suchen wir für dergleichen Erscheinungen
Ursachen innerhalb des Naturzusammenhanges auf, den wir immer nur als

Ganzes, in der Verkettung seiner sämtlichen Teile und Verhältnisse, niemals aber eines von diesen für sich, auf die göttliche Ursächlichkeit zurückführen. Was aber die andre Seite, die Beziehung der Engel auf Gott betrifft, so ist uns durch das kopernikanische Weltsystem der Ort entzogen, in welchem das jüdische und christliche Altertum sich den von Engeln umgebenen Thron Gottes dachte. Seit der Sternenhimmel keine über oder um die Erde her gelagerte Schicht mehr ist, welche die Grenze zwischen der sinnlichen und der übersinnlichen Welt bildete; seit, vermöge der unendlichen Ausdehnung der erstern, die letztere nicht mehr jenseits, sondern in der erstern gesucht werden muß; mithin auch Gott nicht auf andre Weise über den Sternen als in und auf ihnen sein kann: müssen auch die Engel für die Vorstellung immer wieder in diese Sternenwelt hereinfallen, und so kommen den andern Theologen, wenn sie von Engeln reden wollen, gewöhnlich die voraussetzlichen Bewohner andrer Weltkörper in den Weg.*) Allein diese Wesen sind etwas von Grund aus anderes als die Engel der jüdisch-christlichen Vorstellung. Da wir nur durch einen von der Bewohnerschaft unsrer Erde ausgehenden Analogieschluß zur Annahme ihres Daseins gelangen, so müssen wir sie auch, bei allen durch die Verschiedenheit der Weltkörper herbeigeführten Unterschieden, doch den Menschen insoweit ähnlich denken, daß sie, durch Organismen aus dem Stoffe ihrer Wohnplätze an diese gebunden, auf denselben ihre eignen Zwecke verfolgen, und so nur mittelbar, wie wir Menschen auch, die Absichten Gottes verwirklichen: statt daß die Engel als unmittelbare Diener Gottes, ohne an einen Weltkörper gebunden zu sein, von Gott nach Belieben im Weltraum versendet werden; oder vielmehr ist die Vorstellung von einer im unendlichen Raum zerstreuten Mehrheit bewohnbarer Körper bereits eine Verfälschung derjenigen Weltvorstellung, welche der Engellehre zum Grunde liegt, da diese nur einen Himmel als Wohnplatz Gottes und der Engel, und eine Erde mit ihrem Luftraum und ihrer Unterwelt als Aufenthaltsort der Menschen, der abgeschiedenen Seelen und der Dämonen kennt."

„Während nun durch unsre erweiterte Naturkenntnis und die heuristische Voraussetzung, daß auch das für uns im Augenblick noch Unerklärliche in den Erscheinungen der Natur und den Ereignissen des menschlichen Lebens an sich aus natürlichen Ursachen erklärbar sein müsse, die eine Quelle des Engelglaubens verstopft ist: sehen wir die andre, die Neigung nämlich, für die Masse des sinnlichen Stoffes, die sich unsern Augen darbietet, mehr Geist vorauszusetzen, als in der menschlichen Gattung verwirklicht ist, durch die eben erwähnte Voraussetzung abgeleitet, daß auch andre Weltkörper außer der Erde mit menschenähnlichen Wesen bevölkert seien. Diese von ihren Wohnplätzen wegfliegen zu lassen, um sie als Engel verwenden zu können**), hieße zum Behuf der Vermittlung zwischen der christlichen und der modernen Vorstellung beide zerstören; denn so unverträglich mit der ersten ein menschenartiges Zusammenleben und Treiben der Engel auf dem materiellen Boden eines Weltkörpers ist, so wenig verträgt sich mit der modernen Weltanschauung

---

*) So Reinhard, Dogm. S. 176. Bretschneider I. 747 ff.
**) Lange, die Glaubwürdigkeit der evangel. Geschichte. S. 45.

die Vorstellung Gottes als eines Königs, der durch unmittelbare Befehle
seine Diener in Bewegung setzt. Es ist also nicht genug, mit Schleier-
macher die Möglichkeit solcher Wesen, wie die Engel sind, dahingestellt
zu lassen, und nur so viel festzusetzen, daß wir weder in unserm Handeln
auf sie Rücksicht zu nehmen, noch fernere Offenbarungen ihres Wesens zu
erwarten haben: vielmehr, wenn die moderne Gottesidee und Weltvorstellung
richtig sind, so kann es dergleichen Wesen überall nicht geben."

„Diese Grundanschauungen der modernen Zeit nun aber, wie sie an
der Hand der fortschreitenden Naturkenntnis sich gebildet haben, ruhen ohne
Zweifel auf bessern Gründen, als der kirchliche Engelglaube."

Trotzdem, daß in unsrer heutigen Vorstellung der Engelglaube
eigentlich gar keinen Grund mehr hat, er ganz aus dem Leeren ins
Leere gebaut scheint, hat doch das Volk ihn noch nicht fallen lassen, spielt
wenigstens noch gern damit. Ein tiefliegendes Bedürfnis wird überhaupt den Menschen immer auf Zwischenwesen zwischen Gott und
Menschen zurückkommen lassen. Kann es dann unsrer Ansicht zum
Nachteil gereichen, wenn sie diesem Bedürfnis mit einer realen Grundlage wieder entgegenkommt, und wenn diese Grundlage zugleich der
historischen Grundlage des Engelglaubens selbst entspricht? Sollte man
aber auch verlangen, daß sie noch der gewöhnlichen Vorstellung in den
Äußerlichkeiten entspricht, die ohne Rücksicht auf die himmlische Natur
dieser Wesen einfach der irdischen Natur des Menschen abgeborgt sind?

Freilich das lieblich Kindliche eines Glaubens, der die Menschen
und Engel miteinander umgehen läßt, als wären sie ihresgleichen zueinander, läßt sich nicht mehr halten. Aber es ist, nur in höherm Sinne,
derselbe Verlust, welchen das Kind erleidet, wenn es erwachsend aufhört,
mit Puppen zu spielen, die nur leere Hülsen sind, und dafür lernt,
ernster mit wirklichen Menschen sich zu benehmen; nur daß es sich hier
nicht um die Abbilder von Menschen, sondern von höhern Wesen handelt.
Sollen wir denn ewig mit himmlischen Puppen spielen?

In der Lehre vom Jenseits wird sich zeigen, wie eine neuere Wendung,
welche der Engelglaube vielfach genommen hat, wonach die Seelen der
gerecht Verstorbenen zu Engeln werden, anstatt der vorigen zu widersprechen,
selbst in sie hineintritt, da erhellen wird, wie wir dereinst in ganz andrem
und höherm Sinne Teilhaber des Geistes über uns sein werden, als jetzt.

Verlassen wir den Bezug zum Engelglauben, um noch einige
Betrachtungen anzustellen, die von andern Seiten der Ansicht entgegen
kommen, daß wir in den Gestirnen höhere Geschöpfe zu suchen haben.

Es ist ein unter den Naturforschern als gültig anerkannter Satz,
daß ein Wesen um so unvollkommener und niedriger ist, je mehr es

aus gleichförmiger Masse oder sich gleichförmig wiederholenden Organen besteht, dagegen mit der Vielartigkeit der Organe und der hiermit zusammenhängenden Teilung der Arbeit in den Funktionen die Höhe und Vollkommenheit der Organisation wächst.

„Jedes Tier steht um so höher auf der Stufenleiter der Wesen, je weiter bei ihm die Teilung der Arbeit in den Funktionen (division du travail fonctionaire) getrieben ist." (Milne-Edwards in Ann. des sc. nat. 1844. Févr.)

„Von dem Naturgesetz ausgehend, daß die niedrigsten Stufen der organischen Naturreiche stets die vollkommenste Gleichartigkeit ihrer physischen Bildung zeigen, während möglichst große Mannigfaltigkeit, d. h. Ungleichheit der Teile, verbunden mit möglichst vollendeter Einheit des Ganzen, überall als Beleg und als Maßstab höherer Vollkommenheit eines jeglichen Organismus erscheint, entwickelt der geistreiche Naturforscher (Carus) die Betrachtung, daß die geistige Ausbildung und Vollendung der Menschheit eben in dieser physischen und psychischen Verschiedenheit menschlicher Individualitäten begründet und bedingt sei." (Aus einer Anzeige von Carus' Denkschrift über die ungleiche Befähigung der verschiedenen Menschheitsstämme für höhere geistige Entwicklung.)

Kann auch dies Prinzip nicht als einziger Maßstab der Voll= kommenheit der Geschöpfe gelten und keinen durchgängigen Anhalt im einzelnen geben, so kann es doch einen solchen im allgemeinen geben, und wir können im Sinne desselben eine gewisse Stufenreihe von Infusorium und Polyp bis zu Säugetier und Mensch verfolgen. Nun aber sieht man bei der Erde dies Prinzip noch in einem ganz neuen und unsäglich höhern Sinne zur Steigerung der Organisation angewandt als in irgend einem irdischen Geschöpfe, indem die Erde eben in ihren Geschöpfen die größte Mannigfaltigkeit der Teile und die größtmögliche Teilung der Funktionen zeigt; zugleich ist es im Sinne der bekannten Sparsamkeit der Natur, daß sie dies höhere Geschöpf nicht neben die niedern gesetzt hat, sondern die niedern selbst verwandt hat, die ungleich= artigen Teile des höhern zu bilden und sich in die Funktionen desselben zu teilen, daß sie, wie dies überhaupt Sache einer durchgebildeten Organisation ist, die niedern Teile dem höhern Ganzen und umgekehrt dienen läßt.

Auch den Alten war die Vorstellung von einer Zusammensetzung höherer Wesen aus Mensch und allerlei Getier nicht fremd.

„In den ägyptischen Mysterien stieß man auf große hieroglyphische Gottesbilder, die aus mehreren Tiergestalten zusammengesetzt waren. Die bekannte Sphinx ist von dieser Art; man wollte dadurch die Eigenschaften bezeichnen, welche sich in dem höchsten Wesen vereinigen, oder auch das

Mächtigste aus allen Lebendigen in einen Körper zusammenwerfen. Man nahm etwas von dem mächtigsten Vogel oder dem Adler, von dem mächtigsten wilden Tiere oder dem Löwen, von dem mächtigsten zahmen Tiere, dem Stier, und endlich von dem mächtigsten aller Tiere, dem Menschen." (Schiller, Ges. Werke. XVI. S. 74.)

Die Natur hat aber dasselbe Prinzip noch über die Erde hinaus in höherer Steigerung angewandt. Die Erde hat zwar in ihren Menschen, Tieren und Pflanzen eine sehr große Menge ungleichartiger Teile, doch gleichen sich viele Menschen nahe, viele Tiere nahe, viele Pflanzen nahe. Aber die Weltkörper, die dem ganzen Weltraum angehören, sind, wie früher (S. 96) gezeigt, ihrer Einrichtung nach alle so ungleich zueinander, daß man keins mit dem andern als von derselben Spezies ansehen kann. Der Leib der Welt ist insofern noch vollkommener als der eines einzelnen Gestirns.

Wie ging es einst einem Naturforscher:

Er sieht auf einer Exkursion in einem klaren Wasser eine grüne, an zwei Gegenstellen weiße Kugel in drehender Bewegung herumschwimmen. Er nimmt sie heraus, findet, daß sie sich hart, im ganzen warm, doch an den weißen Stellen kühl anfühlt, sieht an der Oberfläche ein eigentümliches Flimmern und Abwandeln durch allerlei Tinten, und erkennt unter dem Mikroskop einen Besatz von grünen Fransen und Wimpern daran. Was kann es sein? Er meint, die Entdeckung eines ungewöhnlich großen Infusoriums gemacht zu haben. Die einfach kugelige Gestalt, der harte Kieselpanzer, die drehende Bewegung, der Wimperbesatz, alles spricht dafür; nur die Größe und eigentümliche Wärme dagegen; indes, sagt er, es ist nun eben ein neues Tier.

Bei weiterer Nachforschung sieht er noch mehr solcher Tiere in demselben Wasser herumschwimmen, mit deutlichen Zeichen, daß sie ihr Dasein wechselseitig spüren; einige pflanzen sich durch Teilung fort, die größten leuchten, wie es manche Infusorien auch tun, die kleinern scheinen sich immer um die größern zu sammeln, jedes aber benimmt sich anders in seiner Art, so daß er schon voraussieht, er werde in dieser Riesenwelt von Infusorien ebenso viel Arten zu unterscheiden finden als in der kleinen. Er freut sich schon des Ehrenberges, der ihm als neuen Ehrenberg zuteil werden wird, wenn er diese neue Welt beschreiben wird; denn, hat man schon Ehrenberg den Infusorienriesen genannt, wie wird man ihn nennen, der selbst Infusorienriesen entdeckt hat. Etwas unerhört Neues meint er, bringe er. Freilich eine arge Täuschung; da er in einem alten Naturalienkabinett alle diese Tiere längst hätte zusammengestellt und benannt finden können; nur freilich, daß man in den ausgetrockneten Kadavern keine Tiere zu erkennen vermocht und bloß eine eigentümliche Art trockner Gerölle darin gesehen. So blieb ihm nur das Verdienst, die Tiere zuerst lebend beobachtet zu haben.

Im Verfolg der fernern Untersuchung mußte sich nun freilich bald zeigen, daß, so sehr die Tiere oberflächlich betrachtet und in gewisser Beziehung mit den Infusorien übereinstimmten, sie eben so sehr in andrer Beziehung davon abwichen. Anstatt ordnungslos untereinander herum= zuschwimmen, schienen sie einen Staat oder eine Familie mit der best= erhaltenen und doch ganz frei befolgten Ordnung zu bilden. Sie fraßen nicht Grobes; es war, als ob die Großen die Kleinen mit ihrem Licht fütterten, und diese sich nur deshalb drehten, um auch das Licht von allen Seiten zu genießen.

Lange wendete der Naturforscher stärkere und immer stärkere Ver= größerungen an, um endlich den Zellenbau zu entdecken, aus dem doch zuletzt alle Tiere bestehen; endlich, bei höchstgesteigerter Vergrößerung, entdeckte er auf einmal zu seinem größten Erstaunen statt Zellen, wie sie andre Tiere haben, andre Tiere selbst als Elementarteile des großen Tieres, Schafe, Pferde, Hunde, Menschen tausendfach, wibbelnd und kribbelnd, dazu Bäume, Blumen, aber alle mit dem Ganzen so fest verwachsen, daß er nicht imstande war, eins mit der Pinzette loszu= machen; es waren wirklich eigne Teile des großen Tiers, die es auch ganz nach Willkür und mit größter Freiheit bewegte; plötzlich erblickte er sogar sich selber unter den kleinen Menschlein und fühlte, wie das Tier eben durch ihn sich selbst besah und sich wunderte, sich auf einmal selber wie im Spiegel zu sehen. Vor Verwunderung erwachte er, denn es war natürlich alles nur ein Traum, sah sich aber noch ganz eben so im Großen an dem großen Tier befestigt, wie er es im Traume im Kleinen gesehen hatte, und fragte sich nun: was ist es denn anders? Es bleibt also ein Tier. Tat es ihm nun auch leid, daß er das Tier nicht mehr mitnehmen konnte, es in seiner Sammlung aufzustellen, sich vielmehr von ihm mitnehmen lassen mußte, so freute er sich doch, sein System mit einer neuen Spezies bereichert zu sehen, und stellte in seinem Naturalienkabinett, das bisher mit dem Gerippe eines Menschen als König der Schöpfung begonnen hatte, einen Erdglobus noch vor dem Menschen auf; denn, schloß er sehr vernünftig, sieht das Tier auch oberflächlich wie ein Infusorium aus, so muß es, da ich selbst mit allen andern Tieren zu ihm gehöre, doch ein Geschöpf über mir und allen andern Tieren sein. Die andern Naturforscher lachten ihn natürlich aus. Wer aber hatte recht?

Wenn der Leib um so höher geartet ist, je mehr und je mehrerlei Über=, Unter= und Nebengeordnetes wir in ihm unterscheiden, so der Geist, je mehr und mehrerlei Über=, Unter= und Nebengeordnetes er in sich selbst unterscheidet. Der Geist der Erde aber unterscheidet in sich die ganzen Seelenreiche der Menschen, Tiere, Pflanzen, und darin wieder die einzelnen Seelen derselben, und darin wieder das, was jede einzelne Seele in sich unterscheidet. Gewöhnlich meint man, ein höherer Geist sei bloß eine Vergrößerung des menschlichen, man anthropomorphosiert den Geist wie den Leib. Hier sieht man ein andres Prinzip, welches höher und weiterführt. Ein höherer Geist hat vielmehr die Menschen= geister mit andern Geistern zugleich zu Teilwesen. Das Menschliche noch einmal vergrößert in höhern Wesen suchen, wäre, dünkt mich, das= selbe, als wenn man aus einem Floh dadurch, daß man ihn unter dem Mikroskop betrachtet, glaubte, ein höheres Wesen machen zu können.

VII. Vom höhern übergreifenden Bewußtsein.

Jeder Mensch birgt in sich ein kleines geistiges Reich, worin sich eine Mannigfaltigkeit von unter=, über= und nebengeordneten Momenten, wir nennen sie Empfindungen, Gefühle, Vorstellungen, Gedanken, drängen und treiben, einander hervorrufen und verdrängen, sich vertragen, streiten, vergleichen, scheiden. Es ist der innigste, lebendigste Austausch und Ver= kehr zwischen ihnen, wobei sie in die mannigfaltigsten Beziehungen treten.

Betrachten wir es näher, so finden wir, daß dieser Austausch und Verkehr an einer Hauptbedingung hängt: daran, daß alle diese Empfin= dungen, Gefühle, Vorstellungen, Gedanken in einem gemeinschaftlichen Bewußtsein vor sich gehen; nur mittels dieses Bewußtseins, das über alle hinausgreift, drängen und treiben sie sich, rufen sich hervor und verdrängen sich, vertragen, streiten, vergleichen, scheiden sie sich. Das Bewußtsein, das sie alle bindet, ist die gemeinschaftliche Bedingung, die ihnen irgendwelches Verhältnis des Wirkens zueinander möglich macht; ohne das gemeinsame Bewußtsein fänden sie sich nicht, wirkten sie nicht und hiermit wären sie nicht.

Zwar, gibt es nicht auch viel unbewußte geistige Beziehungen und Wirkungen in uns? Aber was wir so nennen, sind nur Wirkungen und Beziehungen, die wir uns nicht in besondrer Reflexion zum Bewußtsein bringen; doch ohne das Bewußtsein wären auch sie nicht, könnte man von ihnen nicht sprechen. Ich lerne etwas als Kind; unbewußt, d. h. ich denke nicht mehr daran, wirkt es bis in mein spätestes Alter fort, bestimmt noch irgendwie die Art und den Gang meiner spätern Vorstellungen. Aber wären die im frühern Lernen geschöpften und die spätern Vorstellungen nicht durch dasselbe Bewußtsein verknüpft, würden jene auf diese überhaupt keine Wirkung forterstrecken können. Nur durch das Bewußtsein überträgt sich doch die Wirkung, die wir eine unbewußte nennen, vom frühern auf das spätere Bewußtsein. Und so ist alles, was wir unbewußtes Wirken in unserm Geiste nennen, nicht ohne Bewußtsein; es geht vielmehr nur ununterschieden im allgemeinen Bewußtsein auf, dasselbe mitbestimmend, nur nicht für sich darin erscheinend: und je mehr es des unbewußten Wirkens in uns gibt, desto mehr muß von Bewußtsein da sein, worin es aufgeht; es ist ein vom allgemeinen Bewußtsein Verschlungenes, doch dessen Haltung und Gestaltung wesentlich mit Vermittelndes, sehr unterschieden hierin vom Bewußtlosen; da findet überhaupt kein Bewußtsein statt; oft freilich verwechselt man beides.

Man kann zwar zugestehen, daß der Sprachgebrauch, der doch zuletzt jeder Definition zugrunde liegen muß, eine solche Verwechslung gestattet, indem er nicht so streng zwischen Unbewußtsein und Bewußtlosigkeit scheidet, als es hier geschieht. Der traumlose Schlaf, wo das Bewußtsein überhaupt schweigt, wird ebenso gern ein Zustand des Unbewußtseins wie der Bewußtlosigkeit genannt; dagegen man Ohnmacht entschiedener als Bewußtlosigkeit faßt. Indes paßt auch dies insofern in die obige Unterscheidung, als der Schlaf nach der Erschöpfung den bewußten Geist herstellt, mithin positiven Einfluß auf Abänderung des Bewußtseinszustandes gewinnt, eine lebendige Beziehung dazu hat, was mit der Ohnmacht nicht der Fall, die sich als einfacher Stillstand des Bewußtseins darstellt. Der traumlose Schlaf beweist zugleich, daß zwar der Geist im ganzen eine Restauration der Kräfte ohne Bewußtsein erfahren kann, nicht aber, warum es sich hier handelt, eine innere Fortbildung, die vielmehr stets nur mit Bewußtsein vor sich geht. In der Tat, der ganz unbewußte oder bewußtlose Schlaf entwickelt, bildet, fördert uns geistig nicht. So lange das Bewußtsein schläft, schlafen die Wirkungen in unserm Geiste.

Setzt jeder Verkehr oder wirksame Bezug der Vorstellungen ein sie gemeinschaftlich verknüpfendes Bewußtsein voraus, so können dagegen viele Vorstellungen zugleich oder nacheinander ins Bewußtsein treten, es läßt sich vieles zugleich oder nacheinander sehen, denken, ohne daß auch besondere Beziehungen zwischen dem gleichzeitig oder nacheinander Gesehenen, Gedachten, ins Bewußtsein treten. Wir haben vieles in demselben Bewußtsein, werden dieses gemeinschaftlichen Besitzes inne, aber eben nur dieser allgemeinste Bewußtseinsbezug besteht dazwischen. Wo aber ein besonderer Bezug ins Bewußtsein tritt, die Vorstellungen sich in engerm Sinne begegnen, verkehren, da gibt's stets eine Steigerung des Bewußtseins. Vorstellungen mit Bewußtsein unterscheiden, vergleichen, überordnen, unterordnen, ist ein höherer Bewußtseinsakt, als sie bloß haben oder im gemeinschaftlichen Bewußtsein ablaufen lassen. Ohne Bewußtsein aber gibt's weder ein gemeinschaftlich Haben, noch ein engeres Verkehren der Vorstellungen. Im wirklich Bewußtlosen steht alles geistige Vorstellen, Wirken, aller geistiger Verkehr still, und nur im Bewußtlosen steht es wirklich still.

Wie nun, was in dem kleinen Reiche geistiger Momente, das wir in uns tragen, sich so wesentlich erweist, sollte das in dem größern anders sein, daß uns in sich trägt? Treiben und drängen, locken und verdrängen, vertragen, streiten, vergleichen, scheiden sich nicht auch die Geister der Menschheit in mannigfaltigster Weise? Ist nicht der geistige Verkehr und Austausch in der Menschheit der lebendigste? Soll nun dieser Verkehr im großen geistigen Gebiete ohne ein über ihn übergreifendes höheres Bewußtsein möglich sein, wenn es der im kleinen nicht ist? Und das kleine Gebiet kann doch, weil eingebaut im großen, die Natur seines Verkehrs selbst nur von ihm haben. Reißt das Gesetz des Geistes im Übergange vom kleinen zum großen Gebiete auf einmal ab? Im kleinen Gebiete aller Verkehr leuchtend von Bewußtsein, und nur mittels dieses Lichtes möglich, im großen alles blind und finster? Tausend Wirkungsbezüge zwischen den einzelnen Menschengeistern und alle bewußtlos? Nichts begegnet doch meinen Vorstellungen und nichts begegnet zwischen meinen Vorstellungen, das ich nicht in eins als ein Wesen noch über allen einzelnen hinaus wüßte. In ihrem Begegnen selbst steigert sich mein Bewußtsein, der sonst müßige gemeinschaftliche Besitz, zu einem höhern Akte, und dieser Akt ist eben ihr Begegnen, wie man es fassen will; denn eins ist mit dem andern gegeben; und im höhern Gebiete sollte dies Band der Bedingtheit gelöst sein, das im niedern unausweislich besteht? Das höhere Gebiet selbst wäre damit gelöst.

Ober wäre es barum, daß unfre Geister schon selbst in höherm
Sinne bewußt und wirkend sind als ihre geistigen Momente, weshalb
ihr Verkehr weniger bewußt zu denken als der Verkehr ihrer Momente?
Gewiß ist hier eine Abweichung; aber was kann sie anders bedeuten, als
daß es nun auch ein um so höheres und in höherem Sinne wirkendes
Bewußtsein sein muß, was den Verkehr des schon höher Bewußten und
Wirkenden vermittelt. Ist ein Zimmer darum dunkel, weil schon seine
Lichter leuchten? Dunkler, weil sie heller leuchten? Und ist der geistige
Verkehr im Gebiete unsrer höchsten Ideen weniger bewußt als der im
niedrigen sinnlichen?

Oder ist es dies, daß die Menschengeister einander so viel mehr
geschieden gegenübertreten als die mehr ineinander laufenden Vorstellungen des Menschengeistes, weshalb nicht ebenso für die Menschengeister als für die Vorstellungen des Menschengeistes ein höheres verknüpfendes Bewußtsein denkbar? Aber das Ineinanderlaufen unsrer
Vorstellungen kann doch nicht die größere Einheit und Stärke, sondern
bloß die größere Undeutlichkeit und Schwäche unsers Bewußtseins
beweisen. Denn ist nicht das überhaupt die wunderbare Eigenschaft des
Bewußtseins, daß es bindet und scheidet zugleich, im Grunde ist's nur
Unterscheidung, und um so mächtiger und kräftiger scheidet oder unterscheidet, je mächtiger und kräftiger es selbst ist? Wie wenig mag sich
scheiden, unterscheiden in der Seele des Wurms, wie wenig in der Seele
des Blödsinnigen? Da läuft alles ineinander machtlos, kraftlos, wie die
ganze Seele ist; aber in der lebendig und klar quellenden Phantasie des
Dichters treten Gestalten scharf und individuell geschieden, wie selbst-
kräftig, selbstlebendig einander gegenüber, einander, wie dem Geiste des
Dichters selbst; leben, weben und handeln aus ihrer Individualität heraus,
erfüllen ihren Lebenskreis, als wären sie etwas für sich; und je mehr es
der Fall, so mehr, nicht so weniger bewußt, klar, selbstlebendig, selbst-
kräftig ist der Geist des Dichters, und so fester hat und bindet er alle
diese Gestalten als sein Eigentum, so mehr weiß er davon; ja die Gestalten, die sich am meisten vom Grunde seines Allgemeinbewußtseins ab-
heben und am unterschiedensten andern gegenüberstellen und nicht wieder
vergehen, sondern sich immer weiter in seinem Geiste fortentwickeln
wollen, haben gerade mit der bewußtesten Tätigkeit geschaffen werden
müssen.

Sind also die Geister der Menschen auch wirklich noch mit ganz
anderer Kraft und Dauerhaftigkeit voneinander geschieden als die Vorstellungen eines Dichters, treten sie noch mit ganz anderer Selbständigkeit,

Selbstlebendigkeit, Objektivität einem höhern Geiste entgegen als die
Vorstellungen des Dichters seinem Geiste, wie sollte dies nicht auch umsomehr die Gewalt und nachhaltige Kraft eines höhern Bewußtseins
beweisen, das solche Scheidung zu bewirken und zu erhalten vermochte?
Im Grunde ist's auch für dieses nur Unterscheidung. Oder wenn wir
mit Recht sagen, daß alle quantitative Gradation hier nicht ausreicht,
daß es ein qualitativ anderes ist, die Scheidung unsrer Geister und die
unsrer Vorstellungen, nun so ist ja auch eine obere oder höhere Stufe
des Bewußtseins etwas qualitativ anderes als eine untere oder niedere,
nicht zu verwechseln mit bloß größerer oder geringerer Lebendigkeit des
Bewußtseins. Lassen sich doch selbst in uns Steigerungen des Bewußtseins
finden, die nichts Quantitatives sind. Nun gilt es bloß noch eine
Steigerung dieser Steigerungen.

Wir irren also, wenn wir meinen, daß die Selbständigkeit, das
Selbstbewußtsein, deren wir uns gegen einander rühmen, eine Selbständigkeit, einen Abschluß des Bewußtseins gegen einen höhern Geist,
oder gar eines solchen Abwesenheit bedeuten. Nur uns gegenüber sind
wir selbständig, abgeschlossen nicht gegen ihn. Daß ich um mich weiß,
und nur um mich weiß, und ein anderer auch um sich weiß, und nur
um sich weiß, kann nicht hindern, daß ein höherer Geist um uns beide
zugleich weiß. Was Scheidung unsres Wissens für uns, ist nur Unterscheidung unsers Wissens für ihn.

Rufen wir uns ein früher Bild zurück. Weiß doch auch der blaue
Punkt, den ich sehe, nichts von dem roten Punkt, den ich daneben sehe.
Aber ich weiß um beide zugleich, und je besser sie sich in mir unterscheiden, scheiden, desto lebendiger ist mein Wissen um sie. Und wenn
ich über Farben, Töne noch Begriffe, Ideen scheide, unterscheide, so steht
mein Bewußtsein nur um so höher. So scheidet, unterscheidet nun Gott
die hohen Seelen der Gestirne, das Gestirn die Seelen seiner Geschöpfe,
das Geschöpf hat nichts mehr als Vorstellungen zu unterscheiden.

Ein wichtiger Unterschied zwischen unserm Bewußtsein und dem uns
übergeordneten höhern bietet sich darin dar: unser Bewußtsein ist so eng,
daß die Vorstellungen nur mehr nach als nebeneinander unterscheidbar
aufzutreten und abzulaufen vermögen; aber tausend und abertausend
Menschengeister und Tierseelen treten zugleich auf und laufen zugleich
unterschieden miteinander ab. Ist es nun etwa dies, was ein höheres
Bewußtsein nicht fassen kann?

Aber sonderbar, wenn man das, was nur einen Vorzug des höhern
Geistes vor dem unsern beweisen kann, gegen sein Dasein wenden wollte.

11*

Wie wäre er denn ein höherer Geist, wenn er nichts vor uns voraus hätte? Wenn eine Melodie bloß Töne nach einander binden kann, gibt es keine Symphonie, welche miteinander laufende Melodien bindet? Können wir nicht auch in sinnlicher Anschauung tausend Punkte zugleich unterscheiden? Können wirs aber im niedern sinnlichen Gebiete, warum nicht ein höherer Geist im höhern geistigen? Das höhere Geistige baut sich selbst überall der Sinnesbasis entsprechend auf; denn es bedarf des Sinn= lichen als Stoff, der Versinnbildlichung als Hilfe. Hat also der höhere Geist in unsern tausendfältigen Sinnesgebieten eine tausendfach und mehr erweiterte Sinnesbasis, so hat sich auch eben hiermit die Möglichkeit des höhern Geistigen für ihn tausendfach und mehr erweitert und gesteigert.

Überall, wo man den Geist des gesamten Irdischen mit einem irdischen Einzelgeiste vergleichen will, und ohne solchen Vergleich, wie sollte er uns verständlich werden, ist immer mit auf diese Seite der Unähnlichkeit zu achten, daß der Mensch als einseitiges oder partielles Moment der Erde vieles, was dieser auf einmal zukommt, nur nacheinander und selbst dann nur in einseitiger Richtung durchlaufen und durchleben kann. Was wir schon früher im Materiellen in dieser Hinsicht fanden (S. 32), verhält sich ebenso im Geistigen. Demgemäß kann man auch vieles, was im höhern Geist zugleich vorgeht, doch nur passend durch das erläutern, was in der Menschenseele nach einander vorgeht.

Oder befremdet es dich, daß die Menschengeister einander im ganzen so ähnlich, und die Tierseelen jede in ihrer Art einander wieder so ähnlich? Wozu, fragst du, soll der höhere Geist dasselbe Moment so vielmal wiederholen? Wie viele Menschen meinen, denken, fühlen doch dasselbe? Aber wenn irgend etwas, beweist gerade die Wiederholung ähnlicher Geister, daß es eine höhere geistige Verknüpfung derselben geben muß, weil, wenn jeder dieser Geister nur für sich, in der Tat einer überflüssig neben dem andern. Das isolierte Gleiche gibt nur sich selbst noch einmal; das im Geist Verbundene ein Stärkeres und höher Bedeutendes, als es selbst ist. Kraft, Form, und weil doch nichts ganz gleich, unsägliche Nüance hängt daran. Oder warum freust du selber dich doch, so viele grüne Punkte in der Wiese, so viele rote in der Rose, so viele weiße in der Lilie sich ähnlich in deiner Anschauung wiederholen zu sehen? Wie schön gar ein ganzes Beet voll sich fast gleichender Lilien, Rosen? Nur daß unsre Geister nicht bloß in so äußerlicher Anschauung, sondern in mehr innerlicher Weise durch den höhern Geist verknüpft zu denken sind.

Wenn wir vieles eines sehen, fühlen, wird auch der höhere Geist durch uns nur eines sehen, fühlen; durch jeden von uns nur von andrer

Seite, in andrer Beziehung. Er wird des Identischen, worin wir äußerlich
und innerlich zusammentreffen, so gut sich bewußt werden wie des Verschiedenen, worin wir auseinandergehen; wird insofern immer uns
als Verschiedene im Bewußtsein tragen, doch zugleich durch gemeinschaftliche
Objekte der Anschauung und gemeinschaftliche Ideen unsre Verschiedenheiten verknüpfen und unsern Verkehr selbst begründen.

Oder irrt dich's im Gegenteil, daß die Menschen bei aller Gleichförmigkeit ihrer Grundnatur so viel Widersprechendes denken, gar sich
miteinander streiten? Vertragen sich auch solche Widersprüche in einem
und demselben Geiste? Sie sind vielmehr nur eben dadurch möglich;
das geistig Unverbundene kennt keinen Widerspruch. Gerade in dem
Widerspruch des Geistigen liegt das größte Wunder zugleich und der
größte Beweis des Daseins einer höhern geistigen Einheit. Oder gibt's
nicht auch Widersprüche, Streit in unserm Geiste, und könnte es solchen
geben ohne das einigende Bewußtsein, das sich darum noch nicht selber
widerstreitet, weil einzelne Bestimmungen desselben sich widerstreiten?
Fußt nicht sogar aller Fortschritt des Geistes auf dem Trachten, die
immer neu auftretenden Widersprüche immer neu in höherer Einsicht
zu versöhnen? So wird es auch mit den Widersprüchen der Geister in
dem höhern Geiste sein. Fußt nicht wirklich der Fortschritt der Menschheit im ganzen darauf? Die Widersprüche und der Streit sind freilich
mannigfaltiger und gewaltiger im höhern als in unserm Geiste, weil
der höhere Geist selbst ein reicherer und gewaltigerer ist; auch die Arbeit,
die zur Versöhnung führt, ist eine gewaltigere, so wird auch die Lust
der Versöhnung eine gewaltigere sein. Ja, wie kämen die Widersprüche
in den kleinen Geist, wenn sie im großen fehlten? Aber der große Geist
hat Mittel und Kräfte in sich, die der kleine erst außer sich im großen
suchen muß.

Warum aber, wenn die Erde alles in eins weiß was ihre Menschen
wissen, warum berichtigt sich nicht sofort der Irrtum der einen durch
die richtigere Kenntnis der andern; warum ist der eine Mensch so weise
für sich und der andre so töricht für sich, da doch das gemeinschaftliche
Bewußtsein auch die Kenntnisse des einen unmittelbar dem andern
müßte zugute kommen lassen?

Doch ebenso könnte man fragen, warum ist nicht in jeder unsrer
Vorstellungen so viel und so kluges enthalten wie in jeder andern, da
doch unser gemeinschaftliches Bewußtsein über alle hingreift? Warum
bleiben auch in uns so oft und so lange unvereinbare Vorstellungen,
die, wenn wir sie in Bezug setzten, nicht so bestehen könnten, aber wir

setzen sie eben nicht in Bezug. Die allgemeine Verknüpfung im Bewußt- sein, der bloße gemeinschaftliche Bewußtseinsbesitz, hat keineswegs die Macht, den Inhalt jeder Vorstellung mit dem jeder andern in erläuternden und berichtigenden Bezug zu setzen, sondern in uns selbst sehen wir, welch lange Arbeit es dem Geist kostet, unsre Vorstellungen wechselseitig zu berichtigen, ihre Widersprüche auszugleichen; und in dem unsäglich größern und reichern Geiste wird es nun eben auch unsäglich größere und längere Arbeit fordern, dies zwischen unsern Geistern zu leisten; ja an eine Erschöpfung in dieser Beziehung ist nicht zu denken. Damit gewisse Vorstellungen in uns in gewisse Beziehungen treten können, bedarf es im allgemeinen gewisser Mittelglieder; nicht anders, damit gewisse Geister in gewisse Beziehungen im höhern Geiste treten können. Und sie sind nicht immer da.

Unstreitig, wie es in unserm Geiste Gesetze der Assoziation, der begrifflichen Über- und Unterordnung, des Urteilens, Schließens usw. gibt, welche den Gang und Verkehr der Vorstellungen im allgemeinen beherrschen, ohne die Freiheit dieses Ganges und Verkehrs im besondern auszuschließen, gilt dies auch von dem Verkehr unsrer Geister in dem höhern Geiste, nur daß die Gesetze hier einen allgemeinern und höhern Charakter tragen werden als die für unser kleines Seelenreich geltenden. In die Psychologie des höhern Geistes gehen alle Gesetze des Verkehrs und der Geschichte der Menschheit ein; hängen aber mit den psycho- logischen Gesetzen in unsern Geistern zusammen, wie auch in uns die psychologischen Gesetze des höhern allgemeinern und der untern besondern Gebiete zusammenhängen. Nach solch höhern Gesetzen, die sich bis in uns hinein verzweigen, geht es in dem höhern Geiste her; wir müssen aber nicht glauben, daß er durch seine Höhe über uns auch eine Befreiung von Gesetz und Bedingtheit überhaupt erlangt habe.

Oder scheint dir's schwierig, daß der Mensch doch über die Erde nachdenken kann? Beweist er nicht eben dadurch, daß er ein Höheres als die Erde? Und wir nennen doch die Erde ein Höheres als ihn. Aber wie, ist denn der Gedanke, mit dem du über dich selbst nachdenkst, etwas Höheres als du selbst? Er ist nur das Höchste in dir selbst; aber dein Geist ist das Höchste über alles, und so der Geist der Erde etwas Höheres als dein Geist, mit dem sie über sich selbst nachdenkt. Nur daß deine Reflexion über die Erde für sie viel weniger bedeutet, als deine Reflexion über dich für dich bedeutet; denn, wie die Erde allwegs groß und reich ist, so bedenkt sie auch das Tausendfache, was in ihr ist, in tausenderlei Weise aus ganz verschiedenen, sich ergänzenden

Gesichtspunkten. Deine ganze Reflexion über sie ist bloß ein kleines, das von deinem Sonderstandpunkt aus mögliche Moment ihrer Reflexionen über sich, worin sie nur etwas von dem ganzen Reichtum dessen erschöpft, was sie überhaupt bedenken kann; und es ist kein Hindernis, daß über alles, was die Menschengeister einzeln über sie denken, höhere Reflexionen in ihr sich aufbauen, die sich nur teilweis wieder in die einzelnen Menschen reflektieren. Denn wie der höhere Geist mittelst der Menschen ins allgemeine seines Geistes einschöpft, so fließt auch den Menschengeistern wieder daraus zu. Geschichte, Staat, Literatur, und so vieles andre, was die Menschheit oder große Fraktionen der Menschheit aus allgemeinen Gesichtspunkten verknüpft, sind Vermittlungen, wodurch der einzelne mit dem, was ins allgemeine des höhern Geistes schon aufgenommen ist, in Beziehung tritt.

Viel Dummes und Törichtes denken die Menschen über die irdischen und himmlischen Dinge, wie über sich selbst; doch ist die Erde darum nicht ebenso dumm·und töricht, obwohl sie auch bei weitem nicht so weise als Gott ist; sie wägt vielmehr unzählige Gedanken gegeneinander ab, und weil jeder Gedanke eine wahre Seite hat, in einem realen irdischen Standpunkte begründet ist, wie hätte er sonst entstehen können, alle Standpunkte zusammenhängen, ja sich durch Gemeinsamkeiten verknüpfen, so kann sie selbst die törichten nicht gleich fahren lassen; sie erscheinen so töricht nur für uns, die wir sie nicht in Abwägung gegen andre Torheiten und in ihrer höhern Tendenz, sich durch das Vernehmen mit ihnen in höherer Erkenntnis aufzulösen, betrachten. Alles, was sich überhaupt vom Standpunkt des Irdischen aus denken läßt, das denkt die Erde durch ihre Seelen teils zugleich, teils nacheinander; aber jeder Seele ist nur eine Seite, eine Richtung dieses Denkens anheimgegeben. Wer nun acht hat bloß auf das, was eine Seele denkt, der findet leicht so viel Torheit darin, als in einem Satz gerissen aus seinem höhern Zusammenhange.

Aber wie, schließt nicht unsre Vorstellung geradezu Unmögliches ein? Ein Mensch ist manchmal ganz lustig, und der andre ganz traurig; kann der höhere Geist, indem er ihre Empfindungen in sich faßt, die dies ganz enthalten, auch zugleich ganz lustig und ganz traurig sein? Nein, das kann er nicht; aber er kann fühlen, wie der eine sich ganz lustig, der andre ganz traurig in ihm fühlt, und seine Maßregeln darnach treffen. Es läßt sich überhaupt auf den höhern Geist nichts von dem im ganzen anwenden, was uns als Ganzen zukommt, außer sofern es selbst aus seinem Ganzen kommt, oder in sein Ganzes geht.

Daß ich ganz lustig bin, ist nur ein Moment der Lust, daß ich ganz
traurig bin, ein Moment der Trauer in ihm; ob er aber ganz lustig
ist oder nicht, hängt von etwas ab, was über unser aller Einzellust
und -trauer hinweggreift. Er könnte freilich nicht ganz lustvoll sein,
wenn wir alle ganz traurig wären; aber die Einzeltrauer kann oft Grund
größerer Lust im ganzen sein, und in solcher Bedeutung selbst in
höherer Lust mit aufgehen.

Überhaupt empfindet der höhere Geist zwar alles, was wir
empfinden und wie wir es empfinden; aber, indem er noch ein Mehr
als wir ist, fühlt er auch, wie das Was und das Wie unsers Empfindens
in Beziehungen eingeht, die wir nicht mit empfinden, und die eine viel
höhere Bedeutung haben als unsre Einzelempfindung.

Aber muß dem höhern Geist nicht begegnen, was in jedem Konzert
von vielen Stimmen begegnet, daß zwar jede Stimme zum allgemeinen
Eindruck etwas beiträgt, aber doch die einzelnen, wenigstens die schwachen
und wenig selbständigen, ununterscheidbar werden? Wird nicht so auch
der höhere Geist bloß einen allgemeinen Eindruck von unsern Empfindungen, Gedanken erhalten, aber von uns einzelnen nichts vernehmen?

Ja, so würde es sein, wenn wir als Instrumente außer ihm spielten,
nicht aber, da wir in ihm spielen. Der Komponist vernimmt doch in
seinem Haupte die leisesten Stimmen des Konzerts, was er komponiert,
sonst könnte er sie nicht in seinem Konzerte mit anbringen, sonst wären
sie überhaupt nicht für ihn da. Was wäre auch sonst für ein Unterschied zwischen dem Außensein und dem Innensein? Nur freilich ist der
Geist eines menschlichen Komponisten nicht mit dem eines übermenschlichen zu vergleichen; der vernimmt noch viel feiner und mannigfaltiger,
und unterscheidet vieles zugleich, was der menschliche doch nur nacheinander zu unterscheiden vermöchte.

Oder endlich weisest du mich darauf hin, daß doch der Verkehr der
Menschheit kein allgemeiner, daß wohl manche einzelne und ganze Völker
auf Inseln abgeschlossen von der andern Menschheit leben und manche
Tiere nicht minder. Wie können denn sie vom allgemeinen Bewußtsein
mit begriffen sein? Aber erinnern wir uns, daß auch in uns der
bewußte Verkehr der Vorstellungen nicht so weit greift, als der Besitz
derselben im gemeinschaftlichen Bewußtsein. Stehen nicht auch in uns
manche Vorstellungen und Vorstellungskreise gleichsam abgesondert vom
bewußten Verkehr mit andern und hängen doch in demselben Geiste
damit zusammen? So wird es mit den Geistern der Erde sein. Der
bewußte Verkehr ist nur etwas Höheres und Lebendigeres als der

Besitz im Bewußtsein, und obwohl jedes Bewußtsein notwendig einen
Verkehr mitführt, so doch nicht auf einmal einen bewußten Verkehr von
allem, was ihm angehört, mit allem. Nur eine allgemeine Möglichkeit
solchen Verkehrs besteht immer zwischen allen Vorstellungen, die nach=
einander in unsern Besitzstand treten, und von dieser Möglichkeit verwirklicht der Zeitablauf immer mehr in uns. Auch in der Erde verwirklicht sich von dieser allgemeinen Möglichkeit immer mehr mit der
Zeit. Dabei kommt dann wieder der Unterschied in Betracht, daß in
unsern niedern einseitigen Geistern vieles sich bloß nacheinander zeigen
kann, was der höhere umfassende Geist auf einmal darbietet. Was mir
heute und gestern begegnet ist, liegt zum Teil ohne bewußten Bezug
oder Verkehr auseinander, doch durch die Einheit desselben Bewußtseins
im Zeitablauf verbunden. Im höhern Geiste liegt zum Teil ohne
bewußten Bezug oder Verkehr auseinander auch das, was zugleich hier
und da geschieht, doch durch die Einheit desselben Bewußtseins im Zugleich
verbunden; dasselbe Bewußtsein hat doch beides zugleich.

Vor allem sind es die Menschengeister, welche in den allseitigsten
und höchst bewußten Verkehr miteinander treten, in und über dem sich
die wichtigsten und weitgreifendsten Bewußtseinsbeziehungen für den Geist
über uns entfalten. Aber die Tierseelen sind darum nicht minder in
seinem Bewußtseinsbesitz, und es fehlt auch nicht an einer Menge
besonderer Beziehungen derselben unter sich und mit den Menschenseelen,
die nur nicht so vielseitig, weitgreifend und zur Entwicklung höherer
Bewußtseinsphänomene geeignet sind. Eine Raupe kann nicht mit mir
sprechen; aber wenn sie den Wald zerfrißt, hilft sie mir das Holz ver-
teuern; ihre Seele hat die Lust am Fraß; meine die Unlust an der
Teuerung, und beides, Lust und Unlust hängt, selbst etwas Psychisches,
in der allgemeinen Psyche des Irdischen zusammen, die vom ganzen
Zusammenhange der irdischen Verhältnisse getragen wird, der mich mit
der Raupe zugleich einschließt, aber freilich in so fernen Beziehungen
unbewußt zusammen, wie auch vieles in meinem bewußten Geiste durch
ferne Beziehungen unbewußt zusammenhängt. Ich kann aber auch mit
der Raupe in noch engern Verkehr treten. Ich kann sie zertreten, sie
kann ein Kind erschrecken. Kein Fisch lebt so tief im Wasser, den der
Mensch nicht fischen könnte, kein Vogel fliegt so hoch in der Luft, den
er nicht fangen könnte. Jede Jagd ist ein Getriebe von Lust und Unlust
zwischen Mensch und Tier.

Immerhin verhält es sich in dieser Beziehung noch ganz anders
zwischen den Geschöpfen desselben Weltkörpers als zwischen den Geschöpfen

verschiedener Weltkörper, und dies bestätigt unsre Schlüsse, daß sich die
Weltkörper als Individuen gegeneinander stellen. Zwischen den Seelen
der Geschöpfe verschiedener Weltkörper besteht kein analoger Verkehr und
keine Möglichkeit analogen Verkehrs wie zwischen den Seelen der
Geschöpfe desselben Weltkörpers. Der Seelenverkehr ist in jedem Weltkörper für sich abgeschlossen, wie der Vorstellungsverkehr in jedem Haupte;
freilich beides nur in gewisser Beziehung; denn es gibt ja eine Kommunikation zwischen uns durch Sprache, zwischen den Weltkörpern durch
Licht; aber von wie ganz andrer Ordnung ist der Verkehr zwischen den
Menschengeistern, als zwischen den Vorstellungen in jedem Menschen für
sich, und wenn der Lichtverkehr eine Sprache zwischen den Weltkörpern
bedeuten sollte, was wir weder beweisen noch leugnen können, so wird
doch das Entsprechende für sie gelten.

Wohl anders, aber schöner, stellt sich nun so manches, als wir es
sonst zu fassen pflegten.

Wenn sich zweie lieben, ist's nun nicht mehr bloß ein halb und
halb, ein da und dort, was zueinander möchte, und doch nie ganz
zueinander kann; ein einigend Band hält die liebenden Seelen im
höhern Geist verschlungen, und ist's eine Liebe im rechten Sinne, d. h.
die auch dem Frieden des ganzen Geistes dient und seiner Entwicklung
Frucht bringt, so wird sie sich nie wieder lösen, wie kein Zusammenhang
im Geiste, der im Sinne von dessen Befriedigung und Förderung ist,
sich wieder löst.

Und wenn sich zwei streiten in dem stärksten Haß, als gäbe es
keine Versöhnung, so steht doch die versöhnende Macht schon da; ein
Geist kann nichts unbefriedet in sich lassen; ja sie streiten sich nur um
eines höhern Gewinnes willen, den der höhere Geist verlangt, und der
ihnen bereinst, hier oder dort, selbst mit wird zustatten kommen. Was
aber das dort dem höhern Geiste ist, besprechen wir erst künftig.

Und wenn ein Redner predigt vor der Gemeine und sie mit sich
reißt, so ist's nicht ein äußerlicher Zug des Geistes an Geistern, sondern
wie eine Idee herrschend um sich greift, bestimmend und leitend eingreift
in viel andere noch rohere Ideen.

Und wenn ein Mensch abseits wohnt, verlassen von allen Menschen,
so ist er doch nicht verlassen von dem höhern Geist und hängt noch in
tiefer Wurzel mit den andern Menschengeistern zusammen; und der
höhere Geist wird sich seiner einst erbarmen.

Und wenn ein Böser sündigt, daß es uns graust, wohlan, den
höhern Geist wird es auch einst grausen, wenn die Folgen des Bösen

in ihm wachsen, benn er hat alle in sich zu tragen, und er wird anfangen
gegenzuwirken, und immer mehr und mehr; das ist die Strafe des Bösen,
die wächst dem Bösen endlich so wahr über das Haupt, als der ganze
Geist über den Geist des einzelnen Bösen ist, und als kein Geist auf
die Dauer buldet, was ihn stört.

Und wenn der Gerechte recht handelt, nicht bloß, daß er für die
Dauer dieses Lebens gerecht erscheine, so wird der höhere Geist ihn, der
im Sinne seines innern Friedens handelt und seine allgemeinen Zwecke
fördert, auch seinerseits endlich befriedigen und dessen Zwecke fördern,
die mit seinen eignen stimmen, und tat ers anfangs nicht, so wird ers
so sicherer und so mehr tun, je mehr der Gute aushält, weil der Geist
den eignen Schaden spürte, wollte er dem, was ihn förderte, dauernd
entgegen sein.　　Die Lehre von den letzten Dingen wird uns hierauf
zurückführen.　　Denn was von dieser Gerechtigkeit noch im Diesseits fehlt,
das haben wir im Jenseits zu suchen, das uns in eine neue Beziehung
zu dem höhern Geiste setzen wird.

Wenn der Geist des gesamten Irdischen in seiner Vielseitigkeit
und Fülle ähnliche Wirkungsverhältnisse, wie sie der menschliche Geist
deutlich nur im Ablauf der Zeiten entwickeln kann, auch schon in der=
selben Gegenwart darbietet, die doch selbst immer nur als eine fließende
zu fassen, fehlt dem höhern Geiste seinerseits nicht ein fortgehender
Ablauf der Wirkungen, der nun aber auch in einem ganz anders reichen
und vollen Strome fließt als der menschliche schmale und seichte Geistes=
bach.　　Wir nennen diesen Ablauf, in seiner äußern Darstellung, die
Geschichte.　　Er ist sozusagen der Fluß, in dem des Verkehres Wellen
strömen.

Die Reihe der Betrachtungen, die wir in betreff des Verkehrs der
Menschen angestellt, würden sich für die Geschichte nur in andrer Fassung
wiederholen.　　So wenig die Wirkungsbezüge in jenem ohne Bewußtsein
sein können, so wenig in diesem.　　Dort sind es Wirkungsbezüge zwischen
dem gleichzeitig Gegebenen, hier zwischen dem sich Folgenden, um was
es sich handelt.　　Auch unser Geist aber hat diese zwei in der Betrachtung
wenigstens scheidbaren Seiten, daß er Gleichzeitiges und daß er Sukzessives
im Bewußtsein bindet.　　Eine sächliche Trennung beider Seiten findet
freilich nicht statt.　　Der Erfolg der gesamten Wirkungen des Gleich=
zeitigen im Bewußtsein ist eben der Fluß des Bewußtseins.

So deutlich liegt die Ähnlichkeit des kleinen Geisterreiches, das wir
in uns tragen, und des größern, das uns in sich trägt, in betreff des
Ablaufes der psychologischen und geschichtlichen Phänomene vor, daß

hieran hauptsächlich die jetzt allwegs geläufige Lehre von einem Geist der Menschheit und Bewußtsein dieses Geistes sich geknüpft hat. Freuen wir uns dieses Zusammentreffens mit unsrer eignen Lehre, obwohl freilich dieses Zusammentreffen nur ein halbes ist, so lange der Geist der Menschheit für den Geist der Erde zählt, und das Bewußtsein dieses Geistes vielmehr mit dem Bündel als dem Bande des menschlichen Bewußtseins für identisch gilt.

Zumeist in der Tat, indem man von einem Geist der Menschheit spricht, denkt man sich ihn doch als ein nur im einzelnen bewußtes, im ganzen unbewußtes Wesen; man meint, die Menschen, oder wenigstens die Philosophen, wissen wohl um diesen Geist, er aber nicht um die Menschen, außer sofern jeder Mensch vom andern weiß, was doch immer nur nach einzelnen Beziehungen und unvollkommen der Fall ist. Der Geist der Menschheit, wie er heutzutage gefaßt wird, hat ein Bewußtsein wohl in den einzelnen Menschen, aber nicht über den einzelnen Menschen, d. h. kein solches, was das der Menschen selbst in eins umfaßt. Die trockene Summe des menschlichen Bewußtseins ist sein Bewußtsein, nicht die bewußte Einigung des menschlichen Bewußtseins. Der Philosoph meint nur, die Ziffer, die er selbst in seinem Einzelbewußtsein von dieser Summe zieht, könne die höhere Bewußtseinseinigung selbst vertreten. Mit Recht sagt Paulus: unser Wissen ist Stückwerk; aber nun soll auch des höhern Geistes Bewußtsein nur Wissensstückwerk sein, zwar der Behauptung nach nein, doch der Sache nach ja, denn nur das Ineinander- greifen und Spiegeln der Stücke, was nur immer neue Stücke gibt, nicht das bewußte Inbegreifen aller Stücke, was erst eine wirkliche Bewußtseinseinheit gibt, wird dem höhern Geiste zugesprochen. Der Spiegel meint gar das Zimmer zu sein, oder sein Licht sei es doch nur, was das Zimmer erhelle. So soll es dann auch, nachdem man von einem Geist der Menschheit erst gesprochen, im Grunde nur die Persön- lichkeit der Einzelgeister in diesem höhern Geiste sein, was als Ziel und Zentrum der ganzen Entwicklung anzusehen. Und freilich, wie kann es zuletzt auf die Entwicklung eines höhern Geistes abgesehen sein, der es nur dem Worte, nicht der Sache nach ist, der gleich zerfällt, so wie man ihn nur hart anfaßt. Ja, viele halten auch wohl den ganzen Geist der Menschheit nur für ihr eigen Gedankending, und wie sie ihn fassen, ist er sicher nur ein solches.

Denn in einem wirklichen Geiste gibt es keine Einzelnheiten des Bewußtseins ohne ein einiges Bewußtsein, das sie alle in eins umspannt. Weiß nicht mein Geist um alles einzelne, was er in sich hat, um seine höchsten Selbstreflexionen, wie um seine sinnlichsten Momente in unmittelbarer Weise? Er wäre eben kein einiger Geist, oder es gehörte ihm dies alles eben nicht gemeinsam an, wenn er nicht in eins darum wüßte; ein einigendes Bewußtsein ist der eigentliche Charakter eines wirklichen Geistes. Also kann auch ein höherer Geist, gibt es anders einen solchen, und gleichviel, ob wir dabei an einen Geist der Menschheit, der Erde oder an Gott denken, unsere besondern Bewußtseinsgebiete nicht in sich tragen, ohne sie in einem allgemeinen Bewußtsein zu verknüpfen. Unser Sonderbewußtsein kann für ihn bloß die Bedeutung haben, daß sich sein Allgemeinbewußtsein in jedem von uns in besonderer Weise äußert. Daß eine unsrer Seelen an die andere denken kann, das gäbe noch kein geistig Band, vielmehr bedarf es dazu einer Seele, die auch all das, was sie voneinander denken, in selbigem Bewußtsein verknüpfend trägt; auch daß eine Seele zum Teil dasselbe denken kann wie die andere, gäbe noch kein Band wie das unsres Geistes; dazu bedarf es einer Seele, die auch das Decken ihrer Gedanken in demselben Punkte und ihr Auseinandergehen darüber hinaus fühlt. Nur umgekehrt, daß zwei Menschen aneinander denken, daß ihre Gedanken sich teilweis decken können, hat seinen Grund in der Verknüpfung durch ein höheres Bewußtsein. Faßt man das Bewußtsein eines uns übergeordneten Geistes nicht in dieser Weise, daß er um alles in eins weiß, was wir einzeln mit und voneinander wissen, läßt man ihn in unser Bewußtsein zerfahren, so sollte man von einem höhern Geiste gar nicht sprechen.

Und so löst sich die gewöhnliche Vorstellung vom Geiste der Menschheit entweder als ein eitel Blendwerk von Worten auf, oder treibt über sich hinaus in die Realität der unsern.

VIII. Vom höhern Sinnlichkeitsgebiet und Willen.

Obschon, wie nicht genug zu wiederholen, keine Analogie zwischen Mensch und Erde ganz treffen kann, ist es doch ebensowenig möglich, ohne Hilfe derselben die Seelenverhältnisse der Erde zu erläutern, da unser eignes Geistige das Einzige ist, was unsrer Beobachtung im geistigen

Gebiete unmittelbar vorliegt, und den Ausgang für die Beurteilung vor allem andern bilden muß, so daß nur acht zu haben ist, daß man die Analogie nicht weiter ausdehne, als sie trifft, und anstatt sich immer sklavisch an dieselbe Analogie zu halten, sie wende, wie sich die Sache oder der Gesichtspunkt wendet.

Und so trifft es denn bis zu gewissen Grenzen sehr gut, obwohl über diese hinaus sehr wenig, wenn man Menschen, Tiere, Pflanzen nach der Seite ihres sinnlichen Vermögens geradezu mit Sinnesorganen der Erde vergleicht, die sie braucht, objektive Anschauungen über den Himmel und sich selbst als Grundsteine und Ansatzpunkte eines höhern allgemeinern geistigen Baues zu gewinnen.

Die Eigentümlichkeit, relative Selbständigkeit, scheinbare Absonderung, welche zwischen Menschen, Tieren, Pflanzen in solcher Weise besteht, daß jedes auf ein eignes Gebiet, einen eignen Standpunkt der Betrachtung angewiesen und eingerichtet ist, indes alle in der Gesamtheit des irdischen Gebiets ein allgemeineres Band finden, gibt diesem Vergleich unmittelbar etwas Ansprechendes. Nur daß teils unsäglich mehr und unsäglich verschiedenartigere auffassende Organe in der Erde als in uns angebracht sind, und diese Organe in der Erde als einem selbst höhern Wesen auch schon Mehr und Höheres zu leisten haben, als in uns die einzelnen Sinnesorgane, welchen sie übergeordnet sind. Und dies ist es eben, was den Vergleich immer mehr oder weniger unzulänglich macht, obwohl ein genaueres Eingehen ihn doch wieder bis zu weitern Grenzen triftig erscheinen lassen wird, als sich der oberflächlichen Betrachtung verraten kann. Es ist nicht bloß Sinnliches, was die Menschen und Tiere in sich tragen; es sind auch schon höhere Gesichtspunkte, die durch sie in der Erde Platz greifen, ihrer selbst höhern Stellung im höhern Wesen gemäß. Doch aber bleiben es immer nur besondere Gesichtspunkte, wie sie von Einzelstandpunkten aus möglich sind, wie sie auf Grund besonderer Sinneseinrichtung und Stellung gegen die Außenwelt gewonnen werden können; indes eine höhere, das ganze Gebiet des Irdischen in eins umspannende Bewußtseinsverknüpfung, indes allgemeinere geistige Bezüge, welche im Verkehr, der Entwickelung und Geschichte der ganzen Menschheit, ja des ganzen irdischen Reiches walten und als solche unserm Einzelbewußtsein unzugänglich sind, über alle irdischen Einzelgeister und ihre besondern Gesichtspunkte noch hinausgreifen und nur in einseitigen Reflexen, wie sie eines jeden besonderer Standpunkt möglich macht, in sie rückgreifen und hiermit eben beitragen, die irdischen Geister zu etwas von allgemeinerer und höherer Bedeutung

zu stempeln, als sie in Absonderung von einem solchen, ihnen übergeordneten, geistigen Reiche sein könnten. Nicht anders aber greift auch
unsre höhere Bewußtseinsverknüpfung mit ihren allgemeinen Bezügen
über alles das, was uns durch die Sinne von einzelnen Seiten einzeln
zugebracht wird, hinaus und reflexweise in das Sinnliche selbst zurück,
und trägt dadurch seinerseits bei, dasselbe zu etwas Höherem zu stempeln,
als es, außer Zusammenhang mit dem allgemeinen Bewußtsein gedacht,
sein könnte. Auch in uns ist das Sinnliche ja nicht abgeschnitten von
der höhern Allgemeinheit des Geistes, nicht abstrakt und los davon zu
fassen. Alle durch unsre Sinne gewonnenen Anschauungen, wie vereinzelt
sie uns erscheinen mögen, sind sozusagen unwissend ihrer selbst mit
etwas Höherem begeistet, was aus der allgemeinen Verknüpfung des
Geistes in sie kommt; ja vieles Besondere, was über das Sinnliche
hinaus liegt von geistigen Bezügen und Erinnerungen, assoziiert sich doch
in besonderer Weise an das Sinnliche, so daß es wie in eins damit
zusammengeht, wie weiter zu betrachten. Auch unsre körperlichen Sinnesorgane, wie individuell geartet immer ihr Bau und ihre Tätigkeit sein
mag, dürfen doch nicht als bloß für sich bestehende und für sich tätige
Organe, sondern nur in ihrem Zusammenhange mit dem ganzen Leibe
und durch den ganzen Leib, insbesondere aber mit dem Gehirn und
durch das Gehirn, zu welchem sie die nächste und wichtigste Beziehung
haben, gefaßt werden, ja die Wurzeln in letzterm, wodurch sie mit dessen
allgemeinen Tätigkeiten in Beziehung treten und mittelbar Beziehung
zu einander gewinnen, sind ganz wesentlich mit zu ihnen zu rechnen,
wie wir auch trotz unsrer Individualität nur im Zusammenhange mit
der ganzen Erde und durch die ganze Erde, insbesondere aber mit dem
obern, die ganze Menschheit inbegreifenden Reich der Erde zu fassen,
sozusagen, darin eingewurzelt sind, und dadurch in die höhern Verkehrsbeziehungen der Erde mit eingehen, wie eingreifen. Und so bleibt bei
allem Ungleichen doch viel des Gleichen zwischen dem Verhältnis der
irdischen Einzelgeschöpfe zur Erde und unsrer einzelnen Sinneswerkzeuge
zu uns.

Wie nun bei uns die verschiedenen Sinnesorgane sehr verschiedene
Würde und Bedeutung haben, und die Funktionen der einen der Anknüpfung des höhern Geistigen, der Begeistung damit, mehr Raum
geben als die andern, ist es auch bei den individuellen Geschöpfen der
Erde, und die Menschen nehmen in dieser Beziehung fraglos die erste
Stelle ein. Die Pflanze tut nichts, als ihre Wohnung immer mehr
erweitern und immer höher ausbauen und immer schöner malen; in

diesem Geschäfte führt und fühlt sie zugleich ihr Dasein; hiermit trägt
sie leiblich bei, den Erbleib und zugleich sinnlich, die Erdseele auszubauen, zu bereichern, zu schmücken; aber sie hat in der Erde und die
Erde in ihr doch nur ein unmittelbares sinnliches Daseinsgefühl; die
Pflanze weiß nichts von der Erde um sich, sie hat keinen Spiegel, und
so knüpft sich auch in der Erde an die sinnliche Existenz der Pflanze
nichts von einem Wissen um sich über die Pflanze hinaus; die Erde
genießt in der Empfindung der Pflanze bloß eine besonders unterscheidbare sinnliche Bestimmung ihrer Existenz; die ist zugleich der
Pflanze Seele. Das Seelenhaus der Menschen und Tiere aber hat sozusagen noch einen Spiegel, der in kleinerem oder größerem Umfange
das Irdische um sich, ja wohl etwas vom Überirdischen, wie es nun
eben vom irdischen Standpunkt erscheinen kann, spiegelt, und in des
Menschen durchweg hellem Spiegelhaus spiegelt und wiederspiegelt sichs
gar in immer höhern Bildern, denn die Bilder sind nicht tote, sondern
leben und weben und verweben sich zu einer höhern Welt, der Spiegel
selber wirft nicht tot zurück, sondern ändert an den Bildern. Doch
spiegelt auch der größte und höchste Mensch Erde und Himmel nur
von einem bestimmten Standpunkt; die Erde aber hat in sich tausend
und abertausend höhere und niedere Standpunkte; dazu will es tausend
und abertausend Menschen und Tiere; und die Erde wird nicht müde, sie
immer neu zu wechseln und zu vervielfältigen, um so in Selbstspiegelung
und Spiegelung des Höhern ihren ganzen Lebenskreis zu entfalten und
entfaltend zu erschöpfen. Über allem aber, was sich so in den einzelnen
Geschöpfen einseitig reflektiert, baut sich dann eben in ihrem Verkehr und
ihrer Geschichte noch ein in demselben Verhältnis höher geistig Leben
auf und greift rückwärts in das Leben der Einzelgeschöpfe hinein, als
im einzelnen Menschengeiste über allen einseitigen Spiegelungen sich ein
höher geistig Leben aufbaut und in das Gebiet der Sinnlichkeit, dies
selbst höher hebend, rückgreift. Doch ist, wie sich zeigen wird, das, was
wir vom Verkehr und der Geschichte der Menschen hienieden erblicken,
selbst nur die sehr äußerliche Seite von etwas tiefer Innerlichem, was
uns auf unserm diesseitigen Standpunkte noch nicht erscheinen kann.
Die Lehre von dem Jenseits wird aber zu diesen Betrachtungen noch
eine wichtige Ergänzung bringen. Unser ganzes jetziges, verhältnismäßig
sinnliches Leben hienieden ist nur die Basis eines künftigen höhern, das
nicht minder dem höhern Geiste angehört als unser jetziges. Aber Betrachtungen hierüber haben jetzt noch kein Fundament. Bleiben wir bei
dem, was sich auf den bisherigen Grundlagen erörtern läßt.

Damit gehe ich auf die Betrachtung einiger Gegenstände (objektive Anschauung und Willen) über, die manches Schwierige darbieten, sogar, wenn wir sie nur bei uns selbst in Betracht ziehen, geschweige, wenn wir uns damit zum höhern Geist versteigen, wo sich die Schwierigkeit mitsteigert, ohne daß sich zugleich die Mittel, ihr beizukommen, steigern. Und so mag es wohl sein, daß die folgenden Betrachtungen nicht jedem in jeder Hinsicht befriedigend erscheinen; man muß sich aber hüten, den etwaigen Fehler der Betrachtung für einen Fehler der Sache anzusehen und das allgemeine zu verwerfen, weil im besondern geirrt wird oder Zweifel auftritt. Wenn doch unser eigner Geist existiert, trotzdem, daß manche wichtige Verhältnisse desselben noch im unklaren und meist nur untriftiger Betrachtung unterliegen, so werden wir um so weniger Schlüsse gegen das Dasein des Geistes über uns aus einem vielleicht nicht ganz gelungenen ersten Versuche, die analogen Verhältnisse desselben zu erörtern, ziehen dürfen, da uns hier keine andre direkte Beobachtung als an der kleinen Probe, die er uns von sich in uns selbst gibt, zu Gebote steht, alles andre aber nur durch Analogie damit erschlossen werden kann. Ganz übergangen aber können diese Erörterungen doch nicht werden; der Versuch muß gemacht werden, darauf einzugehen, da nur so die Lehre vom höhern Geiste Leben und Folge gewinnen kann; denn ist es ein wirklicher Geist, haben wir selbst Beziehungen zu diesem Geiste, so kommen diese Verhältnisse nach wichtigsten Beziehungen für ihn wie für uns in Betracht, und werden die Schwierigkeiten der Lehre nicht angegriffen, so greifen sie uns an. Es hindert aber nichts, im ersten Versuch nur den Ausgang triftigerer und fruchtbarerer Entwicklungen für die Zukunft zu sehen.

In unsrer Sinnlichkeit liegt für uns zugleich ein Gebiet objektiver Anschaulichkeit, Erfahrbarkeit überhaupt, wobei Subjektives uns das Objektive vertritt, wodurch es hervorgerufen wird. Es gehört in der Tat schon eine sehr philosophische Reflexion dazu, die wir selten, und welche die meisten Menschen nie anstellen, um uns bewußt zu werden, daß alles, was wir um uns und an uns sehen, hören, fühlen, so wie wir es sehen, hören, fühlen, eigentlich nur in unsrer Anschauung, Empfindung ist; nicht daß ihm nicht auch etwas Wirkliches außer der Anschauung, Empfindung entspräche; aber zunächst haben wir doch nur diese davon; sie vertritt uns das Objektive selbst, erscheint uns unmittelbar als dieses. Ja mitunter können bloße sinnliche Phantasmen, denen nichts außer uns entspricht, den Charakter der Objektivität annehmen.

Nicht bloß sinnliche Anschauung oder sinnlich Anschauliches aber seßen wir uns auf solche Weise gegenüber; sondern alles, was sich daran im Laufe des Lebens durch bewußte oder unbewußte Erinnerungen und Schlüsse als etwas Zugehöriges assoziiert, wird mit objektiviert. Wir belehnen sozusagen aus unserm Geiste heraus, obwohl durch frühere Erfahrungen dazu bestimmt, jedes anschauliche, überhaupt sinnlich wahrnehmbare Ding mit einer Menge Eigenschaften, denken es in einer Menge Verhälnissen, die nicht unmittelbar in die Anschauung, sinnliche Wahrnehmung fallen und doch mit objektiviert werden. Eine Landschaft z. B. würde uns dem bloß sinnlichen Eindruck nach nur als eine marmorierte Fläche erscheinen; erst das Unzählige, der Anschaulichkeit an sich gar nicht mehr Angehörige, was wir erinnernd an die gesehenen Formen und Farben assoziieren, wenn schon im einzelnen nicht besonders zum Bewußtsein bringen, macht die objektive Landschaft mit der Be= deutung von Bäumen, Häusern, Menschen, Flüssen daraus; aber wir sondern das von uns geistig Angeknüpfte, diese Bedeutung Vermittelnde, nicht von der sinnlichen Unterlage; sondern setzen es mit dieser in eins uns entgegen. Was objektivieren wir nicht alles in der Anschauung eines Menschen mit ihm, das wir doch garnicht sinnlich an ihm sehen. Hören wir eine Rede, so vernehmen wir eigentlich sinnlich nichts als Schall; der ganze Sinn der Rede wird von uns selbst geistig angeknüpft*); doch objektivieren wir den Sinn der Rede mit dem Schall; es ist uns, als ob die von außen kommende Rede ihren Sinn gleich mitbrächte, wir empfangen ihn als etwas Neues, nicht aus uns Kommendes, sondern in uns Hineinkommendes. — Rein Sinnliches erscheint sogar wohl nie objektiv, und das Höchste und Beste, was ein Mensch hat, spielt auch in der Weise mit, wie er die Dinge auffaßt, auslegt, deutet, auf andre bezieht und das dadurch bereicherte Anschauliche, Erfahrbare, erscheint ihm darum nicht weniger objektiv.

Inzwischen geht unser höheres Geistige nicht in der Anknüpfung an das Anschauliche, sinnlich Wahrnehmbare, und der Objektivierung damit auf; ja der Geist kann dasselbe, was aus seinem allgemeinen Borne bereichernd und begeistend zu den Anschauungen hinzutritt, auch unobjektiviert und ohne Anschauung in Erinnerungen und höhern begriff-

---

*) Die Möglichkeit, daß der Hörende den Sinn der Rede richtig an die gehörten Worte anknüpft, so daß der Sinn des Redenden sich darin wieder erzeugt, liegt in einer gegenseitigen Einrichtung ihrer Geister und ihrer Leiber, die selbst nur durch ihr gemeinschaftliches organisches Inbegriffensein in einem höhern Geist und Leibe vermittelt werden konnte. Hier kümmert uns indes nur das Faktum der Objektivität, in welcher der Sinn mit den Worten zugleich erscheint.

lichen Bezügen und Kombinationen erfassen und bedenken, nur so, daß
es immer mit der Welt der Anschaulichkeit in kausaler und vernünftiger
Beziehung bleibt.

Auch fühlen wir unmittelbar, daß die aus unsern Anschauungen,
sinnlichen Wahrnehmungen, erwachsenen Erinnerungen unserm Geiste
angehören, hier geht das Gefühl des uns Fremdseins verloren.

Unstreitig nun hat auch der Geist der Erde sein Gebiet objektiver
Anschaulichkeit, Erfahrung in dem, was ihn von seiner Sinnesbasis aus
bestimmt und sich daran knüpft. Die Welt der objektiven Erscheinung
wird sich nur gemäß der breitern Sinnesbasis, die dem höhern Geiste
zu Gebote steht, erweitern, und gemäß der größern Höhe, die er über
uns hat, erhöhen. Für uns erscheint nur objektiv, was wir durch die
einzelnen Sinneswerkzeuge schöpfen, für ihn, was er durch die einzelnen
Geschöpfe schöpft, die seine Sinnesorgane nur auf höherer Stufe vertreten, und das höhere Geistige, das sich über ihrer Sinnesbasis aufbaut,
geht da mit ein, obwohl das des höhern Geistes darin nicht auf, da
vielmehr das, was den Geschöpfen davon zukommt, teils als Reflex aus
dem allgemeinern geistigen Besitz des höhern Geistes angesehen werden
kann, teils aber auch, durch sie weiter fortbestimmt, sich wieder in ihn
hinein reflektiert, so daß es dem höhern Geiste auch über uns hinaus
noch zukommt. Das höhere Geistige im einzelnen Menschen ist eben nur
die Klammer der Anknüpfung an das allgemeinere Geistige des Geistes
über uns, das weder in dem beschlossen ist, was davon in einen einzelnen
Menschen, noch in dem, was in die Summe der einzelnen Menschen
eingeht; um so weniger, wenn wir bloß auf das Diesseits der Menschen
reflektieren, wie wir doch jetzt immer tun.

Wir müssen also nicht meinen, daß nicht auch im Menschen das
Höchste und Beste, was das Wesen über uns hat, sich wirksam und
lebendig erweisen könne, nur daß es immer bloß in gewisser, dasselbe
nicht erschöpfender Besonderung darin erscheinen kann. Unser Geist ist
nicht bloß eine marmorierte Sinnestafel, trotzdem, daß der höhere Geist
mit uns wie mit seinen Sinnesorganen um sich blickt und seinen Leib
selbst beschaut, weil wir nicht ohne unsre Wurzeln in seinem höhern
Gebiete zu fassen sind; das höhere und höchste geistige Leben desselben
webt vielmehr mit in dieser Sinnestafel, hebt uns einerseits über die
Sinnlichkeit hoch hinaus, und gewinnt andrerseits durch uns neue
Bestimmung. Es ist dies Höhere und Höchste in uns etwas, was wir
nicht von uns selbst als einzelnen haben könnten, sondern nur durch
unser Wohnen in dem allgemeinen Geiste, unsre Verknüpfung in dem

allgemeinen Geiste und durch den allgemeinen Geist. Er ist es, der unsern geistigen Verkehr vermittelt, die gesammelten Schätze menschlicher Erkenntnis von einer Zeit zur andern in sich aufhebt; wir sehen nur die äußern Bedingungen davon, er hat das innere Bewußtsein davon. Aber wie sich dies Höhere in uns gestaltet und durch uns gestaltet wird, bleibt immer etwas, worin sich der höhere Geist durch uns, wie von etwas Objektivem, neu bestimmt findet, das erst durch uns in ihn kommt. Jeder Mensch verdankt die Bildung, die ihn über das sinnlich Tierische erhebt, teils seinen Bewußtseinsbeziehungen zur allgemeinen Natur, teils einem Reflexe der allgemeinen Bildung, die durch die Menschheit zeither vermöge ihres Zusammenhanges unter sich und mit der umgebenden Natur erworben wurde, und die in besondern Vermittelungen an ihn gelangt, trägt aber auch selbst durch die Art, wie er diese Bildung aufnimmt und in sich gestaltet und demgemäß auf die Welt rückwirkt, etwas bei zur Förderung der allgemeinen Bildung. Und die höchsten und besten Menschen empfangen einerseits die höchsten und besten Reflexe aus dem höhern Geiste, andrerseits leisten sie das Höchste und Beste, ihn weiter zu fördern. Durch bloßes abstraktes Denken außer Beziehung mit seinem Anschauungsgebiet könnte der höhere Geist so wenig weiterkommen wie unsrer, er wurzelt aber durch die Geschöpfe in der Anschauung, äußern Erfahrung, wie die Geschöpfe umgekehrt durch ihr höheres Geistige in dem höhern Geiste.

Das Verhältnis zwischen uns und dem höhern Geiste ist also, nochmals zusammengefaßt, dieses: Unsre Anschauungs- oder äußern Erfahrungsgebiete bilden für den höhern Geist in ihrer Ergänzung durcheinander ein größeres Anschauungs-, Erfahrungsgebiet, was den Charakter der Objektivität für ihn trägt, wie für uns, und eben durch uns für ihn trägt; denn er teilt ja unsre objektive Auffassung; hiemit objektiviert sich für ihn aber, da er ein höherer Geist als wir, zugleich alles, was sich des Höhern über unserm Anschauungs-, Erfahrungs-, gebiete in uns aufbaut, in ähnlicher Weise wie das, was sich des Höhern an einzelne Sinnesgebiete in uns assoziiert, sich für uns mit diesen in eins objektiviert. Aber das höhere Geistige geht für ihn nicht in dieser Objektivierung auf. Vielmehr ist alles Höhere in uns etwas, was der höhere Geist nicht bloß in uns als einzelnen, sondern noch über uns hinaus in allgemeinerer Weise hat; wir hängen durch dasselbe in ihm selbst zusammen; und sind bei der Fortbestimmung desselben ebenso tätig, als er tätig ist, uns durch dasselbe fortzubestimmen.

Liegt in den vorigen Betrachtungen zugestandenermaßen manches

Schwierige, so heben sich andrerseits dadurch manche Schwierigkeiten, die
sonst schwer löslich scheinen möchten; wie denn das Bedürfnis, sie zu
lösen, den Weg dieser Betrachtungen selbst erst gewiesen hat, nur so,
daß Analogie helfen mußte, ihn zu treffen und zu begründen.

Man kann fragen, warum fällt es doch gar nicht in unser Gefühl,
daß wir einem höhern Geiste angehören, wenn wir doch in dem höhern
Geiste leben, weben und sind, und er in uns. Es kann nicht in unser
Gefühl fallen, weil es nicht ins Gefühl des höhern Geistes selber fällt;
wir sind Werkzeuge seiner objektiven Anschauung, und nur durch besondere
Reflexionen, in denen er sich mit uns begegnet, kann ihm der Gedanke
entstehen, daß das, was er in unsern Seelen schöpft, ihm selbst angehöre,
ohne daß es aber darum Gefühlssache für ihn wird. Der höhere Geist
hat sozusagen unsern ganzen Seeleninhalt auf dem Grunde unsrer
Sinnestafel anschaulich vor sich, indes wir seinen ganzen Seeleninhalt,
so weit wir ihn nicht selbst darstellen, gleichsam hinter uns haben; daher
wird er unsrer ganz gewahr, aber wir nicht seiner; was er aber in uns,
durch uns gewahr wird, nimmt er wie etwas sein Wesen objektiv oder
neu Bestimmendes, nicht als schon vorhandenen Teil seines Wesens
wahr; daher auch das Gefühl aus ihm in uns nicht kommen kann, daß
wir Teile seines Wesens sind. Wenn wir uns aber durch höher Geistiges
mit seinem Allgemeinbesitz verknüpfen, so fühlt er sich zwar als Gefäß
und Herr dieses Allgemeinbesitzes, aber nicht eben so dessen, was sich
davon in besonderer Weise in uns hinein reflektiert und durch uns selbst
neu gefaßt und verarbeitet ihm zurückgegeben wird, was vielmehr im
Gebiet dessen, was ihn objektiv bestimmt, mit aufgeht, wie sich durch
analoge Verhältnisse in uns selbst erläutern ließ. Wenn wir aber doch
unmittelbar fühlen, daß die aus unsern Anschauungen erwachsenen
Erinnerungen uns angehören, das Gefühl des Objektivseins, Fremdseins
bei diesen verloren geht, ohne daß sie doch in unserm Bewußtsein verschwimmen, so wird auch unsre scheinbare Entfremdung von dem höhern
Geiste nur in unserm jetzigen, verhältnismäßig sinnlichen Anschauungsleben bestehen, nicht in dem Leben von höherer Geistigkeit, das wir im
Jenseits in ihm führen, in das wir mit dem Tode eintreten werden.
Doch das gehört in spätere Betrachtungen.

Nun werden uns auch Widersprüche und Unverträglichkeiten im
menschlichen Gebiete um so weniger mehr befremden können, da sie sozusagen nicht von oben aus der Allgemeinheit des höhern Geistes in
die Menschheit kommen, sondern von unten durch die einseitigen und
voneinander abweichenden sinnlichen Standpunkte der Menschheit in den

höhern Geist kommen und sich der Ausgleichung und Verarbeitung durch
ihn darbieten. Jeder neu entstehende Mensch bildet ebenso einen neuen
Anlaß und Anfang solcher Arbeit im höhern Geiste, wie in uns jeder
neue Augenaufschlag, der unser Erfahrungsgebiet bereichert. Alles, was
in unsern Geistern hienieden vorgeht, nimmt so von gewisser Seite für
den höhern Geist den Charakter des ihm unwillkürlich Begegnenden an;
von gewisser Seite, d. h. insoweit es nicht selbst von oben aus dem
Geiste in uns gekommen; und freilich zu allem, was wir tun und
denken, ist etwas von oben aus der Allgemeinheit des höhern Geistes
in uns gekommen, wie aber auch wieder etwas durch uns in die
Allgemeinheit des höhern Geistes kommt. Nur abstrahierend läßt sich
beides scheiden. Wir bestimmen ihn durch unsere Einzelheit von unten,
indes wir zugleich seiner Bestimmung aus dem Allgemeinen her von
oben unterliegen, da er durch alles, was wir tun und denken, veranlaßt wird, aus der Fülle des Ganzen mit- oder gegenzuwirken, und
selbst in uns hineinwirkt. Und hierdurch wird er eben unser Hort, daß
er unsre Widersprüche und Unverträglichkeiten, weil sie ihm doch begegnen,
im Wechselverkehr unsrer Geister untereinander und mit der Natur
auszugleichen sucht; nur daß er hiebei nicht unbeschränkt ist, wie wir
nicht unbeschränkt in Gestaltung unsers Erfahrungsgebietes sind, doch
sind wir es bis zu gewissen Grenzen, und bei ihm werden die Grenzen
noch weiter liegen.

Mit solchen Betrachtungen aber treten wir aus dem Gebiete der
Rezeptivität in das Gebiet der Aktivität des höhern Geistes über, und
so wird es dienlich sein, die Analogie, die uns bisher geleitet hat, dahin
zu erweitern, daß sie auch den fernern Erörterungen zur Grundlage
dienen könne.

Lassen sich die lebendigen Geschöpfe der Erde von gewisser Seite als
Sinnesorgane derselben betrachten, so von andrer Seite als Bewegungs-
organe derselben, im grunde aber als beides im Verein, wie auch unser
Auge, unser Ohr, unsre Nase, unsre Zunge, unsre Hand Sinnes- und
Bewegungsorgane in eins sind. Die Muskeln daran liefern den Be-
wegungsapparat*), der ebenso durch Nerven mit dem Gehirn zusammen-
hängt wie der Empfindungsapparat und vermöge dessen (leiblich-geistige)
Impulse vom Gehirn empfangen kann, wie der Empfindungsapparat

---

*) Selbst an Ohr und Nase fehlt er nicht. Abgesehen von den äußern Ohr-
muskeln, die beim Menschen wenig tätig sind, gibt es auch innere Muskeln, welche
die Spannung des Trommelfells regulieren und mit den Gehörknöchelchen in Beziehung
stehen. Auch die Nasenflügel können durch Muskeln bewegt werden.

solche dahin fortpflanzt. Auch der Bewegungsapparat ist nur mit diesen
Wurzeln im Gehirn in Verbindung zu betrachten, ohne welche er müßig
wäre. Mittels des Bewegungsapparates sucht der Mensch seine Sinnesorgane den Einwirkungen immer so darzubieten und diese selbst so
umzugestalten, daß teils unmittelbar die genehmsten Anschauungen
und Empfindungen durch die Sinnesorgane gewonnen werden, teils
allgemeineren, über die Sinnesorgane hinausgreifenden, obwohl vom
ganzen Organismus auch in sie rückgreifenden Zweckrücksichten entsprochen
wird und in analoger Weise verwendet die Erde ihre Geschöpfe. Der
Bewegungsapparat derselben dient ihr ebenso, sie den äußern Einwirkungen so darzubieten und diese so umzugestalten, daß teils unmittelbar die genehmsten Anschauungen und Empfindungen für die Geschöpfe
selbst und hiemit für die Erde gewonnen werden, teils allgemeineren, über
die Geschöpfe hinausreichenden, obwohl aus dem Ganzen auch in sie
rückgreifenden und also auch für sie nicht gleichgültigen Zweckrücksichten
dadurch entsprochen wird. In erster Beziehung, der Richtung auf
Erlangung eines unmittelbaren Genügens, wirkt von geistiger Seite der
sinnliche Instinkt oder Trieb der Geschöpfe, in letztrer, der Richtung auf
Erlangung weiterer und höherer Zwecke, der höhere Wille derselben.

Man kann obige Analogie noch etwas weiter verfolgen; und obwohl
sie überhaupt nur bis zu gewissen Grenzen triftig sein und triftig führen
kann, auch die fernere Fortführung zur Begründung des Folgenden nicht
wesentlich ist, mögen doch noch einige Worte in bezug darauf hier stehen.
Im Grunde schließt sich jedes Sinnesorgan durch seine nach den
Zentralorganen verlaufenden Sinnes- und Bewegungsnerven zu einer Art
Zirkel ab, indem diese Nerven im Gehirn oder Rückenmark in eine Verbindung der Art treten, daß Empfindungsreize, die zunächst nur auf das
Organ selbst angewandt werden oder in demselben sich entwickeln, Bewegungen
des Organs (sog. Reflexbewegungen) hervorrufen können, indem sie von den
Empfindungsnerven durch die zentrale Verbindung auf die Bewegungsnerven sich reflektieren und so einen Trieb zur Bewegung auslösen, ohne daß
ein vom Ganzen ausgehender Willenseinfluß ins Spiel zu kommen braucht
(wie wenn das Auge sich unwillkürlich infolge eines Lichtreizes dreht,
die Hand bei einem Nadelstich unwillkürlich zuckt u. s. w.), und dieser ganze
Zirkel bildet eigentlich erst das vollständige Organ. Analog schließt sich der
Leib des ganzen Menschen oder die Gesamtheit seiner Empfindungs-
und Bewegungsorgane durch die gesamten Sinnes- und Bewegungsnerven
und das ganze Gehirn und Rückenmark als zentrale Verbindungsteile zu
einem größeren Zirkel ab, in welchem weitern Zirkel (namentlich dem Teile
desselben, welchen das Gehirn bildet,) die leibliche Begründung der höhern
Intelligenz und des Willens (statt im engeren bloßer sinnlicher Empfindung
und empfundenen Triebes) eingeschlossen liegt. Der engere Zirkel (des

einzelnen Sinnesorgans) ist aber in den weitern (des ganzen Menschen) so eingebaut, daß er nicht nur Einflüsse darauf äußern, sondern auch davon empfangen kann, die eine allgemeinere Bedeutung haben, als die sich im engern Zirkel für sich abschließt.*) Daher z. B. die an sich unwillkürlichen (Reflex=)Bewegungen des Auges, welche ein Lichtreiz, eine Stimmung des Auges veranlaßt oder veranlassen möchte, durch den Willen und den Gang unsers Denkens teils abgeändert, teils verhindert werden können, umgekehrt durch die Sinne auf den Willen und die höhere Intelligenz gewirkt werden kann, wie denn viele Motive unsers Willens und Bestimmungsgründe unsers Denkens in sinnlichen Anlässen liegen. Ebenso ist der Zirkel, welchen der Mensch bildet, in den noch weitern Zirkel eingebaut, den die gesamte Erde mit der Gesamtheit ihrer Geschöpfe nach einem höhern Prinzip**) abschließt, und jeder einzelne Mensch erstreckt darauf Einflüsse durch sein Handeln und empfängt von da Bestimmungsgründe zum Handeln, die eine allgemeinere Bedeutung haben, als die sich, direkt bloß auf ihn selbst bezüglich, im besondern Zirkel seines Empfindens und Bewegens abschließen möchte.

Trieb und Wille der Geschöpfe verknüpfen sich nun ebenso in einem höhern darüber hinausgreifenden Willensgebiete der Erde, als Empfindung und Wissen derselben in einem höhern Wissensgebiete. Wie alles Empfinden und Wissen der Erde sich letzlich in einem einigen Bewußtsein der Erde zusammen= und abschließt, so aller Trieb und Wille. Es ist aber beidesfalls dasselbe Bewußtsein, das nur von einer Seite rezeptiv von der andern aktiv ist, und es kann dieser Abschluß oder diese höchste selbsttätige Verknüpfung (nicht Summe) alles Triebes und Willens im obersten Bewußtseinsknoten der Erde, oder dieser selbst nach seiner in Handeln ausschlagenden Aktivität, als oberster oder Hauptwille, Totalwille, oder Wille der Erde schlechthin gefaßt werden. Indem aber abgesehen von der allgemeinsten obersten Bewußtseins=Einigung auch noch besondere Bewußtseinsbezüge darunter über das Menschliche und besondere Fraktionen der Menschheit hinweggreifen, wird dasselbe auch ebenso nach aktiver als rezeptiver Seite stattfinden.

---

*) Man glaubt, daß Nervenwirkungen nicht bloß durch Kontinuität, sondern auch durch Kontiguität (Anlagerung) der Nervenfasern übergepflanzt werden können; ja daß dies eins der wichtigsten Mittel der Übertragung von Nervenwirkungen im Körper ist. (Vgl. Volkmanns Artikel „Nervenphysiologie" S. 528 in Wagners Physiolog. Wörterb.). Hienach kann man sich schematisch vorstellen, daß ein kleiner Zirkel von einem größern umschlossen wird, und durch seine innere partielle Anlagerung an denselben in Wirkungsbeziehungen mit ihm tritt, muß aber freilich gestehen, daß über die in der Wirklichkeit in dieser Beziehung stattfindenden Dispositionen noch viel Dunkel herrscht.

**) Unstreitig kann man in der Art, wie sich der Mensch in die Erde einbaut, keine reine Wiederholung der Art sehen, wie sich ein Sinnesorgan in den Menschen einbaut.

Insoweit nun unser aller Wille auf eins und dasselbe hinzielt, und in der Hauptsache zielt er überall dahin, die Verhältnisse so zu gestalten, daß wir alle zugleich dabei gewinnen, tritt er in den Willen des uns übergeordneten Geistes hinein; insoweit er nicht auf dasselbe hinzielt, bedeutet er abweichende oder streitende Bestimmungsgründe des= selben. Was sich in unsern Einzelwillen deckt, deckt sich im ganzen Willen des höhern Geistes, was zwischen uns abweicht, weicht in seinem ganzen Willen als besondrer Bestimmungsgrund desselben ab. So ist unsrer niedrer Einzelwille jedenfalls bloß als Moment seines ganzen Willens zu fassen; und es kann unsre Freiheit, unser Wille, obwohl mit allem, was dadurch geschieht, in den höhern Geist fallend, ihm doch nicht als seine Freiheit, sein Wille im höhern Sinne erscheinen und angerechnet werden, vielmehr nur als etwas, was seine höhere Freiheit, seinen höhern Willen mitbestimmt, wie unsre Freiheit, unser Wille durch einzelne, ihm untergeordnete, oft untereinander und mit unserm ganzen Willen selbst streitende Beweggründe, Motive, mit bestimmt werden kann. Für den Willen des höhern selbständigern Geistes tritt nur eben auch etwas Selbständigeres, Höheres, d. i. der Einzelwille des Menschen an die Stelle, die in Verhältnis zu unserm Willen bloß ein unselbständigeres niedrigeres Motiv einnimmt. Im Übrigen kann die Analogie mit diesem Verhältnis uns gut zur Erläuterung dienen.

Wieviel auch Motive bei einem Willen ins Spiel kommen, doch ist der Wille mehr als die Summe der einzelnen Motive, die ins Bewußtsein treten, ja oft tun wir etwas mit Willen, zwar nicht ohne Motive, aber doch ohne uns irgend ein besonderes Motiv zum Bewußtsein zu bringen. So wird es auch mit dem Willen des höhern Geistes sein. Die Summe der einzelnen bewußten Menschenwillen kann ebensowenig seinen obern Willen ganz decken, wie die Summe unsrer bewußten Einzel= motive den menschlichen Willen, zumal der höhere Geist viele Motive nach vielen Beziehungen haben kann, die über das menschliche Bedenken überhaupt hinausliegen, obwohl immer mit den von uns bedenkbaren, in uns wirksamen Motiven in Beziehung stehen werden; wie umgekehrt das Vorbedenken und Wollen durch die einzelnen Menschen nicht in Absonderung, sondern nur im Zusammenhang des ganzen höhern Denk= und Willensgebietes stattfinden kann. Es kann also vieles aus dem höhern Willen heraus geschehen, was nicht im Willen und Vorbedacht eines einzelnen Menschen noch der Willenssumme aller einzelnen Menschen lag; ja alle großen Begebenheiten der Geschichte sind höchstens nach einzelnen Seiten von den Menschen vorausbedacht und gewollt worden, aber nicht im ganzen. Umgekehrt aber liegen für den höhern Willen Bestimmungsgründe in dem Willen der Menschen, die von den einzelnen die Richtung auf das Ganze nehmen.

Wie nun in uns ein Motiv des Willens nur nach Maßgabe Erfolg hat, als der ganze Wille, zu dessen Bestimmung es freilich selbst mitwirkt, nicht überwiegend entgegensteht, wird auch der Wille eines einzelnen Menschen nur nach Maßgabe Erfolg haben können, als er geeignet in den Totalwillen des Wesens über uns hineintritt. Wir suchen nun unsrerseits unsre Handlungen immer so einzurichten, daß allen Motiven des Willens, aus dem sie hervorgehen, so viel möglich im Zusammenhange dadurch Genüge geleistet wird, und so ist auch leicht einzusehen, daß das Geschehen auf der Erde, insoweit es unter dem Einflusse des allgemeinen Willens des höhern Geistes steht, eine solche Gestalt annehmen wird, daß allen verschiedenen ihn bestimmenden Einzelwillen dadurch möglichst Genüge geschieht; und somit sehr erklärlich, daß trotz des höhern Allgemeinwillens, ja vermöge desselben, jeder Mensch seinen untergeordneten Willen bis zu gewissen Grenzen befriedigen kann. Aber doch nur bis zu gewissen Grenzen, soweit es der Konflikt mit andern abweichenden Einzelwillen und dem über alle hinausgreifenden allgemeinen Willen, der ja durch die Summe aller nicht gedeckt wird, gestattet; wie auch bei unserm Willen im Konflikt der Motive untereinander und mit dem über sie hinausgreifenden allgemeinen Willen die Befriedigung der einzelnen sich Beschränkungen gefallen lassen muß. Je kräftiger aber ein Motiv ist, desto mehr wird der Totalwille geneigt sein, seine Richtung einzuschlagen, oder desto mehr wird die Richtung des Totalwillens mit der des Motivs übereinkommen; und ebenso, je kräftiger der Wille eines Menschen wirkt, desto mehr wird er beitragen, den Willen des höhern Geistes zu bestimmen. Des Menschen Wille ist ein Gewicht auf der Wagschale der höhern Freiheit, zwar die Wage nicht selbst, aber in Zusammenhang damit erwachsen. Wir drücken auf die Wage, wie wir wollen, und sie wägt unsre Gewichte, wie sie will, indem sie sie immer neu umlegt, je nachdem sie da oder dort zuwenig oder zuviel drücken. Sie wird sie aber solange umlegen, bis alles gerecht und gut ist.

Es liegt also in der Erscheinung der menschlichen Einzelwillen und der Art, wie sie mit- und gegeneinander wirken und ihre Befriedigung teils erzielen, teils nicht erzielen, nichts, was der Annahme eines höhern Allgemeinwillens im Gebiete des Irdischen widerstrebte. Nur müssen wir einzelne natürlich nicht fordern, das Bewußtsein dieses Allgemeinwillens für uns zu haben; sondern jeder von uns kann sich bloß eines Bestimmungsmomentes des ganzen Willens bewußt werden, oder was dasselbe ist, in jedem von uns kann sich der höhere Geist bloß eines Bestimmungsmomentes seines ganzen Willens bewußt werden, d. i. unsres Einzelwillens. Indem sich aber der höhere Geist aller Einzelwillen, die zu einer gegebenen Zeit stattfinden, auf einmal im Zusammenhange, und zwar dessen, was darin eine Richtung nimmt, auch in einer Richtung bewußt wird, sucht er auch allen im Zusammenhange möglichst zu genügen, wobei er natürlich an die vielfach beschränkenden Bedingungen gebunden bleibt, welchen der Naturzusammenhang überhaupt und der Zusammenhang der irdischen Dinge insbesondere unterworfen ist. Der Wille des höhern Geistes ist so wenig allmächtig wie der unsre; aber er ist weniger durch äußere Willenseinflüsse beschränkt als der unsre; seine Beschränkungen sind mehr allgemeine Naturbeschränkungen und innere Selbstbeschränkungen durch den Konflikt der eigenen Willensbestimmungen.

Unstreitig wird der Gang der großen Kreisläufe und die Gestaltung der festen Grundlagen des irdischen Lebens und Baues so gut dem Willen der Erde entzogen sein, wie der Hauptgang der Kreislaufsbewegungen in unserm Körper und die Gestaltung der Grundlagen seines Baues dem unsern. Unsre Gliedmaßen können wir wohl mit Willen anders legen, unsre Sinnes= organe anders richten, aber unsern Leib nicht von Grund aus anders bauen, noch unser Blut andre Hauptwege führen, als ihm ohne unsern Willen gezogen sind, obwohl untergeordnete Abänderungen durch unsern Willen darin hervorbringen; wie denn jede willkürliche Tätigkeit mit solchen Abänderungen verbunden ist, auch ohne daß der Wille sich bewußt darauf richtet. Und so kann die Erde auch uns, ihre Glieder, mittels ihres Willens, in den der unsre als Motiv eingeht, anders legen; aber sich selbst nicht mit Willen anders von Grund aus bauen, noch den Hauptgang der Fluten und Winde ändern, obwohl untergeordnete Abänderungen darin durch Tätigkeiten, die der Willkür anheim fallen, wobei wir selbst beteiligt sind, hervorbringen. Der Wille der Erde schwebt wie unsrer sozusagen in einem höhern bewußten Gebiete, das uns selbst mit unserm Bewußtsein und Willen einschließt, über einer niedern Grundlage, die er respektieren muß, da er davon mitgetragen wird, so daß er sie zwar höher und feiner auszubauen, aber nicht neu von unten aufzubauen vermag; sei es auch, daß der frühere Aufbau durch den frühern Willen eines höhern Wesens auf einem weitern und tiefern Grunde geschah.

Im ganzen, können wir sagen, findet ein übereinstimmendes Interesse für die Menschheit und für die Erde statt; ja mit Rücksicht auf das Jenseits der Menschen stimmt auch das wahre Interesse jedes einzelnen mit dem der ganzen Menschheit und Erde überein; und es kommt nun darauf an, daß der Mensch die Regeln, wie er dies gemeinschaftliche höhere Interesse, und hiemit sein eigenes für die Ewigkeit, wahren kann, immer besser erkennen und seinen Willen stetiger auf Befolgung derselben richten lerne; daß er aber dies immer besser lerne und daß die ganze Menschheit in dieser Hinsicht immer fortschreite, gehört selbst wesentlich zur höhern Fortentwickelung der Erde. Könnte es unter den Menschen je zu einer völlig einstimmigen willigen Befolgung der Regeln kommen, wodurch ihre Beziehungen zu Gott und zueinander bestmöglich geordnet werden, so würde hiemit auch zugleich . eine allgemeine Einstimmung des menschlichen Willens und Tuns mit dem Willen des höhern Geistes und eine Einstimmung des Willens und Tuns des höhern Geistes in sich nach allen menschlichen und in das Menschliche eingehenden höhern Beziehungen gesetzt sein, und sie könnte schwerlich in bezug auf alles Menschliche in ihm gesetzt sein, ohne überhaupt in ihm gesetzt zu sein. Dieses Ziel ist nicht erreicht; aber das Streben, es zu erreichen, ist darin sichtbar, daß Wille und Handeln der Menschen durch religiöse, rechtliche, staatliche, internationale Ideen, Satzungen, Institute, Verträge, selbst die Sitte, nach immer allgemeinern Beziehungen im Sinne des Interesses der Gesamtheit gerichtet, geregelt und gebunden werden. Über alles ist es die wachsende Verbreitung des Christentums, was hiebei in Anschlag kommt, wie noch deutlicher erhellen wird, wenn wir in einem spätern Abschnitt die Grundidee des Christentums selbst ins Auge fassen werden. Der nächste Abschnitt aber zeigt, wie jung die Erde im allgemeinen noch in diesen Beziehungen zu achten.

Die vorigen Betrachtungen sind mit Fleiß in solcher Allgemeinheit gehalten, daß sie sich mit jeder Ansicht von Freiheit und Willen vertragen dürften; und sollten sie sich auch aus gewissen Gesichtspunkten noch anders stellen lassen, würde dies doch nur dahin führen, die Verträglichkeit des menschlichen und eines höhern Willen mit andern Ausdrücken darzustellen. Alle Streitfragen, deren Erörterung und Entscheidung unsern Gegenstand nicht fördert, bleiben hier billig außer Spiel. Übrigens ist zuzugestehen, daß von dem Willen und Denken über uns nach Analogie mit dem unsern sprechen zu wollen, stets ein Wagnis ist, das nur einen halben Erfolg haben kann.

Jedenfalls stellt sich nach vorigem das Verhältnis des Geistes der Erde zu den untergeordneten Geistern der Geschöpfe aus einem wesentlich andern, zugleich lebendigern, erhebendern, trostvollern Gesichtspunkte dar, als nach gewöhnlicher Fassungsweise das des Geistes der Menschheit zu den Geistern der Menschen. Werfen wir noch einen letzten vergleichenden Rückblick hierauf, der zugleich in andrer Hinsicht ein Vorblick sein wird.

Welche reiche Möglichkeit von Bewußtseinsbezügen nach oben und
unten im Wissen und Wollen eröffnet sich für den Geist der Erde nach
unsrer Fassung. Diese Möglichkeit mag zunächst noch allgemein und
unbestimmt erscheinen; sie wird sich aber künftig näher bestimmen und
ausbauen, und zwar durch etwas, was der Mensch ohnehin überall
fordert, wofür er überall den Platz sucht und doch bisher meist nur im
Leeren oder Unmöglichen zu finden weiß. Und alles bleibt geeinigt
durch ein oberstes ganzes Bewußtsein. Dagegen im Geist der Menschheit nach gewöhnlicher Fassung mit dem obern Schluß des Bewußtseins
auch die Möglichkeit dadurch gehaltener höherer Bewußtseinsbezüge hin-
wegfällt, welche über das einzelne Menschliche hingreifend, es zu besondern
Sphären unter der höchsten gliedern und binden, vielmehr bloß ein
zerstreutes Hin und Wieder von Wissen und Wollen in der Menschheit
Platz greift, geeinigt durch nichts als ein abermals zerstreutes, halbes,
äußerliches Bewußtsein, das jeder in bezug zum andern und nur etwa
der Philosoph vom Ganzen hat, und das im Grunde die Zerstreuung
nur auf höherer Stufe wiederholt und hiemit vermehrt, statt sie aufzuheben. Nach uns bilden die Geister der Geschöpfe sozusagen das
Untere, nach der gewöhnlichen Fassung aber das Obere, ja Oberste im
allgemeinen Geiste. Trostlose Aussicht, wenn es nichts mehr gibt, nach
dem wir über uns blicken können, und wir bedürfen dessen doch so sehr!
Wir unsrerseits können doch teils eine höhere bewußte Führung hienieden
anerkennen, teils ein Aufsteigen in das höher und voller bewußte Leben
des Geistes über uns im Tode in Aussicht stellen, und dadurch selbst
Ansatzpunkte für den Ausbau des unbestimmten weiten Raums zwischen
Oben und Unten gewinnen, der uns näher zu bestimmen übrig bleibt;
dahingegen der Geist der Menschheit nach der gewöhnlichen Fassung eine
blinde Idee über oder unter der Menschheit waltet; nicht die Menschheit,
der Einzelmensch der allein Sehende, Wissende ist, ein Bewußtseinsgipfel,
der sich aus der Nacht des Unbewußtseins zeitweis emporhebt und mit
dem Tode darein zurücksinkt.

Die Betrachtungen dieses ganzen Abschnittes werden sich übrigens
teils aus einem höhern Gesichtspunkte wiederholen, teils erweitern,
wenn wir (im elften Abschnitt) zur Betrachtung des göttlichen Wesens
und weiterhin (in der zweiten Hauptabteilung dieser Schrift) des Jenseits
übergehen werden; ja können selbst als eine Vorbereitung und Einleitung
dazu dienen, zum Teil auch dienen, Betrachtungen künftig zu ersparen,
die nichts als eine Wiederholung der hier angestellten sein würden.
Was namentlich vom höhern Wesen über uns in bezug zu uns gilt,

das gilt in nur noch unbeschränkterm Maße von Gott in bezug zu den höhern Wesen, obwohl das Übersteigen aller Schranken der Endlichkeit auch wieder bei Gott Gesichtspunkte setzt, die keine Analogie mit etwas noch so Hohem, was doch noch in der Endlichkeit beschlossen bleibt, gestatten, vielmehr direkt ins Auge gefaßt sein wollen. Mancherlei Betrachtungen über das Sinnesgebiet der Erde, welche der Hypothese weiten Spielraum geben, sind in einen Anhang verwiesen.

Zur spätern Anknüpfung der Betrachtungen, welche uns in der Lehre vom Jenseits beschäftigen werden, noch folgende Bemerkung: Ein Hauptumstand, worin die Analogie unsrer Selbst mit Sinnesorganen der Erde fehl schlägt, liegt darin, daß unsere eignen Sinnesorgane die Dauer unsres ganzen Leibes teilen, indes die Erde ihre Sinnesorgane, soweit man solche in ihren lebendigen Geschöpfen sieht, beständig erneuert. In dieser Beziehung sind die Leiber mit den Seelen der Geschöpfe vielmehr den vergänglichen, immerhin auch leiblichen Bildern mit daran geknüpfter Empfindung, wie wir sie durch unsre Augen schöpfen, als unserm ganzen bleibenden Augen selbst oder überhaupt bleibenden Sinnesorganen zu vergleichen, oder es fällt hier, wie so oft, im höhern Gebiete Zweies in eins, was sich im niedern scheidet. Bei uns bildet das Auge sozusagen noch eine besondere Kapsel oder Schale um das in ihm erzeugte Bild, welche rückbleibt, wenn das Bild mit der daran geknüpften Empfindung vergeht, und überall bleibt nach Vergehen der materiellen Änderung, welche eine Sinnesempfindung begründete, das Sinnesorgan, in dem sie stattfand, übrig; dagegen unser, freilich viel massiveres, und eben dadurch zugleich einem ganzen Sinnesorgan der Erde vergleichbares Leibesbild nicht nochmals eine solche besondere Kapsel um sich hat, die es im Vergehen rückläßt*), so daß es die Funktionen des massiven Sinnesorgans und vergänglichen Bildes verbindet. Aber es tut nicht not, auf diese immer nur künstliche, vereinigende Vorstellung einzugehen, wenn man nur überhaupt nicht darauf ausgeht, die Analogie zwischen uns und der Erde durch alle Einzelheiten durchtreiben zu wollen, was nach unsern Prinzipien gar nicht statthaft, und jener vereinigenden Vorstellung selbst von andrer Seite widerstreben würde, vielmehr die Analogie jedesmal nur von der Seite faßt, nach welcher sie wirklich besteht, und es zur Erläuterung dient. Und so wird sich in der Lehre von den jenseitigen Dingen, wo wir statt der vom jetzigen Bestande unsers Leibes abhängigen Leistungen desselben für das Diesseits die von der Vergänglichkeit desselben abhängigen Folgen für das Jenseits ins Auge zu fassen haben werden, das Bedürfnis herausstellen, vielmehr die Analogie desselben mit dem vergänglichen (doch auch leiblichen) Bilde in unserm Auge als mit unserm bleibenden Auge selbst in Betracht zu nehmen, ohne daß man darin einen sachlichen Widerspruch mit den vorstehenden Betrachtungen finden darf. Die Erde ist nun

---

*) Wenn man nämlich nicht die ganze Erde selbst dafür nehmen will, indem man sie als Sinnesorgan eines noch höhern Ganzen betrachtet.

einmal nicht eine einfache Wiederholung des Menschen, sondern spiegelt nur ihre Verhältnisse allseitig, bald von dieser, bald von jener Seite in ihm ab. So ist denn der Mensch zeitweis bestehendes Sinnesorgan für Betrachtungen, die sich auf sein Jetztleben beziehen; vergängliches Bild für Betrachtungen, die sich zu seinem Jenseits wenden.

IX. Vom Zustande, Gange und Ziele der Entwickelung der Erde.

Der absolute Vorzug von Höhe und Fülle der Entwickelung, welchen die Erde vor dem ihr unter- und eingeordneten Menschen hat, ist nicht zu verwechseln mit einem relativen, wofür eher ein umgekehrtes Verhältnis stattfindet.*) Eben vermöge der größeren Niedrigkeit und Einseitigkeit des Standpunkts, den der Mensch zu erreichen und zu erfüllen hat, erreicht und erfüllt er zeitiger und leichter den Gipfel und Kreis dessen, was er überhaupt erreichen und erfüllen kann und soll. Ein kurzes Leben reicht hin, das aus ihm zu machen, was überhaupt hinieden aus ihm werden kann; Kind, Mann, Greis, wie nahe liegt das alles beisammen; bald lernt und wirkt er aus hinieden nach dem Maße seiner Fähigkeiten und Kräfte und hat seinen Lebenskreis erfüllt. Aber mit der Erde ist es ein anderes, ein höherer Zweck ist ihr gestellt; sie hat einen größern Kreis zu erfüllen. Und in so fern, kann man sagen, steht die Erde in der Epoche ihrer eignen Entwickelung noch sehr gegen den vollgebildeten Menschen zurück. Die Möglichkeit dessen, was auf dem allgemeinen Standpunkt des Irdischen gestaltet, individualisiert, durchlebt werden kann in elementaren, pflanzlichen, tierischen und menschlichen Existenzen und Entwickelungen, ist so unsäglich groß, daß Jahrtausende für die Erschöpfung und Vollendung von alle diesem wie ein

---

*) Wir haben hier überall nur den Menschen des Diesseits im Auge. Denn wesentlich anders als oben würden sich die Betrachtungen stellen in bezug auf den Menschen des Jenseits und seine Bestimmung für die Ewigkeit, in die wesentlich mit eingeht, daß er fort und fort an der bewußten Fortentwickelung des höhern Geistes arbeiten helfe und daran selbst Anteil gewinne, wie in der Lehre vom Jenseits zu erörtern.

Tag find. Jedes Menschen diesseitiges Einzelleben tritt da nur mit einer kurzen Spanne Zeit als kleines einseitiges Entwickelungsmoment hinein; vom künftigen künftig. Und so weit wir es zurückverfolgen können, sehen wir auch den Fortschritt der Entwickelung der Erde erst in der Gestaltung, Scheidung und Ordnung des Elementaren, was doch den Keim aller organischen Gestaltung schon in sich tragen mußte; dann in verschiedenen aufeinanderfolgenden Schöpfungen organischer Welten, und nachdem es bis zum Menschen und zur Menschheit gekommen, in der fortdauernden Ausbildung der Menschheit und deren Rückwirkungen auf die Erde. Vorblickend aber sehen wir kein Ende.

Daß in der Tat die Erde noch weit vom Ziele ihrer Entwickelung, lehrt uns jeder etwas tiefer eingehende Blick.

Der Mensch als Kind hört und sieht vieles einzelne, ohne es noch in bezug zueinander zu setzen, ohne weder die Einstimmung noch den Widerstreit davon zu gewahren und zu bedenken, und wenn das Kind ihn zu bedenken anfängt, so weiß es ihn nicht gleich zu heben; vieler Stoff liegt anfangs durch nichts als durch die allgemeinste Einheit seines Bewußtseins gebunden, im Übrigen unverkettet, roh auseinander, und im Versuche, alles verträglich zu verketten, erwachen Streit und Widersprüche. Und wie im Wissen ist's im Wollen, Handeln; da ist kein festes, sichres, einheitliches Ziel; das Handeln hier und heute widerspricht dem Handeln da und morgen; das Kind weiß noch nicht, was es will; ja, kann man sagen, daß es schon wirklich will? Es folgt dem Zug des Augenblickes, dem Reiz der Gegenwart. Aber je mehr das Kind erwächst, so mehr arbeitet sich alles zusammen und ineinander, so mehr Beziehungen entwickeln sich, so mehr Brücken schlagen sich, so mehr Widersprüche heben sich, und immer neu auftauchende Widersprüche führen zu immer höhern Versöhnungen. Im ideal entwickelten Menschen liegt kein geistiger Stoff mehr unbezogen auf den übrigen, kein Einzeltrieb widerstreitet mehr dem einigen Willen; ist · alles verarbeitet, verknüpft zu höheren Ideen, gerichtet auf letzte, feste Ziele; widerspricht sich nicht mehr das Glauben, Wissen, Wollen, und widerspricht sich nichts mehr im Glauben, Wissen, Wollen. Und bringt es ein Mensch nicht zu dieser idealen Entwickelung, so stumpfen sich dennoch Streit und Widersprüche in ihm mit der Zeit ab, er läßt beiseite, was er nicht mit dem einigen kann, das ihm das Wichtigste und Werteste.

Betrachten wir nun hiegegen die Erde, so ist sie noch weit von diesem Ziele der vollendeten Ineinanderarbeitung, des einigen Abschlusses, des innern Friedens aller ihrer geistigen Momente; ist vielmehr noch in

der vollen innern Arbeit und im innern Streite. Da liegen ganze
Völker mit ihren Bestrebungen und Ideen noch fast abgesondert von dem
Hauptgange der Entwickelung der Menschheit, nur durch die allgemeine
Einheit des höhern Bewußtseins mit dem Übrigen geistig verbunden;
da streiten noch Christentum, Islam, Heidentum; da will es noch zu
keiner Einigung über die höchsten Gegenstände des Wissens und des
Trachtens kommen; da wütet noch Krieg um Herrschaft und materielle
Vorteile zwischen den Völkern. Aber fort und fort arbeitet der Erd-
geist in sich, und das am meisten abseits liegende Volk wird doch allmählich in die Verkettung des allgemeinen Bildungsganges mit hinein-
gezogen oder geht unter, wenn es sich dem nicht fügen will, die herbsten
und weitestgreifenden Widersprüche im Wissen und Glauben und Handeln
streben immer neuer, immer höherer und umfassenderer Einigung zu.
Und die anfangs größere Unvollendung ist doch der Keim, ja die Bedingung größerer Vollendung.

Auch folgende Betrachtung mag uns bedeutend dünken:

Das Kind erinnert sich kaum mehr des vergangenen Tages, es
sorgt ebensowenig für den folgenden Tag; jeder neue Tag nimmt
es neu in Anspruch; der Mann weiß nichts mehr von dem, was er
als Säugling gefühlt, gedacht, gelitten und getan. Das Gedächtnis
entwickelt sich erst allmählich mit dem Denken, die Vorsicht mit der
Erfahrung; und immer heller wird allmählich der Rückblick und der
Vorblick. Doch sind es gerade manche älteste Märchen und manche
frühe einfache Ereignisse, die das Bewußtsein zuerst aus dem Schlummer
weckten, welche durch alles Vergessen des Übrigen hindurch sich
am festesten erhalten im Gedächtnis und richtunggebend wirken für
den Geist.

Nicht anders sehen wir in der Menschheit das Andenken der frühesten
Zustände erloschen, das früheste Alter der Menschheit selbst nur mit der
Sorge um die Gegenwart beschäftigt. Die geschichtliche Erinnerung
vergangener Zeiten, die Sorge für künftige Zeiten in dauernden Einrichtungen und Anstalten sind erst die Sache der erwachsenden Menschheit. Doch sind manche alten Mythen und manche einfache Ereignisse,
welche die Menschheit zuerst aus ihrem geistigen Schlummer weckten,
das, was durch alles Vergessen des Übrigen hindurch sich am festesten
erhalten im Gedächtnis der Menschheit und richtunggebend gewirkt hat
für ihren Geist.

Wieviel Völker auf der Erde sind aber noch heute ohne Geschichte;
wie viele leben noch von Tag zu Tag!

Möglicherweise ist der Mensch, als spätes Erzeugnis der Erde nach vielen schon vorausgegangenen Schöpfungen nicht das letzte, womit sie ihre Entwickelung abschließen wird. Einige Erörterungen über diese Möglichkeit finden sich im Anhange zum fünften Abschnitte. Sollten aber auch dem Menschen wirklich noch spätere organische Schöpfungen folgen, so würde doch die Entwickelung, die mit ihm und durch ihn für die Erde erreicht wurde, sicherlich mit vorbereitend und vorbedingend für den spätern Entwickelungs= zustand derselben sein, daher sein früheres Dasein auch für ihre Zukunft nicht als verloren gelten dürfen; ja mit Rücksicht auf das Jenseits würde auch der Mensch selbst nicht für das irdische Sein und Wirken verloren, vielmehr sein Geist unstreitig bei der höhern Fortentwickelung der irdischen Sphäre fortgehends mit beteiligt sein, wenn anders unsre künftigen Be= trachtungen über das Jenseits triftig sind. So wenig die Erde einen Rück= schritt tut, trotzdem, daß ein Mensch nach dem andern, der zu ihrer Fortentwickelung beitragen, stirbt; alles Gewonnene bleibt vielmehr in ihr aufgehoben, so wenig wird die Erde einen Rückschritt tun, wenn die ganze Menschheit auf einmal untergeht; es wird vielmehr ein Fortschritt in ähnlichem Sinne (wenn auch nur in untergeordneter Sphäre) sein, wie ihn der Mensch selbst macht, wenn er auf einmal stirbt, statt im Leben bloß seine Teile zu wechseln, d. i. partiell zu sterben. Man kann dann weiter fragen, ob die Erde bestimmt ist, solche Entwickelungsepochen bloß in dem ihr untergeordneten geschöpflichen Gebiete, sei es nach den einzelnen Geschöpfen, sei es nach ganzen Schöpfungen zu erfahren, oder analog dem ganzen Menschen auch einmal ganz der Zerstörung ihres körperlichen Bestandes anheimzufallen, die unstreitig nur durch einen endlichen Rückgang in die Sonne erfolgen könnte, wie der Mensch durch Heimkehr zur Erde stirbt, von der er genommen worden; und es ist schon S. 109 erinnert worden, daß das wenigstens nichts schlechthin Unmögliches ist. Unstreitig aber tut man besser, solche Fragen, die unser nahes Interesse nicht berühren und nur durch Hypothesen über Hypothesen beantwortet werden können, statt auszu= tiefen, des Näheren dahinzustellen.

Kann wohl ein Mensch durch sich selbst erzogen werden? Er bedarf des Vaters und der Welt dazu. Kann wohl die Erde durch sich selbst erzogen werden? Auch sie bedarf des Vaters und der Welt dazu. Der einzelne Mensch bedarf des irdischen Vaters und der irdischen Außen= welt; die Erde des himmlischen Vaters und der himmlischen Außenwelt. Gäbe es keine Welt über die Erde hinaus, so entbehrte die Erde nicht nur der äußern, sondern auch der innern Führung durch die himmlische Ordnung der Sterne (vgl. S. 147); gäbe es keinen Gott über die Erde hinaus, so könnte sich auch der Gedanke an einen Gott nicht in ihr entwickeln; er entwickelt sich aber selbst durch allgemeinere, aus dem Ganzen kommende, göttliche Vermittelungen in ihr, und dieser Gedanke ist es, in dem sich durch alle Verdunkelungen und Zwiespältigkeiten durch, worin er anfangs auftrat, das Bewußtsein der Erde zum Gipfel steigert,

der das höchste und letzte Ziel in ihr setzt, das allgemeinste bindendste
Band in ihr bildet (vgl. XI.). Aber diesen Gedanken an den Unendlichen
und Ewigen in seiner Fülle zu erschöpfen, seiner Höhe zu ergreifen,
seinen Folgerungen durchzubilden, bedarf es selbst einer Unendlichkeit
und Ewigkeit. So ist der Erde wie allen Wesen zuletzt ein in seiner
Höhe unerreichbares Ziel gesetzt; aber das beständige Fortschreiten in
der Richtung des Zieles ist selbst als eine fortgehende Erfüllung des
Zieles zu betrachten. Dieses Fortschreiten ist nicht ein Fließen, es ist
eben ein Schreiten; also daß sich kleinere Schritte in größere einbauen.
Und ein Schritt war für die Menschheit und menschliche Betrachtung
der wichtigste von allen, der, der zuerst mit menschlichem Bewußtsein die
feste Richtung auf das höchste Ziel einschlug. Welches war er?

————

X. Vom Stufenbau der Welt.

Man sieht nach allem, daß, wenn wir die Erde als ein Höheres
über Menschen, Tiere und Pflanzen stellen, dies nicht so zu fassen,
als sei die Erde nur eine höhere Stufe derselben Treppe. Sondern der
Mensch ist wirklich die höchste Stufe der irdischen Treppe, da geht nichts
darüber. Nur das Haus, worin die ganze Treppe eingebaut ist, ist noch
etwas selbst der höchsten Stufe Übergeordnetes. Dies Haus ist die
Erde. Die höchste, auf das freie Dach führende Stufe, d. i. die menschliche, mag immer der Gipfel und unter allen Sonderstandpunkten dieses
Hauses der geeignetste sein, das ganze Haus und darüber hinaus den
weiten Himmel zu übersehen; aber das Haus, das diesen Gipfel trägt,
will doch mehr und Höheres bedeuten, als der Gipfel selbst, der ohne
das Haus in nichts zusammenstürzte, indes das Haus ohne diese, ins
Freie führende, höchste Stufe nur seine höchste Aussicht mißte. Und
nur dies wäre der Fall, wenn der Mensch und die Menschheit der
Erde fehlte.

Nun aber bietet sich uns in der Erhebung der Erde über den
Menschen und weiter der Welt über die Erde noch eine zweite Stufenleiter (möglicherweise mit noch mehr Zwischenstufen) dar, wo die Stufen

13*

nicht einander äußerlich neben-, sondern ineinander eingebaut sind. Da sind Mensch, Tier, Pflanze in gewisser Weise Nachbarn derselben Stufe; die Erde ist die obere Stufe, in welcher sie als untere Stufen miteinander eingebaut sind, die Welt ist das Oberste über allen Stufen, worin wieder die Erde mit den andern Weltkörpern eingebaut ist. Diese zweite Stufenleiter steht nicht neben der ersten, sondern schließt sie in sich ein; also daß jedes Wesen auf einer Stufe der zweiten Leiter einen ganzen Stufenbau von Wesen im Sinne der ersten in sich trägt, wovon die höchste die ist, welche die Beziehungen des übergeordneten Wesens am vollständigsten in sich verknüpft. Beide Arten der Abstufung aber gelten für das Geistige und Leibliche in eins.

Es wäre vielleicht nicht unzweckmäßig, wenn man das Verhältnis, was der Mensch zu den Tieren und Pflanzen als niedern doch nachbarlichen Wesen im Sinne der ersten Stufenreihe hat, von dem Verhältnis, was die Erde zu den Menschen, Tieren und Pflanzen als ihr unter- und eingeordneten Wesen im Sinne der zweiten hat, dadurch unterschiede, daß man den Menschen ein höheres Wesen als Tiere und Pflanzen, die Erde ein oberes Wesen über Menschen, Tieren und Pflanzen nennte. Jedoch liegt es nicht gerade im Sprachgebrauche, diese Unterscheidung zu machen; und der letzte Ausdruck fließt auch oft nicht gut, daher in der Regel der Ausdruck Höheres unterschiedslos von uns für beide, doch sehr verschiedene, Verhältnisse gebraucht und dem Zusammenhange überlassen wird, zwischen den Bedeutungen zu entscheiden. Wo es indes um besondere Hervorhebung des zweiten Verhältnisses dem ersten gegenüber zu tun ist, unterscheide ich immer Oberes und Höheres im angegebenen Sinne und halte überhaupt die angegebene Bedeutung des Obern stets fest, so daß also nur der Ausdruck Höheres (nach Umständen) eine doppelte Auslegung zuläßt.

Auf der Stufenleiter im ersten Sinne können die Geschöpfe immer nur in ungefährer Weise geordnet werden, weil das Prinzip derselben keine feste Bestimmtheit zuläßt. Niemand wird Anstand nehmen, den Menschen das höchste irdische Wesen zu nennen, unter den Tieren die Säugetiere höher als die Fische, diese höher als Würmer, die Tiere überhaupt höher als Pflanzen zu stellen, aber eine genaue Rangordnung findet nicht statt. Manches Geschöpf steht höher nach einem Komplex gewisser, ein andres nach einem Komplex andrer Beziehungen, und es ist nicht wohl möglich, den Wert dieser Komplexe selbst nach einem sichern Maßstabe zu messen oder zu wägen.

In Betreff des geistigen Stufenbaues im zweiten Sinne kann man daran denken, das Verhältnis der obern Wesen zu den untern mit dem Verhältnis übergeordneter Begriffe zu den unter ihnen enthaltenen zu vergleichen. Dieser Vergleich trifft ganz von einer Seite, aber gar nicht von der andern. Er trifft ganz insofern, als man im übergeordneten Begriffe, wie dem des Vogels, alle untergeordneten Begriffe, wie von Huhn und Sperling, implizite enthalten denken kann; aber doch nur implizite, nicht explizite, und hierin liegt der Unterschied. Die oberen Begriffe werden im Grunde nach Maßgabe, als sie aufwärtssteigen, an wirklichen Bestimmungen leerer oder werden unbestimmter, nur der Umfang möglicher Bestimmungen wächst bei ihnen; aber bei den oberen Geistern der Umfang wirklicher Bestimmungen. Die oberen Begriffe sind geistige Abstrakta aus einem größern Umfange des Wirklichen; die oberen Geister befassen einen größeren Umfang des geistig Wirklichen selbst.

Gibt es nicht, läßt sich fragen, zwischen dem Geist des Menschen und dem Geist der Erde noch Zwischenstufen? In der Tat spricht man noch von Geistern, die über dem des einzelnen Menschen und unter dem der ganzen Erde. In jeder Familie, jeder Korporation, jeder Assoziation, jeder Gemeinde, jedem Volk waltet, wie man sich ausdrückt, ein besonderer Geist, und über allen der Geist der Menschheit; nur daß keinem dieser Geister eine gleiche individuelle Selbständigkeit oder Persönlichkeit zuzuschreiben sein wird wie dem Geiste des einzelnen Menschen auf unterer und dem Geiste der Erde auf oberer Stufe. Weder das Wissen noch Wollen einer Familie, eines Volkes usw. schließt sich in einem einheitlichen Bewußtsein für sich ab, noch hat eine solche Gemeinschaft einen zusammenhängenden Leib für sich. Vielmehr kommt das einheitliche Bewußtsein wie der einheitliche Leib einerseits nur den einzelnen Menschen zu, die sich der Gemeinschaft unterordnen, andererseits der ganzen Erde, der sich alle irdischen Gemeinschaften selbst unterordnen, und nur hierin finden sie nach der Gesamtheit dessen, was in und an ihnen, ihr Band so unter sich, als jede in sich. Aber sofern der obere Geist doch jede Gemeinschaft, die er einschließt, aus einem besonderen einheitlichen Gesichtspunkte zusammenhält, bestimmt und dadurch rück=bestimmt wird, kann man dieses besondere Walten desselben darin uneigentlich wohl auch als einen besonderen Geist fassen.

Es wird sich aber künftig zeigen, wie das jenseitige Dasein des Menschen über sein jetziges in solcher Weise aufsteigt, daß man darin allerdings eine höhere individuelle Stufe als die jetzige menschliche erblicken kann; ja wie Geister des Jenseits auch die Verknüpfung von Gemeinschaften des Diesseits vermitteln können; wovon Christus das größte Beispiel gibt. Aber diese Verknüpfung ist nicht als eine solche anzusehen, daß sich ein Geist des Jenseits aus Geistern einer diesseitigen Gemeinschaft zusammensetzen, oder sie ganz in sich aufnehmen, noch auch selbst ganz in sie eingehen, noch mit ihrer Individualität verschmelzen könnte, sondern er kann sie bloß durch seine lebendige Fortbetätigung aus einem gewissen Gesichtspunkte, der noch kein selbständiger Geist, verknüpfen, indes sie aus anderen Gesichtspunkten über seine

Wirkungssphäre hinaustreten, wie andrerseits diese in keinen Geistern des Diesseits beschlossen bleibt, sondern ihrerseits darüber hinausgreift. Wonach die ins Jenseits übergegangenen und noch daraus ins Diesseits rückwirkenden Geister zwar als Helfer für den oberen Geist auftreten, das Diesseitige zu binden; aber den totalen einschließenden Abschluß aller irdischen Gemeinschaften dem oberen Geiste überlassen müssen. Die nähere Erörterung dieser Verhältnisse gehört aber in die Lehre vom Jenseits.

Noch weniger als menschliche Gemeinschaften werden wir natürlich Luft, Meer, die unterirdischen Mächte, als besondere Wesen personifizieren dürfen, wie die Heiden taten; da jene Teile der Erde nur im Zusammenhange den Geist der Erde tragen helfen; wie wir ja auch unsern Atem, unser Blut, die Tiefe unseres Leibes nicht für sich als individuelle geisttragende Wesen halten, sondern nur beitragend halten, ein geisttragendes Wesen zu bilden. Immerhin liegt bei dieser Personifikation besonderer irdischer Gebiete der richtige und in Personifikation der Gestirne auch richtig geltend gemachte Gesichtspunkt unter, daß größere Natursphären überhaupt eine Personifikation zulassen; nur trat bei den Heiden in der Religion ein, was bei uns in der Wissenschaft; die Größe und schwierige Überschaubarkeit des wirklich einheitlichen Ganzen der Erde und aufdringliche Anschaulichkeit ihrer besonderen Teile verführte, eine Sammlung von Stücken des Ganzen für eine Sammlung von ebensoviel besonderen Ganzen selbst zu halten, während sie eigentlich nur besondere Angriffspunkte desselben einheitlichen Ganzen bilden sollten. Das Bewußtsein des einheitlichen Zusammenschlusses ging verloren, oder das Ganze ward selber als etwas Besonderes noch neben den Teilen gefaßt und personifiziert (Gäa). Die Folge wird auf diesen Gegenstand zurückführen.

Unstreitig, wenn ein Sturm rauscht, die Erde bebt, eine Flut braust, der Frühling die Säfte aus dem Boden aufwärts pumpt, ist das alles für das Fühlen der Erde nicht gleichgültig. Sie wird nicht nur das davon spüren, was die Menschen und Tiere davon im Besonderen spüren, sondern wie die Veränderungen in unserm Blutlauf, der Gang unsers Atems, die Erwärmung und Abkühlung unsres Körpers außer dem, was sich davon in besondere Sinne reflektiert, unser Gemeingefühl um so mehr beteiligen, je stärker und umfangreicher diese Veränderungen sind, wird es mit dem Naturleben der Erde sein. Doch all das wird eben nur als Gefühl der Erde, nicht aber besonderer Wesen in ihr zu betrachten sein.

Weiter entsteht die Frage, ob nicht, nachdem die Erde als individuelle Zwischenstufe zwischen Mensch und Welt auftritt, es auch noch übergeordnete individuelle Zwischenstufen zwischen Erde und Welt, und hiermit Geist der Erde und Geist der Welt gibt. Vielleicht ist es am besten, sich in diese Frage nicht weit zu vertiefen, wenn nicht sie ganz dahinzustellen. Denn je weiter wir nach Oben blicken, so mehr schwindelt den Blick, und nur im Anblick zum ganzen Gott kehrt Ruhe und Sicherheit wieder; auch wird die der Totalität des Menschlichen nächst übergeordnete Stufe und die Totalität der Stufen selbst uns immer am wichtigsten vom ganzen Überbau über uns bleiben. Inzwischen kann man Schwierigkeiten aus Möglichkeiten erheben, und so kann es doch nützlich sein, diesen wieder durch andere Möglichkeiten zu begegnen. Dem Zweck, der Vorstellung wenigstens einen Anhalt in Betreff solcher zu geben, werden die Erörterungen in einem Anhange zu diesem Abschnitte entsprechen.

„Ich seh' auf dieser Stuf', auf der ich bin gestellt,
Nichts, wenn mein Blick sich hebt, viel, wenn er abwärts fällt.
Tief seh' ich unter mir, und tiefer stets hinunter,
Ein reges Lebensheer, ein Wimmeln ewig munter;
Doch wenn ich blick' empor, so seh' ich nichts als Licht;
Reicht, die hinunter reicht, die Leiter aufwärts nicht?
Wohl reicht sie auch hinauf, wohl werden zwischen mir
Viel höhre Wesen stehn und, Höchstes, zwischen Dir.
Allein ich seh' sie nicht, von Deinem Licht geblendet,
Das seine Kraft mir nur zum Niederblicken sendet."
(Rückert, Weisheit des Brahmanen II. 22 f.)

XI. Von Gott und Welt.

„Und es sind mancherlei Kräfte, aber es ist Ein Gott, der da wirket alles in allen."[*]

So sagt Paulus, und dies wird das Hauptthema unsrer folgenden Betrachtungen sein.

Wir sagen zwar nicht bloß, der da wirket alles in allen, sondern

[*] 1. Cor. 12, 6.

der da ist alles in allem; aber beides ist dasselbe. Denn wie könnte sein, was nicht wirkt, und wirken, was nicht ist; und was alles wirken will, das ist, muß selber alles sein, das wirkt.

Doch Gott ist durch kein bloßes Begriffsspiel zu erfassen. Und läßt sich Gott nicht auch noch anders fassen als in solcher Weise, die zu ihm alles rechnet, was ist? Hat ihn denn Paulus selber so gefaßt? Ja in wie viel Weisen läßt er sich nicht fassen?

„Summa, durch sein Wort besteht alles."

„Wenn wir gleichviel sagen, so können wir es doch nicht erreichen. Kurz, Er ist es gar."*)

So werden wir auch letztlich mit Sirach sprechen müssen. Doch ob wir es nicht erreichen können, sollten wir nicht darnach langen? Ist doch Gott nicht insofern für uns unerreichbar, daß wir nichts von ihm erreichen könnten, sondern daß sein Reichtum alles unser Reichen überreicht, daß wir als seine Geschöpfe mit allem unsern Schöpfen ihn nicht erschöpfen können. Aber eben das selbst können wir zugleich zum Gegenstande und zur oberen Grenze unserer Betrachtungen machen, daß er die obere Grenze des für alle Welt und in aller Welt Erreichbaren und mit Betrachtungen Erfaßbaren ist. In diesem Sinne gehen wir im folgenden an seine und seiner Welt Betrachtung, uns bald nach dieser, bald nach jener Seite wendend. Denn ob wir von ihm sagten: er selber ist das All; ists doch bloß eine Seite dessen, was zu sagen, und bloß eine Weise, wies zu sagen.

A. Begriffliche Gesichtspunkte.

Wenn man von Gott spricht, kann es in mehr als einem Sinne, geschehen. Man kann unter Gott bloß das geistige Prinzip verstehen, was in oder über der Natur oder Welt als Inbegriff der äußerlich erscheinenden Dinge beherrschend waltet, und so geschieht es überall in engerm Sinne, ja unsre Religion erkennt keinen andern Sinn an. Und warum sollte sie, wo es sich bloß um Beziehungen von Geist zu Geist handelt, nicht Gott bloß als reinen Geist fassen lassen, ja zu fassen gebieten.

Inzwischen hindert das nicht, und es kann nur beitragen, die innige Beziehung, die zwischen Gott als Geist und seiner materiellen Erscheinungs= welt besteht, stärker hervorzuheben, wenn wir in weiterm Sinne diese materielle Erscheinungswelt, anstatt Gott gegenüberzustellen, vielmehr als

---

*) Sir. 43, 28, 29.

die äußere Seite des göttlichen Daseins selbst betrachten, als etwas zu
Gott mit Gehöriges rechnen, in derselben Weise, wie wir den Leib, den
wir in engerm Sinne dem eigentlichen innern, d. i. geistigen Menschen
gegenüberstellen, in weiterm Sinne als die äußere Seite des Menschen
selbst betrachten, zum Menschen selbst mit rechnen, womit doch nicht
gesagt ist, daß die Natur mit dem göttlichen Geiste, der Leib mit der
Seele von gleicher Höhe und Würdigkeit sei, noch nichts über die Art
ihrer gegenseitigen Beziehung überhaupt entschieden ist. Kann man doch
auch sogar das Piedestal mit der Statue darüber einmal zusammen als
ein Standbild betrachten, wie sie denn in gewisser Beziehung wirklich
ein Ganzes bilden, andermal das Höhere in diesem Ganzen, die Statue,
für sich betrachten, auf die es zuletzt ankommt, die aber doch ohne das
Piedestal kein volles Ganze wäre, nur daß man nicht das Piedestal
mit der Statue verwechsle und für das Herrschende halte.

So brauchen nun auch wir in dieser Schrift, in der es ja nicht
bloß darum zu tun, die Beziehung der endlichen Geister zum göttlichen
Geiste und den Gegensatz des göttlichen Geistes gegen die Natur, der
von gewisser Seite immer stattfindet, sondern auch die von andrer
Seite stattfindende innige Beziehung des göttlichen Geistes zur Natur
hervortreten zu lassen, ja mehr hervortreten zu lassen als es sonst
geschieht, den Namen Gottes je nach Gesichtspunkt und Zweck bald in
engerm, bald in weiterm Sinne, indem wir bald bloß die Statue des
göttlichen Geistes über dem Piedestal der materiellen Welt, bald das
Ganze der Statue und des Piedestals in eins ins Auge fassen. Ein
Vergleich, der freilich, wenn in gewisser Hinsicht treffend und erläuternd,
in andrer Hinsicht so untriftig als möglich ist; denn Gottes Geist steht
so wenig als unsre Seele tot äußerlich über der leiblichen Welt, sondern
äußert sich vielmehr in derselben als ein ihr immanentes lebendiges Wesen,
oder anders, (wir werden aber beide Wendungen erläutern) die Natur
selbst ist eine Gott immanent bleibende Äußerung desselben. Doch
durch Abstraktion bleibt sie immer aus ihrer Durchdringung mit Gott
oder ihrer Aufhebung in Gott abscheidbar und tritt dann stets mit dem
Charakter des Niedern auf gegen ein Höheres, was im engerm Sinne
als Gott zu fassen. Es ist aber natürlich, daß sich das Bedürfnis, an
ihrem Orte auch die weitere Fassung des Begriffes Gott eintreten zu
lassen, wo solche Scheidung durch Abstraktion nicht Platz greift, bei uns
mehr geltend macht als anderwärts, weil anderwärts die Scheidung von
Gott und Natur mehr oder weniger für eine wirkliche gehalten wird.

Nachdem man die Natur von Gott abgezogen und demselben als

geiftigem Wesen gegenübergestellt hat, kann man, mit der Abstraktion noch tiefer gehend, in das geistige Wesen selbst damit einschneiden, wodurch noch engere Fassungen des Gottesbegriffes entstehen.

So läßt sich Gott als einheitlich ganzer Geist, als absoluter Geist, Allgeist, den unter ihm begriffenen individuellen Geistern der Geschöpfe als seinen geistigen Teilwesen über= und gegenüberstellen, ähnlich wie der Menschengeist als einheitlich ganzer den unter ihm begriffenen besonders faßbaren und unterscheidbaren Vorstellungen als seinen geistigen Teilwesen über= und gegenübergestellt werden kann. Nur würde es eben so irrig sein, die von Gott geschöpften individuellen Geister außer ihm, als die von unserm Geist geschöpften Vorstellungen außer demselben zu denken. Es ist eine rein innerliche oder abstrakte Gegenüberstellung, um was es sich hierbei handelt, die des einheitlichen Ganzen und seiner Teilwesen, das gerade Widerspiel einer realen oder äußern. Obwohl das individuelle Teilwesen, immer geneigt bleibt, beides zu verwechseln, denn indem es vom Ganzen alles, womit es nicht selbst zusammenfällt, außer sich oder gar nicht sieht, meint es, daran überhaupt ein äußerliches Gegenüber zu haben, während es doch ein wesentliches Bestandstück davon bildet. Nur seine Ergänzung zum Ganzen darf es sich gegenübergestellt halten, aber diese Ergänzung ist eben nicht das Ganze, zu dessen Erfüllung es selbst mit beitragen muß. Wieviel Ganze gäbe es, wenn jeder Teil seine Ergänzung für das Ganze halten dürfte, denn jede Ergänzung ist eine andre, und alle diese Ganze wären sozusagen durchlöchert, jedes nur an einer andern Stelle. Vielmehr Ein Ganzes ist es, was alle Teilwesen in eins begreift, daran seine Fülle hat, statt seine Lücken.

Wie der göttliche Allgeist als einheitlich ganzer unsern individuellen Einzelgeistern, läßt sich auch die Natur oder der göttliche Leib als einheitlich ganzer unsren individuellen Einzelleibern, unser Leib als einheitlich ganzer seinen einzelnen Organen zwar über= und gegenüberstellen, doch nur eben so, daß die Natur unsre Leiber, unser Leib seine Organe teilhaft inbegreift. Auch hier aber findet sehr häufig die Verwechslung der abstrakten innern Gegenüberstellung mit einer wirklichen äußern statt. Der Mensch ist immer geneigt, seinen Leib nicht mit zur Natur zu rechnen, sondern beide sich schlechthin real, äußerlich gegenübergestellt zu halten, ungeachtet es im Grunde auch nur die Ergänzung seines Leibes zur ganzen Natur ist, der er gegenübergestellt ist.

Noch in einer andern und noch tiefergehenden Weise aber läßt sich eine Abstraktion und hiermit Über= und Gegenüberstellung im Gebiete des Geistes bewirken, welche, zur vorigen zwar bezugsreich, doch nicht

mit . ihr zusammenfällt, indem man Gott (im engsten Sinne) als
allgemeinen Geist nach allen im ganzen begründeten, durch das
einzelne hindurchgreifenden, es verknüpfenden Bezügen und Gesichts=
punkten aus dem Gebiet des einzelnen, Konkreten, selbst abstrahiert
und demselben über= und gegenübergestellt, ungeachtet in Wirklichkeit das
Allgemeine nicht ohne das einzelne besteht, in das es eingeht, das es
verknüpft. So gilt das Höchste, Beste, Allgemeinste in uns und allen
Geistern, worin wir alle ein Band finden, als Gottes Wehen und
Wohnen in uns und über uns hinaus, indes wir nach unsrer konkreten
Einzelheit, als in welcher an sich kein Band läge, Gott als dem ver=
knüpfenden allgemeinen Wesen unter= und gegenübergestellt gedacht werden.
Eben wie auch unser Geist als Geist in engerm Sinne nach allen
allgemeinen Beziehungen und Gesichtspunkten, (als da sind höhere
Bewußtseinsbezüge, Urteile, Schlüsse, die Gesichtspunkte des Guten,
Wahren, Schönen), durch die er das Konkrete, einzelne seines Vor=
stellungsgebietes (Anschauungen, Erinnerungen, Phantasiegebilde, konkrete
Begriffe und Ideen) verknüpft, dem Gebiete der so verknüpften Einzel=
heiten abstraktionsweise über= und gegenübergestellt werden kann, ungeachtet
er doch in Wirklichkeit in diesen Besonderheiten lebt und webt. Auch auf
diese Weise fällt Gott und das Gebiet der geschöpflichen Geister nicht
wirklich auseinander.

Während die vorhergehende Gegenüberstellung darin lag, daß man das
geistige Gebiet einmal als ein einheitliches Ganze, dann nach seinen indi=
viduellen Teilwesen betrachtet, und was bei beiden Betrachtungsweisen
erscheint, sich gegenüberstellt, als wäre es ein Doppeltes, liegt die jetzige
darin, daß man das geistige Gebiet auf doppelte Weise in der Betrachtung
analysiert und nach der doppelten Möglichkeit oder Ausführung dieser
Analyse ein Doppeltes sieht. Man erläutert sich dies gut durch die analoge
doppelte Betrachtungsweise, welche unser Körper zuläßt. Einmal kann man
ihn zerlegen nach sogenannten Systemen, die durch das Ganze teils durch=
gehen, teils es umschließen, in alle Organe teils eingehen, teils um sie
herumgehen, ja ineinander selbst wechselseitig eingehen und hierdurch alle
Organe und sich selbst einerseits verknüpfen, anderseits bilden helfen, als
Nervensystem, Gefäßsystem, System der Häute, und dann wieder in die
Organe, welche so gebildet und verknüpft werden, als Gehirn, Augen Zunge,
Lunge, Herz, Magen, Leber, Milz usw., findet aber freilich bei näherer
Betrachtung, daß eine scharfe und vollständige Analyse auf keine beider
Weisen möglich ist, also auch keine scharfe Gegenüberstellung beider Be=
trachtungsweisen; und daß ihre Durchführung insbesondere großer Unsicher=
heit unterliegt, wovon das Analoge auch im geistigen Gebiete gilt. Namentlich
zeigt sich, daß Gehirn, Herz, die alles umschließende Haut zugleich als
Organe, worein alle Hauptsysteme eingehen, und als Hauptteile, Zentra

von besondern Hauptsystemen auftreten, wie auch in uns die höchsten Ideen zugleich als geistige Besonderheiten oder Knoten alles Allgemeinen im Geiste und als Hauptzentra des Allgemeinen nach besondern Beziehungen betrachtet werden können.

Auch auf die ganze Natur ließe sich die doppelte Betrachtungsweise ausdehnen, obwohl eine scharfe Durchführung ins einzelne gleicher Schwierigkeit oder Unmöglichkeit wie bei unserm Leibe unterliegt. Als das Allgemeinste, was durch alles durchgeht oder es inbegreift, ließe sich Raum, Zeit und Materie betrachten, welche in Bewegung, Form usw. schon selbst ineinander eingehen, als das unsern Organen vergleichbare einzelne die Weltkörper oder höher hinauf Weltsysteme. Unser Leib, wie die Systeme und Organe unsres Leibes stehen selbst nur im Verhältnis der Komplikation und Unterordnung zu jenen großen Allgemeinheiten und Besonderheiten.

Später wird sich zeigen, wie auch der Grundgegensatz von Seele und Leib, Gott und Natur nur auf einer doppelten Betrachtung eines und desselben Grundwesens beruht, einer subjektiven und objektiven, so daß dasselbe Grundwesen sich einmal im ganzen als geistig selbst erscheint, andremale durch Teile die Erscheinung von dem, was diesen Teilen im ganzen gegenüber, als leibliche oder Naturerscheinung gewinnt.

Die Folge wird Anlaß genug geben, diese Gegensätze noch ferner zu erläutern, welche ebensoviel weitere oder engere Bedeutungen von Gott begründen, wovon die weiteste immer die bleibt, welche zu Gott ohne Abzug alles rechnen läßt, was überhaupt existiert.

Der Begriff Welt teilt die Mehrdeutigkeit des Begriffes Gottes, indem er den Wendungen desselben folgt. Wo, im weitesten Sinn, das ganze Gebiet der geistigen und materiellen Existenz, ohne trennende Abstraktion, zu Gott gerechnet wird, fällt der Weltbegriff mit dem Gottesbegriff zusammen, und wir erhalten die pantheistische Weltansicht im vollsten Wortsinne. Unsere Ansicht ist eine solche, indem sie die weiteste Fassung des Gottesbegriffes für eine sachlich begründete hält, und die andere Fassung eben nur als für die Abstraktion bestehend; obwohl sie solche allerdings gestattet, ja für Entwickelung der innern Verhältnisse des Gebietes der Existenz nützlich hält, sofern sie sich nur nicht in sachlichem Widerspruch gegen die weiteste Fassung geltend macht, wonach die andern Weltansichten der unsern weniger widersprechen, als sich ihr unter- oder einordnen. Vom gewöhnlichen (Hegelschen) Pantheismus aber, den man jetzt meist schlechthin unter Pantheismus versteht, unterscheidet sich der unsere wesentlichst dadurch, daß unsrer alles Bewußtsein und hiermit das Bewußtsein des Alls in ein einiges höchstes bewußtes Wesen aufhebt, indes im gewöhnlichen alles Bewußtsein in das einer Vielheit von Einzelgeschöpfen (nach streng Hegelscher Fassung sogar bloß irdischer Geschöpfe) aufgehoben wird.

Bei den engern Fassungen des Gottesbegriffes tritt die Welt Gott
gegenüber, anstatt damit zusammenzufallen; indem man das Welt nennt,
was nach Abstraktion Gottes aus dem ganzen Gebiete der Existenz als
Gegensatz und Rest bleibt. So fällt die Welt entweder bloß mit der
Natur, als Inbegriff der äußern Erscheinungswelt, zusammen, oder befaßt
selbst noch geistige Wesen und Verhältnisse, aber nur sofern sie als
Einzelwesen und in Einzelbezügen auftreten.

Daß der Begriff Gottes und der Welt sich immer im Zusammen=
hange wenden, bringt den Vorteil mit, daß sich nun beide auch wechsel=
seitig erläutern. Hierauf und auf dem Zusammenhange überhaupt fußen
wir, wenn wir die Begriffe Gott und Welt künftig bald in weiterm,
bald in engerm Sinne, bald in dieser, bald in jener Wendung brauchen,
ohne uns über die Bedeutung, in der es geschieht, jedesmal besonders
zu erklären; es wären gar zu viel Worte nötig, es immer mit aus=
drücklichen Worten zu tun. Nun können unsre Aussagen von Gott sich
nach dem Wortlaute mitunter zu widersprechen scheinen, wenn man sie
aus verschiedenen Zusammenhängen zusammenbringt; aber man betrachte
erst jede in ihrem besondern Zusammenhange und dann den Zusammen=
hang dieser Zusammenhänge, der ja auch erläutert ist, so wird sich alles
einigen.

Man mäkle endlich nicht am Gebrauche des Wortes Gott und
seinen vielseitigen Wendungen, man sehe nach der Sache. „Denn das
Reich Gottes stehet nicht in Worten, sondern in Kraft."[*] Sagte doch
selbst Luther: Das Wort Gott hat viele Bedeutungen, nur daß er bloß
die für die richtige anerkannte, die er dem Frommen am meisten
frommend hielt. Aber nur welche sachliche Verwendung des Wortes
dem Frommen am meisten frommt, darauf kann es ankommen; und das
wird die sein, welche die sachlichen Verhältnisse Gottes, darunter die des
Frommen und der Frömmigkeit selbst inbegriffen, der Wahrheit am
gemäßesten ins Auge faßt. Nur die volle Wahrheit ist es, die voll
frommen kann, sei es, daß es sich um die Auslegung von Gottes Wort
oder des Wortes Gott handelt, und beides hängt zusammen. Gottes
Wort kann selbst nur dasjenige sein, was das Wort Gott der Wahrheit
am gemäßesten auslegt. Diese Wahrheit kann aber bestehen, mit ver=
schiedenen Wendungen des Wortgebrauches.

Es mag zwar scheinen, daß die engste Fassung, nach welcher man
Gott als Allgemeingeist den Welteinzelheiten gegenüberstellt, unserm

---

[*] 1. Thor. 4, 20.

praktischen Interesse am meisten entgegenkommt, welches fordert, in Gott einerseits ein allgegenwärtiges, allwaltendes, allwissendes, andrerseits von der Beschränktheit, Mangelhaftigkeit, Sündhaftigkeit, dem Übel im Gebiete der Einzelwesen nicht mit beteiligtes Wesen zu sehen. Und wir widersprechen ihr ja nicht; nur daß sie uns nicht verführe, wie fast zu leicht der Fall, die Wahrheit der Beziehungen zu übersehen oder zu leugnen, die in der weitesten Fassung unmittelbar inbegriffen liegen; dann kann der scheinbare Vorteil nicht halten. Mag sie auch dem praktischen Interesse am unmittelbarsten entgegenkommen; aber in sachlichem Widerspruch mit der weitesten Fassung festgehalten, kann sie es am wenigsten vollständig befriedigen, vielmehr verspricht die weiteste Fassung, welche von Gott nichts abzieht, auch die meiste Befriedigung ohne allen Abzug, nach der an sich sachgemäßen Betrachtung, daß der Gesichtspunkt, Maßstab, Grund, Schluß der Vollkommenheit, Güte, Weisheit überall nicht im einzelnen, Besondern, sondern im ganzen, was das einzelne umfaßt, befaßt, aber nicht außer und ohne dasselbe bestehen kann, liegt, daher durch das, was am einzelnen hängt, an sich keinen Bruch erfahren kann; dahingegen das Schlimme des einzelnen selbst um so sicherer der Hebung, Heilung und Versöhnung entgegen sieht, wenn es der Herrschaft des guten Ganzen nicht äußerlich gegenübersteht, sondern geradezu eingetan ist. Aber diese Betrachtung kann sich erst künftig nach ihrem vollen Gewicht entwickeln.

Jedenfalls wird uns Gott in allen Wendungen, in denen wir seinen Begriff fassen mögen, ein einiges, allmächtiges, allwissendes Wesen von höchster Güte bleiben, mit allem, was mit diesen Eigenschaften wesentlich zusammengehört.

Nun aber kann man noch viel fragen und streiten, welch Verhältnis doch eigentlich Gott als Geist zur Natur oder materiellen Welt, Gott zu uns hat, und ob auch wirklich das Verhältnis von Gott und Natur, Gott zu uns, mit dem Verhältnis unserer Seele zu unserm Leibe, unsers Geistes zu seinen Einzelheiten, bei aller Aufforderung zum Vergleich, als ganz gleich zu achten; zuletzt oder vor allem sogar, ob es auch einen Geist in oder über der Welt überhaupt gebe, und dann wieder, welches seine Eigenschaften. Das sind schwere Fragen und wollen schwer erwogen sein. Ich will aber hier nur einige Gedanken an tatsächliche Verhältnisse knüpfen, wie mich's dünkt, daß sich's am besten stellen möchte. Und will dabei nicht immer eins über das andere bauen, sondern von verschiedenen Seiten neu anfangen, damit man sehe, wie verschiedene Wege zu demselben Ziele führen oder sich in Erreichung desselben ergänzen.

B. Oberstes Weltgesetz und Beziehungen desselben zur Freiheit. Gründe für das Dasein Gottes.*)

Wohl manche sind, die sich, befangen von der Anschauung des mannigfaltigen Neben- und Nacheinander, der allwärts sichtbaren Zersplitterung in Natur und Geisterwelt, schwer vorstellen können, daß ein allgegenwärtig und ewig identisches Wesen das Ganze in eins beherrsche und binde. Denn was sehen sie in dieser Welt? Materie allenthalben zerstreut und geballt in tausendfache Formen; das Festeste durch geschärften Blick und Schluß noch zerschließbar in Teile, Teilchen, endlich gar Atome; Wirkungen gehen äußerlich herüber und hinüber von Körper zu Körper, von Teilchen zu Teilchen; Bewegungen durchkreuzen sich in mannigfachen Bahnen; Zentra gibts genug, doch wo ein allgemeines Zentrum? Gesetze gibts genug, doch lauten sie anders für jedes anderslautende Gebiet. Und wie im Bereich der Körper, ists in dem der Geister. Jeder Geist steht dem andern äußerlich gegenüber; keiner weiß recht, wie es in dem andern zugeht; keiner recht, woher er selber kommt, wohin er geht; sie sammeln sich, zerstreuen sich, drängen sich, treiben sich; Prinzipe gibts genug, doch mehr noch Streit um die Prinzipe; Zwecke gibts genug, wo einen Zweck der Zwecke? Keine Stunde, kein Tag, kein Ort ist des andern sicher. Neues gebiert immer Neues. Am Anderswo hängt auch ein Anderswie. Das Ganze scheint sich immer nur aus dem einzelnen zu machen, nicht das einzelne aus etwas Ganzem zu kommen.

Doch nur die Oberflächlichkeit unsres Blickes, nicht die Tiefe der Dinge haben wir anzuklagen, wenn uns nichts recht eins und einig in der Welt erscheinen will. Vertiefen wir nur etwas den Blick, so werden wir zunächst im Bereiche des Körperlichen doch anerkennen, daß zwei Weltkörper, ob hier, ob in Billionen Meilen von hier, ob heute, vor oder nach Billionen Jahren, kurz überall und immer, gleich aufeinander wirken, und sich immer gleich gegeneinander benehmen werden, wenn sie sich nur unter gleichen Umständen, d. i. mit gleichen Massen, in gleichem Abstand, mit gleicher Anfangsgeschwindigkeit und Richtung wieder begegnen; auch der Verfolg ihrer Bewegung bleibt sich dann überall und immer gleich. Hier haben wir mindestens einen Fall, wo etwas identisch gleich bleibt zwischen fernsten Räumen und Zeiten; dasselbe Gesetz waltet hier und allwege, heute und immer, und verknüpft

---

*) Die hier folgenden Betrachtungen sind aus mehreren Gesichtspunkten in einem Anhange wieder aufgenommen und weiter entwickelt.

eben damit die fernsten Räume und Zeiten, zwar nur in betreff
materiellen Geschehens, doch wie mit geistiger Gewalt. Und eben so
gewiß ist, daß, wenn und wo zwei Weltkörper sich unter verschiedenen
Bedingungen ihrer Masse, Entfernung, Geschwindigkeit und Richtung
begegnen, sie nirgends und niemals in derselben Weise aufeinander
wirken und sich gegeneinander benehmen werden; sie hüten sich davor,
als gälts ein göttliches Verbot. Ließe sich denn nicht auch denken,
daß es zwei Weltkörpern einfiele, sich unter denselben Umständen heute
so und morgen so, hier so, an einer andern Stelle des Raums so
zu benehmen? Und dann wieder unter verschiedenen Umständen gleich
zu benehmen, so daß das, was in einer Zeit, an einem Ort geschieht,
die andere Zeit, den andern Ort nichts anginge, das himmlische Geschehen
in Raum und Zeit bezugslos auseinander läge? Aber es ist nicht so.
Jeder Raum und jede Zeit ist vielmehr in betreff dessen, was die
Weltkörper darin beginnen, gebunden durch etwas, was den ganzen
Raum, die ganze Zeit in derselben Weise bindet, nie und nirgends
abreißt. Dasselbe Gesetz, das sich zwischen den Weltkörpern erstreckt,
erstreckt sich auch in sie hinein, ja reicht durch sie bis in ihre tiefste
Tiefe, bis in ihr Zentrum, gibt ihnen sogar erst das Zentrum, um das
sich alles, was sie in und an sich haben, zusammen= und in dem sich
alles abschließt, als wären die Weltkörper nur festeste Knoten des alle
Himmel umschlingenden und durchschlingenden Bandes. Nach selbigem
Gesetze, nach dem die Sonne die Erde zieht, und die Erde den Mond
zieht, zieht auch die Erde den Stein, streben alle Teile der Erde selbst
gegeneinander und setzen sich eben dadurch erst ihr Zentrum und dazu
noch jedem irdischen Körper sein besonderes Zentrum. Nach selbigem
Gesetze, nach welchem die Bahn der Erde sich zum Kreise geschlossen,
hat sich die Erde selber zur Kugel geballt, kreist die Meeresflut um
diese Kugel und stürzen sich die Flüsse in diese Flut. Geht es aber
trotzdem, daß es ein Gesetz ist, was alle diese Wirkungen beherrscht,
an jedem andern Orte, zu jeder andern Zeit anders her im Himmel
und auf Erden, vermöge der Schwere selber anders her, der alle diese
Wirkungen zugehören, ists doch nicht wider das Gesetz, ists vielmehr
nur darum, weil es mit den verschiedensten Umständen auch die ver=
schiedensten Erfolge beherrscht. Denn die Körper vergessen nicht des
Verbots, sich unter verschiedenen Umständen, unter denen sie zusammen=
treffen, jemals gleich zu benehmen. Wie aber irgendwo und irgendwann
die Umstände wieder gleich werden, wird auch der Erfolg wieder gleich,
seis im Himmel oder auf Erden, oder zwischen beiden, es macht keinen

Unterschied. Und der Kundige, der weiß, wie es hier und heute nach
dem Gesetze hergeht, weiß auch, wie es überall und immer danach her=
geht. Also geht des Gesetzes Einstimmung mit sich selbst nicht unter
in der Vielheit und Mannigfaltigkeit der Umstände und Erfolge, die
es beherrscht. Es zerspaltet und zersplittert nicht, indes es in den
buntesten Reichtum von Besonderheiten ausblüht; so wenig eine Pflanze
zersplittert, zerspaltet, indem sie eine Mannigfaltigkeit von Blüten und
Blättern entfaltet. Immer bleibt dasselbe Prinzip doch waltend in allem
Reichtum der Besonderheiten.

Viele, indem sie aus dem Gesichtspunkte, daß die Welt ein orga=
nisches Ganze sei, dem Grundzusammenhange dieses Ganzen nachspürten,
haben vorzugsweises Gewicht auf die Tatsache des allgemeinen Zuges
gelegt, der alle Körper zueinander treibt, darauf, daß die fernsten
Weltkörper sich nacheinander noch hinzubewegen streben, sich einander
suchen, als spürten sie ihr Dasein aus der Ferne. Und es liegt hierin
gewiß ein Gewicht. Aber doch kein so großes, als daß dasselbe Gesetz
des Zuges, den Zug selbst beherrschend, zwischen hier und heute und
fernsten Räumen und Zeiten besteht. Hierin erst bleibt sich etwas
wahrhaft identisch gleich; denn jene Anziehung schwächt sich mit der
Entfernung, ja wird für große Entfernungen gar unmerklich, und hiermit
scheint das Band der Welten sich zu schwächen und zu schwinden; aber
die Gültigkeit des Gesetzes schwächt sich, schwindet nie und nirgends, und
jene Schwächung und endliche Erschöpfung der Kraftgröße mit der Ent=
fernung selbst liegt in der allgegenwärtig identischen Gültigkeit, sozu=
sagen diamantnen Haltbarkeit des Gesetzes begründet. Diese allgegen=
wärtige Gültigkeit, unverbrüchliche Haltbarkeit des Gesetzes ist ein viel
tiefer greifendes, innigeres, festeres Band des Alls, als jener Zug, der
dem Gesetze nur gehorcht, und mit der Fliehkraft kämpfend das Ziel
der Einigung nicht sowohl erreichen als die Körper sich um dasselbe
drehen läßt, indes gegen das Gesetz des Zuges kein Drehen und kein
Wenden besteht.

So haben wir im Gravitationsgesetz mit seiner Kraft gleichsam
einen unsichtbaren König der Welt, einen Herrscher über alle Himmel,
alle Zeiten; der Sonnen und Erden ihre Bahnen und jedem Stäubchen
seine Stelle auf einer Sonne oder Erde anweist, dem Dienste geschehen
in allerlei Formen und Gebräuchen, der von Anfang war und sein wird
in Ewigkeit. Können wir uns dann so gar sehr wundern, wenn ein
französischer Mathematiker sagte: die Gravitation ist Gott? Sein Irr=
tum ist aber in der Tat kein anderer, als daß er auf einseitigem

materialiſtiſchen Standpunkt der Betrachtung das bloß in den Erſcheinungen und Wirkungen des Schweren und der Schwere ſah und auf
Gott vielmehr dem Namen als der Sache nach deutete, was überall und
nach jeder Beziehung zu ſehen und nur nach ſeiner ganzen Umfaſſung,
Höhe und Tiefe auf Gott wahrhaft zu deuten iſt, obwohl immer erſt
zu deuten; denn noch iſts nicht Er ſelbſt. Denn wie es mit den Weltkörpern und den Schwerewirkungen iſt, iſt es ja näher beſehen mit allen
Dingen, allem Geſchehen und Wirken in der Welt überhaupt, dem
körperlichen und geiſtigen. Verfolgen wir es im Reiche des Mechaniſchen,
Phyſiſchen, Chemiſchen, Organiſchen, in Waſſer, Feuer, Luft, Erde, unter
der Erde, auf Sonne, Mond, fernſten Fixſternen, in oder außer Menſchen,
Tieren, Pflanzen, Steinen, im Bewußten oder im Unbewußten, in was
auch für Richtung und Beziehung, es wird überall und immer Gleiches
erfolgen unter gleichen und Verſchiedenes unter verſchiedenen Umſtänden,
und wie die Umſtände ſich ändern oder ähnlich werden, ſo auch die
Erfolge. Die Ferne des Raumes und der Zeit macht keinen Unterſchied. Es gilt überhaupt ganz allgemein, ſo allgemein als es nur eine
Allgemeinheit geben kann, über allen allgemeinen Geſetzen des Geſchehens
als allerallgemeinſtes:

Wenn und wo auch dieſelben Umſtände wiederkehren, und
welches auch dieſe Umſtände ſein mögen, ſo kehren auch dieſelben Erfolge wieder, unter andern Umſtänden aber andere
Erfolge.*)

Nicht bloß nach einer, nach aller Beziehung iſt jeder Raum, jede
Zeit gebunden an das, was in jeder andern geſchieht, und was in
Millionen oder Billionen Meilen oder Jahren Zwiſchenraum und
Zwiſchenzeit geſchieht, nach aller Hinſicht ſo verknüpft, als wäre es eins
aus einem Grunde. Ein einiges Weſen greift hinweg über alle Orte
und Zeiten, durch allen Leib und Geiſt.

Jenes Geſetz, das wir ausgeſprochen, iſt ein wahres oberſtes Welt-
geſetz, einfach in ſeinem Ausdruck, daß es ein Kind verſteht, ärmlich von

---

*) Verſteht ſich, daß man zu den Umſtänden nicht bloß die äußern, ſondern
auch die innern Umſtände der Dinge, jedwede angebbare Beſtimmung der Exiſtenz
überhaupt, rechne. Der abſolute Ort im Raume und Zeitpunkt in der Zeit aber
kann nicht zu den Umſtänden gerechnet werden, welche auf das Geſchehen Einfluß
haben, da ſie erſt ihre Beſtimmtheit durch das darin Seiende und Geſchehende erhalten.
Im Körperlichen ſind die weſentlichſt in Betracht kommenden Beſtimmungen Maſſe,
Diſtanz, Anordnung, chemiſche Qualität, Geſchwindigkeit, Beſchleunigungszuſtand und
Richtung; im Geiſtigen jedwede Bewußtſeinsbeſtimmung und was unbewußt in ſolche
eingeht. Vgl. übrigens noch den Anhang.

Anzug, daß man vorbeigeht, ohne es anzusehen, dürftig von Inhalt, daß
niemand glaubt, es sei etwas daraus zu nehmen, selbstverständlich, daß
nicht der Mühe wert scheint, erst davon zu reden; doch gewaltig und
vielgestaltig in seinen Folgerungen, daß die größten Weisen sie nicht
erschöpfen und ergründen können; oft verkannt und mißverstanden
und verläugnet; und niemals ganz nach seinem Wert erkannt und
nach seiner Bedeutung ganz verstanden und nach seinen Folgen ganz
entwickelt.

Was geschieht, und wie etwas geschieht, und wo etwas geschieht,
und wenn etwas geschieht, geschieht es nur gemäß diesem Gesetze. Alle
besondern Gesetze des Geschehens sind nur Fälle dieses einen obersten;
denn Gesetz heißt nur, was bestimmt, daß es hier und heute in etwelcher
Beziehung, unter etwelchen Umständen hergeht, wie anderswo und anderwärts. Unser Gesetz bestimmt aber dasselbe in aller Beziehung, für
alle Umstände auf einmal. Es macht erst die Gesetze zu Gesetzen, indem
sie sich ihm unterordnen. Alle besondern Ursachen, Kräfte sind nur Fälle
der einen Ursache, Kraft, die im Sinne dieses Gesetzes wirkt und schafft;
und so begrändet es mit dem Begriffe des Gesetzes auch den Begriff der
Gesetzeskraft, denn es heißt etwas nur Ursache eines andern, sofern sich
zeigt, daß, was hier und heute daraus folgt, unter denselben Umständen
allwärts und immer daraus folgt, sonst wäre nur zufälliges Nacheinander
da. Man sieht nur da das Wirken einer Kraft, wo der Erfolg von der
Natur der wirkenden Umstände gesetzlich abhängt. Das oberste Gesetz
aber bestimmt, daß alle Erfolge allezeit und überall von der Natur der
Umstände gesetzlich abhängen. Schon ohne Gesetz bildet die Kontinuität
der Zeit und des Raumes ein Band, das sich überall und immer forterstreckt; aber nicht nur, daß es bloß das Nächste ans Nächste knüpft,
indes das Weltgesetz alle Fernen auf einmal übergreift, ist es auch ein
dem Begriffe nach träges, wirkungsloses, indes unser Gesetz den Begriff
des Wirkens selbst erst begründet. Denn es wirkt nur, was Ursache einer
Folge ist, und es ist nur Ursache einer Folge, was es, unter denselben
Umständen wiederkehrend, überall und immer zu sein vermag. Mit dem
Begriff des Wirkens hängt aber der Begriff der Wirklichkeit daran; denn
es kann nur wirken, was wirklich, und ist nur wirklich, was wirken kann.
Nur folgt das Dasein der Wirklichkeit nicht aus diesem Gesetze, da vielmehr eins mit dem andern unmittelbar gegeben ist. Niemand kann beweisen, daß es gelten müsse, so wenig jemand beweisen kann, daß es eine
Wirklichkeit, ein Wirken geben müsse; aber es gilt, es betätigt sich und
beweist sich durch die Tat; nur daher kann mans haben; also, daß es

14*

nicht bloß ein müßiges Gedankending, sondern Beweis und Charakter eines durch die ganze Wirklichkeit wirkenden, den Begriff der Wirklichkeit selbst begründenden Wesens ist; wie es aber den Begriff der Wirklichkeit begründet, begründet es auch, selbst unbeweisbar, allen Beweis der Wirklichkeit. Denn alle Analogieen, alle Induktionen, jeder Schluß überhaupt über das, was in Wirklichkeit ist, gewesen ist und sein wird, geschieht nur im Sinne dieses Gesetzes; und wenn der Schluß oft genug fehl schlägt, ist es nicht das Gesetz, was fehl schlägt, nicht das wirkende Wesen, was sich widerspricht, sondern nur wir sind es, die in unsern Anwendungen dem Gesetze widersprechen.

Indes unser Gesetz das allerallgemeinste, was denkbar, trägt es aber zugleich das Prinzip seiner Besonderung bis ins einzelnste in sich. Denn jede andere Zusammenstellung der Dinge, und wäre sie noch so besonders, führt darnach auch ihr besonderes Gesetz mit sich, das sich immer aufs neue bestätigt, wenn und wo auch dieselbe Zusammenstellung wiederkehrt, und nur eben für diese einzige Art Zusammenstellung sich bestätigt. Nimm 2 Massen von 2 Pfund in 2 Fuß Abstand, nimm 2 Massen von 3 Pfund in 3 Fuß Abstand, sie ziehen sich beidesfalls im Leeren an nach einer besondern, nur eben für diese besondere Art der Zusammenstellung gültigen Regel; aber diese Regel bleibt wiederkehrend gültig für alle Räume und alle Zeiten, und so bleibt es immer eine Regel. Weil aber nichts in der Welt so besonders ist, daß es sich nicht von dieser oder jener Seite einer Allgemeinheit unterordnete, ordnen sich auch alle besondern Zusammenstellungen von Umständen und hiermit die für sie geltenden Gesetze des Geschehens, Wirkens allgemeinern und endlich dem allgemeinsten ein und unter, das durch keine besondere Bestimmung mehr gebunden ist, aber alle bindet. So treten alle physikalischen Gesetze für einen besondern Kreis von Umständen unter allgemeinere physikalische Gesetze, welche einen allgemeinern Kreis von Umständen beherrschen; alle Gesetze des Geistes nicht minder unter allgemeinere geistige.

So gibt es also weit über die Gravitation hinaus etwas, was die Eigenschaften, die wir an jener bewunderten, trägt, und nun erst in vollem unbeschränkten Maße trägt, etwas durch das ganze Gebiet der Existenz wahrhaft identisch Durchgreifendes, Einiges, Ewiges, Allgegenwärtiges, Allwaltendes, Herrschendes, alles Wirken, alles Geschehen in Zeit und Raum, Natur und Geisterwelt in eins Bindendes, und doch nicht sklavisch Bindendes; denn nur so weit kehren nach dem Gesetze überall und zu allen Zeiten dieselben Erfolge wieder, als dieselben Umstände wiederkehren; aber sie kehren nie und nirgends vollständig wieder, und das Gesetz verlangt es nicht. Die Welt entwickelt sich fortgehends zu etwas Neuem und ist überall anders; das Alte, das Hiesige kann nie ganz maßgebend sein für das Neue, das Ferne, weil das Gesetz bloß die Wiederholung derselben Erfolge für dieselben Umstände fordert; die doch stets bloß von gewisser Seite dieselben bleiben, und insofern die Forterhaltung des Alten im Neuen mitführen, das Alte mit dem Neuen, das Hiesige mit dem Dasigen verspinnen, aber das Neue, das andre, so weit es neu und anders ist, nicht begründen können. Denkt man sich die Welt noch ganz neu, so blieb nach dem Gesetze noch alles ringsum frei. Es bestimmt weder, welches die ersten Umstände, noch welches die ersten Erfolge sein mußten; es bestimmt nicht einmal, daß es zuerst selbst sein mußte. Und dächten wir uns ein höchstes Wesen, die Welt nach unserem Gesetz von vorn an schaffend und ordnend, so konnte es danach alles schaffen und ordnen, wie es wollte, ohne durch etwas gebunden zu sein, ja es fand in dem Gesetze anfangs gar keinen Anhalt, wonach es sich richten konnte; es blieb rein an seine freie unvorbestimmte Selbstbestimmung damit gewiesen. Nur was es einmal gesetzt, mußte bindend sein für alle Folge. So konnte es die Gesetze aller Dinge selbst mit Freiheit schaffen; ja das oberste Gesetz selbst könnte man sich mit Freiheit geschaffen denken, da in seinem Begriffe eben nichts liegt, was uns auch seine Realität verbürgt, indes es uns selbst alle Realität verbürgt. Alles erste in der Welt, alles, was sich nicht von Umständen, die auch sonst und anderwärts vorkommen, abhängig machen läßt, seis im uns Bewußten oder Unbewußten, ist solchergestalt als ein frei Entstandenes anzusehen;*) und sofern die Welt im ganzen wie in individuellen Gebieten fort und fort Neues, von gewisser Seite mit allem Früheren Unvergleichbares entwickelt, geht auch ein Prinzip freien Schaltens durch die Welt im ganzen, wie in uns selbst und unser Bewußtsein und Handeln hinein; wir selbst sind Helfer an des Ganzen freiem Schalten. Unsere Freiheit ist in der obersten Freiheit selbst inbegriffen, also daß sie keine Regel, Vorbestimmung davon empfängt und ihr keine Regel, Vorbestimmung geben kann, aber als Mitbestimmung in sie eingehend ihr hilft Regeln, Vorbestimmungen für das Künftige, das andere geben. Sie setzt ebenso neue Umstände, als sie selbst zugleich mit neuen Umständen gesetzt ist, da Neues immer Neues zeugt, von nun an und in Ewigkeit; doch jedes

---

*) Es hindert zwar nichts, Freiheit bloß mit Bewußtem in Beziehung zu denken, unter Zuziehung der Betrachtung, daß alles uns Unbewußte doch in ein höheres Bewußtsein eingeht oder darin aufgeht; doch hat uns dieser Gesichtspunkt zunächst nicht zu beschäftigen.

Reue ist nur einmal neu; und nichts ist so neu, daß nicht ein Teil darin dem Alten und dem anderen gliche.

So bleibt trotzdem, daß das oberste Gesetz allwärts, ewig und unverbrüchlich bindet, doch einer obersten wie unserer eigenen Freiheit voller Spielraum. Gesetz und Freiheit stören sich nicht, wie man so oft meint, sondern dem obersten Gesetz ist zugleich ein oberstes Prinzip der Freiheit immanent. Umgekehrt tritt die Freiheit selbst als der oberste Gesetzgeber auf. Was nichts vor oder um sich hat, dem es gleich wäre, muß sich nach diesem Gesetze frei und neu aus sich entwickeln, woher nähme es seine Bestimmtheit, und jeder Mensch tut es ja auch nur nach der Seite, die in ihm neu ist, und trägt dadurch eine neue Bestimmung zur Welt bei, die nun maßgebend wird für alle Folge; im Übrigen tut er, wie die vor ihm getan und die um ihn tun. Er determiniert sich selbst immer mehr durch sein früheres Wollen und Tun; denn jedes frühere Wollen und Tun in ihm wirkt regelgebend für späteres Geschehen und Tun, sofern die Umstände des früheren Wollens und Tuns in gewisser Beziehung immer wiederkehren; aber in gewisser Beziehung gehen sie auch immer über das Alte hinaus, die alten Verhältnisse wiederholen sich nie vollständig, und so hört die Freiheit, sich so oder so zu determinieren, nie völlig auf und beginnt sicher in einem neuen Leben mit erneuter Frische.

Auch des Naturforschers Gesetze binden nur in so weit Neues, als im Neuen Altes wiederkehrt, er hat sie ja nur aus Betrachtung des schon Dagewesenen und verlangt nicht mehr, als daß, was einmal war, immer wiederkehre unter denselben Umständen; dies verbürgt ihm unser Gesetz. Für neue, auf die früheren nicht zurückführbare Umstände will es neue Gesetze, nur daß sie immer unter das oberste treten, wodurch sie erst Gesetze werden; vom ersten, was da war, kann und will er nichts erklären. Die Freiheit unseres Gesetzes tut ihm also keinen Eintrag.

Unser oberstes Gesetz hat so seine Seite der Gebundenheit oder Notwendigkeit und seine Seite der Freiheit, oder es hebt sich Notwendigkeit und Freiheit in ihm zu einer Einheit in höchster Stufe auf; also, daß es keine höhere Notwendigkeit und keine höhere Freiheit geben kann, als die in seinem Begriffe in eins liegt. Dasselbe absolute Muß ist es, nachdem dieselben Umstände überall und immer dieselben, verschiedene Umstände überall und immer verschiedene Erfolge zeugen, nichts tritt aus diesem Muß heraus; aber dies Muß selbst ist als kein ursprünglich notwendiges abzuleiten und läßt noch unendliche Freiheit der Umstände wie der Erfolge. Und überall, wo wir in der Welt, die unter dem

Gesetze steht, etwas rein Notwendiges zu sehen meinen, ist es teils ein Erfolg der Freiheit, teils eine Grundlage der Freiheit, teils in wesentlichem Zusammenhange mit Freiheit. Wir können Gesetze reiner Notwendigkeit aus der Welt abstrahieren, aber sie bestehen und wirken nicht so rein und abstrakt in der Welt, wie umgekehrt die Freiheit nicht so abstrakt ihr Spiel in der Welt treibt, als wir sie wohl fassen mögen.

Wie alles Gesetzes Begriff im obersten Gesetz begründet liegt, ist auch dasselbe Maß und Muster der menschlichen Gesetze; also daß menschliche Gesetzlichkeit nur nach Maßgabe diesen Namen verdient, als sie die oberste und allgemeinste Gesetzlichkeit im Menschlichen, Bewußten wiederspiegelt.

Was aber verlangen wir von Gesetzlichkeit im menschlichen Gebiete?

Daß die Gesetze aus der Natur der Menschen und Dinge hervorgehen, mit Freiheit nach Seiten dessen, was sie frei läßt, mit Notwendigkeit nach Seiten dessen, wozu sie nötigt; daß sie, einmal festgestellt, auch fest und unverbrüchlich gehandhabt und gehalten werden, indem sie aus einer derartigen Ordnung einerseits erwachsen, anderseits solche selbst begründen, die ihren Bruch verhütet; daß sie bei aller Festigkeit, ja zu deren Gunsten, denn sonst würde sie niemand halten können und mögen, auch der Freiheit Spielraum lassen, ja diesen Spielraum selber wahren und noch eine Fortentwickelung der Verhältnisse im ganzen wie einzelnen gestatten, ja die Grundlage selber dazu bieten. Ihre Festigkeit soll nur die feste Unterlage freier Bewegung, ihre Starrheit nur der Kern lebendiger Fortentwickelung sein, die Freiheit anderseits soll nur Macht haben, im Sinne und nach Maßgabe der Gesetze, nicht gegen die Gesetze und zum Umsturz der Gesetze sich zu regen, die Entwickelung nur als Fortbau, nicht als Zerstörung des früher Entwickelten und Begründeten auftreten können. Die ganze Gesetzgebung soll sich selbst noch fortbestimmen können, wie sich der Kreis der Umstände fortbestimmt, für den sie gilt. Immer sollen die Gesetze mit Rücksicht auf alle Umstände, die in Betracht kommen, gestellt werden; für gleiche Umstände soll überall das Gleiche, für ungleiche das Ungleiche gelten; jeder soll durch sie gebunden sein wie der andre nach dem, was er gemein hat mit dem andern, und frei nach dem, was ihm eigentümlich. Jeder soll vor ihnen gleich sein, so wie er unter gleichen Umständen vor sie tritt. Allgemeine Gesetze sollen sich besondern unterordnen und alle sich mit einander vertragen.

Die menschliche Gesetzlichkeit entspricht nun nicht vollkommen diesem Ideal, aber die oberste entspricht ihm vollkommen, und daß die menschliche nach menschlicher Betrachtung ihm nicht vollkommen entspricht, ist selbst nicht wider das oberste Gesetz, ist kein Abbruch seiner Gültigkeit, sondern bloß ein Aufgehen in seiner höhern allgemeinern Gültigkeit. Bricht ein Mensch ein menschliches Gesetz, so bricht er darum noch nicht das oberste Gesetz; das kann er niemals brechen mit aller seiner Freiheit, seiner Sünde; er handelt anders als ein andrer, weil er ein 'andrer ist, oder weils um ihn anders ist, wenn auch die Umstände, insoweit als das menschliche Gesetz sie vorgesehen, bei beiden gleich sind. Das menschliche Gesetz kann eben nicht so alle innern, äußern Umstände vorsehen wie das oberste. Alles Geben und Befolgen unsrer menschlichen Gesetze ist selbst nur ein Erfolg des obersten Gesetzes, seines Waltens im Gebiet bewußten Lebens, Tuns, und aller Bruch derselben ists nicht minder.

Die Regeln aller Kunst, die Regeln alles Handwerks, die Regeln aller Sprache, ein jeglicher Vertrag, kurz alles, wodurch die Menschen sich wechselseitig binden, mit aller Freiheit, aus denen dies alles ist geflossen, und die dabei gelassen, hat eben so sein Prinzip im obersten Gesetz; hat zwar Ausnahmen tausendfach, doch die, bis zum Grund verfolgt, nur zur Bestätigung der höchsten Regel dienen.

Zum Bande und zur Freiheit in der ganzen Welt verbürgt das höchste Gesetz uns den eigenen individuellen Fortbestand, oder hilft uns solchen doch verbürgen. Denn weil nach dem Gesetze die Wirkungen sich fortgehends nach den Ursachen richten, aus Verschiedenem stets Verschiedenes folgt und nichts Wirkliches ohne Wirkung, Folge ist, setzt sich auch die Individualität des Menschen, die ihn von andern unterscheidet, durch den Kreis der Wirkungen, der Folgen, die aus seinem Dasein hier hervorgehen, ewig fort, und selbst, wenn der Mensch hienieden zu zerfallen scheint, wird der Kreis der Wirkungen, der Folgen, die von seinem Dasein hienieden hinterblieben, noch sein ididuelles Wesen in dem größern Kreise, in dem es für unsern Blick hienieden aufgegangen, ja zergangen scheint, forterhalten, verborgen zwar für uns die Hinterbliebenen, doch hell, d. h. bewußt, für sich, als Folge von für sich bewußtem Dasein. Der Tod wird selbst dazu da sein, ein diesseits Unbewußtes zum jenseits Bewußten zu erheben, indem er das diesseits Bewußte dafür Preis gibt, das Enge für das Weite, das Irdische für das Himmlische; denn der jetzige Mensch ist der Erde, die Erde, darin er künftig statt seines engen Leibes wohnt, teilhaftig werdend ihrer höhern Engelsnatur, des Himmels. Das ist ein kurzer Vorblick in die Folge. Im Übrigen wie mit dem Menschen ists mit jedem Dinge, nur daß, was kein Bewußtsein oder

keine Bewußtseinseinheit für sich hat, auch keine solche als Folge nach=
lassen, oder im Nachlasse der Folgen neu entzünden kann.

Nun aber endlich auch das Dasein Gottes, seine Wirklichkeit und
Wahrheit nach allen Eigenschaften, die wir von ihm fordern, wird uns
durch die Wirklichkeit, das Walten des höchsten Gesetzes insoweit ver=
bürgt, daß nur noch fehlt, Gott selbst zu sein, und sein Bewußtsein von
sich selbst zu haben, um mit dem höchsten Gesetze alles zum Beweise für
sein Dasein als bewußtes Wesen zu haben, wie nur noch fehlt, im
Jenseits schon zu sein, und unser jenseitiges Bewußtsein schon zu haben,
um mit dem Gesetze das Wesentlichste zum Beweise für unser jenseitig
bewußtes Dasein zu haben.

Denn erkannten wir nicht im Walten des obersten Gesetzes ein in
sich einiges, ewiges, allgegenwärtiges, allwaltendes, allmächtiges, alle
Wirklichkeit nicht nur durchwirkendes, sondern selber erst wirkendes, allen
Fluß von Grund zu Folge urbedingendes, Zeit und Raum, Natur und
Geist in eins umspannendes und bindendes, und dabei doch freies und
der individuellen Freiheit Spielraum lassendes, ja uns unser Jenseits
selbst verbürgendes Wesen? Und sind das nicht alles dieselben Dinge,
die wir von Gott wollen, ja wodurch wir ihn vor allen andern Wesen
charakterisieren? Was fehlt uns also noch zu Gott? Nur eben sein Bewußt=
sein und was erst durch Bewußtsein voll wird. Das freilich können wir
im Walten des Gesetzes über uns hinaus nicht unmittelbar und voll er=
kennen; dies Unmögliche müssen wir aber auch nicht fordern; wir würden
Gott sonst nie und nirgends und nach keinem Schlusse über uns hinaus
finden, so wenig als das Bewußtsein irgend eines unsrer Nebenmenschen,
weil wir den Beweis in einem Widerspruche in adjecto suchten, da
niemand über sich hinaus unmittelbar Bewußtsein erkennen kann; denn
dazu müßte er selber erst über sich hinaus sein. Genug aber, wenn wir
in dem Walten jenes Gesetzes doch soviel von den Eigenschaften Gottes
erkennen, daß nur eben das fehlt, was der Natur der Sache nach nicht
durch uns, sondern nur durch sich erkennbar ist. So ist es aber.

Und zwar zeigt das oberste Gesetz uns nicht sowohl alle Eigen=
schaften Gottes außer denen, die ihm als bewußtem Wesen zukommen
sollen, als vielmehr alle wesentlichen Eigenschaften des Bewußtseins selbst
auf höchster Stufe, soweit sie sich erkennen lassen, ohne das Bewußtsein
höchster Stufe selbst zu haben.

Denn richten wir unsern Blick auf unser eigenes Bewußtsein, an
dem wir allein ermessen können, was Bewußtsein ist, ist nicht dasselbe
seinem Wesen nach ein tätiger Fortbezug vom Gewesenen zum Jetzigen

und Folgenden, bindet es nicht Fernes und Nahes, Vergangenes und
Künftiges in eins, befaßt es nicht tausend Mannigfaltigkeiten unter
sich in unzersplitterter Einheit; hat es nicht seine Seite der freien Fortentwickelung und des Gebundenseins an Früheres und andres, beherrscht
es nicht in eins Seele und Leib, ja enthält es nicht alle diese verknüpfenden Eigenschaften selbst zur Einheit verknüpft? Das Weltgesetz
aber ist eine Einheit ganz derselben Eigenschaften, nur daß sie ihm in
unbeschränktem Maße, indes unserm Bewußtsein bloß in beschränktem,
zukommen. Ist aber diese Einheit von Eigenschaften für uns doch noch
nicht das volle Bewußtsein selbst, vielmehr nur ein Abgezogenes daraus,
erscheint es gleichsam nur als das trockene formgebende Gerüst im
lebendigen Fleisch des Bewußtseins, so wird dieselbe Einheit von Eigenschaften, als Weltgesetz von uns in allem, was in der Welt, erkannt,
auch nur ein Abgezogenes aus einem Weltbewußtsein sein, das wir als
solches nur nicht ganz selber anzuziehen vermögen. Ja wir werden sicher
schließen können, daß auch in der Welt zum trockenen Gerüste des
Bewußtseins sein lebendiges Fleisch nicht fehle. Unser Bewußtsein selbst
mit jener Einheit von Eigenschaften wird als Fleisch von diesem Fleische
mit Bein von diesem Bein anzusehen sein. Es hat ja jene Einheit von
Eigenschaften eben nur insofern, als das Weltgesetz mit seinem Wesen
darein eingeht und unsers Denkens, Wollens, Fühlens, Handelns nach
Seiten der Freiheit und Notwendigkeit waltet. Kein Wunder aber, daß
dies Gesetz, obwohl zum Wesen unsers Bewußtseins selbst gehörend doch
ohne besondere Reflexion demselben nicht erscheint, weil es eben eingehend
in das Bewußtsein dasselbe selbst erst bilden hilft. Unbewußt geht es
darin auf, wie Unbewußtes überhaupt im Bewußtsein aufgeht, bis
besondere Reflexion es zum Vorschein bringt (vgl. S. 160). Und so
wird es auch mit dem Weltgesetze im Weltbewußtsein sein. Es wird
wirken in Kraft und Tat, doch nicht besonders im Weltbewußtsein
erscheinen; bis besondere Reflexion auf sein Wirken es als abgezogenen
Begriff zum Vorschein bringt.

Zuletzt können wir alles nur durch unser Bewußtsein erkennen; nun
aber finden wir, um noch einmal kurz mit etwas andern Worten dasselbe
als vorhin zu sagen, daß auch der ganze Zusammenhang, die ganze Folge
dessen, was unserm Bewußtsein als von außen gewonnene Bestimmung
erscheint und uns die Außenwelt selbst vertritt, demselben Gesetze folgt wie
der Zusammenhang und die Folge unserer eigenen innern Selbstbestimmungen;
daher wir auch in dem Zusammenhange und der Folge des uns von außen
Bestimmenden dasselbe Grundwesen als in uns anzunehmen haben werden.

Manche stellen es so, als ob die ganze Naturgesetzlichkeit nur aus unserm

Geiste in die Natur von uns übertragen sei; wir hätten daran nur die Form
unsres Geistes selbst, die wir uns in der Natur objektivieren, indem wir sie
in der Form unsres Geistes aufzufassen genötigt sind, ohne daß der Natur
an sich und abgesehen von unsrer Auffassung Gesetzlichkeit zuzuschreiben sei.
Allein das Zurückgehen auf das von uns erkannte Wesen der Gesetzlichkeit
läßt am sichersten die Untriftigkeit dieser Ansicht erkennen.   Daß im Komplex
der Bestimmungen, die uns als äußerliche betreffen, Gleiches immer Gleichem,
Ungleiches immer Ungleichem folgt, ist etwas, was unmöglich aus unserm
Geiste in diesen Komplex kommen kann, ohne daß er auch die ganzen gleichen
und ungleichen Bestimmungen dieses Komplexes aus sich selbst setzte. Letzteres
zu glauben, könnte aber nur Sache eines extremen subjektiven Idealismus
sein, und selbst dieser läßt sich auf Grund unsres Gesetzes abweisen.   Doch
soll uns das jetzt nicht beschäftigen.

Nicht zwar, daß wir das Dasein Gottes, als höchstbewußten Wesens
über uns, allein aus dem Walten des Weltgesetzes erkannt haben wollten;
doch ists ein Zeichen über alle, und von allem, was auf Gott sonst im
Besonderen weisen mag, der Grund und Kern.   Was aber wiese nicht
auf ihn, verfolgt man nur die Richtung und gar, vereinigt man die
Richtungen.   Alles, was uns diente, einen Geist im Irdischen zu beweisen,
kann nun noch hinzutreten, den Beweis in höherm Sinne für einen Gott
in der gesamten Welt zu führen.   Die Gesichtspunkte der Analogie mit
uns, des Zusammenhanges mit uns, unsres Erwachsenseins aus ihr,
ihrer Steigerung über uns, unsres Zusammenhanges in ihr, kehren alle
nur in solcher Abänderung und Steigerung wieder, daß nicht mehr das
Dasein eines Wesens über uns, das andern noch gegenüber, sondern
eines Wesens über allen, das aller Abschluß, Einschluß, Gipfel in bewußter
Einheit ist, dadurch bewiesen wird.   Doch wir sind müde und zagen, den
hohen weiten Gang noch einmal zu gehen, ja bis zum Höchsten und
Letzten fortzuführen. Vermöchten wir es denn? Sieht doch ein jeder
nun die Richtung und das Ziel.

Und nicht, daß wir meinten, Gott sei überhaupt bloß mit Gründen
zu suchen, daß er sei; nein, daß wir ihn suchen, suchen müssen, ist
selbst der stärkste Beweis, daß er sei, und daß wir ihn allenthalben und
von Anbeginn gesucht haben, der stärkste, daß wir ihn suchen müssen.
Doch wie weit müßten wir wieder zurück, und wie weit wieder vorwärts
gehen, auch davon triftig und gemäß zu reden.   Das bleibe einer andern
Zeit und einer andern Gelegenheit vorbehalten, ist sie anders uns selbst
noch vorbehalten.   Nicht von Gott zu reden, sondern von Wesen unter
Gott und über uns und von unserm Leben hinter diesem, ist ja, was
wir uns eigentlich hier vorgesetzt, obwohl ohne von Gott zu reden, blieb
alles nur ein toter Rumpf.

So fragen wir nun künftig nicht mehr: ist ein Gott? Wir fragen nur hinfort, wie ist doch Gott? Wir müssen wohl so fragen. Denn daran, wie Gott ist, hängt das höchste und letzte Wie aller Wesen unter Gott und unsrer eigenen Zukunft; und die rechte Erkenntnis jenes Wie ist selbst davon zugleich der Schluß und Schlüssel. Und fänden wir Gott nicht so, wie wie ihn brauchen, all' unsre Schlüsse würden nichts verfangen; denn nur eben, wie wir Gott haben müssen, zwingt uns, ihn zu suchen und zuletzt zu glauben, daß wir ihn haben. Nun aber freut der Glaube sich, kommt ihm der Schluß entgegen, der Schluß kommt erst zum Schluß, reicht ihm die Hand der Glaube.

Die obigen Betrachtungen über das Weltgesetz berühren sich teilweis mit denen, welche Oersted neuerdings in zwei Schriften („Geist der Natur" und „die Naturwissenschaft und Geistesbildung")*) entwickelt hat. Im Kurzen kommen dieselben auf folgendes hinaus:

In der Natur zeigt sich eine unerschöpfliche Mannigfaltigkeit und ein ewiger Wechsel von Formen und Bewegungen, darin aber doch zugleich eine bewundernswürdige Einheit, ein allenthalben gemeinschaftliches Wesen, bestehend in der durchgreifend waltenden, überall mit sich übereinstimmenden Gesetzlichkeit derselben. „Mit Recht kann das, was das unveränderliche und zugleich das unterscheidende Merkmal in den Dingen ausmacht, ihr Wesen, und der Teil davon, den sie mit andern nicht gemeinschaftlich haben, ihr eigentümliches Wesen genannt werden. Wir dürfen also festsetzen, daß die Naturgesetze, wonach ein Ding hervorgebracht wird, insgesamt ihre Eigentümlichkeit ausmachen." Alle Naturgesetze zusammen bilden aber (durch Vereinigung der besondern unter allgemeinere und endlich ein allgemeinstes, höchstes) „eine Einheit, die in ihrer Wirksamkeit gedacht, das Wesen der ganzen Welt ausmacht." Das höchste Gesetz übersteigt „das, was durch Worte vollkommen ausgedrückt werden kann." (Wenn ich nicht irre, ist doch oben der Ausdruck gefunden.) „Untersuchen wir nun näher diese Gesetze, so finden wir, daß sie eine so vollkommene Übereinstimmung mit der Vernunft haben, daß wir mit Wahrheit sagen können, die Gesetzesübereinstimmung der Natur bestehe darin, daß sie sich nach den Vorschriften der Vernunft richtet, oder vielmehr, daß die Naturgesetze und die Vernunftgesetze eins sind. Die Kette von Naturgesetzen, die in ihrer Wirksamkeit das Wesen jedes Dinges ausmachen, kann also wie ein Naturgedanke, oder richtiger, wie eine Naturidee betrachtet werden. Und da alle Naturgesetze zusammen eine Einheit ausmachen, so ist die ganze Welt der Ausdruck einer unendlich allumfassenden Idee, die mit einer unendlich in allem lebenden und wirkenden Vernunft selbst eins ist. Mit andern Worten: die Welt ist nur die Offenbarung von der vereinigten Schöpfungskraft und Vernunft der Gottheit.**) — Nun begreifen wir

---

*) Letztere Schrift enthält die Ansicht Oersteds konziser dargestellt als erstere, und das Folgende ist ein Auszug daraus.

**) Hierzu aus „Geist der Natur" S. 61. „Das Körperliche und das Geistige sind

erst recht, wie wir mit der Vernunft die Natur erkennen können, denn dies besteht in nichts anderm, als daß die Vernunft sich selbst in den Dingen wiedererkennt. Aber wir begreifen auch auf der andern Seite, warum unser Kennen nur ein schwaches Abbild des großen Ganzen wird; denn unsre Vernunft, obgleich in ihrem Ursprung mit der unendlichen verwandt, ist im Endlichen befangen und vermag nur auf eine bedingte Weise sich davon loszureißen."

Ungeachtet der Grundübereinstimmung von Örsteds Ansicht über die Naturgesetzlichkeit mit der unsern scheint mir doch Einiges gegen seine Darstellung einzuwenden. Ich möchte nicht wie er die Naturgesetze, in Betracht ihrer Übereinstimmung mit Vernunftgesetzen, Naturgedanken oder Naturideen nennen, da Gedanken oder Ideen immer keine Gesetze sind und umgekehrt. Denn Gesetze können wohl und müssen wohl gedacht werden, um uns zum Bewußtsein zu kommen, wie zuletzt alles in der Welt; und Gedanken werden von Gesetzen beherrscht, wie zuletzt auch alles in der Welt; aber es scheint mir eine Begriffs= oder Sprachverwechselung, deßhalb die Gesetze als solche mit Gedanken als solchen zu identifizieren. Stimmen die Naturgesetze wirklich mit den Vernunftgesetzen überein, so kann dies wohl ein Grund sein, zu glauben, daß auch Vernunft in der Natur walte, und so meint es Örsted; nur die Gesetze selbst sind nicht Gedanken zu nennen. Dies führt die Vorstellung irre und gibt leicht zu Erschleichungen Anlaß.

In der Tat hat die Identifizierung der Naturgesetze mit Naturgedanken die Folge, daß man nun durch diese Gesetze leicht die wirklichen Gedanken ersetzt zu halten veranlaßt ist und nach Bewußtsein nicht mehr in der Welt sucht, ungeachtet ein Gedanke es nur durch Bewußtsein ist. Die menschliche Vernunft äußert sich in Gedanken, jeder weiß unmittelbar durch sein Bewußtsein, was das ist, aber die Vernunft der Natur soll sich in etwas äußern, was zwar auch Gedanke genannt wird, aber es gar nicht in dem Sinne ist, wie unsere Gedanken, denn das sind Naturgesetze nun einmal nicht. Daher kommt auch ein bewußter Geist der Natur in Örsteds Darstellung nicht zum eigentlichen Durchbruch, außer im Namen Gottes.

Auch dagegen möchte ich mich erklären, daß die Naturgesetze mit den Vernunftgesetzen identisch oder eins sind, wie sich Örsted ausdrückt. Unser oberstes Gesetz ist freilich der Natur und dem Geiste gemein, weil es als oberstes überhaupt aller Existenz gemein ist, aber sofern sich die Gesetze nach den Gebieten spezialisieren, in denen sie walten, spezialisieren sie sich auch nach der Verschiedenheit der Natur und des Geistes. Wie der Geist sich selbst erscheint, und wie der Ausdruck des Geistes in der Natur erscheint, hat zwar real genau zusammenhängende, aber begrifflich keineswegs rein auf einander reduzierbare Gesetze, und es ist nötig, sich des Gesichtspunktes der Verschiedenheit ebensowohl bewußt zu werden, wie des Gesichtspunktes der Übereinstimmung. Ich kann weder das Gravitationsgesetz im Geiste, noch die Gesetze des Schlusses und der geistigen Assoziation in der Natur wieder= finden, höchstens einige Analogien damit.

----

im lebendigen Gedanken der Gottheit, deren Werke alle Dinge sind, unzertrennlich vereinigt."

Meines Erachtens läßt sich aber unser oberstes Gesetz, eben weil es der Natur und dem Geiste gemein ist, als der Knoten beider betrachten, von wo sie divergieren.

Inzwischen stimmt Örsted jedenfalls darin mit uns überein, daß er den Gesichtspunkt jener allgemeinen Übereinstimmung der Gesetze in Natur und Geist hervorhebt, wenn auch nicht näher bezeichnet, und einen Beweis für das Dasein und Walten eines allgemeinen geistigen Wesens, Gottes, in der Natur hierin sucht. Die Beziehungen des Gesetzes zur Freiheit hat Örsted nicht näher betrachtet.

Dunkel findet sich die Grundidee, die unsre eigenen Betrachtungen gelenkt hat, schon in den Anfängen der Philosophie ausgesprochen. Ich teile in dieser Hinsicht folgende Stelle aus Ritters Geschichte der Philosophie (I. 219) mit:

„Diogenes der Apolloniat suchte zuerst zu zeigen, daß alle Dinge nur aus Einem Urwesen stammen könnten, um dadurch, wie er sich ausdrückt, seiner Lehre einen unzweifelhaften Grund zu geben. Das, worauf er sich zum Beweise berief, ist die Notwendigkeit, ein allgemeines Zusammentun und Zusammenleben unter den Dingen anzuerkennen, welches nicht sein könnte, wenn nicht Alles aus Einem sei. „Mir aber scheint," sagt er, „überhaupt alles, was ist, aus einem und demselben sich zu verändern und dasselbe zu sein. Und dieses ist offenbar, denn wenn das, was in dieser Welt ist, Erde und Wasser, und das Übrige, was in dieser Welt erscheint, wenn von diesem etwas irgendwie anders wäre, als das andre, anders seiend durch eigentümliche Natur, und nicht dasselbe seiend, auf vielfältige Weise umschlüge und sich verwandelte, so könnte es auf keine Weise sich untereinander mischen, noch würde Nutzen oder Schaden dem andern entstehen; auch könnte eine Pflanze nicht aus der Erde wachsen, noch ein Tier, noch etwas anderes jemals werden, wenn es nicht so bestellt wäre, daß es dasselbe." Da es nun aber nicht so ist, „so wird alles dieses aus demselben verändert zu andern Zeiten ein andres, und kehrt wieder in dasselbe zurück." — So diente dem Diogenes das allgemeine Zusammenwirken der Dinge zum Beweise, daß die Welt ein Wesen sei, welches einen gemeinschaftlichen Ursprung und eine gemeinschaftliche Entwickelung hätte."

Wie leicht zu erachten, hat sich in unsern Betrachtungen der Gesichtspunkt, nach welchem „alles, was ist, aus einem und demselbigen sich verändert und dasselbe ist," und auf welchem das Zusammentun und Zusammenleiben der Dinge beruht nur schärfer und klarer herausgestellt.

C. Gott als oberstes Wesen in Verhältnis zu den Welteinzelheiten.

In jenem Stufenbau, den wir (unter X.) betrachtet haben, wo untere Stufen eingeschlossen werden und von den obern, steigt Gott, im weitesten Sinne als aller Existenz Grund und Fülle und Vollendung aufgefaßt, über alles empor und ist, weil alles nur Stufe zu ihm, er

aber selbst zu nichts Oberem führt, auch selbst nicht ferner als Stufe zu
betrachten. Vielmehr als etwas über allen Stufen, ist er ein Wesen
einzig in seiner Art, in gewisser Hinsicht ganz verschieden von allen
Stufen unter ihm, in gewisser Hinsicht ihnen allen gleichend, Vater,
Schöpfer, Urbild, Maß und Messer ihrer aller, nach Geistes- wie nach
Leibesseite; ein überzeitliches, überräumliches, ja überwirkliches Wesen,
nicht also aber, daß Zeit, daß Raum, daß Wirklichkeit tief ab unter ihm
lägen, nein, daß aller Raum und alle Zeit und alle Wirklichkeit in ihm
begriffen sind, Grund, Wahrheit, Wesen in ihm finden. Unendlichkeit
und Einheit, das sind die beiden Zahlen, damit zählt man Gott.

Gott ist das Eins und All, die Eins zu allen Brüchen, doch selber
unzerbrochen, das All von allen Einern, wo jede Eins ist Tausend,
ist Anfang, Mittel, Ende, in einen Kreis verschlungen, das Zentrum
aller Kreise, der Kreis zu allen Zentren, ist aller Widersprüche
Auflösung, letztes Band. Doch wer Gott selbst auflösen will, sieht nichts
als Widersprüche, wer treten will aus seinem Bande, gerät in Widerspruch mit sich, in Widerspruch mit andern, in Widerspruch mit allen.

Ein jeglicher Mensch, der geboren wird, hat einen einzigen Vater,
doch wächst des Ursprungs Vielheit, wie man aufwärts geht; denn zwei
sind ihm die Großväter, und drüber vier und drüber acht der Ahnen;
und werden immer mehr, je höher man hinaufsteigt. Wie viel meinst
du nun wohl, daß du der Ahnen hattest im ersten Anfang? Etwa
unendlich viel? Nicht mehr als Einen Menschen. Und die Frau, mit
der er alle andern zeugte, war selber nur gemacht aus seiner Rippe.

So scheint es, wächst der Wesen oder Welten Zahl mit jeder Stufe,
um die du über dich hinaufsteigst. Die nächste Stufe über dir, das ist
die eine Erde, die Stufe drüber die Sonne mit den wenigen Planeten,
die Stufe drüber ein ganzes Milchstraßenheer von Sonnen, geeinigt zum
System, die Stufe drüber wird ein System von solchen Heeren sein, das
sicher mehr der Heere, als jedes Heer der Sonnen zählt. Wieviel der
Weltsysteme wirds nun endlich geben im obersten Gebiet? Auch nur
ein allereinziges, das eine göttliche; die ganze Welt ist doch nur eine,
und alle Systeme, Heere, Sonnen, Erden, Monde, sind aus der einen
nur gekommen und in der einen noch in eins verbunden.

Die Welt der Körper alle ist gebunden zu einem Körper Gottes
durch ein Gesetzesband, die Welt der Geister alle zu einem Geiste Gottes
durch ein Gesetzesband; und Gottes ganzer Körper und Gottes ganzer
Geist zu einem Wesen, Gott, durch ein Gesetzesband. Und dieses eine
Band ist überall dasselbe.

Und alle Freiheit aller Welt bricht nur in immer frischen Zweigen, Blüten hervor aus diesem Stamm des göttlichen Gesetzes und bleibt doch noch des Stammes.

Es mißt der Mensch den Raum nach Linien, Zollen, Fußen, Ellen, Meilen, die Zeit nach Sekunden, Minuten, Stunden, Tagen, Wochen, Monden; das Grundmaß aber von alle dem ist nicht das Kleine, sondern ist das Große; wie groß die Erde und wie lang die Zeit, in der sie eine Drehung um sich selbst vollbringt, das ist das Grundmaß, das einzige auf Erden für den Menschen feste, und alles kleinere Maß ist davon nur ein Bruch, solls anders fest bestehen. So ist nun das letzte Grundmaß aller Wirklichkeit und Wesenheit der Welt auch nicht das Kleine, sondern das Große, ja das Allergrößte, Gott selber oder Gottes eigenes Maß. Fragst du: wer kann das Grundmaß brauchen, das alles überragt, wer finden den Bruchteil des Unendlichen, der anzulegen an das Endliche? Aber hinausgehend über alles geht es auch hin über alles, legt sich an alles an von selber, und mißt von selber alles in Verhältnis zu einem nicht allein, vielmehr zu jedem andern; ein jeder brauchts in jedem Augenblick; und denkt nur nicht daran; und könnte ohne das doch nicht das Maß des eigenen Schreitens, seis mit dem Fuß, seis dem Gedanken finden; und hiermit selbst den Schritt nicht finden, und hiermit ihn nicht tun. Das Band ist auch das Maß. Es ist dasselbige Gesetz, das geht durch Gottes ganzes Wesen, nach dem ein jedes, wenn und wo's geschieht, maßgebend ist für jedes andre, wenn und wo es sonst geschehe, in dem, was gleich und ungleich zwischen beiden, das aber, indem es alles messen läßt am andern, die eigene Freiheit Gottes nicht ermessen kann.

Was irgendwie die Wesen unterscheidet, die auf verschiedener Stufe zueinander stehen, das schlägt im Übergang zu Gott, dem Ab- und Einschluß aller Stufen, ins Absolute um; was ihnen ist gemein, das ist in Gott allein ganz, rein und voll begründet.

Wie hoch ein Wesen stehe, es hat noch seine Außenwelt, noch andre Wesen, ihm ähnlich, gegenüber; nur wie es höher aufsteigt, hat es mehr in sich, kreist es reiner in sich, bestimmt sich mehr durch sich, indem es von den Bestimmungsgründen der Existenz mehr einschließt.

Gott aber, als Totalität des Seins und Wirkens, hat keine Außenwelt mehr außer sich, kein Wesen sich äußerlich mehr gegenüber; er ist der Einige und Alleinige; alle Geister regen sich in der Innenwelt seines Geistes, alle Körper in der Innenwelt seines Leibes; rein kreist er in sich selber, wird durch nichts von außen mehr bestimmt, bestimmt

fich rein aus fich in fich, indem er aller Exiftenz Beftimmungsgründe
einfchließt.

Kein Gefchöpf in der Welt ift ganz fein eigen Gefchöpf, jedes
hervorgegangen aus einer obern Stufe, die fich befondert hat; der Menfch
mit Tieren, Pflanzen kam aus der Muttererde, die Erde mit ihren
Gefchwiftern aus oberer himmlifcher Sphäre. Jedes konnte nur entftehen,
jedes kann nur fortbeftehen in Ergänzung mit dem andern, was auf
felbiger Stufe entfprang, ja nach dem letzten Grunde nur aus dem vollen
Ganzen. Doch jedes, je weiter es oben fteht, fchließt mehr der Schöpfer-
kräfte in fich, läßt mehr aus fich entfpringen und hält mehr in fich,
unter fich, was fich mit anderm zu ihm ergänzt, hat weniger außer,
über fich, womit, wozu es fich ergänzt.

Aber Gott, und nur eben Gott, ift als Schöpfer und Gefchöpf fich
felbft gleich; ganz fein eigener Schöpfer, ganz fein eigen Gefchöpf, aus
nichts erwachfen, denn aus fich felber, ergänzt fich mit nichts anderm,
ift felbft ganz; doch alles ift aus ihm erwachfen, ergänzt fich in ihm,
zu ihm.

Wie hoch aber Gott auch ftehe mit feinen Gefchöpfen, hat er fie
doch zu Spiegeln feiner Höhe und Herrlichkeit. Kein Gefchöpf ift fo
niedrig und fo klein, daß es nicht einen Gott bedeutete für einen
Wirkungskreis, der unter fich noch Tieferes begreift; kein Gefchöpf fo
hoch und groß, daß nicht ein Höheres und Größeres und doch noch Endliches ihm Gott abfpiegelte in einem höhern und größern Wirkungskreife,
der wieder feinen unter fich begreift. Der Menfch nennt felber fich ein
Abbild Gottes, doch drüber ift's die Erde, und drüber ift's die Sonne
mit ihrer Schar Planeten. Das ift ein größeres, volleres, leuchtenderes
Abbild Gottes als Menfch noch und als Erde, mit einem größern
Wirkungskreife, der felbft die Erde mit allen Menfchen unter fich begreift.
Wie oft hat fchon hat der Menfch die irdifchen Mächte Götter, wie oft
die Sonne Gott genannt! Doch ift fie wirklich Gott? Sie ift der nächfte
Spiegel nur, in dem Gott von oben der Erde und allem Irdifchen
erfcheint, der nächfte, nicht der größte, letzte. Erhebt der Menfch den
Blick noch drüber, fo fieht er, fie ift nichts, fein Blick ift felber nichts.
Der ganze Himmel mit allen feinen Sternen, Engeln tut fich auf, den
kann er nicht umfpannen, den kann er nicht ermeffen, den kann er nicht
ergründen; je tiefer er hineinbringt, fo tiefer wird er nur. Über allen
Blick hinaus fliegt endlich der Gedanke, kann doch kein Ende finden, fteht
endlich müde ftill. Und fo wird der Gang felber mit Blick und mit
Gedanken vom Höhern zum noch Drüber, vom Weitern zum Unendlichen,

ein Spiegel und ein Teil des Ganges zugleich, den Gott durch seine eigene Höhe und Unenblichkeit geht.

In gewisser Hinsicht ist der ganze Gott für uns das fernste, weil das oberste Wesen. Insofern ist er es, als es uns fern liegt und schwer fällt, ja unmöglich, den ganzen Kreis der obern und untern, höhern und niedern Besonderheiten, den er umfaßt, erkennend zu erschöpfen, und uns in besondere Wirkungsbezüge dazu zu setzen. Insofern stehen wir der Erde viel näher. Wir sind zwar ganz in ihm wie in ihr; wie viel weiter aber ragt Gott über uns hinaus als die Erde, in der uns alles nachbarlich, ja so nachbarlich, daß man sie oft in viele Bilder Gottes gespalten hat; sie war zu nah und schien darum zu groß, sie ganz in eins zu fassen.

Von der andern Seite aber steht uns der ganze Gott auch wieder näher als irgend ein Sonderwesen, können wir nur in ihm, dem Ganzen, unmittelbaren Halt suchen und Halt finden, und gerade das Nötigste, Höchste und Wichtigste, was alle Geschöpfe brauchen, ist es, was sie nur unmittelbar vom ganzen Gott haben können, was in keiner der untern Stufen und in keiner besondern Zusammenordnung der untern Stufen für sich begründet und enthalten und beschlossen liegt, weil es sich über- haupt nicht in Brüche teilt, sondern nur jedem Bruche ganz mitteilen läßt, daher auch für die untern Stufen keiner besonderen Vermittelung durch die obern Stufen zu Gott bedarf, ja keiner besondern Vermittelung durch sie fähig ist, vielmehr den obersten und untersten Geschöpfen gleich unmittelbar und unvermittelt frisch aus dem ganzen Gott kommt. Die allgemeinste Kraft des Lebens wie die allgemeinste oberste Gesetz- lichkeit und Zweckmäßigkeit im natürlichen Geschehen, die einfache Tat- sache des geistigen Bewußtseins und die obersten Gesichtspunkte des Guten, Rechten, Wahren, Schönen, darunter jeder bewußt oder unbewußt inbegriffen ist, ob er sie auch selber nicht begreift, gehören zu dem, was eben nur im Dasein des ganzen Gottes begründet liegt, und welcher einzelne etwas davon in seiner Vorstellung oder in seinem Gemüte spiegeln und von dieser Spiegelung die rechte Frucht haben will, muß dabei den ganzen Gott vor Augen und im Herzen haben, um es recht zu spiegeln; sonst ist's ein Halbes, Lückenhaftes, Unwahres, was er spiegelt, und trägt auch in ihm demgemäße Früchte. Wozu es der Ver- mittelung durch die obern Geschöpfe für die untern zum obersten Wesen bedarf, sind nur Besonderheiten, die noch selbst etwas Unteres, Unganzes. Gott allein ist Gott.

Wie ist es doch mit der Spannung einer Saite? Jedes Teilchen der Saite liegt an einer andern Stelle; aber es hat die Kraft, die es spannt, nicht von der besondern Stelle, in der es liegt; es hat sie von der ganzen Saite und kann sie daher allein haben. Die Spannung der ganzen Saite wirkt unmittelbar und gleicherweise in jedem Teile der Saite. Nun mag jedes Teilchen in verschiedenen Bogen schwingen, je nachdem es mehr der Mitte oder dem Ende oder einem Knotenpunkte nahe liegt; aber daß es überhaupt schwingen kann, und daß alle Schwingungen sich zu einem Grundtone einigen, das liegt nur in der über alle einzelnen Teilchen übergreifenden Spannung der ganzen Saite.

Nicht anders mit der göttlichen Spannung, die durch das Ganze der Welt und den ganzen Stufenbau der Welt greift, alles besondere Bewegen und Fühlen und Denken darin in allgemeinster Weise bedingt und verknüpft.

Aber nicht nur die allgemeinste Basis des Lebens, Fühlens, Denkens ist allein mit dem ganzen Gott gegeben, auch die höchste Spitze, der oberste Zusammenschluß, der Wölbung Halt. Ebensowenig als die Spannung einer Saite in einem einzelnen Teilchen der Saite oder irgend welcher besondern Verbindung ihrer Teilchen, liegen die obersten melodischen und harmonischen Bezüge einer Musik in einem einzelnen Tone oder einer einzelnen Kombination von Tönen; sie liegen eben nur im vollen Ganzen voll begründet. Nimm irgendwo etwas heraus, das Ganze spürt's, und jedes einzelne paßt weniger zum Ganzen, das keins mehr ist. Und ebenso ist es mit den obersten Bezügen der Welt, der leiblichen und geistigen.

„In einer Stelle des Veda's[*) wird von einer Versammlung von Weisen erzählt, welche über die Frage in Verlegenheit sind, was unsre Seele und was Brahm sei, indem vorausgesetzt wird, daß Brahm oder der Grund aller Dinge die allgemeine Seele sei. Die Weisen erhalten Unterricht darüber von einem Könige, welcher sie den einen nach dem andern fragt, was er als die allgemeine Seele verehre. Die Antworten, welche er erhält, bezeichnen irgend einen Teil der Natur; der eine nennt den Himmel, der andre die Sonne, ein dritter die Luft, ein fünfter und sechster das Wasser und die Erde. Aber alle diese Antworten genügen dem Könige nicht, indem der Himmel nur das Haupt, die Sonne das Auge, die Luft der Atem, der Äther der Rumpf, das Wasser der Unterleib und die Erde die Füße der Seele seien. Er belehrt sie sodann, daß sie alle nur einzelne Wesen verehrten, und daher auch nur einzelner Lust teilhaftig werden könnten; zu verehren sei aber allein das, was in allen Teilen der Welt sich offenbare, und wer es verehre, der werde allgemeiner Lust und Nahrung teilhaftig werden in allen Welten, in allen Wesen und in allen Seelen." (Ritters Gesch. der Philos. I. 128.)

*) Asiat. res. VIII. p. 463 f.

D. Allgemeine Bewußtseinsverknüpfung in Gott.

In Gottes Bewußtsein verknüpft sich zuletzt alles und fließt in eine Einheit zusammen, was in seiner Welt von niedern und von höhern Wesen Identisches gesehen, gefühlt, gedacht, gewollt, empfunden wird, und wären die Wesen auch Billionen Meilen von einander; die räumliche Entfernung ist ganz gleichgültig, und auch die zeitliche insofern, als Gott noch nach unendlich vielen Jahren das als denselben Gegenstand der Anschauung, denselben Begriff, dieselbe Idee in sich forterhalten, fühlen und erkennen wird, was nur nach Raum und Zeit ein andres geworden.

Nicht aber so hat man sich's zu denken, als ob das, was wir, die untern Wesen, anschauen, denken, fühlen, von einem obern, wie dem Geist der Erde, noch einmal und dann von Gott auch noch einmal geschaut, gedacht, gefühlt würde. Sondern, indem wir einen Gedanken denken, denkt ihn der obere Geist durch uns, in uns, und Gott im obern Geiste und durch den obern Geist. Es ist ein einmaliger Gedanke. Wie wenn Kreise ineinander, der größte Kreis nun alle die kleinern nicht noch einmal abgesehen von den innern, sondern eben in den innern selber hat.

Soviel also auch Wesen, niedere und höhere, sich in einem gleichen Gedanken oder Gefühle der Verehrung, Andacht, Liebe gegen Gott selbst, der über allen, einigen, das, worin sie wirklich einig sind, wird auch in einem Gedanken, Gefühle von Gott erfaßt, hat in ihm einen Brennpunkt, nicht aber so, daß er der Sonderbeziehungen zu seinen Einzelwesen dadurch verlustig ginge, er fühlt vielmehr auch, wie jeder von andrer Seite, andrer Richtung her jenen Gedanken an ihn hat, jenes Gefühl zu ihm trägt und an dessen Entstehung sich beteiligt. Das Einige aller läuft in ihm auch in das Verschiedene aller aus; und so strahlt er aus der Einheit des Gedankens oder Gefühls, das ihm von verschiedenen Seiten zum Bewußtsein gekommen ist, auch wieder Strahlen nach verschiedenen Richtungen aus. Der Gedanke oder das Gefühl, das in ihm angeregt wird und aus dem er die Anregungen erwidert, ist selbst nur eines.

Das Allgemeinste, was alle Wesen indentisch in sich tragen, und was daher auch nur als eins in Gott erscheint, indes ein jedes Wesen meint, es habe daran ein Besonderes, ist das Grundgefühl der Einheit des Bewußtseins selbst. Als eins in vielem sich zu fühlen, das haben wir alle von Gott in Gott; er hat's wie wir, wir haben's wie er; doch wie die Einheit des Bewußtseins sich in jedem von uns besondert, das fühlt er auch mit jedem in jedem von uns besonders.

E. Höchste Bezüge der Einzelwesen zu Gott.

Indes Gott als oberster alles in sich erfüllt und abschließt, gewinnt sein Geschöpf die Erfüllung und den Abschluß seiner Existenz durch die bewußteste Spiegelung des göttlichen Wesens in dieser Eigenschaft, wodurch zugleich Gottes Bewußtsein vom Standpunkt des Geschöpfes her die höchste Bestimmung gewinnt, die ihm von diesem Standpunkt werden kann.

Von Gott wissen als dem, dessen Willen alles begreift, was gewußt wird und gewußt werden kann, darüber geht kein Wissen.

Sollte einer alles wissen, was überhaupt in der Welt wißbar, so brauchte er nur das zu wissen, was der eine weiß, der über der Welt; und wüßt' er alles andre, und wüßte nicht das eine, daß einer alles weiß, wär' all sein Wissen Stückwerk. Oft scheint in Widerspruch zu sein, was wir von da und dort erfahren. Wir wissens nicht wie Gott, der auch alles das mit erfährt, was zwischen beidem liegt, was hinter beidem liegt, was rings um beides liegt, und hiermit, was über beidem liegt. Da liegt zugleich des Widerspruches Band und Lösung. Und alle Widersprüche, so viel es ihrer gibt, sind doch zuletzt geeinigt und aufgehoben in Gottes höchster Wissenseinheit. Wer nun dieselben Mittelglieder, die Gott ganz vollständig in sich trägt, aus Gottes Ganzem durch höhere Vermittelung in sich dem einzelnen wiederspiegelt, der wird hiermit ein Spiegel der Wahrheit und der Klarheit Gottes selber, und ein Werkzeug, die Wahrheit und die Klarheit ins einzelne auch ferner durchzubilden; wie sie aber wächst in allem einzelnen, steigt sie höher auf in Gott dem Ganzen.

Und wenn Gott alles weiß, so weiß er auch unsre Gedanken, so weiß er auch unser Wollen, so weiß er auch unser Leiden, so weiß er auch unsre Lust; weiß drum als um die seinen; so hat er auch alle Weisheit, so hat er auch alles Wollen, so hat er auch sein Gefallen, zu wenden das Leiden in Lust; das aber von Gott zu wissen, ist selber die größte Weisheit; macht alle andre zu schanden und hält zuletzt noch Stich.

„Denn die Weisheit ist das Hauchen der göttlichen Kraft, und ein Strahl der Herrlichkeit des Allmächtigen.

Denn sie ist ein Glanz des ewigen Lichtes, und ein unbefleckter Spiegel der göttlichen Kraft, und ein Bild seiner Gütigkeit." (Weish. 7, 25. 26.)

„Denn seine Weisheit ist vor allen Dingen.

Das Wort Gottes, des Allerhöchsten, ist der Brunnen der Weisheit, und das ewige Gebot ist ihre Quelle.

Wer könnte sonst wissen, wie man die Weisheit und Klugheit erlangen sollte." (Sir. 1,4—6.)

„Sprich nicht: der Herr siehet nach mir nicht, wer fragt im Himmel nach mir?

Unter so großem Haufen denkt er an mich nicht; was bin ich gegen so große Welt?

Denn siehe, der ganze Himmel allenthalben, das Meer und die Erde beben.

Berg und Tal zittern, wenn er heimsucht; sollte er denn in dein Herz nicht sehen?" (Sir. 16, 15 ff.)

In Gottes Sinne das Wollen richten, als dessen, dessen Wollen mit unserm eignen Wollen das Wollen aller Wesen in sich einigt, darüber geht kein Wollen.

Wer in solchem Sinne will, für dessen Wollen wird alles andre Wollen, um das er weiß, als Mitbestimmung zählen; denn also zählts für Gott, doch keins allein für sich, und alles Wollens Summe ist noch die Summa von Gottes Wollen nicht. Sein Wille ist stets einer, und wenn wir viele da= und dorthin auseinanderstreben, hält er uns noch zusammen. Die Ordnung alles Menschenwillens hängt an dem einigen Willen Gottes. Gäbs keinen Gott, so gäb es auch nicht Sittlichkeit noch Sitte, nicht Regiment, noch Recht. Ein jeder hat von Gott den Willen, doch weil ihn jeder wie der andre, nicht bloß von Gott, sondern auch in Gott hat, der ein Wollen über allen hat, so können wir nicht wahrhaft auseinander und aus der höchsten Ordnung fallen, die unter diesem einen Willen steht. Und wer der Ordnung widerstrebt, den wird sie noch ergreifen, und wer sie umzustürzen meint, wird stürzen unter ihren Fuß und sie wird höher steigen. Doch wer sie willig anerkennt, den nimmt sie mit sich aufwärts, und wer ihr selber steigen hilft, wird einst hoch oben stehen.

„Die Existenz des Rechts, welches die menschlichen Verhältnisse bestimmt und ordnet, beruht auf dem Bewußtsein des Menschen von der rechtlichen Freiheit. Dieses Bewußtsein hat der Mensch von Gott, das Recht ist eine göttliche Ordnung, die dem Menschen gegeben, die von seinem Bewußtsein aufgenommen worden ist.

In dem Bewußtsein des Menschen kommen die Rechtssätze zum Dasein. Auf welchem Wege aber gelangen sie in das menschliche Bewußtsein? Es läßt sich derselbe Unterschied machen, wie für die Religion, — und das Recht selbst ist für die Menschen, welche der Erkenntnis seines Ursprungs noch nicht entfremdet sind, ein Teil der Religion. Das Recht

gelangt in das menschliche Bewußtsein teils auf dem übernatürlichen Wege
der Offenbarung, — unsre heiligen Bücher schreiben den ersten Rechts=
ausspruch Gott zu, — teils auf dem natürlichen Wege eines dem mensch=
lichen Geiste eingebornen Sinnes und Triebes, wo der eigentliche Schöpfer
sich verbirgt, und das Recht als eine Schöpfung des menschlichen Geistes
erscheint, ja in seiner weitern Entwicklung und Ausbildung eine menschliche
Hervorbringung nicht bloß scheint, sondern wird." (Puchta, Cursus der
Institutionen. I. S. 28.)

Wir gehn von Gott getrieben wie eine Herde auf breiter langer
Bahn. Ein jeder in der Herde hat Freiheit bis zu gewissen Grenzen,
zu gehen, wie er will. Und so wimmelt alles durcheinander, eins
wendet sich nach rechts, ein anderes nach links, eins geht fort in der
Richtung, ein anderes dawider, hier springt eins kreuz und quer, dort
schleicht ein andres langsam, eins ist den andern weit voran, ein andres
weit dahinten. Und dennoch bleibts im ganzen immer e i n e Herde,
und hält im ganzen immer genau die Richtung ein, nach der Gott eben
treibt. Und keiner kann und darf mit aller seiner Freiheit soweit vom
Wege weichen oder rückwärts gehen oder solange dahinten stehen bleiben,
daß er abhanden käme; Gott holt ihn sicher wieder ein und treibt ihn
wieder vorwärts; keinem ist die Macht gegeben, durch sein Irren inner=
halb der Herde oder um die Herde den Weg der Herde selbst zu irren,
vielmehr der Gang der ganzen Herde bleibt noch zuletzt dem Irrenden
der Wegesweiser zu seinem eigenen Ziel; denn keiner hats für sich, und
wie viele sich auch sträuben, bäumen, sie müssen endlich von hartem
Schlag getrieben auf Gottes Straße fort, wo auch die andern gehen.
Es kommt ein Sturm, die ganze Herde schauert, sie fliehen alle aus=
einander; so wie der Sturm vorbei, sind alle wieder da. Im Sturme
selber war doch der Hirt noch da; ja der Hirte war's wohl selber, der
ihn erregt durch stärkern Schwung der Geißel, die Trägen aufzuscheuchen;
nun gehn sie desto rascher. Ihr seht den Hirten nicht, ihr seht ihn
nicht voran, nicht hinten wie einen irdischen Hirten vor oder nach den
Schafen gehen. Ist er denn eine Fabel? Ihr seht ihn nicht von
außen, weil ihr ihn in euch habt, nicht zwar ihr einzelnen für euch,
vielmehr die ganze Herde, nicht bloß der Menschen Herde, des Himmels
ganze Herde, die Herde nicht allein, der Weg auch, den sie geht. Das
machts allein dem Hirten möglich, auf so weiter Bahn kein einziges
von der ganzen Herde zu verlieren; er kann ja keins verlieren, er müßte
von sich selbst ein Stück verlieren. Das ist der Unterschied des göttlichen
vor allen irdischen Hirten; die gehen außen her, und sind es darum
nur, weil Gott sie selbst voran vor allen andern stellt, die rechten aber

auch voran vor andern treibt. Wer nun im Zug fromm mitgeht, wenn
Gott sein Vorwärts spricht, obs ihm auch sauer wird, und wer das
Kraut verschmäht, das abseits lockt vom Wege, der künftigen Weide
denkend, die allen ist verheißen, dem wird es sicher frommen; wer aber,
Gottes stärkern Antrieb fühlend, voran im Zuge geht, der wird auch
Freudigkeit und Stärke stärker spüren, denn er hat Gott vor andern,
und wird voran einst sein, wenns endlich wieder gilt, der Rast zu pflegen
und der Weide.

Denn was ist die Richtung und die Absicht, in der Gott seine
Herde treibt? Immer nur auf dürrer Straße, auf dürrer Trift zu
gehen? Nicht darauf zu gehen, sondern darüber hinaus zu gehen; von
dürr gewordener Weide zu schönrer grüner Weide; so ziemts dem guten
Hirten. Und weil der Hirt nicht außer seiner Herde geht, vielmehr
darinnen, der Herde Gang sein eigner Gang, so fühlt er auch den Durst,
den Hunger des einzelnsten darin; und wird und muß ihn stillen zu
seiner Zeit, ihn in sich selbst zu stillen.

Nun scheltet nicht den Hirten, daß er die einzelnen der Herde nicht
führt fest an der Schnur; daß in dem Spiel der Glieder mit dem
Wirken auch ein Gegenwirken Platz hat; wenn nur die ganze Herde mit
allen einzelnen zuletzt gelangt, wohin Gott will; nur Gott mit allem
Streben und Widerstreben des einzelnen erreicht, was er im ganzen will.

Seine Befriedigung darin finden, Gott zu befriedigen
als den, der in der möglichsten Befriedigung aller seine
größte Befriedigung findet, darüber geht kein Gefühl der
Befriedigung.

Das ist der Gewissensfriede und die Gewissensfreude, das ist die
höchste Lust, das höchste innere Gut, die wahre Seligkeit. Die höchste
Lust für uns ist die nur an der Lust des Höchsten, die er durch uns
gewinnt. Die Lust des Höchsten ist das Möglichste der Lust, das größte
ganze Gut. Drin ist begriffen alles Heil, drin ist begriffen alle Lust,
die nicht ein Quell von größerm Leid; drin ist begriffen alles Leid, was
Quell von größrer Freude; drin Streit um das, was besser ist, und
Friede, wenn es ist gewiß; drin aller Krankheit Heilung; drin aller
Sünde Besserung, und nach der Strafe Sühne. Wer also will erwerben
das höchste innere Gut, der mehre nach Möglichkeit das größte ganze
·Gut. Nun gilt es wenig zu achten der kleinen eignen Lust; nein das,
was frommt ins ganze, danach gilt es zu trachten; doch findet auch die
kleinste noch ihre kleine Stelle im großen Heilsgebiete, verdirbt sie keine
größere. Zu mehren das größte ganze Gut, gilts Schmerzen zu tragen

und Leiden und tausend Opfer zu bringen; zu Gunsten des endlichen
Friedens zu kämpfen und zu streiten, nicht um des Leidens willen, nicht
um des Streitens willen, nein, um der Freude willen und um des
Friedens willen. Kein Opfer kann Gott gefallen, das ein wahres Opfer
ist; er kauft nur das Größre ums Kleinre, das Ewige ums Zeitliche;
kein Opfer kann Gott gefallen, das ein Opfer für dich selber ist; alles,
was du opferst dem ganzen Gut, wird einstmals für dich selbst ganz
gut; doch willst du nur dich befrieden, so wird dich Gott bestreiten mit
Strafen und mit Leiden.

Das ganze Gut das ist ein Schatz, des waltet Gott für alle. All
was du tust, das geht im Kreis, in größerm oder kleinern, oft in die
Fremde weit hinaus, und ob dus lang vergessen, so gehts noch um und
sammelt ein, so viels vermag zu tragen; dann kehrts zurück mit seiner
Tracht, sie auf dich abzuladen. Tat hieß es, als es von dir ging,
Vergeltung, wenn dirs wieder bringt, was es im Gehn erworben; und
findets hier den Rückweg nicht, so bleibts am Jenseits stehen, da weiß
es, findets dich gewiß, den Weg muß jeder gehen. So sende aus die
gute Tat, frag nicht in welche Ferne, und rüste sie recht aus mit Kraft,
so kehrt sie einst mit guter Tracht, und brächte sie erst Leiden, wärs
nur um größere Freuden. So geht es her in unserm Gott, das ist die
ewige Ordnung. Du aber, gleichviel, ob den Lohn der Herr schon heute
zahlet, ob er ihn dir in Rechnung schreibt, ob er aufs Jenseits dich
verweist, sieh in sein Antlitz nur hinauf, was du dort siehst geschrieben,
das ist dein Lohn ob allem Lohn, der läßt dich nimmer warten; der
andre, ob verschoben, bleibt dir noch aufgehoben.

Das Wort Lust ist hier, als in einem viel allgemeinern als dem
gemeinen Sinn genommen, nicht zu mißdeuten. Näher ist das hier aufgestellte
Prinzip entwickelt in meiner Schrift „Über das höchste Gut. Leipz. 1846.“
und in einer nachträglichen Abhandlung „Über das Lustprinzip des Handelns“
in Fichtes Philos. Zeitschrift, B. XIX. N. F. 1848. S. 1.

In Gottes Namen und Sache sich einig bekennen und
fühlen als dessen, der alle Dinge in sich einigt, die Namen
haben, darüber geht keine Einigung nach äußerer und innerer
Beziehung.

In solcher Einigung werden wir uns alle Brüder nennen, uns
alle als Ergänzung zu einander fühlen, und Gott als den bekennen,
der aus uns allen erst ein Ganzes wahrhaft macht. Und dazu gilts
vor allem, daß wir Gott selbst auch nur als einen achten, nicht die
Zersplitterung gar heidnisch bei ihm selbst beginnen, und daß wir uns

nicht außer diesem Einen achten, das Band nicht außer dem, was es soll binden, suchen. Wo Gott in Vielheit schon zerfällt, was soll dann die Geschöpfe einen; wo außer Gott die Vielheit fällt, was soll den Bruch der Vielheit heilen?

„Es ist unsäglich, was für Schätze der Erkenntnis und Moralität des Menschengeschlechts am Begriff der Einheit Gottes zu hangen bestimmt waren. Er wandte vom Aberglauben, mithin auch von Abgötterei, Lastern und Scheusalen privilegierter „göttlicher Unordnung weg; er gewöhnte daran, überall Einheit des Zweckes der Dinge, mithin allmählich Naturgesetze der Weisheit, Liebe und Güte zu bemerken, also auch in jedes Mannigfaltige Einheit, in die Unordnung Ordnung, ins Dunkle Licht zu bringen. Indem die Welt durch den Begriff Eines Schöpfers zu einer Welt (κοσμος) ward, machte sich auch der Abglanz derselben, das Gemüt des Menschen, dazu und lernte Weisheit, Ordnung und Schönheit." (Herder in s. „Geist der hebr. Poesie", Werke I. S. 56.)

„Nur das Bewußtsein der Einheit aller in Gott kann die Gesinnung, aus welcher ein sittlicher Wille und sittliches Handeln hervorgeht, zu einem stets wachen und sich betätigenden Gefühle steigern, weil sie nun mit dem tiefsten Grundgefühle unsers Wesens zusammenfällt. Sich in Gott wissen, ist zugleich das Bewußtsein der Einheit und Gleichheit aller in Gott; die Idee der Menschheit, welche realer Weise eine unendliche Aufgabe ist, wird in jenem Gefühle wirklich vollzogen und ideal antizipiert; wir umfassen alles, was Menschenangesicht trägt, mit gleichmachender Liebe, weil es in Gott umfaßt ist. Hierdurch wird nicht nur jene Gesinnung, welche wir allein die sittliche nennen können, zur gediegenen Selbstgewißheit erhoben: unser Grundwille ist dann nur eben der der Liebe, der sittliche geworden; — sondern auch jene, wie es schien, unbegreifliche Tatsache der Sympathie wird hier zur ergreifendsten Klarheit aufgeschlossen. Wenn uns die Menschen zu lieben ein unwillkürlicher Drang treibt: so ist dies nur die durchwirkende Einheit, welche sie in Gott mit uns verbindet, es ist das Innewerden gemeinsamer Gottinnigkeit." (Fichte, „Die philosophischen Lehren von Recht, Staat und Sitte". 1850. S. 28.)

Glaube, Hoffnung, Liebe zu Gott tragen, als dem, der alles wahren Glaubens Gewißheit, aller rechten Hoffnung Erfüllung, aller heilsamen Liebe Band in sich trägt, darüber geht kein Glaube, keine Hoffnung, keine Liebe.

Aller Glaube, alle Hoffnung, alle Liebe ist eitel, niedrig, eng und öde, knüpft sie nicht an an Gott, schließt sie nicht ab in Gott. Wer glaubt an Geister neben sich und an den Geist nicht über sich, der hegt nur Aberglauben. Die Hoffnung, die aufs Irdische wird gesetzt, hat bald ein Ende; doch übers Irdische hinaus reicht Gott mit Mitteln ohne Ende. Die Liebe, die vom Nächsten nur zum Nächsten geht, ist sterblich; die Liebe, welche fühlt, daß sie mit Gott besteht, unsterblich.

Über die Kunst, Gottes Tempel zu bauen und zu
schmücken und seinen Sonntag zu verherrlichen, als dessen,
der die ganze Welt als seinen Tempel gebaut und geschmückt
hat, und den Sonntag gesetzt hat als Festtag nach dem Werke,
geht keine Kunst.

Die ganze Welt ist Gottes Tempel, und allenthalben hat er sich
selber drin abgebildet und geschildert nach seinen tausend Seiten, der
Ganze aber nur im Ganzen, indem ers ganz erfüllt. Und keine höhere
Kunst vermag der Mensch zu üben, als vor allem sich selbst zum
Tempel Gottes ganz zu machen und als solchen zu erhalten.

> „Bedenke, daß ein Gott in deinem Leibe wohnt,
> Und vor Entweihung sei der Tempel stets verschont,
> Du kränkst den Gott in dir, wenn du den Lüsten fröhnest,
> Und mehr noch, wenn du in verkehrter Selbstqual stöhnest.
> Gott stieg herab, die Welt zu schaun mit deinen Augen;
> Ihm sollst du Opferduft mit reinen Sinnen hauchen,
> Er ist, der in dir schaut und fühlt und denkt und spricht;
> Drum was du schaust, fühlst, denkst und sprichst, sei göttlich licht.“
>
> (Rückert, „Weisheit des Brahmanen“. T. I. S. 6.)

Doch bleibt der Mensch nur Gottes Teil, ja Teil nur seines
Teiles, und soll es fühlen, daß er nur solcher sei, und darum sich
vereinigen mit andern, zu bauen einen weitern Tempel, der sei ein
Bild der Einigkeit und Größe und Herrlichkeit des allerweitesten Tempels,
sein Dach ein Bild vom Himmelsdache, und soll darin Gott schildern,
wie er in seiner Welt und seinen Menschen sich selbst geschildert hat,
und soll darin Gott feiern durch festliche Versammlung mit Rede, Sang
und Klang und heiligen Gebräuchen, als einen über allen, als Herren
aller Herrlichkeit, als alles Guten Geber und Vollender, als den, der
gute Tat befiehlt und gibt dafür den Segen, und nach den Arbeits-
tagen auch gibt den Feiertag.

Da treten alle, die an verwichenen Tagen zerstreut im Dienst des
Herrn am Werke waren, gemeinsam hin vor ihn in ihren Feierkleidern,
mit einem unter ihnen, der vor dem Herrn die Rede führt. Das Antlitz,
das bisher gebückt zur Arbeit war, nur des Geschäftes achtend, das
heben sie nun frei empor zu ihm, das geistige Auge zu dem Herrn der
Geister, das leibliche zu seiner irdischen Pracht. Die einen freuen sich
des äußern Glanzes, an dem sie selbst gewirkt, doch die ihn recht zu
schauen wissen, von innen nicht von außen, ergreift die geistige Macht,

die Milde, die alles rings erfüllt, in alle Tiefe bringt. Und alle einigen sich, zu danken ihm die Arbeit, die Freundlichkeit, den Lohn, mit tausend Stimmen, als wäre es eine Stimme, es ist kein Widerstreit; vernehmen seinen Willen für die andere Woche, und gehn von dannen, sich auch des Lohnes der vergangenen zu freuen in seiner Furcht zugleich und seiner Liebe.

Die Kunst mag prassen mit Farben und mit Tönen, doch sie geht endlich betteln, wenn sie nicht steht und bleibt im Dienst des allerhöchsten Künstlers.

Viel Zierliches und was zur Lust des Auges, mag des Menschen Kunst verfertigen, doch bleibts nur Künstlichkeit und Tand, vermags nicht etwas von des ganzen Gottes Walten unmittelbarer, anschaulicher und klarer zur Erkenntnis uns zu bringen oder tiefer zu Gemüt zu führen, als die Welt unmittelbar es selbst vermag. Ihr Schauplatz ist zu groß, des Menschen Blick zu kurz, vermag die ganze nicht auf einmal zu umspannen; das Walten Gottes hat zu tiefen Sinn, der menschliche Verstand bringt gar zu langsam ein, ergreift der Kette Glieder einzeln, nicht die ganze Kette, je mehr er sich vertieft, so mehr verdunkelt sichs; so gilt es nun im kleinen Spiegel an der Oberfläche zu zeigen, was im Großen uns zu groß, an Tiefe uns zu tief und durch die Tiefe dunkel. Und wie der Künstler die Welt mit Gott ins Kleine zieht, sehn wir in seinem Werk nun auch die Welt und spüren den Odem Gottes drin; wie er das Tiefe an die Oberfläche hebt, sehn wir im Schein der Schönheit die Wahrheit heller und fühlen, solcher Schein ist nur der höchste Glanz vom Licht der Wahrheit selber, der zur Erleuchtung der Welt auch die Verklärung fügt. Die Kunst, die nichts als sich verklärt, ist nicht die rechte Kunst und töricht, rühmt sie sich, sie sei sich selbst genug. Sie gleicht mit aller ihrer Schöne nur dem Verklärungsschein am Haupt des Heiligen. Daß er den Heiligen sichtbar macht als Licht von seinem eigenen Scheitel, ists was allein des Scheines Schöne macht. Der Heilige verklärt den Schein, und drum der Schein den Heiligen. Der allergrößte Heilige aber, das ist der heilige Gott.

Wer schelten will die Kunst, daß sie im Kirchendienst das Göttliche durchs Sinnliche verkleide, den Geist, der auf des Geistes Wesen nur gehen soll, durch äußern Schein besteche, die Sinne rühre, statt den Geist zu rühren, der schilt Gott selbst, der sich für uns verkleidet hat in diese Welt der Sinne, der weiß nicht, daß die rechte Kunst nicht die ist, die den Geist noch mehr verkleidet, vielmehr die durchscheinend macht das Kleid, daß durch das Kleid der Leib, und durch den Leib der Geist erst hell und deutlich scheine; der hat den Sinnesreiz gemeiner Kunst, doch nicht den Sinn der rechten Kunst im Auge.

Die Künste stehn nicht bloß im Dienst der Kirche. Weit ist ihr Schauplatz, reich ihr Stoff. Doch ist's allein die Kirche in deren Dienste alle Künste sich im wahren Sinne der Kunst verknüpfen können. Und nicht anders soll's mit den Künsten sein als mit den Menschen, die zwar nicht immer gemeinsam in der Kirche zu wohnen und zu schaffen haben, doch aus der Kirche in ihre besondern Häuser und alle weltliche Verwickelung und Zerstreuung den Sinn mitnehmen sollen, der sie gedenken läßt, sie bleiben überall des Höchsten Diener und Brüder zu einander.

Baukunst, Skulptur, Malerei, die Künste der Verzierung, Redekunst, Dichtkunst, Musik in Stimmen und Instrumenten, Mimik in Geberde und Zeremonien, alles darf nicht nur beitragen, den Kultus zu verherrlichen, sondern kann auch beitragen, seine Wirksamkeit zu steigern. Die ganze Kirche ist wie ein einziges Instrument, gebaut, gespielt von den verschiedenen Künsten im Zusammenklange; und jede einzelne tritt darin mit einer Macht auf, wie sonst nirgends. Die Kirchenkuppel wölbt sich weit; der Turm ragt hoch hinauf; die Glocke hallt mächtig nach außen; die Orgel im Innern. So viele Stimmen einigen sich sonst nirgends zum Gesange, so hohen Gegenstand besingt kein andres Lied, so vollen Ton hat keine andre Rede, so heilige Stille waltet sonst bei keiner; in keinen Schildereien kann Schönheit und Erhabenheit sich so begegnen; nirgends Pracht des Schmuckes mit Würde so sich einen, nirgends die stumme Geberde Ausdruck so tiefer innerer Bewegung sein, als in der Kirche. Und das alles stimmt zusammen, das Denken, Wollen, Fühlen aller in einer Richtung zu erheben, der Richtung dessen, was ewig einig über allen schwebt.

Und ist denn die ganze Tiefe des Glaubens und der Kunst schon so erschöpft, daß nicht der Kultus, aus dieser Tiefe schöpfend, einst seine Macht noch steigern könnte?

Wohl gibt's noch eine andre Bühne, wo auch die Künste alle zusammenkommen; jedoch nur äußerlich, wie zur Gesellschaft, ohne wahres inneres Band, zerstreuend und zerstreut. Gesang statt Rede, Abwechselung von Rede und Gesang erscheint da nur als Unnatur und zwitterhaftes Wesen, der Tanz springt fremd dazwischen, die Malerei hat nur von fern den Schein des Schönen; die Pracht ist Flitterstaat, das Fühlen all erheuchelt. Warum? Das, was die Künste einigt, liegt nun einmal nicht in dem Gebiete weltlicher Zerstreuung. Da gibt es nur viel Künste. Die Kunst der Künste aber ist nur die eine, kann nur die eine sein, die Gott den größten Künstler selber zum einigen Gegenstande hat.

Freilich, welcher einzelne von uns vermöchte in all' dem wirklich das Höchste zu erreichen, in seinem Wissen die Fülle und Einigkeit von Gottes Wissen vollständig widerzuspiegeln, mit seinem Wollen in Gottes

Wollen ganz und stetig einzugehen, die Zufriedenheit Gottes überall und völlig zu erwerben, nach allen Seiten sich im äußern und innern Bande der Gemeinschaft Gottes zu erhalten, alles Glaubens, aller Hoffnung, aller Liebe Abschluß immer in Gott zu finden, sich auch außer dem Tempel immer als Arbeiter am Tempel Gottes zu fühlen und zu betrachten; doch ist's ein Ideal danach er streben kann; und nicht der einzelne bloß kann und soll es sich zum Ziele setzen; Religion, Wissenschaft, Kunst, Staat, Sitte, das ganze Menschenleben auf der ganzen Erde kann und soll die allgemeine Richtung danach nehmen, und je länger je mehr ins einzelne sie durchzubilden suchen. Dies Soll gehört zu Gottes Wollen selbst. Und so geschieht im Sinne der Führung dieses Weges jene Erziehung der Erde durch Gott selbst, wovon wir sprachen, wodurch er sie immer mehr zu sich heranzuheben, die Stufe des Irdischen unter sich, in sich, immer höher auszubauen strebt und damit selber höher steigt. Denn Gott steigt nicht, wie wir, über äußern, sondern über innern Stufen auf.

Und alle andern Gestirne, wie sehr sie sonst sich von einander unterscheiden, in welchen Weiten sie auch auseinander gehen, in dieser Hinsicht gehn sie alle eines Weges. Ein und derselbe Gott, der das Bewußtsein ihrer aller in sich trägt, erzieht sie alle zum Bewußtsein eines und desselben Gottes, seiner selbst, und wird damit sein selber immer höher bewußt, indem er in jedem andern einen andern Angriffspunkt dazu gewinnt. Wie auch ein Mensch, in dem der höhere Sinn erwacht ist, von immer neuen Angriffspunkten her ein immer höheres und klareres Bewußtsein über sein eigen Wesen zu gewinnen sucht; wozu über alles das selbst gehört, daß er den Gott in sich und sich in Gott erkennt.

Nun meinen freilich manche gegen das, was hier von Gott gesagt, Gott sei nur eine nützliche Erfindung der Priester und Herrscher auf Erden, oder eine Idee, die sich der Mensch macht, Spiegelbild des Menschen, von ihm herausgeworfen in das All, oder ein Wort in einem philosophischen Buche, geeignet, um Sachen nach Gedanken daraus zu machen, oder ein unbewußtes Naturwesen, oder ein müßiges Schauen und Denken in ferner Höhe über der Welt. Habt ihr aber solchen Glauben, was wird euch dann die Welt, was werdet ihr euch selber, was werdet ihr der Welt? Wo ist dann Euer Ziel, wo ist dann eure Richtung, wo ist dann eure Hoffnung; was ist dann euer Erstes, was ist dann euer Letztes? Das Erste wird sein die Lust des Tages und das Letzte Verzichtung für die Ewigkeit. Und wenn es nicht wirklich

das Erste und Letzte für alle ist, die solches von Gott meinen, so ist
es nur darum, weil Gott sie wider ihr Wissen, Glauben und Wollen
in seine Richtung zwingt; und einst wird der Tag kommen, wo er ihr
Wissen, Glauben, Wollen selber zwingt.

„Ohne eine Gottheit gibt's für den Menschen weder Zweck, noch Ziel,
noch Hoffnung, nur eine zitternde Zukunft, ein ewiges Bangen vor jeder
Dunkelheit und überall ein feindliches Chaos unter jedem Kunstgarten des
Zufalls. Aber mit einer Gottheit ist alles wohltuend geordnet, und überall
und in allen Abgründen Weisheit." (Jean Paul. Selina, Nachl. I. S. 67.)

Freue sich doch der Mensch, daß Gott ihn zu seinem Spiegel
erkoren, in so viel höherm Sinne, als viele tiefere Wesen; denn nicht
also wie mit ihm ist's mit allen andern Geschöpfen. Der Same bricht
hervor aus Dunkel an das Licht, die Lüfte gehn und kommen, welch'
schöne neue Welt! Die Blume tut den Kelch auf, die Sonne scheint
darein; Gott fühlt es mit der Pflanze, Blume, in der Pflanze, Blume,
wie jedesmal damit ein neues Leben in ihm erwacht; doch mit dem
Menschen, in dem Menschen erst, wie das dem Menschen selbst ein künftig
höher Sein bedeutet in ihm, dem über alles lichten, großen, hellen Gotte.
Nicht durch den Menschen erst wird seiner Gott bewußt; doch in dem
Menschen erst unter allen irdischen Wesen steigt er mit Bewußtsein auf
über sein eigenes Bewußtsein; vom irdischen Standpunkt freilich nur;
doch dieser wird eben dadurch der höchste für das Irdische.

F. Entwickelungsgang des göttlichen oder Welt- Bewußtseins.

Was wir an einem großen Beispiel schon betrachteten (S. 191 ff.),
wovon wir schon das höchste Ziel ins Auge faßten (S. 238), das mag
nun auch nach seinem allgemeinen Gange noch eine kurze Betrachtung
auf sich wenden.

Sehn wir, wie auf der Erde der hochbewußte Mensch so spät entstand, nachdem so viele Geschöpfe auf tieferer Bewußtseinsstufe ihm voran-
gegangen, wie auch die Menschheit selber ihr Bewußtsein immer höher
steigert, immer mehr nachdenken lernt über sich, Gott und die Natur der
Dinge, wie endlich jeder einzelne Mensch in gleichem Sinne sich entwickelt,
so werden wir wohl anerkennen müssen, das sei die Spur der allgemeinen
Richtung, in der das Weltbewußtsein sich entwickelt; denn woraus sollten
wir sie sonst erkennen, als aus eben dem, was uns davon erkennbar?

Doch wie, wird Gott nicht so von Anfang an vergleichbar einem
Kinde, das ganz in Torheit und in Sinnlichkeit befangen? Denn hebt

nicht jedes Menschen Bildung also an? Kann's also anders sein mit
Gott, wenn wir auf Gott vom Menschen schließen wollen?

Es muß doch anders sein, sofern das Kind nach Ursprung und
Bestand selbst anders ist, als Gott von Anfang an; nur das kann gleich
sein, was noch gültig bleibt, ja um so gültiger wird, je weiter wir vom
Kinde hinaus gehn über das Kind in Zeit und Räumlichkeit, das nähert
uns erst Gott. Indem wir es aber tun, so kommen wir zum Vater
und zur Mutter, die sind schon weiser als das Kind, und indem wir
darüber hinausgehen, zur schöpferischen Weisheit, die den Menschen selber
erst eingerichtet hat; das konnte nicht das Kind und nicht des Kindes
Vater. Nun hat die erste Weisheit sicher nicht bedacht, daß sie so weise
sei, das ist ganz wie beim Kinde; doch war sie's drum nicht minder, und
das ist ganz anders bei Gott als bei dem Kinde.

Das Kind ist Teil einer ganzen Welt und hat eine ganze Welt
noch hinter seinem Anfang; das ist es, was die Sache anders bei ihm
stellt als bei Gott. Nun ist es auch berechnet auf seine Erziehung durch
die ganze Vor= und Mitwelt, ist gleich dazu geboren, von seinen Eltern,
andern Menschen, der Welt ringsum Erziehung zu empfangen, und
könnte ohne das sich geistig nie entwickeln; und die Menschen, die's
erziehen, hatten wieder in ihrer Vor= und Mitwelt die Erzieher. Die
Welt mit Gott aber hatte sich von Anfange an ganz selbst zu erziehen,
aus reinen eigenen Mitteln: ihre Anlage schloß von vornherein auch
das Vermögen dazu ein, ja nicht nur sich selbst im ganzen, sondern
auch viel Menschenkinder in sich zu erziehen, deren Erziehung selbst zu
ihrer Selbsterziehung mitgehört. Sie ist ganz ihr eigener Lehrer und
ganz ihr eigener Schüler. Gott hat ja keine Eltern neben sich, hinter
sich; sondern der junge Gott ist sozusagen selbst zugleich Vater, Lehrer,
Erzieher des alten Gottes; was Gott in seiner Jugend gedacht, gemacht,
an sich, in sich erfahren, das ist es, was den älter werdenden belehrt.
Ist der frühere Gott wie ein Kind zu betrachten, so ist er's wie der
Knabe Christus, der die ältern Weisen lehrte, Gott aber ist zugleich der
ältere Weise selbst und baut als solcher die Lehre, die er vom Knaben
überkommen, nur weiter aus, als es der Knabe vermochte, zur Lehre
eines noch ältern Weisen. Darum sieht jede spätere Zeit auf die frühere
herab, doch die ganze Höhe, auf der sie steht, ist selbst nur durch die
ganze frühere Zeit begründet. Dasselbe gilt vom Menschenkinde, doch
die Höhe, zu der der Mensch es bringt, ist nicht so wie die Höhe Gottes
ganz durch die eigene frühere Zeit begründet, sondern nur eben durch
Gottes frühere Zeit.

Und indes von einer Seite Gott an Alter wächst, wächst er von der andern auch wieder an Jugend; denn wie er altert in der Zeit, werden immer neue Einzelwesen in ihm jung; die lernen dann erst vom alten Gotte und darum beginnt der Mensch mit Torheit. Nur darum ist das Kind so neu und töricht, weil es als neues Tor sich öffnen soll, daß alte Weisheit zieh hinein, hindurch nach neuer Richtung, mit erneutem Schwung. Indes das Kind vom alten Gott das Alte lernt, erlernt der alte Gott durch neue Wesen Neues, ersinnt in ihnen durch sie selber Neues, hebt allen Schatz des Neuen, den er im einzelnen durch sie gesammelt, im ganzen auf, bringt ihn im menschlichen Verkehre und menschlicher Geschichte zu höherer Betätigung und höherer Entwickelung, als durch den einzelnen allein geschehen könnte, und aus diesem Schatze empfängt dann jeder durch Erziehung und Leben dies und das und wuchert mit dem empfangenen Pfunde weiter.

Sollten wir nun sagen, weil der spätere Gott doch höher entwickelt als der frühere, im frühern sei ein Mangel gewesen? Aber kein andrer Mangel war es doch, als der den Fortschritt zum Höhern selbst bedingte, und jede frühere Zeit steht in diesem Verhältnis zu einer spätern und jede spätere im Verhältnis zu einer folgenden; in dieser Hinsicht kommt die Welt nie weiter, eben weil dies der Grund ihres ganzen Weiterkommens selbst ist, etwas über die Gegenwart Hinausgehendes noch zu wollen; darin liegt der Antrieb des ewigen Entwickelungsganges. In der frühesten Zeit aber, wie in der spätesten, genügte doch Gott in gleicher mangelloser Weise der Aufgabe, die Welt in dem Zustande, indem sie war, über den Zustand hinaus, indem sie eben war, recht zu führen, und die Vollkommenheit Gottes ist überhaupt nicht in der Erreichung eines begrenzten Gipfels, sondern in einem unbegrenzten Fortschritte zu suchen. In einem solchen aber, daß der ganze Gott in jeder Zeit der Gipfel nicht nur aller Gegenwart, sondern auch aller Vergangenheit ist; nur er selber kann sich selber noch übersteigen und tut es fortgehends im Ablauf der Zeit.

Wollten wir also den frühern Zustand Gottes niedrig nennen gegen den spätern, so würde doch unser niedriger Begriff von Niedrigkeit nicht treffen. Wir nennen niedrig, was klein neben einem Höhern steht, oder was einer hohen Aufgabe nicht gewachsen ist. Aber zu aller Zeit ist alles nur klein gegen Gott, und zu aller Zeit genügt Gott der höchsten Aufgabe, gegen die alle endlichen Aufgaben verschwinden. Nur auf sich selber kann der spätere Gott herabsehen, indem er aber zugleich im frühern den erkennt, der ihn selbst zu seiner jetzigen Höhe gehoben hat.

Der frühere Gott ist gegen den spätern nicht niedrig, wie die Wurzel niedriger ist als die Blüte; sondern wie die einst blühen wollende ganze Pflanze niedriger ist als die dann wirklich blühende, und die blühende niedriger als die noch höher blühende. Aber auch das trifft nur halb. Denn die Welt wächst nicht von klein auf groß wie die Pflanze, nährt sich nicht von außen, war groß und gewaltig von Anfange an wie heute, und hat auch wohl geblüht von Anfange an wie heute, nur in andrer Weise als heute; alles ging mehr ins einfach Große und Ganze, statt daß jetzt tausend besonders blühende Welten, und in jeder dieser tausend kleine blühende Pflanzen vorhanden sind, entstanden durch fortschreitende Gliederung der Welt ins einzelne.

So sollen wir auch nicht meinen, Gottes Existenz sei nach des Kindes oder rohen Wilden Weise von Anfang an durch Sinnlichkeit beherrscht gewesen. Vielmehr beherrschte Gottes Urvernunft von Anfang an das Sinnliche wie heute. Wohl aber mag ein Rückschluß, wollen wir anders solchen bis zu solchen Grenzen gestatten, unsre Vorstellung in eine Urzeit führen, wo Gott mit seiner Vernunft noch nicht überlegte, wie es beschaffen sei mit seiner Vernunft und seinen vernünftigen Taten; erst braucht' er die Vernunft, erst ward die Tat getan. Anstatt mit seiner Vernunft von Anfang an sich selbst und seine Werke zu übersteigen, ließ er vielmehr zuerst sie ganz aufgehen im Aufbau und im Ausbau der ersten Basis ihrer eigenen Erhöhung, einer frischen gewaltigen Sinneswelt. Zuerst legt er den Grund der sinnlichen Erscheinung, bereitet ihren Stoff, teilt ihn in große Massen, zwingt diese in sichere Bahnen und geht alsdann ans Ordnen insbesondere, dem sichern Künstler gleich, der in der Sinneswelt ganz lebt und webt und wirkt und schafft, und um so Höheres leistet, je mehr er mit seiner Vernunft ganz darin ein- und aufgeht, und je weniger er im Moment des Schaffens mit Denken über das Schaffen und das Geschaffene sich selber unterbricht; nur daß der menschliche Künstler selbst erst durch Gottes Walten zu der Gefühlssicherheit erzogen werden muß, die Gott von Anfang inwohnt, weil Gott der ewige Ganze, und der Künstler nur ein nachgeborner Teil. Aber hat der Künstler das Werk geschaffen, und in des Schaffens Ruhepunkten, mag er auch darüber denken, wie, womit er es geschaffen, und es mag ihm für die Zukunft frommen. So blickt Gott auf seine Werke und sich selbst zurück, ja durch den Künstler selber zurück auf das, was er durch ihn geschaffen, und der Rückblick geht dann wieder in den Vorblick ein, und so steigt seine Vernunft immer höher über der sinnlichen Basis auf; doch nicht die Sinnlichkeit ist es, durch welche die Vernunft emporgehoben worden, vielmehr hat diese selber sich emporgehoben, indem sie die Sinnlichkeit in immer höherer Ordnung unter sich begriff.

Die Bibel selber sagt, daß es so zugegangen. „Und Gott sprach, es werde Licht, und es ward Licht. Und Gott sah, daß das Licht gut war; da schied Gott das Licht von der Finsternis. Und nannte das Licht Tag und die Finsternis Nacht." Und so geht es weiter und gehts noch heute fort. Gott schuf vor allem erst das, was macht alles sichtbar; ja was allein ist sichtbar, den Grund, den Stoff, das Wesen, den Gegenstand, das Mittel der Sinnesanschauung, hiermit der Sinneswelt. Er spricht, da ist's getan. Nun folgt erst die Betrachtung; Gott sieht, was er getan, und wie er findet, daß es ist gut getan, so baut er darauf weiter; es folgt die Unterscheidung; es folgt auch die Benennung; so geht es immer vorwärts; er macht die Himmelslichter und setzt zuletzt ihm selber den Menschen gegenüber, mit Geist von seinem Geiste, und spricht fortan mit ihm, dem Geist von seinem Geiste, dem Ebenbilde seiner, und waltet der Geschicke, die er in ihm erlebt. Bis dahin hat sein Geist nur mit den Dingen, in den Dingen der Sinneswelt gesprochen; und seine Engel, die vorgeschaffenen, taten also; bewußt von Anfang an, jedoch nicht mit Bewußtsein sich wendend rückwärts aufs Bewußtsein.

G. Die Güte Gottes und das Übel in der Welt.

Ist das oberste Wesen ein selbstbewußtes, so würde es sich mit einem bösen Willen nur selber schlagen; denn wogegen kann es diesen Willen wenden, als gegen sich, da alles in ihm. Sein Wille kann nur gut sein; und weil er alles in eins erblickt und übersieht, so fehlt ihm nicht das Wissen zur Erleuchtung dieses Willens. Doch gibt es Böses in der Welt, nach unsern Begriffen Böses; wir können es nicht wegschaffen, und möchten es doch wegschaffen. Wer hat noch ergrübelt, wies mit seinem Ursprunge steht? Wie sichs verträgt mit dem, was wir von Gott fordern? Es ist eine harte Frage, und noch bisher zu schwer gewesen für die Welt.

Wenn Gott das Übel, den Schmerz des Menschen und die Sünde gewollt hat, so ist er ein böser Gott.

Wenn Gott das Übel zugelassen hat, da er es doch verhüten konnte, so ist er ein fauler Gott.

Wenns wieder seinen Willen kam, so ist er ein schwacher Gott.

Wie wirr ich mich da hinaus? Ein jeder versuche es in seiner Weise, rechtfertige Gott, wie ers vermag; mir dünkts am besten so:

Das Übel kam nicht durch Gottes Willen in die Welt; sein Wille

16*

und sein Tun geht nur dahin, es zu heben, und sein Wissen und seine Macht reicht dazu aus. Was auch Übles auftaucht, es taucht nur im Gebiete der Einzelnheiten auf und wendet sich im Lauf der Zeiten durch die Ewigkeiten. Nur nach dem Ganzen, Ewigen aber dürfen wir Gott, den Ganzen, Ewigen messen.

Es kam auch nicht durch Gottes Zulassung in die Welt; er läßt's nicht zu willkürlich, er straft es und besiegt es mit Willen.

Es kam auch nicht gegen Gottes Willen in die Welt, also, daß Gott schon vor des Übels Dasein den Gedanken des Übels gehabt und nur ohnmächtig gewollt, es solle nicht entstehen; doch in einem untern Gebiete kam es in die Welt, worin nicht, sondern worüber der obere Wille, das obere Denken Gottes Platz greift, worin ihm Grund gegeben ist des Seins, und Stoff gegeben ist des Tuns, nicht anders, als es mit unserm eigenen Wollen und Denken ist. Sein Wille kam vielmehr gegen das Übel in die Welt; nicht zwar bloß dagegen, auch zur Förderung des Guten, aber beides ist dieselbe Richtung; wie auch des Menschen Wille sich gegen das Übel erst richtet, nachdem es, oder ein verwandtes, ihn dazu hat aufgerufen. In solchem Sinne ist dann nun freilich auch das Übel gegen Gottes Willen.

So ist er weder ein böser noch ein fauler, noch ein schwacher Gott; bleibt uns ähnlich, den Ebenbildern Gottes, doch ein Urbild über allen Ebenbildern.

Da bleibt noch viel dabei, wovon ich das Letzte nicht finden kann; das stelle ich dahin. Was ich aber verstehe, verstehe und meine ich so:

Geschieht denn alles, was in unsrer Seele geschieht, mit unserm Willen? Taucht nicht Unzähliges unwillkürlich darin auf, aus unbewußtem oder auch bewußtem untern Triebe? Ist nicht mein selbstbewußter Wille bloß der oberste Lenker in meiner Seele, der alles zum gemeinsam besten Ziele, was mir eben für mich das beste scheint, zu führen strebt, der Eintracht und Friede zwischen meinem Wissen und Glauben, Sinnen und Trachten, auch wenn einzelnes widerstrebt, und gedeihlichen Fortschritt über alles Hemmnis zu erzielen strebt; was nicht in dieses Streben passen will, so lange dreht und wendet und ändert und kasteit, bis es sich dem fügt, und, was endlich ganz darein paßt, im Strome seines allgemeinen Fortschrittes fördert und als Welle seines Fortschrittes selber braucht? Wird es in Gott, dessen unsre Seele selbst ein Teil, eine Probe, anders sein? Soll Gottes Seele aus nichts als oberstem Willen bestehen? Nichts unwillkürlich (ob es auch für sich willkürlich scheine) in Verhältnis zu diesem obersten Willen in seinem Bewußtsein auftauchen? Dann freilich gäbe es keine Sonderwesen in Gott; denn nur, daß ihr unterer Wille und Trieb in besonderer Weise seinen obern erregen kann, macht sie zu besondern Geschöpfen in ihm; wäre aller unterer Wille in seinem obern unselbständig begraben, was wären wir? Soll nicht auch in Gott der oberste Wille eben nur das Oberste sein, der Lenker, Leiter, der alles zum allgemein besten Ziele, was nun eben in Gott und für Gott als das beste gilt, zu führen strebt, der Eintracht und Friede zwischen allem Wissen und Glauben, allem Sinnen und Trachten, wie auch einzelne widerstreben, und gedeihlichen Fortschritt über alles Hemmnis zu erzielen strebt; was nicht in dieses Streben passen will, so lange dreht und wendet und ändert und kasteit, bis es sich dem fügt, und, was endlich ganz darein paßt, im Strome seines allgemeinen Fortschrittes förbert und als Welle seines Fortschrittes selber braucht?

Nun ist und heißt schon der Mensch nicht gut und böse nach Maßgabe des einzelnen, was im untern Gebiete seines Bewußtseins in ihm auftaucht, sondern nach Maßgabe der Richtung, die sein oberer Wille in bezug auf die Ordnung und Lenkung dieses einzelnen im ganzen nimmt, nach Maßgabe der herrschenden Gesichtspunkte in seinem darüber übergreifenden Bewußtsein. Wenn das Schlechte, das in sein Bewußtsein tritt, nur Motiv für ihn wird, es zu bessern und zu heilen, und das Gute, es fortzuentwickeln, zu fördern, so ist er gut. Und so werden wir auch Gott gut zu nennen haben, trotz allem Übel, was in seiner Welt als einzelnes erscheint, wenn nicht sein oberster Wille dessen Schöpfer, sondern dessen Heiler und Besserer ist; wenn doch, je länger und je weiter wir den Zusammenhang der Dinge durch Zeit und Raum verfolgen, desto mehr obere Zweckmäßigkeitstendenzen hervortreten, desto mehr das Streben hervorleuchtet, die Dinge zu guten und gerechten Endzielen zu führen, so daß das, was uns als Übel im Kleinen, einzelnen und Nahen erscheint, selbst die zeitliche Bedingung eines Guten im ewigen und höhern Sinne wird.

Sehen wir aber nicht wirklich allwegs, wie Übel dienen muß, das Übel zu zerstören, das Übel selbst zum Quell des Guten werden muß? Aus Not erwuchs aller Fortschritt des Menschengeschlechts, und jede neue Not bringt einen neuen Fortschritt; ein jeder Stein des Anstoßes gibt neue Flügel. Die Strafe, an sich selbst ein Leid, ein Übel, geht doch dahin, teils neues Übel zu verhüten, teils den Sünder selbst zu bessern; und wenn die Strafe, die der Staat verhängt, das nicht erreicht, ist sie ja nur ein Teil der Strafen Gottes, die gehen fort, bis es gelungen; gelingts nicht hier, so folgt ein neues Leben, da gehts weiter;

enblich muß es doch gelingen; die Folgen der Sünde wachsen, wie die
Sünde wächst und wie die Strafe sich verschiebt, die in den Folgen sich
von selbst erzeugt; sie wächst so lange, bis sie den bösen Sinn über=
wächst. Ob hier, ob dort, gleichviel. Sind endlich alle Ruten ab=
genutzt, die sich der Sünder selbst geflochten, ist die Verstockung ganz
gelöst; dann ist er endlich sicher, dann ist er fest gestählt. Auch mancher
Gute zwar muß Übel leiden, das eben gehört zum Bösen der Welt,
daß er es muß; doch wenn ers aushält, dients ihm nur; zuletzt muß
ihm doch Segen kommen, so größrer, je länger er im Guten aushielt,
und je länger der Lohn sich hat verschoben. Hier oder dort, gleichviel.
Schon in jedem Staate sind Religion und Recht Einrichtungen, die in
diesem Sinne Glauben, Wissen, Wollen der Menschen im Großen
bestimmen und lenken. Diese Einrichtungen konnten aber nicht durch
blinden Trieb der Menschen entstehen, der geht bloß auf augenblickliche
Lust, sondern nur durch bewußten Willen; sie konnten aber auch nicht
bloß durch den Einzelwillen der Menschen entstehen, sondern nur durch
etwas, was die Menschenwillen selbst in Zusammenhang setzt, und so
macht sich schon hier die Spur eines höhern Willens geltend, der, freilich
nur sich selbst unmittelbar ganz vernehmlich, über allen einzelnen Willen
hinausliegt; doch ist ein Staat noch nicht das Ganze, auch die Erde ist
noch nicht das Ganze, erst die Welt mit Gott ist das Ganze. Ein jedes
weist noch auf das höhere Ganze. So weit der einzelne Menschenwille
mitgewirkt hat, jene guten Einrichtungen ins Leben treten zu lassen, hat
er es jedenfalls nur im Sinne der Forderungen eines allgemeinern tun
können, und je mehr dessen Forderungen in ihm gewirkt, so besser wird
die Einrichtung. Auch ist die Tendenz der Religion und des Rechts in
jedem Staate besser im ganzen als die Tendenz der einzelnen darin im
Durchschnitt, und wenn ein einzelner selbst noch die Religion und das
Recht des Staates fortzuentwickeln und zu bessern vermag, ist er doch
nur durch die bisherige Religion, das bisherige Recht und einen neuen
höhern Blick auf das Allgemeine dazu geleitet worden; wie vermöchte er,
herausgerissen aus dem Ganzen und ohne daß er dessen Zusammenhänge
und Tendenzen geistig in sich aufgenommen, wieder etwas für das Ganze
zu leisten? Sein Wille erscheint so getrieben von dem obern Willen, der
sich an den obern Zusammenhang knüpft, wie aber auch den obern
Willen wieder anregend, und kein endlicher Wille wird es so machen,
daß der unendliche nicht noch zu fördern und zu bessern fände. Was
gut ist, ist so alles von oben, aber der Mensch kann sich willkürlich zum
Werkzeuge dieses Guten machen; indem er seinen Willen dem obern

Willen untertan macht; wenn er aber nicht willkürlich dem Zuge des
Guten von oben folgt, so muß er es dereinst doch tun.

So ist uns nun auch Gottes Allmacht nicht verkürzt, wenn wir nur
seine Allmacht nicht als einen bodenlosen Begriff faffen, sondern faffen,
wie es sich verträgt mit dem Begriffe eines beften Gottes. Nicht
allmächtig wäre er bloß, wenn er nicht könnte, was er wollte, oder
wollte, was er nicht könnte, oder wenn das Übel seinen obern Willen
vielmehr beschränkte, als begründete; oder wenn überhaupt etwas entftünde
nicht durch ihn, in ihm. Nun entfteht aber auch fogar das Böse durch
ihn, in ihm, nur nicht durch feinen Willen; fein Wille geht vielmehr
nur dahin, das in niederm Sinne unwillkürlich in ihm Entftandene in
höherm Sinne zu ordnen und zu lenken. Wenn du aber durchaus
möchteft, um Gottes Allmacht nicht zu nahe zu treten, daß alles, was
geschieht, durch Gottes obern Willen geschieht, so sieh felbft zu, wie du
deinen heiligen, gütigen Gott noch retteft. Ich aber will seine Allmacht
lieber so faffen, daß er alles kann, was er will, und daß alles, was
er will, gut ist, nicht gut bloß im ganzen und allgemeinen, sondern daß es
jedem einzelnen einft frommen wird; was aber nicht gut ist in der
Welt, dessen Grund suche ich alles außer Gottes Willen, obwohl nicht
außer Gott, da ich vielmehr darin den Grund sehe, gegen den sich in
ihm die Kraft und Tätigkeit seines obern Willens felbft ftemmt, wie
der Mensch auf seinen Boden.

Ift damit des Übels letzter Ursprung erklärt? Nein, so wenig als
der Welt und Gottes Ursprung. Es ist mit Gott da, und ich frage
endlich nicht weiter, warum es mit Gott da ist, weil ichs doch nicht zu
ergründen weiß, so wenig ich irgend welchen erften Ursprung zu ergründen
weiß. Das liegt in einem Urgrunde beschlossen, wohin der Blick des
Geschöpfes nicht reicht. Ich weiß freilich nicht, wie ein oberer Wille da
fein könnte, wenn nicht etwas unter ihm, was fein Wirken möglich macht;
aber ich weiß nicht anzugeben, warum dies unter ihm die Möglichkeit
des Schmerzes und der Sünde in sich tragen mußte; ich kann mir
freilich nicht denken, wie nach beftehender Einrichtung der Welt Luft ohne
Gegensatz von Unluft beftehen kann; aber warum mußte diese Einrichtung
der Welt felber beftehen, die Luft nur mit Unluft möglich macht? Mit
Unluft aber hängt zuletzt alles Übel zusammen; eine Welt, die nach
Gottes Willen in rein sündlofer luftvoller Entwickelung abliefe, schiene
mir freilich wie ein Rad, das auf den Zug des Gewichts ohne Hemmung
abliefe; aber warum kann es nicht eine solche Welttuhr geben, wenn es
auch keine solche Saigeruhr geben kann? Des Einzelgeschöpfes Möglichkeit

selbst mag mit des Übels Möglichkeit und seine Wirklichkeit mit dessen Wirklichkeit zusammenhängen, denn nur im Bereiche der Einzelgeschöpfe herrscht das Böse, nicht im ganzen Gott; was im Sinne des Ganzen ist, das ist all gut; aber warum mußten Geschöpfe selbst entstehen, warum konnten sie doch nur unter solcher Bedingtheit entstehen? Ich kann Gründe auf Gründe türmen; auf jeden Grund wird sich eine neue Frage türmen und keine Antwort auf den Grund der Gründe führen. So stehe ich lieber still mit meinem Forschen. Nur daran halte ich fest, das ist, was ich brauche in der Welt voll Übel, wie sie einmal da, worin michs sehnt nach etwas, worauf ich meine Hoffnung bauen kann, daß das Übel nicht durch Gottes Willen da ist und immer neu ent= steht, vielmehr sein Wille gegen das Übel da ist, fort und fort dahin geht, es zu heben und zu heilen, und nichts entstehen kann, was er nicht zu heben und zu heilen, zu versöhnen und zu bessern wissen wird im Lauf der Zeiten durch die Ewigkeiten, und wärs in noch so großem Umweg; sein Wissen und Können reicht dazu, und je länger und größer der Umweg, so größer und höher das Ziel. Warum aber das Ziel nicht gleich voll überall und auf einmal erreicht ist? Auch das weiß ich nicht, so wenig als ich weiß, warum die Welt, warum ich selbst nicht gleich zu Ende.

Wie es über dem untern, bald bösen, bald guten Willen der Geschöpfe einen obern Willen Gottes gibt, der ganz gut ist, so meine ich nun auch, gibt es über der untern Lust und Unlust der Geschöpfe ein Oberes in Gott, was ihn zu einem seligen Gott macht, nicht anders als auch im einzelnen Menschen selbst über der untern Lust und Unlust, die sich heftet an Einzelheiten, eine obere Lust greift, sich heftend an die Betrachtung dessen, was lustgebend ist ins Ganze, vor allem ans Bewußtsein eines guten Strebens im ganzen und im Sinne des Ganzen, und das Gefühl der Befriedigung mit Gott, das uns daraus erwächst, eine Lust, die alle untere Lust weit überbietet, nicht minder freilich auch eine Unlust über alles, sich heftend ans Bewußtsein eines Widerstrebens gegen das obere Ganze, Gott, die alle untere Unlust überbietet. Aber nur ersteres Bewußtsein und hiermit die daran sich heftende oberste Lust kann als solche in Gott fallen, weil er als Ganzer sich als Ganzem nicht kann widerstreben. Uns ganz eins im Streben mit ihm zu wissen, gibt uns die obere Lust, und er ist immer ganz im ganzen eins mit sich.

Wie er aber unsern untern Willen doch auch in sich fühlt, von seiner Triebkraft mit getrieben wird, so fühlt er auch unsre untere Lust

und Unluſt in ſich, wird davon mit erregt, nur daß, wie unſrer und kein
unterer Wille etwas gegen ſeinen oberſten Willen vermag, ſo auch die
untere Unluſt, die er mit uns, in uns fühlt, nichts gegen ſeine oberſte
Luſt vermag, ſondern die Hebung und Verſöhnung aller untern Unluſt
und das Bewußtſein des darauf gerichteten Strebens trägt ſelbſt ſo gut
bei zu ſeiner obern Luſt, als der guten Luſtquellen Förderung. Iſt eine
unſrer Seelen ganz in Nacht des Leides verſenkt, ſo iſt's ja darum noch
nicht ſeine weit darüberhingreifende; dieſe Nacht iſt für ihn bloß ein
Schatten in einem lichtvollen Gemälde; das Gemälde wäre nicht nur
nicht ſchöner ohne den Schatten, es wäre überhaupt keins. Das Licht
iſt aber die Luſt der Verſöhnung des Leides. Und iſt der Gott nicht
für uns der beſte, der unſer Glück und Unglück in ſich ſelber trägt, deſſen
eigene, ungetrübte Seligkeit daran hängt, daß er kein Unglück ungehoben,
unbefriedet laſſe? Was wär's, wenn er bloß äußerlich unſer Elend an-
ſehe, wie wir das Elend eines Bettlers in Lumpen, dem wir einen
Pfennig hinwerfen? Nun aber fühlt er allen unſern Schmerz gerad' ſo
wie wir, nur inſofern anders als wir, als er auch zugleich die Wendung
und die Löſung und den Überſchlag in Luſt voraus fühlt.*)

> „Die Seligkeit iſt nicht, nur ſelig ſelbſt zu ſein,
> Die Seligkeit iſt nicht allein und nicht zu zwein;
> Die Seligkeit iſt nicht zu vielen, nur zu allen;
> Mir kann nur Seligkeit der ganzen Welt gefallen.
> Wer ſelig wär' und müßt unſelig andre wiſſen,
> Die eigne Seligkeit wär' ihm dadurch entriſſen.
> Und die Vergeſſenheit kann Seligkeit nicht ſein,
> Vielmehr das Wiſſen iſt die Seligkeit allein.
> Drum kann die Seligkeit auf Erden nicht beſtehn,
> Weil hier die Seligen ſo viele Unſel'ge ſehn.
> Und der Gedanke nur gibt Seligkeit auf Erden,
> Daß die Unſeligen auch ſelig ſollen werden.
> Wer dieſes weiß, der trägt mit Eifer bei ſein Teil
> Zum allgemeinen, wie zum eignen Seelenheil.
> Gott aber weiß den Weg zu aller Heil allein;
> Drum iſt nur ſelig Gott, in ihm nur kannſt bu's ſein."
>
> (Rückert, „Weisheit des Brahmanen". I. S. 58.)

Wem dieſe Betrachtungen recht ins Gemüt gegangen, der wird im
Gedanken an Gott im herbſten Leide einen Troſt über allen Troſt finden.

---

*) In meiner Schrift über das höchſte Gut S. 14 ff. ſind dieſe letzten Be-
trachtungen etwas anders geſtaltet, ſo daß ſie nur auf die engſte, aber nicht auf die
volle Faſſung des Gottesbegriffs paſſen würden (vgl. S. 33).

Es muß beffer mit dir werden, weil Gott lebt, Gott in dir lebt, du in
Gott lebſt, Gott dein Leiden nicht nur äußerlich anſieht, ſondern ſelbſt
mit dir fühlt, und über alle deine Kräfte und Mittel größere Kräfte und
Mittel hat, mit denen er unablässig beſchäftigt iſt, die Hebung des Übels
durchzuſehen. Dazu ſtrengt er nicht nur deine Kräfte, ſondern, wo ſie
nicht reichen wollen, Kräfte weit über dich hinaus, ja endlich ſeine ganzen
Kräfte an, die zu allem reichen; obwohl er dich, als des Übels Träger
oder Erreger, auch zunächſt vor allen zur Arbeit dagegen angeſpannt hat
und ſelber dazu zwingt, mit Strafen, wo es Not tut; drum lege die
Hände nicht in den Schoß; wollteſt du feiern, das Übel würde wachſen,
bis ſie doch anfingen, ſich zu regen und alle Arbeit einholen müßten,
die ſie verſäumt; nur hat er über deine kleinen Hände drunten noch eine
größere höhere Hand droben; die erhebt er, wenn die deinen das Ihre
getan und noch nicht alles damit getan iſt. Gott wird nicht müde,
wenn du müde biſt. Miß ſeine Kräfte nicht nach deinen und den Erfolg
der Ewigkeit nicht nach den Erfolgen der Zeitlichkeit. Wäre Gottes ganzes
Leben klein und kurz, wie es dein hieſiges iſt, und dein hieſiges Leben
dein ganzes, ſo möchte er freilich eilen, vor ſeinem und deinem Ende auch
des Übels los zu werden, das er in dir trägt. Aber der ewige Gott
weiß zu warten; er weiß, je länger der Hunger, ſo freudiger die Sättigung,
je härter die Arbeit, deſto größer die Stärke, die er dereinſt in ſeinen
Geſchöpfen gewinnt. So ſei geduldig, weil Gott es iſt; er iſt es nicht
umſonſt. Was dir umſonſt für das Dieſſeits ſcheint, iſt es doch nicht
für ein Jenſeits; und das Jenſeits iſt nicht umſonſt nach dem Dieſſeits.
Vielmehr liegt darin einer der ſchönſten und troſtreichſten Geſichtspunkte
unſres Leidens und Sterbens, daß, wenn die Wendung des Leidens unter
den Verhältniſſen des dieſſeitigen Lebens unmöglich geworden, das Leben
ſelbſt ſich ſo neu wendet, daß nicht nur ganz neue Bedingungen in dieſer
Beziehung eintreten, ſondern daß auch unſre dieſſeitige Standhaftigkeit
und Übung in Ertragung des Leidens ſelbſt uns die wertvollſten Güter
für das Jenſeits ſchaffen. Die Lehre von den künftigen Dingen wird
dies weiter entwickeln.

H. Was heißt im engern Sinne, Gottes ſein und wider Gott ſein?

In weiterm Sinne ſind wir alle Gottes, ja iſt alles überhaupt
Gottes; aber eben, weil es alles iſt, muß es noch einen beſondern Sinn
zulaſſen, wenn man von jemand ſagt, er ſei mit Gott, Gott ſei mit
oder in ihm, er ſei ein Mann Gottes, er ſei wider Gott, Gott wider

ihn. Und so ist es. Darum, daß wir alle in Gott sind, sind wir doch nicht alle auf dieselbe Weise in Gott; vielmehr gibt es so vielerlei Weisen des Seins in Gott, als es Weisen des Seins überhaupt gibt. So sind nun der gewöhnliche und gemeine, der böse und gute Mensch freilich auf ganz verschiedene Weise in Gott; und der ganze Gott hat zu ihnen, wie sie zum ganzen Gott, ein ganz verschiedenes Verhältnis. Gottes Geist hat im ganzen eine Richtung zum ewigen Guten, aber das hindert nicht, daß einzelnes zeitweis gegen diese Richtung gehe, wie in einem Strome auch manches zeitweis gegen den Strom schwimmt, doch muß es endlich mit dem ganzen Strom zum Meere. Viel Einzel- wille kann gegen des ganzen Gottes obern Willen gehen, wie mancher Einzeltrieb gegen den obern Willen in uns, trotzdem, daß beides Trieb und Wille in uns. Und in solchem Sinne kann man dann im engern Sinne von vielem einzelnen sagen: es sei gegen Gott, was doch im Grunde auch in Gott ist; dagegen das Gottes oder göttlich nennen, was entweder nur dem ganzen Gotte zukommt, wie Allgegenwart und Allwissenheit, oder im Endlichen das, was die Verhältnisse und das Streben des göttlichen Ganzen recht rein und klar im Wissen wieder- spiegelt oder in der Schönheit lebendig verkörpert herausstellt, oder im Trachten und Handeln in dessen Richtung geht, selbst eine Hauptwelle in Richtung seiner Strömung ist. So möge es nun nicht mißverstanden und kein Widerspruch darin gefunden werden, wenn wir auch in dieser Beziehung bald des engern, bald des weitern Sinnes uns bedienen.

J. Gott als Geist im Verhältnis zu seiner materiellen Erscheinungswelt.*)

Im Versuche, das Verhältnis des göttlichen Geistes zu seiner materiellen Erscheinungswelt unter einen klaren Gesichtspunkt zu bringen, hüten wir uns, das Licht noch hinter dem Lichte zu suchen. Gehn wir von einem schon oft besprochenen Satze aus:

---

*) Die folgends dargelegte Ansicht über das Verhältnis des Körperlichen und Geistigen ist in einem besondern Anhange zu diesem Abschnitt etwas ausführlicher entwickelt, hier aber bloß soweit auf Betrachtung dieses Verhältnisses eingegangen, als zur Stellung der allgemeinsten Gesichtspunkte über die Beziehung des göttlichen Geistes zur materiellen Erscheinungswelt (Natur) nötig schien. Bei der allwärts anerkannten Schwierigkeit, den Grundbezug des Körperlichen und Geistigen klar und triftig zu erörtern, mögen beide Darstellungen, die hier gegebene und die des An- hanges, sich wechselseitig erläutern, obwohl ich gesucht habe, auch jede derselben für sich verständlich und bindend zu halten, was einige Rekapitulation im Anhang nötig gemacht hat.

Ein Geist erscheint und erfaßt sich unmittelbar selbst; aber kein Geist kann von anderm Geiste etwas anders als durch äußerlich materielle Zeichen wissen, die doch vom Geistigen selbst nichts unmittelbar zur Erscheinung bringen. Ich weiß von deinem Geiste nur durch Gestalt und Handlung deines Körpers, Wort, Blick, alles äußerlich leibliche Zeichen; von Gottes Geist, soweit er über meinen Geist hinausgreift, und wie weit greift er doch noch darüber hinaus, nur durch Vermittelung materiellen Naturwirkens. Denn selbst was ich auf das Wort der Schrift und meiner Lehrer von Gott glaube, ist mir nicht unmittelbar in Gestalt des Geistes zugeflossen, sondern kam mir erst zu durch die Vermittelung von Licht und Schall. Ich kann zweifeln, wenn ich will, ob dein Körper, ob die Natur Geist hat; denn unmittelbar kann ich nichts darin von Geist entdecken, indes mir mein Geist und Gott sein Geist in unmittel= barer Weise selbst erscheint, da hört der Zweifel auf.*) Alle Erscheinung des Geistigen im weitesten Wortsinne des Geistigen, so daß die sinnlichste Empfindung wie der höchste Gedanke dazu gehören, ist als solche überhaupt eine Selbsterscheinung, oder geht doch als Moment in eine solche ein; indes das Leibliche, Körperliche als solches überall nur einem andern als sich selbst erscheint, sonst wäre es ja Geistiges, und wir verwirrten die Worte. So möchte jemand zwar sagen: mein Nerv empfindet sich selbst und erscheint sich selbst in dieser Empfindung, aber wie er sich empfindet, ist es eben nur sein Empfinden, nennen wir's nicht Nerv, noch Nervenprozeß; ein andrer muß vielmehr ihm gegenüber= treten, ihn als materiellen und materiell wirkenden Nerven zu erkennen. Und beides ist doch zweierlei. Es möchte jemand auch sagen: mein Gehirn erscheint sich selbst in seinem materiellen Prozesse als Geist, aber wie es sich erscheint, nennen wirs eben Geist, nicht Gehirn, noch Prozeß des Gehirns; ein andrer muß ihm wieder gegenübertreten, es als materielles im materiellen Prozeß begriffenes Gehirn zu erkennen. Die Sprache trennt ebenso, daß sie jenes, was oder wie es sich selbst erscheint, auf die Seite der Seele oder des Geistes legt, dieses, was oder wie es einem andern erscheint, auf die Seite des Körperlichen, Leiblichen, Ma= teriellen. Aber was beidesfalls erscheint, ist dessenungeachtet im Grunde beidesfalls dasselbe, und die Erscheinungsweise nur verschieden.

In der Tat, ein gemeinschaftlich Wesen liegt der geistigen Selbst= erscheinung und der leiblichen Erscheinung für andres als das Selbst

---

*) „Denn welcher Mensch weiß, was im Menschen ist, ohne den Geist des Menschen, der in ihm ist; also weiß auch niemand, was in Gott ist, ohne den Geist Gottes." (1. Cor. 2, 11.)

ift, unter. Innerlich erscheints sichs selbst so, anderm äußerlich so; was
aber erscheint, ist eines. Und kein Wunder, daß dies eine doch so
verschieden als Geistiges und Leibliches erscheint. Es wird ja von ganz
verschiedenen Standpunkten angesehen, je nachdem es so oder so erscheint,
dort von einem innern, hier von einem äußern. Sogar von jedem
andern äußern Standpunkte aber sieht schon eine Sache anders aus,
wenn man darum herum geht, sich näher oder ferner stellt, natürlich
um so mehr, wenn man von allen äußern zum innern, dem zentralen
Standpunkt übergeht, wo Objekt und Subjekt der Betrachtung in eins
zusammenfallen. Das ist noch etwas ganz andres, als alle äußern
Standpunkte, wo beide immer auseinander liegen. Daran hängt dann
auch die ganz andre Erscheinungsweise, die geistige, statt der leiblichen.
Diese geistige oder Selbsterscheinung kann demgemäß auch jedesmal nur
eine sein, weil es nur einen innern Standpunkt gibt, nur auf eine
Weise Subjekt und Objekt zusammenfallen können; dagegen die körperliche
Erscheinung so vielfach sein kann wie die äußern Standpunkte und die
darauf Stehenden. Weil es aber doch dasselbe Grundwesen ist, was sich
selbst als Geist und anderm als Leib erscheint, so müssen sich auch beide
Erscheinungsweisen in Zusammenhange und Wechselbedingtheit ändern;
und so kann die leibliche Erscheinung eines andern allerdings auch als
äußeres Kennzeichen, als Äußerung der geistigen Selbsterscheinung des
andern dienen, doch nur mittelbar zur Kenntnis desselben führen;
man muß die Zeichen, die Äußerung erst richtig auf die Selbsterscheinung
zu deuten wissen. Und wie es nach unsern Schlüssen in dieser Beziehung sein muß, ist es wirklich. Dies beweist zugleich die Triftigkeit
der Vorstellung, die ihnen zu grunde liegt. Nun wird auch gleich
erklärlich, warum ein fremdes Wesen uns nie unmittelbar nach seiner
geistigen, sondern nur nach seiner leiblichen Seite erscheinen kann; weil
darin eben das wesentliche Verhältnis von Geist und Leib liegt, daß
dasselbe, was sich als Geist selbst erscheint, einem andern gegenüber
in andrer Form als Leib oder Körper erscheint. Der andre müßte mit
uns ganz oder teilweise zusammenfallen, um nach seiner geistigen Seite
ganz oder teilweise von uns unmittelbar erfaßt zu werden. So denken
wir uns in der Tat das Verhältnis zwischen Gott und uns. Er erfaßt
alles unser Geistiges unmittelbar als solches, weil wir ganz mit einem
Teile seiner zusammenfallen; wir aber erfassen bloß einen Teil seines
Geistigen unmittelbar als solches, weil wir bloß mit einem Teile seiner
zusammenfallen; das Übrige erscheint uns als materielle und materiell
wirkende Natur. Insofern wir aber einen Teil der geistigen Selbst=

erscheinung mit Gott gemein haben, sind wir auch nicht als ihm äußerliche Wesen in demselben Sinne zu betrachten, wie ein Mensch gegen
den andern äußerlich ist.

Alle Untersuchungen, die wir über das Gebiet der Existenz anstellen
mögen, reichen bloß bis zur geistigen und materiellen Erscheinungsweise derselben. Vom Grundwesen selbst, was beiden Erscheinungsweisen
in eins unterliegt, läßt sich nichts weiter sagen, als daß es eben nur
eins ist, was sich durch das Vermögen beider Erscheinungsweisen zwei-
seitig charakterisiert, als geistiges Wesen, sofern es sich selbst, als leibliches,
sofern es einem andern als sich selbst zu erscheinen vermag. Vergeblich
würden wir versuchen, ein Etwas hinter diesen Erscheinungsweisen zu
erkennen, da alles unser Erkennen selbst nur als besondere Bestimmung
unsrer geistigen Selbsterscheinung zu betrachten.

Des Nähern finden wir, daß auch aller Leib gegenüber nur durch
unsre Seele, nur dadurch als Leib von uns erkannt wird, daß er in
unsrer Selbsterscheinung die Bestimmung seines Erkennens setzt. Die
Anschauung, Empfindung, die ich gewinne, wenn ich eines andern Leib
beschaue, betaste (mit allem, was ich etwa noch durch Assoziation als
Eigenschaft, Bestimmung des Leibes hinzuzudenken Anlaß finde), gehört
ja doch immer meiner Seele oder Selbsterscheinung an. Diese Bestimmung
meiner Seele oder Selbsterscheinung, welche der andre in mir hervorruft
und wodurch mir sein Leibliches erscheint, ist aber etwas ganz anderes
als die Selbsterscheinung, die ihm als eigene Seele zugehört, so daß
seine leibliche Erscheinung, die ich in meiner Seele gewinne, und seine
eigene Selbsterscheinung, immer zweierlei bleiben; eben darum, weil sie
für einen verschiedenen Standpunkt der Betrachtung stattfinden. Zuletzt
kann alles Erscheinen überhaupt nur in einer Seele und für eine Seele
Platz greifen, also auch die Erscheinung eines Leibes, und so gewährt
die Anschauung, Empfindung, die durch einen andern in meiner Seele
erweckt wird, mir die leibliche Erscheinung desselben, vertritt dieselbe.
In andrer Weise ist es faktisch gar nicht möglich, von leiblicher,
körperlicher Erscheinung zu sprechen. Für den Betrachtenden löst sich
so in der Betrachtung alles in Seele, Selbsterscheinung auf; aber dies
hindert nicht anzuerkennen, ja das Gefühl davon drängt sich von selbst
auf, daß gewisse Bestimmungen unsrer Selbsterscheinung durch etwas
außer uns angeregt sind, und diese Bestimmungen dienen uns nun zur
Charakteristik der leiblichen, körperlichen Beschaffenheit des Objekts, das
sie anregt.

„Das Ding ist außer dir, weil du von dir es trennst,
Doch ist es auch in dir, weil dus in dir erkennst.
Gedoppelt also ist das Ding und zwiegestaltig.
Im Widerspruch mit sich erscheint es dir zwiespaltig.
Doch durch den Widerspruch hebt es sich auf mit nichten;
Es fordert dich nur auf, den Widerspruch zu schlichten.
Du magst das innre Ding ein Bild des äußern nennen,
Oder das äußre für das innere Bild erkennen.
Ein Spiegel bist du nicht allein der Welt, sie ist
Ein Spiegel auch, darin du selbst dich schauend bist.“

(Rückert, „Weisheit des Brahmanen“. II. S. 21.)

Bei fernerer Betrachtung finden wir, daß es nicht zwei Menschen zu sein brauchen, die sich gegenübertreten, damit einer Leibliches am andern erkenne Derselbe Mensch kann auch einen Teil, der zu ihm selbst gehört, mittels eines andern Teiles, der zu ihm gehört, eines Sinnesorganes, als leiblichen erkennen; doch muß es eben ein andrer Teil sein, dies ist ganz wesentlich. So erblicken wir mit dem Auge das Bein desselben Leibes, zu dem beide gehören; sich selbst freilich könnte das Auge nicht seiner leiblichen Beschaffenheit nach erblicken, wie es ein Gegenüberstehender vermag; nur seine Empfindung hat es von sich als Selbsterscheinung, oder trägt es zur Selbsterscheinung des Ganzen bei, aber dem Bein ist es gegenübergestellt. Die ganze Zusammenstellung aus Bein, Auge, Gehirn usw. kann sich auch nicht ganz in eins als leiblich erblicken; sondern erscheint sich (so weit sie überhaupt als Träger unsres Geistes zu betrachten) im ganzen nur nach ihrer geistigen Seite als Seele; doch fällt die Erscheinung des Leibes von verschiedenen Seiten und in untergeordneter Weise in die Selbsterscheinung dieser Seele vermöge der Gegenüberstellung des Auges, Ohres, Fingers als wahrnehmender Organe gegen den übrigen Leib, dem die Seele im ganzen zugehört, und über alles, was die Sinne einzeln fassen, greift immer die Seele des Ganzen mit ihrem Allgemeinbewußtsein und vielen Allgemeinbezügen, die darin inbegriffen, hinweg.*)

---

*) Physiologisch analysiert, werden eigentlich alle sinnlichen Empfindungen, welche im Menschen das Gefühl von Körperlichkeit überhaupt begründen, wozu auch die Gemeingefühle, wie Schmerz, Hunger, Durst usw. gehören, durch Beziehungen seines Nervensystems zu dem übrigen Leibe gewonnen; und die Erscheinung objektiver, der Seele äußerer Körperlichkeit insbesondere durch die Gegenüberstellung besonderer äußerer beweglicher Sinnesorgane gegen die Objekte (vgl. den Anhang), auch hier mittels Nerven, die einerseits mit dem ganzen Komplex des Nervensystems, der sich im Gehirn zum Hauptknoten schließt, zusammenhängen, anderseits durch Vermittelung

In der· Tat, die mannigfaltigen Erscheinungen, die wir mittels Teilen unsres Ganzen von dem übrigen Ganzen gewinnen, und wodurch uns unser Körper als solcher erscheint, ordnen sich, als in unser Ganzes selbst noch fallend, der obern einheitlichen Selbsterscheinung dieses Ganzen, der Seele des Ganzen, ein und unter, fallen in untergeordneter Weise in unsere Seele, die aber noch gar manche höhere Beziehungen, die in jenen Einzelwahrnehmungen nicht ingebriffen sind, unter sich befaßt.

Ähnlich ist es dann auch mit Gott. Er sieht mit seinen Geschöpfen als Teilen, Organen seines Leibes, andre diesen gegenübergestellte Teile seines Leibes und greift mit seinem obern Bewußtsein und obern Bewußtseinsbezügen darüber, wie wir über alle Einzelwahrnehmungen unsrer Sinne; aber ohne daß sich Geschöpfe oder sonst Organe objektiver Wahrnehmung in ihm heraus individualisierten, gäbe es so wenig eine Erscheinung äußerlicher materieller Leiblichkeit für Gott, als ohne Sinnesorgane für uns. Dies betrachten wir jetzt noch etwas gründlicher.

Weil es so im Wesen des Geistes liegt, kann auch Gott nur des Geistigen unmittelbar gewahren, was ihm selber angehört, ihm selbst erscheint. Aber alles gehört ihm an, das macht ihn allwissend. Unsre geistige Selbsterscheinung ist nur ein untergeordneter Teil der seinen. Erschiene er sich freilich bloß in den Einzelgeistern seiner Geschöpfe, käme sich nur darin zum Bewußtsein, so zerfiele er auch in dieselben, da jeder nur um sich weiß. Aber wir haben Gründe genug gefunden, daß es nicht so ist, daß er mit einem allgemeinen Bewußtsein das unsre übergreift.

Weil nun der ganze Gott in seiner Ganzheit, Fülle, Vollendung

---

des Sinnesorgans äußere Anregungen schöpfen. Eine tiefer eingehende und mehr ins Besondere in bezug auf den Menschen durchzuführende Betrachtung wird dies zu berücksichtigen haben; hier aber ist die eingänglichste, das Prinzip nur immer triftig festhaltende Darstellung vorgezogen worden, welche nicht nötig macht, auf physiologische Details und teilweis Hypothesen einzugehen; daher nicht bis zur Gegenüberstellung des Nervensystems und besonderer Teile des Nervensystems gegen den übrigen Leib, sondern überhaupt nur eines Leibesteiles gegen den andern zurückgegangen ist; wobei die gründliche Betrachtung im Auge behalten mag, daß alle Empfindung von Körperlichkeit überhaupt für uns sich doch zuletzt auf eine Beziehung gründet, die aus der Gegenüberstellung von Nervensystem und übrigem der Natur eingebauten Leib erwächst. Wenn das Auge das Bein sieht, ist eigentlich nur die Anregung, welche der Sehnerv durch das übrige Auge vom Beine her empfängt, die das Bein erscheinen läßt. Der übrige Leib gehört aber immer ebensogut zur Bedingung der körperlichen Empfindung wie das Nervensystem, denn durch das Nervensystem allein könnten wir sie sowenig haben wie durch den übrigen Leib allein; das Nervensystem verdankt nicht nur seine Empfindungen, sondern auch seine Fähigkeit zu empfinden wesentlich dem Zusammenhange mit dem übrigen Leibe.

nichts gegenüber hat, so tritt ihm auch im oberſten Gebiete ſeiner ſelbſt,
was über alles hingreift, keine materielle Außenwelt äußerlich gewahrbar
gegenüber, noch er einem andern; inſofern wäre er reiner Geiſt. Aber
im Gebiete der ihm untergeordneten einzelnen Geſchöpfe, die ein Gegenüber haben, tritt die Erſcheinung der materiellen Welt für ſie äußerlich
und durch ſie innerlich für ihn ein, weil die materielle Erſcheinung überhaupt nur im Gegenüber deſſen, was erſcheint und dems erſcheint, Platz
greift. Es hindert aber nichts, daß, was ſich in niederm Gebiete gegenüberſteht, auch noch in höherer Einigung begriffen werde. Gott hat,
indem er alles Geiſtige der Welt in ſich hat, auch das ſinnliche Empfinden, Anſchauen ſeiner Geſchöpfe und hiermit die ſinnliche Erſcheinungswelt in ſich, wie wir die Anſchauung unſres Leibes, aber eben nur als
ein niedres Gebiet in ſich, über das er mit ſeinem Allgemeinbewußtſein
und höhern, ans Ganze und obere Gliederungen des Ganzen geknüpften
Beziehungen hinweggreift. So iſt die materielle Erſcheinungswelt zwar
nicht ein Niedrigeres als Gott, aber ein Niedrigeres in Gott, falls wir
nur Gott in weiterm Sinne faſſen.

Freilich, wir erblicken mit unſern Sinnesorganen bloß die Außen-
ſeite unſers Leibes, Gott aber blickt mit uns ins Innere ſeiner Welt.
Iſt das nicht etwas ganz andres? Nun kann keine Analogie zwiſchen
Gott und uns ganz treffen; doch hier liegt keine weſentliche Abweichung.
Erläutern wir das ganze Verhältnis an einem Bilde.

Denke dir einen Baum, der ſpürt, was in ihm vorgeht, und was
ihn äußerlich berührt. Er ſpüre den Zug der Säfte durch ſeinen Stamm,
ſeine Zweige, ſeine Blätter; und ſo zuſammenhängend der Zug im Leiblichen, ſo zuſammenhängend ſei der Zug des geiſtigen Spürens. Der
Baum ſpüre aber auch, wie dieſer Zug ſich abändert bei jeder Berührung
der Blätter durch Licht, durch Wind, durch ein Inſekt; er ſpüre das als
äußerlich ſinnliche Beſtimmung, welche ihm die Gegenwart eines andern
verrät. Nun aber gerade ebenſo wird er es auch als äußerlich ſinnliche Beſtimmung ſpüren, wenn eines ſeiner Blätter das andre rührt.
Daß es ein Teil des Baumes ſelbſt iſt, womit der andre berührt
wird, ändert nichts am Charakter der ſinnlichen äußerlichen Empfindung.
Ebenſo erſcheinen uns die Empfindungen, die wir dadurch gewinnen,
daß unſre Leibesteile einzeln die einzelnen anregen, von demſelben
Charakter, wie die, welche durch wirklich äußerliche Anregungen uns
zukommen. Nun denke dir ferner, die Zweige und Blätter des Baumes
verſchränkten ſich immer mehr, er belaubte ſich immer dichter, endlich ſo
dicht, daß die Krone ein dichter Ballen wird; die Zweige und Blätter

darin bleiben darum nicht weniger äußerlich gegeneinander. Jetzt wird der Saftstrom selbst, indem er hindurchgeht, bald da, bald dort stärker durchgeht, die Blätter bald hier, bald da stärker aneinander drücken, gegeneinander verschieben; und so werden Wirkungen, die wir als innerliche des Ballens betrachten können, doch sinnliche Empfindungen im Ballen erwecken. Unser Kopf mit seinen Aderzweigen und Gehirnblättern ist ein solcher Ballen; und das Blut braucht nur stärker da und dort durchzugehen, so sehen wir Funken oder klingen uns die Ohren; ja die ganzen leisen Erinnerungsbilder, die uns Sinnliches vorspiegeln, mögen, wenn nicht an leisen Drucken oder Schiebungen, an andern leisen Wirkungen hängen, die unter diesen Gesichtspunkt fallen. Eine geschlossene Faust oder beide Hände zusammengeschlossen stellen auch einen solchen Ballen dar, in welchem die eingeschlagenen Fingerspitzen und die Handfläche ihren Druck aufeinander und ihr Verschieben aneinander innerhalb des Ballens als äußerlich wechselseits spüren.

Nun aber auch die Welt ist ein solcher Ballen, in dem tausend Einzelnheiten andern Einzelnheiten gegenüberstehen; und der Zug und Fluß der Wirkungen, der durch die ganze Welt geht, das allgemeine Beharren, Fließen aller Bewegung und Regung ruft immer neue Wechselbestimmungen der Einzelnheiten hervor und wird selbst immer neu dadurch fortbestimmt. Gottes Geist spürt nun als allgemeiner den ganzen Zug des Geschehens, er spürt ihn eben als die Forterhaltung seines ganzen Geistes, und spürt auch alle Einzelbestimmungen, die durch die Wechselwirkung der Teile der Welt darin erfolgen, als niedrige sinnliche Bestimmungen seines Geistes. Freilich sind diese Teile alle in ihm, aber wir sehen eben an uns selbst, daß auch Teile in uns andern Teilen äußerlich gegenübertreten und in ihrem Gegenübertreten sinnliche Empfindung, ja äußerlich erscheinende Phantasmen wecken können; kurz etwas, was als ein neu von unten Bestimmendes an unsern bewußten Geist tritt und ihm das Gefühl eines ihm äußerlichen materialen Daseins, vielleicht selbst die Erinnerung an materiales Dasein erwecken kann.

Nach Vorigem läßt sich eine Betrachtung, die wir auf die irdischen Geschöpfe in bezug zur Erde anwandten, in weiterm Sinne auch auf alle individuellen Geschöpfe in bezug zu Gott (in weiterm Sinne gefaßt) anwenden. Sie lassen sich in gewisser Weise, nur daß man den Vergleich nicht über seine Grenzen treibe, als Sinnesorgane, oder will man lieber, als Träger von Sinnesorganen ansehen, durch welche er wie wir durch unsre Sinnesorgane, die objektive Erscheinung der materiellen Welt gewinnt.

In Rücksicht vorstehender Betrachtungen erscheint für den ersten Anblick der Ausdruck: die Natur sei in Gott oder sei Gott immanent, triftiger, als Gott sei in der Natur, ihr immanent. Denn alles, was von der Natur erscheint, erscheint hiernach in Gottes Bewußtsein; aber Gottes Bewußtsein greift noch unsäglich mit höhern Bezügen darüber hinweg, was nirgends in der Natur erscheint; dessen ungeachtet sind die höhern geistigen Bezüge auch wieder so untrennbar an das geknüpft, auf das basiert, was äußerlich von der Natur teils unmittelbar erscheint, teils sich dem tiefergehenden Schlusse in Form des äußerlich Erscheinenden eröffnet, und greifen so sehr ändernd zurück in die Naturverhältnisse, daß man allerdings den Ausdruck, Gottes Geist walte in der Natur, sei ihr immanent, ebenso, nur in andrer Hinsicht, gelten lassen kann.

Will man aber statt des beidesfalls doch festgehaltenen Gesichtspunktes der realen Einheit von Gott und Natur den Gesichtspunkt ihrer Gegenüber= stellung walten lassen, so wird es noch abstraktionsweise geschehen können, ohne mit dem vorigen Gesichtspunkte in Widerspruch zu treten, wenn man sich nur hütet, die Scheidung durch Abstraktion mit realer Scheidung zu verwechseln. Dasselbe Eine, was der materiellen und geistigen Seite der Existenz unterliegt, läßt sich nämlich einmal aus dem Gesichtspunkte der totalen Selbsterscheinung als Gottes Geist, oder als Gott schlechthin, dann wieder aus dem Gesichtspunkte der äußern Erscheinung für diesen oder jenen besondern Standpunkt geschöpflicher Auffassung als Naturerscheinung oder Natur schlechthin betrachten. Aber die äußere oder Naturerscheinung, welche durch besondere Geschöpfe und immer nur von besondern Seiten gewonnen wird, ist nicht real von der Selbsterscheinung Gottes getrennt; sondern fällt, wie schon betrachtet, in untergeordneter Weise auch in dieselbe; Gott schaut eben durch seine Geschöpfe die Natur an und gewinnt ihre Anschauung als seine, und dasselbe Ganze, was dem Einzelgeschöpf und mittels des Einzelgeschöpfes Gott in äußerer Anschauung als Natur erscheint, erscheint sich selbst im ganzen als göttlicher Geist, so daß auch von dieser Seite keine reale Trennung stattfindet, indem das Angeschaute und Anschauende substanziell dasselbe ist. Indessen hindert das immer nicht, abstraktionsweise die Naturerscheinung, wie sie für die geschöpflichen Einzelstandpunkte statt= findet, in der Betrachtung aus der ganzen göttlichen Selbsterscheinung aus= zusondern und dasselbe Grundwesen gegensätzlich Natur oder Gott zu nennen, je nachdem es von einem gegen das Ganze verschwindenden Einzelstandpunkte aus äußerlich betrachtet wird, oder sich auf innerem Standpunkte im ganzen selbst erfaßt.

Der Streit, ob ich sagen soll, die Natur sei eins mit Gott, oder etwas anderes als Gott oder etwas in Gott, oder Gott etwas in der Natur, löst sich hiernach in einen Wortstreit auf. Es kommt darauf an, in welcher Weite und Weise man den Begriff oder das Wort Gottes anwenden, und die Ausdrücke eins, anderes, in, selbst verstehen will; man kann es auf verschiedene, die doch alle dieselben sachlichen Verhältnisse bestehen lassen und direkt oder indirekt dieselben praktischen Folgerungen gestatten. Man muß sich nur nirgends an die Worte allein, sondern an die erörterten Grundverhältnisse halten.

17*

Bei der großen Freiheit, die ich mir nach sachlicher Erläuterung des Grundverhältnisses von Gott und Natur in Bezeichnung dieses Verhältnisses je nach Umständen und Zusammenhang nehme, vermeide ich doch gern den Ausdruck: daß die Natur etwas außer Gott, Gott etwas außer der Natur sei; da nur eine sehr gezwungene Auslegung denselben mit der vorgetragenen Grundansicht verträglich erscheinen lassen würde; dagegen wir sehr wohl die Natur die äußere Seite oder äußere Erscheinung oder Äußerung Gottes selbst nennen können. Auch als etwas über der Natur werden wir Gott betrachten können, sei es, daß er in weitrer Fassung sie (als seine äußere Erscheinung für ihn selbst) inbegreift, wenn wir das Wort über in jenem frühern Sinne des Obern S. 196 nehmen, sei es, daß wir bloß die höhere Geistigkeit über der Sinnesbasis der Welt Gott nennen wollen. Nur muß das Über nicht mit einem Außer verwechselt werden.

K. Die Natur nach ihrer Tiefe und Fülle als Ausdruck des göttlichen Geistes.

Wenn wir einen Menschen äußerlich ansehen, namentlich in seinen edelsten Teil, sein Gesicht, blicken, so glauben wir in gewisser Weise den Spiegel seines Geistes zu sehen. Manches können wir da äußerlich ablesen, was in seiner Seele vorgeht. Aber ob auch alles? Sicher nicht. Es drückt sich eben nicht alles für den oberflächlichen Blick aus. Doch glauben wir nicht bloß, wir wissen, daß in seinem Hirn und seinen Nerven Vorgänge vonstatten gehen, die in bestimmterer, festerer Beziehung zu seinen Seelenvorgängen sind als das, was wir äußerlich sehen; wir wissen es im allgemeinen; aber insbesondere können wir es nicht verfolgen. Was wir äußerlich sehen, ist bloß der äußere Umriß einer innern Organisation, der äußere Ausläufer innerer, ins Feinste entwickelter, aufs Mannigfachste verwickelter, durch höhere Ordnung verknüpfter, innerer Freiheit doch Spielraum lassender Bewegungen; die sind das Wesentlichere für den Geist.*) Wir werden dies tiefgehend Innerliche, für den Geist Bedeutungsvollste, nie vollständig ergründen. Es liegt teils für den Sinn zu versteckt, teils für den Schluß zu tief

---

*) Man muß keinen Widerspruch darin finden, daß nach Früherem das Materielle nur in der Erscheinung für anderes da sein soll, da sich doch hier zeigt, daß vieles Materielle zu versteckt ist, um andern zu erscheinen. Denn es kann als Materielles doch nur insofern gelten, als man sich in Gedanken auf äußern Standpunkt der Betrachtung dagegen stellt, durch Schluß von äußerlich beobachteten Erscheinungen her, die damit zusammenhängen, findet, wie es selbst äußerlich erscheinen würde, wenn man die äußern Hindernisse wegräumen, das Versteckte bloß legen, die Freiheit der Sinne erforderlich schärfen könnte. Es gehört insofern zum vorgestellten, erschlossenen Materiellen. Des für uns unmittelbar wahrnehmbaren Materiellen wie Geistigen ist überall nicht viel. Vgl. den Anhang zu XI.

ober zu hoch. Wir können ja nicht hinter die Schädelkapsel blicken, und könnten wir es, nicht in die Tiefe des Gehirngewebes bringen, und wenn auch dies, der Feinheit seiner Struktur und Bewegungen nicht nachkommen, und gelänge selbst dies, wären damit noch nicht der Zusammenhang und die Verhältnisse dieser Struktur und Bewegungen ergründet, auf die es zum Zustandekommen der geistigen Bewegungen ankommt. Zu all dem bedarf es eines tiefer und immer tiefer gehenden und damit schwieriger und immer schwieriger werdenden Schlusses. Aber wir können, wissend, daß doch dies Feine, Entwickelte, Verwickelte, höhere Verhältnisse Einschließende da und in Beziehung zum Geiste, ihm näher zu kommen suchen und sollen den allgemeinen Gesichtspunkt seines Daseins und Bezuges nicht aus den Augen verlieren, um nicht den Geist in eine leere Kapsel zu setzen.

Was vom Menschen gilt, gilt von Gott. Die Natur, wie sie dem oberflächlichen Blicke erscheint, für den reinen vollen Ausdruck von Gottes Geist halten, ist dasselbe, als das Gesicht eines Menschen für den reinen vollen Ausdruck seines Geistes halten. Was wir der Welt, dem Leibe Gottes, unmittelbar äußerlich absehen, ist überall bloß der äußere grobe Umriß und Ausläufer einer ins Feinste sich fortsetzenden Gliederung und ins Unendliche sich besondernder, durch höhere Gesetzmäßigkeit verknüpfter, der Freiheit noch Spielraum lassender Bewegungen, bloß Bruchstück eines weitgreifenden und tiefliegenden Zusammenhanges der Formen und Bewegungen, welche die Wissenschaft zu ermitteln suchen kann und suchen soll, und doch nie vollständig ermitteln wird. Ja die tiefste Forschung, der schärfste Geist, der hellste Blick, die höchste Kombination gehörten selbst dazu, das innere Getriebe und Gewebe der Stoffe, Gesetze, Kräfte uns auch nur so weit bloßzulegen, wie es jetzt der Wissenschaft bloß liegt; ein roher Blick sieht von all dem nichts, ein geschärfter aber, daß so mehr noch zu finden ist, je mehr gefunden ist. Denn der Born der Natur vertieft sich um so mehr, je mehr wir ihn auszuschöpfen suchen, und unsre eigene Organisation liegt selbst mit in der tiefsten Tiefe. Wie denn einer unsrer größten Forscher sagt (Kosmos III. 25): „Ein inniges Bewußtsein durchdringt den Naturforscher bei der Darstellung der kosmischen Verhältnisse, daß die Zahl der welttreibenden, der gestaltenden und schaffenden Kräfte keineswegs durch das erschöpft ist, was sich bisher aus der unmittelbaren Beobachtung und Zergliederung der Erscheinungen ergeben hat"; und noch heute gilt, was Jesus Sirach (43, 36) vor einigen tausend Jahren sagte: „Wir sehen seiner Werke das Wenigste, denn viel größere sind uns noch verborgen". Gerade dies

Verborgene aber, was sich nur im Fortschritt der Zeiten mehr und mehr enthüllt, spielt zwar nicht in der Vereinzelung, wie es die Wissenschaften einzeln fassen, aber in seinem ganzen noch unergründeten Kausal- und Wechselzusammenhange eine wichtigere Rolle in Gott als das, was roh an der Oberfläche erscheint. Die Naturforschung zerlegt nur Gottes Leib, wie unsern, aber sie findet doch dabei Sehnen und Nerven, die im unzerlegten Leibe wirken, und nur freilich jetzt bloß nach ihrem materiellen Wirken in der Natur verstanden werden, denn um sie auf Geist zu deuten, muß man solchen erst voraussetzen, und sie nicht im einzelnen, sondern im Zusammenhange ergreifen.

Man hat also freilich ganz recht, wenn man die Natur so arm und roh und oberflächlich, wie sie vor der Wissenschaft, so zerlegt, wie sie von der Wissenschaft zumeist betrachtet wird, nicht wert und vermögend hält, Gottes Geist zu tragen. Sie ist so nur die äußere Hülse eines innern unergründlichen Gehaltes, die Zerstückelung eines alles bindenden Zusammenhanges; wovon jener die Tiefe und Fülle, dieser die Einheit Gottes zu decken hat.

Freilich wird man sagen: was sich an die Naturvorgänge knüpfen, darin ausdrücken kann, werden doch im höchsten Falle nur sinnliche Seelenvorgänge sein können. Um bestimmte Töne oder Farben zu empfinden, müssen bestimmte Nervenprozesse in uns vorgehen; das gehört zueinander; aber ein höheres Geistige kann nicht mehr durch Nervenprozesse oder körperliche Prozesse überhaupt begründet, ausgedrückt, vertreten werden; es hat dazu überhaupt keine bestimmte Beziehung mehr.

Und sicher hat es keine solche zum einzelnen dieser Prozesse, wohl aber zur Ordnung, Folge, der Verknüpfung derselben. Denn hat man nicht auch in Ordnung, Folge, Zusammenhang des Materiellen, Verhältnisse höherer und niederer Ordnung, die sogar ein höheres Geistige fordern, von uns gefaßt zu werden, warum nicht also auch selbst fassen können? Der Menschenleib ist sicher nach einer höhern Ordnung gebaut als der Tierleib, wie die Ellipse eine Linie höherer Ordnung ist als die gerade Linie, obwohl man beide atomistisch in gleichartige Elemente zerfällen kann. Auch die Bewegungen im Menschenleibe schließen sicher Verhältnisse höherer Ordnung ein als die im Tierleibe. So hoher verwickelter Ordnung als die Welt nach der Gesamtheit ihrer Formen und Bewegungen ist aber nichts; da reicht keine Mathematik daran, die Ordnung festzustellen. Sie ist unendlicher, jedenfalls für uns inkommensurabler Ordnung. Warum also sollte die Welt nicht reichen, Gott auszubrücken, zu tragen, wenn die materielle Weltordnung doch so gut alle unsre Begriffe übersteigt wie die geistige?

Nicht bloß die Höhe oder Tiefe, auch die Breite der Natur ist unsäglich größer, als sie dem einzelnen unmittelbar erscheint. Indes wir zu glauben haben, daß alles, was uns Menschen von der Natur erscheint, auch in Gott erscheine, haben wir nicht umgekehrt zu glauben, daß das, was uns von der Natur erscheint, alles ist, was davon in Gott erscheint. Zu allem, was den Menschen erscheint, kommt alles, was niedern, höhern Wesen als Menschen von der Natur erscheint, ja ihnen selbst im künftigen Leben von der Natur erscheinen wird. Den Sinnen jedes andern Geschöpfes schließt sich die Natur in einer andern Weise auf. So erschöpft Gott die Natur mit tausendfältigen Sinnen in aller Weise, von allen Seiten. Wie arm ist dagegen die Anschauung eines einzelnen Menschen. Vieles ist ihm zu groß, vieles zu klein, vieles zu fern, vieles zu nahe; aber in der ganzen gottbeseelten Welt löst immer ein Geschöpf das andre ab, und eine Anschauung greift in die andre ein, ergänzt die andre. Und über alle diese sinnlichen Erscheinungsweisen der Natur werden auch geistige Bezüge in Gott hinweggreifen, die nach ihrer ganzen Höhe und Fülle in das menschliche Bewußtsein nicht fallen können, welches bloß über seiner eigenen Sinnesbasis sich entwickeln kann, obwohl sie sich mit dem, was in ihm ist, verknüpfen, begegnen und kreuzen können. Die Basis der höhern Geistigkeit in Gott ist aus diesem Gesichtspunkte unsäglich größer und weiter zu fassen, als sie uns erscheinen möchte, wenn wir bei dem stehen bleiben, was uns einzelnen, ja was allen Menschen von der Natur erscheinen kann.

L. Das Unbewußte und Tote in der gottbeseelten Natur.

Wenn die ganze Natur göttlichen Geistes voll ist, so ist damit nicht gesagt, daß jedes Stück derselben eines besondern selbstfühlenden Geistes voll sei. Wie vieles trägt in unserm Leibe bloß bei, im Zusammenhange des Ganzen den Geist zu tragen; doch gibt es Sondergebiete, wie Auge, Ohr, die auch etwas Individuelles tragen. Luft und Wellen, Steine mögen also immerhin nur im ganzen Zusammenhange Gottes oder seiner untergeordneten Wesen zählen, und insofern tot heißen. Sie wissen nichts von sich, sie fühlen nichts in sich; sie sind nur unselbständige Mitträger eines wissenden, fühlenden Geistes, begründen in ihm selbst kein besonderes Gefühl, es sei denn durch ihre äußere Anschauung, nicht aber durch ihren eigenen inneren Prozeß. Und so mögen auch wir öfters für einen Augenblick vom Gegensatz des Lebenden und Toten sprechen, aber immer nur, um uns im nächsten Augenblicke zu besinnen, daß, was für sich tot ist, doch beitragend ist zu einem höhern Leben, ein Baustein, wenn kein Bau. Und zum Bau der Wohnung jeder Seele gehören viel Bausteine und viel Mörtel. Wer nun auf die einzelnen Bausteine und den Mörtel sieht, oder auch auf alles, aber gelegt in Haufen, oder geordnet zum bequemen Herauslangen von der Wissenschaft und für die Wissenschaft, der wird freilich Gott darin nicht sehen können.

M. Die Weltschöpfung.

Wenn das Geistige überall an Materielles gebunden sein soll, so scheint es, gibt es keine Weltschöpfung; die Natur war von Ewigkeit mit Gott zugleich da, Gott von Anfang nur ihre Selbsterscheinung. Doch liegt wohl einiges Gewicht im Begriffe der Weltschöpfung. Nun aber auch, wer die Welt von Gott aus nichts geschaffen hält, meint damit doch kein absolutes Nichts, nur ein Nichts ihrer äußerlichen Erscheinung; aber dem innern Vermögen nach (potentiell) mußte diese Erscheinungs= welt schon in Gottes geistigem Wesen enthalten sein und nur die wirk= liche äußerliche Erscheinung trat erst ein durch eine Art Entäußerung seines Wesens, durch ein Hervortreten aus ihm. Und so meinen wir es auch; nur daß Gott nach uns hierbei die Welt nicht wirklich von sich ent= lassen hat, sondern nur solche Unterschiede in sich gesetzt hat, daß eins darin äußerlich wahrnehmend gegen das andre aufzutreten begann, also, daß es vielmehr eine innerliche Äußerung, als äußerliche Entäußerung war, wodurch die Welt entstanden. Die Welt trat hervor aus ihm, heißt uns nicht, sie trat heraus aus ihm, sondern sie trat nur aus dem an sich unsichtbaren Gott in die äußerliche Sichtbarkeit hervor; er ließ die Welt nicht fallen und blieb in der Höhe, sondern erhöhte sich selbst, indem er sie unter sich begriff; aber dies Untersichbegreifen ist zugleich ein Insichbegreifen.

Die Natur konnte jedenfalls nach uns nicht eher als solche erscheinen, als bis Gott in sich Wesen oder Organe hervorgebildet hatte, denen oder mittels deren sie erschien. (Vgl. S. 256.) Bis dahin war sie bloß in seinem Vermögen vorhanden. Nun kann man freilich fragen, ob nicht von Anfange oder von Ewigkeit her solche Wesen oder Organe in ihm vorhanden, mithin auch die Natur von Anfange an als Erscheinung da. Aber will man überhaupt auf einen Anfang zurückgehen, so kann man es nur durch Rückschluß aus dem Jetzt. Betrachten wir nun den Ent=

wickelungsgang der Welt, der ganzen oder auch eines einzelnen Geschöpfes der Welt, wie er uns vorliegt, so sehen wir die Besonderung und Gliederung nur immer weiter vorwärts schreiten; also, daß das Gesonderte sich zwar immer wieder unter höhern Gesichtspunkten verknüpft; aber eben nur auf Grund vorgängiger Sonderung und Gliederung selbst. Verfolgen wir ideell diesen Gang in eine Ewigkeit rückwärts, so ist eine bestimmte Gliederung anfangs als nicht vorhanden zu denken, wir gelangen in der Vorstellung zu einem Zustande, wo die Natur oder Erscheinungswelt noch nicht geschaffen war, weil noch keine Geschöpfe oder Organe geschaffen waren, denen sie oder mittels deren sie erscheinen konnte. Doch konnte ein unendlicher Drang zur Schöpfung von Anfange an vorhanden sein. Gewiß war der erste Wille oder Drang zur Schöpfung selbst nur ein sehr allgemeiner, da es sich vor den Einzelnheiten erst um die Grundzüge der allgemeinen Ordnung handelte; aber ein gewaltiger, da er die ganze Weltmasse auf einmal ergriff, und gleich auf die beste Ordnung gerichtet, da Gott vom Anfange an sich damit zu genügen strebte, welches Streben er dann nur in der weitern Entfaltung und Durchbildung der Welt zu betätigen fortfuhr. Doch wir vermessen uns nicht, die Urzustände Gottes und der Welt näher beschreiben zu wollen, worüber ein Tor mehr fragen kann, als zehn Weise beantworten können. Nur der Forderung des Schöpfungsbegriffes im allgemeinen sollte genug getan werden.

Man kann fragen, ob nicht eine Entzweiung der Art, welche die Welt erscheinen ließ, eine Bedingung des anfänglichen Bewußtseins Gottes selbst war. Sei es, so würde dies nur mitführen, daß der erste Bewußtseinsakt Gottes zugleich der erste Schöpfungsakt war, oder, wenn wir keinen ersten Anfang anerkennen wollen, daß das Bewußtsein Gottes von Ewigkeit her schöpferisch tätig gewesen ist.

Immer bleibt es wahr, daß wir die Welt des Materiellen auch mit Gott zugleich von Uranfange an bestehend ansehen können, wenn wir den hinter der Erscheinung derselben rückwärts liegenden realen Grund derselben schon als materielle Welt rechnen; wie wir ja sonst vieles, was hinter der materiellen Erscheinung liegt, aber als Grund derselben und in Form derselben vorgestellt werden muß, zum materiellen Gebiet selbst rechnen, als wie Äther- und Luftschwingungen, galvanische Ströme, kleinste Körperteilchen, was alles niemand je so gesehen und gefühlt hat, wie es vorgestellt wird und nach dem Zusammenhange mit dem Erscheinenden wirklich vorgestellt werden muß. So konnte es, wenn man aus den Erscheinungen des Jetzt rückwärts Konstruktionen machen und bis zum voraussetzlichen Anfang fortsetzen will, von Anfange an oder von Ewigkeit her ein Wogen, Weben, Zittern, Schwingen des Lichts im Weltall geben, das auf dem Standpunkt des Naturforschers in Form von Ätherbewegungen vorgestellt werden kann und vielleicht werden muß, um in Zusammenhang mit den jetzigen physischen Welterscheinungen zu bleiben, sich selbst aber anfangs nur in ganz anderer Form als subjektive Lichtempfindung und Trieb und Wille, die gährende Empfindung im besten Sinne vernünftig zu ordnen, auseinanderzusetzen, erschien. Erst mit Entwickelung dieser Ordnung trat Gesehenes dem Sehenden gegen= über und damit die materielle Welt objektiv aus dem Vermögen der äußern Erscheinung in die wirkliche äußere Erscheinung heraus.

Es bleibt dies freilich immer nur ein roher Versuch, Dinge unsern Begriffen anzupassen, die letztlich über alle unsre Begriffe hinausreichen. Auch sehe ich nicht viel Heil in allen Betrachtungen darüber, wie die Welt geschaffen worden, sondern nur, wie sie, die von Ewigkeit gewesen, mehr und mehr geordnet worden, womit man am Faden der Geschichte und des Schlusses ins Unbestimmte rückgehen kann, ohne auf ein wirk= lich Erstes oder Letztes zu kommen. Werde ich aber zum Letzten gedrängt, so denk ichs ungefähr wie hier, immer erbötig zu gestehen, daß dieses Denken sich um das für uns Undenkbare dreht.

Es ist nicht ohne Interesse, wie sich die biblische und die mit ihr so verwandte persische Kosmogonie im Sinne voriger Andeutungen und zugleich ziemlich geläufiger Natur=Ansichten auslegen lassen. Nach der biblischen Kosmogonie schuf und schied Gott zuerst Licht und Finsternis, später ent= standen erst die individuellen Lichtwesen, die Gestirne, womit die Schöpfung der beseelten Wesen eingeleitet ward (vgl. S. 151). Nach der persischen Kosmogonie erscheint ein von uns unerkennbares Urwesen (Zervane Akerene) als Grundlage einer Art Selbstschöpfung, durch die sich zuerst Ormuzd, der Geist des Lichtes, von Ahriman, dem Geist der Finsternis, schied; Ahriman aber hatte auch zuerst Lichtnatur und verkehrte sie nur später in Dunkelheit und begann nun mit Ormuzd zu streiten, der die Welt weiter zu schaffen und zu ordnen fortfuhr. Dies läßt sich physisch so deuten, daß anfangs der ganze Raum voll leuchtender Weltstoffmasse war; aber da sich die Licht= masse anfing zu ballen, verdunkelte sich hiermit ein Teil des Raums, Licht und Finsternis begannen um den Raum zu streiten, indem sich die Licht= masse bald hier mehr zurück, bald da mehr zusammenzog. Alles positive Gestalten und Ordnen der künftigen Welt aber ging fortan von der Tätigkeit der Lichtmasse aus. Diese physische Deutung widerspricht nicht einer psychischen. Was äußerlich als Licht erschien oder uns so erscheinen würde, mit einem auf äußerm Standpunkt als physisch faßbaren Gestaltungsbestreben, konnte sich selbst leuchtend und strebend fühlen, und auch die Gegenwirkungen fühlen, die mit der Entfaltung von Gegensätzen in der Welt entstehen

mußten   Der biblische wie der persische Mythus bezeichnen das Bewußtsein
dieser weltschöpferischen Tätigkeit übereinstimmend dadurch, daß sie die
Schöpfung der Welt durch das Wort (Honover) von Gott oder Ormuzd
bewirkt werden lassen.   Ormuzd schuf nun weiter die 7 Amschaspands als
höchste Geister im Reiche des Lichtes und der Tugend und als Gehülfen
fernerer Schöpfung und Ordnung, so aber, daß er selbst der oberste unter
ihnen blieb.   Diese Schöpfung der Amschaspands entspricht der Schöpfung
der Gestirne in der Bibel; da sie namentlich durch ihre Siebenzahl an die
früher angenommene Siebenzahl der göttlich verehrten Planeten (einschließlich
Sonne und Mond) erinnern.   Physikalisch so: Die allgemeine Lichtmasse
fing an, sich in bestimmte Gestirnmassen zu scheiden, so daß die größte
(Ormuzd) herrschend inmitten blieb, und diese vollführte dann mit den andern
die weitern Entwickelungen, ähnlich, wie wir uns jetzt noch die Entstehung
des Planetensystems und nach Analogie des Weltsystems denken.   Nur
daß wir uns das alles tot und seelenlos denken, was der persische Mythus
unstreitig triftiger und tiefer gefaßt hat.   Er faßt die erst geschaffenen
Gestirne gleich als höher begeistete individuelle Wesen, und auch die Bibel
hat die Spur hiervon aufbehalten. (Vgl. S. 151.)

N. Frage, ob die zweckmäßigen Naturschöpfungen durch bewußte Schöpfertätigkeit oder durch unbewußt wirkende Kräfte der Natur hervorgegangen sind.

Wenn wir die außerordentliche Zweckmäßigkeit im Naturwirken
betrachten, will es uns oft bedünken, als wirke die Natur mit Absicht.
So ähnlich sind ihre Einrichtungen den unsern, die wir mit Absicht
machen.   Sollte jemand ein Werkzeug zum Sehen in unsern Körper ein=
setzen, er könnte es nicht passender ausdenken oder an einen passendern
Ort setzen, als unser Auge gemacht und angebracht ist.   Wirklich führte
erst die sorgfältigste Überlegung, die bewußteste Absicht den Menschen
darauf, ähnliche Instrumente äußerlich zur Hülfsleistung für das
Sehen anzuwenden, als er zum Sehen selbst längst schon in sich trug.
Könnte jemand einen geeignetern Fuß zum Stehen und Gehen, eine
kunstvollere Hand zum Langen, Greifen, Spielen und Hantieren
erdenken, als wir haben?   Dem Hühnchen im Ei wächst eine hornige
Spitze auf dem Rücken des Schnabels, womit es die Eierschale sich selbst
aufpickt; kurz nachher fällt das Spitzchen ab.   Wie niedlich ausgedacht
scheint das.   Es ist aber nur ein niedliches Beispiel dessen, was wir
allwärts im größten wie im kleinsten Maßstabe sehen.   Aber wie oft
haben wir schon von der Zweckmäßigkeit der Natur gesprochen.

Nun meinen manche, es scheine nicht bloß so, als ob bei all dem
bewußte Absicht vorgelegen, sondern es sei wirklich so, nur könne hierbei
nicht von einer Absicht der Natur die Rede sein, sondern von Gottes

Absicht. Er habe all jenes Zweckmäßige mit Bewußtsein und Willen durch Kräfte seines Geistes hergestellt. Die Natur komme hierbei nur in sofern in Betracht, als sie dem Willen Gottes Folge leiste. Er will, und es geschieht, er gebeut, und es steht da. Die Natur durch ihre eigenen blinden Kräfte hätte nimmer so Zweckmäßiges zuwege bringen können. Wenn nicht ein Gott wissend und wollend in ihr waltete, ginge alles in der sich selbst überlassenen drunter und drüber.

Andre dagegen halten die bewußte Absicht nur für Schein, meinend, die Natur habe all jenes Zweckmäßige nach eigenen Gesetzen ohne Befehl von einem bewußten Geiste zu erwarten, bewirken können und bewirkt. Dem unbewußten Walten der Natur sei eine gewisse Zweckmäßigkeit gleich eingeboren. Damit lasse sich alles machen. Wenn sie an einen Gott noch glauben, suchen sie ihn vielmehr vor oder hinter oder über oder außer als in der Natur und lassen ihn als Geist mehr nur auf Geister wirken, oder lassen ihn gar in ein Mysterium aufgehen, das mit Un= bewußtsein die Künste des Bewußten in der Natur übt. Nach manchen kommt die Zweckmäßigkeit dadurch in die Natur, daß Gott die Natur anfangs aus sich herausstellte (die absolute Idee ward sich äußerlich), damit aber auch seine Ideen und vernünftigen Tendenzen in der Natur gleichsam verkörperte, zur äußerlichen Erscheinung, Darstellung brachte; aber die Natur ist doch nun außer ihm; was noch des Besondern zweck= mäßig in ihr entsteht, ist Folge jener Ureinbildung der göttlichen Ideen und zweckmäßigen Tendenzen in sie, nach dem Muster und in Richtung derselben schafft sie nun ohne Zutat von Bewußtsein weiter und holt nur allmählich vom Unbewußten zum Bewußten sich steigernd im Tiere und endlich im Menschen wieder das schöpferische Bewußtsein ein. Aber die auf der Höhe des Zeitbewußtseins oben zu stehen meinen, fassen sogar die göttliche Uridee selbst als eine solche, die, von Anfang an unbewußt, erst spät in den Menschen zum Bewußtsein ihrer selbst erwacht sei. Statt daß Gott den Menschen mit Bewußtsein geschaffen habe, schaffe nun der Mensch mit Bewußtsein sich den Gott, indem Gott eben nur in des Menschen Bewußtsein zum Bewußtsein seiner selbst erwache.

Jene ersten betrachten den Weltbau durch Gott wie einen Haus= bau durch den Menschen. Die Absicht, der Wille mit der Vorstellung, das Haus zu bauen, geht vorher, und ist die Ursache, daß das Haus mit seinem Gerät so zweckmäßig zugunsten der Geister, die darin wohnen und hantieren sollen, entsteht. Die materielle Ausführung ist ganz abhängig von der bewußten geistigen Ursache. Diese andern lassen sogar den Menschenleib zuerst durch ein unbewußtes zweckmäßiges Wirken einer Natur entstehen, die nichts von dem weiß, was sie schafft, noch wozu sie es schafft, und noch heute entstehe jeder neue Menschenleib durch unbewußt wirkende körperliche Kräfte, und erst im fertigen Leibe breche das Bewußtsein hervor, entweder von selbst auf Grund natürlicher Fortentwickelung des Unbewußten, oder eingepflanzt auf übernatürliche Weise durch den übernatürlichen Gott.

Kurz, im Sinne der ersten Ansicht liegt es, das Bewußtsein überall in den Vordergrund, im Sinne der zweiten, in den Hintergrund der zweckmäßigen Naturschöpfungen zu stellen. Nur daß manche der letztern die erste Eingeburt zweckmäßiger Tendenzen in die Natur einem vor=gängigen schöpferischen Bewußtsein beilegen; nun aber soll sich doch die Natur mit der ihr selbst unbewußten Mitgabe auch unbewußt weiter helfen; indes andre sogar Gottes Geist selbst sich auf dem Grunde der unbewußten Natur erst allmählich zum Bewußtsein erheben lassen.

Doch weder das Vor noch das Nach im einen oder andern Sinne kann das Rechte sein, sondern nur das Vor und Nach und Mit. Alle jene Ansichten sind doch bloß halbe, die eine Aufhebung in einer ganzen wollen.

Zuvörderst die erste: Lassen wir immer die Welt gebaut werden wie ein Haus; aber sehen wir ernsthaft zu, wie es bei einem Hausbau hergeht. Freilich zieht des Menschen Absicht, Wille den materiellen Hausbau erst nach sich, und dieser ist ganz abhängig davon; so sei es also auch mit Gottes Absicht und den zweckmäßigen Bauten der Natur. Aber schwebt denn des Menschen Absicht, Wille selbst bloß im geistig Bauen, materiell Leeren? Wohnt der ganze Geist des Menschen, ehe er ein materielles Haus schafft, nicht selbst schon in einem materiellen Hause; und schafft er nicht das fremde Haus mit den Werkzeugen dieses ihm eigentümlichen, und könnte er es etwa ohnedem? Ja muß nicht jeder andern Absicht, dies und das zu tun, eine andre Tätigkeit des Leibes, wir suchen sie vorzugsweise im Gehirn, schon unterliegen, um eine andre Bewegung des Arms und Beins zur Ausführung der andern Absicht auslösen zu können? Zwar meinen viele, der Geist gehe auch hier nur voran und löse erst folgeweis die Tätigkeit des Gehirns und dieses die Tätigkeit der Arme und Beine aus; aber faktisch läuft doch das ganze leibliche Wirken mit dem ganzen geistigen in uns zugleich ab, und wenn gewisses geistiges Wirken in uns gewisses körperliches nachzieht, so ist es, um dies nur zu können, sicherlich ebenso wesentlich an ein Mitgehen von gewissem körperlichen Wirken gebunden; und nicht nur das Nach=

folgende, auch das Mitgehende wird seinen bestimmten Bezug zum Geiste haben. Es gibt überhaupt in unserm leiblichen Geschehen keine Lücke, wohinein der Geist sich schöbe, um für sich die Bewegung körperlicher Hebel in uns auszulösen; sondern alle körperlichen Hebel in uns werden wieder von körperlichen angetrieben; nirgends ist eine Unterbrechung im körperlichen Zusammenhange und im körperlichen Wirken, nirgends etwas was der Geist darin ersetzen könnte, auch das Kleinste nicht; aber das ganze körperliche Getriebe ist nur durch den Geist lebendig und jeder Hebel unsres Leibes regt sich überhaupt nur, weil er Teil des allgemein beseelten Getriebes, und treibt den andern wieder, weil er es wie dieser.

Das höhere Treiben im Gehirn findet also nicht statt, weil eine höhere geistige Ordnung ihm vorangeht, sondern weil es deren Ausdruck ist; wie die Gedanken in höhern Bezügen laufen, so die Bewegungen im Gehirn; eins ist mit dem andern. Das Haus, das der Mensch so zweckmäßig mit Bewußtsein, Absicht, Willen baut, kann nur deshalb so zweckmäßig entstehen, weil die materielle Ordnung, welche diesem Bewußt-sein, dieser Absicht, diesem Willen im Gehirn unterliegt, selbst eine im höhern Sinne zweckvolle ist und Kräfte enthält, welche von der materiellen Innenwelt in die materielle Außenwelt hinein zu deren Umgestaltung im Sinne der Zweckidee wirken. Des Menschen Leib ist ja ein Teil der-selben Natur, der Steine und Mörtel angehören; ist selbst aus ihr und in zweckvollem Bezuge zu ihr erwachsen; warum soll er nicht zweckvoll auf sie rückwirken können? Die Zweckidee aber für sich vermöchte weder einen Stein zu verrücken, noch einen Arm zu bewegen, noch eine Gehirn-faser zu erschüttern, wenn sie nicht schon an einer Erschütterung im Hirne, oder was es sonst für Bewegungen sein mögen, hinge, die ihre Wirkung nun auch weiter nach außen auf Arm und Stein fortzupflanzen ver-mögen.

Was von unserm Geist und Leib gilt, läßt sich nun auch auf Gottes Geist und die Natur übertragen, mit dem Unterschiede nur, der darin liegt, daß wir der Teil und Gott das Ganze. Es gibt in der Natur so wenig als in unserm Leibe eine Lücke, wohinein der Geist Gottes sich schöbe, um die Bewegung der körperlichen Hebel auszulösen; sondern alle körperlichen Hebel werden wieder von körperlichen angetrieben; nirgends ist eine Unterbrechung im körperlichen Zusammenhange und im körper-lichen Wirken der Natur, nirgends etwas, was der Geist darin ersetzen könnte, auch das Kleinste nicht, aber das ganze körperliche Getriebe ist nur durch den Geist lebendig; so gut das der Natur als unsres Leibes, und jeder Hebel regt sich überhaupt nur, weil er Teil des allgemein

beseelten Getriebes; der Geist zieht nicht an dem Wagen der Natur wie
ein Pferd, das vorweg geht, noch stößt er sie wie einen Ballen vor sich
her, sondern die Natur geht, wie das Pferd selber geht, und läge ohne
Seele regungslos da und zerfiele wie ein totes Pferd. Aber ebenso
und eben darum, so lange etwas im Geiste Gottes geht, geht auch etwas
zugehörig im Leibe der Natur, und das hat auch wieder seinen leiblichen
Erfolg. Nun mag die bewußte Vorstellung bei Gottes Willen immerhin
vielmehr das, was ihr in der Natur folgt, als das, was mitgeht, abbilden,
aber so gut im Momente, wo unser geistiger Wille mit Bewußtsein des
Folgenden wirkt, materielle Tätigkeiten, die wir nicht bewußt als solche
vorstellen, dem Willen zu Diensten stehen und die materielle Ausführung
des Gewollten begründen, wird es auch mit Gottes Willen sein; die
Natur wird, ohne daß sich Gott die wirkenden Kräfte und Tätigkeiten
derselben im Momente des Wirkens so äußerlich vorstellt, wie wir es,
diesem Wirken äußerlich nachgehend, tun, seinem Willen mit ihren eben
gegenwärtigen Kräften und Tätigkeiten zur Bewirkung des Vorgestellten
zu Dienste stehen, und zwar wird dieses Naturwirken für den Standpunkt
unsrer geschöpflichen Betrachtung gleich wesentlich wie Gottes geistiges
Wirken, das wir nicht sehen können, zur Bewirkung des Folgenden sein;
es wird eben nur der Ausdruck des sich selbst erscheinenden göttlich
geistigen Wirkens für Geschöpfe sein, die nicht selber der ganze Gott,
vielmehr inmitten seines Wirkens stehn.

Sofern freilich die Natur, als Gottes Leib, nichts außer sich hat,
wird auch kein solch äußerliches Wirken Gottes über ihn selbst hinaus
stattfinden können, wie es bei uns der Fall. Aber auch bei uns ist gar
nicht nötig, daß, was sich innerlich zweckmäßig und mit Bewußtsein regt,
die Wirkung auf eine Außenwelt fortpflanze. Es kann einer viel Häuser
im Innern bauen, nicht nur ehe sie, sondern ohne daß sie überhaupt zu
äußern Häusern werden; und wie der Gedanke innerlich zweckmäßig in
ihm verläuft, so der körperliche Träger des Gedankens. Vieles kann sich
auch in Bewegungen der Gesichtszüge und Gliedmaßen entladen, die nur
den eigenen Leib betreffen. Zwar, da der Mensch einmal eine Außenwelt hat und in Abhängigkeit von ihr geboren ist, wird auch stets die
Tendenz bei ihm stattfinden, durch Wirken über sich hinaus auf sich
zurückzuwirken. Wenn aber der Leib Gottes nichts außer sich hat, so
wird der ganze Umtrieb des zweckmäßigen Wirkens und Rückwirkens auch
stets in ihm beschlossen bleiben, und selbst unser Wirken über uns hinaus
dazu gehören. Alle zweckmäßigen Bewegungen in ihm werden sich teils
auf solche tiefer innerliche, vor uns versteckte, unsern selbst versteckten

Gehirnprozessen vergleichbare, ja sie mit einschließende, reduzieren müssen, an welche sich höhere Gedankenprozesse knüpfen, teils auf solche mehr für die äußere Anschauung zu Tage tretende, unsrer oberflächlichen Betrachtung bloß liegende, unsern Gliederbewegungen vergleichbare und sie mit einschließende, in welchen das erst innerlich Erdachte zu Tage tritt die aber doch über den Leib Gottes selbst nicht hinaus greifen können, wie die unsern über uns.

Ob wirklich in Gott ein Bild, eine geistige Vorstellung dessen, was er in der Natur neu schaffen will, der Schöpfung vorausgeht, kann zweifelhaft erscheinen. Indem man Gottes Willen mit unserm Willen vergleicht, nimmt man es freilich an; der Wille und mithin die Vorstellung des Gewollten, geht ja bei uns auch der Ausführung vorher; doch verlangt man andremale auch wieder das Gegenteil; im Moment wo er will, solls geschehen, im Moment, wo er gedeut, solls bestehen, und dabei läßt man Vorstellen und Wollen gern in eins fallen, indes wir die Vorstellung des zu Wollenden oft lange vor dem entscheidenden Willensakte in uns wälzen. Die Welt soll unmittelbar wie ein Gedankenspiel Gottes sein, nicht dem Gedankenspiele folgen. Auch scheint es, daß, da Gott nichts in demselben Sinne aus sich herausstellen kann, wie wir, sein Gedanke an das Ding schon selbst das Ding sein müsse. So stellens viele. Allein das hält nicht Stich. In uns ist ein Gedankenbild und ein anschauliches Bild, trotzdem, daß beide in uns, doch zweierlei, und das erstre nicht an einen so an die Oberfläche tretenden, umgrenzten leiblichen Prozeß geknüpft wie das letzte, wenn gleich sicher nicht ohne solchen Prozeß überhaupt. Und es könnte also auch ein anschauliches und ein Gedankenbild in Gott zweierlei sein; also daß jedem anschaulichen Bilde, d. h. jeder Verwirklichung eines Dinges im Sichtbaren für seine Geschöpfe und durch sie für seine eigene Anschauung, noch ein Gedankenbild in ihm vorausginge, geknüpft an andre, nicht so unmittelbar an die Oberfläche tretende Naturprozesse, und das erst in einem besondern Akte das vollgereifte Gedankenbild sich in ein anschauliches Bild verwandelte. Ehe der Mensch selbst in der Natur sichtlich auftrat, mit begrenzter anschaulicher Leiblichkeit, gingen sicherlich allgemeinere tiefgehende Naturprozesse vorher, die seine Entstehung vorbereiteten; der teleologische Bezug des Menschen zur ganzen Natur beweist schon, daß er nicht isoliert entstand, und es hindert nichts zu glauben, daß an diese allgemeinen tiefliegenden Naturprozesse voll immanenter Teleologie sich ein Gedankenbild vom Menschen in Gott knüpfte, das sich erst späterhin zum anschaulichen wirklichen Menschenbilde konsolidierte. Der Unterschied von analogen Verhältnissen in uns schiene dann nur der, daß bei uns das Gedankenbild aus dem Anschauungsbilde erst erwächst; wir sehen etwas und erinnern uns dann dessen und ändern nun in Gedanken nach unsern Zwecken ab; bei Gott aber umgekehrt das Anschauungsbild aus dem Gedankenbilde erwüchse; erst stellte er sichs innerlich vor, dann in die Anschaulichkeit heraus. Doch könnte recht wohl auch jedes neue Gedankenbild Gottes ebenso mit aus seinen vorausgegangenen anschaulichen Schöpfungen erwachsen, und ebenso nur die neuen zweckmäßigen Abänderungen daran Sache neuen schöpferischen Willens sein; also daß z. B. die zweckmäßigen Einrichtungen des Menschenleibes, der ja nicht beim Beginn der Schöpfung entstand, mit auf dem Bedenken der bisherigen in die Anschauung getretenen Natureinrichtungen, der bisher geschaffenen Tiere, Pflanzen und ihrer Lebensweise mit fußen konnten, wie denn auch in den Naturprozessen, wodurch wir die Schöpfung des Menschen bewirkt ansehen, sicher das Dasein der frühern Schöpfungen bedingend mitwirkte. Anderseits können auch wir in vorbemerkter Weise ein Gedankenbild in ein anschauliches verwandeln, durch Mittel, die uns selbst ganz angehören. Ich stelle mir z. B. eine Bewegung oder gewisse Lage meines Körpers erst innerlich vor und führe sie dann mit meinem Körper aus. Die Vorstellung ist schon an gewisse Gehirnprozesse geknüpft, die Ausführung ist dann der leibliche Akt, wodurch das Vorstellungsbild sich in ein Anschauungsbild verwandelt. Wir können in den großen Erschütterungen der Erdkörpers, welche der Schöpfung der Organismen vorausgingen oder sie mitführten, gewissermaßen die großen Bewegungen des Leibes erblicken, durch welche das innere Vorstellungsbild der Geschöpfe sich in ein anschauliches Bild derselben verwandelte, d. h. in die Wirklichkeit heraustrat. In diesen Geschöpfen erscheint sich ja wirklich die Erde mit Einschluß der Geschöpfe selbst in der neuen Lage, die sie sich gegeben hat; und diese neue Lage ist selbst dazu wesentlich, diese Geschöpfe zu erhalten, wie sie sind, wie die Lage, die ich meinem Körper gegeben habe, wesentlich ist, das anschauliche Bild davon in meinem Auge zu erhalten. An das anschauliche Bild knüpfen sich dann aber auch höhere geistige Beziehungen. Doch möchte es mißlich sein, diese Analogie zu weit fortzuspinnen. Überhaupt sind das Verhältnisse, die wir zu schwierig finden, um darüber ein entscheidendes Urteil fällen zu wollen.

Gewiß ist, daß nur insofern, als man auf derartige Vorstellungen eingeht, die Absicht, der Wille Gottes mit dem unsern vergleichbar wird, sonst könnte man nur uneigentlich davon sprechen; obwohl auch ohne

das noch bewußtes Wirken und ein weiser Trieb, wenn man diesen Ausdruck gestatten will, der sein sicher geht, aus Gottes Schöpfung hervorleuchten würde.

Das religiöse Interesse wird immer Vorstellungen jener Art
begünstigen; und man sieht, daß die Naturbetrachtung ihnen wenigstens
nicht widerspricht; obgleich sie dieselben auch nicht für sich allein
begründen könnte. Denn wie kann sie nachweisen, daß wirklich an jene
tiefliegenden Naturprozesse sich höheres Bewußtsein knüpft? Könnte
sie doch auch nicht für sich beweisen, daß an unsre Gehirnprozesse sich
Gedankenbilder knüpfen; nur daß wir solche in Verbindung mit jenen
Prozessen, die den Schlüssen der Naturforschung sich bloß legen, wirklich
haben, gibt den Beweis; und eine Analogie von da aus ist gestattet.

Wenn nun doch einmal an jedes geistige Wirken Gottes ein Naturwirken für unsre Betrachtung wesenlich gebunden ist und die Ordnung
und der Zusammenhang des göttlich geistigen Waltens sich in dem des
Naturwirkens für uns wiederspiegelt, so ist freilich kein Wunder, wenn
sogar von vielen alles bloß auf dieses Naturwirken geschoben wird,
und, weil das sich nur selbst erscheinende Bewußtsein Gottes dabei nicht
äußerlich sichtbar ist, es oft gar geleugnet oder zur Seite geschoben wird.
Aber ebensogut könnten wir im Menschen das Dasein des Bewußtseins,
der Absicht leugnen, weil wir ihn ja doch auch bloß mit Händen und
Beinen, kurz bloß dem Körper äußerlich hantieren sehen; sind wir
anders selber nicht der Mensch. Doch schließen wir auf seine Absicht,
wenn wir ihn so zweckmäßig hantieren sehen, wie wir selbst mit
dem Gefühl der Absicht hantieren. Das werden wir also auch bei
Gott tun können. Gehen wir etwas näher auch auf diese Seite der
Betrachtung ein.

Was auch der Mensch in, an und außer sich mit Bewußtsein
schaffen mag, er tut es wieder zu Diensten des Bewußtseins, die
Früchte teils selbst mit Bewußtsein zu ernten, teils andre ernten zu
lassen, obwohl letztres immer mit Rückbezug auf eigenes Bewußtsein.
Wir werden es aber auch umkehren können; und wie gewagt die Um-
kehrung anfangs scheine, je länger je mehr wird sie sich begründet zeigen
und sagen: was zu Diensten des Bewußtseins entsteht, das ist auch
ursprünglich mit Bewußtsein entstanden, sei es auch, daß es nicht mit
eigenem und nicht mit jetzigem Bewußtsein entstanden ist; und dies verwechselt man nur zu leicht damit, daß es überhaupt nicht mit Bewußtsein
entstanden sei.

Gar oft genießt ein niederes und späteres Bewußtsein die Früchte,

die ein höheres und früheres gesät, und meint nun, sie seien ihm blind
zugewachsen. Straßen, Posten gehen durch das Land, Schulen, Kirchen
sind gebaut und eingerichtet; der Bauer genießt der Frucht dieser Einrichtungen, als hätte sich das alles von selbst gemacht, und meint, das
Fortbestehen verstehe sich auch von selbst. Abgaben dazu dünken ihm
nicht nötig. Er sieht darin eine Naturnotwendigkeit, wie die des
Wachsens auf dem Felde, und weil er nichts mit seinem Bewußtsein
dazu getan, so denkt er nicht daran, welche Anspannung von Bewußtsein
es erforderte, das einzurichten, und noch kostet, es in Ordnung zu
erhalten. Der König ist ihm nur der größte Müßiggänger, und gern
läßt er sich sagen, man könne ihn ersparen, ja die ganze Regierung lasse
sich erparen; nur, wie es ihm selber sauer wird, fühlt er selber, und
meint, das allein verdiene auch seinen Lohn.

Solche Bauern sind wir alle mehr oder weniger in bezug zur
Welt. Wir haben sie nicht selber gebaut, sind vielmehr selber hinein-
gebaut; so meinen wir nun auch, das sei die Notwendigkeit des
Wachsens auf dem Felde; niemand habe an etwas, was darin geschehen
solle, gedacht, da wir noch nicht daran gedacht; alles, was ohne unser
Vor- und Nachdenken entstanden, sei ohne Vor- und Nachdenken über-
haupt entstanden; dies beginne genau da, wo wir damit beginnen; und
wenn wir uns so schön und fertig gemacht finden, mit Augen und
Gehirn, bereit zu schauen und zu denken, und eine Natur um uns, so
schön und fertig, beschaut und bedacht zu werden, so sei das alles ohne
Beschauen und Denken, gleichsam im Finstern, fertig geworden, und
unser Schauen und Denken selbst ein Geschenk, das wir der blinden
Natur machen, nicht das wir von einem schauenden und denkenden
Wesen darin empfangen. Nun wird uns Gott der allergrößte Müßiggänger, und wir meinen wohl auch, wir könnten ihn entbehren. Wozu
sein Wissen, Wollen, Denken, da alles ohne das entsteht und vonstatten geht!

Aber haben wir denn wirklich nirgends andre Gründe, es uns so zu
denken, als der Bauer?

Vollkommener als alle Werke, die der Mensch mit Bewußtsein
zum Dienste des Bewußtseins herstellen kann, findet er seinen eigenen
Leib dazu schon hergerichtet; nur äußere Zutaten kann er noch
machen, die zu diesem Dienste helfen; aber was bedeuten sie gegen
die Tat, die den Leib selbst dazu gemacht hat? So meine ich nun
auch, wird das Bewußtsein, mit dem wir jene Zutaten nachträglich
zu unserm Leibe zum Dienste des Bewußtseins machen, nur die Zutat

18*

zu der frühern Bewußtfeinstat sein, durch die unser Leib selbst dazu gemacht wurde.

Jakobi sagt: „Er, der das Auge gemacht hat, sollte er nicht sehen, er, der das Ohr gemacht hat, sollte er nicht hören?" Und ich sage, Er, der das Auge gemacht hat, sollte er nicht mehr sehen, als der das Fernrohr gemacht hat, dem Auge bloß zur kleinen, für sich bedeutungslosen Nachhülfe? Er, der das Ohr gemacht hat, sollte er nicht mehr hören, als der mit einem Hörrohr kaum den kleinsten Fehler des Ohres zu bessern vermag?

In der Tat, wenn wir Werkzeuge machen, um in die Natur außer uns zweckmäßig einzugreifen, dürfen wir uns anderseits selbst als Werkzeuge ansehen, welche die gottbeseelte Natur gemacht hat, in sich zweckmäßig einzugreifen. Unser äußeres Eingreifen in sie ist eben für sie ein inneres. Wir sind innere Werkzeuge derselben, die sie mit Bewußtsein braucht; sie braucht sie eben mittels unsers Bewußtseins. Alle äußere Werkzeuge nun, die wir mit Bewußtsein zweckmäßig brauchen, haben wir auch mit Bewußtsein zweckmäßig machen müssen. Ihre Brauchbarkeit hängt wesentlich daran. Nur, sofern es äußere Werkzeuge sind, können wir ihnen nicht unser Bewußtsein mitteilen, oder können sie nicht unser Bewußtsein teilen, weder das, womit wir sie machen, noch womit wir sie brauchen. Aber es gehörte jedenfalls nicht weniger Bewußtsein dazu, sie zweckmäßig zu machen als zu brauchen. Sollte es nun bei den innern Werkzeugen der Natur anders sein können; das innerliche Machen, weniger Bewußtsein fordern, als das äußerliche Machen, wenn doch das innerliche Brauchen soviel fordert wie das äußerliche Brauchen? Nur der Unterschied wird sein, daß, weil wir nicht äußere, sondern innere Werkzeuge der Natur, sie uns auch etwas von ihrem Bewußtsein wird haben mitteilen, oder wir ihr Bewußtsein teilen können; was von unsern äußern Werkzeugen in bezug zu uns nicht gilt. Es ist in jedem Fall sonderbar zu glauben, daß weniger Bewußtsein dazu gehörte, ein bewußtes, als ein unbewußtes Werkzeug zu schaffen. Vielmehr muß das Bewußtsein des innerlich gemachten Werkzeuges selbst für das Bewußtsein des innerlich Machenden beweisen.

Bei uns gehört mehr und höheres Bewußtsein dazu, eine ganze Werkstatt in zweckmäßigem Zusammenhange einzurichten oder die einzelnen Werkzeuge darin in passendem Bezuge zur gesamten Werkstatt zu erfinden, als dann ein einzelnes Werkzeug darin zu besondern Zwecken zu brauchen. Auch hiervon werden wir das Entsprechende für das innere Machen und Brauchen der Werkzeuge der Natur annehmen können, in

welches unser äußeres Machen und Brauchen selbst mit fällt. Wir sind
im Zusammenhange der ganzen Werkstatt der Natur zweckmäßig erfunden
und eingerichtet worden, und dienen nun jeder besondern Zwecken darin.
So wird auch ein höheres Bewußtsein dazu gehört haben, uns in jenem
allgemeinen Zusammenhange zu machen, als nachher im besondern zu
brauchen. Und nur das Bewußtsein dieses Gebrauches ist unsres.

Wenn wir etwas erst machen und dann brauchen, beginnt das
Bewußtsein des Brauchens erst, nachdem das Werkzeug fertig, in einem
neuen besondern Akte, und es ist eine andre Form des Bewußtseins die
des Brauchens, als des Machens, obwohl beides, das Bewußtsein des
Brauchens und des Machens, in denselben Geist fällt. So gab es denn
auch bei der Schöpfung des Menschen unstreitig einen besondern Akt,
in welchem das Bewußtsein des Gebrauches seiner organischen Einrichtung
als sein eigenes Bewußtsein erwachte, nachdem die Einrichtung selbst
früher mit einem allgemeinern Bewußtsein in einem allgemeinern Zusammenhange geschehen. Mit dem Bewußtsein, was ihm so aus dem
Allgemeinbewußtsein als sein Eigentum gekommen, was seine Habe
darin vorstellt, führt dann der Mensch die allgemeinen Zweckeinrichtungen,
in Zusammenhang mit denen er gemacht wurde, im besondern fort,
indem er die Natur sich, und sich der Natur immer mehr anzupassen
sucht. Sein Bewußtsein kann so als eine Spezialisierung, eine Fortentwickelung des allgemeinen Bewußtseins in das besondere verstanden
werden, nicht aber als eine Ausgeburt des Unbewußtseins.

Daß sich die Analogie zwischen uns als innern Werkzeugen der
Natur und unsern äußern Werkzeugen so weit durchführen läßt, hängt
selbst nur daran, daß sich unser Schaffen äußerer Werkzeuge als Fortsetzung des innern Schaffens der Natur, durch das wir selbst und die
Verhältnisse um uns hervorgingen, ansehn läßt; für die Natur sind auch
unsre äußern Werkzeuge innere Werkzeuge, und mit demselben allgemeinen
Bewußtsein, mit dem sie unser Bewußtsein begreift, greift sie auch über
den Gebrauch unsrer äußern Werkzeuge hinweg, obschon sie keins für sich
selber haben.

Warum aber erreichen dann die Werkzeuge und Werke, die wir
schaffen, doch an Vollendung nicht das, was wir selbst in uns geschaffen
mitbekommen? Sollte sich nicht, wenn wir uns als Werkzeuge ansehn
dürfen, welche eine gottbeseelte Natur erst schuf, um dann weiter damit
an sich fortzuarbeiten, die Zweckmäßigkeit durch unser Wirken vielmehr
steigern? Aber es ist auch der Fall; denn so sehr unsre Hände, Beine,
Augen das Vollkommenste überbieten, was wir ihnen noch zur Hilfe

schaffen können, kann doch durch Zufügung von Maschinen, von Schiff und Wagen zu erstern, von Fernrohr und Mikroskop zu letztern, die Leistung derselben noch gar sehr gesteigert werden. Nur müssen wir all das eben bloß als Steigerungsmittel, Zusatzmittel zu der an sich viel bedeutsamern und vollendetern Grundlage ansehen, die unter der Herrschaft eines höhern Bewußtseins entstanden. Für sich ist alles das nicht nur minder vollkommen als Hand und Fuß und Auge, sondern vermag ohne das überhaupt nichts zu leisten. Ein Pfund wächst durch ein Lot; aber das Lot ist darum doch kleiner als das Pfund; so wächst das Pfund der mit göttlichem Bewußtsein geschaffenen Zweckeinrichtungen durch das Lot, das wir mit unserm Bewußtsein hinzufügen; obwohl das Lot an sich viel kleiner ist.

Und sehr begreiflich, daß wir nur ein Lot zur Zweckmäßigkeit der göttlichen Schöpfungen zulegen können, weil unser Geist ja selbst nur ein Lot vom Zentner des göttlichen Geistes. Dazu ist das, was wir an unsern eigenen Werken noch mangelhaft finden, es wesentlich mit deshalb, weil wir in unserm Schaffen durch allgemeinere, über uns hinausgreifende Zweckrücksichten gehemmt und gebunden sind. Viel Hindernisse der Natur, die wir nicht recht zu überwinden wissen, sollen auch nicht überwunden werden, weil sie allgemeinern Zwecken dienen.

Wie stellt sich das alles dagegen in der andern Ansicht, nach welcher des Menschen Bewußtsein, anstatt der Sproß aus dem Stamm eines höhern Bewußtseins zu sein, vielmehr aus einem Stamm von Unbewußtsein kommt, sein Leib durch unbewußte Naturkräfte gebildet wird und erst im fertigen das Bewußtsein hervorbricht, ohne vorgängige bewußte Schöpfertätigkeit? Da gibt es zweimal zwei Weisen des zweckmäßigen Schaffens, die sich nicht wie bei uns unter ein höheres Prinzip einigen wollen. Einmal wird Zweckmäßiges in Unbewußtsein geschaffen, so des Menschen Leib, und dann wird wieder Zweckmäßiges mit Bewußtsein geschaffen, so das Schiff vom Menschen, und das bewußt Geschaffene ist weniger vollkommen als das unbewußt Geschaffene, die kleine Zutat der Zweckmäßigkeit erfordert mehr und höheres Bewußtsein, als die große Tat, die gar keins fordern soll; das Unbewußtsein ist weiser als das Bewußtsein. Und ferner tritt ein Gegensatz auf zwischen innerer und äußerer Zweckmäßigkeit im Schaffen, ohne Aufhebung in einer höhern Einheit. Des Menschen Leib baut sich selbst zweckmäßig zu Diensten des ihm einst kommenden Bewußtseins, das Schiff wird zweckmäßig gebaut durch ihm fremdes und zum Dienst von fremdem Bewußtsein. Nach uns dagegen fällt Mensch und Schiff und alles

zuletzt in eine im ganzen gottbeseelte Natur und dient alle Einrichtung
darin demselben höchsten Bewußtsein, aus dem sie hervorging, und ging
alles aus demselben Bewußtsein hervor, dem es wieder dient.

Es ist aber wichtig, des nähern zwischen der ersten Schöpfung des
Menschen durch Gott und seiner spätern Wiederholung zu unterscheiden.

Blicken wir auf die Schöpfungen, die durch den Menschen selbst
bewirkt werden, so finden wir, daß ein sehr verschiedener Bewußtseinsgrad stattfindet, je nachdem er etwas das erstemal zweckmäßig schafft,
erfindet, oder ein Erfundenes nur wiederholt, mögen wir von äußern
oder innern Erfindungen sprechen. Mit welcher Aufmerksamkeit und
welcher Anspannung des Bewußtseins bildet ein Künstler das erstemal
eine Statue, schreibt ein Schriftsteller ein Buch, erfindet jemand eine
zweckmäßige Maschine, entwickelt jemand eine gewisse Schlußfolge; aber
nur die erste Findung und Erfindung kostete diese Anspannung; dann
wird von ihm oder andern die Statue tausendmal abgegossen, das
Buch tausendmal abgedruckt, die Erfindung tausendmal nachgemacht, die
Schlußfolge tausendmal wiederholt; halb oder ganz ohne fernere Aufmerksamkeit und Anspannung des Bewußtseins. So mag es auch mit
dem Bau des Menschen und allen zweckmäßigen.Naturbauten sein. Die
erste Findung und Erfindung des Menschen, die zweckmäßige neue Einrichtung desselben geschah sicher mit einem erhöhten Bewußtsein, aber
wenn der Mensch sich wiederholentlich immer von neuem erbaut, wird
eben nur das, was neu an jedem Menschen ist, sich auch mit neu
erhöhter Spannung des Bewußtseins hervorbilden. Auch geschieht jede
Schöpfung eines neuen mittelst andrer materieller Prozesse als die
Wiederholung. So wie der erste Mensch aus der Natur herausgezeugt
wurde, wird er jetzt nicht mehr gezeugt. Und wenn überall zu andern
geistigen Prozessen andre materielle leibliche gehören, so konnte auch
umgekehrt an die andern materiellen Prozesse jener Urschöpfung sich ein
andrer Bewußtseinsgrad knüpfen als an die heutigen Nachbildungen des
Menschen. Sind es doch sicher auch ganz andre Prozesse, die im Gehirn
eines Dichters vorgehen, wenn er sein Gedicht das erstemal schafft, und
wenn er oder andre es nur wieder lesen. Im übrigen ist in jeder
Wiederholung, sofern sie nicht reines Beharren, sondern Erneuerung des
frühern, mindestens etwas relativ neues in Verhältnis zum unmittelbaren vorher, woran sich auch eine erneute Erhöhung des Bewußtseins
knüpfen kann, nur nicht vergleichbar der, die den ersten Schöpfungsakt
begleitete nnd beherrschte.

Der Grund, daß die Wiederholung einer Leistung so viel unbewußter

als das erste Zustandekommen derselben erfolgt, liegt darin, daß mit
der ersten Leistung schon Anlagen, Einrichtungen, Werkzeuge, Hilfsmittel
entstanden sind, die der Wiederholung die Richtung, der Leistung die
Form geben helfen, welche der Zweck verlangt. Nun forderte es aber,
ehe solche da waren, selbst erst bewußte Tätigkeit, sie im Sinne des
Zweckes hervorzubringen, und diese bewußte Tätigkeit ist nun nicht noch
einmal in selber Art vonnöten. Die Statue, das Buch, die Maschine,
ungekannte Einrichtungen in uns selbst sind solche Anlagen, die als
Residuen, Denkmale, Zeugnisse früherer bewußter Tätigkeit außer und
in uns hinterblieben. Dies Prinzip greift tief in uns hinein, wie weit
über uns hinaus; Gewöhnung, Übung, alle Ausarbeitung unsrer Anlagen,
aller Erwerb von Fertigkeiten in uns hängt am Erwerbe solcher innern
Einrichtungen. Was aber davon über uns hinausgreift, ist immer bloß
etwas, was analog wie in uns in einem größern geistig-leiblichen Wesen
Platz hat.

So ist nun auch mit dem einmal gebildeten Menschen eine Einrichtung, Anlage in die Welt gebracht, welche die spätere Wiederhervor-
bringung erleichtert, indem sie die gestaltenden Tätigkeiten in bestimmte
Bahnen lenkt und hiermit an dem Bewußtsein erspart, welches das erstemal
nötig war, diese Anlage zu gestalten.

Auch bei den Instinkten der Tiere mag dies Prinzip in Betracht
kommen. Es zeigt sich, daß den Tieren vieles von Fertigkeiten und
Erkenntnissen angeboren, also ohne ihr Bewußtsein zugewachsen ist, was
wir erst mühsam auf bewußtem Wege uns erwerben müssen; der Spinne
die Kunstfertigkeit des Spinnens, das Wissen, wie sie ihren Raub zu
ergreifen und zu behandeln hat; der Biene die Kunst des Bauens, das
Wissen, wo sie Honig zu suchen hat. Die Tiere machen und finden das,
worauf ihr Instinkt einmal eingerichtet ist, als hätten sie es gelernt; wie
wir umgekehrt das, was wir einmal gelernt haben, machen und finden, als
hätten wir einen Instinkt dazu, als hätten wir es nicht zu lernen gebraucht.
Die Anspannung des Bewußtseins, mit der wir es lernen mußten, fällt
beim spätern Gebrauche weg und wird nur zu einem neuen Fortschritt,
einer neuen Abänderung wieder erfordert. Aber ohne Lernen wären wir
nie dazu gelangt, die Noten so ohne Bewußtsein vom Blatte wegzuspielen.
Mich dünkt, wenn die erlernten Fähigkeiten und Fertigkeiten doch so ganz
den instinktiven gleichen, so ist der wahrscheinlichste Schluß, den wir machen,
können, der, daß auch die Natur die instinktiven Fähigkeiten und Fertigkeiten
ihrer Tiere erst erlernen mußte, mit Bewußtsein erlernen mußte, um sie
nachher mit halbem Unbewußtsein anzuwenden; daher es auch so lange
gedauert hat, ehe sie es bis zur Schöpfung der Tiere brachte. Und an
jeder frühern Tierschöpfung lernte die Natur etwas Neues, worauf sie in
der spätern fortbaute. Gott sinnt und findet fortgehends Neues. Er schüttelt

die Dinge nicht so aus dem Ärmel, wie manche meinen; sondern unstreitig
ein viel tieferes Denken und Sinnen als unsres schafft Werke von immer
größerer Vollkommenheit; jede seiner frühern Schöpfungen wird ihm eine
Basis neuer Erfindungen; er lernt nur von sich; aber er lernt wirklich
durch sich. Wie langweilig wäre auch sonst das Leben Gottes.

Es ist nicht nötig, daß die gottbeseelte Natur die instinktiven Fähig=
keiten und Fertigkeiten, die sie ihren Tieren eingebiert, zuerst in und an
diesen Tieren selber erlernte; wir können manches in anderer Form erlernen
und in anderer Form ausüben. Aus vernünftiger und zweckvoller Kombination
vieler Besonderheiten im Denken und Tun gewinnen wir das Vermögen
neuer Besonderheiten, was dann erst durch Wiederholung zur instinktiven
Fertigkeit wird. So konnte die Natur durch Kombinationen, die vor ihren
ersten Tieren da waren, zur Einrichtung dieser selbst und ihrer Lebens=
weise gelangt sein; und durch neue Kombinationen dieser einfachsten Tiere
und ihrer äußern Verhältnisse zu zusammengesetztern organischen Erfindungen.
Daß diese Erfindungen wirklich der Erfolg zweckvoller Kombinationen sind,
beweist sich aus dem teleologischen Zusammenhange selbst, indem sie unter
sich und mit der Außenwelt stehen. Jedenfalls werde ich erst dann glauben,
daß die Spinne so in halbem Unbewußtsein ihr Netz webt, ihre Fliegen
fängt, ohne daß die Natur einmal mit Bewußtsein darauf gekommen ist, sie
hierzu einzurichten, wenn ich einen Weber sehen werde, der seine Leinwand
webt, ohne daß ein Bewußtsein vorhergegangen, welches das Weben erfunden
und ihn gelehrt hat. Der Unterschied zwischen der Spinne und dem Weber
ist nur der, daß dasselbe Erzeugnis eines frühern Lernens in die Einrichtung
der Spinne schon bei der Geburt verwebt ist, was der menschliche Weber
erst selbst hineinverweben muß, indem er das Weben erlernt. Aber das
Bewußtsein des Lernens, das wir in der Spinne vermissen, gehört dem
größern Weber an, von dem die Spinne selbst nur ein Glied; und das
Lernen des Menschen ist selbst einerseits ein Teil, anderseits ein Abbild
seines Lernens.

Die Anlagen, Einrichtungen in uns, die als Reste bewußter
Tätigkeit hinterblieben, können für sich unbewußt heißen, sind aber
eigentlich gar nicht für sich zu fassen; gehn vielmehr wesentlich form=
und richtungsgebend in unsere ganze fernere bewußte Tätigkeit mit ein,
tragen zur Gestaltung derselben wesentlich mit bei, ja sind Bedingung,
Basis neuer und höherer Bewußtseinsphänomene. Denn wenn das
Bewußtsein einmal getaner Leistungen bei Wiederholung derselben immer
mehr zurücktritt, so wird doch der Geist damit nicht unbewußter über=
haupt, sondern betätigt sich nun in der fortgehenden Ausarbeitung und
Abänderung, höherer Verwendung und Kombination des bisher Erwirkten
und geläufig Gewordenen. Haben wir so geläufig lesen gelernt, daß es
keiner Anspannung des Bewußtseins mehr bedarf, die Buchstaben zu
erkennen, fängt der Sinn der Schrift an uns zu beschäftigen, indem die

Kenntnis der Buchstaben als unbewußte Basis dieser höhern Tätigkeit mitwirkt; haben wir erst mit Anspannung des Bewußtseins die Regeln des Rechnens gelernt, so üben wir sie dann unbewußt in Anwendungen und fangen wohl an, höhere Regeln darüber zu suchen. So geht immer das für sich Unbewußte teils in allgemeinern Bewußtseinsphänomenen auf, teils in höhere ein, ja ist eine wesentliche Mitbedingung des höhern Bewußtseins selbst, da, wenn das höhere Bewußtsein diese Basis nicht hätte, es vielmehr als niederes Bewußtsein erst tätig sein müßte, solche zu schaffen.

Unzähliges in der Natur, ja wohl alles, was wir von festen an sich unbewußten Einrichtungen und Werken in der Natur bemerken, kann aus dem Gesichtspunkte des Residuums eines dereinst bewußten Prozesses zu betrachten sein, der sozusagen darin erstarrt, kristallisiert ist, wie denn die Naturwissenschaft wirklich annimmt, daß alles Feste einst flüssig und beweglich war, und erst allmählich erstarrte. Da nun das jetzt Feste noch flüssig und beweglich war, noch ununterscheidbar mit einging in ein System, in dem sich Organisches und Unorganisches noch nicht geschieden hatten, trug es auch durch seine Bewegungen selbst zu den Bewußtseinsphänomenen dieses Systems bei, insoweit überhaupt zu allen Bewußtseinsphänomenen leibliche Bewegungen als Unterlage gehören; nun trägt es durch die festen Richtungen dazu bei, die es den bewußten Bewegungsprozessen erteilt, und dadurch, daß es eine höhere Entwickelung der Bewußtseinsprozesse gestattet. So bewegt sich das bewußte Menschen- und Tierreich jetzt nur in Zusammenhang mit dem festen Boden, und all ihr Leben, Weben nimmt Richtung, Einfluß davon an und konnte sich nur auf Grund dieses festen Bodens entwickeln; aber einst gab es noch keinen festen Boden auf der Erde, und das Bewußtsein knüpfte sich damals noch an Bewegungsprozesse, unter deren Einfluß die ganze Erde selbst sich zuerst zu gliedern begann, in deren Folge zuerst der feste Boden sich ausschied. So kann man überhaupt sagen, Gott hat von Anfange an seinen Leib mit Bewußtsein erbaut, und in diesen Bau fällt auch der Erde und des Menschen Bau.

Nach allem hat man sehr Unrecht, im Unbewußtsein einseitig die Urmutter des Bewußtseins zu suchen. Eher ist es umgekehrt. Statt daß das Bewußte ursprünglich aus dem Unbewußten käme, kommt das Unbewußte aus dem Bewußten; einmal, indem jede erste Schöpfung von etwas Neuem mit hellem Bewußtsein geschieht, jede Wiederholung aber, soweit sie nur Altes wiedergibt, ins Unbewußtsein oder Halbbewußtsein tritt; und ferner, indem der bewußte Prozeß an sich unbewußte Residuen in mehr oder weniger festen Anlagen, Einrichtungen hinterläßt. Alles dies Unbewußte selbst aber ist unbewußt nur, indem es in einem allgemeinern Bewußtsein aufgeht (vgl. S. 160), und Grund zu einer höhern Fortentwickelung desselben gibt; ja es ist eine wesentliche Bedingung dieses höhern Bewußtseins, das ohne dies Unbewußte gar nicht so hoch steigen könnte.

Zwar mag Bewußtes auch aus Unbewußtem hervorgehn, Wachen aus Schlaf, aber nur aus solchem, das selbst erst aus Bewußtem hervorgegangen und noch in etwas allgemein Bewußtes mit eingeht. Nur aus dem Bewußtsein gekommenes und noch in einem allgemeinern Bewußtsein aufgehendes Unbewußtsein kann wieder in Bewußtsein übergehn. Im Unbewußtsein an sich selbst liegt keine Kraft bewußt zu werden; wäre die Welt von Anfang an unbewußt gewesen, sie wäre es ewig geblieben; ein Stein erwacht nie aus seinem Schlummer; aber der Mensch tut es, sofern er schon Bewußtsein vor dem Schlummer hatte, und das, was ihn einschließt, noch Bewußtsein hat.

Freilich, man weist hin auf das Ei, aus dessen unbewußtem Dunkel sich das bewußte Hühnchen entwickelt, auf den Leib des Menschen selbst, iu dessen so ganz unbewußt entstandener zweckvoller Organisation das Bewußtsein erst als Krone bei der Geburt hervorbricht. So, sagt man, wird es sein mit allem Bewußtsein in der Welt. Was könnte ein besseres Bild für die sich aus sich selbst entwickelnde Welt darbieten, als ein sich aus sich selbst entwickelnder Organismus? Hier ist Erfahrung, einfach, bar; verallgemeinern wir sie nur.

Ja, tun wir es, nur sehn wir uns erst etwas um; verallgemeinern wir nicht ein Stück, wo sich's um ein Ganzes handelt.

Nicht lange will ich zuvörderst dabei verweilen, daß wir von Erfahrung eigentlich hier gar nichts haben, sondern bloß eine Deutung im Zirkel. Ob nicht der Entwickelungsprozeß des Hühnchens im Ei, des Fötus im Mutterleibe an einem empfundenen instinktiven Gestaltungstriebe hängt, darüber ist ja gar keine Erfahrung möglich, also auch keine Grundlage der Theorie aus der gegenteiligen Annahme zu machen, weil das Erinnerungsvermögen in den Geschöpfen überhaupt erst nach der Geburt erwacht, das Kind selbst von mehrern Jahren nach der Geburt keine Erinnerung mehr behält, also um so weniger von einem Jahre vor der Geburt, auch wenn Empfindung wäre. Doch lassen wir die Voraussetzung immer gelten; denn höchstens könnte doch von einem sehr sinnlichen Bewußtsein hier die Rede sein. Aber ich frage dagegen: wo sah man je ein Ei, aus dem eine bewußte Henne kam, anders als wieder aus einer bewußten Henne entstehen? Wo ein Kind, das einst bewußt werden sollte, anders als von einer bewußten Mutter geboren, durch einen bewußten Vater gezeugt sein? Gehört es denn nicht überhaupt eben so zum Begriffe eines Eies gelegt zu sein, eines Kindes geboren zu sein, als sich wieder zu einem legenden, gebärenden Wesen zu entwickeln? Und steht nicht eben das Bewußtsein, das sich in letzterem entwickelt, in Beziehung mit dem des Wesens, aus dem das neue Wesen selbst entwickelt ist? Jedenfalls wäre es ganz untriftig, die Welt von Anfang an einseitig bloß mit einem gelegten Ei zu vergleichen. War die Welt von Anfang an ein Ei, so war sie eben so sehr die Henne dazu; denn wer hätte das Ei der Welt gelegt? Sie hat sich selbst gelegt. Kein Vogel war vor ihr da, kein Nest neben ihr. Zum Ei aber gehört Vogel und Nest. Was das Ei außer sich hat, weil es noch in der Welt, das kann die Welt eben nur in sich haben. So kann sie nur als Vogel, Ei und Nest in eins gefaßt werden. Was sich in der Welt der Endlichkeiten auseinanderlegt, teils nach, teils neben einander, wie Ei und Henne und Nest, das muß im Grund und der Umfassung alles Vor und Nach und Neben zugleich gesucht werden, also zum Unbewußtsein des Eies auch das Bewußtsein der Henne. Wie läßt sich das vereinigen? Nicht anders als im bewußten Geschmack der Speisen unbewußt der des Salzes liegt. Wir haben das ja oft betrachtet. Das Unbewußtsein widerspricht ja nicht dem Bewußtsein, sondern ist etwas, was im allgemeinern Bewußtsein ununterscheidbar mit enthalten; doch ist es nicht ohne Bewußtsein (vgl. S. 160). Nun läßt sich das erst unbewußt im Bewußtsein Eingeschlossene wohl nachmals noch besonders zum Bewußtsein bringen; aber nicht weil es unbewußt war, wird es bewußt, sondern weil das allgemeine Bewußtsein sich in Besonderheiten auseinandergelegt und wandelt, die man nun als unbewußt schon früher darin enthalten bezeichnet. So schloß die bewußte Henne der Welt von Anfang an ein Ei des Unbewußten unerkennbar in sich ein, doch entsprang nicht daraus; auch kann sie es nicht außer sich legen, da ist kein Platz; sie bleibt ewig mit das Nest dazu. Nur in ihr legt manche endliche bewußte Henne ein unbewußtes Ei neben sich, und erzeugt die bewußte Henne das unbewußte Ei und dieses wieder die bewußte Henne.

Das Bewußtsein der endlichen Geschöpfe ist überhaupt eine periodische Funktion, indem es immer von Zeit zu Zeit mit Unbewußtsein wechselt. Aber wenn man daraus schlösse, daß es so auch mit dem ganzen Weltbewußtsein sei, so irrte man; denn die Periodizität für das einzelne hängt von Umläufen und Oszillationen innerhalb des Ganzen ab. So

haben wir's schon früher im Materiellen gefunden (S. 77), und es ist
nicht anders im Geistigen. Wenn der Mensch mitunter ganz und gar
schläft, hat man auch je die Welt ganz und gar schlafen oder im
Ganzen zwischen Schlaf und Wachen wechseln gesehen? Wenn Amerika
schläft, wacht Europa, und wenn Europa wacht, schläft Amerika. Die
Welle des Bewußtseins zieht sozusagen durch den einzelnen Menschen
hindurch und vorüber, wie die Flutwelle des Meeres bei ihm anlangt
und vorübergeht, der Tag zu ihm kommt und geht; aber was bei ihm
vorüber ist, ist darum noch nicht weg. Je mehr wir vom einzelnen aufs
Ganze gehn, desto mehr erscheint als Abänderung der Verteilung, was
für das einzelne als Änderung der Größe erscheint.

Das Bewußtsein der Welt muß überhaupt zu kurz kommen, wenn
man, wie es nur zu gewöhnlich ist, alles Wirken der Natur unbewußt
hält, was nicht in unser Bewußtsein fällt, und erfahrungsweise da
sucht, wo sich nach der Natur der Sache gar keine Erfahrung machen
läßt; wenn man nicht darauf Rücksicht nimmt, daß, was unbewußt des
besondern Produkts geschieht, im Bewußtsein eines allgemeinern Produ-
zierenden begründet und noch in solchem enthalten sein kann, und die
vielen schönen und zweckmäßigen Einrichtungen der Menschen und Tiere,
die jetzt wirklich ohne Sonderbewußtsein entstehn und wirken mögen,
auch ohne weiteres mit Unbewußtsein zuerst erfunden und eingerichtet
denkt. Dann kann es freilich scheinen, das Bewußtsein sei nur das
Erzeugnis oder der Nachtreter des Unbewußtseins; dann kann das
Unbewußtsein so weise oder weiser erscheinen als das Bewußtsein; denn
gewiß, die Bildung des Kindes im Mutterleibe ist mit einer „Weisheit,
Macht und Schönheit" erfolgt, der das erst nachträglich darin erwachende
Bewußtsein des Kindes selbst nie wird vollständig nachkommen können.

In gewissem Sinne zwar wird sich immer davon sprechen lassen,
daß vieles, selbst von den zweckmäßigsten Tätigkeiten und Einrichtungen
der Natur, im Unbewußten vor sich gehe und entstehe. Mein Gedanken-
gang kann noch so vernünftig in sich ablaufen, meine Phantasieenwelt
noch so schön sein, mein Bewußtsein noch so hoch gesteigert sein; aber
die zweckmäßigen Bewegungen in meinem Gehirn, die dazu gehören, mit
deren Stocken all dies stocken würde, von diesen weiß ich unmittelbar
gar nichts, weil sie eben nicht als solche Sache der Selbsterscheinung
sind. Was ich davon wahrnehme, nehme ich vermöge meines innern
Standpunktes dagegen eben nur in Form von Gedanken und Phantasie-
bildern wahr; oder sie erscheinen sich selbst eben nur in dieser Form,
und es bedurfte nicht nur eines Gegenüberstehenden, sondern auch einer

sorgfältigen Zergliederung menschlicher Gehirne und Analyse von viel tausend sichtbaren Ausläufern der Gehirntätigkeit im Leben, um nur darauf zu kommen, daß mit meinen Gedanken etwas wesentlich im Gehirn mitgeht. Ich war mir also insofern dieser Bewegungen nicht bewußt. In solchem Sinne wird anfangs alles in der Natur unbewußt, im Grunde aber vielmehr ungewußt gewesen sein, was nicht unmittelbar in die oberflächliche sinnliche Anschauung fällt, sondern erst der Zergliederung von seiten der Geschöpfe sich allmählich bloß legt; wozu auch wäre diese Zergliederung sonst in der Welt, wenn sie nicht diente, was bisher unbewußt oder ungewußt war, gewußt zu machen? Als Gottes Geist Geschöpfe schuf, war mit ihrem ersten Augenaufschlag die Erscheinung ihres Leibes und die Erscheinung der Natur, worin alle Leiber indegriffen, für sie, und durch sie für ihn, sofort gegeben, aber eben nur die ober= flächliche, wie sie zuerst in den erwachenden Sinn fällt. Die ganze geschmückte Welt mit ihrer Farbenpracht und ihrem Regen und Weben, wie sich's in den Augen von tausend Geschöpfen auf einmal spiegelt, schwebte im Erwachen aller dieser Geschöpfe auf einmal vor oder in Gottes Bewußtsein; aber die innerlich schaffenden Naturkräfte und in die dunkle Tiefe der Erde, des Meeres, des Leibes versenkten Natur= vorgänge wirkten und waren in Gott von Anfang an als solche unbewußt oder ungewußt. Gott brauchte im Schöpfungswerk die materiellen Kräfte und Mittel der Welt so, wie wir unsern Gehirn=, Nerven= und Muskel= apparat brauchen; wir wollen etwas, und Gehirn, Nerven und Muskeln spielen zur Ausführung des Willens, ohne daß wir das materielle Gehirn=, Nerven= und Muskelspiel dabei als solches vorstellen, weil der Wille und Trieb zur Ausführung und das Gefühl der gelingenden Aus= führung selbst eben die Selbsterscheinung des Gehirn=, Nerven= und Muskelspiels ist, das wir dann nach seiner äußern Erscheinungsweise mühsam durch äußere Betrachtung und Zergliederung erforschen und nie vollständig erforschen werden. Nur wie sich Arme und Beine an der Oberfläche ausnehmen, sehen wir unmittelbar und stellen es unmittelbar beim Willen vor; das Innerliche zu erkennen, ist erst eine Sache darüber hinausliegenden Studiums, das Gott von Anfange nicht gemacht hat, weil er es nicht zur Schöpfung gebraucht hat. Die Kräfte folgten ihm von Anfange wie dem Kinde seine Gehirnfibern und Beine, ohne daß es deren Anatomie studierte. So ist alles, was wir von der Natur in der Naturforschung erst allmählich ergründen, nicht so, wie es uns in der Wissenschaft bewußt wird, in Gott vorweg bewußt gewesen, sondern Gott hat unbewußt dieser Kräfte und Mittel damit geschaltet; unbewußt in sofern, als er nicht um die Formen unsrer objektiven Vorstellung davon wußte, ehe er diese selbst in sich entwickelte; aber bewußt insofern, als eine Selbsterscheinung von all dem in seinem Bewußtsein war. Unsre Erforschung des Innern der Natur, die immer nur mittelst Bloßlegung neuer Oberflächen stattfinden kann, fällt aber selbst in die Fortbestimmung des göttlichen Bewußtseins.

Schließen wir die Mannigfaltigkeit dieser Gesichtspunkte und Betrachtungen durch eine allgemeinere ab.

Es würde ein sehr wunderbares Zusammentreffen sein, daß die Natur sich mittels ihrer Kräfte, die von Zweck und Absicht gar nichts offenkundig in sich schließen, mit einer so bestimmten Tendenz zur Zweckmäßigkeit entwickelt, wenn man nicht an das Walten dieser Kräfte eine derartige Tendenz verborgenerweise geknüpft halten könnte. Und es ist für uns kein Hindernis anzunehmen, daß diese, in den Kräften der Natur selbst objektiv nicht erscheinende Tendenz in die geistige Selbsterscheinung falle, welche dem Walten der Naturkräfte, die uns auf äußerm Standpunkt der Betrachtung als solche erscheinen, zugehört. So wenig eine Nervenerzitterung an sich Empfindung ist, aber der äußerlich erscheinenden Nervenerzitterung gehört Empfindung als Selbsterscheinung zu, so wenig sind die materiellen Tendenzen der Natur an sich Zwecktendenzen, als welche nur im Bewußtsein und für das Bewußtsein Geltung haben, aber es können ihnen solche als Selbsterscheinung zugehören, und dem Gesetze der materiellen Erfolge jener Tendenzen ein Gesetz von Erfolgen für den Geist, die Selbsterscheinung entsprechen.

Man kann dies noch etwas näher so erläutern.

Wir finden, daß in uns selbst alles, was den Charakter der Unlust trägt oder uns aus dem Gesichtspunkte des Übels erscheint, grundgesetzlich eine psychische Tendenz mitführt, diese Unlust, dies Übelscheinende zu beseitigen, indes das Lustvolle, das, was uns als gut erscheint*), das Streben zu seiner Erhaltung oder Steigerung in uns erweckt. An die psychische Tendenz ist aber eine entsprechende physische geknüpft; wen es juckt, kratzt sich, wer etwas Angenehmes sieht, wendet sein Auge dahin; wem eine Handlung gut dünkt, der bewegt seine

---

*) Wir können zwar etwas Lustvolles verschmähen und etwas Unlustvolles wollen; aber nur um größere oder höhere Lust zu erhalten oder zu gewinnen, größere oder höhere Unlust abzuwenden. Lust und Unlust sind hier in weiterem Sinne zu fassen, so daß auch die Lust und Unlust des Gewissens mit darunter fällt. Vgl. meine S. 283 angeführte Abhandlung über das Lustprinzip des Handels.

Gliedmaßen danach, es sei denn, daß ein Konflikt mit gegenwirkenden
Tendenzen, die unter dasselbe Prinzip fallen, ein Übergewicht in ent=
gegengesetzter Richtung gäbe, oder äußere Hindernisse vorhanden wären.
Wir können nun annehmen, daß alles, was ein Gefühl von Unlust in
die Welt bringt, nicht nur psychische, sondern auch hiemit zusammen=
hängende, ja den Ausdruck derselben darstellende physische Gegenwirkungen
dagegen auslöst, alles dagegen, was ein Gefühl von Lust in die Welt
bringt, Wirkungen, die zur Erhaltung oder Steigerung der Lust tendieren,
und daß, da dies von Anfange nach einem durch die ganze Welt durch=
greifenden in sich einstimmigen Gesetze und nach allgemeinsten Beziehungen
der Fall gewesen ist, die Welt sich von Anfang an zugleich psychisch
und physisch in diesem Sinne geordnet habe und noch fortfährt, es zu
tun. Freilich, oft hat unser Streben für uns nicht gleich Erfolg, und
jede Art des Erfolgs hinterläßt in unsrer Seele Nachwirkungen, wodurch
Voraussicht oder Vorgefühl des Künftigen und abgeänderte Richtung des
Handelns für spätere Fälle erwächst. So kann es auch in dem Welt=
geiste sein, nur mit dem Unterschiede von uns, daß die Erfahrung des
Weltgeistes eine allgemeine, über die ganze Welt reichende ist, und dem=
gemäß auch seine darauf begründete Voraussicht oder sein Vorgefühl
einen allgemeinern und für die Beurteilung der zukünftigen Welt=
verhältnisse zureichendern Charakter tragen wird als die unsrige, welchem
gemäß er auch die besten Maßregeln für die gesamte Welt darauf
begründen kann, die nun freilich für unsre einzelnen und nächsten
Interessen nicht immer als solche erscheinen, so daß wir in tausend
Fällen glauben können, es gehe nicht zum Besten und Weisesten im
ganzen her, während es doch nur nicht zum Besten und Klügsten für
uns im Besondern und Nahen hergeht. Wir selbst können uns im
einzelnen tausendfach täuschen, während Gott sich im ganzen nicht
täuschen kann, ja er nutzt unsre Täuschung über unsere eigenen
Interessen selbst zum Mittel des Fortschrittes im ganzen. Wie nun
die Erfahrung nach geistiger Seite in uns und in Gott geistige Nach=
Wirkungen hinterläßt, die auf unser künftiges Streben und Handeln
einen Einfluß haben, so wird sie nach der materiellen Seite auch die
zugehörigen materiellen Nachwirkungen hinterlassen, welche den zugehörigen
Einfluß auf die materiellen Erfolge äußern, so daß der Gang der Welt
nach geistiger und materieller Seite zugleich die Richtung nimmt, wie
wir sie beobachten. Es hat keine Schwierigkeit, sich das aus allgemeinem
Gesichtspunkte vorzustellen, obschon wir es nicht ins Besondere ver=
folgen können; und die Erfahrung erhebt nirgends Widersprüche gegen

diese Betrachtungsweise, wenn sie auch für sich allein dieselbe nicht begründen könnte.

O. Über das Bedenken, daß Gottes Geist durch Anknüpfung an die Natur mit der Schwere derselben belastet durch die Notwendigkeit derselben gefesselt werde.

Nach uns ist Gott als Geist so fest an seine materielle Welt gebunden und diese hinwiederum an Gott, daß beider Tätigkeit nur mit- und durcheinander besteht. Indem man sich scheut, dies zuzugestehen, hat man zwei Besorgnisse, die sich eigentlich selbst aufheben sollten und aufheben würden, überlegte man nur recht, daß sie sich widersprechen: einmal Gott mit der Schwere der Natur zu belasten, durch die Notwendigkeit derselben zu fesseln, dann wieder die Natur durch die Freiheit Gottes gesetzlos, zügellos zu machen.

Wie, sagt man, wenn ein Gedanke Gottes nicht gehen kann, ohne daß etwas in der Natur mitgeht, und nur nach Maßgabe gehen kann, wie es in der Natur mitgeht, Gott sich nach den Gesetzen der Natur vielmehr richten muß, als sie zu beherrschen, kann die freie geistige Bewegung Gottes noch bestehen? Wird sie nicht unter der Trägheit der mitzunehmenden Materie erlahmen; dem Zwang der Naturnotwendigkeit erliegen?

Wie läßt sich anderseits das Gesetz und der gesetzliche Gang der Natur, an den der Naturforscher sich gebunden achtet, noch halten, wie ist noch eine Naturwissenschaft möglich, wenn die wirkenden Gründe der Natur mit den geistigen Gründen Gottes immer in Konflikt kommen, seine Freiheit jeden Augenblick das geregelte Spiel ihrer Kräfte abändern kann?

Demgemäß sucht man Gott und Natur möglichst voneinander zu befreien und glaubt, je weiter man sie auseinander halte, so besser sei beiden gedient, so reiner trete beider Machtvollkommenheit hervor; und weil man sie doch nicht ganz trennen kann, faßt man wenigstens ihr Verhältnis zueinander so lose und äußerlich als möglich. Die Natur bleibe immer etwas außer Gott, ja außer Gott zu sein, daß sei ihr Wesen; sie sei höchstens ein Abdruck, nicht ein Ausdruck seines Wesens.

Aber gerade darin, daß man das Verhältnis der Natur zu Gott so halb, so äußerlich faßt, liegt die ganze Gefahr, die man vermeiden will. Um Gott ganz frei und leicht zu machen, und zugleich die Naturgesetzlichkeit vor jedem störenden Eingriff seiner Freiheit zu bewahren, muß man entweder Gott und Natur ganz voneinander losmachen,

ganz außer Bezug zueinander ſetzen, oder beide ganz feſt und unmittel=
bar aneinander binden, die Natur in Gott, Gott in Natur geradezu
immanent ſetzen. Erſtres kann oder will man nicht, denn ſelbſt indem
man die Natur außer Gott ſetzt, wagt man doch nicht, ihren Bezug zu
ihm aufzugeben; letztres könnte man, hielte man nicht die Schwierigkeit,
die ſchon die äußerliche Verknüpfung von Natur und Gott für Gottes
Freiheit und der Natur Geſetz mitführt, für eine Warnung, dieſe Ver=
knüpfung noch feſter, noch inniger zu faſſen. Und indem man die
Schlinge lockern will, tritt man in dieſelbe.

Wie iſt es mit uns ſelbſt? Eine Laſt von vierzig Pfund auf dem
Rücken möchte uns wohl ſchwer dünken, mit dem Körper auch den Geiſt
bedrücken und ſeinen freien Gang hemmen, ſollten wir ſie beſtändig
tragen; aber dünkt uns denn auch unſer eigner Rücken ſchwer? Wenn
Reiſende auf langem Wege viel Proviant mitnehmen, belaſtet er ſie, ſo
lange ſie ihn äußerlich tragen; hilft ihnen aber ſelbſt mit tragen, ſo wie
ſie denſelben in Fleiſch und Blut verwandeln. So laßt nur auch die
Natur, die ihr Gott äußerlich als Laſt anhängt oder aufbürdet, weil ihr
ſie doch nicht ganz von ihm losreißen könnt, vielmehr in ſein Fleiſch
und Blut verwandelt werden, ſo wird ſie, Träger Gottes und Getragenes
zugleich, auch aufhören, ihn zu belaſten, da ſie mit ſeinem Geiſte geht,
lebt und webt, und er mit ihr. Daß uns Körperliches überhaupt als
Laſt erſcheinen kann, rührt eben nur daher, daß wir nicht zur ganzen
Natur in ein ſo innerliches Verhältnis treten können wie Gott, der als
Inbegriff alles Geiſtes der Natur, als dem Inbegriff alles Materiellen,
innerlich zugehört. Unſer Leib ſelbſt mag uns zwar mitunter als eine
Laſt erſcheinen, ſo, wenn ein Glied müde wird oder abſtirbt; doch nicht
weil es unſerm Geiſte zugehört, ſondern, weil es ihm nicht mehr genug
zugehört, ſeine Veränderungen anfangen unabhängig von unſerm Geiſte,
bezugslos zu unſrer Seele zu erfolgen, oder unſre Seele in Regung
deſſelben ermattet. So wie alſo Gottes Geiſt im Regen der Natur zu
ermatten anfinge, ſie unabhängig von ihm zu beſtehen und zu gehen
anfinge, würde ſie auch als Laſt von ihm gefühlt werden. Nur wenn
er ſie ganz innerlichſt durchwirkt und durchdringt, fällt alles Belaſtende
weg. Selbſt das höchſte Geiſtige kann die Laſt eines Körperlichen, womit
es in Beziehung, nicht ſpüren, wenn es nur ſo unmittelbar daran
gebunden iſt, daß der Schritt der geiſtigen und leiblichen Bewegung in
eins zuſammengehen. Die Worte eines Gedichts, die Töne einer Muſik
laſten ja nicht auf den höhern geiſtigen Beziehungen, die darin walten,
dienen vielmehr zu ihrem Ausdruck. Auch die Gedanken in unſerm

Kopfe gehen nur, wie zugehörige Bewegungen in unserm Kopfe gehen;
aber fühlen wir etwa diese Bewegungen als eine Last, als ein Hemmnis
für unsere Gedanken? Wir fühlen sie gar nicht, außer eben als
Gedanken. Braucht es in Gott anders zu sein mit dem Höchsten, was
er bedenkt? Auch hierfür mögen Bewegungen in seiner Natur die Unterlage bilden, nur wie diese Bewegungen gehen, gehen die Gedanken Gottes,
und wie die Gedanken gehen, gehen diese Bewegungen; aber Gott kann
sich dabei so frei und leicht fühlen, als wenn wir etwas bedenken, ja
unser freies Bedenken selbst eine Probe des seinen sein, gebunden nur
an einen besondern Teil seiner Natur.

Doch mehr als die Last der Materie fürchten wir die Fessel der
Notwendigkeit für Gott. Nun aber auch die Naturnotwendigkeit
kann nur insofern als eine Fessel für Gott erscheinen, als man sie ihm
äußerlich angetan denkt. Und weil sie uns so oft äußerlich betrifft
und zwingt, legen wir ihr leicht auch eine ähnliche Bedeutung für Gott
bei, die sie doch nach der Natur der Sache gar nicht für ihn haben
kann, weil sie ihm stets innerlich bleibt. Ein andres sind äußerliche
Bande des Leibes und die innern Bande desselben selbst; jene hemmen
die freie Bewegung, diese machen sie erst möglich. Denn wie sollte der
Leib überhaupt ohne solche bestehen und wirken? Und je fester sie sind,
und je freiere Bewegungen sie zugleich begründen, und eine je zweck-
mäßigere Ordnung sie im ganzen Bau des Leibes erhalten, desto besser
sind sie. Die Gesetze aber, auf denen die Naturnotwendigkeit beruht,
sind lauter innere Bande des göttlichen Leibes, welche diesen Charakter
im höchsten Sinne tragen, minder grob nur, als die Sehnen und Nerven,
welche unsern Leib zusammenhalten. Doch wäre das Gott zum Nachteil zu rechnen? Unmöglich kann Gott eine Gesetzlichkeit, die in seinem
Wesen selbst begründet ist, als Hemmnis seines Wesens spüren; wohl
aber würde dies der Fall sein, wenn ihm eine Naturgesetzlichkeit
äußerlich gegenüberstünde, an deren starren Widerstande sich sein
Wille bräche. Nur dadurch wird dieser Widerstand für Gott flüssig,
daß man Gott in die Natur selbst versenkt. Zwar meint man, die
Naturgesetzlichkeit könne Gott deshalb nicht hemmen, weil sie aus Gott
abstamme, demgemäß auch mit seinem innern Wesen stimme, ungeachtet
sie ihm jetzt äußerlich sei. Soll aber dies der Grund sein, weshalb sie
Gott nicht hemmt, so kann sie ihn natürlich eben so wenig hemmen,
wenn man sie Gott noch immer innerlich setzt. Sie wird dann nur um
so unmittelbarer mit seinem Wesen stimmen.

Widerspricht aber etwa die Gesetzlichkeit in Gott der Freiheit?

Faſſen wir nur Geſetzlichkeit recht allgemein und hoch, ſo allgemein und
hoch ſie ſich nur faſſen läßt, ſo wie es ſich ziemt für eine allgemeinſte,
höchſte göttliche Geſetzlichkeit, ſo zeigt ſich ja, wir haben es früher
(S. 212 ff.) geſehen, wie ſie vielmehr der Freiheit mit der Notwendigkeit
zugleich ihre Stelle anweiſt. Und auch ohne Rückſicht darauf, wie ſich
unter dem Begriffe des höchſten Geſetzes Freiheit und Notwendigkeit
mit einander vertragen, denn darüber mag man ſtreiten, iſt jedenfalls
gewiß, daß ſie ſich mit einander vertragen. In unſerm eigenen Geiſte
zeigt ſich's; er hat ſeine Seite der Freiheit und ſeine Seite der Notwendigkeit, Gebundenheit; die Freiheit tritt hierbei nicht heraus aus dem,
was durch das Geſetz des Geiſtes feſt beſtimmt iſt, auf Seite ſeiner
Notwendigkeit fällt, ſondern die Freiheit behält einen Platz auf dem
Grunde dieſer Notwendigkeit. Der freieſte Wille widerſpricht nicht den
pſychologiſchen Geſetzen. Die Freiheit hebt keine geſetzlichen Beſtimmungen
des geiſtigen Tuns auf; ſondern was die Freiheit beſtimmt, war eben
noch nicht durch ein Geſetz beſtimmt, obwohl die Freiheit ſelber ein Geſetz
geben kann. Daß es aber in uns ſo ſein kann, iſt ſelber nur ein Ausfluß oder Teil von dem, was in Gott iſt. Wenn es aber ſo in Gottes
Geiſt iſt, warum nicht auch in Gottes Natur oder der zu dieſem Geiſte
gehörigen materiellen Welt? Stört die Freiheit im Geiſte nicht das
Geſetz, wie ſollte ſie es in der Natur, dem Ausdruck des Geiſtes ſtören?
Iſt es doch nicht in uns der Fall. Unſer Leib gehört zur materiellen
Welt, zur Natur; aber die phyſiologiſchen Geſetze werden ſo wenig als
die pſychologiſchen durch die freien Willenstätigkeiten geſtört. Es wird
nur, wie die geſetzliche Notwendigkeit des Geiſtes ſich in der geſetzlichen
Notwendigkeit der Natur ausdrückt, ſo auch die Freiheit des Geiſtes
da, wo ihr Gebiet iſt, ſich in einer entſprechenden Freiheit der Natur
ausdrücken und beides ſich in der Natur vertragen, wie im Geiſte.
Entſteht in unſerm geiſtigen Prozeſſe manches, was unerklärbar,
unberechenbar nach allem Vorgängigen iſt, wird es auch zugleich in
dem leiblichen Prozeſſe der Fall ſein, worin ſich der geiſtige ausdrückt.
Eins iſt nicht ſchwerer anzunehmen als das andre, ja verſteht ſich von
ſelbſt im Sinne der Anſicht, die den Geiſt nur für die Selbſterſcheinung
deſſelben Weſens hält, das als leiblich anderm als ſich ſelbſt erſcheint.
Die Natur, das Leibliche, teilt hiernach natürlicherweiſe die Freiheit des
Geiſtes überall, in ſo weit ſie eben Ausdruck eines freien Geiſtes iſt. Nur,
wenn man deterministiſch leugnen wollte, daß im Geiſtigen etwas der
Art vorkäme, würde man es auch im leiblichen Ausdruck leugnen müſſen
und leugnen können. Den Streit aber hierüber überlaſſen wir hier andern.

Freilich, man ist ganz gewohnt, bloß das Notwendige zur Natur und bloß das Freie zum Geiste zu rechnen; aber eben nur, weil man die unnatürliche Spaltung beider schon voraussetzt, die man dann wieder dadurch beweisen will. So aber trennt sich Freiheit und Notwendigkeit nicht. Man kann so viel Freiheit in der Natur finden wie im Geiste, und so viel Notwendigkeit im Geiste wie in der Natur, wenn man nur eben den Geist nicht außer die Natur, sondern in die Natur setzt, d. h. dahin, wo er von jeher seine Freiheit manifestiert hat; und wo anders manifestiert unser eigener Geist seine Freiheit, als in unsrem zum Naturganzen gehörigen Leibe? Freilich, wenn man mit Fleiß das Gebiet von der Natur abschneidet, worin sich die Freiheit manifestiert, so bleibt selbstverstehend bloß das Gebiet der Notwendigkeit dafür übrig. Auch mag man beliebig, wenn man will, das Wort Freiheit bloß für den Geist anwendbar halten; aber die Sache, um die es sich beim Gegensatze der Freiheit gegen Notwendigkeit handelt, fällt doch in das Körperliche so gut wie in das Geistige, insoweit nämlich, als das Körperliche selbst Ausdruck, Unterlage des freien Geistigen.

Es ist wahr, nur im Spiel des Organischen finden wir überhaupt Spuren von dem, was wir zur Freiheit, gleichviel wie gefaßt, zu rechnen gewohnt sind. Der ganze unendliche Weltenbau im großen geht deutlich nach Gesetzen der Notwendigkeit. Nur in den schwachen Überzügen der Weltkörper sollte also Gottes Freiheit walten? Aber wenn dies eine Schwierigkeit ist, findet sie nicht bei jeder andern Ansicht so gut als bei der unsern statt? Und nochmals, halten wir doch gesetzliche Notwendigkeit nicht für etwas Schlechtes. Auch das ganze Spiel unsres Leibes geht nach Gesetzen, die der Physiolog als notwendige verfolgt. Nur in seinen unmerklichen Bewegungen des Hirns können wir den freien Träger freier Gedanken suchen. Der Mensch ist nun auch hierin nur ein Abbild Gottes. Der ganze grobe Unterbau von Gottes Welt ist, wie wir glauben müssen, der Notwendigkeit unterworfen; die Freiheit waltet im feinern Spiel von Prozessen, in die unsre eigenen freien Prozesse mit hineintreten. Indes alle Welten sich äußerlich nach Gesetzen der Notwendigkeit zueinander bewegen, entwickelt sich in der Geschichte und den Geschicken von Gottes Wesen auf allen die göttliche Freiheit. Die Freiheit hat ihr Gebiet in der Welt, wie in uns, und ihr Gebiet in uns gehört zu diesem Gebiet in der Welt.

XII. Religiös=praktischer nnd poetischer Gesichtspunkt.

Unsre Lehre ist also kurz die: die Menschengeister gehören einem höhern Geiste an, der alles Irdische in eins bindet, und dieser gehört Gott an, der die ganze Welt in eins bindet. Der Geist der Erde steht aber nicht scheidend zwischen uns und Gott, sondern ist nur die Vermittlung, die uns Gott selbst in besonderer Weise einverleibt (S. 25 f.), indes wir das Allgemeinste, Höchste, Beste, Wichtigste immer nur unmittelbar vom ganzen Gotte haben und nur in ihm suchen können (S. 224. 228). So bleiben wir immer ganz Gottes. Unser Böses ist aber Gott nicht zuzurechnen; denn Gott ist der Ganze, wir sind nur Teile, Brüche seiner, und man kann nicht, was nur am einzelnen als solchem hängt, dem Ganzen zurechnen. Das Übel besteht nur in dem niedern Gebiete der Einzelwesen, der Einzelwillen in Gott; ist nicht durch Gottes obern Willen da, sondern dieser ist gegen das Übel da, und das Geschäft Gottes ist, es im Ablauf der Zeiten zu heben und zu heilen (S. 243 ff.). Die ganze Natur ist von göttlichem Geiste beseelt, und wie unsre Geister nur Bestandstücke des Geistes der Erde und höher hinauf des göttlichen Geistes, sind unsre Leiber nur Bestandstücke des Leibes der Erde und höher hinauf des göttlichen Leibes, der Natur.

Aber, sagst du, bleibt es nicht nach allem eine böse Lehre, streitend mit Religion und Moral, daß ich nicht mehr als unabhängiger Geist mich Gott dem unabhängigsten Geiste gegenüberstellen soll, sondern, gleichviel ob ohne oder mit Vermittlung, von und in ihm verschlungen denken wie ein Glied im Leibe oder einen Gedanken im Geiste; Gott in die Natur verwickelt denken, statt darüber erhaben?

Nicht ich habe diese Lehre erfunden, du bekennst sie selbst in deiner Religion; du glaubst nur selbst nicht, was du bekennst; ich aber glaube es; und nicht widerstreitet diese Lehre der Religion und Moral, sondern daß du nicht glaubst, was du bekennst, das bringt den Widerstreit in deine Religion und Moral.

Antworte:

Bekennst du nicht selbst, daß Gott der Urquell, Schöpfer deines Geistes ist? Aber was der Geist Geistiges schafft, das verläßt ihn nicht;

er betätigt sich vielmehr nur darin; und wenn Gott Geister schafft, wir nur Gedanken, hat er eben Geister, wir nur Gedanken zum Inhalt, worin er sich betätigt. Wie wäre er Gott, wenn es in ihm kein ander Schaffen gäbe als in uns? Nun schafft er untere Geister durch Vermittlung der obern. Durch Vermittlung der obern aber bleiben die untern noch in ihm. Doch lassen wir die Vermittlungen; nur unser Verhältnis zu Gott soll uns jetzt kümmern, das durch alle Vermittlung durch unmittelbar besteht.

Und erkennst du nicht selber an und hältst es für ein schönes Wort, daß Gott in dir und allem lebt und webt und wirkt und ist, und du in ihm? Lebt und webt und wirkt und ist man aber auch in dem, was uns äußerlich gegenüber? Was scheidet also deine Lehre noch von unsrer?

Und glaubst du nicht, daß für Gott alles klar und durchsichtig ist in deiner Seele bis ins Innerste; er die geheimsten Falten deines Herzens kennt? Kann aber auch ein Geist klar sehen in den Geist gegenüber? Liegt nicht eben darin das Gegenüber, daß er es nicht kann? Nur von seinem eignen Inhalt entgehe dem Geiste nichts.

Und nennst du nicht Gott den einigen Gott, der keinen andern neben sich hat? Aber wenn es noch Geister gibt, die nicht in ihm, so ist er nicht ein einiger, nur ein höchster Geist unter vielen. Denn höhere als wir wird's doch noch geben. Da haben wir das Heidentum mit einem höchsten Geist an der Spitze und vielen unter ihm, herab zu uns. Aber du willst das Heidentum nicht. So kannst du auch nicht einen Gott wollen, der uns und Geister über uns noch außer sich, sondern nur, der uns alle in sich hat. Nur das ist ein wahrhaft einiger Gott, der allen Geist, den es gibt, in seiner Fülle einschließt, wie daraus gebiert.

Und nennst du nicht Gott den unendlichen Geist, den Geist des Alls? Was aber noch andres sich gegenüber hat, das hat auch daran seine Schranke; dem geht noch etwas ab von der unendlichen Fülle; dir aber ist der Begriff des Unendlichen fast noch zu klein für Gott.

Und ist dir nicht Gott der Allgegenwärtige, Allmächtige, der ewige Grund des Geschehens; sein Haus der Himmel; Sonnen gehen durch ihn und Sterne; kein Blatt fällt ohne ihn vom Baume, kein Haar von deinem Haupte. Faßt aber nicht der Himmel auch die Erde, dich selbst mit deinem Leib; muß nicht also Gott auch in aller Natur und aller Kreatur allgegenwärtig und allmächtig sein, und alle Kräfte sein sein und ihm dienen?

Und heißeſt du nicht Gott den Allliebenden, den Allgütigen? Weß
Liebe und Güte aber könnte größer ſein als beß, der die Liebe zu ſich
ſelbſt und zu ſeinen Geiſtern nicht zu ſcheiden weiß, der, was er ihnen
tut, ſo tut, als tät' er's ſich, nicht anders tun kann; er tut's ja wirklich
ſich, nur daß nicht, was er dieſen oder jenen tut, nein, was er allen in
eins tut in aller Welt, ihm ſelbſt getan iſt.

Und iſt dir nicht Gott der Allbarmherzige zugleich und Allgerechte?
Wer aber wäre barmherziger als der, der auch den Böſen nicht ver-
ſtoßen kann, ihn feſthält wie den Guten, ſein Böſes und ſeine Bosheit
wenden muß zu eigenem Frieden, und wer zugleich gerechter als der, da
Übel einmal da, (wer kann es leugnen, iſt's Übel auch nur für uns,)
das eine Übel braucht, das andre zu zerſtören, die Strafe gegen den
Sünder kehrt, den Sünder umzukehren, hier oder dort, einſt muß ſich's
vollbringen, um ſeine eigne innere Befriedigung zu vollbringen.

Und hältſt du es nicht für das höchſte Gebot: Gott lieben über
alles und deinen Nächſten wie dich ſelbſt? Wer aber möchte einen
Gott lieben über alles, der weit und hoch hinweg iſt über alles, wer
nicht den Gott, der nicht nur ſeine Hände breitet über alles, der alle
über alle trägt im tiefſten Herzen, der keinem Leib tun kann in Ewigkeit, davon er ſelbſt nicht litte, in dem du alles haſt zu ſuchen, was
dir fehlt, von dem du alles haſt zu hoffen, was du wünſcheſt, und der
ſchon hier im erſt für dich beginnenden Gange ſeiner Gerechtigkeit,
in deſſen Unvollendung ſelbſt, dich blicken läßt, was dem bereinſt
beſchieden iſt, der ihn mit rechtem Sinne liebt und im Sinne ſolcher
Liebe handelt.

Und wer kann ſeinen Nächſten beſſer lieben, wie einen Bruder
lieben, als der da weiß, er iſt nicht kalt und fern ihm gegenüber, nein,
feſt verwachſen mit ihm in der Gemeinſchaft desſelben höchſten Geiſtes,
ein Fleiſch mit ihm vom Fleiſch desſelben Leibes, an ihn gebunden wie
ein Zwilling an den Zwilling, noch ehe ſie den Leib verlaſſen, der ſie
trug; denn nicht mehr habt ihr den Gott verlaſſen, der euch trägt.

Und ſo in allem bekennſt du in Worten ganz dieſelbe Lehre, die
ich bekenne, bekennſt ſie, aber glaubſt ſie nicht, und widerſprichſt dir ſelbſt.
Nun muß dir freilich eine Lehre fremd erſcheinen, die alles glaubt, was
ſie bekennt, und deinen eigenen Widerſprüchen widerſpricht. Aber darin,
daß ſie's tut, gewinnt ſie eben ihr Beſtes.

Indes du von einem Gotte ſprichſt, Hort und Quell alles Geiſtes, der
in dir lebt und webt und iſt, und du in ihm, Herzenskündiger, Einigen,
Unendlichen, Allgegenwärtigen, Allwiſſenden, Allmächtigen, Allliebenden,

Allgütigen, Allbarmherzigen, Allgerechten, willst du auch wieder dich ihm
äußerlich gegenüberstellen, wie du deinem Nachbar dich gegenüberstellst, und
stellst dich selber deinem Nachbar gegenüber, als gäb's für euch kein Band
in Gott, du rechts, er links, Materie zwischen euch, Gott oben, hoch im
Himmel, ihr auf der Erde, zwischen Himmel und Erde, welcher Zwischenraum! Ja du hebst Gott endlich gar hinaus über die ganze Welt und
verstößest von ihm den Bösen, den er erst gemacht, verleugnest alles,
was du erst gesagt, zerreißest alle Bande, die du erst erkannt, und
zerstörst damit den besten Segen deines Glaubens. Wie weit ist's für
dich bis dahin, wo er wohnt, und wie nahe ist's für mich. Streiten wir
doch einmal darum, wem ein Gebet besser gelingen kann, dir, der sich
mit seinen Gedanken Gott gegenüberstellt, oder mir, der sich damit in
Gott selber stellt; da wird sich's zeigen. Aber wie viele glauben jetzt
noch an ein Gebet; da zeigt sich's schon. Ob Gott es hört, sich darum
kümmert, wer weiß, wer wagt's zu glauben, so läßt man es bald ganz;
im Grunde ist's ja wohl nur ein leerer Hauch, verfliegend mit andern
Hauchen über die Erde, die zuhöchst sein Schemel. Ist das auch so mit
einem Gedanken, der in mir lebt und webt und ist, und ich in ihm?
Wie einer meiner Gedanken, der ganz in mir, mich zu etwas anregt, so
kann ich, meine ich, wohl auch durch ein Gebet Gott anregen wollen,
der ich mit meinem Gebete ganz in Gott. Vielleicht folge ich meinem
Gedanken, vielleicht nicht, je nachdem mir's gut dünkt; wie Gott einer
betenden Seele. Aber das weiß ich, daß zwischen dem mich anregen
wollenden Gedanken und meinem Geiste kein Zwischenraum ist, der erst
durchlaufen werden müßte, damit ich etwas von ihm vernehme, und es
tröstet mich, daß Gott mein Gebet eben so unmittelbar hört, wie ich
meinen Gedanken, nichts unvernommen von Gott bleibt. Auch weiß ich
sicher, daß mein Geist sich um jeden seiner Gedanken kümmert, daß jede
Anregung etwas in ihm wirkt, ihn zu etwas bestimmt, ja wär' es zum
Gegenteil dessen, worauf sie geht, dünkt sie ihm etwa eine schlechte;
aber ohne Folge ist nichts im Geiste, und jede Folge greift im selbigen
Geiste zurück auf ihre Ursache. Und so ist auch dies mir tröstlich, daß
ich weiß, ich kann gar nicht umsonst beten; mein Gebet nimmt selbst
Platz in der Reihe der wirkenden Gründe in Gottes Geist, wie jede
einzelne Anregung in meinem, und schlägt im Ablauf der Folgen zurück
auf mich. Und wenn ich im Gebet die Kraft meiner ganzen Seele
sammle und zusammennehme in der Richtung und Beziehung auf den
ganzen Geist im Sinn des Besten, so sehe ich ein, daß es wohl noch
eine andre Wirkung und Bedeutung haben kann als die Anregung, die

ein gemeiner und einzelner Gedanke in mir für Gott gibt. Und je öfter ich bete, und je heißer ich bete, und je mehr der Bittenden sich in demselben Gebet vereinigen, desto sichrer, meine ich, steht die Gewährung bevor, wie mein Geist so sichrer folgt, je öfter, heftiger und mehr Gedanken sich dahin einigen, ihn zu etwas anzuregen. Also ist auch die Inbrunst des Gebets und die kirchliche Gemeinschaft nicht umsonst. Aber kein Gebet kann Gott zwingen, er halte denn für gut, es zu gewähren, wie mich keine einzelne Anregung zwingen kann, ich halte denn für gut, ihr zu folgen; was aber Gott gut hält, das ist gut; und er hält nichts gut als das, was gut, also bitte ich gleich um nichts, was nicht im Sinn des Guten.

Du sagst, o Torheit: wenn ich Gottes bin, so ist es Gott, der zu sich selber betet, sich selbst verehrt, wenn ich es tue. Doch wie, bist du denn Gott, weil du in Gott, bleibst du nicht unendlich wenig gegen Gott? Ist kleinstes Moment und Ganzes sein dasselbe? Soll nicht auch in mir der kleine Gedanke und die kleine Begierde Ehre geben meinem ganzen Geiste, Scheu tragen, gegen seinen Sinn zu gehen, sich wenden mitunter auf den ganzen Geist zurück, bedenken, was am meisten ihm genüge, ihn anregen, daß er ihn weiter führe zum Ziele?

Ist's ein böser Gedanke, der mich anregt? Ich strafe, ich verdränge ihn; doch bin ich darum nicht selber böse, wenn ich ihn nur strafe, nur verdränge, nicht zum Endziel kommen lasse. So straft Gott den bösen Geist, der sein eigner Teil ist; aber er ist nicht der böse Geist, wie die Symphonie nicht die Disharmonie ist, von der sie die Aufhebung, die Auflösung enthält. Ein altes Bild, um das Dasein des Übels mit Gott zu erklären, aber es paßt nur, das Dasein des Übels in Gott zu erklären, soll es für Gott selbst kein Übel mehr sein. Denn wenn die Symphonie der Disharmonie gestattete, mit ihr, aber abgesondert von ihr und unaufgelöst in ihr zu bestehen, so und nur so würde sie durch den mit und gegengehenden Mißklang leiden. Und dennoch stellen wir uns so zumeist das Böse gegen Gott vor; der ewige Mißklang des von Gott unaufgelösten Bösen gibt die ewige Verstoßung des Bösen, gibt die ewige Hölle.

Und kann jemand besser wirken in die Welt nach dem Gebot der Liebe Gottes und des Nächsten, als der da weiß, daß keine Scheide zwischen ihm und seinem Nächsten, ja selbst dem Fernsten in Gott und gegen Gott besteht; daß, was er irgend einem unter ihnen tut, das tut er Gott? Aber Gott hält nicht bloß den einen in sich; alle hält er in sich; nicht also, was du dem und jenem tust, nein, was du des

Guten überhaupt tust in die Welt, ist Gott als Gutes getan; frag'
also nicht, ob dir, ob mir, ob dies, ob das, ob da, ob dort, ob heut oder
morgen, frag' wie ist's am besten für das Ganze, für das Ewige, denn
das geschieht nur Gott dem Ganzen, Ewigen. Ob dir, ob andern, es ist
alles eins; ihr seid beide Gottes, da ist kein Unterschied; so tu' es dir,
tu's einem andern, wie es eben am besten ist ins Ganze und für alle
Zukunft, tu's nach Geboten, die in diesem Sinne gestellt sind; das sind
die göttlichen Gebote.

Was aber nenn' ich gut? Was ist der Sinn der göttlichen Gebote?
Sind sie aus Eigensinn gegeben? Zur Plage für den Menschen? Nichts
erkenn' ich drin als diesen Sinn: daß das Genüge, die Befriedigung
ins Ganze, für alle im Zusammenhang, möglichst gesichert sei und wachse;
daß nicht jeder für sich habe und tue, was ihm am liebsten ist, auf
andrer Kosten, sondern alle zusammen haben und zusammen nach dem
trachten, was ihnen allen zusammen am meisten Genüge und Befriedigung
kann bringen; und eben das ist, was Gott am meisten muß befriedigen,
wenn er mit allen und durch alle fühlt, und über alles, was sie einzeln
fühlen, den Zusammenhang des Ganzen fühlt. In diesem Sinne sind
die göttlichen Gebote. (Vgl. S. 232.)

Der eine Mensch will nichts als seine eigene Lust; der andre sagt,
Verdienst sei nur im Opfern seiner selbst für andere. Das eine ist so
irrig wie das andere. Was deine Lust abbricht der Lust des Ganzen,
das sündigst du, geschieht's mit Wissen und mit Willen; was du dir
abbrichst an der eigenen Lust, also daß etwas dadurch verloren geht der
ganzen Lust, das sündigst du, geschieht's mit Wissen und Willen. Denn
Gott will von deiner Seele und deinem Leibe so gut als von jedem
andern Lust ernten, wie solltest du nun des Bezirkes, dessen Pflege er
dir zunächst aufgetragen, schlechter walten als dessen, über den er andre
hat gesetzt? Nur hüte dich, zu meinen, bloß Sinnenlust sei Gottes Lust;
nur hüte dich, zu meinen, daß was du jetzt und hier an Lust gewinnst,
sei auch Gewinn gleich für das Ganze, also für Gott; nur hüte dich,
mit deiner schwachen Einsicht besser rechnen zu wollen, als längst
gerechnet ist hinüber über das Ganze in den göttlichen Geboten. Nur
in dem, was sie frei lassen, bist du frei. Sie sind die großen
Klammern, nicht der Einzellust, aber des allgemeinen Heils, das alle
Einzellust wie kleine Beeren trägt; was kommt denn zuletzt an auf die
einzelne Beere, ob dieser Zweig sie trägt, ob jener, ob dieses Jahr sie
trägt, ob jenes; zertritt nur nichts mit Willen; die Pflege oder der Bruch
des Strauches gereicht allein zum Segen oder zur Verdammnis. Nicht

sich für andre opfern, noch andre sich opfern, darauf kommt es zuletzt an, wer Gott will dienen; sondern die kleine kurze Lust, sei's deine oder meine, bereit opfern den großen ewigen über alles reichenden Quellen der Lust, wo es ein Opfer gilt; oft aber gilt's auch nur zu schöpfen; und was geopfert wird, das bricht nur als reicherer Segen hervor an einem andern Orte; sonst wär's kein rechtes Opfer; denn Gott will nichts verlieren; doch durch Verschieben oft gewinnen.

Über aller niedern Lust gibt's eine höhere Lust, eine Lust über der Lust, eine Freude über der Freude, die schwebt wie die Taube über den grünen Saaten, d. ist die Lust, die Freude, das Gefallen an dem, was selbst lustgebend, freudegebend ist, und so größer, so höher wird diese Lust, diese Freude, dieses Gefallen, in je größerem Zusammenhang, je weiter hinaus ich die Sicherung, die Bedingungen der Lust, der Freude fühle oder erkenne; und der rechte Mensch scheidet dabei nicht seine Lust von anderer Lust. Diese höhere Freude wird Gott auch an mir haben, wenn ich mein Trachten so einrichte, daß es im weitesten Zusammenhange, auf die längste Dauer nicht den Lüsten, aber den Lust= quellen der Welt dient, im Sinne der Förderung von Glück, Heil und Segen ist. Und ich werde diese höhere Freude an Gott haben, weil ich weiß, daß er sein Trachten gar nicht anders einrichten kann als im Sinne des endlichen und möglichsten Genügens für mich und alle, da sein eigenes Genügen sich von dem seiner Geschöpfe nicht scheidet; und wenn nicht alles jetzt ist, wie ich's haben möchte, so weiß ich, Gott leidet selbst mit mir, im untern Gebiete seines Wesens, und hat in seiner obern Macht und seinem obern Wissen die Mittel, mich mit sich zugleich zu befrieden; daß er aber weiß, er kann es, und ich weiß, er kann es, das gibt ihm und mir zugleich das höchste Genügen.

Wie anders stellt sich alles das, wenn ich mich Gott äußerlich gegen= über und zwischen mir und meinem Nebenmenschen einen geistig leeren Raum denken muß. Wird da nicht alles fern, was hier unmittelbar, alles zerfallen, was hier in eins gebunden, alles unbegreiflich, was hier selbstverständlich; alles tote Satzung, was hier lebendiger Trieb?

Wahrlich nicht um ein Kleines verkaufte ich den Glauben, daß ich in Gott, nicht Gott gegenüber. Doch ja, ich bin Gott gegenüber, wir sind es alle, nur innerlich, nicht äußerlich gegenüber. Nur dies ver= wechseln ist der Irrtum, den wir freilich stets begehen. Wir stellen uns ja auch Gedanken, Anschauungen gegenüber; wir nennen sie ja Vorstellungen; doch bleiben sie darum nicht weniger in uns; vielmehr je lebendiger wir sie uns gegenüberstellen, desto mehr gehören sie uns an, besto tätiger erweist sich unser Geist in ihnen, und besto tätiger erweisen sie sich in unserm Geiste. Das Gegenüber gegen einen obern Geist ist nicht wie das Gegenüber gegen einen andern Leib. Ebenso irrig freilich wär's, wenn wir meinten, wir ständen Gott nun auch gar nicht anders gegenüber, als unserm Geiste seine eigenen Vorstellungen; wir stehen Gott vielmehr unsäglich selbständiger, selbstkräftiger, selbstbewußter gegenüber, als uns unsre Vorstellungen; wie oft haben wir's schon gesagt, aber eben nur darum, weil Gottes Geist noch unsäglich selbständiger, selbstkräftiger, selbstbewußter ist als der unsre, und darum auch die Wesen, die am meisten Teil an seinem Wesen haben, es sein müssen. Aber das scheidet uns nicht härter von Gott, als unsre Gedanken von uns geschieden sind, es verknüpft uns ihm nur lebendiger, macht nicht, daß wir weniger, sondern daß wir mehr in Gott sind, d. h. daß wir mehr bedeuten für sein Wesen, mehr erschöpfen von seinem Wesen. (Vgl. S. 161.)

Wie aber der Geist sich seine Gedanken gegenüberstellt, so kann ein Gedanke auch den Geist sich gegenüberstellen, dem er selbst gehört, indem er sich ihn vergegenwärtigt, so gut er's eben vermag, ihn anregt, so oder so, der einzelne den ganzen; obschon nicht jeder tut's, noch tut er's immer. Und so können wir auch Gott uns gegenüberstellen, ihn uns vergegenwärtigen, so gut wir's eben vermögen, ihn anregen so oder so, die einzelnen den Ganzen.

Der Dichter und Philosoph bekennen dieselbe Lehre, die wir bekennen; das Volk ruft Hosianna und streut Palmenzweige, da sie von ihnen eingeführt wird in die Stadt, und kreuzigt dieselbe Lehre, da sie den Tempel fegen will, und die eigenen Jünger verleugnen sie.

So sprach einst[*) „lächelnd und bedeutungsvoll" der Dichter, den wir gern erheben über alle andern, da ihm ein Jünger verwundernd und gerührt erzählte, wie eine freie Grasmücke, der man die Jungen genommen, alle Furcht vor Gefahr und Gefangenschaft überwindend, ein- und ausflog in das Zimmer, um der Muttersorgen für die Jungen ferner zu pflegen.

„Närrischer Mensch! wenn Ihr an Gott glaubtet, so würdet Ihr Euch nicht verwundern.

----

*) Edermanns Gespr. II. 347.

Ihm ziemt's, die Welt im Innern zu bewegen,
Natur in sich, sich in Natur zu hegen,
So daß, was in ihm lebt und webt und ist,
Nie seine Kraft, nie seinen Geist vermißt.

Beseelte Gott den Vogel nicht mit diesem allmächtigen Trieb gegen
seine Jungen, und ginge das Gleiche nicht durch alles Lebendige der
ganzen Natur, die Welt würde nicht bestehen können! So aber ist die
göttliche Kraft überall verbreitet und die ewige Liebe überall wirksam."

Wie schön gesagt, ruft jeder aus; aber ein Dichter hat's gesagt,
Es ist zu schön, um wahr zu sein. Wohl sagen wir auch anderwärts,
die Dichtung soll die tiefste Wahrheit nur im schönsten Gewande zeigen,
und Schönheit und Wahrheit hängen in tiefster Wurzel zusammen.
Aber wir glauben wieder nicht, was wir sagen. Wie sollten wir glauben,
was wir sagen; lebt nicht den Dichtern alle Natur, knüpft sich ihnen
nicht alles geistig zusammen? Wir beten es nach und glauben doch,
die Natur sei tot, und nicht nur die Natur, der Geist selbst in Einzelnheiten zersplittert. Den Dichtern selbst verstatten wir nicht zu glauben,
was sie sagen, und sie glauben's ohnehin meist selber nicht; so wird
alles Gleisnerei und Lüge.

Wer weiß nicht, wie der Dichter, den wir gern neben jenen stellen,
sehnsüchtig zurückblickte nach einer Zeit, wo es dem Dichter noch Ernst sein
durfte mit dem Glauben, daß alles in der Natur von höhern göttlichen
Kräften beseelt sei; danach zurückblickte wie nach der Zeit eines nun verlorenen Dichterparadieses; wer weiß nicht, wie es ihm verübelt worden,
daß er nur wünschte, es möchte das sein, was man so gern als Schein
von ihm hinnahm. Denn wie gern spielte man doch selbst mit den
Namen und Märchen, die er zurückrufen wollte; aber daß der Dichter
auch den Sinn, aus dem sie gequollen, und aus dem des Dichters Sinn
selbst lebendig quillt, wieder als Wahrheit zurückbringen wollte, das
verdachte man ihm. Freilich, befangener als jener, der Gott noch heute
bis in den kleinsten Vogel fand, meinte er selber, mit den alten vergänglichen Namen und Märchen sei die ewige Sache verloren, meinte,
das Dasein eines obersten Geistes schade dem Dasein der untern. Aber
nicht, daß er an diesen Zwiespalt glaubte, sondern daß er ihn beklagte,
darum verklagte man ihn.

Dennoch muß etwas in der Natur sein, was durch den Nebel, der
unsre Augen deckt, das Augenlid, womit wir es freiwillig verschließen,
gewaltig hindurchleuchtet und uns nötigt, das gleichsam im Wahnsinn
noch nachzusprechen, was der jungen Menschheit klar offen lag. Wir

hielten es nicht aus in der entseelten, entgötterten Natur, wenn wir nicht mit der Phantasie wieder hineintrügen, was wir ihr mit dem Verstande und im Glauben geraubt haben, freilich ihr selbst nicht haben rauben können, aber uns in ihrer Betrachtung entfremdet haben.

Unter den neuern Dichtern weiß ich keinen, der den Gedanken eines in allen individuellen Geistern und in aller Natur lebendig waltenden Gottes öfter, schöner und mit dem Gepräge tiefergehender Überzeugung, statt wie gewöhnlich bloß in poetischer Verblümung, ausgesprochen, als Rückert, daher ich so gern auf Stellen von ihm Bezug nehme. Hier noch eine kleine Sammlung von solchen, in denen so ziemlich die ganze bisher vorgetragene Lehre von Gottes Verhältnis zu den Einzelgeistern und zur Natur enthalten ist, teils in direkten Aussprüchen, teils in Andeutungen, die sich im Sinn derselben auslegen lassen. Nicht besser wüßte ich zu zeigen, daß diese Lehre, die sicher nicht bloß eine poetische ist, die von ganz andern als poetischen Gesichtspunkten her entwickelt ist, auch eine poetische ist.

Aus Rückerts Weisheit des Brahmanen, Lehrgedicht in Bruchstücken.

Wenn das Erhabne staunt die junge Menschheit an,
Spricht sie im hellen Traum: das hat der Gott getan.
Und wenn sie zum Gefühl des Schönen dann erwacht,
Bekennt sie freudig stolz: Es hat's der Mensch vollbracht.
Und wenn zum Wahren einst sie reift, wird sie erkennen,
Es tut's im Menschen Gott, der nicht von ihm zu trennen.
(T. I. S. 9.)

Der Menschenrede wert ist nicht, was Menschen taten;
Mit der Natur und Gott soll sich mein Geist beraten.
Die Weisheit Indiens hat vergessen der Geschichte,
Daß sie allein von Gott, Natur und Geist berichte.
Und so ihr Schüler ich hab' auch, was ich besessen,
Getan und tun gesehn, mit Gott in Gott vergessen;
Und weiß nur Eines noch, und weiß dies Eine ganz:
Gott ist die Geistersonn' und die Natur sein Glanz.
(T. I. S. 39.)

Zieh deine Selbheit aus, und an die Göttlichkeit!
Die Selbheit ist so eng, die Göttlichkeit so weit.
Sei selbst! Er selber will, daß selbst du sollest sein,
Daß du erkennest selbst, er sei dein Selbst allein.
Erinnere dich daran! du hast es nur vergessen,
Laß dich erinnern! stets erinnert er sich dessen.
Wenn du ihn hören willst in dir, mußt du nur schweigen;
So spricht er laut: du warst, sollst sein und bist mein eigen.
(T. I. S. 42.)

Nicht fertig ist die Welt, sie ist im ew'gen Werden,
Und ihre Freiheit kann die deine nicht gefährden.
Mit totem Räderwerk greift sie in dich nicht ein;
Du bist ein Lebenstrieb in ihr, groß oder klein.
Sie strebt nach ihrem Ziel mit aller Geister Ringen,
Und nur wenn auch dein Geist ihr hilft, wird sie's erringen.

(T. II. S. 17.)

Dort, wo das Wissen mit dem Sein zusammenfällt,
In dem Bewußtsein ist der Mittelpunkt der Welt.
Nur im Bewußtsein was du findest, ist gefunden,
Wo sich ein Äußeres dem Inneren verbunden.
Nur im Bewußtsein wenn dir Gott ist aufgegangen,
Hast du ihn wirklich, und gestillt ist dein Verlangen.
Du hast ihn nicht gedacht, er ward dir nicht gegeben,
Er lebt in dir und macht dich und die Welt dir leben.

(T. II. S. 21.)

Ich bin der Geistersonn' ein ausgesandter Strahl,
Und solcher Strahlen sind unzählbar eine Zahl.
Wir sind der Sonne Glanz zusammen allzumal,
Doch ist sein eigen Licht für sich ein jeder Strahl.
O Wunder, Eine Sonn' ist Alles allzumal,
Und ganz die große Sonn' in jedem kleinsten Strahl.

(T. II. S. 22.)

Gott ist von keinem Raum, von keiner Zeit umzirkt,
Denn Gott ist da und dann, wo er und wann er wirkt.
Und Gott wirkt überall, und Gott wirkt immerfort;
Immer ist seine Zeit, und überall sein Ort.
Er ist der Mittelpunkt, der Umkreis ist er auch,
Weltend' und Anfang ist sein Wechselauseinhauch.

(T. II. S. 23.)

Wohl der Gedanke bringt die ganze Welt hervor,
Der, welchen Gott gedacht, nicht den du denkst, o Tor.
Du denkst sie, ohne daß darum entsteht die Welt,
Und ohne daß, wenn du sie wegdenkst, sie wegfällt.
Aus Geist entstand die Welt, und gehet auf in Geist,
Geist ist der Grund, aus dem, in den zurück sie kreist.
Der Geist ein Ätherduft hat sie in sich gedichtet,
Und Sternennebel hat zu Sonnen sich gelichtet.
Der Nebel hat in Luft und Wasser sich zersetzt,
Und Schlamm ward Erd' und Stein, und Pflanz' und Tier zuletzt.
Und menschliche Gestalt, in der der Menschengeist
Durch Gottes Hauch erwacht, und Ihn, den Urgeist preist.

(T. II. S. 24.)

Der Geist des Menschen fühlt sich völlig zweierlei;
Abhängig ganz und gar, und unabhängig frei.
Abhängig, insofern er Gott im Auge hält,
Und unabhängig, wo er vor sich hat die Welt.
Vorm Vater unfrei fühlt sich so ein Sohn vom Haus,
Selbständig aber wohl, sobald er tritt hinaus.

(Th. II. S. 47.)

————

Ich finde dich, wo ich, o Höchster, hin mich wende,
Am Anfang find' ich dich und finde dich am Ende.
Dem Anfang geh ich nach, in dir verliert er sich,
Dem Abschluß späh' ich nach, aus dir gebiert er sich.
Du bist der Anfang, der sich aus sich selbst vollendet,
Das Ende, das zurück sich in den Anfang wendet.
Und in der Mitte bist du selber das was ist,
Und ich bin ich, weil du in mir die Mitte bist.

(Th. II. S. 68.)

————

Du bist der Widerspruch, den Widersprüche loben,
Und jeder Widerspruch ist in dir aufgehoben.
Die Widersprüch', in die sich die Vernunft verstrickt,
Zergehn, und sie zergeht, wo dich der Geist erblickt.
Die Welt ist nicht in dir, und du bist nicht in ihr,
Nur du bist in der Welt, die Welt ist nur in dir.

(Th. II. S. 69.)

————

Mein wandelbares Ich, das ist und wird und war,
Ergreift im Dein'gen sich, das ist unwandelbar.
Denn du bist, der du warst, und bist, der sein wirst, du!
Es strömt aus deinem Sein mein Sein dem deinen zu.
Ich hätt' in jeder Nacht mich, der ich war, verloren,
Und wär' an jedem Tag, als der nicht war, geboren,
Hätt' ich mich nicht, daß ich derselbe bin, begriffen,
Weil ich in dir, der ist, bin ewig inbegriffen.

(Th. II. S. 72.)

————

Du bist kein Tropfe, der im Ozean verschwimmt,
Du fühlest dich als Geist auf ewig selbst bestimmt.
Vom höchsten Geiste fühlst du dich nicht zur Verschwimmung
Im höchsten Geist bestimmt, sondern zur Selbstbestimmung.

(Th. III. S. 115.)

————

Der Zweifel, ob der Mensch das Höchste denken kann,
Verschwindet, wenn du recht dein Denken siehest an.
Wer denkt in deinem Geist? der höchste Geist allein.
Wer zweifelt, ob er selbst sich denkbar möchte sein?

In den Gedanken mußt du die Gedanken senken:
Nur weil Gott in dir denkt, vermagst du Gott zu denken.

(Th. III. S. 116.)

Ich bin von Gott gewußt, und bin dadurch allein;
Mein Selbstbewußtsein ist, von Gott gewußt zu sein.
Im Gottbewußtsein geht nicht mein Bewußtsein aus;
Eingeht es wie ein Kind in seines Vaters Haus.

(Th. III. S. 119.)

Weil nicht ein großer Fürst im weiten Länderbann
In alles Einzelne sich mischen soll und kann;
So meinest du, daß Gott auch nur das Allgemeine
Der Welt geordnet hab', und walte nicht ins Kleine.
Doch macht ja wohl ein Fürst auch durch sein Land die Fahrt,
Eingreifend hier und dort mit eigner Gegenwart.
Und wär' Allgegenwart, wie Gott, auch ihm verliehn,
So braucht' er nicht die Fahrt, und alles führ' um ihn.
Allgegenwärtig ist Gott in den Welten nicht
Sowohl als sie vielmehr es sind in seinem Licht.
Er selber ist darum das Größte, Allgemeinste,
Weil in ihm alles ist das Einzelste, das Kleinste.

(Th. III. S. 120 f.)

Gott ist ein Denkender, sonst wär ich über ihn,
Ich aber denke, daß ich unter ihm nur bin.
Gott ist ein Wollender, sonst hätt' ich mehr als er,
Mein Wollen aber kommt von seinem Wollen her.
Mit deinem Denken sei, mit deinem Wollen still
Vor seinem, liebes Herz! er denkt in dir und will.

(Th. III. S 128.)

Wer Gott nicht fühlt in sich und allen Lebenskreisen,
Dem werdet ihr ihn nicht beweisen mit Beweisen.
Wer überall ihn sieht, was wollt ihr dem ihn zeigen?
Drum wollt mit euern Gottbeweisen endlich schweigen!
Wollt ihr mir auch vielleicht beweisen, daß ich bin?
Ich glaubt' es schwerlich euch, glaubt' ich's nicht meinem Sinn.

(Th. III. S. 142.)

Ein Mensch sein ohne Gott, was ist das für ein Sein!
Ein beßres hat das Tier, die Pflanze, ja der Stein.
Denn Stein und Pflanz' und Tier, die zwar um Gott nicht wissen,
Er aber weiß um sie, sie sind ihm nicht entrissen.
Sie sind nicht los von Gott, gottlos bist du allein,
Mensch, der du fühlst mit ihm, und leugnest, den Verein.

(Th. III. S. 144.)

Sturm der Vernichtung, sprich, wohin denn mich verschlagen,
Wohin denn willst du mich, wo Gott nicht wäre, tragen.
Von Gott ist alles Sein umschlungen und umrungen,
Und ich bin sein, nicht mein, ich bin von ihm durchbrungen.
Wohin ich sehe, seh ich Gottes Schoß mir offen,
Der nur dem Zweifel ist verschlossen, nicht dem Hoffen.
Verschlossen ist er nur dem ihm verschlossnen Sinn;
Drum ist er offen mir, weil ich ihm offen bin.

(Th. III. S. 145.)

Wie von der Sonne gehn viel Strahlen erdenwärts,
So geht von Gott ein Strahl in jedes Dinges Herz.
An diesem Strahle hängt das Ding mit Gott zusammen,
Und jedes fühlet sich dadurch von Gott entstammen.
Von Ding zu Dinge geht seitwärts kein solcher Strahl,
Nur viel verworrene Streiflichter allzumal.
An diesen Lichtern kannst du nie das Ding erkennen,
Die dunkle Scheidewand wird stets von ihm dich trennen.
An deinem Strahl vielmehr mußt du zu Gott aufsteigen,
Und in das Ding hinab an seinem Strahl dich neigen.
Dann siehest du das Ding, wie's ist, nicht wie es scheint,
Wenn du es siehest mit dir selbst in Gott vereint.

(Th. IV. S. 245.)

So wahr in dir er ist, der diese Welt erhält,
So wahr auch ist er in, nicht außerhalb der Welt.
Doch in ihm ist die Welt, so wahr in ihm du bist,
Der nicht in dir noch Welt, nur in sich selber ist.
So lang du denken nicht die Widersprüche kannst,
O denke nicht, daß du durch Denken Gott gewannst.

(Th. V. S. 252.)

Auch in dem Cherubinischen Wandersmann von Angelus Silesius (geb. 1624) findet man die Ansicht, daß der Mensch in Gott, und Gott in dem Menschen, vielfach und sehr entschieden ausgesprochen; nur daß dies Verhältnis wenigstens im Ausdrucke nicht hinreichend von einer Gleichstellung oder Identifizierung Gottes mit dem Menschen und des Menschen mit Gott unterschieden ist, da doch das einzelne nie dem Ganzen gleichgestellt werden darf. Übrigens verwahrt sich Angelus Silesius selbst in der Vorrede gegen eine solche Identifizierung, und manche Sprüche (wie Th. I. 126. 186. II. 74. 125) sind auch im Sinne der Unterscheidung. Ich führe folgende an*):

---

*) Nach: Angelus Silesius und Saint Martin, herausgegeben von Varnhagen v. Ense. Dritte Aufl. 1849.

20*

Erstes Buch.

8. Gott lebt nicht ohne mich.

Ich weiß, daß ohne mich Gott nicht ein Nun kann leben;
Werd' ich zu nicht, er muß vor Not den Geist aufgeben.

9. Ich hab's von Gott, und Gott von mir.

Daß Gott so selig ist, und lebet ohn' Verlangen,
Hat er so wohl von mir, als ich von ihm empfangen.

10. Ich bin wie Gott, und Gott wie ich.

Ich bin so groß als Gott, er ist als ich so klein;
Er kann nicht über mich, ich unter ihm nicht sein.

18. Ich tue es Gott gleich.

Gott liebt mich über sich; lieb' ich ihn über mich:
So geb' ich ihm so viel, als er mir gibt aus sich.

68. Ein Abgrund ruft den andern.

Der Abgrund meines Geist's ruft immer mit Geschrei
Den Abgrund Gottes an: sag', welcher tiefer sei.

78. Der Mensch war Gottes Leben.

Eh' ich noch etwas ward, da war ich Gottes Leben:
Drum hat er auch für mich sich ganz und gar gegeben.

79. Gott trägt vollkommne Früchte.

Wer mir Vollkommenheit, wie Gott hat, ab will sprechen,
Der müßte mich zuvor von seinem Weinstock brechen.

88. Es liegt Alles im Menschen.

Wie mag ich doch, o Mensch, nach etwas mehr verlangen,
Weil du in dir hältst Gott und alle Ding umfangen?

90. Die Gottheit ist das Grüne.

Die Gottheit ist mein Saft! was aus mir grünt und blüht,
Das ist sein heil'ger Geist, durch den der Trieb geschieht.

96. Gott mag nichts ohne mich.

Gott mag nicht ohne mich ein einziges Würmlein machen:
Erhalt' ich's nicht mit ihm, so muß er stracks zu krachen.

100. Eins hält das Andere.

Gott ist so viel an mir, als mir an ihm gelegen,
Sein Wesen helf ich ihm, wie er das meine hegen.

105. Das Bildnis Gottes.

Ich trage Gottes Bild: wenn er sich will besehn,
So kann es nur in mir, und wer mir gleicht, geschehn.

106. Das Eine in dem Andern.

Ich bin nicht außer Gott, und Gott nicht außer mir,
Ich bin sein Glanz und Licht, und er ist meine Zier.

115. Du selbst mußt Sonne sein.

Ich selbst muß Sonne sein, ich muß mit meinen Strahlen,
Das farbelose Meer der ganzen Gottheit malen.

121. Durch die Menschheit zu der Gottheit.

Willst du den Perlentau der edlen Gottheit fangen,
So mußt du unverrückt an seiner Menschheit hangen.

129. Das Bös' entsteht aus dir.

Gott ist ja nichts als gut: Verdammnis, Tod und Pein,
Und was man Böse nennt, muß, Mensch, in dir nur sein.

186. Wie ruhet Gott in mir.

Du mußt ganz lauter sein, und stehn in einem Nun,
Soll Gott in dir sich schaun, und sänftiglicher ruhn.

200. Gott ist nichts (Kreatürliches).

Gott ist wahrhaftig nichts: und so er etwas ist,
So ist es nur in mir, wie er mich ihm erkiest.

204. Der Mensch ists höchste Ding.

Nichts dünkt mich hoch zu sein: ich bin das höchste Ding,
Weil auch Gott ohne mich ihm selber ist gering.

287. Im Innern betet man recht.

Mensch, so du wissen willst, was redlich beten heißt,
So geh' in dich hinein, und frage Gottes Geist.

238. Das wesentliche Gebet.

Wer lautern Herzens lebt, und geht auf Christi Bahn,
Der betet wesentlich Gott in sich selber an.

276. Eines des Andern Anfang und Ende.

Gott ist mein letztes End. Wenn ich sein Anfang bin,
So weset er aus mir, und ich vergeh in ihn.

Zweites Buch.

74. Du mußt vergöttert werden.

Chrift, es ift nicht genug, daß ich in Gott nur bin:
Ich muß auch Gottes Saft zum Wachſen in mich ziehn.

125. Du mußt das Weſen haben.

Gott ſelbſt iſt's Himmelreich: willſt du in Himmel kommen,
Muß Gottes Weſenheit in dir ſein angekommen.

157. Gott ſchauet man an ſich.

Wie iſt mein Gott geſtalt't? Geh, ſchau dich ſelber an,
Wer ſich in Gott beſchaut, ſchaut Gott wahrhaftig an.

180. Der Menſch iſt Nichts, Gott Alles.

Ich bin nicht ich noch du: du biſt wohl ich in mir:
Drum geb' ich dir mein Gott allein die Ehrgebühr.

207. Gott iſt in dir das Leben.

Nicht du biſt, der da lebt: denn das Geſchöpf iſt tot;
Das Leben, das in dir dich leben macht, iſt Gott.

Man muß übrigens die Bedeutung einer die ganze Natur beſeelenden
und unſern Geiſt in Gott aufhebenden Anſicht für die Poeſie weniger darin
ſuchen, daß ſie eine Darſtellung durch die Poeſie ſelbſt verträgt, als daß
ſie das Gemüt in poetiſchem Sinne zu erziehen vermag, indem ſie die
Dinge unter Geſichtspunkten betrachten läßt, welche der Poeſie leichten Angriff
gewähren. Dies kann freilich erſt dann ſpürbar werden, wenn die Erziehung
im Sinne derſelben eine volkstümliche geworden; denn der Dichter muß
auf der Anſchauungsweiſe ſeiner Zeit fußen, und kann wohl helfen eine
andere einzuleiten, aber nicht ſich in einer andern bewegen, als welche der
Zeit geläufig iſt. Der Einfluß, den die Anſchauungsweiſe der Hindus auf
ihre Poeſie gehabt, kann inzwiſchen andeuten, was in dieſem Sinne zu
erwarten, freilich nur an deuten, denn wir müſſen nicht meinen, daß die
Verworrenheit der indiſchen Anſchauungsweiſe zu den höchſten und ſchönſten
Erfolgen in dieſer Hinſicht ſchon habe führen können.

„In den poetiſchen Schilderungen der Natur zeigt es ſich, wie der
indiſche Dichter die Natur noch mit ganz andern Augen anſchaut, als wir
es von unſerm religiöſen Standpunkt aus gewohnt ſind. Vor allem iſt es
doch immer eine religiöſe Ehrfurcht, von der er im Anſchauen der Natur
ergriffen wird. Die Großartigkeit derſelben, ihr Glanz, ihr Reichtum
überwältigt ihn, und dadurch bekommt denn die Schilderung, obwohl ſie nur
gelegentlich geſchieht, und zur äußerlichen Szenerie gehört, doch momentan
eine ſelbſtändige Bedeutung. Ferner aber ſind die natürlichen Geſtalten für
den indiſchen Dichter mit dem Menſchen ſelbſt auf das Innigſte verwandt.
Sie ſind wie der Menſch Erſcheinungen des einen göttlichen Lebens. Es

ift daher nicht bloß eine poetische Lizenz, wenn die ganze natürliche Umgebung des Menschen als empfindend dargestellt wird, wenn der Mensch
die Natur zum Mitgefühle auffordert, wenn er sie befragt, wenn er ihr
seine Freude, sein Leid mitteilt." (Schaller, Briefe S. 54.)

Sei es, sagst du, daß wir Gottes Glieder sind, aber wenn Gottes
Glieder, wozu der Erde Glieder; genügt's nicht, uns als Gottes Glieder
zu denken?

Und freilich genügte es, wenn es nur ein müßig Denken gälte.
Aber spinnen wir, statt den Rocken der Betrachtung nur immer fruchtlos
um sich selbst zu drehen, den Faden derselben am Sachverhalt der Dinge
ab, so finden wir, daß er in natürlicher Folge von unserer eigenen
individuellen Beseelung zur Allbeseelung wie rückwärts nur durch das
Mittelglied einer individuellen Beseelung der Gestirne geht. Alles was
in diesem Buche geschrieben worden, ist ja nur des Fingers Gang, der
auf und ab vom Rocken zu der Spule in dieser Richtung glitt.

Auch ist die Mittelstufe, die sich so mit Verstandesmitteln zwischen
Gott und uns erbaut hat, nicht fruchtlos für Befriedigung von höherem
und wärmerem Bedürfnis. Denn einerseits wird Gott dadurch um eine
Stufe in unsrer Vorstellung erhoben, anderseits treten wir ihm selber
dadurch zugleich um eine Stufe näher; und endlich treten wir auf dieser
Stufe, die uns alle gemeinschaftlich zu Gott aufhebt, in innigere
Beziehung zu einander, als da wir uns im Bodenlosen zerstreut und
aus einander gefallen halten mußten. Sonst schien uns Gott an Größe
viel zu nahe, in Ferne viel zu weit, da wir nur den höchsten Maßstab
des Menschlichen an ihn legten, und ihn doch zugleich über allen menschlichen Horizont hinausrückten. Nun aber erscheint er uns ein Wesen
nicht nur über unsre eigene Vernunft und Sinne, sondern auch über
die Vernunft und Sinne selbst schon hoch übermenschlicher Wesen.
Einst stand Gott, wie ein Turm neben dem Menschen steht; nichts war
zwischen uns und Gott als nebelnde Gestalten, und wir maßen den
Turm Gottes durch den kleinen Menschen. Nun sehen wir viel hohe
festgegründete Türme über uns ragen, und Gott ragt nicht bloß als ein
höherer über alle, sondern alle sind gar nur lebendige Bausteine seiner,
des sich selbst lebendig bauenden, geworden, und geben uns nun die
gewaltigsten innern Maßstäbe seiner statt aller äußern, zugleich Sprossen,
die rechte Richtung im Aufsteigen auf der hohen Leiter seiner Betrachtung
zu behalten, der unersteiglichen, da nicht das Ersteigen Gottes, sondern
das Aufsteigen in Gott in Leben und Betrachtung unsre Bestimmung.

Und indes Gott so hoch über uns, ist er uns doch zugleich ganz nahe geblieben, ja erst recht nahe geworden, da wir nun nicht mehr bloß in allgemeiner Weise in ihm ruhen und leben, bloß die höchste und letzte Beziehung zu ihm haben, die alle Wesen mit uns teilen, sondern auch in ganz besonderer Weise von ihm besorgt, gehegt und verwaltet werden durch einen besondern Verwalter, der sein eigen Teil.

Der Geist der Erde ist der Knoten, durch den wir alle in Gott eingebunden sind; wäre es besser, wenn wir lose in ihm zerflatterten? Er ist die Faust, in der uns Gott zusammenfaßt; wäre es besser, wenn er sie öffnete und uns zerstreute? Er ist der Zweig, der uns als Blätter an Gottes Baume trägt; wäre es besser, wenn wir von diesem Zweige abfielen? Oder wäre es besser, wenn jener Knoten, statt ein selbstlebendiges Band zu sein, ein toter Strick, wenn jene Faust erstarrte, wenn jener Zweig verdorrte?

Und ist es gleichgültig, ob wir um die Verknüpfung auch wissen, die wir im Geiste über uns finden, kann sie nicht vielmehr durch das Bewußtsein davon noch in höherm Sinne eng, lebendig, innig werden, als sie von Natur schon war? Zu wissen, daß man des andern Bruder ist, setzt ja noch ein ganz ander Verhältnis zu ihm, als es bloß zu sein.

„Der Mensch ruht als Naturindividuum noch in der dunkeln Einheit des mit dem ganzen Erddasein eng verflochtenen Menschengeschlechts; durch diesen in die Tiefen der Schöpfung hinabreichenden Ursprung sind Alle mit Allen Eins und verwandt, ja mit allem Empfindenden innerlich verwachsen (daher seinem tiefsten Grunde nach unser unwillkürliches Mitgefühl für die Tiere). Aber das Geschlecht hat sich aus jener dumpfen, vorgeschichtlichen Einheit zur bewußten Eintracht einer Menschheit aufzuschließen; dies ist wie der Prozeß der Weltgeschichte, so auch der Inhalt aller praktischen Ideen. Unser Grundwille ist, das zu suchen, was uns als ursprünglich Verwandtes ergänzen kann: die Liebe ist dieser Grundwille." (J. H. Fichte, „Die philosoph. Lehren von Recht, Staat und Sitte" S. 17.)

War's denn nicht von jeher des Menschen Sitte und Gewohnheit, — sie muß wohl also wurzeln in einem tiefen Bedürfnis — Vermittelungen zu suchen zwischen sich und Gott, Vermittelungen durch höhere Persönlichkeiten? Bald waren's Engel, überirdische Wesen, bald Menschen, doch erhaben über die Schranken des gemeinen einzelnen Menschlichen, eins zum andern; eins schien nicht zu reichen. Alles aber, was wir vom obern Vermittler in erstem Sinne verlangen, wünschen, hoffen können, alles Beste, was Engel leisten können, das fanden wir ja erfüllt in der Natur der himmlischen Wesen, deren eins die Erde selber ist. Sie ist Hort und Hüter alles Irdischen, Menschlichen mit einemmale, von allen

himmlischen Hütern der eigenst für das Irdisch-Menschliche gesetzt; hat
Leib wie du, du willst ja alles leiblich und handgreiflich, hat Geist wie
du, Geist über deinem Geiste, weil deiner selbst ihr angehört. Nicht
bete an den ihren; nur Gott ist anzubeten; in einem rechten Gebete
nimmt der ganze Geist die Richtung auf den Geist des Ganzen; aber
verehre ihn und diene ihm, dem Diener Gottes. Du kannst es, nicht
mit Opfern aus Rauch, die sind nur Rauch, sondern dadurch, daß du in
ihm Gutes, Schönes, Wahres schaffst und förderst, so wird er dir wieder
dienen. Das, was du ihm tust, tust du dir, so wahr der ganze Geist
der Lebensboden und Lebensodem alles dessen, was einzeln in ihm webt
und wirkt; und was er dir tut, tut er sich; da ist keine Scheidung.
Und in dem du ihm dienst, dienst du Gott. Im Sinne der besten
irdischen Ordnung wirken, ja sie selber bessern, heißt zugleich im Sinne
der himmlischen Ordnung wirken, die an sich die beste; ja nur indem
du jenes tust, kannst du dieses. Es gibt keinen Weg und Steg zu
Gott durchs Blaue, nur durchs Grüne; wenn schon einen Blick über das
Grüne hinaus auch in das Blaue.

Sonst meintest du, du sei'st ein einzeln irdisch Wesen; lerne dich
dagegen recht fühlen in dem Zusammenhange, in dem du durch den obern
Geist bist mit allen andern irdischen Wesen. Aber denke dir's nicht tot,
denke dir's lebendig, wie du mit den Geistern aller deiner Brüder und
aller, die vor dir waren und nach dir sein werden, berufen bist, das
Leben des einen obern Geistes zu füllen, der in euch allen lebt und
webt und ist, und ihr in ihm, und dadurch deinen besondern Teil
gewinnst an Gott, und daß, um auch an Gottes Gnade Teil zu haben,
du dem dienen mußt und zinsen, den er dir gesetzt hat zum Hort und
Hüter, durch und in dem er dir darleiht das Pfund, mit dem du sollst
wuchern, und zugleich die Stätte, darin du es sollst austun. Freilich
gilt es erst fest und heimisch zu werden in dem Glauben, daß er Kraft
gewinne, Segen bringe. Er ist zu fremd, um uns gleich anzumuten,
zu groß, ihn gleich ganz zu fassen; das Erhabene scheint uns erst nur
ungeheuer, eine Wüste, darin wir uns verlieren; laßt sie uns erst geistig
anbauen, ihre Quellen springen, dann wird's anders.

Doch du möchtest einen menschlichen Mittler zu Gott. Nimmt dir
der unsre etwa Christus? Nein, er gibt ihn dir, der Obere den Höheren,
zu vermitteln das Übermenschliche mit dem Menschlichen, und findet
einen Mittler selbst in ihm, zu vermitteln sein Irdisches mit dem Überirdischen. Das wollen wir nun betrachten.

XIII. Christliche Dinge.

Einen andern Grund kann zwar niemand
legen, außer dem, der gelegt ist, welcher
ist Jesus Christus.[*]

Wohl fragt der Christ, was hast du mit dem Christentum zu schaffen? Sind das nicht ganz neue Dinge? Hat Christus auch nur je davon geredet?

Ich frage entgegen: hat er je dem widersprochen, und ist hier dem widersprochen, was Christus hat geredet?

Wo aber war von Christus selbst die Rede; sollen wir nicht alles jetzt anders suchen, was wir bisher bei ihm gesucht, durch ihn gefunden, ihn nicht mehr halten für den Mittler, Heilkünder und Heilbringer?

Und war von ihm bisher noch nicht die Rede, so sei's jetzund. Nach allem sag' ich doch, ich bleib' ein Christ, und nicht zu lösen seinen Bund, nein, ihn zu festigen und mehr drein zu verschlingen, das ist der Sinn des Werks, das hier gewebt wird.

Das Buch, das von ihm spricht, durch das er spricht, gesprochen hat durch alle Zeit nach ihm, gesprochen hat, daß es weit klingt ins Land, weit über's Land, und noch geht die Stimme weiter sich zu breiten, mit Tone der Posaune, das Buch, aus dem Licht ist geflossen, Segen ist gequollen über die Erde, wohl mehr, als der gemeine Verstand weiß und versteht, soll nicht zerrissen werden; wer kann's zerreißen? Das ist der Stamm, der bleibt und treibt durch alle Zeiten. Die morschen Blättlein dran, ich nenne sie nicht grün; sie machen nicht den Stamm; der aber steht und wurzelt fester in denselben Stürmen, von denen rings die Wälder brechen.

Ich sollte Christum verleugnen mit meiner Lehre? Auf wessen Grund ist diese Lehre den erwachsen? Konnte ein Heide sie erfinden und sie bringen? Bin ich nicht mit allem, was dran Gutes, herausgestiegen aus seinem Grund und Boden, über seinem Stiel, über seinen Blättern, stehe noch in seiner Knospe; was tue ich anders, als mit helfen drängen zum vollen Aufbruch an das Licht der Sonne und der Sterne; einst muß doch klar werden alles, was darin noch schlief im Dunkeln unbewußt. Aber ihr glaubt nicht, daß es dasselbe sei, die

---

[*] 1. Cor. 3, 11.

Wurzel und der Stengel und die Blätter und die Knospe und die
Blume; doch ist's dasselbe noch, nichts ausgerissen wird von Christus
hier, auch nicht das Kleinste, und kann nicht ausgerissen werden; denn
nur wachsen kann Christus durch sich selber und die allmächtige Natur
der Dinge, durch die alles wachsen muß, was wachsen will, weil sie ist
Gottes.

Wer hat die Lehre mich gelehrt von jenem Gott, der mein Schöpfer,
mein Vater, der ist in allem und durch den alles ist, dem ewig Einigen,
Unendlichen, Allwissenden, Allmächtigen, Allgütigen, Allliebenden, Allgerechten und Allbarmherzigen? Was konnt' ich tun mit aller Heiden
Gott, wie konnt' ich darauf bauen, weiter bauen, höher bauen?

Wer hat mich jenes höchste Gebot gelehrt, das Gott und Menschen
schlingt in einen Bund? Blickt auf die Heiden, kennen sie es wohl, für
die das Höchste war, des eigenen Staates bester Bürger sein, oder die
gar den Menschen schlachten, ihren Gott zu ehren? Wer hat das feste
Wort zu mir gesprochen „Es wird mit dir nicht aus sein, ob alles auch
scheint aus, und mit der Tat hienieden bau'st du dein künftig Haus"?
Wer hat mich immer heimlich gewarnt, zurückgehalten, wenn roher Schluß
und eigene Weisheit mich führen wollte dunkle Wege, abseits von Gott,
abseits vom Glauben an mein eigen Heil, mich einfach grad hindurch-
geführt durch alles Wirrnis, vorhaltend immer mir ein leuchtend Ziel?
Nicht dankt ich's Christus lange, verborgen führt er mich an der Hand,
ich wußt' es nicht, so viele wissen's nicht, wie er sie führt, und konnte
doch nicht weichen vom Wege, da ich blieb an seiner Hand, den Zug
wohl spürend, doch den Führenden nicht sehend; und führte endlich mich
auf einen hohen Berg, da drüber lag das weite Firmament, lebendig
worden waren alle Sterne, und sangen alle Preis des Einen. Ich sah
zurück auf den verworrenen Weg, den ich gegangen, die Nebel alle, die
jetzt unter mir, den Graus der Heiden, der jetzt hinter mir, und sann
und dachte, wer hat zu dieser Klarheit mich geführt? Da plötzlich stellt'
er sich vor mich in hoher leuchtender Erscheinung und spricht: ich war's.
Und endlich dank' ich's ihm. Und viel Gefahr war doch auf meinem
Wege, auf dem schon so viele ihren Gott verloren, da ich den Gang
ging aufwärts durch eine Natur, die wahrlich Christus nicht hat ihres
Gottes entblößt; entblößt gefunden hat er sie; den Juden war sie nur
ein trockner Schemel Gottes, zerstückt auf weitem Raume lagen im
Heidentum nur Gottes Glieder. Da setzte Christus seinen Fuß auf des
Schemels höchste reinste Stelle, und reicht die Hand hinab, und zieht,
wie ich's an mir erfahren, die Menschen aus der Nacht und Wirrnis

brunten in die klare Höhe, es hängt sich einer immer an den andern, und immer länger wird die Kette; zuletzt die ganze Menschheit wird empor gezogen; die richtet er erst ein in Gottes geistigem Himmelreiche, das ist es, was vor allem Rot getan, bis daß Gott auch des Leibes Glieder wieder sammle, und fahre ein neuer Wind über dem Wasser der neuen Schöpfung, daß neuer Odem komme in die Natur, die Toten auferstehen und Geister leben, weben, wo jetzt nur Steine, Grab und Gras.

Wahrlich tausende wissen nicht, was sie ihm danken, und danken's ihm darum nicht; verleugnen und verhöhnen ihn wohl gar. Sie meinen, alles sei von heut und gestern, von hierher, daher, von Vater, Mutter, Volk, von Obrigkeit und König, sie sehn der Blätter Wachstum einzeln, nicht die einige tiefe Wurzel, sie sehn die tiefe Wurzel, und nicht zugleich die hohe Blätterfülle. Christus sprach: lasset die Kindlein zu mir kommen und wehret ihnen nicht, denn solcher ist das Himmelreich. Würden wir nicht alle als Kinder zu Christus gebracht, da wir seine Worte noch in Unbewußtsein aufnehmen, nicht fragend, nicht grübelnd, nur den Zug und Druck seiner segnenden Hand spürend, und setzte sich der Segen nicht fest in unvertilgbaren Spuren, ob wir ihn selbst vertilgen wollen, was sollte uns einst durch alle Irrungen nnsers Bewußtseins führen, Widerpart halten gegen alle Gründe, die selbst gesponnenen, selbst ent= wickelten, die immer anders hinauswollenden, als sei Gottes Wort zu schlicht und zu veraltet? Es wäre wohl um unser aller Himmelreich geschehen. Nun hält der Segen des Kinderglaubens, ohne daß wir's wissen, oft ohne daß wir's wollen, immer noch vor, wirkt in Gewöhnung, Scheu, Gewissen, ob wir auch nichts von Christus wissen mögen: ja nicht das allein, was einfließt in jedes Herz in seiner kind'schen Jugend, ist's was ihn hält; ein Glied geworden ist er der Gemeine, die durch Christus ist gestiftet und gehalten, da in den Kirchen, auf dessen Gassen, im Rathaus und Gericht im Sinn der Lehre wird gelehrt, gepredigt und gegangen und geraten und gerichtet, die er lehrte; ob auch in tausend Einzelfällen nicht, im ganzen doch geschieht's, der Staat will da hinaus, wo's Volk will anders, das Volk richtet doch so, wo nicht der Richter, und kein einzelner kann dem Einfluß sich entziehen, ob er auch möchte; denn Boden, Luft und Leben, alles rings ist christlich; den Namen Christi kannst du wohl verleugnen, die Sache Christi zwingt dich, ob du willst; in tausend Einzeldingen weichst du von ihm, und bleibst doch, wenn nicht frei an ihm, an ihn gekettet, gekettet noch durch jenes weite Band des Guten, das alle Christenheit umschlingt, das dich nicht läßt, wenn du's auch lassen möchtest, woran dich Christus hält, ob du nicht an ihm hältst.

Ihr sagt: auch unter den Heiden gab es genug des Guten; aber es gab nicht das Bewußtsein dessen, woran alles Gute zuletzt hängt. Ihr sagt: Natur und Kunst doch hat uns Christus nicht gebracht, das kam uns von den Heiden; wohl kam's uns von den Heiden; doch erst durchs Christentum muß es hindurch, sich läutern, soll's uns zu Frommen kommen; ja Christus muß sich nähren, muß essen viel, muß trinken, daß erwachse groß sein Leib, drin alles wird lebendig und heilsam, indes es faul ward bei den Heiden; drum fiel das Heidentum.

Ihr rechnet Christus alles als Fehler zu, was noch fehlt den Christen; kein totes Werk ist's doch, was er gegründet; was zürnt ihr, daß es auch durch euch soll wachsen, wenn es Zeit ist, daß es wachse? Ihr legt als Schuld auf Christus alles, was er noch nicht ließ fallen, das doch einst fallen muß; doch war es damals reif schon, daß es fallen konnte? Ist's nicht genug, daß er hat festgestellt was stehen muß? Ihr bringt gar über Christi Haupt all' Blut, was ist vergossen worden in seinem Namen und um seines Namens willen; aber ist das auch Blut aus selbem Liebesquell, daraus floß Christi eigen Blut; und wollt ihr sehen scheel dazu, daß, da der Stamm gemußt hat bluten, auch die Zweige bluten müssen, um zu wachsen? Daß so tausendfaches Übel waltet durch das Christentum, das ist nicht Christi, das ist all' der Christen Schuld. Seht doch auf Christi eigenen Wandel, eigene Lehre. Ihr müßt es lesen, wieder lesen, wie er gelehrt, gegangen, wie er hat gehandelt und gelitten; er selbst; und werft auf ihn nicht alles, was die, die seinen Namen führen, taten.

Das Beste und das Reinste, was vom Glauben und der Liebe zu Gott und zu den Menschen hatte bis auf ihn gegolten, das war zusammengeflossen all' auf einen Punkt: daraus wuchs Christus erst; braus ward er ganz gemacht; mit all' seinem Sinnen, Denken, Trachten nahm er's auf in sich, und strömt's zurück aus Einem lichten Punkt, nicht in der Lehre bloß, im Handeln, Leben, Sterben; durch alle Poren drang's hinaus aus ihm in alle Lande. So rein, so hoch, so heilig hat niemand Gott vor uns gestellt, so hoch gestellt keiner das, was das höchste Gebot der Welt; ja mancher Heide hat's befolgt, schon steht's im alten Bunde, da steht es unter anderm; er hat's über alles gestellt, er hat's gestellt übers Leben, er hat's besiegelt mit dem Tode, das macht das Gebot erst leben, das macht es überwinden das Übel in der Welt.

Doch über allem alten Guten, das eine festere Gründung durch ihn empfangen, erhebt sich in Christi Lehre, betätigt in seinem Tun, ein neuer und höherer Gedanke; daran soll jeder halten, der sich einen Christen nennt, und wer dran hält, und glaubt an Christus als an den, durch den dies Wort auf Erden Fleisch geworden, der darf sich einen Christen nennen, mag er auch manchen Satz des Eiferers nicht bekennen; da liegt es, daß wir Christus den Mittler heißen können.

Er ist es, der die Lehre vom Himmelreich hat gestiftet, dem unsichtbaren, dran alles Teil soll nehmen; er ist es, der die ersten Säulen der Kirche hat errichtet, der sichtbaren, die alle soll versammeln zu einer und derselben Predigt; viel Wohnungen Gottes lagen vordem zerstreut auf Erden; ein jeder sprach, das ist meines Vaters Haus; da ist Christus gekommen, zu machen die Erde, die ganze, zu Gottes des Einigen einigem alleinigen Haus, das ist seine sichtbare Kirche; und zeigt noch drüber in's hohe himmlische Haus, und zeigt aus der Enge, dem Dunkel des Diesseits in die Höhe und Helle des Jenseits. Daß er das Höchste gesetzt hat als das Einigende und das Weitste gesetzt hat als das zu Einigende und das Beste gesetzt hat als das Höchste, das hat ihm keiner zuvor getan, das tut ihm keiner nach, denn er hat es getan.

„Darum gehet hin, und lehret alle Völker, und taufet sie im Namen des Vaters und des Sohnes und des heiligen Geistes.

Und lehret sie halten alles, was ich euch befohlen habe." (Matth. 28, 19. Vgl. Marc. 16, 20.)

„Oder ist Gott allein der Juden Gott? Ist er nicht auch der Heiden Gott? Ja freilich auch der Heiden Gott.

Sintemal es ist ein einiger Gott." (Röm. 3, 29. 30.)

„Es ist hier kein Unterschied zwischen Juden und Griechen; es ist aller zumal Ein Herr, reich über alle die ihn anrufen." (Röm. 10, 12.)

„Petrus aber tat seinen Mund auf und sprach: Nun erfahre ich mit der Wahrheit, daß Gott die Person nicht ansieht; sondern in allerlei Volk, wer ihn fürchtet und recht tut, der ist ihm angenehm." (Apost. 10, 34. 35.)

Wahrlich nicht das allein hat alle unter ihm gesammelt und treibt der Schafe immer mehr in seine Hürde, daß er der beste, reinste Mensch, der je gewesen; er mußt' es freilich sein, sollt's ihm gelingen; doch das allein tat's nicht; wohl mancher ist gewesen, zwar nicht mit so großem, doch so aufrichtigen Sinne ganz Gottes. Auch das hat's nicht getan, daß er gekräftigt und gereinigt hat die alte Lehre vom großen einigen Gott mit auserwähltem Volke, die stand schon lange da und stand schon lange still; das aber ist's gewesen, was alle unter ihm hat geeinigt und

alle einigen wird, die noch nicht einig sind, daß er die Idee der
Einigung aller aus dem Gesichtspunkt, aus dem allein eine
Einigung aller möglich ist, zuerst mit Bewußtsein ins
Bewußtsein der irdischen Welt gebracht, und durch Lehre
und Leben den lebendigen Anstoß zur Verbreitung und
Betätigung dieser Idee gegeben hat, daß alle Menschen sich
als Kinder desselben einigen, nur Gutes wollenden Gottes,
als Bürger eines über dies Diesseits hinaus reichenden
himmlischen Reiches und als Brüder zu einander fühlen, in
diesem Sinne trachten und handeln sollen.

Das war wohl anders, da die Juden meinten, nur ihnen sei Heil
von Gott beschieden, und alle andre Völker auf Erden verworfen; das
war wohl anders, da die Heiden, statt in Gott ein Band der Liebe zu
suchen, ihre Götter selbst in menschlicher Zerwürfnis dachten; das ist
wohl anders noch beim Islam, wo Haß gegen Andersgläubige und
äußerliche Werktätigkeit gleich wiegt der Liebe und dem Handeln im
Sinne der Liebe zu dem Nächsten, der für der Christen innig herzliches
Einverständnis mit Gott nur blinden Glauben, Waschungen und gezählte
Gebete kennt.*) Und was er hat des Guten, da ist noch Christi Spur;
weh' ihm, daß er nicht ganz auf den gebaut; das läßt ihn künftig fallen.

Wer hat wie Christus es gewußt, gesagt, daß alle Menschen so
zusammenhängen und zusammenwirken sollen und um ihres Heiles willen
müssen, wie Glieder Eines Leibes? Einst sah man nur zerstreute Menschen
und Völker; das Göttliche der andern Religionen konnte in eigener
Wirrnis nicht der Menschen Eintracht frommen oder schwebte nur
tyrannisch über dem Menschlichen und trieb die Menschen äußerlich
zusammen, doch band sie nicht innerlich. Wer hat wie Christus das
Band der Liebe zu Gott und zu einander zum Bande jenes Leibes selbst
erhoben und geheiligt; wer hat sein eigen Blut im Tode vergossen, daß
es belebend fließe durch den großen Leib? Für's Vaterland hat's
Mancher wohl vergossen, wer aber hat's vergossen für die ganze
Menschheit, wer hat wie Christus nur daran gedacht, daß es eine ganze
Menschheit gebe, für die man's auch vergießen könnte?

Darum ist Christus der Erlöser, daß er alle Einzelbande gelöst
hat, vor denen die Menschen nicht zueinander konnten, die Bande der
Arme, mit denen sie sich umfangen sollten; er hat daraus ein einziges,

---

*) Ungläubige bekriegen und den Säbel gegen sie schwingen ist einer der
12 Artikel des Islam.

alle in eins umschlingendes Band gemacht. Darum ist Christus der
Erlöser, daß er die Wurzel der Sünde, des Menschen Eitelkeit, Eigen-
sucht und Eigenwillen gebrochen hat. Erlöst durch ihn ist und einer
Seligkeit gewärtig von gleicher Reinheit, als sie Gott genießt, wer durch
Christi Beispiel, Lehre, Taten des Sinnes teilhaftig geworden, der
ihn sein Heil nur finden läßt im Frieden mit Gott und denen, die mit
ihm unter Gott. Es gibt keine ewige Freude, als in dieser Gesinnung;
und kein Himmelreich kann bestehen, als unter denen, die sich darin
einigen; ein jeder kann sich selbst die Türe dazu öffnen, indem er die
Türe seines Herzens dieser Gesinnung öffnet; Christus aber ist es, der
allen den Schlüssel dazu in die Hand gegeben.

Wohl waren schon vor Christus alle, die das Rechte, Gute, Edle
wollten, zum Wohl der Menschheit wirkten und auf höhere Fügung
bauten, mochten's Juden sein oder Heiden, noch in einem höhern Sinne
Gottes, als in dem gemeinen, daß sie allesammt schlechthin in Gott sind,
wie auch der Böse ist, der doch gegen Gottes Sinn geht. Jene Bessern
aber gingen mit Gottes Sinn, folgten seinem allgemeinen Zuge. Doch
ist's ein andres noch, im Zuge mitgehn und nicht wissen, von wannen
der Zug kommt, noch wohin der Zug geht, und nicht einmal wissen, daß
es ein allgemeiner ewiger Zug ist. Da weicht man leicht daraus; da
bleibt man immer seines Schicksales und Zieles ungewiß; da kann man
keinen andern sicher führen. Doch das Bewußtsein des gemeinsam
einigen Zuges klar wecken, selbst durch die Schrecknisse des Todes in
diesem Zuge gehen und andre treiben; das ist ein andres noch. Und
das tat Christus.

Also soll niemand leugnen, und am wenigsten der Christ, daß die
Idee, die durch Christus ins Bewußsein der Menschheit getreten ist, von
jeher unbewußt darin gewirkt und ihre Jünger gehabt hat; wie wäre es
denn eine ewige und ewig wahre Idee, wenn sie nicht von jeher schon
gewaltet, also daß Heiden und Juden im Sinne derselben handeln und
insofern Christen sein konnten, ehe Christus war? Aber eine feste und
gemeinsame Richtung konnte doch das Leben der Menschen erst im Sinne
dieser Idee zu nehmen beginnen, als sie auch mit Bewußtsein darin
aufzutreten begann; das war eine neue höhere Eingeburt derselben in
die Menschheit, und selbst jedes einzelnen Handeln und Denken konnte
erst dann der guten Richtung sicher werden; und erst von da an konnte
der Mensch die Heilsgüter voll erwarten, erwerben und genießen, die
teils im vollen, lautern, sichern Bewußtsein der guten Richtung und
des guten Zieles, der Einstimmung mit Gottes Willen und der Einigung

im Guten mit Andern hier zu finden, teils sich an den jenseitigen
neuen Eintritt in das Reich Christi und hiemit die Gesellschaft derer
knüpfen werden, die sich schon hier unter seinem Panier zusammengetan
haben und dort noch in einem höhern Sinn und in höher bewußter
Beziehung zusammengetan wiederfinden werden. Aber die ohne etwas
von Christus zu wissen in seinem Sinne dachten und handelten, sind
darum nicht verloren. Das, was ihnen noch fehlt, das werden sie
gewinnen. Stieg doch Christus selbst zur Hölle nieder. Wir reden davon künftig.

Was sich hier als Kern und Wesen des Christentums dargelegt,
so klar zu erkennen, als es hier dargelegt worden, war freilich nicht
Sache unsres eignen einst noch sehr beschränkten Blicks; ein andrer hat
uns darin vorgeleuchtet, dem wir nur froh dem Griffel aus der Hand
genommen, froh dessen, eigenes Licht und eigene Sicherheit gewonnen zu
haben, froh dessen, hiemit auch dieses Werk auf festen Boden gründen
zu können.

Die hier entwickelte Ansicht vom Wesen des Christentums ist in der
Tat nur eine Paraphrase derjenigen, welche ein gründlicherer Kenner der
kirchlichen Dinge (Weiße) in seiner Schrift „Zukunft des Protestantismus,
Reden an Gebildete" auch gründlicher entwickelt hat.

Wie gut, wie schön, wie wahr aber ist diese Auffassung des
Christentums. Sie läßt uns erst recht und ganz verstehen, was
Christus hebt über alle Menschen und seine Kirche als die Eine herrschen
lassen wird über die ganze Erde; sie versöhnt allen Streit der Konfessionen,
da das, um was sie streiten, nicht mehr ins Wesen fällt, gibt einen
festen Kern zum Anschluß von allen Seiten, doch keinen toten oder
bloß verneinenden, sondern zum lebendigen Fortwuchs treibenden, und
der noch fest und ganz und einig bleibt, wie's drum und dran auch
abweicht, gibt jeder höhern Entwickelung, Fort= und Durchbildung in
Leben, Kunst und Wissen noch Freiheit und Raum, also daß doch die
Grundlage des Christentums dadurch nur fester wurzeln, die Spitze
darüber nur höher aufsteigen muß, läßt uns nicht mehr ängstlich fragen
oder eifernd hadern um das, was Gold, was Schlacke in der Schrift, ob
alle Schlacke Gold, ob alles Gold nur Schlacke; das Gold, es leuchtet
ja durch alle Schlacke.

Oder dünkt es euch zu wenig, daß es nur eines ist, was hier als
Wesen, Kern und Mittelpunkt des Christentums erscheint? Ihr möchtet
lieber vieles; an dem noch und jenem noch soll einer halten, damit er
sei und heißen kann ein Christ; und fangt wieder an zu streiten, was

es sei. So wollt ihr lieber einen Haufen als einen Fels, und alle euere Haufen sind doch nur abgeschlagen von des Felsens Veste. So seid doch froh, daß ihr statt des Vielen eines habt, in dem alles Viele ist beschlossen, um was es Not. Des Vielen hattet ihr genug, ja viel zu viel des Vielen, und fandet darüber nicht das eine, und bliebt so selber viele. Nun schadet nicht das Viele, so lang' es bleibt im einen, nun schadet nicht der Streit, so lang' er nur ums Viele. So lang' ihr einig seid in jenem Einen und wißt, daß ihr drum Christen seid, so habt ihr frei all' ander Denken, Meinen, mit oder wider einander; ist's nur nicht wider das Eine; so ist's nicht wider das Heil.

In solchem Sinne fassend und anerkennend das Christentum meine ich Christum nicht zu verleugnen, sondern noch ein Jünger zu sein der Jünger des Herrn, trotzdem, daß ich teils fallen lasse manches, was mancher wohl rechnet zu seinem Christentum; es ist nicht alles Christi, was ein Christ dazu rechnet; teils weit hinausgehe, über das, was Christus gelehrt, es ist kein Verlassen, es ist ein Wachstum seiner Lehre; indem ich Manchem widerspreche, was sich im heutigen Christentume widerspricht; nicht Christus hat sich widersprochen, sondern ihm und sich die Christen. Die eigene Lehre Christi, die ist heilig, und Christus selber heilig, der sie brachte; mehr als die Lehre auch sein Tun war heilig, und war eins mit seiner Lehre.

Einst kam ich in eine Stadt voll Häuser und Paläste aus Ziegeln, Quadern, Marmor, alle zweckmäßig und regelmäßig gebaut, fest gefügt und eins das andere überbietend in Verzierung. Inmitten aber stand eine alte Hütte, unbeholfen, zu keinem Menschenzwecke brauchbar, voll Luken, Löcher, dunkler Winkel, nichts passend aneinander; es fehlten Klammern, Streben, Stützen; ein Wunder, daß sie nur noch hielt. Und ich lachte über die Hütte, den Rest aus alter halbbarbarischer Zeit in solcher schönen, reichen Stadt, und sprach: Morgen ist es Schutt. Und als ich wiederkam nach hundert Jahren, Schutt waren alle Häuser und Paläste rings, Schutt oder umgebaut, und andre standen umher an andrer Stelle, nach neuer Regel und zu neuen Zwecken. Die alte Hütte aber stand inmitten an alter Stelle, unverändert, mit ihren Luken, Löchern, dunkeln Winkeln, dieselbe, als säh' ich sie am Tag vor hundert Jahren, als wäre zerbrochen dran der Zahn der Zeit, der alles bricht. Und abermals nach hundert und wieder nach hundert Jahren war's immer so: die alte Hütte noch dieselbe, indes rings alles neu. Da

sprach ich: So hält sie Gottes Kraft. Und aus den Häusern und
Palästen kam manch' Kranker und manch' Müder, und siechte in den
Straßen, und konnte nicht genesen, und half kein Arzt; doch wer in die
Hütte ging, die selber schien des Arztes zu bedürfen, ward gesund und
fröhlich. Da sprach ich: Hier wohnt Gottes Heil. Und als ich in die
Hütte trat, da sah' ich einen, der legte seine Hand auf die Kranken und
die Müden, davon sie wurden heil; und ich erkannte Christus.

Die alte Hütte, untauglich für Menschenzwecke, schlecht gefügt nach
Menschenregeln, mit ihren Luken, Löchern, dunkeln Winkeln, fehlenden
Klammern, Streben, Stützen, das ist die heilige Schrift. Man sieht sie
an mit menschlichem Verstande; was ist dran haltbar, was nicht dran
zum Spott den Spöttern, wie kann sie eine Stelle noch behalten auf
dem reichen Markt der Schriften, der schön, der neugefügten, voll klarer
Menschenweisheit, mit gut zusammenhängenden und wohl bewiesenen
Sätzen? Kann sie es aufnehmen nur mit einer? Und doch, die Schriften
alle, die schönsten und die klügsten, die pochen auf das Ewige ihrer Lehre,
verfallen, machen andern Platz mit andrer neuer Lehre. Die Schrift
besteht und wird bestehn die alte, und Christi Geist darin als Herr und
Hüter wird immer wieder fröhlich machen und gesund alle, die zu ihm
kommen krank und müde, weil sie sich erst so lang' herumgetrieben
draußen.

Hat denn nicht jede Wirkung ihre Ursach? Nun wohlan: was ist
die Ursach, daß die Bibel trotz aller Lücken, Dunkelheiten, Widersprüche,
schlechter Fügung Jahrtausende ein Mittelpunkt, ein Halt, ein Segen
für Tausende, ja Millionen steht? In diesen Mängeln selber liegt's
doch nicht. Wenn sie also trotzdem noch bestehen kann und besteht, da
alles fehlt, wodurch ein Menschenwerk sich halten könnte, da sie nach
allen Menschenregeln fallen müßte, da menschlich unbegreiflich ist, daß
sie noch steht, so kann es eben Menschenkraft nicht sein, was sie erhält.
Dieselben Mängel, die der Spötter Spott, sind gerade das stärkste
Zeugnis, daß sie gehalten ist durch göttliche Gewalt. So seid doch nicht
so ängstlich, der Bibel Schäden zu verstecken, zu verdecken und zu leugnen,
deren jedes Menschenwerk sich freilich schämt und schämen müßte. Ihr
versteckt nur Gott, indem ihr Mängel versteckt, mit denen ein Menschenwerk nicht dauern könnte. Was kümmert's Gott, ob es auch hält und
schön aussieht nach unsern Regeln; jeder Stein und Balken war ihm
gut, den einer mit heiligem Sinn zum Werk gefügt; doch war's mit
heiligem Sinn, war's doch mit Menschenhänden, und Christus, der Helfer
und der Herr, hat selber keine Hand an's äußere Werk gelegt; so paßt

nicht alles, kann nicht alles passen. Doch nur die Balken, Steine sind
es, die nicht passen. Und wer besucht und sucht im Haus die Balken,
Steine; genug, wenn nur der Herr drin sicher wohnt und leicht zu
finden, und Hilfe leicht bei ihm zu finden. Und ist's nicht so? Ein
Tor darum, wer auf die Mängel weist mit Fleiß, ein Tor, wer sie
verleugnet. Sie sind ja da; doch der, wer dessen achtet, was allein zu
achten und wonach allein zu trachten, der sieht sie nicht, weil er in's
Innre blickt und trachtet, wo der wohnt, der ist ohne Fehle, und sieht
er sie, sie können ihn nicht kümmern, weil sie nicht Gott gekümmert, nicht
den gekümmert, der Gott darin vertritt.

Das Vorige ist nur die Umschreibung einer schönen Stelle, die ich im
Buche eines ebenso sinnigen als geistvollen christlichen Künstlers fand, (von
Kügelchen, „Von den Widersprüchen der heiligen Schrift". 1850. S. 84),
und die also lautet:

„Man sollte denken, daß ein Bau auf so unsicherm und schwankendem
Grunde, als der Lehrbegriff der heiligen Schrift zu sein scheint, längst hätte
zerfallen müssen, ja daß überhaupt mit so dunkler, unklarer Lehre niemand
habe gewonnen werden können. Aber siehe da, diese unverstandene Lehre
beseligt fort und fort, und der Bau steht fest und unerschütterlich, als sei
er auf einem ewigen Felsen gegründet. Das ist auffallend, beides, die
Festigkeit und die fortwährend segensreiche Kraftwirkung einer Predigt, die
so töricht ist, daß sie ihr Angesicht verbergen muß vor aller Weisheit dieser
Welt, nicht allein der Doktoren, sondern auch der Schüler auf den Bänken
der Schule. Und hier, indem wir die Hand auf die gewaltigen unum-
stößlichen Resultate des Christentums legen, haben wir zugleich den Beweis erfaßt, daß trotz alles Widerbellens unseres einseitigen Verstandes,
dennoch in dem Evangelio eine Kraft Gottes sei, die den Verstand der
Verständigen zu nichte macht."

So gilt vor allem von der Bibel selber, was in der Bibel steht:

„Denn die göttliche Torheit ist weiser, als die Menschen sind, und
die göttliche Schwachheit ist stärker, denn die Menschen sind.

Was töricht ist vor der Welt, das hat Gott erwählet, daß es die
Weisen zu Schanden mache; und was schwach ist vor der Welt, das hat
Gott erwählet, daß er zu Schanden mache, was stark ist.

Und mein Wort und meine Predigt war nicht in vernünftigen Reden
menschlicher Weisheit, sondern in Beweisung des Geistes und der Kraft."
(1. Cor. 1, 25. 27; 2, 4.)

Im Geiste seh' ich einst ein prächtig Bauwerk um die Hütte ragen,
groß, daß sie drin verschwinden will, mit vielen Toren, hohen Türmen,
buntgemalten Fenstern, und alles drängt sich zu, drin lobzusingen. Die
Hütte aber steht noch drin die alte. Und diese Hütte ist des Ganzen
Kern, das heiligste Verließ darin, das Ganze wär' ohn' sie nur eine
bunte Schale; wie einst im Heidentum der neue Tempel den alten

unbehauenen Stein als Heiligstes verwahrte, an dem die Väter ihren
Gott zuerst erfahren. Doch hier ist mehr als Stein, hier ist lebendige
Erfahrung der Väter von Gott selbst. Ein schönes Licht bricht durch
die Scheiben des weiten Baues und strahlt auf Boden und auf Wände
und auf die Hütte drin, die wird verklärt davon; doch aus der Hütte
bricht ein Licht, das strahlt aus Einem Herzen in alle Herzen.

An diesem großen Bauwerk will ich helfen bauen, kann ich auch
die Vollendung nicht erschauen.

Wie aber war's doch möglich, daß die Bibel, wenn sie Gottes
Werk und Wort, ob auch durch Menschenhand uns zugebracht, so viele
Mängel trägt nach allen Seiten? So fragt doch erst, wie war's doch
möglich, daß die Welt, die auch ist Gottes Werk, geschaffen auch durch
Gottes Wort, so viele Mängel trägt nach allen Seiten? Ist eines
möglich, ist's das andre auch. Die Bibel freilich soll ein göttlich oder
gottbegeistet Werk in anderm Sinn noch sein als andre Werke in der
Welt. Sie ist es auch; doch ist nicht bloßer Gott. Sie spiegelt euch
mit Gott auch seine Welt der Mängel; doch also, daß Gott so mehr
drin durchscheint für die, die ihn drin suchen, je mehr die Mängel
scheinen denen, die sie suchen, durch diese Mängel selber durchscheint und
alle Fehler überscheint; zwar immer sind sie da, wenn man sie suchen
will, und werden immer mehr, je mehr man danach sucht; allein auch
Gott wird immer mehr, je mehr man ihn drin sucht. Das ist der
Bibel Sinn. Gott offenbart sich in der Bibel nicht, wie er nirgends ist,
sie gibt vielmehr das Muster, wie ihr ihn suchen müßt, müßt suchen
in der Welt mit allen ihren Mängeln, die doch nicht seine sind. Das
göttliche Eine, Höchste, Ganze, das Ewige und ewig Feste, das durch die
Vielheit und Zersplitterung, den Widerstreit und Zweifel von allem
untern Menschlichen und Weltlichen hindurchgeht, hat auch in der Bibel
sich nicht abstrakt herausgelöst aus diesen Mängeln, ist vielmehr nur
heller bewußt und mächtiger in Wirkung drin erschienen. Wer nun auf
jenes Eine, Höchste, Ganze achtet, den irren nicht die Mängel, die doch
nur äußere sind. Oft sind sie gar nur scheinbar.

In der oben erwähnten Schrift von Kügelchen (S. 11) findet sich durch
ein treffendes Bild ein Grund gar mancher nur scheinbaren Widersprüche
in der Bibel erläutert, der darin liegt, daß wir den faktischen Verhältnissen
und Erlebnissen, welche der Abfassung der Bibel zugrunde liegen oder
darin zur Sprache kommen, viel zu fern stehen, um uns überall noch in
den rechten Mittelpunkt ihrer Auffassung versetzen zu können: wo es dann
leicht geschehen kann, daß verschiedene Berichte, welche dieselbe Sache von

verschiedenen Seiten darstellen, Widersprüche zu enthalten scheinen, die doch eigentlich darin nicht liegen.

„Man stelle sich vor, es sei jemand im Keller aufgewachsen und habe in sich kein Bild der Pflanzenwelt. In dem Gespräche seiner Freunde aber, die bei ihm ein= und ausgehen, fiele ihm das Widersprechende der Bemerkungen über eine und dieselbe Pflanze, etwa ein Wuchergewächs auf. Der eine sagt gelegentlich von ihr, sie wachse in die Höhe, der andre, sie wachse in die Tiefe, einmal wird behauptet, sie sei angewurzelt, ein andermal, sie habe einen ganzen Garten durchlaufen. Wie wird er nun, wenn damit die Freunde weggegangen sind, ihm aber alle lebendige Anschauung fehlt, sich ein Bild von jener Pflanze machen können? Er wird vielmehr an der ganzen Pflanze irre werden; sie ist für ihn nicht da.

Ebenso ist es denen ergangen, die ohne alle Voraussetzung und ohne Interpretation des Glaubens die heilige Schrift um ihren Inhalt befragten.“

Man streitet, ob die Bibel durch göttliche Eingebung entstanden sei, ob nicht. Nun läßt sich alles Gute durch einen Hauch von Gott entstanden denken; doch hier gilt's mehr als einen bloßen Hauch; ein Wind kommt aus ihr, der über die ganze Erde geht und tausend Hauche abgibt, und nicht aufhört zu blasen und immer stärker bläst und stärker, und wohl ziemt es, in einem solchen Winde viel mehr den Atem Gottes zu sehen, als in jedem abgeleiteten und nebengehenden kleinen flüchtigen Hauche, den ein Irdisches dem andern zuweht. Konnte auch ein Mensch, oder konnten die mancherlei Menschen, die an der Bibel geschrieben, ihr mit ihrem schwachen Atem allein diesen Wind einblasen, der nun so gewaltig, fruchtbringend, unvergänglich aus ihr weht? Was sie als Menschen ohne Gott dazu beitragen konnten[*]), waren nur ihre menschlichen Schwächen und Widersprüche (denn alles höhere Band liegt in Gott), und sie haben sie beigetragen, aber der Wind weht stark trotz aller dieser Schwächen. So ist er höher her.

Man mag sich einbilden, man hätte das Wahre und Gute unsrer Religion auch ohne die Bibel haben können: wohlan, dann hätte etwas andres die Bibel vertreten müssen; nun aber hat Gott ihre Verfasser einmal damit begnadet, uns in ihr den Quell des Heils für alle Zeiten zu eröffnen, und diese Gnade können wir nicht von ihnen und von ihr wenden noch wenden wollen, ohne uns selbst derselben zu berauben. Der Fluß kann den Quell nicht verstopfen, aus dem er geflossen, ohne sich selbst zu verstopfen; er kann es auch nicht, weil er dazu sich selbst entgegenfließen müßte.

---

*) Vgl. hiezu S. 250 f.

Es kann nach allem keine in höherm und umfassenderm Sinne heilbringende Idee für die Menschheit geben, als durch Christus in die Welt getreten und durch die Bibel uns zugebracht wird. Darum muß diese Idee fortbestehen und sich fortbetätigen allezeit. Und nicht nur bestehen und wirken, auch immer mehr um sich greifen, bis sie die ganze Erde überwachse und beherrsche. Christus kann nur wachsen, nicht vergehen.

Aber nicht bloß äußerlich kann er wachsen; Christus ist noch nicht tot; was aus ihm kommt, was wieder in ihn hineintritt, sich ihm unterordnet, ist sein; was seine Sache fördert, gehört zu ihm. Und in sofern, meine ich, ist auch die Lehre dieses Buches teils sein und teils zu ihm gehörig, sofern sie und so weit sie eine gute.

In der Tat nicht als eine gedulbete nur und in bloß äußerlicher Beziehung schließt sich unsre Lehre an das Christentum an. Sie kann sich nur entfalten und gedeihen auf seinem Grunde, ihm selbst zwar nichts geben, was es sich nicht nach seinem ursprünglichen Vermögen einst nehmen müßte; aber wohl ihm entgegenreichen, was ihm dienen kann und einst dienen muß. Betrachten wir nun etwas näher diese Beziehungen, in denen unsre Lehre zum Kern und Wesen des Christentums steht.

Die Grundidee des Christentums entfaltet sich nach zwei Seiten in dem zusammenhängenden Lehrbegriffe von einem Himmelreiche und Jenseits. Mit der ersten Seite dieses Lehrbegriffs begegnen wir uns insbesondere hier, mit der zweiten im folgenden Teile dieser Schrift, der von den künftigen Dingen handelt. Das Christentum besteht aber nicht bloß in einer theoretischen Lehre über Himmelreich und Jenseits welche sich von Christus auf seine Bekenner fortgepflanzt, sondern auch einer realen Vermittelung der höchsten Heilsgüter des Himmelreichs und Jenseits für sie durch seine Person, also, daß der Glaube an die Vermittelung durch seine Person selbst zu dieser Vermittelung gehört. Auch die Anerkenntnis dieser Vermittelung, die der Vernunft zu widersprechen schien, wird sich in unsrer Lehre begründen.

Blicken wir noch einmal zurück. Ein himmlisches Wesen übernimmt die Vermittelung zwischen Gott und uns nach allen Beziehungen überhaupt, die das Irdische gemeinsam betreffen, ist der Verwalter aller unsrer irdischen Angelegenheiten, der materiellsten wie der geistigsten, der niedrigsten wie höchsten, ohne allen Unterschied; ist Mutter, Amme und was nicht noch für uns. Dieses Wesen will aber selbst in Betreff seiner höchsten Angelegenheiten mit Gott in solcher Weise vermittelt sein, daß alles Untere, Niedere, selbst Richtung, Frucht und Heil davon empfange, und kann diesen Vermittler selbst nur im Höchsten finden, was ihm zu Gebote steht, im (diesseits und jenseits) Menschlichen also, daß jenes himmlische Wesen im Ganzen uns nicht nur einen menschlichen Mittler nicht ersetzen kann, sondern ihm selbst nur im Menschlichen, in einem Sohne des Menschen, wie die Bibel sagt, finden kann, indem es ihn aber darin findet, finden wir ihn zugleich mit.

Erläutern wir an unserm eigenen Geiste, wie's in dem Geiste über uns ist, nicht vergessend, daß der Geist über uns in seinen Mitteln ganze Geister hat, wir nur Anschauungen, Vorstellungen, Gedanken, Ideen.

Mancherlei Gedanken steigen im Menschengeiste auf, gemeine und edle, von diesem und jenem Inhalt. Alle haben ihre Folgen. Aber nicht alle Folgen aller Gedanken sind gleich wichtig für den ganzen Geist, gleich weitgreifend und bedeutend. Es kommt wohl ein Moment, wo ein Gedanke erwacht, der seinem ganzen künftigen Leben und Denken eine oberste Richtung gibt, in die nach und nach der Fluß aller Gedanken und alles Tuns mehr oder weniger einlenkt, nicht daß er ihn ausschließlich beschäftigt, aber alles, was ihn beschäftigt, empfängt Einfluß davon, richtet sich in seinem Sinn.

Nicht Sache der ersten Jugend ist es, einen solchen Gedanken, oder nennen wir es eine das Leben beherrschende Idee, zu fassen; ein langes Suchen, Versuchen geht oft voraus, ein Umhertreiben in dem und jenem, doch kommt oft die Erleuchtung scheinbar plötzlich, in einem unerwarteten Ereignis, durch ein unvorhergesehenes Erlebnis, nie unvorbereitet zwar, der Gedanke bricht heraus aus einem lange vielleicht schlummernden unscheinbaren geistigen Sämlein, für das sich indes der Boden des Geistes rings gelockert, und so leichter gewinnt das Sämlein Platz und wächst je zerfallener rings der Boden. Doch bedarf's Zeit, ehe sich das ganze Leben der Herrschaft dieses Gedankens fügt; vieles will anfangs nicht passen von andern schon lieb gewordenen Gedanken und Gewohnheiten; oft lockt's wieder ab, hiehin, dahin, es entsteht Streit und Zwiespalt im Geiste; wird der Gedanke überwinden? Und wenn er nicht überwindet, so war er nicht der rechte, und gerade der rechte kommt am meisten in Kampf und Streit, weil er alles, was entgegen, zu überwinden hat, indes der andern Kampf und Streit sich dadurch abkürzt, daß sie selbst eher überwunden werden. Wo aber etwas überwunden ist, da entsteht Frieden, und nach Maßen als der Sieg gelingt wird der ganze Geist friedfertiger und einiger, verträgt sich, fördert sich alles,

wirb alles gebundener im ganzen und freier, ungehinderter im einzelnen.
So stellt der höhere Gedanke fortan den Herrscher vor im Geiste, vertritt den ganzen Geist in seinem höchsten, besten Sinne, nicht nur im
höchsten, sondern auch im besten, weil nur das Gute Kraft hat, fest zu
binden. Kein Grundsatz ist es, der den Bösen bindet; des Bandes los
sein, das nur ist sein Sinn. So schreitet nun auch die ganze Entwickelung des Geistes unter der Herrschaft dieses Gedankens fort, wie
die bisherige Entwickelung nur als Vorbereitung dazu gelten konnte.
Und sie schreitet um so rascher und gedeihlicher fort, als alle Kräfte,
die sich sonst vielfach widerstritten und zersplitterten in bezug auf viele
Zwecke, die selbst sich widerstritten, sich jetzt einigen in Beziehung auf
einen einigen letzten Zweck.

Indem aber der höhere Gedanke so herrschend, bindend, befriedend,
richtend nach unten durch den ganzen Geist waltet, tritt er zugleich als
der Vermittler zwischen dem ganzen Geiste und etwas über dem ganzen
Geiste selbst auf, weil nur die Idee von etwas, was selbst über den
ganzen Geist herrschend, bindend, befriedend, richtend in weiterm und
höherm Sinne hinausgreift, im stande ist, einen entsprechenden Einfluß
nach unten in den Geist hinein zu erstrecken; ja die herrschende Idee
im Geiste muß selbst eine Wirkung, ein realer Ausdruck von etwas
Herrschendem über dem Geiste sein; kein leerer Schein kann wirken in
das Sein.

Zwar braucht der höhere Gedanke nicht immer zu jedem einzelnen
Gedanken mit Bewußtsein hinzugedacht werden, damit seine Herrschaft
darüber bestehe; doch muß er, um die rechte Kraft über die andern
Gedanken zu gewinnen, auch eine Zeit lang mit einem ihnen vergleich-
baren Bewußtsein in ihrer Mitte erschienen, er mußte unter ihnen
gewandelt sein, um einmal über ihnen, in ihnen zu wandeln als sie
begeistende Idee, nicht erloschen in ihnen, sondern sich entwickelnd in
ihnen und ihre eigene Entwickelung beherrschend. Denn in diesem Leben
unter ihnen gewinnt er die ersten Anknüpfungspunkte des einstigen
Lebens über ihnen, in ihnen, ja er mußte nicht bloß im idealen Leben
gewandelt sein, sondern im wirklichen Leben sich betätigt haben, um
Kraft und tätige Beziehungen auf's wirkliche Leben, das in Anschauung
geführte, wieder zu erlangen. Kein müßig ausgesponnener Gedanke
reicht dazu hin; im Fleische mußt' er wandeln, aus dem Fleische wirken,
soll er aufs Fleisch des Lebens wieder wirken. Nun aber kann er's
noch, auch wenn sein Fleisch dahin, wenn lange verloschen ist das äußere
Wesen, durch dessen Vermittelung er eingeboren wurde in den Geist.

Aber, fragst bu, gibt es denn in jedes Menschen Geiste einen solchen Gedanken, der ihn ganz und gar in gutem Sinne beherrscht und leitet; will auch nur jedem ein solcher erwachen? Wie viele leben bis an's Ende in den Tag hinein! Es ist wahr, es gibt nicht in jedem Menschen einen solchen Gedanken, es will nicht in jedem Menschen ein solcher erwachen; es sollte nur in jedem ein solcher erwachen, es zeigt sich nur hie und da ein Anklang davon, ein Antrieb mehr oder weniger gelingend, und wo's am besten gelingt, da ist's am besten; in keinem doch gelingt es ganz. Nun aber eben das beweist, daß, da jeder ein mangelhaft Wesen ist für sich allein, er, was er nicht in sich allein finden kann, in Ergänzung suchen muß mit andern. Es soll keinem menschlichen Wesen an einem solchen Mittler fehlen, aber da ihn keiner für sich vollständig haben kann, er sei denn selbst der Mittler, so soll ihn eben die Mensch= heit haben, der Geist der Menschheit oder der Geist der Erde, denn der Menschheit Geist besteht ja nur durch ihn und innerhalb seiner. Aber jeder Einzelgeist soll Anteil an seiner höhern Vermittelung gewinnen.

Diese höhere Vermittelung nun wird für den Geist der irdischen Welt nicht bloß wie in uns durch einen einzelnen Gedanken, sondern selbst einen einzelnen irdischen Geist begründet, der eine Zeit lang mit und unter den anderen irdischen Geistern im Fleische hienieden gewandelt, aber einen solchen, der in seinem Leben und Denken dasjenige zum Bewußtsein brachte, dessen erste Fäden ins wirkliche Leben einspann, was fort und fort um sich greifend alle dem Irden=Geiste untergeordneten Menschengeister ins Band zu schlingen, zu Frieden, Eintracht und auf den rechten gemeinschaftlichen Weg ihrer Bestimmung zu bringen und darauf zu erhalten vermag; dem sich alle irdischen Geister fügen müssen, um ewigen Heils teilhaftig zu werden, und hier oder dort einst fügen werden. Wie geschrieben steht (Phil. 2, 10), daß im Namen Jesu sich beugen sollen aller derer Kniee, die im Himmel und auf Erden und unter der Erde sind, und (1. Cor. 15, 25), daß er herrschen muß, bis daß er alle seine Feinde unter seine Füße lege.

Christus also ist der die irdische Welt in höchsten Beziehungen beherrschende, ihre höhern Beziehungen mit Gott im reinsten Sinne ver= mittelnde Geist; nicht über dem Geist des Irdischen, da er selbst darin ist, aber der Vertreter des Höchsten und Heiligsten im Geiste der Erde, von dem alles Einfluß empfangen wird, je mehr, je länger; selbst ein Sohn, ein Abdruck Gottes des Ganzen im Irdischen.

Nehmt nur nicht, wenn ihr Christi Bedeutung für die Erde erkennen wollt, Christus, wie er ging in armen Kleidern, im kleinen Judenvolk;

er hatte nicht, wohin sein Haupt zu legen; da Wenige nur, teils
zweifelnd, teils bloß halb verstehend, folgten; da man ihn stieß und
kreuzigte; das ist nur das Körnlein Christus; seht auf den Baum, der
noch desselben Körnleins ist, der draus gewachsen, der schattet über die
Welt, will immer weiter schatten, nein leuchtet über die Welt, will immer
weiter leuchten; da neigen Könige sich vor ihm in Staub; da preist man
seine Mutter selig in allen Landen; da steigen Kirchen auf, das Kreuz,
an dem er ward erhöhet, steht golden drüber; die Weisen werfen all'
ihr Wissen ihm zu Füßen; in Farben und in Tönen drängt sich's herzu,
will alles Christus dienen; da stürzen nach und nach die alten Götzen
ringsum. Das ist das Äußere nur, darin ist viel Kleid und Zutat
nur zum innern Christus: doch seine Macht könnt ihr daraus erkennen.

Bethlehem und Golgatha.

Er ist in Bethlehem geboren,
　Der uns das Leben hat gebracht,
Und Golgatha hat er erkoren,
　Durch's Kreuz zu brechen Todes Macht.
Ich fuhr vom abendlichen Strande
Hinaus, hindurch die Morgenlande;
Und Größeres ich nirgend sah
Als Bethlehem und Golgatha.

Wie sind die sieben Wunderwerke
　Der alten Welt dahingerafft,
Wie ist der Trotz der irb'schen Stärke
　Erlegen vor der Himmelskraft!
Ich sah sie, wo ich mochte wallen,
In ihre Trümmer hingefallen,
Und stehn in stiller Gloria
Nur Bethlehem und Golgatha.

Weg ihr ägypt'schen Pyramiden!
　In denen nur die Finsternis
Des Grabes, nicht des Todes Frieden,
　Zu bauen sich der Mensch befliß.
Ihr Sphinx' in kolossalen Größen,
Ihr konntet nicht der Erde lösen
Des Lebens Rätsel, wie's geschah
Durch Bethlehem und Golgatha.

Erdparadies am Roknabade,
  Flur aller Rosen von Schiras!
Und am gewürzten Meergestade
  Du Palmengarten India's!
Ich seh' auf euren lichten Fluren
Noch gehn den Tod mit dunklen Spuren.
  Blickt auf! Euch kommt das Leben da
  Von Bethlehem und Golgatha.

Du Kaaba, schwarzer Stein der Wüste,
  An den der Fuß der halben Welt
Sich jetzt noch stößt, steh' nur und brüste
  Dich, matt von deinem Mond erhellt!
Der Mond wird vor der Sonn' erbleichen,
Und dich zerschmettern wird das Zeichen
  Des Helden, dem Viktoria
  Ruft Bethlehem und Golgatha.

O der du in der Hirten Krippe
  Ein Kind geboren wolltest sein,
Und, leidend Pein am Kreuzgerippe,
  Von uns genommen hast die Pein!
Die Krippe dünkt dem Stolze niedrig,
Es ist das Kreuz dem Hochmut widrig;
  Du aber bist der Demut nah'
  In Bethlehem und Golgatha.

Die Könige kamen, anzubeten
  Den Hirtenstern, das Opferlamm,
Und Völker haben angetreten
  Die Pilgerfahrt zum Kreuzesstamm.
Es ging in Kampfes Ungewitter
Die Welt, doch nicht das Kreuz in Splitter,
  Als Ost und West sich kämpfen sah
  Um Bethlehem und Golgatha.

        (Rückerts Gesammelte Gedichte IV. S. 248.)

    Ihr sagt: nach deiner Lehre gehörte Christus aber nur der Erde. Und
wir meinten, daß er ein König sei des Himmels. Nach deinem Glauben
müßt' es einen andern Christus geben für jeden andern Stern; denn jeder
wird doch einen brauchen; wie viele gäb' es da; so wär' der unsre doch nur
einer unter vielen. Wir aber möchten einen, der ist eins mit Gott.

Und habt ihn ja. Der Christus in Gott, der eins mit Gott, geht nur im Fleisch ein in die Vielheit, doch bleibt darüber als einer in der Höhe. Der göttliche Christus, d. h. Gott selbst nach Seiten seiner alles einigenden, besiegenden, versöhnenden, und um des Sieges und der Versöhnung für die Ewigkeit willen das höchste zeitliche und endliche Opfer nicht scheuenden Liebe, wirft nur ein Spiegelbild in jeden Stern, kein hohles, nein des Wesens volles. Dasselbe göttliche Fühlen, Sinnen, Trachten, dasselbe Wort, denn also nennt's die Bibel, was in eins über allen Welten schwebt, fordernd die Einigung von allem, was in allen Welten, in Liebe, und die Sühne und Versöhnung alles Übels, dies Wort, wie es in Christus Fleisch geworden auf der Erde, mußte freilich eben so Fleisch auf jedem andern Sterne werden, zu binden und zu erlösen die Seelen dorten; doch ob es eingeht in wie viele Sterne, so bleibt es immer eins in Gott, und bleibt dasselbe, nichts kann davon zerstieben, nichts zerfallen; der Christus jedes Sternes hat es ganz, hat's ganz so wie der andre, ist ganz daraus geboren, ist ganz darin verblieben mit dem, was ihn zu Christus macht, mit seinem Sinnen, Trachten, Dichten, Denken, als wäre er der andre. Es sind des gleichen Vaters gleiche Söhne, sich gleichend auf ein Haar in dem, was alle ihm läßt gleichen, verschieden nur im Fleisch, in dem sie wandeln, in Auge, Ohr, in Schuhen, Kleidern und dem, was drum und dran, ein jeglicher nach seinem andern Sterne; des Menschen Sohn ein Mensch. Als solcher hatt' er irb'sche Brüder, als Gottes Sohn hat er die himmlischen, erzeugt wie er, da Gott an andre Sterne wie an die Erde sich mit seiner Liebeskraft dahingegeben. Und sollt' er streiten mit den Himmelsbrüdern um den Vorrang, der seine irdischen Jünger schalt, weil sie drum stritten?

Nun meint ihr wohl, der Christus, der dereinst stieg nieder, hat zwar vordem gelebt auf Erden, jetzt aber ist er wieder in der Höhe, woher er kam, bei Gott, der selbst weit über uns. Wir haben Christus nicht mehr, wir brauchen ihn nicht mehr, wir haben ja seinen Nachlaß, teilen uns in sein Erbe. Die Sätze und die Schätze von Glauben, Hoffnung, Liebe, die von ihm hinterblieben, daß ist der Nachlaß, der uns ihn ersetzt, womit wir weiter schalten; wir dürfen dankend Christi noch gedenken, doch nur wie eines Mannes aus vergangenen Tagen, der jetzt in ferner Höhe; erst künftig holen wir ihn wieder ein. Sein Geist zwar, sagen wir, wohnt unter uns, wohnt in uns, wohnt in seiner Kirche, wohnt in den Herzen der Gläubigen und Frommen; doch meinen wir damit nur das, was in unsern Geistern in seinem Sinn gebunden

ist und geht. Wohl Aufsicht führt er noch von oben über seine Kirche;
sie selber aber lebt nur noch von seiner Erinnerung, die er nicht selber.
Und möchten's manche tiefer fassen, und tun sie's wirklich, und meinen
auch vom lebendigen Christus selber etwas in sich haben zu können,
nicht gleichnisweise bloß; so gilt's als Torheit und als Aberglaube,
denn Christus ist hinüber.

Wahrlich aber, wenn es so wäre, so wäre es nur ein eitles, hohles
Wesen um das ganze Christentum, so hingen wir alle nur durch einen
Namen zusammen; und nur, daß Christus in einer wissendern Weise,
als die Christen selbst insgemein es meinen oder wissen, in seiner Kirche
fortlebt, nicht als äußerer, sondern als innerer Geist, das hält die Kirche
lebendig; wie auch die Welt nur darum lebendig fortbesteht, daß Gott
in einer wissendern Weise, nicht außer, sondern in ihr wohnt, als wir
selbst es insgemein meinen oder wissen. Wenn nicht wahrhaftig ist,
was Christus und seine Jünger selbst so oft gesagt, und was die Meisten
für ein bloßes Wortspiel halten, daß Christus seinen Leib in seiner
Gemeine und Kirche hat, so haben wir uns nur geteilt in seine Kleider.
Und wenn wir nicht alle wie Christus, unser Vorbild, uns den Leib
des Jenseits im Diesseits schon erbauten, und nicht in eins mit ihm
erbauten, wie sollten wir im Jenseits uns mit ihm von Angesicht zu
Angesicht wiederfinden? Aber wo er ist, sollen wir auch sein. Doch
davon künftig in der Lehre von dem Jenseits.

Die Lehre von der Seele der Gestirne ist zwar nicht Christi Lehre;
ist aber auch nicht wider Christi Lehre; erscheint nur fremd dem Christentume uach dem Äußern der Erkenntnis, doch ist es nicht nach Sinn
und Wesen; gehört nicht zum Grunde, und darum nicht zum Ersten
des Christentums; das haben wir von Christus; doch darf nun nach
dem Ersten kommen, es zu mehren und zu stärken.

Christus kam herab, der Menschheit Heil zu bringen, das war der
Sinn und Zweck von Christi Lehre, Taten. Eins sollt' er aus der
Vielheit der Menschen machen, sie fest und unmittelbar aneinander in
Gott schließen, nicht ihren Blick zerstreuen zwischen einer Vielheit ferner
Welten, Wesen, woran der Menschheit Heil zunächst nicht hängt, oder
gar ein scheinbar scheidend Zwischen in den Gestirnen aufrichten zwischen
Mensch und Gott, da es noch als solches gelten konnte, und so nahe an
dem Heidentum ein heidnisch Wesen wiederzubringen gedroht hätte.
Doch das ist nun alles anders, durch Christi Wurzelung und Fortwuchs
selber anders. Über dem Grunde, den er gelegt, darf nun auch der
Blick weiter schweifen; was denselben erst zerstreut hätte, darf er sammeln;

das Christentum darf sich nun mit dem bereichern, an was es sich zu Christi Zeit verloren hätte. Christus warf allen Reichtum hin, um uns zum reinen klaren Quell alles Reichtums zu führen; doch soll der Reichtum uns darum nicht immer verloren sein. Das Christentum bedarf der Erweiterung und Kräftigung der Außenwerke; den Himmel mit den Engeln machen wir dazu.

Wenn Christus alle Menschen in ein Band der Liebe schlang und dieses in Gott verknüpfte, heißt es dann, diese Verschlingung und Verknüpfung in Gott lockern, nicht vielmehr sie fester begründen, wenn wir auch einen ursprünglichen Knoten dieser Verknüpfung in Gott zeigen? Ein Knoten der Verknüpfung von Geistern ist aber selbst ein Geist. Das ist der Geist der Erde. Nun ist durch Christus dieser Knoten nur nochmals eng und innig zusammengezogen worden, also daß es ein Knoten in höherm Sinne geworden als vorher. Und dessen sollen wir uns immer mehr bewußt werden. (Vgl. S. 312.)

Und heißt es, Christi Lehre widersprechen, wenn wir auch die Seelen aller Gestirne in Gott verknüpfen, wie Christus die Seelen aller Menschen? Nur daß es Christus an den Menschen nicht bloß äußerlich in Worten tat, wie wir es an den Gestirnen tun und tun nur können; sondern in Tat und Sache und Leben; nicht bloß die Verknüpfung aufzeigte, sondern selbst im höchsten und besten Sinne bildete, was freilich ist ein andres.

Christus ist das lebendige Auge, das alle Herden der Erde in eins überschaut und weidet und fett macht.

Aber wir sind das hohle Fernrohr am Auge, das sich nach der Herde des Himmels richtet. Und leiht er uns nicht selbst sein Auge, so fallen nur irre heidnische Scheine in das Rohr.

Daß die Ansicht von einer Beseelung der Gestirne den ursprünglichen Grundlagen des Christentums nicht widerspricht, läßt sich a posteriori dadurch beweisen, daß man gerade in den frühesten Zeiten des Christentums keine Ketzerei in jener Ansicht gefunden hat, sofern die Bibel selbst sich hierüber nicht deutlich äußere. Einige, so namentlich der Kirchenvater Origenes, haben sich sogar direkt für diesen Glauben erklärt. Später überwog freilich die verneinende Ansicht. Zum Belege folgende Stelle aus Petavii Theolog. Dogmat. (III. p. 146): „Hanc eandem (opinionem, quae astris animam tribuit) porro ex Academia et profana philosophia sumptam Christianis auribus importavit Origenes, ac ridiculis et anilibus commentis studiosorum sui infecit animos; quae et in primo libro de Principiis capite septimo latius exposita leguntur, et in Commentariis ad Ioannis Evangelium obiter inserta: ubi pro astris ipsis suspicatur passum esse Christum. Quinetiam in quarto libro contra Celsum illud

idem diserte asserit, ac tam spiritali luce, quam adspectabili putat
illuminatos fuisse. Si quidem illa etiam, quae in coelo sunt,
inquit, astra animalia sunt ratione praedita, et luce cognitionis
illuminata sunt a sapientia, qui est splendor lucis aeternae.
Etenim sensibile lumen ipsorum opus est universum opificis:
Intelligibile vero forsitan et illorum, atque ex libero eorum
arbitrio profectum."

„Porro qui sub Pomphili nomine Apologiam edidit pro Origene,
ab Ruffino interpolatam, de qua alibi disputamus, diversas in Ecclesiis
sententias esse dicit de coeli luminaribus: quae alii animantia esse
putant ratione praedita: alii ne sensum quidem habere: neutros tamen
ab aliis haereticos censeri. Sic Origines ipse in Prooemio librorum de
Principiis: De Sole, inquit, et Luna et Stellis, utrum animantia
sint an exanima, manifeste non traditur."

„Praeter Origenem supposititius quoque Clemens in libro V Re-
cognitionum in eadem versatur opinione. Apud quem Petrus adversus
simulacrorum cultores declamans loquitur sic: Tu ergo adoras in-
sensibilem, cum unusquisque habens sensum nec ea quidem
credat adoranda, quae a Deo facta sunt et habent sensum?
id est Solem et Lunam, vel stellas, omniaque, quae in coelo
sunt et super terram. Justum enim putant, non ea quae pro
mundi ministerio facta sunt, sed ipsorum, et mundi totius
creatorem debere venerari. Gaudent enim etiam haec, cum
ille adoratur et colitur: nec libenter accipiunt, ut honor
creatoris creaturae deferatur. Videtur et Ambrosius eidem affinis
opinioni, nec non Hieronymus. Nam perspicue dubitare se Augustinus
alias fassus est, cum aliis in locis non minus dilucide sensu carere
coelestia illa corpora docuerit."

Es folgen nun in Petav's Werk die entgegenstehenden Ansichten andrer
Kirchenväter.

Paulus sagt (Römer 3, 31): Wie? Heben wir denn das Gesetz
auf durch den Glauben? Das sei ferne! Sondern wir richten das
Gesetz auf.

So sagen wir nun endlich: Wie? Heben wir denn den Glauben auf
durch das Wissen? Das sei ferne; sondern wir richten den Glauben auf
durch das Wissen; aber um ihn neu aufzurichten, bedarf es auch eines
neuen Wissens; das Wissen aber wäre blind ohne den alten Glauben.

Und so haben wir alles, was wir von Himmel und Erde wissen,
zusammengenommen, klar zu machen, daß, je höher sich das Wissen baut,
so höher Christi Lehre sich damit ausbaut, und so fester damit steht;
das Wissen selber aber nur mit ihm besteht.

„In der Kirche des Herrn aber sollen die Geschlechter nicht den Weg
vom Leben zum Tode gehen, sondern zu immer lebendigerem, bewußterem

Leben. Die Losung der christlichen Theologie heißt vorwärts! Das Ziel ist bestimmt und klar genug. Es gilt jetzt mehr als je einer Theologie der Zukunft, d. h. einer solchen, welche den kommenden Geschlechtern das Evangelium in unauflöslicher Freundschaft mit der Wissenschaft als ewigen Lebensschatz zu neuer kräftigerer Liebe überliefert."

(Lücke, Kommentar zum Evangel. Johannes. 8. Aufl. I. 1840. S. 40.)

XIV. Schlußbetrachtungen, Historisches.

Greifen wir zum Schluß noch mit einigen Betrachtungen zurück in die des Eingangs.

Während der Gedanke, daß die Gestirne höhere beseelte Wesen sind, jetzt in keins unsrer wissenschaftlichen und religiösen Systeme mehr passen will oder zu passen scheint, ist er dagegen der natürlichste Ausfluß der ersten unbefangensten Anschauungsweise der Natur, der ersten Offenbarung des Göttlichen für den Menschen. Alle Völker, die wir noch in der Kindheit belauschen können, ja viele noch in das schönste Jünglingsalter hinein, ja manche noch nach manchtausendjähriger Entwickelung, suchen das Göttliche vielmehr in als außer oder über der Natur, geben Gott Leib zum Geiste, scheiden beides außer sich nicht; wie sie es an sich selber nicht zu scheiden wissen. Der Gottesdienst ist ein Naturdienst. Im Naturdienste aber nimmt der Dienst der Gestirne als vornehmster Individualisierungen des Göttlichen die oberste Stelle ein. In der Tat kann man behaupten, daß unter allen Naturgegenständen keine häufiger und standhafter und höher verehrt worden sind als die Gestirne, vor allen Sonne und Mond. Völker, die sonst fast nichts miteinander gemein haben, Griechen, Perser, Hindus, Grönländer, Naboweffier usw. usw. stimmen in diesem Glauben überein, der beste Beweis, daß sie ihn nicht von einander entlehnt, sondern aus gemeinschaftlichem Naturquell geschöpft haben.

Es ist mit dem Glauben an die Göttlichkeit der Gestirne in der Tat anders als mit den Besonderheiten, welche den Glauben der Juden, Mohammedaner und, fügen wir hinzu, der Christen selbst einander gegenüber charakterisieren. Diese Besonderheiten werden von den Menschen nur nach Maßgabe geglaubt, als sie von andern Menschen etwas darüber erfahren haben, und wenn einmal alle Juden, Mohammedaner und Christen stürben, und der Koran und die Bibel vernichtet würden, so wäre es für immer aus mit Judentum, Islam, Christentum in dem Sonderfinne, wie sie sich jetzt gegenübertreten; wenn gleich die allgemeinen und ewigen Wahrheiten, welche das Christentum mit den andern Religionen teils gemein, teils über sie hinaus hat, sich immer wieder von Neuem geltend machen müßten; aber nicht sicherer würden sie sich geltend machen, als die Verehrung der Gestirne. Sie würde, wenn auch alle Gestirnanbeter stürben, immer wieder von Neuem beginnen, wenn die Menschheit von Neuem begönne, weil sich die veranlassenden Ursachen dazu in der Natur der Dinge und der Menschen selbst an= und ein= geborner Weise finden.

Worin liegen diese Veranlassungen? In dem Glanz, der Pracht, der Höhe, der Unerreichbarkeit, dem selbständigen Gange, der geheimnis= vollen Ordnung der Gestirne, der Abhängigkeit des Menschen und der ganzen Natur nach den durchgreifendsten und allgemeinsten Beziehungen von ihren Wirkungen, ihrer Herrschaft über Tag und Jahr und hiemit über Geschäfte, Hoffnungen und Ernten des Menschen. Das Haupt ist des Menschen Höchstes, sie gehen unsäglich hoch über seinem Haupte; sie leuchten allgegenwärtig über alle Lande. Alle Regelung des Lebens in der Zeit, alle Führung durch die Weiten des Raums steht unter ihrer Hut. Der Mensch darf die Sonne nicht anschauen, so gewaltig leuchtet sie, doch kann er alles nur durch ihr Zutun schauen. Sie geht auf, und alles wird wach; sie lockt die Blumen, ruft die Vögel, spiegelt sich in Teich und Tau; alles duftet und singt ihr entgegen. Der Mensch überlegt sich nicht, was das bedeutet, aber es macht, ohne daß er überlegt, seine Bedeutung geltend, und um so mehr, je weniger er überlegt, und sicher um so richtiger, je weniger er überlegt, wie endlich wieder, je mehr er überlegt; da die höchste Entwickelung der Vernunft das Resultat des ersten gotteingeborenen Instinkts nur wiederfinden lassen kann.

Wir glauben törichter Weise, die Wilden lassen sich durch den Glanz von Sonne und Mond blenden; wie viel richtiger wäre es, zu sagen, daß wir dagegen blind sind. Wir sehen nichts mehr als große Lampen in den Gestirnen, und wohl sind es Lampen, aber solche, die sich selbst entzündet haben, die selber gehen durch den Saal, den sie beleuchten, und unsre Lebenslampen dabei nähren. Was haben sie nicht alles mehr als unsre Lampen, und die Naturvölker tun eben nichts, als mit einem Blick alles das, was sie mehr haben, in eins fassend, sagen: es sind gottbeseelte Wesen; wir haben aber den einen Blick verloren, der alles auf einmal sieht, und sehen so unsäglich viel und vielerlei daran, daß wir darüber das eine nicht mehr sehen, was daran das Wichtigste. Man hat ein Sprichwort: „Er ist so gelehrt, daß er nicht predigen kann". Wir aber sind so gelehrt, daß wir die Naturpredigt nicht mehr verstehen. Und weil wir sie nicht mehr verstehen, so halten wir die, die sie noch verstehen, darum nur für so unverständiger; indes hier gerade etwas ist, was sie vor unserm Verstande voraus behalten haben, da es uns durch unsern Verstandesgebrauch selbst abhanden gekommen ist.

Manche scheinen freilich zu glauben, es genüge, die ganz natürlichen Veranlassungen des Gestirnglaubens angeführt zu haben, um ihn damit widerlegt zu haben. Mir aber scheint es ohne Vergleich triftiger, daraus, daß er so natürliche Ursachen und Veranlassungen hat, zu schließen, daß er auch sein Fundament in der Natur hat. Gäbe es keine solchen natürlichen Veranlassungen, hätte sich bloß einmal zeitlich und örtlich der Schein von solchen erzeugt, dann erst möchte man von Täuschung sprechen. Aber es gibt wirklich solche. Auch der Instinkt der Tiere wird ja durch natürliche Veranlassungen richtig geleitet, die wir nur nicht eben so verstehen, wie die Tiere. Der Mensch und die Menschheit aber wird nicht minder mit Instinkten geboren, die nur den höhern Anlagen der Menschheit gemäß auch mit auf Höheres gehen. Was die junge Menschheit zum Gestirnglauben treibt, kann nur aus demselben Quell sein, als was den Flug der Vögel nach einem nie von ihnen gesehenen, nie erschlossenen Lande richtet. Doch ist es da. Ehe der Verstand das Schiff und den Kompaß erfand, die dahin führen, wirkte das Dasein des fernen Landes in der Seele und dem Flügel des Vogels, der keinen Verstand hat. So mag es lange dauern, ehe sichere Schlüsse, uns zum Glauben an die höhere geistige Wesenheit der Gestirne zurückführen werden; aber daß der Mensch vor allen Schlüssen sich daran zu glauben getrieben findet, beweist so viel oder mehr als alle spätern Schlüsse für ein richtiges Fundament in diesem Glauben. Wenn aber den Mensch und die Menschheit erwächst, geht der Instinkt verloren, und er erkennt die Mutterbrust, versteht die Mutterlaute nicht mehr. Denn der Instinkt des Menschen ist nicht so haltbar als der der Tiere, sondern von vorn an arbeitet Verstand, Vernunft, ihn zu zerstören; ja es soll so sein. Wir sehen daher auch in den rohen Völkern, wie sie jetzt und in der Geschichte sind, mehr nur seine Reste, seine Brüche, als den ganzen, reinen, sichern, vollen. Ja gerade die ersten Schritte, welche die unruhig gewordene menschliche Vernunft macht, sind es, die

am meisten in die Irre führen. Daher kann es auch freilich an
Unsicherheit, Schwanken und Täuschung in dem Glauben der rohen
Völker nicht fehlen. Nur alles kann nicht an diesem Glauben so nichtig
sein, wie wir ihn halten, wenn er doch so naturwüchsig mit bleibenden
Haupt- und Grundzügen, die durch alle Verirrungen durchgehen, sich
entwickelt hat, und, fügen wir hinzu, wenn es doch nur gilt, alle
Richtungen der Irrung zusammenzufassen, um wieder ein wahres Ganze
zu haben.

Und so erkennen wir die Seite des Irrens darin, daß bald das
eine oberste Wesen in eine Vielheit von Wesen, deren Einheit es doch
bleiben sollte, statt sich zu entfalten, zerfiel; statt eines Gottes gab es
bald nur Götter; bald auch die obern Wesen wieder in ihre Splitter
zerfielen; so wurden auch bald Meer und Luft und Wälder, Felsen
verehrt, alles überhaupt, was einzeln in's Auge fiel, und doch nur in
höherer Zusammenfassung als eins zählt. Aber wenn wir diese Seiten
des Irrtums im naturwüchsigen Glauben anerkennen, vermöge dessen,
daß er aus seinem reinen einfachen Urgrunde schon hinabgestiegen; so
werden wir doch auch noch Seiten der Wahrheit darin zu suchen haben,
die uns den Zusammenhang mit diesem Urgrunde und dessen Nähe verraten; was aber bliebe davon noch wahr, wenn nicht die Natur überhaupt eine lebendige bliebe, und sich nicht überhaupt in individuelle
selbstlebendige Wesen über Mensch und Tier hinaus gliederte. Bleibt
aber dies wahr, so kann auch für die gereifteste Vernunft keine Frage
sein, daß über alles die Gestirne als oberste Individualisierungen des
Göttlichen anzusehen, wie sie wirklich auch im naturwüchsigen Glauben
vor allen als solche hervortreten.

Bei den dringenden Veranlassungen zum Gestirndienste, die in der
Natur und dem Menschen liegen, kann es im Grunde nur auffallend
und dazu vielleicht im Widerspruch mit dem Gewichte, das wir auf diesen
Gegenstand gelegt, erscheinen, daß derselbe sich doch nicht wirklich ganz
durchgreifend bei naturwüchsigen Völkern geltend gemacht hat, da man
freilich nur sagen kann, daß er sich vorzugsweise geltend gemacht. Nun
hat auch eine Pflanze wohl leere Stellen; wenn sie aber doch nach den
verschiedensten Seiten und an den lebenskräftigsten Trieben Blätter treibt,
so rechnet man auch den Blätterwuchs zu ihrer Natur und Notwendigkeit. Nicht minder natürlich und notwendig aber erwächst die junge
Menschheit mit dem Glauben, daß die Gestirne gottbeseelte Wesen seien,
wenn er schon nicht an jeder Stelle derselben hervorbricht. Die Gründe
davon aber lassen sich leicht erkennen.

Wie die Anbetung der Gestirne als Götter statt Gottes schon einen
Irrtum einschließt, in den der Verstand geraten, da er die Einheit in
der Vielheit zu vergessen und zu verlieren anfing; so liegt anderseits
auch das Vergessen und Verlieren von Einzelheiten über andern Einzelnheiten im Sinne desselben Irrtums, nur daß die wichtigsten Einzelnheiten dem am wenigsten unterworfen sind. Die Gestirne über uns sind
doch nicht das Einzige, worin sich der im Grunde allein anbetungs-
würdige ganze Gott offenbart, und nachdem die Erkenntnis des ganzen
Gottes in seiner Einheit und Vielseitigkeit zugleich nicht mehr oder auch
von Anfange an nicht ganz für die einzelnen zu haben war, haben sich
die Fraktionen der Menschheit in das Ergreifen der verschiedenen Seiten
des ganzen Gottes geteilt, wie dies Tier dieser, jenes jener Richtung des
Instinkts folgt. Nimmt man alle Richtungen zusammen, so hat man
doch wieder das Ganze. So haben manche, den Blick mehr auf den
ganzen Himmel richtend, die Gesamtheit desselben ohne Rücksicht auf
die einzelnen Gestirne verehrt; andere, den Blick mehr auf die Erde
richtend, vorzugsweise irdischen Naturgewalten ihre Verehrung gewidmet,
und in der Menge von Teilen, Luft, Meer, Bergen, Bäumen, Tieren,
das schon verlorne Ganze umsonst wieder zu gewinnen gesucht. Manche
Völker sind überhaupt so stumpf, so herabgekommen, so tief verwildert,
daß sie nur an nächste Leibes=Nahrung und Notdurft denken. Immer
bleibt es wahr, daß es überall ein Naturdienst ist, womit die Menschheit
beginnt; selbst beim nordischen Gespenster= und Geisterdienst spukt es
noch allwärts in der Natur, und daß vor allem die Gestirne als göttliche Sonderwesen personifiziert und verehrt worden sind, namentlich auch
von solchen Völkern, die selbst einen Keim höherer Kultur in sich trugen.
Daß selbst die biblische Vorstellung der Engel hieraus erwachsen ist,
ward schon früher erwähnt. Und wunderbar und bedeutsam muß uns
erscheinen, daß bei so vielem Anlaß zur zersplitterten Betrachtung der
irdischen Naturmächte, der freilich auch nicht verfehlt hat, seine Wirkung
zu üben, doch auch die Erde nicht nur bei den alten klassischen, sondern
bei viel rohern Völkern eine Verehrung als ein Wesen genossen hat.

Wie groß doch die Verbreitung des Gestirndienstes von jeher war,
wird um so besser einleuchten, wenn wir etwas auf das Detail eingehen.*)
Die Verehrung von Sonne und Mond bei Griechen und Römern ist
bekannt genug. Aber auch außerdem finden wir diese Verehrung bei den

---

*) Der Anfang des Folgenden ist größtenteils aus Meiners „Geschichte der
Religionen“ geschöpft, wohl nicht der besten Quelle, wo es auf strenge Kritik ankommt,
doch hier genügend, wo es nur gilt, die Ausdehnung des Gegenstandes übersehen zu lassen.

Völkern, die in den Schriften des klassischen Altertums vorkommen, in größter Ausdehnung, so bei Ägyptern, Persern, Assyrern, Chaldäern, Syrern, Phöniziern, Scythen, Massageten, Arabern, Indiern, keltischen und germanischen Völkern. Die Namen Osiris, Hel, Bel, Bal, Abel, Alagabalus, Moloch u. s. w. gelten bei verschiedenen Völkern für die Sonne; Isis, Mithra oder Maber, Mylitta, Alytta, Cabar, Alilat, Astarte, Derceto u. s. w. für den Mond.

Dieselbe Verehrung findet sich auch bei den alten finnischen und slavischen Stämmen*), Peruanern, nordamerikanischen Rothäuten, Malabaren, Bewohnern von Congo**) u. s. w.

Nächst Sonne und Mond ist besonders häufig die Verehrung der Planeten, deren man zur Zeit des Altertums mit Einschluß von Sonne und Mond 7 kannte, daher die Zahl der Wochentage, und die Heiligkeit der Zahl 7 überhaupt. Bei den obgenannten Völkern, deren das klassische Altertum Erwähnung tut, scheint die Verehrung der Planeten ganz eben so allgemein wie die der Sonne und des Mondes gewesen zu sein. Auch bei den Hindus, Ceylonesen, Formosanern u. a. kommt sie vor. Die Peruaner verehrten außer Sonne und Mond auch die Plejaden***) Dasselbe Gestirn wird von den Tapujern, einem rohen Volke in Südamerika, verehrt.†) Bei den Finnen erhielt das Gestirn des großen Bären besondere Ehrenbezeugungen††) u. s. w.

Anfänglich scheint die Verehrung von Sonne und Mond überall den Gestirnen am Himmel, wie sie sind, gegolten zu haben; später hat vielfach Anthropomorphismus Platz gegriffen, und die Anbetung hat sich in Tempel zurückgezogen, auf Symbole und vermenschlichte Bilder dieser Gestirne übertragen, so daß endlich an die Stelle der Naturkörper oft ganz und gar vermenschlichte Personen getreten sind, welche aber noch ihre Eigenschaften und Bedeutung von den Naturkörpern entlehnten.

Die Perser hatten schon lange Asien, die griechischen Inseln und Ägypten erobert, als sie Sonne und Mond immer noch ohne alle Tempel und Statuen verehrten. Erst Artaxerxes Mnemon soll der Sonne und dem Monde Tempel erbaut und Statuen errichtet haben. Ein Sonnenbild, in Kristall gefaßt, glänzte über dem Zelte des Darius.†††) Unter einem ähnlichen Bilde beteten die Päonier§) und die Peruaner§§) die Sonne an. Der P. Sicard§§§) fand in einem ägyptischen Felsen eine Nische, in welcher die Sonne unter dem Bilde eines menschlichen, mit Strahlen umgebenen

---

*) Prichard, Naturgeschichte des Menschengeschl. Th. III. Abt. 1. S. 327. 334. 480.
**) Lindemann, Gesch. VI. 47. 52. 53.
***) Dobrizhofer, Hist. de Abiponibus II. 103.
†) Dobrizhofer, l. c. p. 104.
††) Prichard, Naturgesch. Th. III. Abt. 1. S. 327.
†††) Super tabernaculum, unde ab omnibus conspici posset, imago solis crystallo inclusa fulgebat. Curtius III. 3.
§) Pelloutier, Hist. de Celtes, à la Haye 1750.
§§) Zarate, Hist. de la conquête du Pérou. Amst. 1700. I. 15.
§§§) Sicard, Mem. sur l'Egypte. p. 176.

Antlißes vorgestellt und mit Opfern und Opferpriestern umringt war. Unter
den Arabern waren gehörnte Scheiben Sinnbilder des Mondes. Auch die
Griechen bildeten den Mond mit Hörnern und die Sonne mit Strahlen ab.*)
Alle diese angeführten Symbole oder Statuen verloren sich zuletzt unter den
meisten großen Völkern in menschenähnliche Bilder. Schon zu den Zeiten
des Herodot stellte man sowohl den Osiris als die Isis in menschlichen
Gestalten dar, nur bildete man die letztere mit einem Kuhkopfe oder mit
Kuhhörnern ab. Derselbe Geschichtschreiber sah und hörte in dem Tempel
des Belus zu Babylon von keinen andern als menschenähnlichen Statuen.
Die ehernen Statuen den Phönizischen Moloch waren in spätern Zeiten
menschenähnlich, ausgenommen, daß man einem menschlichen Rumpfe einen
Kalbskopf aufsetzte. Sie streckten ihre Arme aus, in welche man Kinder
legte, die ihm geopfert worden, nachdem man die Statuen glühend heiß
gemacht hatte.**) Die Perser stellten in spätern Zeiten den Mithras als
einen schönen Jüngling und den Mond in weiblicher Gestalt auf einem
zweirädrigen Wagen vor, der von zwei Pferden gezogen wurde. Um die
Veränderungen des Mondes auszudrücken, gab man dem Bilde desselben
ein dreifaches mit Schlangen umwundenes Antlitz.***) Die Kelten in Bri-
tannien dachten sich die Sonne als einen schönen haarreichen Jüngling, der
die reizenden Töchter der Menschen nicht verschmähe; und die spätern Deutschen
bildeten den Mond in Gestalt eines Mannes ab, der einen neuen gehörnten
Mond auf der Brust trug.†) Bekannt ist das kolossale Bild der Sonne,
das über dem Eingange des Hafens zu Rhodus stand.††)

Einen prächtigen Sonnentempel gab es bei den Natchez in Louisiana,
und in Peru fanden die Spanier die prächtigsten Sonnentempel, worunter
sich vorzüglich der Tempel zu Cuzco auszeichnete, worin die Wände von
oben bis unten ganz mit Gold überlegt waren. Über dem Altar war das
Bild der Sonne auf einer Goldplatte von ungemeiner Dicke. Die Incas
gaben sich für Söhne der Sonne aus. Auch der Mond hatte in Peru
einen vortrefflichen Tempel, dessen Mauern mit Silberblech überlegt waren.

Über den Gestirndienst der alten Perser und Indier teile ich noch
insbesondere folgende Angaben von Burnouf und Colebrooke (nach Prichard's
„Naturgeschichte des Menschengeschlechtes", Th. III. Abt. 2. S. 42) mit:

„In den Abhandlungen Burnoufs über magische Philosophie und
Gottesverehrung finden wir, daß die Vorstellungen der alten Perser nicht
so geläutert und metaphysisch waren, wie sie neuere Schriftsteller dargestellt
haben. Das Licht, welches der Gegenstand der Verehrung war, war nicht,
wie man annahm, ungeschaffenes Licht, von dem das geschaffene nur eine
Reflexion ist. „Licht, abstrakt genommen," sagte Burnouf, „ist nicht der
Gegenstand der Verehrung in den zoroastrischen Büchern, sondern das Licht der

---

*) Ἑτέρωθι δὲ Ἡλίῳ πεποίηται καὶ Σελήνῃ λίθου τὰ ἀγάλματα καὶ τῆς μὲν
κέρατα ἐκ τῆς κεφαλῆς, τοῦ δὲ αἱ ἀκτῖνες ἀνέχουσιν. Pausan. VI. 24.
**) Beyer ad Seldenum p. 257.
***) Philippus a Turre c. 1.
†) Dreyers Verm. Schr. (1754) II. S. 798.
††) Plin. 84, 7.

Sonne, des Mondes und der Sterne." Dies sind die „lumina sine principio ex se creata", wie sie im Vendidad Sadeh genannt werden. Die persische Religion ist ein Überrest der alten Verehrung himmlischer Körper, welche Zoroaster modifizierte und verschönerte, aber nicht unterdrückte.

Burnouf vergleicht diese Anbetung des materiellen Lichtes bei den Persern mit dem berühmten Gayatri der Brahmanen, einem Gebet, welches an mehreren Stellen in den Vedas vorkommt und ohne Zweifel ein Überbleibsel von der ältesten Gottesverehrung der Hindus ist. Es wurde von Colebrooke folgendermaßen übersetzt:

„Dieses neue und herrliche Loblied, o glänzende, heitere Sonne, wird dir von uns dargebracht. Sei befriedigt durch diese meine Rede; nähere dich der verlangenden Seele, wie ein zärtlicher Mann den Gegenstand seiner Liebe sucht. Möchte die Sonne, welche alle Welten überschaut, unser Beschützer sein." „Laßt uns denken an das verehrungswürdige Licht des göttlichen Savitri; möchte es unsere Gedanken leiten. Verehrungswürdige Männer, geleitet vom Verstande, laßt uns den göttlichen Savitri mit Opfern und Lobliedern begrüßen." Savitri wird von dem Kommentator, welchem Colebrooke folgte, als der Ausdruck für „göttlicher Schöpfer, welcher das Licht des Universum bildet", genommen; aber Savitri heißt bloß „die Sonne". — S. Wilson's Lexicon, und Colebrooke, on the Vedas, Asiat. Res. Vol. 8. p. 400, octave ed.; ferner E. Burnouf, Extrait d'un commentaire et d'une traduction nouvelle de Vendidad Sadé, l'un des livres de Zoroastre. Nouv. Journ. Asiat. Nr. 3."

Wie weit unter den nordamerikanischen Völkern die Verehrung von Sonne und Mond greift, mag folgender Auszug aus einer Abhandlung von J. G. Müller über die Vorstellungen vom großen Geiste bei den Nordamerikanern (in den Theolog. Stud. und Kritiken 1849) lehren:

„Der allgemeine Polytheismus der Rothäute ist eine Verbindung eines südlichen unmittelbaren Naturdienstes und einer nördlichen Geisterverehrung, die beide zur Idolatrie zusammenschmolzen. Der südliche Naturdienst, an dessen Spitze der Sonnenkultus stand, war durch ganz Süd- und Mittelamerika verbreitet, und herrschte auch in den Urzeiten, d. h. vor der Einwanderung der nördlichen Stämme, in den Ländern des alten mexikanischen Reiches. Aus manchen Umständen geht nun aber hervor, daß in den Ländern der gegenwärtigen vereinigten Staaten und des britischen Amerika vor der wilden Jägerbevölkerung das Land von einer dichteren Bevölkerung von Kulturstaaten eingenommen war, in denen ebenfalls jener Sonnendienst statt fand . . . .

Nach diesem Naturdienste (d. h. vermöge desselben) nun verehrten sie (die Rothäute) diejenigen Gegenstände, die in der gesamten Natur nach ihren Wirkungen als groß und herrlich bastehen und auf die Seele und das Schicksal der Menschen einen mächtigen Einfluß ausüben, also außer der Sonne den Mond und die Sterne; das Siebengestirn heißt der Tänzer und die Tänzerin; Sternschnuppen sind ebenfalls göttliche Wesen, sowie der Regenbogen und das Nordlicht; unter den Elementen steht das Feuer oben an, das besonders von den Delawaren angebetet wird; dann folgen Donner und Blitz, Sturm und Hagel, Quellen, Bäche, Flüsse, See'n, Meere, Steine und Bäume, überhaupt Gewächse und ganze Wälder, die mit Sprache begabt sind; die Chippewäer haben hübsche Sagen über die Entstehung des Morgensterns, über den Wechsel von Sommer und Winter u. dgl.; bei den Mingostämmen der Mandans und Mönitarris wird die Göttin des Pflanzenreichs als die Alte, die nie stirbt, verehrt. (Wied, II. 182. 121) . . . . . . Am allgemeinsten aber war die Verehrung des großen Tagesgestirns, da der Sonnendienst nicht allein bei den Apalachiten in Florida und den Natchez am untern Mississippi statt fand, sondern auch bei allen nördlichen Stämmen, sowohl den Leni=Lenape, als den Mingos und den Völkern an der Westseite Nordamerikas, wie den Kaliforniern und ihren Nachbarn, und dann bei den Waloſch und Wotjäken. In Virginien opferte man der Sonne Tabak und errichtete ihr zu Ehren Pyramiden und Säulen, welche sie darstellten . . . . Wenn die Nadowessier rauchten, so kehrten sie ihr Angesicht gegen die Sonne, zeigten ihr das Kalumet oder die Friedenspfeife und sprachen: rauche, Sonne! . . . . .

Zu diesem unmittelbaren Naturdienst ist nun auch der Tierdienst zu zählen . . . . .

Mit diesem Naturdienst, mit dieser Verehrung von Gestirnen und Tieren hängt genau die Vorstellung von einer künftigen Seelenwanderung zusammen, und zwar gestaltet sie sich gewöhnlich so, daß man Wanderungen der menschlichen Seele sowohl durch Gestirne als Tiere annimmt. Entweder man hält die Sterne für die Sitze der abgeschiedenen Seelen[*], oder man glaubt, sie seien selber verstorbene Menschen.[**] So soll der Morgenstern ein verstorbener Mönitarri gewesen sein . . . . .

Den kosmologischen Verlauf dachte man sich auch kosmogonisch wirkend, und so wurde der Sonnen= oder Himmelsgott auch zum Schöpfer. Daher ist bei den Hindus der Sonnengott auch zugleich Demiurg. In Peru ist ebenfalls der Sonnengott der Schöpfer. Jener oberste Gott sibirischer Völkerschaften wohnt nicht bloß im Himmel oder in der Sonne, sondern man hält die Sonne selbst für diesen Geist (Stuhr, Rel. des Or. S. 244), und beim großen Frühlingsfeste wird die Herabkunft des Sonnengottes gefeiert (Görres, Asiat Mythengesch. 55) . . . . . Von den Rothäuten selbst wird ihr großer Geist als Sonnengott aufgefaßt. Das geht schon aus einigen Namen hervor, wie denn Harakouannentakton denjenigen bezeichnet, der die Sonne anbindet, und der Huronen Areskowi, der Irokesen Agriskove sind Sonnengötter. Allerdings unterscheiden andre zwischen dem Sonnengott und dem großen Geiste. Bei den Delawaren ist der Gott des Himmels der oberste Gott, die Sonne der zweite. (Loskiel.) Ja sogar verehrt der Lenapestamm der Chippewäer zwar den großen Geist Manebo, aber weder Sonne noch Mond. Wenn nun so allerdings bei manchen Leni Lenape der große Geist weniger als der Sonnengott verehrt wird, so machen auf jeden Fall die Floridavölker, die Apalachiten, Natchez usw. davon eine bedeutende Ausnahme. Aber auch bei andern Leni Lenape, wie bei den Creeks, wurde der große Geist als Sonne verehrt, und wieder bei andern Leni Lenape werden am

---

[*] Vollmer, Artikel: Otſiſtok.
[**] Wied, II. 152.

großen Feste des Kitschi Manitu die Friedenspfeifen der Sonne zu Ehren angezündet, und die Weiber bieten beim Sonnenaufgang der Sonne ihre Kinder dar. Noch allgemeiner finden wir indessen allerdings den großen Geist als Sonnengott verehrt bei den Mingostämmen. Der Herr des Lebens oder der Alte, welcher nie stirbt, wie sie häufig den großen Geist nennen, ist entweder die Sonne selbst, wie bei den Mandans, Mönitarris, Schwarz=fußindianern, oder was dasselbe sagen will, der Herr des Lebens hat seinen Sitz in der Sonne. Auch die Nadowessier halten die Sonne für den Schöpfer, opfern ihr das Beste von der Jagd, den ersten Rauch der Pfeifen und beten zu ihr beim Sonnenaufgang . . . . .

Wie daher häufig in Sibirien der oberste und allgemeine Gott Himmel und Sonne zugleich ist (Stuhr 244), so vereinigt nicht minder der Irokesen großer Geist Agriskowe und der Huronen Areskowi beide Begriffe von Himmel und Sonne in sich. Sonst aber wird der große Geist öfters bloß als Himmelsgott verehrt."

Wie geläufig auch den alten Philosophen, die noch mehr auf der Natur=anschauung und einer natürlichen Anschauung der Dinge fußten als die heutigen, die Ansicht von einer Beseelung der Natur im Allgemeinen und hiemit im Zusammenhange der Gestirne insbesondere war, mögen folgende Stellen aus Cicero, De natura deorum lehren.*)

Lib. I. cap. 11. Crotoniates autem Alcmaeo, qui soli et lunae reli-quisque sideribus animoque praeterea divinitatem dedit . . . . Pythagoras censuit, animum esse per naturam rerum omnem intentum et com-meantem, ex quo nostri animi carperentur . . . . Xenophanes, mente adjuncta, omne, quod esset infinitum, deum voluit esse . . . . Parme-nides continentem ardorem lucis orbem, qui cingat coelum, deum appellat . . . .

C. 12. Idem (Plato) et in Timaeo dicit et in Legibus, et mundum deum esse, et coelum, et astra, et terram, et animos, et eos, quos majorum institutis accepimus . . . .

C. 13. Aristoteles modo menti tribuit omnem divinitatem, modo mundum ipsum deum dicit esse, modo alium quemdam praeficit mundo eique eas partes tribuit, ut replicatione quadam mundi motum regat atque tueatur, tum coeli ardorem deum dicit esse . . . .

Xenocrates Deos octo esse dicit: quinque eos, qui in stellis vagis nominantur, unum, qui ex omnibus sideribus, quae infixa coelo sunt, ex dispersis quasi membris simplex sit putandus deus: septimum Solem adjungit, octavamque Lunam. Ex eadem Platonis schola Ponticus Heraclides puerilibus fabulis refersit libros: tum mundum, tum mentem divinam esse putat: errantibus etiam stellis divinitatem tribuit, sensuque deum privat, et ejus formam mutabilem esse vult; eodemque in libro rursus terram et coelum refert in deos. Nec vero Theophrasti inconstantia ferenda est. Modo enim menti divinum tribuit principatum, modo coelo, tum autem signis sideribusque

---

*) Die Jonier sind hier nur kurz erwähnt. Es ist aber andersher bekannt, daß Thales alles voll göttlicher Wesenheiten (πάντα πλήρη θεῶν) hielt.

coelestibus. Nec audiendus ejus auditor Strato, is qui Physicus appellatur, qui omnem vim divinam in natura sitam esse censet, quae causas gignendi, augendi, minuendi habeat, sed careat omni sensu et figura.

C. 14. Aliis libris (Zeno) rationem quamdam, per omnem naturam rerum pertinentem, vi divina affectam esse putat. Idem astris hoc idem tribuit, tum annis, mensibus, annorumque mutationibus . . . . Cleanthes, qui Zenonem audivit, tum ipsum mundum deum dicit esse, tum totius naturae menti atque animo tribuit hoc nomen . . . .

C. 15. Ait enim (Chrysippus Stoicus) vim divinam in ratione esse positam et in universae naturae animo atque mente, ipsumque mundum deum dicit esse et ejus animi fusionem universam, tum ejus ipsius principatum, qui in mente et ratione versetur, communemque rerum naturam universam atque omnia continentem: tum fatalem vim ipsam et necessitatem rerum futurarum, ignem praeterea et eum, quem ante dixi, aethera, tum ea, quae natura fluerent atque manarent, ut et aquam, (et terram,) et aëra; solem, lunam, sidera, universitatemque rerum, qua omnia continerentur; atque homines etiam eos, qui immortalitatem essent consecuti.

Lib. II. C. 11. (Balbus Stoicus:) Natura est igitur, quae contineat mundum omnem eumque tueatur, et ea quidem non sine sensu atque ratione. Omnem enim naturam necesse est, quae non solitaria sit neque simplex, sed cum alia juncta atque connexa, habere aliquem in se principatum, ut in homine mentem, in belua quiddam simile mentis, unde oriantur rerum appetitus . . . . Videmus autem in partibus mundi (nihil est enim in omni mundo, quod non pars universi sit) inesse sensum et rationem. In ea parte igitur, in qua mundi inest principatus, haec inesse necesse est et acriora quidem et majora. Quocirca sapientem esse mundum necesse est naturamque eam, quae res omnes complexa teneat, perfectione rationis excellere, eoque deum esse mundum, omnemque vim mundi natura divina contineri.

C. 12. Audiamus enim Platonem quasi quemdam deum philosophorum: cui duo placet esse motus, unum suum, alterum externum: esse autem divinius, quod ipsum ex se sua sponte moveatur, quam quod pulsu agitetur alieno. Hunc autem motum in solis animis esse ponit, ab iisque pincipium motus esse ductum putat. Quapropter, quoniam ex mundi ardore motus omnis oritur, is autem ardor non alieno impulsu, sed sua sponte movetur: animus sit necesse est. Ex quo efficitur animantem esse mundum. Atque ex hoc quoque intelligi poterit in eo inesse intelligentiam, quod certe est mundus melior quam ulla natura. Ut enim nulla pars est corporis nostri, quae non sit minoris, quam nosmet ipsi sumus: sic mundum universum pluris esse necesse est, quam partem aliquam universi. Quod si ita est, sapiens sit mundus necesse est. Nam ni ita esset, hominem, qui est mundi pars, quoniam rationis est particeps, pluris esse quam mundum omnem, oporteret.

C. 15. (Balbus Stoicus:) Atque hac mundi divinitate perspecta, tribuenda est sideribus eadem divinitas: quae ex mobilissima purissimaque aetheris parte gignuntur; neque ulla praeterea sunt admixta natura totaque sunt calida atque perlucida, ut ea quoque rectissime et animantia esse et sentire atque intelligere dicantur . . . .

Qua re quum solis ignis similis eorum ignium sit, qui sunt in corporibus animantium, solem quoque animantem esse oportet, et quidem reliqua astra, quae oriantur in ardore coelesti, qui aether vel coelum nominatur. Quum enim aliorum, animantium ortus in terra sit, aliorum in aqua, in aëre aliorum, absurdum esse Aristoteli videtur in ea parte, quae sit ad gignenda animalia aptissima, animal gigni nullum putare. Sidera autem aethereum locum obtinent: qui quoniam tenuissimus est et semper agitatur et viget, necesse est, quod animal in eo gignatur, id et sensu acerrimo et mobilitate celerrima esse. Qua re quum in aethere astra gignantur, consentaneum est in his sensum inesse et intelligentiam. Ex quo efficitur, in deorum numero astra esse ducenda.

Auch der gelehrte alexandrinische Jude Philo erkennt die göttlich geistige Natur der Gestirne an, indem er von ihnen sagt:

„Οὗτοι γὰρ ζῷά τε εἶναι λέγονται, καὶ ζῷα νοερά, μᾶλλον δὲ νοῦς αὐτὸς ἕκαστος, ὅλος δι' ὅλου σπουδαῖος, καὶ παντὸς ἀνεπίδεκτος κακοῦ."[*])

Ein so großes Gewicht ich auf den Beginn der Menschheit mit dem Naturdienste und hierunter insbesondere mit dem Gestirndienste lege, so lege ich aber doch kein einseitiges darauf. Auch Christentum, Judentum, Islam sind nicht zufällig entstanden, sondern liegen ihren wesentlichen Momenten nach im notwendigen Gange der Entwickelung der Menschheit, und wenn beim Wegdenken der besondern Gründe ihres Entstehens und ihrer Forterhaltung freilich auch sie selbst in ihrer Besonderheit als wegfallend gedacht werden müßten, so ist doch solch Wegdenken von Mitteln, die der Weltordnung ein für allemal faktisch zur Herbeirufung gewisser Zwecke gedient haben, selbst eine untriftige Willkür so wenig gestattet, als wenn wir die allwärts wiederkehrenden veranlassenden Ursachen des Natur- und Gestirndienstes wegdenken wollten. Was die Weltordnung nur einmal ans Licht treten läßt, aber mit ewigen Folgen, ist ja darum nicht weniger bindend, als was sie allwärts aufzeigt. Unum, sed leonem. Glaube ich ja doch selbst, und habe es genugsam ausgesprochen, an die Ewigkeit, den endlichen Sieg, die letztlich allverbreitete Herrschaft des Christentums seinen ganzen großen ewigen Momenten nach, und daß über die vielen und vielerlei kindischen Momente des Heidentums überall hinausgegangen

---

*) Man sagt, es seien mit Bewußtsein begabte Tiere; vielmehr aber ist jedes ein rein geistiges Wesen, durch und durch edler Natur und frei von allem Übel.

werden mußte, und meine nicht, daß wir verlernen sollen, Christus, der
selbst als die höchste menschliche Manifestation des Göttlichen in die
irdische Welt getreten ist, zu verehren, in ihm den Träger der höchsten
und besten Vermittelung des Menschlichen mit dem Göttlichen zu sehen
um wieder in eine rohe Anbetung von Sonne und Mond zurückzufallen.
Was auch in den bisherigen Betrachtungen liegen mag, dies liegt nicht
darin, ist nicht das Ziel, worauf sie hinauswollen und hinausführen,
aber allerdings, dies, daß das Heidentum nicht bloß kindische Elemente
einschließt, sondern eine Grundlage des Wahren, die in einer künftigen
Zeit einmal mit den Wahrheiten des Christentums sich in einer höhern
Einheit versöhnen und durch dasselbe geläutert sogar beitragen wird,
dasselbe zu neuen Austrieben zu kräftigen.

Laßt immerhin den Wilden zu Sonne und Mond beten, betet er
darum weniger zu Gott, wenn er nur überhaupt betet, und hört ihn
Gott weniger, Gott der alles hört? Hebt doch der Vater sein Kind,
dem er noch zu groß, jetzt vor sein Auge, läßt sich jetzt die Kniee von
ihm umklammern, es an dem Kleide spielen mit diesem und jenem Knopfe;
so ist's, wenn der Wilde bald dies, bald jenes erfaßt vom großen ganzen
Gotte; aber nur des kindisch=sinnlichen Menschen Sache ist dies; der
erwachsene Mensch soll sich an den ganzen richten: denn nur im ganzen
ist alle Würde, alle Fülle, alle Hülfe, aller Trost. In keiner andern
Lehre steht dies so fest begründet als in der christlichen, und unsre
Absicht geht nicht dahin, einzureißen dieses Fundament, sondern auf
dessen volle Erfüllung zu bringen im ganzen unbeschränkten Sinne.
Gerade im Sinne der unbeschränktesten Erfüllung aber, die Gott als
einen über alles hebt, ohne irgend etwas seiner Macht in einer Hinsicht
zu entziehen, liegt in gewisser Weise die Rückkehr zum Ausgang, wo der
Widerspruch von Christentum und Heidentum noch gar nicht auftritt.
Denn nicht das Heidentum, wie es ist, kann dem Christentum dienen,
aber der Urgrund, aus dem das Heidentum und Christentum geflossen,
kann in einer Verklärung des Heidentums durch das Christentum und
Verjüngung des Christentums durch das Heidentum sich leuchtend wieder=
gebären. Dann wird die ganze Natur wieder leben, und die Engel wieder
anziehen ihre Lichtgewande, um sichtbar über uns zu wandeln.

So, meine ich, liegt es beschlossen im Entwickelungsgange der mensch=
lichen Erkenntnis. Es ist aber dieser:

Im idealen Anfangszustande, von dem freilich die Abweichung sofort
nach verschiedenen Seiten beginnt, so daß wir nur noch das Zentrum
dieser Abweichungen aus der Divergenz der Richtungen davon erkennen,

ist dem Menschen die reale Einheit von Gott uñd Natur, Seele und
Leib noch durch keinen Zweifel getrübt, noch durch keine begriffliche
Spaltung getrennt, aber hiemit auch die verschiedenen Seiten oder Stand=
punkte ihrer Betrachtung noch nicht auseinander getreten. Alle Momente,
welche diese Einheit, für die Betrachtung scheibbar, in sich trägt, liegen
noch unentwickelt, ungeklärt darin; das ist jenes unaufgeschlossene Ei des
Glaubens, von dem wir früher sprachen, und hierin berühren sich die
Extreme in solcher Weise, daß der Mensch in gewisser Weise im Zustande
der vollkommensten Erkenntnis, in andrer Weise in dem der unvoll=
kommensten Erkenntnis geboren ist. Er hat die ganze Wahrheit, aber
nur die ganz rohe, und nicht die geringste Klarheit über die Momente
dieser Wahrheit; er ist weiser als die weisesten unter uns und kindischer
als die kindischsten unsrer Schulkinder. Die beiden entgegengesetzten
Ansichten, die über den Urzustand des Menschen bestehen, daß er der
unvollkommenste, daß er der vollkommenste war, haben so beide Recht,
finden sich so verknüpft. Nun aber soll der Mensch nicht bei der Un=
klarheit und dem Unbewußtsein über die einzelnen Seiten und Momente
jener Einheit und Wahrheit stehen bleiben, sondern sich derselben und
ihres richtigen Verhältnisses zu einander und zu der alles befassenden
Einheit bewußt werden.

In diesem Entwickelungsgange nun irrt er tausendfach, fällt er ab
von jenem in gewisser Hinsicht vollkommensten Zustand, wird sein ihm
erst ganz gegebenes Wissen Stückwerk, indem er die Seiten, die Stücke
sei es für das Ganze nimmt, sei es ihr richtiges Verhältnis zum Ganzen
verkennt, daß er nicht mehr übersieht, weil er sich zu sehr mit diesem
oder jenen einzelnen abgibt, oder die Trennung in der Betrachtung
mit einer Trennung in der Sache verwechselt. Aber eben hiemit lernt
er die einzelnen Seiten und Stücke in ihren Einzelverhältnissen zu
einander immer besser kennen, und indem sich die Erkenntnis dieser
Einzelverhältnisse immer erweitert, und alle Erweiterungen in der Wissen=
schaft Platz greifen, knüpfen sie sich von selbst wieder aneinander, Wider=
sprechendes hebt sich, Zusammenstimmendes besteht, und so drängt es
immer mehr nach einem Wiederzusammenschluß in der Einheit und
Wahrheit hin, die für den ersten Zustand der Erkenntnis sich noch gar
nicht aufgelöst hatte. So gewinnt der Mensch zuletzt wieder die volle
einigende Überschauung des Ganzen; aber mit scharfem, alles einzelne
darin richtig scheidendem und verknüpfendem Blick. Zwischen Schluß
und Anfang liegt Reichtum und Fülle der Entwickelung, aber auch
Abweg und Streit.

Es ist mit der Wahrheit in gewisser Hinsicht eben wie mit einem
Kunstwerk, das erst ganz und schön vor den Menschen hingestellt, dann
von ihm zerlegt und hiemit zerstört wird, um des Getriebes im einzelnen
kundig zu werden, endlich wieder zum vollen Ganzen, wo es erst seine
volle Wirkung und Bedeutung hat, zusammengefügt wird; nun sieht er
es in derselben Gestalt wieder, wie es schon der rohe Blick sah; es ist
nur zum rohen Blick noch die tiefe Einsicht getreten. In der Zwischenzeit tritt viel Unklarheit und Zerwürfnis ein, ja die Erinnerung an das
Ganze und die Kunde von der Zusammenfügung geht wohl ganz verloren, bis, wenn die Bedeutung alles einzelnen recht erkannt ist, sie von
selbst zur Zusammenfügung wieder drängt.

„Die Natur (der Sinn) vereinigt überall, der Verstand scheidet überall;
aber die Vernunft vereinigt wieder; daher ist der Mensch, ehe er anfängt,
zu philosophieren, der Wahrheit näher, als der Philosoph, der seine Untersuchung noch nicht geendigt hat."
(Schiller, „Über die ästhet. Erziehung der Menschen." S. 92.)

So mußten wir nun freilich über jenen Kinderglauben hinaus, der
wohl die Wahrheit im ganzen und Rohen hatte, aber kein entwickeltes
Bewußtsein, keine Herrschaft über die Momente derselben hatte. Er war
so unsicher seiner selbst, daß er von jedem müßigen Einfall wankte, so
unklar über sich selbst, daß er jedem täuschenden Scheine nachgab, so
wenig fähig, das einzelne mit dem Ganzen zugleich zu fassen, daß jeder
Versuch, ins einzelne zu gehen, ihn das Ganze verlieren ließ. Daher
er auch völlig rein und gut und voll, wie ihn eine ideell rückgreifende
Betrachtung an den Anfang der Menschheit als Mitgabe von Gott selbst
stellt, nirgends mehr zu finden, vielleicht niemals ganz zu finden; der
erste Schritt, den das eigene Bewußtsein der Menschheit in seiner Entwickelung tat, störte oder zerstörte auch etwas von seiner ursprünglichen
Reinheit und Güte und Fülle, hier nach dieser, dort nach jener Richtung;
aber was dem Kindheitszustande der Menschheit zunächst noch am stand-
haftesten und stetigsten zu finden, weist noch auf den reinen unverfälschten
vollen Kern hin, und das bleibt immer, sagen wir es nochmals, daß die
Natur eine gottbeseelte ist, daß sie individueller Ausgeburten, die über
das Menschliche hinausgreifen, voll ist, und die Gestirne die obersten
darunter. Durch allen Wust und alles Wirrnis des Heidentums leuchtet
die Klarheit hievon durch.

Fassen wir die Hauptrichtungen der Entwickelung, nach denen jener
uranfänglich in sich einige Glauben zerfiel, jetzt etwas näher ins Auge,
so mögen wir deren zwei unterscheiden. Die eine Richtung der Sonderung

ist die, daß ohne Trennung von Gott und Natur, Leib und Seele, sich
das Göttliche nur des Breitern in die verschiedensten Naturgestalten
auseinanderlegt. Kaum ist etwas in der Welt geblieben, was nicht
göttlich verehrt worden wäre, sogar Steine, Pfähle, Unrat, abgezogene
Felle. Alles scheint doch dem Menschen etwas leisten oder bedeuten zu
können, was über die Leistung und Bedeutung seines eigenen Wesens
hinausreicht, scheint ihm gleicher oder höherer Lebendigkeit teilhaftig.
Dabei kann, wie wir es oben schon betrachtet, der Gedanke oder das
Gefühl einer alles verknüpfenden Einheit leicht ganz untergehen, und
selbst das oberste Naturwesen nur als ein einzelnes über und außer
andern Einzelheiten erscheinen. So ist es bei den meisten heidnischen
Religionen der Fall; ja eigentlich liegt hierin das Wesen des wahren
Heidentums, das in der Religion der Griechen seine höchste Verklärung
gefunden. Wenn Schiller sagt: Einen zu bereichern unter allen, mußte
diese Götterwelt vergehen, so läßt sich umgekehrt sagen, daß der Griechen
reiche Götterwelt auf Kosten des Einen Gottes entstand. Doch haben
wir eine große, gewaltige, mächtige, uralte Religion, welche die Einheit
mit der Vielheit zugleich bewahrt, und für diese Richtung so zu sagen
dieselbe klassische Bedeutung hat, wie die christliche Ansicht für die andre
Richtung. Es ist die Religion der Hindus. Ein allgewaltiges Naturwesen, welches das Ganze befaßt, manifestiert sich hier nur in tausenfach
verschiedenen individuellen Gestalten. Es ist eine ungeheuerliche Religion,
die aus dem Schoße der tiefsten Wahrheit die abenteuerlichsten Ungestalten
geboren hat. Ein gährend Leben wogt in dieser Religion; da ist Reichtum, Fülle, keine sichtende Klarheit, kein zügelndes Maß. Die Seele ist
immer wie in einem Bade grober Materie und steigt nur heraus, um sich
in ein neues zu stürzen. Der Geist durchleuchtet die Materie nicht,
sondern verwickelt und verwirrt sich in ihren Irrgängen. Es ist kein
Fortschritt, sondern nur ein ewiges Kreisen.

Man muß in gewisser Weise zwischen der Gestaltung der Hindus-
religion unterscheiden, welche in den ältesten Urkunden derselben, den
Beda's auftritt, und der spätern und heutigen Gestaltung dieser Religion.
Die älteste Gestaltung ist eine viel einfachere als die spätern. Die Hindus-
religion ist immer bunter, wirrer, vielgestaltiger und vielspaltiger geworden,
hat sich von der Möglichkeit einer Klärung immer weiter entfernt. Zur
Charakteristik des jetzigen Zustandes mögen ein paar Stellen aus Missions-
schriften dienen, welche beweisen dürften, wie bei aller Erhabenheit und
Wahrheit der Grundlage dieser Religion, welcher selbst die christlichen
Missionäre Gerechtigkeit widerfahren zu lassen nicht umhin können, doch das
Prinzip der reinen Auffassung und segensreichen Anwendung derselben

gänzlich abhanden gekommen oder überhaupt fehlt, und sicher wird es nur durch das Christentum wieder hineinkommen können: die Vermengung Gottes, des ganzen, der allein Anbetung und Gott zu heißen verdient, und der einzelnsten weltlichsten Dinge ist gänzlich in die Praxis dieser Religion übergegangen.

„„Ich bin von Ewigkeit her gewesen und werde ewig sein; ich bin die Grundursache von allem, was im Morgen, was im Abend, was im Norden, was im Süden, was im Himmel und auf Erden geschieht; ich bin alles: die Wahrheit und der Verstand, die Klarheit und das Licht des Lichtes, der Erhalter und der Zerstörer, der Anfang und das Ende: ich bin die Unendlichkeit.““

In solchen und ähnlichen Ausdrücken lassen die heiligen Schriften der Hindus Brahm, den Urgott, von sich selber reden, das ganze Hinduvolk aber, gleichsam antwortend, bekennen: „„Ja, du bist das wahre, ewigselige, unwandelbare Licht aller Zeiten und Räume. Deine Weisheit erkennt tausend und abertausend Gesetze, und doch handelst du allezeit frei und tust alles zu deiner Ehre. Du allein bist der wahrhaft Selige, du das Wesen aller Gesetze, das Bild aller Weisheit, der du, der ganzen Welt gegenwärtig, alle Dinge trägst.““

„Das sind alles erhabene Ausdrücke, lieber Leser, und manche klingen dir vielleicht fast wie Bibelsprache. Allein es steckt nichts dahinter: schöne Seifenblasen sind's, die, sobald du danach greifst, um sie näher in's Auge zu fassen, in nichts zerfahren. Denn siehe: Brahm ist eben alles und wird bald zur Regenwolke, bald zur Kornähre, zu Luft, Wasser, Sonnenschein, ja zu allem, auch der geringsten Kreatur, so daß er am Ende mit der Welt rein zusammenfällt und in's Allgemeine verschwimmt. Dieweil nun nach der Vorstellung der Hindus alles Sichtbare ein Teil der Gottheit ist, so wirst du dich nicht wundern, daß die Braminen, wie sie auf der einen Seite von einem einigen, ewigen und unermeßlichen göttlichen Wesen reden, auf der andern Seite wiederum die Zahl ihrer Götter auf 330 Millionen angegeben. Du wirst im Gegenteil fragen: warum nicht mehr? Betet doch an gewissen Tagen der Hindu den Reis an, den er sich sonst gar wohl schmecken läßt, der Schreiner seinen Hobel und der Bramine die Tinte und Feder, womit er seinen religiösen Unsinn niedergeschrieben hat . . . . An der Spitze dieser 330 Millionen Götter stehen Brahma, der Schöpfer, Wischnu, der Erhalter, Schiwa, der Zerstörer u. s. w.“

(Graul, Evangelisch-lutherische Missionsblätter 1846. S. 90.)

Folgendes aus dem Tagebuche der Missionäre Lee, Gordon und Pritchett in den Jahren 1811—14; in Vizagapatam in Ostindien:

„Heute stießen wir in einem benachbarten Dorfe auf einen Mann, der den empörenden Gedanken gegen uns äußerte, die Gottheit offenbare sich in Gestalt eines Esels. Der Begriff Gottes als „Weltseele“ reicht für diesen versunkenen Teil der Menschheit nicht zu; denn sie bilden sich ein, die Welt und alles, was in ihr enthalten ist, sei das eigentliche Wesen dieser Gottheit; der religiöse Indianer trägt daher kein Bedenken, das verächtlichste Ding, auf das seine Phantasie stößt, als göttlich zu verehren;

der Handwerker verbeugt sich daher vor seinem Werkzeuge, ehe er damit zu arbeiten beginnt, um sich dasselbe günstig zu machen und der Schiffer betet zu dem Schiff, das ihn aufnimmt, damit es ihn wieder glücklich zurückbringe."

Die andre Richtung der Sonderung stellt sich sozusagen senkrecht auf die vorige, oder schneidet innerlich entzwei, wo die erste äußerliche Ausgeburten gibt, oder in solche zerfällt. Denn wenn in der vorigen Richtung Gott in der Natur eingesenkt bleibt, sich das geistig-leiblich Eine nur in immer neue Gestalten wandelt und äußerlich zerlegt, so wird dagegen in der andern dies Eine selbst im Wesen gespalten, Gott von der Natur losgerissen, als lebendiger Geist ihr der toten gegenübergestellt, als höheres Wesen über sie erhoben, dem die Natur wohl untertan, nicht dem sie eingetan sei. Nach dieser Weltanschauungsweise, der unter uns selbst geltenden, haben sich der Gott der Religion und die Natur der Naturwissenschaft gegenseitig so auseinandergesetzt, daß nur schwache Spinnefäden der Betrachtung und einige Ausdrücke, die man weder missen, noch in ihren Konsequenzen verfolgen mag, sie verknüpfen. In der Natur geht alles nach toter Regel und Gesetz. Gott ist als einiger in eine unendliche Einsamkeit und unmeßbare Höhe getreten; unsre Hände heben wir zu ihm; aber sie reichen nicht an ihn; er greift mit seinen Händen in die Natur zurück; aber wir wissen nicht, was er noch darin zu tun hat. Von der Fülle des göttlichen Lebenslichtes, das erst die ganze Welt erfüllte, sind bloß in Menschen und Tieren ein paar Funken geblieben; selbst die Pflanzen sind in Nacht versunken; es ist, wie nach einem hellen Tage nur noch zerstreute Sterne am Himmel bleiben; in solche Nacht hat uns diese Richtung geführt. Es ist, wie bei Verwüstung eines blühenden Landes das Lebendige sich nur in einzelne Festungen noch rettet, das sind die Leiber der Menschen und Tiere, indes rings alles verödet ist.

Wie Geist und Natur zerfallen, zerfällt auch das Geisterreich in sich. Wir haben nur noch Geister nebeneinander, kein Band derselben mehr in einem obersten Geiste, der vielmehr selber nur ganz äußerlich darüber. Wie kann er auch die Geister noch binden, nachdem er über die Natur emporgetreten, während sie in besondern Schlupfwinkeln derselben verhalten bleiben. Wie das Geisterreich, zerfällt auch die Natur in sich. Wie kann der Leib, der Seele behalten, noch in eins zusammengehen, sich vertragen mit dem, der ihrer bar? Organisches und Unorganisches stellt sich schroff einander gegenüber. Und abermals und abermals scheidet sich's. Aus zwei Seiten oder Gesichtspunkten derselben

Sache, Seele, Geist, werden zwei Teile derselben Sache. Die Seele
hält fest an dem Leibe geht und vergeht mit ihm, der Geist entweicht
vom Leibe im Tode, dem Geist der Geister nach. Doch der Leib verschmäht nun auch die Seele, die man ihm nur als Rest lassen will,
und spricht: meine Lebenskraft tut's wohl auch; da zieht man ihm
endlich auch die Lebenskraft ab, und alles tut zuletzt seine mechanische
Kraft. Und so scheidet und scheidet sich's ohne Aufhören und wird
immer klarer und immer verständlicher ins einzelnste und immer toter
und immer widerspruchsvoller im ganzen. Der Geist fürchtet sich
vor dem Leibe, den er selbst belebt, wie vor einem Leichnam, und
meint, nur daß er sich möglichst von ihm abhalte, könne ihn vor dessen
Schicksal bewahren. Der Leib fürchtet sich vor dem Geiste, seinem
ordnenden Prinzipe, und meint, derselbe greife nur störend in seine
Ordnung ein. Alles fühlt den Unsegen dieses Haders und hadert dennoch fort.

In dieser Richtung sind wir selbst noch mitten inbegriffen. Wir
mögen sie die heutige christliche nennen, weil sie die heutige der Christen
ist. Nicht, daß Christus selbst dieselbe begründet hätte, nicht daß sie
zum Wesen des Christentums gehörte, in jenem Sinne desselben, den
wir besprochen. Christus selbst hat nie Gott von der Natur losgerissen,
das Verhältnis von Gott und Natur überhaupt nicht erörtert, es einfach dahingestellt. Ein andres lag ihm ob. Er hat freilich gesagt und
geboten: Gott ist ein Geist, und die ihn anbeten, sollen ihn im Geist
und in der Wahrheit anbeten. Wie aber auch ich ein Geist bin und
meine Bitten nicht an eines andern Menschen Leib, sondern Geist zu
richten habe; doch darum nicht leugne, daß ich einen Leib habe und daß
ein andrer einen Leib hat. Also, daß auch mit Christi Wort nicht
verwehrt ist, daß Gott der Geist einen Leib in der Natur habe, wenn
gleich mit Recht verwehrt ist, ihn den Geist damit zu verwechseln und
Bitten an das mit ihm Verwechselte zu richten, wie es die Heiden
taten, und heute noch die Hindus tun. Es ist nur nicht immer Zeit,
den Leib zu beachten, und zu Christi Zeiten war's vor allem Zeit, die
Achtung des Leibes, des überwert geachteten, die herrschte im herrschenden
Heidentum, abzutun und das Wesen zu läutern durch möglichst reine
Einkehr in das Geistige. Daß nun Christus, diesen reinen Beruf rein
erfüllend, nur das eine beachtete, was damals zu beachten not war,
hat dann freilich wesentlich beigetragen, uns das andre ganz verachten
zu lassen und uns so in die Richtung zu treiben, in der wir noch
befangen.

Namentlich in den frühern Zeiten des Christentums trat mit der gänzlichen Hintansetzung der Beziehungen Gottes zur Natur eine völlige Verachtung der Natur und Naturkenntnis schroff hervor, indem man das, was Christus gegen und über das Heidentum und Judentum hinaus dem Menschen in betreff seines geistigen Verhältnisses zu Gott in das Herz schrieb, als die einzige Schrift, die zu lesen würdig sei, betrachtete. Und auch als die Naturkenntnis wieder zu Ehren kam, fuhr man fort, sie als etwas anzusehen, was nicht nur in der Betrachtung, sondern auch in der Sache nichts mit der Erkenntnis der göttlichen Dinge zu schaffen habe. Indes hinderte dies nicht, daß sich die Ansicht von einer Beseelung der Natur ja selber der Gestirne, vermöge ihrer unverwüstlichen ureingebornen Lebenskraft von Zeit zu Zeit immer wieder hervordrängte, ohne freilich die ganze christliche Weltanschauung in eine andre Bahn lenken zu können.

Ich erinnere in dieser Beziehung an die Naturphilosophie des Mittelalters (16. u. 17. Jahrh.), zu deren Vertretern Cardanus, Telesius, Campanella, Giordano Bruno, Vanini, Paracelsus u. a. gehören. Ihre Ideen sind sehr verwandt mit den unsrigen und denen der alten Naturphilosophie.

Aber die christliche Richtung ist eine solche, die über sich selbst in's rechte Gleis hinaus treibt. Und was wir auch auf dieser Richtung noch jetzt vermissen mögen, vergessen wir nicht den unschätzbaren Gewinn, der uns darauf erwachsen ist, und in dem selbst das höhere Motiv liegt, daß wir so lange darauf bleiben mußten. Die Trennung Gottes von der Natur, des Leibes von der Seele in der christlichen Weltanschauung hat den unsagbaren Vorteil gehabt, daß wir zwei Seiten eines Wesens, die sich in der Betrachtung je nach Verschiedenheit des Standpunktes wirklich scheiden lassen, haben jede für sich klar erkennen und diese Erkenntnis brauchen lernen. Indem Gott sich in seine erhabene Einöde von der Natur zurückzog, und der Geist des Menschen ihm nachzog, ward dieser erst recht heimisch bei ihm; ein so reines tief-inniges Verhältnis zu Gott konnte nie erwachsen, eine so erhabene Idee von Gott konnte nie entstehen, so lange der Mensch Gott bloß in denselben weltlichen Verwickelungen ergriff, in denen er selbst sich befangen fühlte, und in deren Klärung er sich noch so wenig Rats wußte. Indem sich der Menschengeist Gott selbst gegenüberstellte, ward er erst recht bewußt und Herr seiner eigenen Schranken und Kräfte; wie hätte er sich den einzelnen nicht sonst immer mit Gott — Gott aber ist nur der Ganze — und Gott mit sich vermengen und verwechseln sollen, (wir sehen's an den Hindus,) so lange er erst auf halbem Wege der Klarheit über sein Verhältnis als Einzelgeist zu ihm als Allgeist war. Indem er ferner die Natur ohne Gott faßte, lernte er erst ihre Regel und ihr Gesetz verstehen; wie hätte er je

dazu gelangen können, so lange er einen selbst noch gesetzlos gedachten
Geist darin waltend dachte; scheut sich doch heute noch die Naturforschung,
die Natur als lebendigen Leib anzufassen; die ganze Naturforschung wäre
nicht entstanden, wenn die Natur immer als lebendiger Leib gegolten
hätte. Das Geistige und Natürliche mußten erst in besondern Sphären
betrachtet werden, um alles Besondern darin gewahr und Herr zu werden;
dies aber wird am sichersten dadurch gestellt und erreicht, daß sie für
besondere Sphären gehalten werden. Nur daß die stets getrennte
Betrachtung so wenig das letzt Zulängliche ist, als die stets ungetrennte.
Die volle Klarheit der Wahrheit und Wahrheit der Klarheit liegt
vielmehr darin, daß wir erkennen, wie über jeder Betrachtung, welche
Gott und Natur, Leib und Seele scheidet, eine höhere steht, welche sie
verknüpft.

Die heidnische und die heutige christliche Weltansicht haben solchergestalt, eine wie die andere, Trennungen in sich, die einst schwinden
müssen; und es wird geschehen können, wenn sie sich mit dem, was
jeder Einiges geblieben, nicht äußerlich ergänzen, aber innerlich durchdringen. Das Heidentum hat in seinen wie immer zersplitterten
Gestaltungen doch lebendiger das Bewußtsein der innerlichen realen
Einheit von Gott und Natur, Leib und Seele, der Verwandtschaft von
Gott und Mensch behalten als das heutige, obwohl sicher nicht als das
einstige Christentum; daß Christentum hat bei aller seiner Spaltung
und Trennung des Grundwesens doch lebendiger das Bewußtsein einer
über alles hingreifenden, mit allen untergeordneten Wesen unvergleich-
baren Einheit und Höhe festgehalten und ins Praktische durchgebildet.
Nun meine ich, geht das Heidentum, der zersetzenden Klarheit des
Christentums fortgehends unterliegend, der Auflösung und dem Verfall
aller seiner bisherigen Gestaltungen entgegen, indes das Christentum,
die Hauptmomente der Existenz jetzt noch in innerlicher Scheidung fassend,
nach Maßgabe, als es sich über jedes einzelne Moment klarer geworden,
auch eine um so lebendigere, endlich zwingende Tendenz zur Wieder-
verknüpfung und höchsten Einigung der getrennten Momente in sich trägt,
und hiemit zu einer Versöhnung zugleich des eigenen Zwiespaltes und
des Zwiespaltes mit dem überwundenen Heidentum. So wird sich dies
bereinst nach dem, was in ihm ewig wahr bleibt, nicht neben, sondern
innerhalb des Christentums wiederherstellen und dadurch selbst beitragen,
die Mängel des heutigen Christentums, die doch nicht Christi Mängel
sind, zu erfüllen und ihm neue Kraft zuzuführen. Nur aus und durch
Christus geht der Weg zum Heil, aber der Weg ist noch nicht zu Ende,

und es gibt noch manches, was oben geschrieben steht, das unten dazu erfüllt werden muß.

Indem Gott einst wieder ganz in die Natur eingeht, der Mensch nicht mehr wie ein fremdes Wesen Gott gegenübersteht, ist auch den Gestaltungen des Göttlichen im Sinnlichen, den Vermenschlichungen des Göttlichen, wieder Tür und Tor geöffnet, nur nicht mehr den rohen frühern Gestaltungen und Vermenschlichungen; sondern Gott geht jetzt ein in die Natur bereichert mit allen hohen Eigenschaften, die ihm das Christentum verliehen; ein Gottmensch heißt nicht mehr, wer einzelne Heldentaten und nützliche Erfindungen vollbringt, sondern wer das Göttliche im reinsten Sinne und nach höchsten Beziehungen im Irdischen abspiegelt. In der hiermit bevorstehenden Wandlung wird das Christentum nichts verlieren, als was ihm nie Gewinn und nie von Christus selbst gefordert war; nur Negationen wird es verlieren, die durch ihre Verneinung selbst zu höhern Positionen werden. Es wird hinaustreten mit seinem lichten Glauben, seiner allumfassenden Liebe, seinen hohen Hoffnungen in's freie Gebiet der Natur und der Geister, alles durchleuchtend mit seiner durchbringenden Klarheit, alles umschlingend und einigend, weil selber in sich klar und einig.

Das Heidentum wuchs einst wie Kraut von allerlei Art am niedern Boden, sich mannigfach verschränkend, die Erde überziehend; teils Blumen waren's, teils Unkraut. Ein Samenkorn aber ruht lange unscheinbar darunter, schließt sich in seiner kleinen Rundung ab und meint, das ganze Rund zu sein. Doch ein Keimlein schläft darin, das Keimlein das ist Christus, von höherer Hand dahinein gebettet, und als die Zeit gekommen, da wacht es auf, zerbricht den Samen, der zerfällt, das Körnlein tritt heraus, erst klein und viel bedrückt vom Kraut und Unkraut rings umher; doch immer höher wächst's als gerader Stamm, wird stärker, immer stärker, treibt Wurzeln rings umher, zieht Säfte, Kräfte an sich, das Kraut und Unkraut rings erstirbt, die Blüten sterben mit; der Stamm geht immer grad' empor, als gält's nur von der Erde loszukommen, durchwurzelt endlich die ganze Erde wie einen einzigen Ballen, daß alles brin zusammenhängend wird; was lose war, wird ganz; wo trockenes Erdreich war, gehn Säfte tief im Stillen; die Fläche droben aber will ganz veröden ob diesem einen Stamme, der blätterreich doch blütenarm emporsteigt, mit einem geilen Seitenschoß nur nah am Boden, der, selber Unkraut, doch andres Unkraut hilft verdrängen; der Baum scheint endlich selber müde, nur fruchtlos immer neue Zweige zu gebären, es geht und wirkt darin nur noch mechanisch

und bekannt; bis daß bereinst in einem neuen Lenze aus des Stammes
Gipfel eine Blütenkrone bricht, der Seitenschoß verdirbt, und der
Stamm nun auf sich ganz allein in einem Strauße trägt, was sonst
zerstreut wuchs an dem niedern Boden; und hält den ganzen Strauß
auf einmal in den lichten Himmel, noch sind's dieselben Säfte, die
einst das Kraut umher gebildet, doch nicht dieselben Kräfte mehr, der
alte Reichtum und die alte Fülle, doch wiedergeboren aus der Einheit
in der Höhe. Die Wurzeln unten taten's und das Licht von oben.
Der Garten, worin der Baum steht, ist der Garten des Himmels. Da
steht der Baum mit tausend andern Bäumen.

Von Anfang stand die Erde wie ein Baum in dem Himmels-
garten; aber in anderm höhern Sinne erwachsen und erblüht wird sie
bereinst darin stehn. Auch das Menschenkind ist bei der Geburt schon
ein einiges in rohem Sinne; aber es gehört viel dazu, daß es auch in
höherm Sinne in sich eins und mit der Welt einig wird. Solches aber
steht der Erde noch bevor.

Das zweite Ei, das sich im Entwickelungslaufe der Menschheit
dem ersten gleichend wiedergebiert, Ende der alten, Anfang der neuen
Epoche, hat doch andre Kraft, als das erste und als ein gemeines.
Der Vogel, der daraus kommt, fliegt nicht mehr wie der Adler neben
dem Geier und der Taube streitend über die Erde, sondern wie die
Erde selber, die den Adler, Geier und alles kleinere Gevögel in sich
hat, einträchtig mit den wahren Vögeln des Himmels durch den Himmel,
Gott ein neues Morgenlied singend. Das will sagen: die Religion, das
ist das Christentum künftiger Tage, wird nicht mehr in Streit mit
andern Religionen über die Erde gehen, sondern alle streitenden
Religionen besiegen, indem sie dieselben zugleich versöhnt. So zur Einheit und Klarheit mit sich selbst gediehen wird die Erde Gott loben
einträchtig mit dem Lobe andrer Sterne.

Das sind freilich Blicke in die ferne Zukunft, hier nur dienend,
den Gesichtspunkt dieser Schrift zu stellen; denn sie bleibt immer eine
Torheit in der alten Zeit. Drängt es aber denn nicht hin zu einer
neuen Zeit? Wie fahl stehen schon Wald und Garten der alten Zeit.
Immer mehr verlöscht die frische und freudige Triebkraft, die Poesie,
das grünende Leben. Religion, Wissenschaft, Kunst überschatten immer
weitere Gebiete, aber zerblättern, unvermögend ihre harten Widersprüche
zu gewältigen, immer mehr dabei; kein reger Glaubens- und Lebensquell rinnt mehr durch das Ganze. Und eben wie im Herbste der
wirklichen Natur tritt dieser Zeitpunkt gerade da ein, wenn die

Blätterfülle am größten ist, das Wachstum sich am meisten verschränkt hat. Ja wahrlich, wir haben einen reichen Herbst, aber wir haben auch einen vorgeschrittenen Herbst. Und indes wir uns der Reife freuen, bangt uns vor dem Blätterfalle. Doch jedem Herbst folgt ein neuer Frühling; und jeder neue Frühling geht über den alten hinaus, wo erstorben bleibt das Jährige, doch weiter treibt und blüht das Ewige.

Druck von Metzger & Wittig in Leipzig.

Zend-Avesta

oder

über die Dinge des Himmels

und des Jenseits.

Vom Standpunkt der Naturbetrachtung.

Von

Gustav Theodor Fechner.

Dritte Auflage.
Besorgt von Kurd Laßwitz.

Zweiter Band.

Hamburg und Leipzig.
Verlag von Leopold Voß.
1906.

Erste Auflage 1851
Zweite Auflage 1901

Inhaltsverzeichnis.

***

Zweiter Band.
Über die Dinge des Himmels.

Über die Dinge des Jenseits.

XV. Anhang zum dritten Abschnitt.

A. Zusätze über ästhetische Beurteilung der Gestalt und Farbe der Erde.
(Vgl. Bd. I. S. 52 ff.)

Unstreitig ist man nicht ohne Grund mehrfach darauf gekommen, die Kugelgestalt für die vollkommenste Gestalt zu erklären, nur daß sie für die Bildung des Menschen nicht die vollkommenste sein kann, weil er als Mensch ein noch sehr untergeordnetes Wesen ist, und jede Gestalt nur nach Maßgabe, als sie der Bestimmung des Wesens entspricht, vollkommen in ihrer Art heißen kann. Aber es kommt auch noch auf die Art an. Eben nur ein höheres Wesen, das eine mehr in sich abgerundete, sich mehr in sich harmonisch abschließende Existenz hat, verträgt und verlangt die Kugelgestalt. Zwar keine reine, was jeder Individualisierung widersprechen würde; aber es genügt, daß der Hauptzug kugelförmig sei und seine Abwandlungen gestatte und habe. Des Menschen noch ziemlich verwickelte Hauptform beweist für sich allein schon, daß seine Organisation noch weit vom selbständigen Abschluß und Ziele der Vollendung ist; er gehört vielmehr zu den Gliedern der Ausarbeitung, den Mitteln der Vollendung, als daß er selbst ein in sich Vollendetes wäre. Und sollte er nicht bescheiden genug sein, dem nicht zu widersprechen? Doch zeigen sich in seiner Gestalt Tendenzen zur Abrundung, die am bedeutendsten gerade an den für uns bedeutungsvollsten Stellen werden. Was die Erde, aber nicht der Mensch im ganzen, zu erreichen vermag, das sehen wir ihn doch in seinen edelsten Teilen, Kopf und Auge, annäherungsweise erreichen, die sich über die Abhängigkeit zwar nicht von der Erde, aber vom niedern Boden, am meisten erheben. So haben wir erst die Erde selbst, darin dann den Menschenkopf, darin das Menschenauge als Annäherungen zur Kugel; der Kopf aber bedeutet mehr als das Auge, und die Erde mehr als der Kopf. Es läßt sich aber aus teleologischen

Gesichtspunkten voraussetzen, daß auch der Mensch seiner Gestalt nach ganz Kopf oder Auge geworden sein, und hiemit auf der Erde selber die Erde noch reiner wiedergespiegelt haben würde, als es jetzt der Fall ist, wenn er nur ganz ohne Abhängigkeit vom Boden hätte bestehen können. Schon früher ist die kugelförmige Gestalt der Erde selbst teleologisch mit ihrer äußeren Unabhängigkeit und materiellen Bedürfnislosigkeit in Beziehung gesetzt worden (Bd. I. S. 64, 148). Was also die Gestalt des Menschen von der der Erde unterscheidet, ist so bloß als Ausdruck der geringern Selbständigkeit und Vollendung seines Wesens zu fassen.

Wenn die Erde das ganz ist, was wir bloß nach Seiten unsrer vollendetsten Teile sind, so ist sie es aber auch viel vollkommener, als es diese selbst sind. Denn die kuglige Hauptform unsres Kopfes ist doch im Gesichte geradezu zerstört und im Schädelgewölbe und Auge nur unvollkommen erhalten. Dagegen ist die Kugelform der Erde durch die Abplattung nicht sowohl zerstört, als nüanciert, und die gewaltigsten Berge vermögen der Hauptform nichts erheblich anzuhaben, auch läßt das bewegliche Spiel der Züge auf der Oberfläche der Erde bei unsäglich größerer Mannigfaltigkeit und Freiheit die Hauptform viel ungestörter als das Spiel unsrer Gesichtszüge, indem sich jenes in Abänderungen von verhältnismäßig viel höherer Ordnung bewegt. Dies hängt wesentlich mit an der Größe der Erde; denn vermöge dessen konnten die Abwandelungen ihrer Form absolut genommen größer und mannigfaltiger sein als bei uns, und doch die Hauptform verhältnismäßiger weniger beeinträchtigen; die gröbsten Abwandlungen unsrer Gestalt gehören ja noch zu ihren feinsten.

In mehrfacher Beziehung werden wir bei der Naturgestalt der Gestirne an Prinzipe erinnert, welche sich auch bei der Kunstgestalt der griechischen Götter geltend gemacht haben, wobei man sich erinnern mag, daß die griechischen Götter selbst zu großem Teile nur Anthropomorphosen der Gestirne. Da die Griechen wahrgenommen, daß, je idealer die Bildung eines Menschen, desto größer sein Gesichtswinkel; so übertrieben sie es bei ihren Göttern und steigerten den Gesichtswinkel gar über das hinaus, was bei Menschen überhaupt vorkommt, bis 100°, da doch der gewöhnliche Gesichtswinkel bei uns nur etwa 85°, beim Neger gar nur 70°. Und dies trägt wesentlich zum hoch idealen Ausdruck der griechischen Göttergesichter bei. Aber freilich im wesentlichen menschlich mußte doch das Gesicht noch nach den Bedürfnissen einer Kunst gehalten werden, die von Menschen für Menschen bestimmt war. Die Natur ist nicht mehr an diese Rücksicht gebunden, ja darf sich im Bereiche höherer Wesen nicht mehr daran binden. Und so sehen wir sie das, was in den edelsten Teilen des Menschen nur angestrebt ist, die Kugelform bei den höhern Wesen in einem höhern Sinne übertreibend auf die ganze Gestalt derselben voll ausdehnen.

Das griechische Profil ist für alle griechischen Götter im Hauptzuge dasselbe, nur wenig anders gebogen, und übertrifft an Einfachheit jede andre Gesichtsform. Die Gestalt der Gestirne ist auch für alle im Hauptzuge dieselbe, nur wenig anders geschwungen, und übertrifft an Einfachheit jede andre Form überhaupt. Aber so viel einfacher das griechische Gesicht ist, als das holprige Gesicht eines Kalmücken, so viel feiner entwickelten Ausdrucks fähig ist es auch, und welch' eblerer höherer Unterschied liegt zwischen den verschiedenen griechischen Götter-Gesichtern. Doch ist der Hauptzug des Gesichts der griechischen Göttinnen Venus und Luna noch holprig gegen den der Gestirne, die ihren Namen tragen, und wie viel mehr im Feinen ausgearbeitet ist die Oberfläche eines Gestirns, als einer griechischen Statue, und das nicht zufällig, sondern mit sorgfältigster Wahrung höherer Zweckrücksichten, die von höhern Schönheitsrücksichten nicht abweichen können.

Man kann uns scharf fassen und sagen, wenn die Kugelgestalt die vollkommenste Gestalt ist, kann nicht die elliptische und weiter ins Feine gehenden Abwandlung der Kugelgestalt die vollkommenste sein. Eins oder das andre. Aber es ist auch hier mit dem Naturschönen wie mit dem Kunstschönen. Im Grunde findet ein Konflikt statt zwischen dem Genügen für den niedern und höhern Sinn, deren erster nur den reinsten regelrechtesten Zug, der letztere charakteristischen Ausdruck von höherer geistiger Bedeutung verlangt, was nicht ohne Abwandlung des Regelrechten, Symmetrischen sein kann. Nun liegt die höchste Schönheit da, wo der Konflikt so gelöst ist, daß beiden doch möglichst in eins genügt werde; etwas aber muß jede Forderung nachgeben.

Wenn wir überhaupt von menschlichem Standpunkt aus die Frage nach einer über den menschlichen Standpunkt hinaus gültigen Schönheit der Gestalt aufwerfen wollen, — und pflegen nicht die Philosophen in dieser Hinsicht absolute Fragen und Forderungen zu stellen, obwohl freilich nur mit absoluten Worten zu beantworten? — so meine ich, stehen uns keine sicherern Betrachtungen zu Gebote als von der Art der hier entwickelten, die vom Menschlichen ausgehend über dasselbe hinausführen. Oder welches wären sie? Und wenn sich Gestalten in der Natur zeigen, wie sie nach jenen Betrachtungen höherer Wesen würdig sind, sollten

wir leere Schalen in diesen Gestalten sehen wollen, auch dann noch
sehen wollen, wenn alles sich dahin vereinigt, sie mit Leben gefüllt zu
zeigen?

Wir haben nur die plastische Seite der Schönheit der Erde in
Betracht gezogen; aber erinnern wir uns nun, daß auch Glanz und
Farbe, Schatten und Licht wesentlich, ja wesentlicher für ihre Schönheit
und Charakteristik in Betracht kommen, als für die des Menschen selbst
(Bd. I. S. 56 f.); und wenn das Auge in Betreff der Hauptgestalt noch
etwas an Mannigfaltigkeit der Verhältnisse bei der Erde vermissen
mochte, werden seine Forderungen um so mehr in Betreff des mannigfaltigen Wechsels und Wandels von Glanz und Farbe überboten; der
ganze Eindruck der Erscheinung beruht aber auf dem Zusammenwirken
beider Seiten, von denen er abhängt.

B. Über das feste Gerüst der Erde.

In gewisser Hinsicht ließ sich das Felsgerüst der Erde mit dem
Knochengerüst des Menschenkörpers vergleichen, sofern es der Erde eben
so als feste Grundlage für den Ansatz beweglicher Teile dient, wie das
Knochengerüst uns. Von einer andern Seite aber läßt sich unser Skelett
selbst als einen der beweglichen Teile am Erdskelett betrachten, als ein
daran eingelenktes Glied, da die freiwillige Bewegung unsres Körpers
in Bezug zum Erdkörper gerade eben so nur vermöge der Befestigung
daran von statten gehen kann, wie die freiwillige Bewegung unsrer
Gliedmaßen in Bezug zu unsrem übrigen Körper (vgl. Bd. I. S. 69),
wozu noch sonst manche Gleichungspunkte treten. Unser Körper ist sogar
mit dem Hauptkörper der Erde noch fester und sicherer bei zugleich
freierer Bewegung eingelenkt, als irgend ein Glied unsres Körpers mit
dem Hauptkörper. In der Tat hält die Schwere den Menschen fester
an die Erde gefesselt und führt ihn sichrer dazu zurück, wenn er sie verlassen will, als es alle elastischen Bänder mit unsern Knochen vermögen,
unsre Sohle ist dazu noch hohl und die Erde rauh, daß unser Fuß Halt
an ihr gewinne und nicht von selbst gleite. Doch kann sich der Mensch
frei um die ganze Erdkugel bewegen; indes in unsern Gelenken nur eine
sehr beschränkte Beweglichkeit statt findet.

Wir finden hier wie so oft einen Vorzug, den die Organisation
des Menschen für sich allein nur anstrebt, durch die Verbindung von
Erde und Mensch oder vielmehr die den Menschen als Glied mit
befassende Erde in vollkommenstem Grade erreicht. Der Mensch, das
höchste Geschöpf der Erde, überbietet in der Fähigkeit, seine Gliedmaßen

nach allen Seiten zu drehen und zu wenden, alle Tiere, die überhaupt ein Skelett haben; aber die Erde überbietet ihn noch unsäglich, indem sie ihn mit den andern Tieren selbst als bewegliches Glied verwendet. Die Gebrüder Weber haben die interessante Bemerkung gemacht, daß der Mensch mit seinen Händen zu jedweder Stelle seines Körpers gelangen kann, ja schon die Finger einer Hand reichen dazu aus, nur daß sie den Arm, an dem sie sich selbst befinden, bloß teilweis zu berühren vermögen; eben so kann der Erdkörper mit den Menschen zu jeder Stelle seiner selbst gelangen, nur die äußersten Polargegenden etwa ausgenommen, und zwar mit viel freierer Bewegung und auf viel mannigfachern Wegen, als uns beim Arme zu Gebote steht.

Freilich hat das feste Gerüst der Erde ein ganz andres Übergewicht gegen unsre daran beweglichen Skelette, als der Hauptstamm unsres Skeletts gegen seine frei daran beweglichen Glieder; und ein durchgreifender Vergleich läßt sich wie überall nicht ziehen. Aber eben, weil das feste Gerüst der Erde jenes Übergewicht der Festigkeit und Größe gegen unsre Skelette hat, hat der Grundstamm unsres Skeletts es nicht noch einmal gegen seine Glieder; da vielmehr unser Skelett selbst im ganzen mehr bewegliche Gliednatur hat. Der Gegensatz zwischen einem festen Grundstamm und beweglich gegliederten Ansätzen wiederholt sich in der Erde nach einem ohne Vergleich höhern Verhältnis, als er in uns vorkommt. Alle Menschen- und Tiergerüste haben so zu sagen ihre gemeinschaftliches festes Rückgrat in dem Grundgerüste der Erde, und bei dessen ungeheurer Festigkeit, Unerschütterlichkeit und Unverletzlichkeit, welche mit in seinem ungeheuren Größen-Übergewicht über die daran beweglichen Teile liegt, hat nun der Hauptstamm des Skeletts bei Menschen und Tieren selbst eine gewisse innere Beweglichkeit in seinen Wirbeln erhalten können, um sich nach verschiedenen Zwecken zu biegen; er hat gar nicht die volle Natur eines festen Grundgerüstes, wird vielmehr bei allen Bewegungen unsrer Gliedmaßen mehr oder weniger mit erschüttert und verbogen, was nun aber nicht schadet, weil doch die Erde fest steht. Die Erde verdankt diesem gewaltigen Übergewicht ihres Grundgerüstes über ihre daran beweglichen Gliedteile die große Unabhängigkeit, mit welcher sie dieselben bewegen kann. Wie viel Menschen und Tiere auf ihr herumtreten, keins wackelt beim Tritte des andern; sondern jedes vollzieht sicher und ungestört durch des andern Bewegungen seine eigene Bewegung aus der Gelenkverbindung mit der Erde heraus.

Man sieht hier wieder einmal, wie die in gewisser Beziehung große Ähnlichkeit zwischen den Verhältnissen des Menschen und der Erde in andrer Beziehung ganz fehl schlägt. Nichts kann in gewisser Beziehung mehr vergleichbar sein, als die Einlenkung der Geschöpfe der Erde am festen Gerüste der Erde mit der Einlenkung unsrer Gliedmaßen am Hauptgerüste unsers Körpers; nichts in andrer Hinsicht verschiedener Aber hier wie überall finden wir die Abweichung bei der Erde im Sinne einer höhern Zweckmäßigkeit. Wollten wir, um die Menschen und Tiere ganz treffend mit Gliedmaßen der Erde vergleichen zu können, verlangen, daß sie eben so groß in Verhältnis zu ihr wären, als unsre Gliedmaßen in Verhältnis zu unserm Hauptstamme, so verlangten wir mit, daß jeder Tritt eines Menschen und Tieres die ganze Erde mächtig erschütterte, wobei die andern Menschen und Tiere zugleich mit erschüttert worden wären; um dies zu verhindern, sind bei der Erde die Gliedmaßen winzig klein in Verhältnis zur ganzen Erde gemacht worden; und in sofern freilich nicht mehr recht vergleichbar mit unsern Gliedmaßen. Im Übrigen findet die Bd. I. S. 68 gemachte Bemerkung über die höhere Bedeutung kleiner Abwandlungen hier, wie noch oft im Folgenden, ihre Anwendung.

Die Größe des Gerüstes der Erde gewährt noch den zweiten Vorteil daß sie den Ansatz unzähliger und unzählig mannigfaltiger Glieder gestattet. Während jeder Mensch und jedes Tier an seinem Grundgerüste bloß ein paar einzelne Gliedmaßen an beschränkten Stellen mit beschränktem Spielraum der Bewegung anhängend hat, ist dagegen die Erde ringsum mit frei beweglichen Gliedmaßen oder vielmehr ganzen Gliedersystemen (Menschen und Tieren) der verschiedensten Art besetzt, die den Spielraum der Bewegung um die ganze Erde herum haben. Jeder Mensch hat bloß zwei ähnliche Arme; die Erde hat 1000 Mill. ähnliche Menschen, die sich an ihr bewegen, und noch wie viele Arten Tiere, deren jedes auf andere Art an ihr hantiert. Insofern sich nun alle diese gemeinschaftlich an ihrer Kugelfläche bewegen, können wir sagen, das Grundgerüst der Erde sei wie ein einziger großer gemeinschaftlicher Gelenkkopf für den beweglichen Ansatz aller ihrer Glieder eingerichtet. Es ist so zugleich seiner Dicke nach ganz festes Gewölbe zum Tragen und seiner Oberfläche nach ganz Gelenkkopf zum Bewegen. An unserm Körper kommt diese vollkommene Vereinigung beider Funktionen nicht so vor, und die Gelenkflächen sind überdies hier und da zerstreut. Dafür aber legt sich in der Erde wieder manches aus einander, was bei uns verschmilzt.

Bei uns geschieht die Bewegung der Gliedmaßen am Hauptstamme unter Vermittelung der Gelenkflüssigkeit und, wie die Gebrüder Weber

bewiesen haben, des Luftdrucks. Bei der Erde ist die Bewegung des
Festen am Festen auch ohne Hülfe einer Zwischenflüssigkeit möglich
gemacht; die Menschen und Tiere laufen über das trockene Land. Nun
aber ist ein Teil der Erde doch auch noch mit Flüssigkeit bedeckt, um
das Schwimmen für Fische und Schiffe möglich zu machen; die Luft
spielt ihre Rolle im Fluge der Vögel, und der Luftdruck insbesondere
im Gehen der Fliegen an Decken und Wänden, dem Fortschreiten der
Blutegel und mancher andern Tiere. Die Erde hat also die bei uns
in der Gelenkbewegung verschmolzenen Funktionen des Festen, Flüssigen
und Luftigen in eine dreifache Funktion aufzulösen gewußt. Und hiebei
gewinnt sie zugleich in den über dem Boden und über einander in Meer
und Luft hinschwimmenden und hinfliegenden Geschöpfen mehrere Etagen
beweglicher Teile über einander, nur daß diese viel freier und unabhängiger von einander sind, als die übereinandergebauten Etagen unsrer
Gliedmaßen.

Unser Skelett schließt gewisse Teile ein und gewisse Teile aus, die
ersten offenbar mit vorwaltendem Zwecke des Schutzes gegen die Außenwelt und des Zusammenschlusses unter einander wie die Eingeweide der
Kopf-, der Brust-, der Beckenhöhle, letztere mit dem umgekehrten Zwecke,
sie in den geeignetsten Lagen und mit den festesten Unterlagen dem
offenen Verkehr mit der Außenwelt und unter einander darzubieten, wie
insbesondere die Sinnesorgane und Organe der willkürlichen Bewegung;
endlich mit dem gegenseitigen Zweckbezuge, die innern und äußeren Teile
gegen einander so abzuschließen, daß, ohne Hinderung ihres zweckmäßigen
Zusammenwirkens, doch eine Störung ihrer Verrichtungen durch einander
verhütet wird, welche unstreitig leicht erfolgen würde, wenn Gehirn und
andere Eingeweide zwischen den äußern Bewegungs- und Sinnesorganen
herumhingen. Jene könnten dann ihre nach innen, diese ihre nach außen
gerichteten Funktionen nicht ungestört vollbringen. Um aber doch beide
in Beziehung zu einander zu setzen, sind die Knochenwände mit Löchern
durchbohrt, durch welche Nerven und Adern eine Vermittelung hindurch
bewirken.

In unserm Skelett tritt jedoch mehrfach ein Konflikt dieser Zwecke
ein, der ihre erschöpfende Erfüllung hindert, dagegen wir im Grundgerüst der Erde allen jenen Zwecken in eins auf das Vollkommenste
genügt sehen.

Zuvörderst ist der Zweck des Schutzes durch Umgeben mit festen
Teilen in unsrer Becken-, Brust- und vollends Bauchhöhle doch nur
sehr unvollständig erfüllt, am meisten noch in der Schädelbildung durch

Umschließung des Gehirns geleistet, und doch bloß hierein eine unvollständige einseitige Annäherung an die Leistung des festen Erdgerüstes
erzielt. Denn dieses stellt ganz und gar eine (bis auf die kleinen
vulkanischen Herde) vollkommen geschlossene Kapsel um sein flüssiges
Eingeweide dar; und vereinigt also mit den Vorzügen des festesten Trag-
gewölbes und vollkommensten Gelenkkopfes auch die Vorzüge der vollkommensten Schädelkapsel, womit doch nicht gesagt ist, daß das, was diese
Kapsel einschließt, auch Gehirnbedeutung für die Erde habe; da vielmehr eben der Umstand, daß unser Gehirn in eine besondere kleine feste
Kapsel eingeschlossen ist, es der Erde ersparte, dasselbe auch noch unter
die große Kapsel zu begraben, wie bald näher zu betrachten. Wenn aber
die feste Erdschale auch kein Gehirn zu schützen hat, so hat sie doch etwas
andres zu schützen, sofern sie gleich der Wand eines Steinkruges, welche
eine heiße Flüssigkeit einschließt, sehr wesentlich beiträgt, die innere Erdwärme, die sonst viel freier in den Raum ausstrahlen würde, zurückzuhalten. Hievon später.

Auch dem andern Zweck, die Organe, die für einen freien Verkehr
mit der Außenwelt und unter sich bestimmt sind, in den günstigsten
Lagen und mit den geeignetsten festen Unterlagen diesem Verkehr darzubieten, entspricht das Gerüst der Erde vollständiger als unsres, da die
konvexe Kugelgestalt die allseitigste und gleichmäßigste Darbietung gegen
die Außenwelt von selbst mitführt und die Teile an der Oberfläche am
geschicktesten mit der Fähigkeit aus einander hält, sich in jedes abgeänderte
Verhältnis zu einander zu versetzen; und da alles, was dem Verkehr
mit der Außenwelt dienen soll, wirklich auch vollständig an die konvexe
Außenfläche des Erdgerüstes gelegt ist, während bei uns vieles davon,
ja gerade das Wichtigste, entweder geradezu in innern rings umschlossenen
Höhlen oder in tiefen Einsenkungen der Außenfläche liegt, weil der Zweck,
ihm einen äußern Schutz und ungestörte Tätigkeit zu gewähren, mit dem
Zweck, es der Außenwelt frei darzubieten, in Konflikt kommt; daher erst
durch äußere Zugänge und zum Teil lange Mittelglieder der Verkehr
mit der Außenwelt von gewisser Seite wieder hergestellt werden muß.
Unser Gehirn, das doch bei allem menschlichen Verkehr am wesentlichsten
beteiligt ist, steckt ganz in einer Innenhöhle, vier von unsern Sinnesorganen sind in tiefen Versenkungen der Außenseite eingeschlossen, nur
beim Tastorgan ersetzt die allseitige Verbreitung desselben, welche die
Verletzung einer einzelnen Stelle ungefährlich erscheinen läßt, den Schutz.
Bei der Erde dagegen ist alles, was Gehirn= und Sinneskraft hat, ganz
an die äußere Wölbung ihres Hauptgerüstes gelegt, wofür dann freilich

eben der supplementäre Schutz für unser Gehirn und unsre Hauptsinne
eintreten mußte. Die Erde ist solchergestalt wie ein Schädel, der, statt
seine Konkavitäten anzuwenden, um das Gehirn ganz, die Hauptsinne
halb darin zu verstecken, umgekehrt seine Konvexität benutzt, das Gehirn
mit den Sinnen allseitig frei in den Himmel hinaus zu halten, und dem
freiesten Verkehr unter sich darzubieten, wozu jeder Mensch nur wie ein
beweglicher Stiel ist. Handelte es sich nicht um den Schutz, so wäre es
ja am besten, auch unser Gehirn läge ohne Schädelkapsel gleich offen-
gebreitet jedem Eindrucke da, den es von außen aufnehmen und verarbeiten soll; nun aber in unserm Schädelabschluß diesem Bedürfnis des
Schutzes genügt ist, wiederholt die Erde nicht, sondern benutzt vielmehr
im Großen diese Maßregel, indem sie unsre Sinne und Gehirne frei
unter einander und mit dem Himmel verkehren läßt. Wie töricht also
wär's, noch einmal nach einem Gehirn, oder was dessen Bedeutung hätte,
in der Tiefe der Erde zu suchen, weil solches in unsrer Tiefe liegt; eben
um nicht Gehirn in ihre Tiefe zu legen, hat sie solches in unsre gelegt,
uns selber aber an die Oberfläche. Wäre ein Gehirn unter der dicken
Schädelkapsel der Erde versteckt, eingebettet in die übrige Materie derselben, so wäre es schlimmer daran als ein Maulwurf, und alle langen
Seile und Gänge, durch die Erdkruste nach Analogie unsrer Nerven und
Gefäße geleitet, könnten die vorteilhafte Einrichtung nicht ersetzen, die jetzt
für die leichte und unmittelbare Bezugsetzung desselben zu den Einwirkungen,
die es aufnehmen und verarbeiten soll, wirklich statt findet. Von dem
Vorteile, daß das Gehirn der Erde nicht eine einzige kompakte Masse
bildet, sondern in Partien, d. s. die einzelnen Menschen- und Tiergehirne,
geteilt ist, ward schon früher gesprochen (Bd. I. S. 132f.).

Natürlich, wenn die Außenseite der Erde Gehirn- und Sinneskraft
zugleich trägt, wenn überdies das ganze Adersystem der Erde, was nämlich
einigermaßen mit einem solchen vergleichbar ist, an die Außenseite gelegt
worden, könnten nun auch bei der Kapsel der Erde die Löcher wegfallen,
welche bei der Schädelkapsel zum Durchgang von Nerven und Gefäßen
dienen, könnte sie ganz geschlossen und dadurch um so geeigneter werden,
allen gegenseitigen störenden Eingriff des Innern und Außern zu verhüten. Daß aber eine Vorsorge dagegen nicht überflüssig, erhellt leicht,
wenn wir uns erinnern, daß das Innere der Erde eine glühend flüssige,
und wie früher (Bd. I. S. 71ff.) gezeigt, in ihrer Weise ebbende und
flutende Masse ist. Nun würden natürlich weder diese Bewegungen
des innern Gluten- noch des äußern Flutenmeeres, noch die Bewegungen
unsrer Flüsse, noch das ganze organische Leben außen so geordnet bestehen

können, wie es der Fall, wenn die innere Flüssigkeit nicht durch die feste Erdkruste von der äußern abgeschnitten wäre; ja wie nötig dieser Abschluß sei, erkennen wir aus den Verheerungen, welche glühende Lavaströme anrichten können, die trotz desselben doch zuweilen aus dem Innern hervorbrechen, aber für das Ganze nicht erheblich in Betracht kommen. So vollkommen aber dieser materielle Abschluß ist, so wenig ist es ein Abschluß der innern Kraftentwickelung gegen das Äußere, indem Schwere und Magnetismus so frei durch die Schale von innen nach außen durchwirken, als wäre die Schale nicht vorhanden. Ohne besondere Öffnungen zu haben, ist sie für diese Wirkungen ganz durchgängig.

In demselben Verhältnisse, als unser Skelett gegen das Skelett der Erde an Masse in Nachteil steht, steht es dagegen an seiner Ausarbeitung und Gliederung zwar nicht in Vorteil gegen dasselbe, aber obenan in demselben, indem es eben die feinstgegliederten Teile desselben selbst darstellt. Auch dem Grundgerüste der Erde fehlt es zwar nicht an Gliederung, wovon uns die Geologen in Aufzählung ihrer Formationen und Schichten genug zu sagen wissen; nur ist natürlich, daß, da diese eine vollkommen feste Grundlage bilden sollen, sie nicht selbst so künstlich und zerbrechlich an einander eingelenkt sein können und zu sein brauchen, als die Knochen unsrer Gliedmaßen. Sie liegen mehr einfach, doch noch unbeweglicher, über einander, wie die Wirbel unsres Rückgrats, umschließen aber zugleich das Eingeweide der Erde, wie unsre Rippen, nur noch vollständiger was wegen der Flüssigkeit dieses Eingeweides nötig war. Auch ist die Gliederung des Erdskeletts doch in sofern entwickelter als die unsre und der unsrigen übergeordnet, als die verschiedenen Glieder des Erdskeletts aus Schichtungen verschiedener Substanz bestehen, unsre Knochen aber durchgehends aus derselben Substanz, welche selbst wieder verschieden ist von der Substanz der größern Massen des Erdskeletts.

Nach allem also erfüllt das Gerüst der Erde die Bedingungen der Unabhängigkeit, Festigkeit, freien Gelenkbewegung, des Schutzes innerer Teile, der vorteilhaftesten Anbringung äußerer Teile und einer ausgebildeten Gliederung ohne Vergleich vollständiger als unsres, welches dagegen unselbständig, abhängig, schwach, gebrechlich, ungelenk, lückenhaft durchbrochen, voll winkeliger Verstecke, von einförmiger Substanz, in jedem Fall sehr unvollkommen erscheint, sofern man ihm die Bedeutung eines selbständigen Gerüstes beizulegen versucht, dagegen es die Bedeutung eines selbst sehr zweckmäßig eingerichteten beweglichen Gliederapparates, Hilfsapparates, Zusatzapparates, Anhanges am Grundgerüste der Erde gewinnt.

Manche niedere Tiere nähern sich der Erde wie in der Gestalt, so
auch in der Beschaffenheit des festen Gerüstes. Viele Infusorien sind
fast ganz von einem Kieselpanzer umschlossen, Kieselerde macht aber auch
den Hauptbestandteil der festen Erdschale aus; andre niedre Tiere,
wie Muscheln, Schnecken, Korallen, habe eine Schale oder ein inneres
Gerüst aus kohlensaurem Kalk, der auch sehr wesentlich zur festen Erdschale beiträgt. Doch findet, wie immer, so auch hier, die Berührung
der Extreme nur von gewisser Seite statt. Denn es zeigt sich leicht,
daß bei den niedern Geschöpfen durch die scheinbar ähnliche Einrichtung
doch nicht dieselbe Vielseitigkeit von Zwecken auf einmal erreicht wird,
wie bei der Erde; und man kann in dieser Beziehung das Sprichwort:
duo cum faciunt idem, non est idem, so umändern, duo cum habent
idem, non est idem. So erfüllt der Kieselpanzer der Infusorien und
die Schale der Austern den Zweck des Schutzes vor der Außenwelt freilich
sehr vollkommen, aber gar nicht den Zweck, auch die Teile äußerm
Wechselverkehr mit der Außenwelt frei darzubieten. Diesem Zweck ist
dagegen eben so einseitig in der Einrichtung der Polypenarten genügt,
welche äußerlich an einem kalkigen Gerüste ansitzen. Vielen niedern
Tieren fehlt auch das feste Gerüst ganz, weil hier Zwecke, mit deren Dasein das feste Gerüst überhaupt nicht verträglich, den Vorrang gewonnen.
Aber in der Erde ist allen Zwecken, welche ein festes Gerüst erfüllen
kann, zugleich in Verbindung unter sich und mit den vielseitigsten Zwecken
andrer Teile auf das Vollkommenste genügt.

Noch aus gar manchen andern Gesichtspunkten ließe sich die feste
Schale der Erde betrachten. Sie ist die gemeinschaftliche feste Grundmauer aller unsrer Wohnungen; wie unsre Skelette nur kleine bewegliche Ansätze, Abzweigungen derselben sind, so unsre Wohnungen nur
kleine feste. Sie ist die gemeinschaftliche Schatzkammer und der gemeinschaftliche Keller für die Erde; wie vieles, was oben den Platz verengen
oder schnell verwüstet werden würde, liegt da unten sicher und wird
nur nach Bedarf heraufgeholt; Kohle, Kalk, Salz, Eisen, Gold und
Diamanten. Sie ist auch der gemeinschaftliche Brunnen für die Erde;
wir brauchen überall des Wassers, doch wäre es überall an der Oberfläche, wo sollten wir stehen und gehen; so haben wir es unter unsern
Füßen. Sie ist auch die gemeinschaftliche Grabstätte, der allgemeine
Kirchhof für die ganze Erde; indes es an der Oberfläche grünt und
blüht, birgt sie unten die Leichen, das Verblühte. Ja Leichen über
Leichen sind von vergangenen Schöpfungsepochen in ihr aufgehäuft; das
Leben wandelt über einem allgemeinen Grabe, das selber fast aus Leichen

nur besteht; ja wandelt nicht nur darüber, wurzelt darin, doch zwingt eben hiemit den alten Tod, bekleidet sein Gerippe immer neu mit neuem Fleisch. Und weil das Grab sich nicht ins Breite dehnen kann, und doch jede neue Schöpfungsgeneration ein neues Grab verlangt, so wächst das Grab an Tiefe, und jede bettet sich in einer neuen Schicht über der alten. Wenn die Zeit gekommen ist, so wird die Erde neu aufgeschaufelt, das Meer verläßt sein Bett und waltet des Amtes des Totengräbers.

„Die Menge der fossilen Reste ist so groß, daß mit Ausnahme der Metalle und der primären Gesteine wahrscheinlich kein Partikelchen auf der Erdoberfläche existiert, welches nicht zu irgend einer Zeit die Teile einer lebenden Kreatur bildete. Seit dem Beginn des tierischen Lebens haben Zoophyten Korallenriffe aufgeführt, die sich hunderte von Meilen ausdehnen, und Kalksteingebirge, mit ihren und andern Tierresten erfüllt, sind über der ganzen Erde verbreitet. Man gräbt Muscheln aus Gräbern aus, um Kalk daraus zu brennen und ganze Bergreihen, ganze Felsmassen, mehrere hundert Fuß mächtig, bestehen gänzlich aus ihnen, und es ist dies fast in jeder Gebirgskette auf der Erde der Fall. Die ungeheure Menge von mikroskopischen Muscheln, die vom Prof. Ehrenberg gefunden wurden, setzt noch mehr in Erstaunen; Muscheln, die nicht größer als ein Sandkorn sind, bilden ganze Gebirge; ein großer Teil der Gebirge von San Casciano im Toskanischen besteht aus gekammerten Muscheln, die so klein sind, daß Signor Soldani von einer Unze des Gesteins 10454 Stück sammelte. Kreide besteht meistens gänzlich aus ihnen. Der Tripel, schon seit langer Zeit als ein Poliermittel für Metall im Gebrauch, verdankt seine polierende Eigenschaft den Kieselschalen oder Kieselpanzern von Infusorien, aus denen er besteht. Es sind aber ganze Gebirgsmassen aus diesen Resten unendlich verschiedener mikroskopischer Geschöpfe gebildet.“

(Sommerville, Kosmos. I. S. 84.)

„d'Orbigny's Forschungen haben gezeigt, daß ein großer Teil des Innern von Südamerika aus Kreideschichten besteht, welche ähnlich wie die europäischen und afrikanischen Kreideberge durch und durch aus den Kalkschalen der mikroskopischen Foraminiferen bestehen, denen nur in geringen Verhältnissen andre verkieselte Petrefakten beigemengt sind. Wäre das Leben dieser Foraminiferen in der Urwelt nicht tätig gewesen, so würden die Kreideländer von Brasilien, wie Libyen und Ägypten jetzt Meer sein; die bis 1000 Fuß mächtigen Kreidefelsen von Rügen, Dänemark, der Bretagne und der englischen Küsten würden nicht vorhanden sein und jene Länder unter Wasser stehen. Diese Länder sind also Schöpfungen der organischen Welt.

Es ist ganz ähnlich mit den Schichten des Muschelkalks, des Korallenkalks, welche so durch und durch aus Kalkgehäusen und Kalkschalen von Schaltieren bestehen, daß man sich längst dabei die Frage aufgeworfen hat, ob nicht aller Kalk tierischen Ursprungs sei. Die bis 500 Fuß hohen Kalkberge im nördlichen Deutschland und Polen, die Kalkgebirge um Tarnowitz

und Krakau, die Umgebungen des Harzes, des Thüringerwaldes, die Rüders-
dorfer Kalkinsel, der östliche Schwarzwald, eine Landfläche von 360 Quad-
ratmeilen in Deutschland würde unter Wasser stehen, wenn die Nautilus-,
Oftrea-, Petten-, Mytilus-, Terebratula-, die Trochus-, Buccinum-Arten der
Urwelt nicht gelebt hätten."

„Selbst die Wirbeltiere haben durch ihre Knochen geologische Formationen bilden helfen. Die Knochenkonglomerate, der Parifer Knochengips,
die Knochenbreccien an der Küste von Dalmatien und Frankreich, um Nizza,
Cette, auf Korfika und Sardinien, zu Gibraltar, der phosphorfaure Kalk in
den Mergeln von Mecklenburg und Pommern sind ihren wesentlichen Bestandteilen nach aus dem phosphorsauern Kalk der Knochen von Fischen,
Amphibien und Säugetieren gebildet."

(Schulz Schulzenstein, der organifierende Geist der Schöpfung.
Berlin 1851. S. 24.)

C. Über das Flüffige der Erde.

Wie das feste Gerüft unfres Leibes nur in Abhängigkeit von dem
der Erde feine Funktionen erfüllen kann, indem es sich darauf zu stützen
hat, so das System der Flüffigkeit führenden Gefäße (Adern) in unferm
Leibe nur in Abhängigkeit von dem der Erde, fofern es feine Flüffigkeit
erft daraus zu schöpfen und sie daran zurückzugeben hat, so daß es felbft
auch wieder als ein ergänzender Teil desfelben betrachtet werden und
eben aus diefem Grunde so wenig eine einfache Wiederholung desfelben
fein kann, als unfer feftes Gerüft keine Wiederholung des Erdgerüftes
ift, mit dem es fich vielmehr zum System zu ergänzen hat.

Die Flüffe und Bäche tragen das Wasser abwärts; die Bäume und
Kräuter heben es empor; die Menschen und Tiere tragen es nach allen
Seiten, bewegen es in fich felbft im Kreife und mifchen und verarbeiten
es mit Stoffen, wozu kein Bach, kein Baum gelangen kann. Flüffe und
Bäche sind oben offene Kanäle und ergießen sich in weite See'n und in
das Meer mit freiem Blick gen Himmel, um den Wolken so viel wie
möglich und so rafch wie möglich zurückzugeben; die Bäume, die das
Wasser heben wollen, führen es aus den Verstecken des Bodens aufwärts in geschlossenen zusammengedrängten Safträhren, eingepackt in
feste Rinde, um unterwegs nicht zu viel davon zu verdampfen, erft oben,
wenn es nicht höher hinangeht, breiten sie sich in Äften und Blättern
und Nadeln aus, um es wie aus der Braufe einer Gießkanne so rafch
und leicht als möglich in Dämpfen auszuftrömen und dafür neues
Wasser von unten nachzupumpen; die Tiere aber, weil sie es gar an
ferne Orte hintragen sollen, sind ganz zusammengeballt zu geschlossenen
Behältern, und doch nicht zu so geschlossenen, daß sie nicht unterwegs

eine Dunftfpur hinterließen und das Waffer endlich ganz von fich laffen könnten. So verforgt fich die Erde aller Orten mit Waffer, treibt es in Bahnen von allerlei Weife um, mifcht und verarbeitet es mit Stoffen von allerlei Art.

Wenn wir die Weife betrachten, wie die Feuchtigkeiten in uns mit dem Feften in Beziehung gefetzt find, fo werden wir wiederum mehrfach einen Konflikt von Zwecken finden, der bei der Erde im ganzen und Großen auf das Glücklichfte vermieden oder gelöft ift.

Unfer Blut ift in Kanäle eingefchloffen, deren Hauptrichtungen ein- für allemal feftbeftimmt find, und unftreitig hat es feinen Zweck für den regelrechten Gang unferer Prozeffe, daß die Blutbahnen ihre beftimmte Richtung behalten. Am ficherften und vollftändigften wäre diefer Zweck erreicht worden, wenn die Kanäle gleich in der feften Knochenmaffe ein- gegraben worden wären; aber dies ging nicht, weil die Kontraktilität und Elaftizität der Adern wefentlich nötig ift, das Blut fortzutreiben und nach Maßgabe des Erforderniffes verfchieden zu verteilen; im Konflikt beider Zwecke mußte alfo der erfte etwas nachgeben, und die Adern wurden weich, elaftifch biegfam eingerichtet, was teils der Feftig- keit ihrer Lage Eintrag tut, hauptfächlich aber fie leichter zerreißbar macht, wo dann das Blut ausläuft. Aber bei der Erde im Großen fehen wir die Kanäle für die Flüffigkeit wirklich in der feften Maffe ausgehölt. Jener Konflikt befteht hier nicht; denn das Waffer wird durch die allgemeine Zugkraft der Erde zum Meere gezogen und durch die Dampfkraft dann wieder aufwärts getrieben und nach Bedürfnis verteilt. Was in unferm Körper durch die Kraft befonderer künftlicher Pumpen und elaftifcher Schläuche gefchieht, geht in der Erde einfach durch das fich ergänzende immaterielle Wirken von Schwere und Wärme vor fich. Die Schwere zieht das Waffer gleichfam mit Venenkraft zum Meeresherzen, und die Wärme treibt es wieder mit Arterienkraft in die Luft. Cum grano salis zu verftehen.

Während in uns das fefte Knochengerüft untauglich ift, dem Blute feine Kanäle zu liefern, wird es doch von den Adern durchfetzt und getränkt; hieburch aber feiner Feftigkeit wefentlich Eintrag getan. Es ift auch hier wieder ein Konflikt der Zwecke vorhanden. Für feine Feftigkeit wäre es an fich beffer gewefen, wenn es aus ganz kompakter Felfenmaffe hätte beftehen können, wie das Gerüft unfrer Erde; aber die größtmögliche Feftigkeit, die es folchergeftalt, unter Verwendung irdifcher Materien dazu, hätte erlangen können, wäre doch nicht hinreichend gewefen, es vor Bruch und fonftiger Verletzung zu fchützen, da es als kleiner, untergeordneter, zu Bewegungen und Kraftäußerungen aller Art bestimmter Teil der Erde großen Fährlichkeiten in dieser Beziehung ausgesetzt sein mußte. Und wie hätte es nun heilen und sich regenerieren sollen, wenn keine Adern in die Knochen eindrangen, um Stoffe zu= und abzuführen? Um dies möglich zu machen, wurde es lieber der Gefahr des Bruches etwas mehr preisgegeben, um den doch nicht ganz zu ver= meidenden Bruch um so sicherer heilen zu können.

Aber das feste Gerüst der Erde ist durch seine Größe und Massen= haftigkeit der Gefahr eines Bruches und einer Verletzung in so weit enthoben, als nicht etwa neue Entwickelungsepochen einen solchen fordern, und wenn dann neue Gebirgsmassen dasselbe durchbrechen, bilden sie auch selbst zugleich den heilenden Callus. Ein Durchführen von Wasser= adern hätte also hier keine Zweckbedeutung gehabt, nur die Festigkeit und den Abschluß gemindert, daher dringt das Wasser in den Erdboden bloß bis zu solcher Tiefe ein, daß dadurch noch Nutzen für die Ober= fläche entsteht.

Man sieht hieraus abermals, wie wenig Grund man hat, etwas dem Organischen Zuwiderlaufendes in der ganz kompakten Beschaffenheit der festen Erdkruste zu sehen, da vielmehr dieselbe ganz im Sinne organischer Zweckmäßigkeit ist; kommt ja doch selbst in uns ganz kompakte harte Knochenmasse ohne durchsetzende Gefäße im Schmelz der Zähne vor, weil hier eben alles darauf ankam, etwas ganz Hartes zu haben. Nun kann sich freilich der Schmelz der Zähne nicht wieder ersetzen, wenn er einmal weg ist; aber es wäre noch schlimmer, wenn er durch die durchsetzenden Gefäße in einen so lockern Zustand geriete, daß er beim beständigen Gebrauch der Zähne immer in einem halb abgenutzten und halb sich erneuenden Zustande wäre. Statt dessen haben wir lieber den ganzen Mund voll Zähne bekommen; damit, wenn doch ein Zahn ein= mal Schaden leidet, andre zur Aushülfe da sind. Bei der Erde hätte ein so dünner Schmelzüberzug nicht ausgereicht, so ward ihr eine dicke Gebirgskruste gegeben.

D. Über die Luft.

Die Luftröhren und Lungen aller Menschen und Tiere, ja die Atemwerkzeuge aller irdischen Geschöpfe überhaupt lassen sich aus einem mit dem Vorigen zusammenhängenden Gesichtspunkte als die ins Feinste sich verästelnden Abzweigungen eines einzigen großen, sie alle verbinden= den Atemwerkzeuges, der Atmosphäre, betrachten, sofern aus derselben die Luft in sie alle ein= und austritt und darin zwischen ihnen allen hin-

und hergeht, um den Pflanzen den sie nährenden Atem der Tiere, den Tieren den durch die Pflanzen gereinigten Atem der Pflanzen zuzuführen (vgl. Nanna S. 207 ff.). Die Winde wehen dazu nach allen Richtungen; die organischen Geschöpfe helfen aber auch selbst dazu; die Tiere, indem sie durch Wald und Flur zwischen den Pflanzen hinstreifen, Sitz darauf fassen, Nahrung darauf suchen, und die Blätter, indem sie sich frei beweglich vom Winde schütteln lassen. Auch der Umstand wirkt günstig, daß die von den Tieren ausgeatmete Kohlensäure, als eine besonders schwere Luftart, nicht so leicht aufsteigt, daher den Pflanzen um so leichter sich darbietet. Natürlich kann man diese großen Verhältnisse nicht in unserm kleinen Atemorgane in derselben Weise wiederfinden wollen, das eben nur eine kleine einseitige Verzweigung davon darstellt. Hat man aber Gefallen an Analogien, so kann man den Gegensatz zwischen eingestülpten und ausgestülpten Atemorganen (Lungen und Kiemen), der sich schon innerhalb des Tierreichs findet, zwischen Tierreich und Pflanzenreich noch einmal in größerem Maßstabe finden, da die belaubten Blätter gleichsam kiemenartige Ausstülpungen unsern eingestülpten Luftröhren und Lungen gegenüber sind, und kann sagen: das Atemorgan der Erde vereinige beide Grundformen, aber zu verschiedenen, sich ergänzenden Funktionen.

Manche haben, um eine möglichst große Ähnlichkeit der Erde mit einem Tiere herauszubringen, das Atmen der Erde so darzustellen gesucht, als wenn das Erdreich selbst abwechselnd je nach dem veränderlichen Luftdruck Luft einschlürfe und aushauche. Aber abgesehen davon, daß das Statthaben eines derartigen Vorganges in irgend erheblichem Grade eine leere Annahme ist, hat man auch nach früher gepflogenen Erörterungen solche rohe Ähnlichkeiten zwischen uns und der Erde nicht zu erwarten. Das Atemwerkzeug der Erde wiederholt nicht das unsre, sondern ergänzt, verknüpft, befaßt und speist unsre·Atemorgane als ein übergeordnetes; liegt daher auch wie diese und mit diesen an der Oberfläche der Erde, nicht in der Tiefe, so wenig ein Gehirn der Erde in der Tiefe liegt. Wie wir denn überhaupt überall, wenn wir Vergleiche zwischen unsern Organen und denen der Erde ziehen wollen, was doch nie ganz treffen kann, bei der Erde nicht das Entsprechende im Innern derselben suchen müssen wie bei uns, weil wir doch selbst ganz und gar an ihrer Oberfläche liegen, mithin auch das, was menschliche und tierische Organe gegebener Art zu einem höhern Gesamtorgan verbindet, an der Oberfläche der Erde zu suchen sein wird. Unstreitig aber wird man einem solchen verknüpfenden Organ, wie es die Atmosphäre für die Lungen,

das feste Erdgerüst für unsre Skelette darstellt, noch am meisten eine
analoge Bedeutung für die Erde wie den betreffenden Organen für uns
beilegen können, ohne doch eine volle Übereinstimmung der Verhältnisse
sehen zu dürfen.

Unsre Atemwerkzeuge sind verhältnismäßig eben so kleine Abzweigungen des Atemwerkzeuges der Erde, wie unsre Skelette vom großen
Erdskelett, wie unsre Flüssigkeit führenden Gefäße vom großen Meer, und
zwar aus analogen Gründen. Wäre die Atmosphäre nicht ein so ungeheures Atemreservoir, so würden unsre Atemwerkzeuge nicht die Sicherstellung für die stete Befriedigung des Atembedürfnisses finden, die sie
jetzt finden. Es würde hier an der rechten Quantität, dort an der rechten
Qualität der Luft fehlen. Jetzt, mögen noch so viel Menschen und Tiere
atmen und dadurch Sauerstoff verzehren und Kohlensäure bilden, bleibt
die Luft immer für sie gleich atembar, weil für die ungeheure Luftmasse
diese Veränderung selbst in langer Zeit nur wenig austrägt, und ehe sie
erheblich werden kann, durch den entgegengesetzten Atmungsprozeß der
Pflanzen, wodurch Kohlensäure verschluckt und Sauerstoff frei gemacht
wird, sich wieder ausgleicht.

Die Atmosphäre zeigt besonders schön, was wir in unserm Organismus überall sehen, daß in einem organisch verknüpften Ganzen derselbe
Teil nicht nur nach einer, sondern nach allen Seiten Zweckbeziehungen
verrät.

Als Atemwerkzeug ist sie zugleich das allgemeinste Stimmwerkzeug.
Nicht nur, daß aller Gesang der Vögel, alles Geschrei der Bestien, alles
Gespräch der Menschen, aller Klang unsrer musikalischen Instrumente
durch sie ins Weite getragen wird, ist sie auch bei der Schallerzeugung
selbst unmittelbar beteiligt; alle Kehlen klingen erst durch den aus ihr
geschöpften Atem an, alle Bäume rauschen durch ihren Anschlag.

Die Atmosphäre ist auch das allgemeinste Flugwerkzeug, was nicht
nur selbst über die ganze Erde den Fittig schwingt, sondern auch alle
Flügel der lebendigen Geschöpfe erst zum Fliegen befähigt und dazu mit
den Verrichtungen des lebendigen Flügels die des toten Flederwisches
verbindet, indem sie den Staub über die Erde hinkehrt.

Die Atmosphäre ist auch das allgemeinste Saug- und Druckwerk,
dessen Stempel nicht nur immer von selber sacht auf- und niedergeht,
wie der fallende und steigende Barometerstand beweist, sondern von dem
auch alle unsre Wasserpumpen, alle unsre Luftpumpen, alle unsre Barometer,
ja alle trankschlürfenden Geschöpfe nur die gemeinsam abhängigen Teile
sind. Wird doch dadurch selbst das Blut in unserm Leibe und das Wein

in der Schenkelpfanne zurückgehalten, die Fliege an die Wand gedrückt, und der Blutegel zum Fortschritt befähigt. Der ganze Mensch und alle Tiere werden durch diese Presse zusammengedrückt und können nur unter diesem Drucke bestehen.

Die Luft lastet auf der Oberfläche des Menschen mit einem Drucke von ungefähr 21 000 Pfund.*) Will man wissen, was das sagen will, so denke man sich die Oberfläche des menschlichen Körpers in eine Ebene ausgebreitet, und eine Quecksilbersäule von 28 Zoll Höhe, oder eine Wassersäule von 82 Fuß Höhe durch ihr Gewicht darauf lastend. Diesen Druck erfährt der menschliche Körper. Nun leuchtet ein, daß, wenn der Körper diese Last doch nicht lästig fühlt, er eben darauf eingerichtet sein muß, unter dieser Last zu bestehen; daß also seine Einrichtung mit dem Druck der Luft in eins verrechnet ist.

Man kann eine Art Wunder darin finden, wie die Atmosphäre scheinbar so ganz entgegengesetzte Eigenschaften verbindet; sie ist das Leichteste und Leichtbeweglichste und die leichtesten Bewegungen Vermittelnde, und doch zugleich das anhaltendst und gleichförmigst und stetigst Drückende auf unsrer Erde, Flügel und Presse in eins. Was kann verschiedener scheinen als diese Funktionen, und die Atmosphäre vereinigt sie auf das Vollkommenste und, wie wir gleich sehen werden, noch viel mehr. Was wir schon beim festen Gerüste der Erde sahen, zeigt sich auch hier. Und wie die Erde überhaupt vieles in sich hat, was wir außer uns suchen müssen, so hat sie auch in der Atmosphäre ein Organ zu vielen Leistungen in sich, wozu wir uns erst äußere Werkzeuge verschaffen müssen.

Die Atmosphäre ist auch der allgemeinste Schöpfeimer und die allgemeinste Gießkanne, schöpft das Wasser in Dämpfen, trägt es in Winden über das Land, sammelt es in den Schwämmen der Wolken, und drückt sie über das Land aus.

Sie ist aber auch zugleich das allgemeinste Trockenmittel, sie trocknet die Wäsche an der Leine, das Malz auf der Darre, den Kot auf den Wegen.

Sie ist auch das größte Kühlmittel zugleich und das allgemeinste hitzende Gebläse, da sie überall von den kühlen Stellen nach den heißen und von den heißen nach den kühlen weht und das Feuer selber überall schürt.

Sie ist auch das größte Fenster zugleich und der größte Lichtschirm für die ganze Erde. Was wir sehen, sehen wir nur durch sie hindurch,

---

*) Die Oberfläche des menschlichen Körpers beträgt nämlich ungefähr 1 Quadrat= meter, und der Druck der Luft an der Meeresfläche 760 Millim. Quecksilberhöhe, was einem Gewicht von 10325 Kilogr. entspricht. (Pouillet's Phys. I. S. 118).

alle Gestirne scheinen durch sie ins Haus der Erde, das dadurch ringsum wie zu einem Glashaus wird.*) Aber indem sie der Klarheit dient, dient sie zugleich der Milderung und gleichförmigen Austeilung der sonst für einzelne Stellen und Zeiten zu grellen Helligkeit und zur sanften Vermittelung derselben mit der Dunkelheit in ganz ähnlicher Weise, wie es die Schirme um unsre Lampen tun, nur daß sie, anders als unsre Schirme, nicht um die leuchtenden Körper, die Gestirne, sondern den beleuchteten, die Erde angebracht ist, und den Vorzug der schönsten Farbe voraus hat. Wäre keine Atmosphäre, so gäbe es auch keine Abwechselung zwischen dem hellen blauen Tageshimmel und dem schwarzen sternenvollen Nachthimmel; sondern wir sähen die Sterne am Tage eben so hell als nachts mit der Sonne und dem Monde zugleich an einem ewig pechschwarzen Himmel stehen. Die Helligkeit und Bläue des Himmels rührt eben bloß daher, daß die Atmosphäre das Sonnenlicht wie ein blaugefärbter durchscheinender Schirm von mattem Glase zerstreut. Auch die Schatten auf der Erde wären ganz schwarz, grell vom hellen Boden abstechend, und man säße im Schatten eines Hauses wie in finsterer Nacht; da jetzt diese Schatten durch das von der Atmosphäre zurückgeworfene Licht immer noch beleuchtet werden. Jeden Morgen bei Aufgang der Sonne wäre es, als ob jemand auf einmal mit einem Lichte in ein ganz finsteres Zimmer träte, und abends, als wenn er mit dem Lichte hinausginge. So grell würden Tag und Nacht wechseln. Der Übergang durch Morgen- und Abenddämmerung und natürlich auch das Morgen- und Abendrot fielen weg.

Die Atmosphäre leistet auch in sofern einen ähnlichen Nutzen wie die Fenster unsrer Treibhäuser, als sie die leuchtende Sonnenwärme leichter durch sich durch läßt, als die durch Absorption seitens der Erdoberfläche dunkelgewordene zurückläßt, so daß die Wärme gewissermaßen wie in einer Falle gefangen wird. Dies ist nämlich die Eigenschaft durchsichtiger Körper überhaupt.

Man hat Grund zu vermuten, daß die Atmosphäre früher eine

---

*) Humboldt (Kosmos III. 144) hebt den teleologischen Gesichtspunkt dieser uns so selbstverständlich erscheinenden und doch gar nicht selbstverständlichen Einrichtung der Atmosphäre mit folgenden Worten hervor: „Wenn man der vielfachen Prozesse gedenkt, welche in der Urwelt die Scheidung des Festen, des Flüssigen und des Gasförmigen um die Erdrinde mögen bewirkt haben; so kann man sich nicht des Gedankens erwehren, wie nahe die Menschheit der Gefahr gewesen ist, von einer undurchsichtigeren, manchen Gruppen der Vegetation wenig hinderlichen, aber die ganze Sternendecke verhüllenden Atmosphäre umgeben zu sein. Alle Kenntnis des Weltbaues wäre dann dem Forschungsgeiste entzogen geblieben."

anbre Beschaffenheit hatte als jetzt, nämlich viel feuchter, wärmer, brückender, mehr mit Kohlensäure gesättigt war. Sie mußte wohl feuchter und wärmer, demgemäß brückender sein als jetzt, da die Erde selbst noch an der Erdoberfläche wärmer und über einen größern Teil der Oberfläche mit Wasser bedeckt war, mithin auch viel stärker und ausgedehnter dampfte als jetzt. Sie mußte wohl mehr mit Kohlensäure geschwängert sein, wenn wir bedenken, daß aller Kohlenstoff der ungeheuren Steinkohlenlager, welche jetzt unter der Erde liegen, früher in der Luft als Kohlensäure enthalten war; ja selbst die Kohlensäure der Kalklager mag früher teilweis (anfangs ganz) in der Atmosphäre enthalten gewesen sein. An diese Umstände mußten sich aber notwendig andre knüpfen. Da die viel reichlicher als jetzt von unten entwickelten Dämpfe doch oben denselben Gründen der Abkühlung unterlagen wie jetzt, so war, wie über einem immer rauchenden Topfe, die Wolkendecke, welche jetzt nur teilweis und örtlich der Erde den Anblick der Sonne und der Gestirne entzieht, unstreitig allgemein und permanent, und es mögen schon lange Perioden hindurch Geschöpfe in der Wasserbedeckung der Erde existiert haben, ehe sie gespürt, daß es eine Sonne und daß es Gestirne über ihren Häuptern gibt; und mag das erste Reißen der Wolkenhülle, der erste Anblick der Sonne und des blauen Himmels am Tage und des Sternenhimmels bei Nacht, die erste Scheidung von Licht und Schatten auf dem Erdboden, die erste Spiegelung der Sonne und Gestirne im Meere als ein großes Ereignis durch neue organische Schöpfungen von der Erde gefeiert worden sein oder Anlaß zu solchen gegeben haben, da hiemit auch ganz neue Verhältnisse eintraten. Gewiß entstanden erst jetzt Geschöpfe mit Augenlidern. Die Fische haben noch keine. Mit diesem Reißen der Wolkenhülle ward die Erde so zu sagen erst frei in den Himmel geboren; da sie bisher nur in sich gebrütet hatte. Man mag es mit dem ersten Augenaufschlag des Hühnchens, das die Eierschale gesprengt hat, oder mit dem ersten Aufbrechen einer bisher als Knospe in sich schlummernden Blume gegen das Licht vergleichen.

Es ist sehr möglich, daß das erste Reißen der Wolkenhülle oben in Verbindung stand mit dem ersten (wenigstens dem ersten beträchtlichen) Reißen des Meeres unten, als herausquellende, glühend heiße Gebirgsmassen sich insularisch drüber erhoben, und so starke Ströme heißer trockener Luft nach oben sandten, daß sich die Wolkendecke darüber auflöste, und der blaue Himmel auf das neugeborene Land sah. Dies hätte noch den interessanten Bezug, daß das erste Erscheinen des lichtgebenden Körpers, der Sonne, mit dem ersten Erscheinen der schattengebenden Körper zusammenfiel, da vor den ersten über das Meer erhobenen Bergen noch kein schattengebender Körper auf der Erde existierte.

Noch jetzt hindert die Sahara durch ihre aufsteigenden heißen, trockenen Luftströme die Wolkenbildung. Und so können auch durch einen solchen Wolken aufgelöst werden.

Wollen wir uns den Vorgang noch weiter ausmalen, obwohl das freilich immer eine Art naturgeschichtlicher Roman bleiben wird, so dürfen wir glauben, daß das Reißen der Wolkendecke oben durch ein ungeheures Gewitter eingeleitet wurde, wie noch jetzt vulkanische Eruptionen von Gewittern begleitet werden, so daß jener große Zeitpunkt von oben und unten zugleich mit feurigen Erscheinungen gefeiert wurde.

„Für die Courant ascendant=Gewitter ist das auffallendste Beispiel das bei dem Ausbruche eines Vulkans regelmäßig über der Feuersäule entstehende. Gibt es aber auch wohl einen lebhaftern Courant ascendant, als die Feuersäule eines Vulkans, die bei dem Vesuv 11000 Fuß hoch ist? Bei dem vulkanischen Ausbruch von Lancerotte im Jahr 1731, wo man fast kein Gewitter kannte, erschien es sogleich bei dem ersten Ausbruch."

(Dove, Meteorol. Unterf. S. 65.)

Unstreitig rührt die Entstehung eines Gewitters in diesen Fällen daher, daß die den vulkanischen Ausbrüchen beigemengten Wasserdämpfe sich oben sehr rasch verdichten. Natürlich muß aber der Durchbruch glühender Massen durch das Meer solche Wasserdämpfe in noch reichlicherm Maße entwickeln; daher sich der Himmel oben anfangs nur noch mehr verfinstern mußte, bis das hervorgetretene Land trocken ward und nun Ströme trockener Luft in die Höhe sandte, welche die Wolkendecke auflösten.

An den Abhängen der gehobenen Gebirgsmassen, besonders in der Nähe des Meeres, wo bald Abkühlung eintrat, mochten nun auch sofort die neuen organischen Schöpfungen der Landtiere und Landpflanzen eintreten.

Der große Kohlensäuregehalt der Atmosphäre wirkte, als Nahrung gebend für die Pflanzen, mit der großen Feuchtigkeit und Wärme zusammen, eben die üppige Vegetation zu bedingen, von der uns die Reste noch in der Steinkohlenformation aufbehalten sind; aber derselbe Kohlensäuregehalt machte die Luft untauglich für das Atmen der höhern Tierklassen und Menschen. In Zweckbezug darauf sehen wir nun die Erde anfangs eifrigst beschäftigt, diese überflüssige Kohlensäure wegzuschaffen, doch so, daß dies Wegschaffen zugleich Zwecken der damaligen Gegenwart diente. Das üppigste Wachstum und die öftere Erneuerung und Verjüngung der Vegetation erfolgte auf Kosten dieser Kohlensäure und diente zugleich als Vorbereitung für die Entwickelung der höhern tierischen

Organisation. Wenn ein Pflanzenwuchs so zu sagen satt Kohlensäure aus
der Atmosphäre geschluckt hatte und nichts mehr ihr abzugewinnen vermochte, vielmehr anfing, durch verwesende Teile der Luft so viel Kohlensäure zurückzugeben, als er im fortschreitenden Wachstum aus ihr schöpfte,
so ward er unter das Erdreich begraben, und es erwuchs über ihm eine
neue Vegetation, die das Geschäft der Luftreinigung fortsetzte. Man hat
50, 60, ja bis 120 Steinkohlenlager übereinander gefunden, deren jedes
seinen Kohlenstoff nur durch Verschluckung und Zersetzung der Kohlensäure hat gewinnen können. Da es früher noch keine solchen Zer-
störungsmittel der Pflanzenwelt durch die Tier- und Menschenwelt im
Großen gab wie jetzt, denn Rinder und Schafe weideten das Land
noch nicht ab, Menschen verbrannten und verbrauchten noch nicht das
Holz der Forsten, so war Zerstörung durch Naturrevolutionen das
einzige Mittel, in hinreichend raschem Wechsel immer junge Vegetation
zu gewinnen.

Aber nicht bloß das Land, sondern auch das Meer mit seinen
Geschöpfen half zu demselben Zwecke, obwohl auf ganz anderm Wege.
Das Meer nämlich verschluckte zunächst auch seinen Teil Kohlensäure;
um es aber immer durstig danach zu erhalten, ward dem Meere seinerseits
immer wieder die Kohlensäure durch die Bildung der Kalkschalen der
niedern Geschöpfe, als wesentlich aus kohlensaurem Kalk bestehend, entzogen,
und diese wurden auch immer von Neuem begraben, so daß sie jetzt
Kreidelager bis zu 500 Fuß Mächtigkeit bilden.

Nun aber, wenn es immer so fortgegangen wäre, hätten endlich die
Pflanzen und Tiere alle Kohlensäure der Atmosphäre verschluckt und es
wäre nichts mehr für die fernere Nahrung der ersten und für die neue
Schalenbildung der letzten geblieben. Die Erde mußte also endlich
anfangen, mit ihrer Kohlensäureverschwendung einzuhalten und eine neue
Wirtschaft beginnen, um mit einem verringerten Aufwand Kohlensäure
noch gleich starke Lebensfülle zu produzieren. Demgemäß begrub sie die
Pflanzen nicht mehr so wie früher, sondern überließ sie mehr der allmählichen
Zerstörung an der Oberfläche, wodurch der Kohlenstoff derselben an die
Luft zurückgeht. Zweitens vermehrte sie für die mit der Kohlensäure-
abnahme notwendig von selbst abnehmende Menge der Meeresgeschöpfe,
welche kohlensauern Kalk zu ihrem festen Gerüste brauchen, die Menge
der höhern Tierarten, deren Gerüst aus phosphorsaurem Kalk besteht;
drittens wies sie die neugeschaffenen Geschöpfe durch die Art ihrer
Nahrung und ihres Atmens mehr als die frühern darauf an, den
Kohlenstoff der von ihnen verzehrten Pflanzen wieder in Kohlensäure

umzusetzen und an die Atmosphäre zurückzugeben*); viertens endlich schuf
sie, nachdem alles nicht genügend erscheinen mochte, den Menschen, der
durch Verbrennen des Holzes, Ausgraben und Verbrennen der Steinkohlen und Brennen des Kalkes für den Bau seiner Wohnungen der
wirksamste Förderer der Kohlensäurerückgabe an die Atmosphäre wird,
und durch die beiden letzten Umstände wohl das kompensiert, was noch
fortgehends von Kohlensäure zur Bildung der Korallen und Schaltiere
im Meere verbraucht wird; obschon das Meer auch von diesen Anschüssen
allmählich viel wieder zerstört.

E. Über die unwägbaren Potenzen.

Der Mensch hat in seinen Nerven ein rätselhaftes Agens, wenigstens
vermutet man, daß außer der eiweißartigen Materie, woraus sie besteht,
noch ein feines unwägbares Medium unbekannter Natur darin enthalten
sei. Ist es der Fall, so kann es doch nur die irdisch höchst organisierte
Entwickelung oder Blüte desselben feinen Mediums sein, das als allgemeine
Grundlage der unwägbaren Potenzen Himmel und Erde durchdringt und
umgibt, im irdischen Bezirke aber in besondern Weisen gebunden und
bewegt wird. Oder wie kam es doch erst in den Menschen? Es ist am
besten, über dies, selbst nur hypothetische, Agens keine weitern Hypothesen
zu machen, sondern sich an diesem allgemeinen Gesichtspunkte genügen
zu lassen. Sonst kommt das Unwägbare noch in manchen Modifikationen
auf und in der Erde vor, deren Ursprung und Zusammenhang wir teils
kennen, teils nicht kennen, obwohl ein allgemeiner Zusammenhang jetzt
wohl allgemein statuiert wird, in den sich dann eben auch das Nervenagens, falls es besteht, fügen wird.

„Was unsichtbar die lebendige Waffe der Zitteraale ist; was durch die
Berührung feuchter und ungleichartiger Teile erweckt, in allen Organen der
Tiere und Pflanzen umtreibt; was die weite Himmelsdecke donnernd ent-
flammt, was Eisen an Eisen bindet und den stillen wiederkehrenden Gang
der leitenden Nadel lenkt; alles, wie die Farbe des geteilten Lichtstrahls,
fließt aus einer Quelle; alles schmilzt in eine ewige, allverbreitete Kraft
zusammen."   (Humboldt's Ans. I. S. 84.)

Wärme insbesondere empfängt die Erde teils von der Sonne,
teils hat sie in den Menschen und warmblütigen Tieren eigentümliche

---

*) Von eidechsenartigen Tieren finden sich schon Reste in der Steinkohlenperiode;
aber ihr Atmungsprozeß ist, obwohl sie Lungen haben, doch wie bei den kaltblütigen
Tieren überhaupt, sehr beschränkt. Erst mit den warmblütigen Tieren, d. i. Vögeln
und Säugetieren, beginnt ein kräftiger Atmungsprozeß.

Wärmequellen, teils ist sie ein Gefäß uranfänglicher Wärme. Betrachten wir zuvörderst die erste Quelle.

Wenn es in Fabriken und größern Anstalten überhaupt von ganz besonderm Vorteil ist, daß die Heizungs- und Feuerungsanstalten recht im Großen und an solchen Orten angelegt werden, wo sie dem Betrieb der Geschäfte nicht hinderlich sind, so sehen wir für die Erde diesen Zweck in bewunderungswürdigem Grade erfüllt. Ein einziger ungeheurer Hauptherd versorgt die Erdoberfläche mit Licht und Wärme zugleich und ist hoch über ihr aufgehangen, so daß er keinen Platz auf ihr wegnimmt, nirgends im Wege ist; zugleich sind solche Einrichtungen in Gestalt und Bewegung der Erde getroffen, daß aus der gleichförmigen Einwirkung jenes Licht- und Wärmequells doch die mannigfaltigsten Leistungen für sie hervorgehen, wie schon früher betrachtet. Außer dieser großen Veranstaltung aber gibt es dann allwegs kleinere zur lokalen Benutzung und weitern Ausführung dessen, wozu durch die große der Grund gelegt ist.

Die Sonnenwärme kann, in Konflikt mit dem Verlust, den die Erde fortgehends durch die Ausstrahlung erleidet, nur bis zu geringen Tiefen bringen, nun aber sehen wir eine andere großartige Veranstaltung zur Erwärmung der Erde im Innern selbst getroffen. Zum großen aber sehr feinen Herde von oben tritt ein zwar minder großer, aber die Erde selbst erfüllender, von unten. Ursprünglich ganz und gar eine glühend flüssige Kugel, ist es die Erde noch jetzt in ihrem Innern und hat sich nur allmählich durch Erkalten und Erstarren von außen mit der Kruste bedeckt, die wir jetzt als festen Erdboden unter uns haben. Aber je mehr diese Kruste durch zunehmendes Erkalten an Dicke gewachsen ist, desto mehr hat sie die Erde vor fernerm Erkalten geschützt, so daß jetzt, nachdem sie nur erst wenige Meilen dick ist, ein ferneres Zunehmen der Erkaltung zwar nicht absolut gehindert, doch während Jahrtausenden nicht merklich ist. Daß auch die Größe der Erde zu dieser Langsamkeit der Erkaltung beiträgt, wurde früher schon bemerkt. Man sieht solchergestalt, daß die feste Kruste mit der Bedeutung eines Knochengerüstes zugleich die einer schützenden Hülle für die Erde verbindet, die ihr nach Maßgabe gewachsen ist, als sie kühler zu werden anfing, und an den Polen, wo die Veranlassung zur Abkühlung am größten, unstreitig auch am dicksten ist. Beim Tiere leistet der Pelz, bei den Menschen die Kleidung, bei Flüssigkeiten, die warm gehalten werden sollen, die Gefäßwand dieselben Dienste. Das sind nachträgliche Hilfsmittel, welche die Erde sich lokal an ihrer Außenseite erzeugt hat, in welcher Hinsicht ähnliche Betrachtungen gelten wie für den Schutz unsres Gehirns durch eine besondere Schädelkapsel.

„Der Verlust der ursprünglichen Wärme der Erde ist weit größer auf ihrer Oberfläche als in ihrem Innern gewesen; und sie ist gegenwärtig auf der Oberfläche so weit erkaltet, daß ihre Temperatur hier wahrscheinlich nicht um $1/_{30}$ Grad C. diejenige Wärme übersteigt, die ihr vermöge der beiden andern Ursachen (Erwärmung durch die Sonne und Wärme des Himmelsraums) konstant bleiben wird ..... Anfangs hat die Temperatur der Erde sehr rasch abgenommen, aber gegenwärtig ist diese Abnahme fast unmerklich für sehr lange Zeit. Auch die Größe der Wärmezunahme mit der Tiefe wird sich nicht immer gleich bleiben, allein es werden Jahrtausende (80000 Jahre nach der Berechnung für eine Abnahme um $1/_{30}$° C.) vergehen, bevor sie auf die Hälfte der gegenwärtigen herabgekommen ist."

(Fourier in Biot's Lehrb. der Phys. V. S. 386.)

„v. Beaumont hat mittelst der Theorie von Fourier und aus den Beobachtungen Arago's gefolgert, daß die Menge der Zentralwärme, welche die Erdoberfläche erreicht, im Verlauf eines Jahres eine $1\frac{1}{4}$ Zoll dicke Eisrinde der Erde schmelzen würde."

„Nach ziemlich übereinstimmenden Erfahrungen in den artesischen Brunnen nimmt in der obern Erdrinde die Wärme im Durchschnitt mit einer senkrechten Tiefe von 92 par. Fuß um 1° C. zu. Befolgte diese Zunahme ein arithmetisches Verhältnis, so würde demnach in einer Tiefe von $5^3/_{10}$ geogr. Meilen Granit geschmolzen sein." (Humboldt's Kosmos.)

„Nach den Berechnungen der glaubhaftesten Naturforscher beträgt die ganze Dicke der festen Erdrinde nicht über 50000 Fuß oder $2\frac{1}{3}$ geogr. Meilen. Davon kommen etwa 34000 Fuß auf die kristallinischen Massengesteine; 10000 auf die Übergangsformationen, 5000 auf die sekundären Schichten und 1000 auf die tertiären jüngsten Lagen."

(Burmeister's Schöpfungsgesch. 8. Aufl. S. 174.)

„Pouillet findet (durch eine freilich nicht ganz zuverlässige Rechnung), daß, wenn die Wärmemenge, welche die Sonne im Laufe eines Jahres auf die Erde sendet, auf derselben gleichmäßig verteilt wäre und ohne Verlust zum Eisschmelzen verwendet würde, sie alsdann imstande wäre, eine die Erde einhüllende Eisschicht von 81 Metern ($95\frac{1}{3}$ par. Fuß) Dicke zu schmelzen; und ferner, daß, wenn die Sonne ringsum von Eis umgeben wäre, und alle von ihr ausgehende Wärme ausschließlich verwendet würde, um dieses Eis zu schmelzen, alsdann in 1 Min. eine Schicht von 12 Meter Dicke weggeschmolzen werden würde."

(Pouillet, Lehrb. der Phys. II. S. 496.)

Man kann fragen, wozu die innere Erdwärme und ihr Schutz? Dasselbe Hindernis, welches die feste Erdkruste dem Entweichen der Wärme aus der Erde entgegensetzt, macht auch, daß die Wärme des Innern nicht mehr auf der Oberfläche spürbar wird, deren Wärme vielmehr jetzt merklich nur noch von der äußern Einwirkung der Sonne abhängt. So schiene es also nutzlos, die Wärme im Innern zurückzuhalten, ja vielleicht zweckwidrig, da eben erst durch dies Zurückhalten die Wärme nutzlos für die Oberfläche wird. Wenn man bedenkt, wie mühsam wir oft die Wärme an der Oberfläche beschaffen, und welche ungeheure Quantität Wärme im Innern enthalten ist, so kann man in der Tat bedauern, daß diese Wärme so müßig eingesperrt ist. Früher reichte die Wärme noch merklich an die Erdoberfläche oder ward durch Herausquellen heißer Gebirgsmassen wieder darauf erneuert, und die üppigste, selbst über die Polargegenden sich erstreckende Vegetation, deren Reste wir eben noch in den ungeheuren Steinkohlenflözen haben, war die Folge davon; die ganze Erde war wie ein von unten geheiztes Treibhaus; das hat nun aufgehört, seitdem die Wärme von unten so gut als abgesperrt ist gegen oben. Indes, da die Natur im ganzen nicht zweckwidrig wirkt, oder, wenn wir Unzweckmäßigkeiten in ihr zugeben wollen, doch eine Tendenz zeigt, sie immer mehr zu beseitigen, so kann diese sorgfältige Anstalt, welche wir für Abschließung der Wärme in der Tiefe gegen die Oberfläche gemacht und immer wirksamer werden sehen, gerade mit als Argument dienen, daß es bei der Erde eben noch auf etwas mehr als die Versorgung der Menschen und Tiere an der Oberfläche ankomme; ja daß es für sie, nachdem sie den Wärmeüberschuß hat fahren lassen, unter dessen Einfluß ihre erste Entwickelung erfolgte, doch nützlicher ist, die noch übrige Wärme so fest wie möglich in der Tiefe zurückzuhalten als an der Oberfläche durch ihre Menschen und Tiere verwenden zu lassen, denen sie statt dessen lieber eigentümlich geartete Abhilfen teils in innern Wärmequellen, teils in äußern Schutzmitteln gab. Die Wärme des Innern wird, wenn auch für uns müßig, so wenig müßig für die Erde sein, als unsre eigene Wärme müßig für uns ist, wenn auch aus andern und vielleicht für uns nicht ganz zu ergründenden Gesichtspunkten.

Dies zu glauben, können wir uns um so mehr veranlaßt finden, als zwei Arten des Schutzes für Erhaltung der Wärme, der durch die Hülle der Erde, und der durch die Größe der Erde, zusammentreffen, und als der erste Schutz durch dasselbe Erkalten, das er zu beschränken bestimmt ist, erst erzeugt worden ist und um so mehr wächst, je weiter das Erkalten fortschreitet. Dies nämlich steht in voller Analogie mit den zweckmäßigen Selbstbeschränkungen, die wir in unserm eigenen Organismus bei so vielen Wirkungen wahrnehmen. Ein oftmaliger oder anhaltender schmerzhafter Druck auf den Finger, z. B. beim Spiel eines

Inſtrumentes, oder auf den Fuß beim Gehen auf bloßem Boden erzeugt
eine hornige Haut, wodurch die Einwirkung des Drucks je länger je mehr
beſchränkt wird; jede Gewöhnung an anfangs läſtige Reize erfolgt dadurch,
daß die Reize Einrichtungen in unſerm Körper hervorbringen, wodurch
ſich ihre Wirkung beſchränkt.   Ja wir haben einen Fall, der mit dem
vorliegenden eine gewiſſe ſpezielle Analogie verrät.   Es wächſt nämlich
auch den Tieren im Norden und im harten Winter ein um ſo dickerer
Pelz, je mehr die Kälte ſteigt.   Die ſtärkere Abkühlung, welche die Tiere
erfahren, regt ihren Organismus zur Erzeugung eines ſtärkern Schutzes
gegen die Abkühlung an, wie es bei der Erde der Fall iſt, nur daß bei
letzterer die Vermittelung viel einfacher, aber auch unſtreitig um ſo
direkter auf den Zweck der Selbſtbeſchränkung gerichtet iſt.   Denn bei
Tieren wirkt die Kälte erſt durch weitläufige, wenigſtens für unſre
Betrachtung weitläufige, und noch nicht klar erkannte Vermittelungen
darauf hin, die auch unſtreitig nur beiläufig dieſen Erfolg erzeugen.

Man kann hiegegen nicht einwenden, die feſte Kruſte ſei entſtanden,
um den Menſchen und Tieren feſten Boden zu geben und ſie vom
heißen Innern abzuſchneiden, alſo gar nicht auf den Schutz der innern
Wärme zu beziehen, der vielmehr zufällig ſei und auf den nichts ankomme.
Solche zwecklose Zufälligkeiten ſind nicht im Sinne der zweckmäßig
wirkenden Natur; dagegen es allerdings im Sinne der zweckmäßig
wirkenden Natur iſt, daß ſie durch ein und dasſelbe Mittel mehrere
Zwecke zugleich zu erreichen ſucht.   Eben ſo wenig kann man ſagen wollen,
die Wärme im Innern ſei bloß ein Reſt der uranfänglichen Wärme,
welche zur erſten Entwickelung der Erde nötig war, nun aber als fürder
unnütz beiſeitgelegt worden.   Die zweckmäßig wirkende Natur duldet auch
keine ſolchen müßigen Reſte.   Was in einem Sinne überflüſſig wird,
wird alsbald in einem andern Sinne zweckmäßig verwandt.   Der Zweck,
die Wärme im Innern zu ſchützen, ſchließt in der Tat den Zweck, für
die Geſchöpfe auswendig einen feſten Boden zu gewähren und ſie vom
Innern abzuſondern, nicht aus, umgekehrt aber würde bei Wegfall des
Zweckes, die innere Wärme zu ſchützen, die feſte Schale bloß einen Zweck
nach außen, nicht nach innen verraten, während wir ſonſt immer eine
Hauptbedeutung feſter Schalen in ihrem Bezuge zum Innern zu ſuchen
haben.   Der Zweck des feſten Bodens und der Verwahrung der Geſchöpfe
gegen die innere Hitze würde ja noch viel vollſtändiger erreicht worden
ſein, wenn die ganze Erde feſt und kalt gemacht worden, ſtatt bloß eine
feſte Schale um das heiße Innere zu haben; Erdbeben und Lavaergüſſe
wären dann unmöglich geworden.   Offenbar aber wogen ſich beide Zwecke,

die Erhaltung möglichst warmer Flüssigkeit im Innern und die Erzielung möglichster Festigkeit des Bodens außen gegen einander so ab, daß beiden im Zusammenhange noch hinreichend genügt wurde. Die Existenz von Menschen und Tieren hätte bei etwas minderm Abschluß gegen die Bodenwärme von unten sehr gut noch bestehen können, ja, so viel wir beurteilen können, leichter und müheloser, als es jetzt der Fall ist. Aber es erschien offenbar wichtiger, durch eine hinreichend dicke Kruste den Rest der Erdwärme möglichst vollständig zu sichern, als ihn den Menschen und Tieren noch zu Gute kommen zu lassen, was doch immer mit Verlust derselben verbunden.

Ohne uns nun zu vermessen, das teleologische Rätsel der Zurückhaltung der Erdwärme im Innern vollständig erklären zu können, läßt sich doch auf manches hinweisen:

Zuvörderst darauf, daß die Kruste der Erde, obwohl für den gewöhnlichen Bestand und die langsame Entwickelung der irdischen Verhältnisse dick genug, um keine Faltung, keinen Durchbruch zu gestatten, und die materielle Kommunikation zwischen Innerem und Äußerem merklich auszuschließen, doch nach geologischen Tatsachen zu verschiedenen Zeiten früherhin Hebungen und Durchbrüche erfahren hat, wodurch neue Gebirge entstanden sind, und womit auf uns unbekannte Weise die Entwickelung neuer Organisationsverhältnisse in Beziehung getreten ist. Wir können nicht wissen, ob solche Katastrophen nicht noch mehrere bevorstehen, welche dann unstreitig auch neue Entwickelungen mitführen würden. (Vgl. den Anhang zum fünften Abschnitt.) Dann schiene es aber auch begreiflich, daß die Erde sich ein hinreichendes Reservoir heißer flüssiger Masse unten dazu sicherte, und daß die (mathematisch genommen erst in unendlicher Zeit mögliche) vollständige Erkaltung eben erst dann bevorstünde, wenn die Erde die ihr bestimmten Entwickelungsphasen vollständig beendigt hätte. Dies ist eine Hypothese, die ihre Möglichkeit hat, obwohl nicht erweislich ist.

Der Abschluß der innern Wärme von außen ist ferner nicht so vollständig, daß nicht doch in tiefen Kellern und Bergwerken, in den heißen Quellen, artesischen Brunnen und wohl auch dem Golfstrom, lokale Zuschüsse der Wärme von innen nach außen erfolgten, die ihren Zweck haben; und natürlich hängt das nachhaltige Fließen dieser nützlichen Wärmequellen davon ab, daß die Wärme sich nicht rasch und von allen Seiten aus der Erde zerstreue.

Die konstante Temperatur in den Kellern des Pariser Observatoriums ist bei einer Tiefe von 27,6 Meter (84 par. Fuß) 11,82° C., während die

mittlere Temperatur an der Oberfläche ·10,8° C. ist. (Pouillet's Phyſ. II.
S. 458 u. 470.) Dieſer Temperaturüberſchuß der Tiefe über die Oberfläche
hängt nur von der innern Erdwärme ab.

Der arteſiſche Brunnen von Grenelle bei Paris, deſſen Waſſer in 1800 Fuß
Tiefe erbohrt wurde, hat eine Temperatur von 22° R. neben der mittlern
Ortstemperatur von 8° R., die Aachener Quellen haben 46°, der Karlsbader
Sprudel 59°, die Springquelle des Geiſer ſogar 80° R.

Der Golfſtrom, deſſen Waſſer im meri̇kaniſchen Meerbuſen bis zu 81°C.
erwärmt wird, trägt in ſeiner Wendung nach Europa nicht unerheblich bei,
das europäiſche Klima zu milbern. Durch den Einfluß dieſes Stromes iſt
das nördliche Europa durch ein eisfreies Meer von dem Gürtel des Polareiſes
getrennt; ſelbſt in der kälteſten Zeit erreicht die Grenze des Polareiſes nicht
die europäiſchen Küſten. (Vgl. Pouillet's Phyſ. II. 467. Dove, Meteorol.
Unterſ. S. 20.)

Ferner hängt vielleicht, obwohl auf uns unbekannte Weiſe, mit der
Hitze und Flüſſigkeit des Innern und deren Veränderungen und Bewegungen
der Erdmagnetismus zuſammen, der in der Tat nach den größern zeitlich-
örtlichen Veränderungen, die er erfährt, nur einer beweglichen oder
bewegenden Urſach ſeinen Urſprung verdanken kann, und außer dem
Nutzen, den er für unſre Schiffahrt und Feldmeßkunſt hat, noch allgemeinere
Bedeutung für die Erde haben mag, über der freilich ſo viel Dunkel liegt,
wie über dem eigentlichen Grunde ſeiner Entſtehung.

Die Veränderungen des Erdmagnetismus nach Tages- und Jahreszeit
hängen unſtreitig mit dem Gange der Sonne zuſammen, dagegen man den
Grund der ſäkularen Veränderungen kaum anders als im Innern der Erde
ſuchen kann.

Die Urſach des Erdmagnetismus ſelbſt in einem magnetiſchen Eiſenkern
zu ſuchen, wie wohl ſonſt geſchehen, wird man teils durch dieſe innere
Veränderlichkeit deſſelben gehindert, welche ſchwer auf bloße Temperatur-
änderungen eines feſten Kerns rückführbar ſein möchte, teils dadurch, daß
Eiſen im Glühen überhaupt den Magnetismus merklich verliert. Das Eiſen
im Innern aber könnte, ſo viel wir glauben müſſen, nur in glühend flüſſigem
Zuſtande vorhanden ſein.

Unſtreitig war die Erde früher, da ſie noch ganz und gar glühend
flüſſig, auch ſelbſtleuchtend, wie noch jetzt ſelbſtwarm. Aber dieſes Selbſt-
leuchten iſt, als nur an der Oberfläche bei ſehr hoher Hitze ſtatt findend,
früher erloſchen als die Selbſtwärme, die im Innern ihre Zuflucht
gefunden hat, ·und mit wenigen Ausnahmen leuchten auch die Geſchöpfe
nicht ſelbſt, dagegen viele eine Eigenwärme haben. Das Licht auf der
Oberfläche der Erde hängt jetzt eben ſo wie die Wärme hauptſächlich von
der Sonne ab, doch hat ſie in dem Monde einen Hilfsapparat zur
Erleuchtung der Nächte, ohne einen entſprechenden Hilfsapparat zur

Erwärmung der Nächte, da das Mondlicht, obwohl nicht, wie man sonst meinte, erkältend, doch nur unmerklich erwärmend wirkt. Dies läßt sich teleologisch deuten. Mit dem Weggang der Sonne verliert sich fast sofort das Licht, aber nicht eben so die Wärme des Tages, die sich vielmehr während der Nacht nur verhältnismäßig wenig mindert, daher war es nötiger, eine Lampe als einen Ofen zur Aushilfe nachts anzubringen. Man kann dabei bemerken, daß der Vollmond grade aufgeht, wenn die Sonne untergeht, und untergeht, wenn sie aufgeht, daher auch im Sommer kürzer, im Winter länger über dem Horizonte ist. Die Erde hat sich diese Aushilfe selbst geschaffen, da, wie man wenigstens vermutet, der Mond früher ein Teil der Erde war, den sie von sich weg in den Himmel geschleudert. Auch geht der Mond so um die Erde herum, daß sie, da es nicht möglich ist, die Lichtaushilfe durch denselben immer und überall zu gleicher Zeit in demselben Maße zu haben, dieselbe allseitig nach einander in wechselndem Maße genießt und dadurch zugleich ein neues Uhrrad als Hilfsmittel der Zeitbestimmung gewinnt, welches eine andre Zeitabteilung gibt als die eigene Drehung der Erde.

So lange die Erde noch erheblich warm an der Oberfläche durch eigene Wärme war, existierten bloß Pflanzen und kaltblütige Tiere, Würmer, Fische, Eidechsen u. s. w. auf ihr, die immer sehr nahe die Temperatur der Umgebung annehmen und auf der warmen Erde überall auf's Üppigste gediehen. Warmblütige Vögel, Säugetiere und Menschen gab es noch nicht; warum auch in ihnen Veranstaltungen zur Erzeugung eigener Wärme treffen, da die Erde überall mühelos von außen die Wärme lieferte? Die ganze Erde war damals viel gleichförmiger mit ähnlichen Tieren und Pflanzen bedeckt als jetzt, weil die Wärme damals viel gleichförmiger auf der ganzen Erde war. Als aber die Temperatur der Erdoberfläche durch Erkalten mehr und mehr sank, konnte das üppige Leben der bisherigen Pflanzen- und Tierwelt nicht mehr in derselben Weise fortbestehen. Das Meiste starb aus, sei es allmählich, sei es bei größern Erdrevolutionen, und ersetzte sich nicht in demselben Verhältnis durch Neues gleicher Art. Das Leben der an sich kalten, jetzt nicht mehr so durch äußere Wärme gehegten Pflanzen- und niedern Tierwelt verkümmerte so bis zu gewissen Grenzen. Um aber doch nicht das organische Leben im ganzen verkümmern zu lassen, kompensierte die Erde die Wärme, die sie ihren Geschöpfen jetzt weniger äußerlich zu liefern vermochte, dadurch, daß sie einen Teil ihrer Geschöpfe zu Herden eigener Wärme machte. Dazu aber mußte die Organisation dieser Wesen kunstreicher eingerichtet werden als die der frühern Wesen. Sie sollten jetzt das, was ihnen die Erde bisher äußerlich geleistet hatte, durch sich selbst leisten. So wurde, da sich die Organisation der Wesen überhaupt nur im Zusammenhange steigern kann, die Organisation dieser neuen Wesen höher ausgebildet als die der frühern. Natürlich ist dies bloß einer der Gesichtspunkte, die den Fortschritt der Organisation erklären.

Indem sich die warmblütigen Tiere und Menschen ihre Wärme selbst erzeugen, könnte es scheinen, daß sie dadurch unabhängiger von der übrigen Erde geworden wären; aber es gilt gerade das Gegenteil. Denn sie können ihre Innenwärme doch nur aus äußerlich aufgenommenen irdischen Stoffen erzeugen, und während Eidechsen, Schlangen, Frösche, Fische lange Zeit hungern können und wenig atmen, müssen jene viel und oft Speise und Luft aufnehmen, um hiemit ihre Wärme zu nähren, weil in der Tat ihre Eigenwärme nur durch chemische Verarbeitung der aufgenommenen Nahrungsmittel mit der aufgenommenen Luft entsteht.

Das Erkalten der Erde an der Oberfläche hat nicht nur den Erfolg gehabt, eine höhere, sondern auch eine mannigfaltigere Entwickelung organischen Lebens mitzuführen, weil sich die Verschiedenheiten der Klimate und örtliche Temperaturverschiedenheiten, womit die Verschiedenheiten des organischen Lebens zusammenhängen, hiemit erst vollständig ausbildeten.

Das genaue Zusammenpassen von Mensch und Erde in Betreff der Wärmeverhältnisse und die kunstreichen Einrichtungen, mittelst derer ihm eine gleichförmige Temperatur gesichert wurde, bieten noch Gelegenheit zu besondern Betrachtungen von teleologischem Interesse.

Die eigene Wärme des Menschen enthebt ihn nicht der Anforderung an einen angemessenen Grad äußerer Wärme; nur unter gewissen Grenzen äußerer Temperatur vermag er zu bestehen; es sind aber eben die, die er auf der Erde wirklich vorfindet, und zwar in räumlichem und zeitlichem Wechsel vollständig erschöpft und auf die mannigfachste Weise mit den andern irdischen Verhältnissen kombiniert vorfindet, so daß die reichste Entfaltung verschiedener Existenzbedingungen für ihn daraus hervorgeht. Gestalt und Bewegung der Erde, Verteilung des Flüssigen und Festen wirken dazu zusammen, die Verhältnisse in diesem Bezuge möglichst abzuändern. Es läßt sich dann aber auch, wie überall in solchen Fällen, umkehren und sagen: der Mensch wurde eben so eingerichtet, wie er am vorteilhaftesten unter diesen Umständen bestehen konnte.

So vorteilhaft aber die Mannigfaltigkeit der Temperaturen auf der Erde ist, teils den Menschen auf mannigfaltige Weise anzuregen, teils eine Mannigfaltigkeit von Produkten zu seinen Diensten zu erzeugen, so wenig vorteilhaft würde es für ihn gewesen sein, wenn fein Körper auch der wechselnden Temperatur feiner Umgebung immer genau folgen müßte. Notwendig würden feine organischen Prozeffe dann einen fehr ungleichförmigen Gang annehmen, wie eine Dampf- mafchine rafcher oder fchneller arbeitet, je nachdem fie ftärker oder fchwächer geheizt ift. Sehen wir doch wirklich bei kaltblütigen Tieren, die immer fehr nahe die Temperatur der Umgebung annehmen, die Lebhaftigkeit und Regfamkeit fehr wefentlich mit der äußern Temperatur zufammenhängen; in der Wärme find fie munter, in der Kälte werden fie träg oder fallen in Erftarrung. Des Menfchen Mafchine follte aber immer gleich bereit fein, feinem Willen zu dienen, follte möglichft unabhängig vom zufälligen Wechfel äußerer Einflüffe felbft in ftarker Kälte und Wärme noch fortarbeiten können; und fo war es nötig, diefelbe, ftatt in der Hauptfache auf die ungleichförmige äußere Erwärmung anzuweifen, innerlich zu heizen, und zwar möglichft ftetig und gleichförmig zu heizen, und dazu noch Sorge zu tragen, daß fie gegen den doch nicht fehlenden erwärmenden und erkältenden Einfluß der äußern Temperatur einen gleichförmigen Wärmegrad zu behaupten vermochte. Diefen Auf- gaben fehen wir nun im Menfchen durch die finnreichften Vermittelungen entfprochen.

Zuvörderft beweift der Erfolg felbft, daß es der Fall fei, da der Menfch feine Wärme, die ungefähr 30° R. im Innern beträgt, unter dem größten Wechfel der äußern Temperatur immer konftant behält. Nun meint man wohl, der Titel des Organifchen reiche hin, den Menfchen immer gleich warm zu halten. Aber fo ift es nicht. Vielmehr find die verwickeltften Maßregeln aufgeboten, das einfache Refultat zu erzielen, um das es fich handelt. Wir felbft würden es auch gar nicht einfach finden, einen Ofen 70 Jahre immer fo gleich warm zu halten, wie es der Menfch fein Lebelang ift, und die Natur hat keinen andern Vorteil in Erfparung von Mitteln bei Erzielung eines Refultats voraus, als der in der weifen Kombination und erfchöpfenden Benutzung der Mittel liegt. Und eben hiervon gibt die gleichförmige Erhaltung der Wärme im Menfchen das fchönfte Beifpiel.

Des Menfchen ganzer Leib läßt fich als ein Heizapparat, nennen wir ihn immerhin Ofen, betrachten, der nur eine viel vollkommenere Einrichtung hat als unfre Ofen. Während unfre gewöhnlichen Ofen als kleinere Käften nur bienen, die größeren Käften, unfere Stuben, zu heizen, heizt fich die Stube unfres Leibes unmittelbar felbft als Ofen- kaften. Hierin liegen aber fchon wichtige Vorteile. Unfre Ofen müffen viel heißer fein als unfre Stuben; nun bleibt viel Wärme in der Nähe des Ofens und im Ofen selbst ungenutzt, und die Ferne hat doch oft nicht genug davon; unmittelbar am Ofen ist es zu heiß, weit ab davon oft zu kühl, die Stube hat im ganzen eine sehr ungleichförmige Temperatur. Man ist immer in Verlegenheit, wohin man den Ofen stellen soll; überall ist er im Wege und stört die Symmetrie der Stube. Alle diese Übelstände sind bei uns durch den einfachen Umstand vermieden, daß der heizbare Raum mit dem Heizraum selbst zusammenfällt. Vermöge dessen ließ sich überhaupt mit einer sehr mäßigen Temperatur des Heizraumes auskommen, da sie überall nicht höher gesteigert zu werden brauchte, als für den zu heizenden Raum bienlich, und Anlagen wurden möglich, welche die gleichförmigste Austeilung dieser Wärme sichern; so daß nichts mehr davon an einer Stelle dem Verluste preis gegeben zu werden brauchte, um andern Stellen noch genug zu tun. Der Ofen steht auch nirgends mehr im Wege, da er sich selbst nicht im Wege stehen kann.

Es ist sehr merkwürdig und ein schöner Fall der Berührung der Extreme, daß solchergestalt in der innern Heizung unsers Körpers durch gerade entgegengesetzte Mittel dasselbe erreicht wird, was bei der äußern Heizung der Erde. Bei letzterer nämlich ist es die ungeheure Entfernung des Heizapparates von dem zu heizenden Körper, in Verbindung mit dem ungeheuern Übergewicht des ersten an Größe und Hitze gegen den letztern, wodurch eine milde und, soweit sie nicht durch die Gestalt der Erde selbst modifiziert wird, vollkommen gleichförmige Erwärmung der Erde erzielt und die Unbequemlichkeit verhütet wird, die aus der Stellung des Heizapparates in dem zu heizenden Raume entstehen würde; indes bei uns das direkte Zusammenfallen des Heizapparates mit dem zu heizenden Körper der Örtlichkeit, Größe und Wärme nach das Entsprechende leistet. Dort war ein leerer, aber möglichst gleichförmig mit dünnstem Äther erfüllter Raum zwischen heizendem und geheizten Körper das Günstigstmögliche; hier wurden die verwickeltsten Organisationsbedingungen in Gang gesetzt, das betreffende Resultat zu erreichen.

Das Brennmaterial für den Ofen unsers Leibes ist nicht Holz, sondern, wie schon bemerkt, Speise; denn man weiß, daß es hauptsächlich der Kohlenstoff (und teilweis Wasserstoff) der Speise ist, der in unserm Leibe eben wie der Kohlenstoff des Holzes in unsern Ofen mit dem Luftsauerstoff sich vereinigt, der Chemiker nennt es Verbrennen, und dadurch die Wärme unsers Leibes erzeugt, nur daß diese Verbrennung nicht mit heller Flamme, sondern sehr allmählich und auf eine höchst geregelte Weise geschieht, so daß die Brennkraft des Materials vollständig

erſchöpft und die gleichförmigſte Durchdringung des Körpers mit Wärme
erzielt wird. Der ganze Körper iſt ein durch und durch ſo eingerichteter
Feuerraum, daß der Brennſtoff in ſeinen kleinſten Teilen mit dem
Luftſauerſtoff in kleinſten Teilen überall in Berührung kommt, indem
die Adern mit ihren feinen Verzweigungen dazu da ſind, den Sauerſtoff
und den Brennſtoff ſich in allen Teilen des Körpers begegnen zu laſſen
und die erzeugte Wärme ſelbſt durch alle Teile möglichſt gleichförmig
zu verbreiten.*)

In den Lungen hat der Ofen unſres Leibes einen nimmer raſtenden
Blasbalg, der mit jedem Einatmen brauchbare Luft einzieht, mit jedem
Ausatmen unbrauchbare Luft ausſtößt; eine Eſſe aber hat er nicht;
weil ſie ihm durch ſeine vollkommene Einrichtung erſpart iſt. Bei unſern
Öfen dient die Eſſe teils einen Zug zu bewirken, teils den Rauch abzuführen; wenn aber jemand immer mit einem Blasbalg zur Hand wäre,
ſo bedürfte es der Eſſe in erſter Beziehung nicht, und wenn das Brennmaterial ſo vollkommen verzehrt würde, daß kein Rauch entſtünde, bedürfte es derſelben in zweiter Hinſicht nicht; der Blasbalg der Lungen
iſt aber in unſerm Körper immer zur Hand und im Gange, und das
Brennmaterial wird wirklich ſo vollſtändig verzehrt, daß kein Rauch entſteht; wenn aber die unbrauchbar gewordene Luft einen Abfluß verlangt,
findet ſie dieſen durch die Röhre des Blasbalgs ſelbſt. Auch ſind Vor-
richtungen da, die den Aſchenkaſten erſetzen. Der Blasbalg unſrer Lungen
iſt ferner ſo eingerichtet, daß er ſeine Tätigkeit genau nach dem Bedürfnis
reguliert. Wenn wir uns auf hohe Berge oder im Luftballon erheben,
wo die Luft dünner wird und mithin Gefahr entſteht, daß der Ofen
nicht mehr gehörig mit Luft geſpeiſt wird, werden die Atemzüge unwillkürlich raſcher, in verdichteter Luft dagegen langſamer (Junod).

Durch den Hunger benachrichtigt ſich der Ofen unſers Leibes von
ſelbſt, wenn es nötig wird, neues Material nachzulegen; er hat Zangen
in ſeinen Händen, dasſelbe ſelbſt herbeizulangen, er hat auch Füße, die
nicht wie die unſrer Öfen feſtſtehen, ſondern nach dem Brennmaterial
laufen; er hat auch in ſeinen Zähnen Werkzeuge, das Material vorbereitend zu verkleinern, da, wie bei unſerm Holze, die Brennkraft durch
vollſtändigere Verkleinerung wächſt. Aber auch, wenn es dem Ofen
einmal eine Zeit lang an Material zum Nachlegen fehlt, ſo ſchadet es
nicht ſofort, weil er ſich ein Reſervemittel geſammelt hat; das Fett fängt

---

*) Über die genauern Verhältniſſe hievon ſind die Phyſiologen noch nicht voll-
ſtändig im Reinen.

an aufgezehrt zu werden; hungernde Menschen magern ab; und endlich
wird sogar die wesentliche Substanz des Körpers angegriffen. Der Ofen
des Leibes, wenn er nichts weiter mehr zu verbrennen findet, fängt an
sich selbst zu verbrennen; so gut ist er auf seine Funktion eingerichtet.

Inzwischen würde bei gleichförmigst unterhaltenem Gange dieses
innern Verbrennungsprozesses die Temperatur des Körpers dennoch nicht
gleich bleiben, vielmehr je nach vorwiegender äußerer Wärme oder Kälte
immer ein Zuschuß dazu oder Abzug davon erfolgen, wenn nicht noch
besondere Hilfsmittel zur Kompensation angewandt wären.

Zuvörderst ißt der Mensch im allgemeinen in der Kälte stärker
(insbesondere genießen die Polarvölker sehr kohlenstoffreiche Nahrung),
atmet kräftiger ein, und die eingeatmete Luft ist dichter als in der
Wärme, auch fühlt er sich geneigter, Bewegungen vorzunehmen, wodurch
die Zahl und Tiefe der Atemzüge vermehrt wird, (die Muskelbewegung
selbst bewirkt eine unbedeutende Wärmeentwickelung,) was alles eine
stärkere Heizung mitführt.

„Die zunehmende Luftwärme bewirkt in der Tat nach den sorgfältigsten
Versuchen von Vierordt eine bedeutende Abnahme in der Zahl und Tiefe
der Atembewegungen, so wie in dem Kohlensäuregehalt der ausgeatmeten
Luft. Bei einer Temperatur von 8,47° C. atmete Vierordt in der Minute
12,16 Mal, bei 19,40° C. nur 11,57 Mal; er exspirierte bei 8,47° C.
299,33 C. C. Kohlensäure, bei 19,40° C. nur 257,81 C. C."
(Wagner, Physiol. Wörterb. Art. Verdauung. S. 667.)

Edwards hat durch vielfache vergleichende Versuche an kleinen Vögeln,
Sperlingen, Goldammern, Zeisigen nachgewiesen, daß sie selbst bei künstlich
gleichgemachter Temperatur im Sommer weniger atmen und weniger Wärme
erzeugen als im Winter; was nur davon abhängen kann, daß sich die
körperliche Konstitution vom Sommer zum Winter demgemäß ändert. Man
kann nach mehrfachen Umständen schließen, daß das Gleiche vom Menschen
gilt. (Edwards, De l'infl. etc. p. 163. 200. 487.)

Außerdem aber tragen noch folgende Hilfsmittel sehr wesentlich bei,
die Gleichförmigkeit der Temperatur zu unterhalten:

1) In der Wärme nimmt die Ausbünstung zu; durch Ausbünstung
wird aber Wärme gebunden oder Abkühlung erzeugt; in der Kälte nimmt
die Ausbünstung und mithin Abkühlung ab.

2) In der Wärme geht das Blut mehr nach der Haut, wie das
Anschwellen der Adern beweist, in der Kälte geht es mehr nach innen;
erstenfalls wird es der Abkühlung durch die äußere Atmosphäre mehr
Preis gegeben, (denn auch sehr warme Luft ist doch im allgemeinen noch
kälter als 30° R.,) im letzten wird es ihr mehr entzogen.

3*

3) Indem sich durch äußere Kälte die Haut abkühlt, wird die Temperaturdifferenz zwischen der Haut und der Luft geringer und hiemit die von der Größe dieser Temperaturdifferenz abhängige Wärmestrahlung vermindert.

4) Die Fettlagen unter der Haut sind sehr schlechte Wärmeleiter.

Durch die Gesamtheit dieser Mittel kommt es denn dahin, daß der Mensch seine Temperatur im Innern immer nahe unveränderlich erhält, während sie an der Haut allerdings sehr beträchtlich mit der äußern Temperatur wechselt (gerade wie das Entsprechende auch von der ganzen Erde gilt).

Inzwischen hat die Wirksamkeit dieser Mittel ihre Grenzen. Wenn die Kälte zu groß wird, erfriert der Mensch, und wenn die Hitze zu groß wird, verbrennt er dennoch. Aber diese Hilfsmittel sind doch genügend für die durchschnittlich vorkommenden Verhältnisse auf dem bewohnbaren Teile der Erde; und nun bietet die Erde noch eine große Mannigfaltigkeit äußerer Hilfsmittel dar, welche den Menschen gestatten, selbst ungewöhnlichen Einflüssen kompensierend zu begegnen und die Grenzen der Bewohnbarkeit der Erde zu erweitern. Man kann aber bemerken, daß die Erde viel mehr oder kräftigere äußere Hilfsmittel gegen die Kälte als Hitze darbietet, was damit zusammenhängt, daß die Hitze auf der Erde eigentlich nirgends oder nicht leicht über den Grad steigt, welcher vertragen werden kann, wohl aber die Kälte (teils nach den Polen zu, teils auf hohen Bergen, teils im Winter). Zum Schutz gegen starke Wärme stehen etwa nur Schatten, Ventilation, kühle Wohnungen und kühle Getränke zu Gebote; zum Schutz gegen Kälte aber nicht nur den vorigen entsprechende Mittel in geschirmten und stillen Lagen, warmhaltenden Wohnungen, heißen und erhitzenden Getränken, sondern auch noch sehr mannigfaltige und kräftige in Feuerungsmaterialien, warmhaltenden Kleidern und Betten, wogegen der Schutz, den etwa künstlich aufbewahrtes Eis oder Eis von Bergen gegen Wärme gewährt, nicht sehr in Betracht kommt, da er wenig zu haben ist.

Dabei gibt es noch manche besondere teleologische Bemerkungen zu machen. Wie die Natur auf den Höhen in Eis und Schnee einen Vorrat von Kühlung aufbehält, so hat sie in den Tiefen in den Steinkohlen einen Vorrat von Brennstoff aufbehalten. Gar manche Mittel, die im Sommer zur Kühlung dienen, können in andrer Beziehung auch im Sommer zur Erwärmung dienen, so tiefe Keller, Häuser mit dicken Wänden. Wälder geben im Sommer Schatten und für den Winter Brennholz u. s. w.

Interessant ist, wie sich der organische Ofen abändert, je nachdem er unter abgeänderten Verhältnissen zu wirken bestimmt ist. Schon früher haben wir in dieser Hinsicht den Einfluß der Größe des Körpers betrachtet (Bd. I. S. 51). Soll der Ofen von Wasser umgeben sein, wie bei Seehunden, Walfischen, so ist der ungünstige Umstand zu überwinden, daß das dichte Wasser in gleicher Zeit ohne Vergleich mehr Wärme als die dünne Luft entzieht; und das bedarf wieder Vorsorge. Demgemäß sind solche Tiere mit ganz dicken Fettlagen unter der Haut ausgepolstert; und der Atmungsprozeß ist mindestens bei den Seehunden ausnehmend entwickelt (E. H. Weber). Dies ist zwar bei den Walfischen nicht so der Fall; aber dafür trägt ihre ungeheure Größe bei, sie warm zu halten. Überhaupt ist der Wärmeerzeugungs= wie Wärmeerhaltungsprozeß durch ein Zusammenwirken vieler Umstände bedingt, die sich mehr oder weniger wechselseitig vertreten können. Da nun der Organismus noch viel andre Zwecke zu erfüllen hat, als Wärme zu erzeugen und zu erhalten, so kann ein Mittel manchmal einem gewissen, durch den Organismus zu erfüllenden Zwecke widerstreben; dann hält sich die Natur an ein andres.

In Betreff der Wärme, welche die Erde durch Vermittelung der Sonne empfängt, sind wir leicht geneigt, der Erde eine zu passive Rolle beizulegen, als flösse die Wärme so zu sagen fertig auf sie über. Im Grunde aber ist die Erwärmung der Erde im Sonnenschein ein nur durch diesen angeregter eigener Akt der Oberfläche, etwa wie die Zuckung eines Muskels des äußern Reizes freilich zur Entstehung bedarf und nach Maßgabe von dessen Anbringung und Stärke verschieden und verschieden stark ausfällt, aber doch immer die eigene Sache des Muskels ist. Man kann dies leicht beweisen. Je höher sich jemand in dem Luftballon oder auf einem hohen Berge erhebt, desto mehr friert er, obschon doch die Sonnenstrahlen unverkürzter zu ihm gelangen als unten. Warum? Die undurchsichtige Erdoberfläche gehört dazu, den Sonnenstrahlen Wärme abzulocken. Die steigt dann mit der Luft oder dem Wasser, welche sich am Boden erwärmen, in die Höhe und gelangt so allerdings auch mehr oder weniger nach oben; aber an sich vermögen weder das Wasser noch die Luft als durchsichtige Körper sich im Sonnenstrahl zu erwärmen, oder vermögen es nur in sofern, als ihnen doch etwas an der vollkommenen Durchsichtigkeit fehlt. Bringt man Wasser in den Fokus eines Brennspiegels, in dem die strengflüssigsten Metalle schmelzen, es kocht nicht einmal, Äther entzündet sich nicht darin, dagegen jeder undurchsichtige Körper sich unter dem Sonneneinfluß erwärmt, und zwar jeder unter demselben Sonneneinfluß in andrer Weise, je nachdem er selbst anders beschaffen ist, schwarze Körper stärker als weiße, rauhe stärker als glatte.

Nicht anders als mit der Erwärmung ist es mit der Erleuchtung

und Färbung. Die Erde muß dazu selbsttätig mitwirken; die Sonnenstrahlen bringen nur die Anregung mit. Nur dadurch erscheint ein Körper
beleuchtet, daß er durch selbsteigene Kräfte das Licht zurückwirft, und, je
nachdem er es anders tut, erscheint er schwarz, weiß oder farbig. Das
Sonnenlicht malt die Körper nicht so, wie wir mit dem Pinsel etwas
malen, der für jeden Fleck die bestimmte Farbe fertig mitbringt, sondern
die Körper müssen sich selbst mit der ihnen genehmen Farbe aus dem
allgemeinen Farbentopfe des Sonnenlichtes malen. Die ganze bunte
Landschaft, mit welcher die Erde überzogen ist, ist in der Tat von
gewisser Seite der Erde eignes, obwohl freilich nicht alleiniges Werk.
Selbst das Himmelsblau ist von dieser Seite nur ein irdisch Blau. Die
Luft macht sich selbst die blaue Farbe aus dem farblosen Himmelslichte.

F. Über die Entwickelung der Erde.

Unser und jeder tierische und pflanzliche Organismus entwickelt sich
aus einer verhältnismäßig gleichförmigen Masse und aus einer Monotonie
der Verhältnisse heraus in solcher Art, daß er sich je länger je mehr
gliedert und untergliedert und immer mannigfaltigere Beziehungen nach
außen und innen entwickelt. Es ist nicht ohne Interesse, den analogen
Entwickelungsgang bei der Erde zu verfolgen, obwohl hier nur Hypothesen
zu Gebote stehen, die jedoch zum Teil eine große Wahrscheinlichkeit haben.

Nach allem, was wir schließen können, verhält sich die Erde wie
eine Kugel, die allgemach von einer sehr hohen Temperatur erkaltet
ist. Verfolgen wir diesen Erkaltungsprozeß mit Wahrscheinlichkeitsschlüssen
möglichst weit rückwärts, so gab es eine Zeit, wo auch die schwerflüssigsten
irdischen Körper noch geschmolzen und weiter rückwärts eine Zeit, wo
auch die feuerbeständigsten Körper verflüchtigt waren, mit einem Worte,
wo die ganze Erde nichts als eine ungeheure Kugel glühenden dichten
Dampfes darstellte, in der von einer bestimmten Scheidung der Substanzen noch nicht die Rede sein konnte, da Dämpfe sich gleichförmig
mischen. Allmählich aber erkaltete diese Kugel, und es verdichtete sich
ein Teil derselben, die minder flüchtigen Substanzen enthaltend, zu
einer großen tropfbar flüssigen, doch noch glühenden Kugel, welche
wegen ihrer größern Dichte die Mitte einnahm und von einer sehr
heißen Gas- oder Dampfhülle umgeben war. Die flüssige Kugel
enthielt hauptsächlich die metallischen und erbigen Substanzen in
geschmolzenem Zustande, die Gas- und Dampfhülle aber außer der
atmosphärischen Luft alles Wasser, was jetzt auf der Erde ist, da die

heiße Oberfläche der verdichteten Kugel noch keinen Niederschlag der Wasserdämpfe in tropfbarer Form gestattete, dazu alle Kohlensäure und noch andre Säuren, welche in starker Hitze nur gas- oder dampfförmig bestehen können. Die eine Masse hatte sich also in zwei geschieden: eine tropfbare Zentralmasse und gas- oder dampfförmige Hülle.

Man kann allerdings den Anfang der Entwickelung auch etwas anders darstellen, was jedoch auf den spätern Fortgang keinen wesentlichen Einfluß hat, so nämlich, daß die Erde nicht, wie vorhin vorausgesetzt, von Anfange an am heißesten, und vermöge dieser Hitze in Dampfzustand war, sondern daß sie von Anfange an ohne eigentümliche Wärme aus zerstreuten Teilen bestand (unvergleichbar mit irgend einem jetzt bekannten Aggregatzustande), die sich vermöge der allgemeinen Massenanziehung fortgehends einander näherten, und daß erst durch wachsende Verdichtung und eintretende chemische Verbindungen sich eine endlich bis zur Glut steigende Wärme zu entwickeln begann, da überall durch Verdichtung der Materie und chemische Verbindungen Wärme entsteht. Ob etwas dergleichen unter dem Einflusse der uranziehenden Kräfte wirklich eintreten konnte, ist freilich bis jetzt noch durch keine Berechnung entschieden worden. Auch so aber wird man auf eine Epoche kommen können, wo die Erde aus einer in feurigem Fluß befindlichen zentralen Kugel und einer heißen Atmosphäre darum bestand.

Bei weiterer Erkaltung fing die flüssige Kugel an der Oberfläche zu erstarren an[*], und nachdem die erstarrte Erdrinde kalt genug geworden war, um einen Niederschlag von Wasser zu gestatten, das Wasser aus der Atmosphäre sich niederzuschlagen, da Wasserdämpfe durch Abkühlung sich verdichten.[**] Es erfolgte eine lange Regenzeit, in welcher das Meer

---

[*] Sehr zweifelhaft scheint mir das von Burmeister (Schöpfungsgeschichte, 8te Aufl. S. 189) angenommene Zusammenströmen der zuerst in Erstarrung begriffenen Teile nach dem Äquator vermöge der mit Ausbildung der Abplattung in Verbindung stehenden Anschwellung der Äquatorialzone, da beim Beginnen der Erstarrung die Abplattung längst vollständig gebildet sein mußte. Dagegen ein andrer Umstand Rücksicht verdient. Die an der Oberfläche erkaltenden Teile mußten sich, ehe sie erstarren konnten, wegen ihrer vergrößerten Dichtigkeit senken und dies den Zeitpunkt der beginnenden Erstarrung sehr verzögern, zugleich aber die Abkühlung dadurch den tiefern Schichten mitgeteilt werden, und zwar bis zu derjenigen Tiefe, wo die (nach dem Innern wachsende) Dichtigkeit der Erde ein weiteres Sinken der erkaltenden Schichten nicht mehr gestattete. Das Erstarren konnte demgemäß erst zu einer Zeit beginnen, als die Temperatur der mit der Oberfläche in Berührung befindlichen Atmosphäre längst unter den Erstarrungspunkt gesunken war. Lyell meint gar, die ganze Erde habe erst bis zum Erstarrungspunkt sich abkühlen müssen, ehe die Erstarrung beginnen konnte. Aber er berücksichtigt die Dichtigkeitszunahme nach Innen.

[**] Hiezu war nicht nötig, daß die Erdrinde schon bis zu 80° R. erkaltet war, da unter dem stärkern Druck, den die dichte Atmosphäre früher äußerte, die Verdichtung der Dämpfe schon bei höherer Temperatur erfolgen mußte.

auf die feste Kruste herabregnete. Diese Regenzeit dauerte vielleicht Jahrtausende; denn nach Maßgabe, als die Erkaltung langsam fortschritt, mußte auch der Niederschlag fortgehen, bis endlich das Meer nieder und die Atmosphäre so weit von Wasserdämpfen erschöpft war, daß statt überall fortdauernden Regens vielmehr je nach Jahres- und Tageszeiten und Örtlichkeit der Niedergang des Regens mit dem Aufsteigen der Dämpfe zu wechseln anfing, welches in der Tat nicht eher beginnen konnte, als die Luft zeitlich und örtlich den Sättigungsgrad mit Feuchtigkeit für die bestehende Temperatur einzubüßen anfing.*) Inzwischen konnte sich die Luft nicht sofort klären. Das Zwischenglied zwischen Heiterkeit der Luft und Niederschlag des Wassers ist überall durch Nebel- und Wolkenbildung gegeben; und so lag unstreitig zur Zeit dieses wechselnden Auf- und Niederganges des Wassers noch ein dichter, hoch reichender Nebel allenthalben über dem noch warmen Meere, wie ein Brodem über einem Topf voll warmen Wasser liegt, der in die kalte Luft gesetzt ist. Denn in der Tat verhielt sich die in den kalten Himmelsraum gesetzte mit noch warmem Wasser bedeckte Erde in ähnlicher Weise. Je nach Nacht und Tag und Polhöhe mochte dieser Nebel dichter oder dünner, aber überall vorhanden sein, und nur in den höchsten Höhen der Luft Klarheit walten; da mit Entfernung vom Erdboden die Dämpfe sich immer mehr ausdehnen, mithin verdünnen und um so leichter auflösen mußten, wie wir dasselbe beim Dampf über dem Topfe sehen. Freilich auch die Kälte nimmt nach oben, zu und dies mußte die Nebelbildung oben befördern; aber es fehlte in größern Höhen endlich notwendig an Material dazu. Somit war also zu den frühern Schichten eine neue Schicht, die Nebelschicht, getreten. Wir haben nun um das flüssige Eingeweide die feste Erdwand, darum oder darüber Wasser, darüber bunstigen Nebel, darüber klare Luft, darüber endlich den reinen Äther.

Nach Maßgabe jedoch als das Meer an Wärme abnahm und mithin weniger reichlich Dämpfe zu entwickeln anfing, mußte auch der Raum über dem Meere sich zu klären anfangen und erst in größern Höhen eine wolkige Verdichtung wieder beginnen, wo die Kälte hinreichend blieb, die Verdichtung der Dämpfe zu bewirken. Der Nebel stieg also allmählich in die Höhe (unter dem Äquator wegen größerer Wärme daselbst höher als unter den Polen) und bildete in den höhern Regionen eine Wolkenhülle um die Erde, die anfangs die ganze Erde umgab, und bloß, wie

---

*) Je wärmer die Luft, desto mehr Wasserdämpfe vermag sie aufgelöst zu enthalten; was den Sättigungsgrad überschreitet, schlägt sich nieder.

vorher die Nebelschicht, einen zeitlichen und örtlichen Wechsel in Dicke
und Dichte erfahren mochte, je nachdem sie sich durch Regen verminderte
oder durch Verdampfung wieder ergänzte. Jetzt gab es eine feste Schicht
zwischen zwei flüssigen, einer untern dichtern heißern, hauptsächlich aus
geschmolzenen Metallen und Erzen bestehenden, und einer obern dünnern
kältern, aus Wasser bestehenden; und eine Wolkenschicht zwischen zwei
Luftschichten, einer untern dichtern wärmern feuchtern, und einer obern
dünnern kältern trocknern.

Die so gegliederte Erde hatte nun schon auch ihre gegliederten
Bewegungen; die flüssige Masse im Innern, das Meer draußen, die
Atmosphäre ringsum hatten ihre kreisenden Flutbewegungen; der Regen
strömte abwärts, die Dämpfe, damit abwechselnd, aufwärts, das mit
Säuren geschwängerte Meer fraß den Erdboden an und ließ das Aufgelöste nach Maßgabe der Erkältung wieder fallen. Alles war damals
noch monoton, gleichförmig und regelrecht. Das Land hatte noch keine
Berge, das Meer bedeckte noch rings die ganze Erde, die Wolkenhülle
umzog noch den ganzen Himmel, die Temperatur war noch allenthalben
verhältnismäßig gleichförmig, da sie weniger von der Sonne als der
Bodenwärme abhing und ihre von dem verschiedenen Sonnenstande
abhängigen Differenzen durch die Bedeckung mit dem Meere und der
Wolkenhülle gegen jetzt abgestumpft wurden. Alle Bewegungen der
Atmosphäre und des Meeres änderten sich regelmäßig nach Jahres- und
Tageswechsel, ohne daß die jetzt bestehenden Abwechselungen von Land
und Meer, Gebirg und Ebene Störungen dahinein brachten.

Nun aber begann der Gegensatz von Land und Meer einzutreten.
Inseln, Länder, Gebirge traten empor über das Meer, indem die Erdrinde durch von unten auf drängende Kräfte gehoben und zerrissen ward
und heiße, später erstarrende Massen herausquellen ließ.*) Das Meer
ward dadurch in gewaltige Schwankungen versetzt, die sonst so stille Luft
durch die großen lokalen Temperaturveränderungen zu Stürmen auf-
geregt; allmählich beruhigte sich wieder alles, das Meer setzte ab, was es
fortgeschlemmt hatte; aber die Hebungen, Durchbrüche erneuerten sich,
stiegen höher und höher, je größere Kraft erforderlich wurde, die immer
dicker werdende Erdkruste zu heben und zu sprengen; Absatz folgte auf

---

*) Manche stellen es sich vielmehr so vor, daß die Erdrinde statt durch von
unten auf drängende Kräfte zu bersten, vielmehr dadurch riß, daß das ausgedehnte
heiße Innere der Zusammenziehung der erkaltenden Rinde nicht folgen konnte.
Letztere Ansicht vertritt namentlich Prevost. Vgl. Comptes rendus 1850; séance
du 23 Sept. et 7 Oct.

Abſatz, indem in den Zwiſchenzeiten ſolcher Revolutionen die Verwitterung
der Felsarten das Material dazu vermehrte; das Klima fing jetzt an,
nach andern Umſtänden ſich zu ändern als nach der geographiſchen
Breite, zum Kreislauf der Gewäſſer in Ebbe und Flut und dem Auf-
und Abſteigen des Waſſers in Meeresdämpfen und Regen traten die
Flüſſe und die ausdünſtenden Pflanzen des Landes. Es riß auch die
Wolkendecke, die Wolken zerſtreuten und ſammelten ſich hier und da
nach tauſend Gründen der Unregelmäßigkeit, die doch immer in einer
allgemeinen Geſetzlichkeit zuſammenſtimmen; kurz der Wechſel wuchs fortgehends. Man muß natürlich in all dem bloß ein ſehr ungefähres Bild
ſuchen.*)

Wir wiſſen nicht, wie ſich in dieſem Bildungsgang die Entſtehung
der organiſchen Weſen verwebte; nur das wiſſen wir (vgl. Bd. I. S. 84 ff.),
daß ſie in durchgreifendem Zuſammenhange damit erfolgte, dazu nach
einem Plane, welcher dem Bildungsplane der ganzen Erde ſelbſt völlig
entſpricht. In der Tat, auch bei Bildung der organiſchen Weſen anfangs große Monotonie, Gleichförmigkeit über die ganze Erde, einfache
Verhältniſſe der Organiſation, und um ſo mehr Mannigfaltigkeit und
Gliederung des ganzen organiſchen Reiches und der einzelnen Organismen
ſelbſt, je weiter der Bildungsgang fortſchritt. Es iſt intereſſant, aber
wäre weitläufig, dies ins einzelne zu verfolgen.

Was ſich aber etwa noch aus allgemeinen Geſichtspunkten über die
Entſtehung der organiſchen Weſen teils mit Sicherheit ausſagen, teils
als Vermutung aufſtellen läßt, ſoll im Anhang zum fünften Abſchnitt
beſonders betrachtet werden.

G. Selbſterhaltungsprinzip im Sonnenſyſtem.

Wie unſerm Leibe wohnt dem irdiſchen und in höherm Sinne dem
Sonnen-Syſtem ein Selbſterhaltungsprinzip inne, welches aber dieſe
höhern Syſteme viel wirkſamer vor Zerſtörung ſchützt, als wir von
unſerm Leibe ſagen können. In der Tat haben ſich alle Grundverhältniſſe der Erde und des Sonnenſyſtems teils feſt fixiert, teils
bewegen ſie ſich nur noch in periodiſchen Schwankungen, wodurch ſie
oszillierend oder umlaufsweiſe immer wieder auf den frühern Stand
zurückgeführt werden. So iſt die Lage der Pole auf der Oberfläche der
Erde, die Stabilität des Meeres, der mittlere Abſtand jedes Planeten von

---

*) Weitere Ausführungen ſ. in Burmeiſters Schöpfungsgeſchichte, deren Dar-
ſtellung jedoch hier in einigen Punkten verlaſſen worden iſt.

der Sonne und die fiberische Umlaufszeit derselben um die Sonne für
alle Zeiten als fest anzusehen, die Exzentrizitäten, die Neigungen und die
Knotenlängen der Planeten zwar allesamt veränderlich, aber gleich den
Bewegungen eines Pendels in bestimmte meist sehr enge Grenzen eingeschlossen. Die großen Achsen der Bahnen (Apsiden) drehen sich zwar
fortgehends nach derselben Richtung, kommen aber eben hiedurch immer
wieder in die alte Lage zurück. Die lebendige Kraft des ganzen Sonnensystems oszilliert zwischen einem Maximum und einem Minimum u. f. w.

Rechnung und Beobachtung haben sich vereinigt, diese Stabilität
des Sonnensystems zu beweisen.*) Nur in dem Falle, wenn der Äther
im Himmelsraume, dessen Annahme durch die Erscheinungen des Lichts
geboten wird, den Weltkörpern einen, wenn auch noch so kleinen, Widerstand entgegensetzen sollte, müßten sich dieselben der Sonne allmählich
unter zunehmender Verkürzung ihrer Umlaufszeit nähern und endlich in
die Sonne stürzen. Ob es der Fall sei, läßt sich bis jetzt nicht sicher
entscheiden. Man kennt dazu die Konstitution des Äthers nicht hinreichend. Gewiß ist, daß bis jetzt kein Planet eine Spur solcher
Annäherung gezeigt hat, aber bei der im Verhältnis zur Dichte der
Planeten jedenfalls außerordentlichen Dünne des Äthers und der Kürze
unsrer bisherigen Beobachtungen könnte man dies auch so deuten, sie sei
bisher nur noch nicht merklich gewesen. Bei Enke's Kometen (von
3¹/₂ Jahr Umlaufszeit) hat man eine allmähliche Annäherung an die
Sonne und Verkürzung der Umlaufszeit wirklich bemerkt, und dies um
so mehr von einem Widerstand des Äthers abgeleitet, als die Wirkung
eines Widerstandes auf einen dünnen Kometen unvergleichlich leichter
spürbar sein mußte, als auf einen dichten Planeten; doch hat Bessel
darauf aufmerksam gemacht, daß das Phänomen auch noch eine andre
Erklärung zulasse.

Er sagt hierüber (Popul. Vorles. S. 115): „Die andre Ursache,
welche man für diese Beschleunigung angeben kann, liegt in dem Schweife,
welchen die Kometen zu zeigen pflegen. Dieser besteht aus höchst leichter
Materie, welche der Komet von sich treibt, und welche sich meistens in der
von der Sonne entgegengesetzten Richtung entfernt; man übersieht sehr
leicht, daß der Komet keine Kraft nach irgend einer Richtung äußern kann,
ohne selbst die Gegenwirkung dieser Kraft nach der entgegengesetzten
Richtung zu erfahren; der von dem Kometen abströmende Schweif, den wir
sehen, zeigt uns also, daß der Komet selbst noch durch eine andere Kraft,
als die anziehende der Sonne, zu dieser getrieben wird, und sich also anders

---

*) Vgl. hierüber u. a. Littrow in Gehler's Wörterb. Artikel Weltall. S. 1485 ff.

bewegen muß, als er sich bewegen würde, wenn er nur dieser unterworfen wäre. Auch diese Ursache muß eine Beschleunigung der Bewegung erzeugen. Welche von beiden Ursachen die wirklich vorhandene ist, oder ob beide zugleich vorhanden sind, wissen wir bis jetzt nicht; noch weniger können wir wissen, wie stark diese Ursachen auf den Kometen wirken."

XVI. Anhang zum fünften Abschnitte.

Einige Ideen über die erste Entstehung und die sukzessiven Schöpfungen des organischen Reiches der Erde.

Wir können die erste Entstehung der organischen Wesen nicht erklären, d. h. nicht von den Prinzipien jetzt bekannter Prozesse abhängig machen; aber in dem Felde unbestimmter Vermutungen, das sich hier eröffnet, doch einen sichern Anhalts= und Ausgangspunkt der Betrachtung gewinnen und das Prinzip der Erklärbarkeit selbst retten, indem wir uns an den Satz halten, daß, wie zu jedem anders gearteten Grunde andersgeartete Folgen gehören, so auch zu andersgearteten Folgen immer andersgeartete Gründe.*) Sofern es sich aber hier nur um die materielle Seite der organischen Schöpfungen handeln soll, läßt sich dieser Satz für unsern Zweck noch enger dahin zusammenziehen, daß zu andersgearteten materiellen Folgen auch immer andersgeartete materielle Gründe gehören, was nicht ausschließt, daß zur materiellen Seite der Folgen wie der Gründe eine geistige gehöre. Aber davon ist anderwärts genug die Rede gewesen, und es wird hier nur noch beiläufig darauf Bezug genommen.

Nach obigem Satz kann keine Frage sein, daß die erste Entstehung der so eigentümlichen organischen Anordnungen und Bewegungen, wie wir solche jetzt auf der Erde beobachten, durch schon vorgängige eben so eigentümliche Anordnungen und Bewegungen, und so weiter rückwärts bis zur ersten Anlage des irdischen Systems, schon vorbedingt war; ja nehmen wir noch einen Augenblick Rücksicht auf die geistige Schöpfer-

---

*) Vgl. Bd. I. S. 210. 212.

tätigkeit, so mußte solche, um so eigentümliche Körperprodukte zu schaffen, eben so eigentümliche körperliche Tätigkeiten schon mit sich führen (vgl. Bd. I. S. 269 ff.).

Wirklich hindert nichts, in dem an sich unbestimmbaren ursprünglichen Zustande des irdischen Systems alle beliebigen Anordnungen und Bewegungen, wie sie durch das Dasein ihrer jetzigen Folgen rückliegend gefordert sein mögen, als vorhanden anzunehmen. Mögen wir uns immer, um einen rohen Anhalt für die Vorstellung zu haben, den ersten Zustand der Erde chaotisch, flüssig oder selbst gasförmig denken; aber wir dürfen ihn jedenfalls nicht ganz nach Analogie mit irgend welchen uns jetzt vorliegenden Zuständen unorganischer Gemenge, Flüssigkeiten, Gase denken, weil eben aus solchen Zuständen nach keiner gerechtfertigten Analogie die jetzigen organischen Einrichtungen hätten hervorgehen können, obwohl die Stoffe in den frühesten Zuständen so mannigfach gemischt sein konnten wie in irgendwelchem Gemenge, und die freie Beweglichkeit der Teilchen dieselbe sein konnte wie im flüssigen oder Gaszustande. Aber unstreitig fanden zu Anfange eigentümliche Zusammenstellungen der Stoffe und eigentümliche Bewegungen durch Wechselwirkungen der Teile statt, wie wir sie im Unorganischen heutzutage nicht mehr finden, und die zwar noch keine Organismen für sich in jetziger Gestalt darstellten, wohl aber bei der stufenweisen Ausbildung, Gliederung der Erde solche herzugeben vermochten. Nach Maßgabe nämlich, als sich die einzelnen unorganischen Gebiete der Erde aus der Totalmasse ausschieden (Bd. II. S. 38 ff.), trat hiemit auch die Vorbereitung zur Ausscheidung und endlich wirkliche Ausscheidung der Organismen oder ihrer Keime ein, immer mit Vorbehalt, daß dies doch keine eigentliche Ausscheidung ist, da alles im ganzen des irdischen Systems verknüpft blieb. (Vgl. Bd. I. S. 14 ff.) Ja man kann die Organismen als solche Massen betrachten, welche vermöge eigentümlicher Abhängigkeitsverhältnisse der Teile und Bewegungen von einander die Absonderung des Festen, Flüssigen und Luftigen, welche in der übrigen Erdmasse eintrat, nicht mit erfuhren, so daß sie im Sinne eines früher gebrauchten Bildes als Knoten der sich übrigens sondernden Elemente zwischen ihnen bestehen blieben und noch jetzt den lebendigsten Verkehr dazwischen forterhalten.

Jedenfalls darf man es sich nicht so denken, als seien die Keime der organischen Wesen nur bezugslos zerstreut in dem Urball der Erde gewesen und hätten sich jedes in ihrer Art ohne gemeinschaftliche und gegenseitige Abhängigkeitsverhältnisse entwickelt. Dann könnte nicht der durchgreifend zweckmäßige Bezug der Organismen zu einander und zum ganzen Gebiet des Irdischen statt finden, den wir früher besprochen haben. Vielmehr muß der ganze Urball als ein einziges in sich zusammenhängendes Bewegungssystem betrachtet werden, dessen Rotation selbst mit der Bewegung und den Prozessen der Organismen in Kausalnexus, weil teleologischem Nexus steht.*) Mochte immerhin dieser Ball anfangs ordnungslos zu gären scheinen; aber in sofern war es nicht wirklich ordnungslos, als der Zusammenhang dieser für uns jetzt nicht mehr beurteilbaren Bewegungen doch die Tendenz und Anlage einschloß, sich auf die zweckmäßige Weise auseinanderzusetzen, zu gliedern, ohne irgendwie zu zerfallen, wie wir es jetzt erblicken.

Wenn wir also fragen, warum jetzt nicht mehr aus dem Unorganischen heraus Menschen und Tiere entstehen, so ist die Antwort die, daß sie nie daraus entstanden sind, sondern Unorganisches und Organisches haben sich beide in einem Zusammenhange aus etwas herausgebildet, was in seinem Urzustande weder mit dem Organischen noch Unorganischen (was wir darunter gegensätzlich verstehen) rein vergleichbar ist, wie schon früher (Bd. I. S. 17) an einem Bilde erörtert worden; und wenn wir fragen, warum sich nicht doch künstlich jetzt noch Menschen und Tiere aus den überall vorliegenden Bestandteilen derselben dadurch machen lassen, daß wir diese in angemessenen Mengenverhältnissen zusammenbringen, so ist die Antwort die, daß wir hiermit doch weder die Uranordnungen noch Urbewegungen nachahmen können, welche zur Entstehung der organischen Wesen nötig waren. In der Tat vermögen wir zuvörderst durch die gleichförmige oder rohe Mischung der Stoffe, die wir immer nur erzielen können, nicht zugleich auch die Anordnung der Stoffe in ihren kleinsten Teilen zu reproduzieren, wie sie zur Konstituierung eines Organismus wesentlich ist, z. B. aus Mehl oder dessen Bestandteilen kein Samenkorn mit seiner eigentümlichen innern Struktur wieder zusammenzukneten. Und eben so wenig vermögen wir die unstreitig sehr verwickelten und mit den gesamten Bewegungen in der Urmasse der Erde wirkend und teleologisch zusammenhängenden Bewegungen zu reproduzieren, unter deren Einfluß die Organismen, selbst wesentlich Bewegungssysteme, entstanden sind und nur entstehen konnten, und deren Fortwirkung die heutigen organischen Bewegungen noch sind. Vermöchten wir freilich die unorganischen Stoffe wirklich in dieselben Anordnungen oder Bewegungen künstlich zu versetzen, welche sie jetzt in

---

*) Dies läßt sich auch nach der Bd. I. S. 75 entwickelten Theorie über die Entstehungsweise der Rotation der Erde wohl begreifen.

ihren organischen Kombinationen haben oder in deren Voranlage einmal gehabt haben, so würde auch hiemit das organische Leben erzeugt sein; aber wir vermögen es eben nicht.

So allgemein und wenig erschöpfend diese Betrachtungen sind, dürften sie doch ihren Nutzen haben, indem sie manche unzulängliche Vorstellungen über unsern Gegenstand ausschließen und uns eine Richtung und Grenzen vorschreiben, auf der und innerhalb deren wir uns halten müssen, wenn wir in Zusammenhang mit sonst gültigen exakten und teleologischen Naturbetrachtungen bleiben wollen.

Wie aber werden wir uns die Entstehung der sukzessiven organischen Schöpfungen zu denken haben? Die frühern sind allmählich untergegangen und immer neue, zuletzt oder inmitten der letzten der Mensch, an die Stelle getreten.

Manche Naturforscher nun lassen die spätern Organismen durch Fortentwickelung der frühern, andre durch neue Urschöpfung wie die ersten entstehen. Stellen wir die Gründe für beide Ansichten neben einander.

Gründe für die erste Ansicht. Überall entwickelt sich Vollkommenes nur stufenweise aus Unvollkommenem; sollte ein so vollkommenes Geschöpf wie der Mensch durch einen Sprung aus der rohen Natur heraus entstanden sein? Da ist viel leichter, sich zu denken, die sukzessive Fortentwickelung der Tiere habe endlich bis zum Menschen geführt. Wie sehr haben sich selbst unter unsern Augen im Laufe mehrerer Generationen manche Tiere, wie Hunde, Pferde, durch Klima, Lebensart, Züchtung verändert und veredelt; namentlich vermag allmähliche Abänderung der Verhältnisse in dieser Hinsicht viel zu leisten; aber im Laufe vieler Jahrtausende mögen sich Klima und andre äußere Lebensverhältnisse noch viel mehr und viel allmählicher geändert haben, als in unsre geschichtliche Beobachtung fällt. Auch waren wohl, so lange die Erde ihre unorganischen Verhältnisse noch nicht so fixiert hatte, wie heutzutage, die Eigentümlichkeiten ihrer Organismen entsprechend minder fixiert, noch umbildungsfähiger.

Gründe für die andre Ansicht. Welche Kühnheit, den Menschen aus Infusorien, Polypen, zuhöchst Fischen*) herangebildet zu denken? Da bricht jede Analogie ab. Die Konstitution der Tiere läßt sich jetzt zwar durch Änderung der äußern Umstände bis zu gewissen Grenzen abändern, aber geht man über diese Grenzen hinaus, so verkümmern sie,

---

*) Es scheint, daß die Fische schon in den frühesten Epochen aufgetreten sind; obwohl dies noch nicht ganz entschieden sein möchte.

sterben aus, schnell oder langsam, je nachdem man es schnell oder langsam versucht; und keine Tatsache spricht dafür, daß auch die langsamste
Abänderung der Verhältnisse die Grenze der Abänderungen der Organismen in's Unbestimmte erweitern könne. Dazu kommt, daß die Entstehung der neuen Wesen nicht sowohl mit langsamen, als raschen
Umwälzungen in Beziehung gestanden zu haben scheint, welche in eins
den Untergang der alten und die Bedingungen zur Entstehung der neuen
Wesen mitführten. Man kann zwar Zweifel darüber hegen; doch bleibt
es das Wahrscheinlichste. Viel plausibler und minder schwierig als die
Annahme eines unmittelbaren Hervorgehens der höhern Geschöpfe aus
den niedern ist die Annahme einer Fortentwickelung der schöpferischen
Tätigkeit der Erde selbst. So wird der Sprung nur auf eine andre
Weise vermieden. Auch unsre Spinnmaschine ist nicht aus frühern
Spinnrädern, unsre englischen Flügel nicht aus frühern Klavieren so
hervorgegangen, daß die frühern Instrumente selbst dazu umgebaut
worden, diese sind vielmehr zurückgestellt und die neuen Instrumente
frisch aus neuen Stoffen gemacht worden, nur so, daß freilich das
Dasein der frühern Instrumente mit auf ihre Konstruktion geführt hat,
indem der Bauende seine Erfindungsgabe auf Grundlage der frühern
Erfindung selbst über diese hinaus steigerte. So wird es auch bei den
Erfindungen der Erde gewesen sein. Handelte es sich um Fortbildung
der frühern Organismen, so müßte der Mensch aus den Affen hervorgebildet worden sein, und so meinen es auch die Tibetaner, der Prof.
Schelver und notwendig alle, welche der Fortbildungstheorie zugetan.
Doch dürfte es mindestens anmutiger erscheinen, sich als Sohn der
Erde, denn als Sohn eines Orangutang und Enkel einer Eidechse
betrachten zu dürfen; aber auch vernünftiger. Des Menschen Vernunft
greift über die ganze Erde und beherrscht sie; der Affe sieht nicht weiter
über die Erde, als er vom Baume herab sehen kann, und kümmert sich
nur um die Nüsse dieses Baums; eigentliche Zwischenstufen zwischen Affen
und Mensch kennt man nicht; denn der Neger ist doch noch ein Mensch.
Da scheint es nun leichter, zu denken, daß die Erde durch eine neue
Anspannung ihres ganzen Wesens den Menschen im Zusammenhang mit
einer Reihe andrer Wesen hervorgebracht, als ihn durch allmähliche Nach-
besserungen am Affen erzeugt habe. Es wäre das ungefähr eben so, als
wenn ein Dichter den Haupthelden seines Gedichts aus einem Harlekin
sich allmählich hervorbilden ließe; einleiten kann er wohl seinen Auftritt
durch eine solche komische Person; aber den Helden selbst erzeugt er sicher
frisch aus seinem Kopfe.

Nach Zusammenstellung dieser Gründe scheint mir die zweite Ansicht doch viel annehmlicher, obwohl auch sie hat ihre Schwierigkeit. Für die Schöpfung der ersten Geschöpfe ließ sich freilich leicht auf Anordnungen und Bewegungen im irdischen System provozieren, die von denen, welche wir jetzt um uns sehen, ganz abweichend sein durften, ja abweichend sein mußten; die Hypothese hatte da ganz freies Spiel. Aber als die Mammuts und die Höhlenbären lebten, da, müssen wir glauben, hatte die Erde an ihrer Oberfläche schon eine der jetzigen sehr ähnliche Gestalt gewonnen. Und doch sind Menschen erst nachher entstanden. Sollten wir also dennoch zur ersten Ansicht zurückgedrängt sein; dennoch aus dem Affen und rückliegend aus Eidechse und Fisch entstanden sein? Ich meine, ehe wir uns zu dieser verzweifelten und doch immer verzweifelt unwahrscheinlich bleibenden Ansicht entschließen, sehen wir uns erst noch etwas um, ob wir nicht der Schwierigkeit der zweiten Ansicht doch irgendwie begegnen können. Oder wüßte jemand ein dritte Ansicht?

Bleibe ich nun bei dem stehen, was an der Oberfläche liegt, so weiß ich freilich nicht einmal an etwas zu denken, was uns aus der Verlegenheit ziehen könnte. Aber sollte nicht in der Tiefe etwas liegen? Im Grunde wissen wir ja auch nicht, wie, durch welcherlei Kräfte der Mensch noch heute eigentlich erzeugt wird; jedenfalls aber nicht durch Kräfte, die an der Oberfläche des Menschen sich wirksam erweisen, sondern nur in der Tiefe. Ja sollte es nicht gestattet sein, in dem größten Verstecke der Erde auch eben das als versteckt zu suchen, was sonst nirgends zu finden, und was doch irgendwo sein muß? Das Prinzip des Ausschlusses andrer Möglichkeiten scheint hierher zu weisen; doch auch manches Positive.

In der Tat, versuche ich, in Ermangelung eines festern Anhaltes, einige Gedanken ins Blaue der Möglichkeiten zu spinnen und unter allen Unwahrscheinlichkeiten mich an die kleinste zu halten, so möchte ich immer noch am eh'sten daran denken, daß sich unter der Erdrinde von Uranfang an ein Mutterstock eigentümlicher Anordnungen und Bewegungen erhalten habe, der eben durch die Erstarrung der Rinde von der Art Entwickelung abgesperrt worden ist, welche außerhalb der Rinde in Berührung mit Wasser, Luft und Licht eintreten konnte und das organische Leben, so wie wir es kennen, gab, der aber die Fähigkeit, zu solcher Entwickelung zu gedeihen, noch fort und fort behalten hat. Sollte wirklich alle den Keim des Organischen enthaltende Anordnung und Bewegung sich von Anfang an nur auf den Umfang der Erde beschränkt, nicht auch etwas im Innern sich erhalten haben? -Es scheint nicht

wahrſcheinlich, dazumal auch die Urwärme ſich im Innern erhalten hat,
und es ſchwer wäre, einen teleologiſchen Grund ihrer Erhaltung und
Abſchließung im Innern zu finden, wenn nicht den verborgenen, daß ſie
eben diente, die organiſche Gärung im Innern zu erhalten und fortzuführen.*)

In die Fähigkeit, zu wirklicher organiſcher Entwickelung zu gelangen,
könnte der innere Mutterſtock durch die von Zeit zu Zeit erfolgenden
Durchbrüche der Rinde verſetzt werden, indem er hiebei in Berührung
mit Meer, Luft und Licht träte. Selbſt in eigentümlichem Zuſtande
der Anordnung und Bewegung begriffen, könnte er auch wohl die
Elemente draußen zum Anſchluß in neuer Anordnung und Bewegung beſtimmen, wie die ſchon gebildeten Organismen dies noch heutzutage vermögen. Ja es könnten in der Wechſelwirkung zwiſchen Innerm und
Äußerm zugleich die neuen organiſchen Geſchöpfe oder doch deren Keime
(Eier, Samen) geſtaltet und die unorganiſchen Elemente, in denen ſie zu
leben haben, zweckmäßig für ihre Entwickelung und ihr Beſtehen abgeändert werden.

Es hindert dann nichts anzunehmen, daß, wie die Erde ſich auswendig in gewiſſem Grade kultiviert, fortentwickelt, ſo auch, und zwar
in einem teleologiſchen vernünftigen Zuſammenhange damit, ſich der
Mutterſtock organiſcher Anordnungen und Bewegungen innerlich fortentwickelt, ſo daß jeder neue Durchbruch Organiſationen hervorruft, die
von einer Seite einen Fortſchritt gegen die frühern, von andrer Seite
einen zuſammenhängenden Plan damit verraten. Auch der Zuſammenhang, in dem die Glieder jeder organiſchen Schöpfung unter ſich ſtehen,
wäre daraus zu erklären, daß unſtreitig der Mutterſtock im Innern ein
teleologiſch und wirkend in ſich zuſammenhängendes Syſtem iſt.

---

*) Wenn, wie es wahrſcheinlich iſt, der Erdmagnetismus und deſſen ſäkulare
Veränderungen in der Tiefe der Erde ihren Grund haben, ſo würden wir hierin
wenigſtens eine allgemeine Andeutung haben, daß in der Tiefe der Erde manches
vorgehen muß, was nicht durch Prozeſſe außerhalb zu erklären; oder vielmehr
umgekehrt, der Erdmagnetismus mit ſeinen ſäkularen Veränderungen iſt bis jetzt ſo
gar nicht durch Prozeſſe außerhalb zu erklären, daß wir es wahrſcheinlich finden
müſſen, er ſei wirklich im Innern begründet. Man könnte daran denken, ihn
mit dem Nervenprinzip des innern Mutterſtocks der organiſchen Anordnungen und
Bewegungen zu vergleichen. Ja man könnte kühnerweiſe im Erdmagnetismus
zugleich den Mutterſtock unſres bewegenden Nervenprinzips und ſelbſt das bewegende
Nervenprinzip unſers Mutterſtocks finden. Doch iſt zu geſtehen, daß über die hier
in Frage kommenden Verhältniſſe noch zu viel phyſikaliſches und phyſiologiſches
Dunkel herrſcht, um ſolchen Betrachtungen Folge geben zu können und Gewicht beizulegen.

Man kann noch weiter zurückgehen und sagen, das ganze irdische System entwickelt sich nicht nur in sich nach einem zusammenhängenden Plane, sondern in Zusammenhang mit den Verhältnissen der ganzen Welt; wodurch erst erklärlich wird, wie die Einrichtung der organischen Geschöpfe auch in bezug auf Tag und Nacht und die allgemeinen kosmischen Verhältnisse überhaupt so zweckmäßig sein kann. Nun ist nicht nötig, daß Sonne und Mond selbst direkt auf die Erzeugung der organischen Geschöpfe wirken, um deren Einrichtung mit sich zusammenzupassen; sondern ihre und der organischen Geschöpfe Einrichtung ist von Anfang an in Zusammenhange zweckmäßig erfolgt und fährt noch fort sich fürder so zu entwickeln. An diesen allgemeinen Zusammenhang ist dann auch das bewußte Prinzip geknüpft zu denken, unter dessen Einfluß der Mensch entsteht; was die Erde für sich dabei leistet, kann nach der Weise, wie Unbewußtes in Bewußtes eingeht (Bd. I. S. 160), immerhin möglicherweise als ein für sich Unbewußtes zu fassen sein. Was für Gott eine bewußte Schöpfung, Zeugung ist, kann für die Erde eine unbewußte sein. Doch wollen wir hierüber nichts entscheiden.

Sofern die Hauptbestandteile des Innern der Erde Erdarten (Kieselerde, Kalk, Talkerde u. s. w.) und Metalle, insbesondere Eisen, sind, und die Organismen im allgemeinen ein Skelett aus erdiger Substanz oder eine erdige (kalkige oder kieselige) Hülle besitzen und etwas Eisen in einer von uns nicht herstellbaren Kombination enthalten, könnte man vermuten, daß dies die Bestandteile sind, welche das Innere zur Bildung der Organismen hergibt, also vornehmlich die Bestandteile der festen Grundlage der Organismen. Außerdem enthalten die Organismen nur die Bestandteile von Wasser und Luft in eigentümlicher Anordnung; und diese könnten demgemäß auch aus dem äußern Wasser und der äußern Luft abgeleitet werden. Die festen erdigen Bestandteile gehen im Tode auch wieder zur festen Erde zurück; ja werden von uns in die Tiefe begraben, aus der sie, nur noch tiefer her, ursprünglich gekommen sein mögen, indes das Weiche und Flüssige sich seinerseits wieder in Wasser und Luftarten zersetzt. Jedes geht dahin, woher sein erster Keim stammt.

Freilich, wenn wir jetzt geschmolzene Erden und Metalle an der Oberfläche der Erde in Berührnug mit Wasser und Luft erstarren lassen, erstarren sie nur unorganisch, ohne eine besonders auffallende Einwirkung auf die Umgebung zu äußern; aber es ist natürlich, daß ein flüssiger Zustand, der selbst erst aus unorganischer Abscheidung und Erstarrung hervorgegangen, solche auch nur wieder zu liefern vermag; dagegen es sich mit einem Zustande, der unter dem Einfluß der Urwärme noch etwas von den ursprünglichen Bewegungen und chemischen Dispositionen behalten hat, anders verhalten könnte; er wäre in sofern gar nicht mit ben uns bekannten Flüssigkeitszuständen zu vergleichen, auch könnten wir einen analogen Zustand gar nicht mehr an der Oberfläche suchen, weil hier eben die Bedingungen seines Verschwindens gegeben sind. Eine Berechnung aber, ob ein solcher der Oberfläche jetzt fremdartiger Zustand der Materie im Innern möglich sei, ist selbst nicht möglich; denn da wir die Möglichkeit des organischen Zustandes der Materie außerhalb nicht berechnen können, so können wir jedenfalls auch weder die Möglichkeit noch Unmöglichkeit eines Zustandes, der sich zum Organischen umzubilden vermag, im Innern berechnen. Die Möglichkeit materielle Anordnungen und Bewegungen zu berechnen, übersteigt überhaupt unsre Kräfte, nur an dem einmal Gegebenen können wir manches auf Grundlage von Erfahrungen berechnen, es liegt aber der Erfahrung eben bloß das an der Oberfläche Gegebene vor.

Offenbar ungünstig freilich, wer möchte es verkennen, ist diesen Ansichten der Umstand, daß kleine Durchbrüche der Erdrinde mit Auswurf und Ausfluß innerer Massen in den vulkanischen Eruptionen auch zu unsern Zeiten statt finden, ohne daß sich dabei eine Spur, sei es eigentümlicher Anordnungen und Bewegungen der herauskommenden Massen oder einer Neubildung von organischen Geschöpfen darböte. Inzwischen kann man auch keinen bindenden Gegenbeweis in jenen Tatsachen finden. Denn in den offenen oder oberflächlichen Herden der innern Tätigkeit könnten durch eine fortgehende Unruhe unter bloß partieller Kommunikation mit der Außenwelt Dispositionen und Bewegungen längst zerstört sein, die sich tiefer noch erhalten haben und einen gewaltigen Durchbruch erfordern würden, um zum Vorschein zu kommen; indes die vulkanischen Eruptionen immer nur etwas vom Oberflächlichsten entleeren. Dabei bleibt wahr, die vorigen Ansichten können sich nur auf das Bedürfnis der Erklärung von Tatsachen, nicht auf positive Tatsachen selbst stützen; auch teilen wir sie nur als unmaßgebliche mit, die doch bei der Wahl zwischen verschiedenen Möglichkeiten Beachtung verdienen dürften.

Zu dem Prinzip, daß andre Folgen andre Gründe verlangen, gehört als Gegenseite das Prinzip, daß andre Gründe andre Folgen haben. Auch hieran lassen sich allgemeine Folgerungen für unsern Gegenstand knüpfen. Der erste Mensch oder das erste Menschenpaar ging aus andern Gründen hervor, als die nachgebornen Menschen; war also sicher auch anders beschaffen als diese; er war ein unmittelbares Kind Gottes und der Erde (vgl. Bd. I. S. 143), die nachgebornen nur Kinder des Menschen. Er war das ursprüngliche Original, wir sind nur die Kopien, die den

Geist des Originals nicht erreichen können; er war die haltbare Kupferplatte, wir sind die vergänglichen Abdrücke. Gewisse Vorzüge der ersten
Menschen vor uns, z. B. ein hohes Alter der Urväter, darf uns in der
Tat hienach nicht mehr befremden; unstreitig hatte ihre Konstitution
eine ganz andre Haltbarkeit als die unsre; und erst, als durch die
M e n g e der Menschen diese Haltbarkeit der einzelnen überflüssig wurde,
ging sie nach und nach verloren. Der teleologische Einwurf gegen die
ursprüngliche Einheit des Menschengeschlechts, daß dessen Erhaltung bei
e i n e m Urpaare nicht gesichert genug gewesen, hebt sich so, zumal unter
Zuziehung der Betrachtung, daß unstreitig das erste Menschenpaar auch
unter den seiner Erhaltung günstigsten äußern Umständen entstand.
Wir fragen, wie konnten die ersten Menschen nackt und bloß sich in
einer Natur erhalten, die sie noch nicht zu beherrschen, nicht zu benutzen,
gegen deren Gefahren sie sich nicht zu wehren wußten? Ja freilich,
wenn die ersten Menschen wie die jetzigen Kinder geboren und in den
Wald oder auf eine Wiese ins Kalte unter wilde Tiere gesetzt worden
wären, wie es wohl eine menschliche Mutter tut, die ihrer Mutter-
pflichten vergißt, so möchte es mißlich um sie ausgesehen haben. Aber
im allgemeinen sorgt doch die Mutter für das Kind, und das Kind
weiß die Brust zu finden. So wird auch die Erde für ihr Kind, den
ersten Menschen, unmittelbar selbst gesorgt haben, da sie noch keine
Mutter erzeugt hatte, für die Enkel zu sorgen, sie wird sie an den
günstigsten Ort gesetzt haben, und der Mensch wird seine Instinkte
gehabt haben, die ihn das Nötige auf der Erde finden ließen, wie jetzt
das Kind seine Instinkte hat, das Nötige an der menschlichen Mutter
zu finden. Diese Urinstinkte aber gingen verloren, je mehr die Generationen abwärts stiegen und sich vervielfältigten, teils weil der immer
mehr ins Menschliche versinkende Ursprung der Menschen andre Folgen
mitbrachte als der erste göttliche, teils weil diese Instinkte immer
weniger nötig wurden, nach Maßgabe als die Menschen selbst von
andern Menschen Hilfe gewannen und diese ihre Vernunft mehr entwickelten. Das erste goldene Zeitalter der Menschheit schwand hiemit
allmählich. So macht sich das Zusammentreffen des Kausalen und Teleologischen, was wir sonst überall bemerken, auch hier geltend.

Die Bibel läßt bekanntlich die ersten Menschen in einem anfangs voll-
kommeneren Zustande und einem innigern Verkehr mit Gott sein als die
später gebornen; und in den Mythen der meisten Völker wird der erste
Mensch selbst göttlicher Natur gehalten.
Tacitus sagt (Mor. germ. c. 2) von den alten Deutschen: „Celebrant

carminibus antiquis, quod unum apud illos memoriae et annalium genus
est, Thuistonem deum, terra editum, et filium Mannum, originem gentis,
conditoresque."

„Sowohl bei den Mingos als bei den Leni Lenape in Nordamerika,
ist der erste Mensch ein Gegenstand göttlicher Verehrung ... Ja sogar wird
abwechselnd bald der Herr des Lebens, bald der erste Mensch als derjenige
angerufen, der da Gewalt hat über die Geister. Noch mehr, merkwürdiger=
weise werden beide bisweilen völlig identifiziert. Denn nach einem Mythus
der Indianer oben am Lorenzstrom und Mississippi hat sich der erste Mensch
in den Himmel gehoben und donnert dort. Die Mönitarris verehren den
Herrn des Lebens als den Menschen, der nie stirbt und als den ersten
Menschen unter den Namen Ehsicka=Wahübbisch. Dieser war es, der bei der
Schöpfung den großen Vogel herabgeschickt hat, und also ist er der Schöpfer
selber und der demiurgische Vogel.... Bei den Hundsrippeninbianern ist
der erste Mensch Schöpfer der Menschen, der Sonne und des Mondes....
Bei den Karaiben ist Logno der erste Mensch, welcher von seiner himmlischen
Wohnung herabstieg und die Erde schuf und dann wieder in den Himmel
zurückkehrte. Bei eben denselben ist Sawala derjenige Mensch, der zuerst
Blitz und Platzregen hervorbrachte und sie noch jetzt verursacht. Er ver=
wandelte sich in einen Vogel und dann in einen Stern. Beidemal ist
also auch hier der Schöpfer als allmächtiger Mensch gefaßt. Auch manche
Grönländer schreiben dem ersten Menschen, Kaliak, den Ursprung aller
Dinge zu."

„Das ganze Verhältnis des großen Geistes zum ersten Menschen, wie
es in diesen indianischen Vorstellungen sich ausspricht, erinnert stark an
gnostische Ansichten. Die Ophiten haben ja ebenfalls den Urvater geradezu
als ersten Menschen genannt. Auch ein Teil der Valentinianer, die
Anhänger des Ptolemäus, gaben dem Urvater des Universums den Namen
Mensch, und eben so Valentin selber. Den Kabbalisten ist Kadmon der
Urmensch, die Einheit der aus Gott emanierenden Kräfte."

(Müller, in den „Theolog. Stud. u. Kritik." 1849. H. 4. S. 864.)

Besonders haben sich die Talmudisten darin gefallen (nach willkürlicher
Auslegung gar nicht darauf bezüglicher Bibelstellen), Adam mit wunder=
baren Eigenschaften auszuschmücken; worüber man u. a. in Eisenmengers „Neu
entd. Judenth." I. S. 364 u. Bartolocci, Bibliothèque rabbinique I. 61
manches findet.

Man kann die Frage aufwerfen, ob die jetzige Gestaltung der
organischen Schöpfung mit dem Menschen an der Spitze die letzte bleiben
werde, oder ob noch neue Schöpfungen oder Umbildungen der bisherigen
Schöpfung zu erwarten sind. Wagen wir uns auch in das Feld dieser
Frage mit einigen Vermutungen, da natürlich von mehr als solchen
hier nicht die Rede sein kann.

Wenn wir bedenken, daß der Erde noch eine Existenz von un=
bestimmbarer Dauer bevorsteht, nachdem sie schon so manche frühere

Organisationsperioden durchlaufen hat, so möchte uns ein Abschluß bei
der jetzigen nicht wahrscheinlich dünken. Zumal wenn unsre Vermutung
triftig wäre, daß das Innere der Erde noch einen Mutterstock von
Anordnungen und Bewegungen birgt, die mittelst Durchbruchs der Rinde
in die geeigneten Verhältnisse zur Entwickelung von Organismen zu
treten vermögen, und daß die Wärme der Erde selbst zur Erhaltung
dieser Disposition beiträgt. Dieser Mutterstock und diese Wärme wird
sich nach und nach in Erzeugnissen erschöpfen wollen. Doch ganz
abgesehen von dieser Hypothese haben wir überhaupt Grund, die Entstehung neuer Schöpfungen mit großen Erdrevolutionen in Beziehung
zu setzen, gleichviel welches die Beziehung sei. Und es ist kein Grund,
diejenige, durch welche die Mammuts und Höhlenbären vertilgt wurden,
und mittelst oder nach welcher der Mensch entstanden, für die letzte zu
halten. Nur daß dem Menschengeschlecht selbst keine große Revolution
der Art begegnet ist, kann uns scheinbar sicher dagegen stellen, und freilich
wird eine solche den Menschen überhaupt nicht mehr als zweimal
begegnen können; einmal indem sie dieselben schuf, das andremal indem
sie dieselben vernichtet. Aber es ist mit dieser Sicherstellung nicht anders
als mit der Sicherstellung derer, die sich auf einem Vulkan anbauen.
Hat derselbe nur zur Zeit der Voreltern gespieen, so vergißt man zuletzt,
daß er speien könne; und man sollte doch durch das nie ganz schweigende
Toben im Innern erinnert werden, daß er jeden Augenblick wieder los-
brechen könne, wie er es schon öfter nach langen Zwischenzeiten getan.
Wir alle wohnen aber wirklich auf einem solchen Vulkan, der noch im
Innern tobt, der es durch seine kleinen Vulkane selbst verrät, daß er
im Innern nicht schläft, nur daß die Ausbrüche des großen Vulkans in
viel längern Zwischenperioden erfolgen als die der kleinern, und wenn
wir inmitten einer solchen großen Zwischenperiode sicher leben, stellt
dies doch unsre Nachkommen nicht sicher. Bei der sich immer mehr
verdickenden Erdrinde mag die Schwierigkeit der Durchbrüche immer
größer und hiemit die Zwischenperioden dazwischen immer länger werden;
aber die Gefahr ihres Eintritts bleibt.

v. Humboldt äußerte sich so darüber: „Nichts kann uns Sicherheit
geben, daß jene plutonischen Mächte im Laufe kommender Jahrhunderte den
von Elie de Beaumont bisher aufgezählten Bergsystemen verschiedenen Alters
und verschiedener Richtung nicht neue hinzufügen werden. Warum sollte
die Erdrinde schon die Eigenschaft sich zu falten verloren haben? Die fast
zuletzt hervorgetretenen Gebirgssysteme der Alpen und der Andeskette haben
im Montblanc und Monte Rosa, im Sorata, Illimani und Chimborazo
Kolosse gehoben, welche eben nicht auf eine Abnahme in der Intensität der

unterirdischen Kräfte schließen lassen. Alle geognostischen Phänomene deuten auf periodische Wechsel von Tätigkeit und Ruhe. Die Ruhe, die wir genießen, ist nur eine scheinbare. Das Erdbeben, welches die Oberfläche unter allen Himmelsstrichen, in jeglicher Art des Gesteins erschüttert, das aufsteigende Schweben, die Entstehung neuer Ausbruch=Inseln zeugen eben nicht für ein stilles Erdenleben."

Von dieser Seite also stünde jede Möglichkeit noch frei. Aber, kann man fragen, ist nicht im Menschen schon der Gipfel dessen erreicht, was irdischerseits erreicht werden kann? Haben wir nicht im Menschen schon den König der Erde? Kann auch noch ein König über dem König entstehen?

Nun freilich sind wir so gewohnt, im vollkommensten Menschen den Gipfel der Vollkommenheit überhaupt zu sehen, daß wir selbst Gott danach anthropomorphosieren und unsre Engel danach bilden; aber indem wir anerkennen müssen, daß es im Grunde untriftig ist, in einer höhern Natur über uns nur die menschliche wiederfinden zu wollen, werden wir wohl auch anerkennen müssen, daß es untriftig ist, einer höhern Fort=entwickelung des irdischen Reiches mit der menschlichen Natur Schranken zu setzen.

In der Tat scheint es, als wenn der Mensch vielmehr erst ein Anstreben zu manchen Vorzügen verriete, die den rechten König der Erde zieren sollten, als sie schon erreicht zeigte, erst gleichsam die kriechende Larve oder Raupe eines Schmetterlings darstellte, der einst die Erde überfliegen wird.

Was ist es, das uns geneigt macht, im Menschen schon jetzt den König der Erde über allen, selbst äußerlich sonst sehr ähnlichen, Tieren zu sehen? Die Überschauung, Beherrschung, Verknüpfung, Zentrierung aller irdischen Verhältnisse, die in ihm und mittelst seiner gegeben ist. Aber sehen wir näher zu, erscheint sie doch bei der jetzigen Einrichtung des Menschen vielmehr angebahnt, eingeleitet, als recht erreicht und erreichbar, kommt jedenfalls durch höchst mühselige, dem Menschen äußerliche Mittel zustande, bleibt immer höchst lückenhaft und unvoll=ständig. Jeder Berg, jeder Fluß, jedes Meer setzt ein Hindernis, das der Mensch nur allmählich überwinden lernte und auch jetzt nur mit Aufwand von Zeit und Kraft überwindet. Wenn aber der Mensch selbst immer bessere Methoden erdenkt, die ihn in diesen Beziehungen fördern können, ohne doch die Unzulänglichkeit seiner Natur dadurch ganz über=winden zu können, sollte nicht die Natur, die ganz ähnlich wie der Mensch zu erfinden scheint, mittelst einer Vervollkommnung ihrer bisherigen

Menschenerfindung dereinst jene Unzulänglichkeiten auch noch direkter zu
überwinden imstande sein? Dazumal das Mittel dazu sehr nahe liegt.
Sollte sie nicht, wenn dereinst durch den Menschen die Verknüpfung und
Beziehung der irdischen Verhältnisse so weit vollzogen und gesteigert sein
wird, als es nach seiner Natur möglich ist, einen neuern höhern Fortschritt dadurch bewirken, daß sie seine Natur selbst erhöht, oder eine
höhere Natur über seiner hervorbringt? Denn über eine gewisse Grenze
kann es doch der Mensch nach seiner Natur nicht bringen. Auch der
Mensch, wenn er vollkommenere Methoden der Verknüpfung und Beziehung erdacht hat, läßt die alten fallen; aber die alten mußten freilich
erst gewirkt haben, um ihn selbst zu den neuen zu führen.

Ich gestehe, daß mir immer besonders ein Umstand bedenklich
dagegen erschienen ist, im Menschen den letzten Abschluß der irdisch-
organischen Entwickelungen zu sehen. Der Mensch hält sich für das
höchste Geschöpf, und der Vogel überfliegt ihn. Es scheint mir dies
weder in ästhetischer noch teleologischer Hinsicht ein befriedigender Abschluß. Zwar hat der Mensch für die Flügel des Vogels weit höhere
Vorzüge; aber sie würden noch unsäglich an Bedeutung gewinnen, wenn
er die Flügel des Vogels auch hätte. Der Flügel des Vogels erst
würde ihm zu seiner Vernunft, welche alles von oben herab zu überschauen, zu überfliegen und zu verknüpfen trachtet, ein adäquates
materielles Werkzeug liefern, das sie in den Stand setzte, den höchsten
Aufgaben praktisch zu genügen; er würde ihn die ganze Welt auch
sinnlich von oben überblicken, alle Hindernisse leicht überfliegen lassen,
die leichteste und rascheste Kommunikation mit der ganzen Erde und
seines Gleichen verstatten; seine Hände, mit denen er die Erde beherrscht,
würden sich so zu sagen um so viel verlängern, als ihn die Flügel weiter
tragen. Der Vogel hat freilich Flügel, aber da er weder die Vernunft
noch die Hände des Menschen hat, so kommen ihm alle jene Vorteile
wenig zustatten. Nur eben für ein vernünftiges Wesen kann der
Flügel seine größtmögliche Leistung entwickeln und zugleich die Vernunft
nur mittelst des Flügels ihre größtmögliche Kraft betätigen. Sollte
nun die Natur bei einer neuen Steigerung der Organisation nicht Vorzüge zu vereinigen wissen, die sie jetzt erst getrennt und darum nur halb
erreicht, indem sie ihre höchste Wirkung und Bedeutung erst durch ihre
Vereinigung gewinnen können? Schon jetzt sehen wir sie im Menschen
viele Vorzüge vereinigen, die andern Tieren nur vereinzelt zukommen,
aber den Flügel und Flug des Vogels hat sie bis jetzt noch nicht damit
zu vereinigen vermocht; das scheint also einer spätern Aufgabe vorbehalten.

Und wenn wir bemerken, daß die Vernunft des einzelnen Menschen und noch mehr die Vernunft der Menschheit sich doch erst allmählich zu der Höhe und Überschauung aufschwingt, die sie überhaupt mit den jetzigen Mitteln des Menschen zu erreichen vermag, so können wir es auch verständlich finden, daß erst, nachdem dies innere Flugwerkzeug in den Geschöpfen bis zur erforderlichen Höhe gereift ist, das äußere in einer neuen Wandlung der Geschöpfe entsteht, wobei unstreitig die innere Vollkommenheit, die wir uns jetzt erst mühsam erwerben müssen, schon mehr angebornerweise in eine höhere Anlage gelegt sein wird als jetzt.

Freilich, der Mensch verdankt, zwar nicht die Anlage, aber die hohe Entwickelung seiner Vernunft zum Teil selbst den Schwierigkeiten, deren Überwindung ihm durch Flügel erspart werden würde, und der äußerlichen Bedürftigkeit, der er abzuhelfen suchen muß; würde sicher ohne das sie nicht so hoch haben entwickeln können. Nun aber sehen wir ihn deshalb, daß er die Schwierigkeiten mehr und mehr hat überwinden lernen, darum nicht unvernünftiger werden, sondern er wendet sich zu Aufgaben von höherer Bedeutung und Schwierigkeit. So wie er eine Erfindung gemacht hat, die ihn eine bisher nur mühsam überwundene Schwierigkeit leicht überwinden läßt, betätigt sich seine Vernunft in dem Gebrauche derselben, er vervielfältigt sie alsbald, kombiniert ihre Leistungen unter sich und mit den Leistungen andrer Werkzeuge und wird dadurch eben zu höhern Erfindungen geführt, in denen er nun auf einmal leicht erreicht, was er erst mit vielen Werkzeugen besonders erlisten und erraffen mußte. So dürfen wir nun auch voraussetzen, daß, wenn die Natur dahin gelangt sein wird, in Erfindung künftiger höherer Geschöpfe einen Teil der Schwierigkeiten leicht zu überwinden, die mittelst der bisherigen Geschöpfe mit dem Menschen an der Spitze nur schwer überwunden werden, damit nicht ihre Vernünftigkeit überhaupt abnehmen, sondern nur zu höhern Leistungen angetrieben werden wird; sofern aber des Menschen Vernunft selbst nur ein Sproß oder Ausfluß der Naturvernunft ist, womit sie ihre Erfindungen braucht, ausarbeitet, neu kombiniert, wird auch anzunehmen sein, daß in den höhern Geschöpfen nach dem Menschen der Ausfluß oder Sproß der nun höher entwickelten Vernunft sich selbst in höherer Weise betätigen werde. Aber um zu dieser höhern Entwickelung zu gelangen, mußte freilich die Betätigung in der menschlichen Vernunft selbst erst vorausgegangen sein.

Man kann noch andre Betrachtungen anknüpfen. Die Mittel der Kommunikation zwischen den Menschen vervielfältigen sich jetzt immer mehr; Dampfmaschinen, Eisenbahnen sind die hauptsächlichsten Förderungsmittel derselben. Aber nach Maßgabe als sie sich vermehren, drohen sie auch ihre Hilfsmittel zu erschöpfen. Sie können sich nur so lange vervielfältigen und im Gange bleiben, als die Steinkohlen reichen; und es ist gar nicht abzusehen, woher ein Ersatz kommen soll. Sollte aber der einmal erlangte Gewinnst in Verknüpfung der irdischen Verhältnisse wieder verloren gehen? Ich denke, daß, wenn sich alle von der Erde aufgespeicherten Mittel erschöpft haben oder der Erschöpfung nahe sind, welche dem immer höher gesteigerten Bedürfnis menschlicher Kommunikation genügen können, die Natur bei ihrer immanenten Vernünftigkeit durch das Bedürfnis selbst, nicht wieder rückwärts zu gehen, dahin getrieben werden wird, Geschöpfe nach einem neuen Plane zu schaffen, welcher diese Mittel fortan entbehrlich macht. Dann mögen immerhin noch höhere Berge als jetzt auftreten, und jede neue Erdrevolution scheint höhere Berge aufzutreiben; die neuen Wesen werden sie nicht mehr übersteigen, sondern überfliegen.

Daß eine Entstehung höherer beflügelter Geschöpfe über den Menschen dereinst noch möglich sei, kann an sich nicht bezweifelt werden, wenn wir die Natur doch schon mehrmals über den an den Boden gefesselten niedern Geschöpfen höhere auf Flossen und Flügeln haben erheben sehen. So lange noch alles oder das meiste Land mit Meer bedeckt war, erhoben sich schon die Fische mit ihren Flossen über die festsitzenden Polypen und Muscheln; dann in der Luft die geflügelten Käfer, Bienen, Schmetterlinge über die kriechenden Würmer, ja kriechende Würmer sind selbst noch die Vorgänger oder Larven dieser höhern Geschöpfe; dann die Vögel über die kriechenden Schlangen und Eidechsen, durch das Übergangsglied der vorweltlichen Pterodactylen damit verknüpft. Jedesmal entstanden die Flügelwesen nach einem ganz neuen Bildungsplane; so daß also auch denkbar ist, daß nach einem abermals neuen Bildungsplane sich dereinst noch über die Säuger und Menschen höhere Flügelwesen erheben werden.

Ja man kann sagen, daß im Menschen sich schon ein Streben zeigt, ihn vom Boden loszumachen; nur daß es, um nicht Vorteile aufzugeben, die für jetzt noch wichtiger waren und sich im jetzigen Schöpfungsplane noch nicht mit dem wirklichen Fluge vereinigen ließen, nicht bis zur gänzlichen Loslösung vom Boden bei ihm gekommen.

In der Tat, vergleichen wir den Menschen mit den übrigen Säugetieren, so sehen wir, wie wirklich schon die zwei Vorderglieder bei ihm vom Boden losgemacht sind; er hat sich aufgerichtet, als wollte er die Erde verlassen, doch ist er noch mit zwei Füßen daran haften geblieben.

ihn vor den übrigen Tieren auszeichnen; und es ist kein Zweifel, daß sie mit einer noch vollständigern Erhebung (sofern ihm der Besitz und der Gebrauch der Vernunft und Hände nur nicht dadurch verkümmert würde) noch mehr wachsen müßten. Aber zu dieser vollständigern Erhebung über den Boden bedarf es eben der Flügel.

Die Aufrichtung setzt den Menschen in den Stand, die Erde von oben herab ins Weite zu überblicken, und die Stellung auf zwei, statt vier Füßen, sich leichter nach allen Seiten drehen, also auch besser um sich blicken zu können. Die Verwandlung zweier am Boden haftenden Füße in zwei oben angebrachte, doch noch unter der Aufsicht der Augen stehende Hände befähigt ihn, den von oben und im Kreise überblickten Schauplatz nun nicht bloß zu durchlaufen, sondern auch praktisch zu bearbeiten, zu beherrschen, teils unmittelbar, teils mittelst der durch die Hände angefertigten Werkzeuge. Mit denselben Einrichtungen ist aber auch ferner die Möglichkeit gegeben, besser mit einander in Kommunikation zu treten; sich besser gegenseitig ins Auge zu sehen, mit den Händen gegenseitige Hilfsleistung, Liebes- und Freundschaftsbezeugungen teils unmittelbar zu erweisen, teils Werkzeuge des Verkehrs, Straßen, Fuhrwerke, Bücher, Briefe u. s. w. damit zu schaffen; ja selbst darin liegt ein Vorteil, daß sich vermöge der verkleinerten Fußbasis die Menschen zahlreicher und enger versammeln können als die Vierfüßer.

Im Grunde erkennt der Mensch auch den Vorzug an, den der Besitz von Flügeln gewähren würde, indem er die sonst ganz vermenschlichten Engel doch mit Flügeln malt. Nur freilich ist etwas nicht so leicht gemacht als gemalt. Sollte der Mensch Flügel wirklich erhalten, so könnten sie ihm nicht so einfach angesetzt werden, wie es der Maler tut; der ganze Organisationsplan müßte sich ändern; und da zeigt sich denn, wenn wir den Bildungsgang der Natur betrachten, ein offenbarer Konflikt in der Aufgabe, kräftige Beine, Hände und Flügel zugleich anzubringen. Beim Vogel werden die Flügel nicht zu vier Füßen, oder zu zwei Händen und zwei Füßen noch hinzu angesetzt, sondern die zwei vordern Extremitäten verwandeln sich selbst in Flügel, und hiedurch kommt eben der Vogel um die Vorteile der Hände. Bei den Insekten kommen Flügel mit mehrern Beinpaaren zugleich vor, doch hat die Raupe mehr Beine als der Schmetterling, auch hier scheinen also die Flügel auf Kosten der Beine entstanden; auch sind die Beine des Schmetterlings schwach und dünn und können die Hände nicht ersetzen; die eigentlichen Werkzeuge zum Hantieren sind hier mehr am Kopfe angebracht und nur leichter Art. Und es begreift sich wohl, weshalb Flügel nicht leicht in Verbindung mit starken Armen und Beinen bestehen können. Flügel brauchen starke Muskeln und Nerven zur Bewegung; kräftige Arme und Beine auch; das macht sich den Platz streitig, nicht nur äußerlich

Der nächste Fortschritt scheint sein zu müssen, daß das Losheben vom Erdboden völlig erfolgt. Dabei ist nicht ohne Interesse, zu bemerken, daß die Natur bei den nächsten Verwandten des Menschen dies Losheben sogar schon etwas weiter getrieben hat, als beim Menschen selbst, nur daß dafür die andern höhern Vorteile, welche dem Menschen eigen, haben zurücktreten müssen. So sehn wir bei den Affen die vier Füße in vier Kletterhände verwandelt, wodurch sie leicht vom Boden loskommen und sich von einem Baum zum andern schwingen, aber freilich um so weniger gut aufrecht auf der Erde stehen und gehen können; und bei den Fledermäusen gar Flughäute zwischen allen vier Extremitäten ausgespannt; wodurch sie freilich um so untauglicher zu aller Hantierung werden. Affen wie Fledermäuse aber haben wirklich besondere verwandtschaftliche Beziehungen zum Menschen, stellen eine Art Zerrbild desselben dar. Denn wie wenig ähnlich auch eine Fledermaus sonst dem Menschen erscheinen mag, hat sie sich doch, wegen bedeutungsvoller Ähnlichkeiten im Zahnbau und Stellung der Brüste, mit den Menschen und Affen in eine besondere Ordnung vereinigen und diese an die Spitze der übrigen Tiere stellen lassen, wie von Linné geschehen. Und da es schon vorweltliche Affen und Fledermäuse gab, kann man darin eine Art Vorspiel des Menschen sehen.

Diese Tiere haben es also schon weiter mit der Erhebung über den Boden gebracht als der Mensch und scheinen hiemit anzudeuten, daß es der Natur, als sie im Bildungsgange in die Nähe der Menschen kam, wirklich darum zu tun war, eine noch vollständigere Erhebung einzuleiten. Inzwischen ließ sich beim Affen und der Fledermaus mit der freiern Erhebung über den Boden die Beherrschung desselben nicht erreichen, welche dem Menschen durch die Verbindung seiner Hände und seines aufrechten Standes unter Mitwirkung der Vernunft gesichert ist; demgemäß gab die Natur lieber beim Menschen etwas von jenem Vorteil der freien Erhebung wieder auf und wandte zunächst allen Fleiß auf die Entwickelung des Gehirns und Ausbildung der Hand und des Fußes, um durch letztern bei dem aufrechten Stande auch eine sichere Basis zu gewähren. Der Affe, die Fledermaus behalten so einen Vorzug vor dem Menschen, wofür aber der Mensch viel größere Vorzüge gewann.

Es verdankt aber der Mensch nächst seiner Vernunft und in Zusammenhang damit seiner halben körperlichen Erhebung über den Boden und der dadurch möglich gewordenen Verwandlung zweier Extremitäten in Hände schon den wichtigsten Teil der Vorzüge, die ihn vor den übrigen Tieren auszeichnen; und es ist kein Zweifel, daß sie mit einer noch vollständigern Erhebung (sofern ihm der Besitz und der Gebrauch der Vernunft und Hände nur nicht dadurch verkümmert würde) noch mehr wachsen müßten. Aber zu dieser vollständigern Erhebung über den Boden bedarf es eben der Flügel.

Die Aufrichtung setzt den Menschen in den Stand, die Erde von oben herab ins Weite zu überblicken, und die Stellung auf zwei, statt vier Füßen, sich leichter nach allen Seiten drehen, also auch besser um sich blicken zu können. Die Verwandlung zweier am Boden haftenden Füße in zwei oben angebrachte, doch noch unter der Aufsicht der Augen stehende Hände befähigt ihn, den von oben und im Kreise überblickten Schauplatz nun nicht bloß zu durchlaufen, sondern auch praktisch zu bearbeiten, zu beherrschen, teils unmittelbar, teils mittelst der durch die Hände angefertigten Werkzeuge. Mit denselben Einrichtungen ist aber auch ferner die Möglichkeit gegeben, besser mit einander in Kommunikation zu treten; sich besser gegenseitig ins Auge zu sehen, mit den Händen gegenseitige Hilfsleistung, Liebes- und Freundschaftsbezeugungen teils unmittelbar zu erweisen, teils Werkzeuge des Verkehrs, Straßen, Fuhrwerke, Bücher, Briefe u. s. w. damit zu schaffen; ja selbst darin liegt ein Vorteil, daß sich vermöge der verkleinerten Fußbasis die Menschen zahlreicher und enger versammeln können als die Vierfüßer.

Im Grunde erkennt der Mensch auch den Vorzug an, den der Besitz von Flügeln gewähren würde, indem er die sonst ganz vermenschlichten Engel doch mit Flügeln malt. Nur freilich ist etwas nicht so leicht gemacht als gemalt. Sollte der Mensch Flügel wirklich erhalten, so könnten sie ihm nicht so einfach angesetzt werden, wie es der Maler tut; der ganze Organisationsplan müßte sich ändern; und da zeigt sich denn, wenn wir den Bildungsgang der Natur betrachten, ein offenbarer Konflikt in der Aufgabe, kräftige Beine, Hände und Flügel zugleich anzubringen. Beim Vogel werden die Flügel nicht zu vier Füßen, oder zu zwei Händen und zwei Füßen noch hinzu angesetzt, sondern die zwei vordern Extremitäten verwandeln sich selbst in Flügel, und hieburch kommt eben der Vogel um die Vorteile der Hände. Bei den Insekten kommen Flügel mit mehrern Beinpaaren zugleich vor, doch hat die Raupe mehr Beine als der Schmetterling, auch hier scheinen also die Flügel auf Kosten der Beine entstanden; auch sind die Beine des Schmetterlings schwach und dünn und können die Hände nicht ersetzen; die eigentlichen Werkzeuge zum Hantieren sind hier mehr am Kopfe angebracht und nur leichter Art. Und es begreift sich wohl, weshalb Flügel nicht leicht in Verbindung mit starken Armen und Beinen bestehen können. Flügel brauchen starke Muskeln und Nerven zur Bewegung; kräftige Arme und Beine auch; das macht sich den Platz streitig, nicht nur äußerlich sondern auch innerlich. Unsre gemalten Engel sind eine anatomisch-physiologische Unmöglichkeit; man müßte sie eigentlich buckelig malen, um zu den hinten angebrachten Flügeln auch die Muskelmassen, die zur Bewegung der Flügel nötig sind, anzubringen; denn unsre Muskelmassen reichen eben nur für die Arme; unstreitig aber würden sich die innern Einrichtungen zur Bewegung der Flügel und der Arme noch mehr im Wege sein, als die äußern Werkzeuge selbst. Daher eben beim Vogel vielmehr Ersatz der vordern Extremitäten durch die Flügel; daher Aufgeben der Flügel beim Menschen, um die Hände zu gewinnen.

Inzwischen was sich nicht im Wege des bisher befolgten Organisationsplanes erreichen ließ, ließe sich ja wohl durch Abänderung desselben erreichen; und da liegt es ziemlich nahe, wenn es doch schon Geschöpfe mit vier Füßen (die meisten Säugetiere), solche mit vier Händen (Affen), solche mit zwei Füßen und zwei Flügeln (Vögel), solche mit zwei Füßen und zwei Händen (Menschen) gibt, auch noch an Geschöpfe mit zwei Händen und zwei Flügeln zu denken. Man kann in der Tat ein solches Geschöpf in der Kette der Wesen noch vermissen; kann es aber auch leicht noch erwarten, da es zu Händen überhaupt erst in den jüngsten Generationen gekommen. Freilich gehört zum wirksamen Gebrauch der Hände auch ein fester Stand auf der Erde; aber es wäre leicht, den Unterteil des Körpers dazu einzurichten. Die Hände könnten auch notdürftig die Füße mit vertreten, und mehr als eine notdürftige Vertretung würde nicht nötig sein, wenn doch die Flügel das hauptsächlichste Fortbewegungsmittel bildeten. Ich mache der Natur diesen Vorschlag und überlasse es ihr dabei gern, ob sie die Hinter- oder Vorderglieder zu Flügeln oder Händen machen will; wie auch die Schwierigkeiten, die sie sonst dabei noch finden mag, zu überwinden.

Mit dem Gewinn der Flügel würde auch den Menschen ein Teil der Hände-Arbeit erspart sein, weil ein sehr wichtiger Teil dieser Arbeit eben darin besteht, Werkzeuge für die Kommunikation zu schaffen und zu handhaben, die nun überflüssig werden würden. Und wenn es der Mensch schon jetzt dahin gebracht hat, sich eines Teiles seiner Arbeit auf niedere Geschöpfe, Zug- und Lasttiere, zu entladen, so könnte dies künftig noch in höherm Grade der Fall sein. Das höhere Wesen könnte vielleicht noch mehr Wesen unter sich haben, die ihm die niedere Arbeit ersparen. Mit jeder neuen Schöpfung werden ja überhaupt nicht bloß höhere Geschöpfe, sondern auch neue Geschöpfe niederer Stufen geschaffen; und es könnte darunter solche geben, die zum Dienste des höhern Wesens noch geeigneter wären als die jetzigen; denn nachdem einmal das Prinzip des Gebrauchs niederer Geschöpfe durch die höhern in Anwendung gekommen ist, wird die Natur im Aufsteigen es schwerlich wieder verlassen, sondern weiter ausbilden; sie wird einen größern Teil und vielleicht selbst höher entwickelte Glieder der Tierwelt durch das höchste Geschöpf zähmen lassen. So könnte denn die ganze Organisation des höchsten irdischen Geschöpfes sich in Betreff der Befriedigung grob körperlicher Bedürfnisse durch körperliche Leistungen vereinfachen und um so geeigneter zu höhern geistigen Tätigkeiten werden. Schon jetzt erscheint der Mensch, gegen die Tiere gehalten, als das nackteste, waffenloseste, hilfloseste Geschöpf, nur die selbst auch von scharfen Nägeln und Klauen entblößten Hände verraten einen äußern Vorzug; doch bändigt und zähmt er mittelst seiner höher entwickelten Vernunft und dieser sein gegliederten Werkzeuge die ganze Tierwelt. Unstreitig wird das künftig sich noch steigern, wenn er mit noch höhern Vorzügen über die Tierwelt emporsteigt, nicht mehr auf das Roß von unten aufsteigen muß, sondern wie der Adler von oben auf die ganze Tierwelt als seinen Raub herabblickt. So wäre es möglich, daß in spätern Generationen auch die Hände wieder mehr zurücktreten.

Ich möchte auch aus der Gestalt des Menschen vermuten, daß mit ihm der Gipfel der irdischen Entwickelung nicht nur noch nicht erreicht ist, sondern daß er vielmehr noch weit davon ist. Ich meine, das höchste irdische Wesen wird der Erde selbst an Gestalt sich mehr zu nähern suchen, als es der Mensch tut, der es zwar schon in seinen edelsten Teilen, doch wenig im ganzen tut. Laß wegfallen, was den Menschen an die grobe Erde teils unmittelbar heftet, teils in grob materielle Beziehung dazu setzt, so denk' ich mir, es werden einst, obwohl erst nach manchen Zwischenschöpfungen, noch Wesen entstehen, die wie schöne Augen oder Köpfe, mehr als jetzt auf ein Leben im Licht und Duft und Luft angewiesen, durch die Lüfte schwimmen oder fliegen, ohne Beine, die sie nicht mehr brauchen, ohne Arme, mit denen sie nichts Grobes mehr auf Erden zu schaffen haben, mit bunten Flossen oder Flügeln und vielleicht nur so leichten Werkzeugen zum Verkehr mit der Erde, wie sie auch jetzt die Schmetterlinge am Haupte tragen.

Man darf es der Natur nicht als eine Unvollkommenheit anrechnen, wenn sie solche höhere Geschöpfe doch erst in späterer Zeit entwickelt. Ihre Vollkommenheit liegt überhaupt nicht in einem ein- für allemal erreichten Gipfel, sondern in einem derartigen ewigen Fortschritt, daß alles in jedem Augenblicke zweckmäßig genug zur Befriedigung der jetzigen Bedürfnisse zusammenpaßt, nur mit einer solchen Seite der Unbefriedigung, als selbst zum weitern Fortschritt antreibt. So daß jede frühere Zeit von gewissen Seiten eben so sich selbst genug, wie von andrer Seite

jebe fpätere Zeit gegen eine noch fpätere eben fo in Rückftand ift, wie
die frühere gegen fie. Auch kann die Entwickelung der höhern Gefchöpfe
nur in Zufammenhang mit einer Fortentwickelung des ganzen irdifchen
Reiches gefchehen. Diefes muß erft reif fein, höhere Gefchöpfe zu tragen;
fonft können diefe nicht entftehen noch beftehen.

XVII. Anhang zum achten Abfchnitt.

Zufatzweife Betrachtungen über das Sinnesgebiet der Erde.

Verfuchen wir aus dem Gefichtspunkte, daß der Erde eine einige
Seele zugehört, einige nähere Beftimmungen über ihr Sinnesgebiet zu
geben, wie fie in der Konfequenz der Grundbetrachtungen zu liegen
fcheinen, jedoch mit dem Geftändnis, daß hiebei vielfach Unficherheit und
Zweifel bleibt.

Unfre Augen find der Erde Augen; indem wir damit fehen, fieht
fie damit; und alle Anfchauungen, die wir damit gewinnen, verknüpfen
fich in ihrer Seele, ihrem Bewußtfein. Zum Teil nun ergänzen fich
unfre Anfchauungen, zum Teil decken fie fich; jeder von uns hat ein
andres Anfchauungsgebiet, indem er anders gegen die Dinge geftellt ift,
aber wir fehen doch auch zum Teil diefelben Gegenftände. Dies
Ergänzen einerfeits und Ineinandergreifen anderfeits kann fehr zweckvoll
erfcheinen; aber auch fchwierig, fich vorzuftellen, wie fich die Seele der
Erde in betreff deffen verhält. Wenn viele Augen diefelbe Sache
anfehen, entftehen optifch genommen eben fo viele Bilder davon; fieht
nun die Erde mit den vielen Augen ihrer Gefchöpfe, falls fie fich gegen
diefelbe Sache kehren, diefe auch eben fo viel mal?

Daß dies nicht notwendig ift, beweifen unfere eigenen zwei Augen.
In jedes derfelben fällt ein optifches Bild deffelben Gegenftandes, doch
fehen wir ihn einfach. Noch fchlagender beweift es die Infektenaugen.
Man hat fich durch direkte Verfuche überzeugt, daß ein Gegenftand fo
viel Bilder im Auge der Fliege gibt, als Facetten daran find; es ift,

als wenn man einen Gegenstand durch ein künstlich facettiertes Glas
betrachtet; aber niemand wird glauben, daß die Fliege den Gegenstand
so viel mal wirklich sieht. Wir haben hier im Kleinen, was bei der
Erde im Großen statt finden mag. Da jede Facette etwas anders
gegen die Gegenstände gestellt ist als die andre, hat auch jede ein etwas
andres Gesichtsfeld, und die Bilder sind nicht ganz identisch; gewiß setzen
sie sich für die Seele der Fliege zu einem Bilde zusammen, in dem sich
das Verschiedene ergänzt, das Gleiche deckt. Durch welche physische Einrichtungen dies bei uns und bei den Fliegen vermittelt ist, denn sicher
ist es nicht physisch unvermittelt, wissen wir nicht, oder es gibt darüber
nur sehr unzulängliche oder unbewiesene Hypothesen; aber kurz, man
sieht, die Natur hat es zu machen gewußt. Somit ist auch kein
Hindernis zu glauben, daß sie ein Ähnliches bei der Erde zu machen
gewußt hat, wenn wir freilich eben so wenig angeben können, wie.
Unstreitig kann man hier nicht dieselben Einrichtungen wollen wie bei
einem Menschen oder Insekt, da die ganzen Verhältnisse wesentlich
andre sind; es mag ein sehr allgemeines Prinzip hiebei zu Grunde liegen.
Die Seele vereinfacht ja überhaupt und überall in der Empfindung das
physisch Zusammengesetzte, zieht es so zu sagen zusammen; sehr viele
Schwingungen z. B. in einen einfachen Ton. Im Grunde ist das eben
so wunderbar, als daß sie viel Bilder nur als eines erblickt; aber unter
welchen nähern Bedingungen und in welchen Grenzen dies Prinzip
gültig ist, wissen wir nicht.

Ich denke mir nach allem, um etwas Vernünftiges zu denken, was
durch die vorigen Erwägungen zwar nicht erwiesen, aber gestattet ist,
daß, sofern wir alle eine und dieselbe Sache sehen, auch der Geist der
Erde mit uns nur eine und dieselbe Sache sieht, d. h. sie in denselben
Raum und dieselbe Zeit versetzt, sofern wir es tun, und daß nur, sofern
in unsern Anschauungen Diskrepanzen wären, sie auch dem Geiste der
Erde spürbar werden. Auch läßt sich alles umkehren und sagen, sofern
der höhere Geist eine Sache in denselben Raum, dieselbe Zeit anschaulich
verlegt, tun wir es. Und daß es der Fall ist, zeigt sich im Praktischen,
dem letzten Prüfstein alles Theoretischen, daran, daß wir uns alle in
bezug dazu einträchtig zurecht finden und darüber verstehen. Wäre es
nicht der Fall, so würde in sofern ein Irrtum in unserm Sehen und
hiemit in dem des höhern Geistes sein, wie ein solcher selbst in unserm
Sehen mit zwei Augen vorkommen kann, wenn etwa das eine schielt.

Der höhere Geist kann eine Sache mittelst unsrer rundum dagegen
gestellten Augen zugleich rundum sehen, was wir einzeln nicht können.

Sein Anschauungsfeld hat so zu sagen eine Dimension mehr als unsres, welches im Grunde nur eine Fläche auf einmal vorstellt. Doch können wir wenigstens in der Erinnerung das zu einem ganzen Bilde kombinieren, was wir um einen Gegenstand herumgehend nach und nach gesehen haben. Der Erde steht diese Kombination schon in der Anschauung offen. Sie ist eben ein höheres Wesen als wir.

Überhaupt müssen wir, in Anerkennung ihrer Höhe über uns, von vornherein darauf verzichten, manches eben so haben zu können wie die Erde. Genug, wenn der Verstand uns sagt, daß und in welcher Richtung sie es anders haben muß als wir. Im höchsten Sinne haben wir ein solches Verhältnis von uns zu Gott anzuerkennen. Die Unendlichkeit der Welt in Zeit und Raum geht über unser unmittelbares Fassungsvermögen hinaus und führt, im Versuche, sie begrifflich zu erörtern, zu unlösbaren Antinomieen. Bei Gott wird das nicht der Fall sein. Statuieren müssen wir dennoch die Unendlichkeit. In Beziehung zu jedem obern Wesen aber mögen solche Verhältnisse eintreten. Ich erwähne dies hier darum, weil sich beim Versuch, die allgemeinen Sinnesverhältnisse der Erde ferner zu erörtern, möglicherweise noch manches darbieten könnte, was in uns nicht eben so vorkommen kann, ja unser unmittelbares Vorstellungsvermögen übersteigt.

Mit den Unterschieden, welche die Anschauung des höhern Wesens von der unsern hat, hängen Unterschiede zusammen, die durch das ganze höhere Seelenleben greifen, zum Teil auch schon früher von andern Gesichtspunkten her geltend gemacht worden sind.

Selbst unsre abstraktesten allgemeinsten höchsten Begriffe bedürfen der Versinnbildlichung, um für sich gedacht zu werden. Wie nun das Vermögen der Versinnbildlichung sich steigert, so auch das Vermögen solcher Begriffe. Was eine größere Entwickelung der Sprache in Betreff geistiger Mitteilung an andre leistet, wird durch das entwickeltere Vermögen dieser innern Versinnbildlichung für den innern geistigen Verkehr im denkenden Subjekt selbst erreicht; es vermag größere, weitergehende, umfassendere, tiefere begriffliche Zusammenhänge damit auszudrücken und zu beherrschen.

Wie sich ferner die Anschauungen vieler Menschen im höhern Geiste in einer Gesamtanschauung verknüpfen, in gewisser Beziehung sogar decken können, sofern er mit vieler Augen doch denselben Gegenstand als einen sieht, so verknüpfen und teilweis decken oder identifizieren sich auch alle Begriffe und Ideen, die aus diesen Anschauungen erwachsen sind, oder solche unter sich fassen. Also daß derselbe Geist denselben Begriff in vielen Menschen zugleich haben und diese selbst dadurch verknüpfen kann, wie es früher schon betrachtet worden. Aber die

Anschauungen der verschiedenen Geschöpfe in bezug auf denselben
Gegenstand decken sich doch nur teilweis, und so wird dies auch
von den verschiedenen Begriffen und Ideen gelten, die sich auf Grund
des Anschauungslebens entwickelt haben. Das Identische wird doch
in jedem Geschöpfe auch in Verschiedenheiten auslaufen und in andre
Bezüge treten.

Fügen wir zu diesen allgemeinen Betrachtungen über das Sinnesleben der Erde noch einige spezielle; wobei es gelten wird, Maß zu
halten, damit nicht das Blatt zum Buche werde; zumal die Betrachtungen
so unsicherer werden, je mehr sie sich ins Besondere einlassen. Ja
mancher wird schlechthin Phantasieen nennen, was sich ferner noch hier
darbieten wird. Vielleicht sind es wirklich solche. Doch mag es ja wohl
einer jungen Ansicht und Aussicht gestattet sein, sich ein wenig auch mit
Phantasieen zu vergnügen, so lange sie noch so klein und unverständig
ist gegen das, was sie einst sein muß; ist nur Verstand in der Anlage.
und im Grunde. Und wer vermag zu sagen, wie viel doch Ernst ist
in dem, was vielleicht nur so phantastisch erscheint, weil es so neu
erscheint?

Stellen wir erst einige vorläufige Betrachtungen an.

Eine große Statue kann in der Ferne ungefähr eben so aussehen,
als eine kleine in der Nähe, aber wollte man aus der großen Statue
ein Stück in die kleine einsetzen, so würde der Eindruck ganz zerstört
werden. Was in das Große paßt, paßt nicht in das Kleine. Nur
kleinste Partikeln lassen sich in beiden ohne Störung durch einander
ersetzen. Der Eindruck der Statue hängt am Ganzen, und wie sich etwas
an ihr ändert, muß sich alles ändern, soll der Eindruck doch im ganzen
noch derselbe bleiben. Unebenheiten der Oberfläche von bestimmter Größe,
welche bei der kleinen Statue sehr störend sein würden, schaden bei der
großen noch nichts, auch fordert die große Statue zu gleicher Haltbarkeit
ein andres Material als die kleine.

Weiter: Eine dicke Saite oder ein Seil kann ganz denselben Ton
geben, als eine kurze dünne Saite; nur einen stärkern; doch für größere
Entfernung wird er eben so schwach klingen. Aber es bedarf einer ganz
andern Kraft, ein gespanntes Seil als eine Saite zum Tönen zu bringen;
und wenn die Saite findet, daß derselbe Fidelbogen, der sie selbst zum
Tönen bringt, beim Seile gar nichts leistet, so kann sie leicht glauben,
es könne überhaupt nicht tönen. Doch fehlt nur die rechte Kraft dazu.
Von der Kraft aber, welche erst hinreichend ist, das Seil zum Tönen
zu bringen, würde die Saite zerrissen werden. Beide können sich also

über die Mittel, durch die sie zum Tönen angeregt werden, nicht verständigen. Auch würde es wieder nicht gehen, einen Teil des Seils
in die Saite zu substituieren, sollte sie noch ihr Vermögen zu tönen
behalten.

Unebenheiten des Seils, die dessen Vermögen zu tönen nicht beeinträchtigen, würden bei gleicher Größe wieder bei der Saite unerträglich
nachteilig sein. Und da sich ein schweres Seil schwer spannen und
gespannt erhalten läßt, so wird es überhaupt vorzuziehen sein, um den
starken Ton, den man verlangt, zu erhalten, einen schweren Stab oder
eine Glocke zu nehmen. Das ist etwas ganz anders als eine Saite; und
man kann noch weniger ein Stück Glocke als ein Stück Seil in die
Saite substituieren wollen, doch gibt sie denselben Ton, wenn sie im
ganzen tönt. Aber eben nur wenn sie im ganzen tönt. Auf den
Zusammenhang im ganzen kommt es wieder an, und ändert sich etwas
im ganzen Zusammenhange, muß sich alles ändern, soll wieder derselbe
Ton entstehen. Man sieht also für sehr verschiedene Fälle ähnliche
Gesichtspunkte wiederkehren.

Sollten sie nicht auch noch in andern Fällen wiederkehren? Zumal
in sehr analogen?

Unstreitig wirken unsre Sinnesorgane oder respektiv die Nerven
darin auch nur durch den Zusammenhang im ganzen und mit dem
Ganzen, wie die Saiten, die in sich und mit dem Instrument zusammenhängen, und nur in diesem und durch diesen Zusammenhang ihren Ton
zu geben vermögen. Schneidet man einen Nerven ab, oder zerschneidet
ihn quer, empfindet er so wenig, als die abgeschnittene oder quer zer-
schnittene Saite tönt. Vielleicht, wie die Saite des Instruments ihr
Vermögen, in besonderer Weise zu tönen, einer gewissen Spannung ihrer
wägbaren Teile verdankt, so die Sinnesnerven ihr Vermögen, in gewisser
Weise zu empfinden, einer gewissen Spannung des in ihnen enthaltenen
unwägbaren Nervenäthers. Das ist Hypothese; denn der ganze Nerven-
äther in seiner Beziehung zur Seele ist Hypothese; aber daß unsre
Sinnesnerven und ganzen Sinnesorgane nur vermöge eines gewissen
Zusammenhanges in sich und mit dem übrigen Organismus der
Empfindung dienen können, wie sie es tun, ist keine Hypothese, und
wir können sicher voraussetzen, daß es mit den Sinnesorganen aller
Wesen so ist.

Sollte also ein Wesen, groß wie die Erde, nicht bloß kleine Sinnesorgane in uns, sondern auch große außer oder über uns hinaus haben,
so müssen wir gemäß den obigen Beispielen auch nicht voraussetzen, daß

ein Stück dieser Sinnesorgane in uns eingesetzt dasselbe für unsre
Empfindung leisten würde, was es in seinem vollen und natürlichen
Zusammenhange in der Erde für die Erde leistet; und daß dasselbe
schwache Mittel, was die kleinen Sinne des Menschen anzuregen vermag,
für die großen Sinne der Erde hinreichend, und dasselbe starke Mittel,
was für die großen Sinne der Erde nötig, für unsre kleinen nicht zu
stark sein würde, und daß Unregelmäßigkeiten, die für unsre kleinen
Sinne sehr störend sein würden, bei den großen Sinnen der Erde auch
störend sein müßten; daß endlich dasselbe Material und dieselbe Einrichtung so zweckmäßig zu ihren wie zu unsern Sinnesorganen dienen
könnte. Wir müssen vielmehr durchaus das Gegenteil von all dem
voraussetzen. Alles einzelne muß sich im Übergange vom Kleinen zum
Großen ändern, damit die Leistung im ganzen entsprechend bleibe. Auch
bei den größern Sinnesorganen der Erde, gibt es anders solche, käme
es vielleicht nur darauf an, eine gewisse Spannung des Äthers, der
nach exaktester Physik die ganze Erde so gut durchbringt wie unsre
Nerven, zu erzeugen, um mit dem Spiel dieser Spannung ein Spiel
von Empfindungen zu haben; aber diese Spannung und dieses Spiel
wird dann eben auch nur durch die ganze Anordnung, nicht ein Stück
der Anordnung erzeugt werden können.

Nehmen wir noch Folgendes hinzu: Die verschiedensten Sinnesempfindungen, Sehen, Hören, Riechen, Schmecken, Fühlen in uns erfolgen
mittelst scheinbar sehr ähnlich eingerichteter Nerven. Nun sieht man
nicht ein, warum das Umgekehrte minder möglich sein sollte: dieselbe
Empfindung mittelst scheinbar sehr verschieden eingerichteter Apparate.
Denn dies hängt logisch zusammen. Es kann nach jener Tatsache überhaupt gar nicht die äußerlich erscheinende Einrichtung der Nerven sein,
was in Betracht kommt, sondern etwas in den Nerven, was wir nicht
wissen; wenn wir auch vermuten oder möglich halten können, daß
Spannung und Bewegungen eines feinen Mediums dabei ins Spiel
kommen.

Kurz es besteht aus allgemeinem Gesichtspunkte kein Hindernis,
daß in der Erde materielle Einrichtungen im Großen zum Dienste von
Empfindungen bestehen, deren Teile, in uns substituiert, für uns durchaus
nicht dasselbe zu leisten vermöchten. Wir können daraus, daß sie uns
dies nicht leisten können, nicht das Geringste für die Erde schließen.
Wollen wir in dieser Beziehung schließen, so können wir es nur entweder sicher aus wirklicher Erkenntnis der grundwesentlichen materiellen
Bedingungen des Empfindens und Fühlens, die wir aber nicht haben,

ober unsicher, aber mit Hoffnung uns der Wahrheit zu nähern, nach Gesichtspunkten einer höhern Analogie und Teleologie, als welche bloß vom Nächsten auf's Nächste geht. Unsicherheit wird hier immer bleiben, so lange nicht die wirkenden Ursachen zu den Zweckursachen gehörig erkannt sind und die Analogie zur Induktion geworden ist; aber wenigstens wird es möglich sein, auf solchem Wege etwas nicht nur Wahrscheinlicheres, sondern auch Erbaulicheres zu finden, als in der baren und doch so ganz ungerechtfertigten Verneinung liegt, daß hier überhaupt etwas zu finden sei, weil nichts zu sehen ist.

Dies vorausgeschickt, wagen wir uns an unsern Versuch.

Wie der Mensch kann die Erde einerseits sich selbst beschauen, andrerseits in eine Außenwelt um sich blicken, die für sie der Himmel ist. Was der Erde dazu zu Gebote steht, sind zunächst unsre und andrer irdischer Wesen Augen; ob noch mehr, wird zu erwägen sein; zuvörderst aber sicher diese. Der Reichtum und die Entfaltung ihrer Gesichtsmittel ist, wenn wir auch an weiter nichts denken, schon unsäglich größer als bei uns. Sie hat ihre besondern Augen für die besondersten Standpunkte, Fern- und Nahesichten, allwärts hin- und wieder verteilt auf ihrer ganzen Oberfläche und frei darauf hin- und herbeweglich, um immer die geeignetsten Standpunkte zu suchen. Die Insekten kriechen selbst bis in die kleinsten Winkel; alles soll gesehen werden.

Unstreitig ist das zusammengenommen sehr viel, doch scheint es mir noch nicht genug. Es ist viel aus unsern irdischen Einzelstandpunkten angesehen, doch dünkt es mir unzulänglich aus dem himmlischen Einheitsstandpunkte der Erde selber. In der Tat die kleinen und vielen Augen der Geschöpfe entsprechen zwar vortrefflich der Mannigfaltigkeit und dem Wechsel der irdischen Standpunkte und Gegenstände, nicht eben so aber der Einfachheit, Einheit, Erhabenheit des himmlischen Standpunktes und der himmlischen Gegenstände. Die Frage drängt sich auf: sollte die Erde, das große, einige, himmlische Wesen, zur Kleinheit und Zersplitterung und Vergänglichkeit der irdischen Augen nicht auch ein großes einiges ewiges Auge für Betrachtung des ewig einen Himmels und der himmlischen Gegenstände haben? Ist nicht dazu die Zersplitterung unsrer Augen gerade ebenso zwecklos, als zur Betrachtung der irdischen Gegenstände zweckdienlich? Zwar kann die Erde auch mit unsern Augen den Himmel betrachten; daß aber ihre geschöpflichen Augen wirklich vorzugsweise nur bestimmt sind, die irdischen Dinge zu betrachten, beweist sich schon dadurch, daß sie (mit wenig Ausnahmen bei niedern Geschöpfen) alle nur abwärts und vorwärts gekehrt sind. Wir müssen dem Kopf erst eine gezwungene Stellung geben, um den Blick aufwärts zu richten. Sollte die Erde, das Wesen über uns, nicht auch ein von Natur aufwärts gegen den Himmel gerichtetes Auge haben, womit sie sich frei im Himmel umsehen kann? Die geschöpflichen Augen sind ferner nur kurzsichtig, nur eben geeignet, beschränkte Umkreise auf der Erde zu übersehen und zu durchmustern, aber desto schlechter geeignet, auch die himmlischen Fernen zu durchdringen und das zu erkennen, was auf andern Gestirnen vorgeht. Sollte die Erde ihre himmlischen Nachbarn nicht besser von Angesicht zu Angesicht sehen können?

In der Tat bleibt das, was wir mit unsern Augen dem Himmel absehen können, nur etwas höchst Unvollkommenes. Alle Himmelskörper erscheinen unsern Augen nur als gleichmäßig lichte Scheiben, worin nichts einzelnes zu unterscheiden. Die hohen himmlischen Wesen, Engel, gehen vor uns, den untergeordneten irdischen, in Lichtnebeln einher. Sollten sie aber auch vor einander so verschleiert einhergehen, ihre ganze Schönheit in Farbe, Glanz und Wandel von Glanz und Farbe — und wie schön das ist, haben wir früher betrachtet — ihnen eben so verloren sein, wie uns? Die Sonne erscheint uns nicht größer als ein Teller, die Fixsterne gar nur wie Punkte, die sich durch kein Fernrohr vergrößern lassen; soll ein himmlisches Wesen, ein Engel, die große Sonne auch nicht größer als einen Teller sehen und die fernen Sonnen nur als Punkte sehen? Ja wir können mit unsern Augen die Sonne gar nicht eigentlich ansehen; und es sollte kein Auge geben, daß sich ihres Glanzes erfreuen dürfte? Die Blumen freilich öffnen sich gefahrlos dem Sonnenlichte; aber haben sie auch Augen, ein Bild davon zu empfangen?

Nach diesen Betrachtungen, ehe ich noch weiß, womit die Erde anders als mit unsern Augen nach dem Himmel sehen kann, glaube ich, daß sie noch anders nach dem Himmel sehen kann, und suche nun, womit.

Gesetzt nun, ich wüßte nicht, daß und womit der Mensch oder ein Tier sehen kann, woraus würde ich es am sichersten schließen? Etwa aus dem Dasein seiner Netzhaut? Sicher nicht. Wodurch verriete diese die Fähigkeit zu sehen? Zwar, „wenn man einmal weiß, daß jemand blind ist, glaubt man es ihm auch von hinten ansehen zu können", und so, wenn man einmal weiß, daß die Netzhaut zum Sehen dient, meint man wohl auch, es lasse sich ihr von hinten ansehen. Jeder vernünftige Forscher aber, der noch nichts davon wüßte, würde billig fragen, nach welchem Prinzip das Dasein dieser weichen, feuchten, faserig breiartigen

Haut Gesichtsempfindung bedeuten könnte; und es für ebenso phantastisch halten, ihr bloß auf Grund ihrer Konstruktion solche beizulegen, als wenn wir irgend einem Teil der Erde solche auf Grund seiner Beschaffenheit beilegen wollten. Was könnte ihn endlich bestimmen, ja was kann uns in der Tat allein bestimmen, zu glauben, daß sie doch wirklich zum Sehen dient? Wenn irgend etwas, die Erscheinung eines Bildes der Gegenstände auf ihr und die sorgfältige Einrichtung, dies Bild darauf hervorzubringen. Also verkehren wir den Schluß nicht. Suchen wir nicht die Netzhaut, die an sich nichts beweist und im Großen gar nicht in derselben Weise zu erwarten ist wie im Kleinen, um das Bild und mithin das Vermögen des Sehens in der Erde zu finden, sondern suchen wir das Bild und die auf seine Erzeugung berechnete Einrichtung, um das Vermögen des Sehens und das, was etwa die Netzhaut vertritt, in der Erde zu finden, da wir ihr Sehen selbst doch ein= für allemal nicht selber sehen können.

Indem ich nun um mich blicke und anfangs in Verlegenheit bin, wo denn doch das zu finden, was ich suche, das große deutliche Bild der Sonne und Gestirne und die optische Einrichtung zu seiner Erzeugung in der Erde; und schon zu glauben anfange, es sei nichts mit jenen erhabenen Forderungen, die ich gestellt habe, erstaune ich auf einmal, daß alles Gesuchte doch vielmehr im vollendetsten Maße da ist, nur eine Netzhaut wie die unsre ist nicht dazu da, und ich kann mich anfangs noch nicht von der Gewohnheit losreißen, eine solche doch zum Sehen zu verlangen, ja nicht eher vollkommen davon losreißen, als bis ich immer mehr und endlich so viel zusammenstimmen sehe, die ganze Erde selbst als himmlisches Auge erscheinen zu lassen, daß die Betrachtung, eine der unsern ähnlichen Netzhaut lasse sich im großen himmlischen Auge gar nicht wieder erwarten, nun erst ihr volles Gewicht für mich geltend zu machen anfängt.

In der Tat, als optischer Apparat der Erde zur Erzeugung eines Bildes der himmlischen Gegenstände tritt mir die Verbindung eines gewaltigen Spiegels mit einer gewaltigen Linse entgegen, und ich sehe mittelst desselben ein Sonnenbild von ungefähr 4 Meilen Durchmesser, $12\frac{1}{2}$ Qu.-M. Fläche erzeugt. Ich frage mich, sollte dieses Bild ganz vergeblich, der optische Aparat ganz umsonst dazu da sein? Für mich kann dies Bild doch nicht bestimmt sein, denn es blendet mich so gut, als sähe ich in die Sonne selber; ich kann es so wenig direkt ansehen, als diese, und dazu erscheint es mir auch nur so klein und verwaschen wie die Sonne selber, aber für die Erde ist das anders; sie trägt es

deutlich in der angegebenen Größe in sich, und was kann nicht in einem
so großen Bilde unterscheidbar sein?

Der optische Apparat, von dem ich spreche, ist die Verbindung des
konvexen Meeresspiegels mit der Luftlinse (Atmosphäre) zugleich die
einfachste und großartigste Verbindung eines katoptrischen mit einem
bioptrischen Apparat und in sofern bei aller Einfachheit vollständiger als
der optische Apparat unsres Auges, in welchem bloß bioptrische Mittel
benutzt sind. Wirklich ist das Meer (da die in dasselbe eindringenden
Strahlen in dessen Färbung bald verlöschen) nur als Spiegel, die
Atmosphäre aber, welche eine gekrümmte Gestalt wie das Meer hat, als
Linse in Betracht zu ziehen. Mittelst des konvexen Meeresspiegels ent-
steht jenes Sonnenbild in angegebener Größe*) nach ähnlichen Gesetzen,
wie das Sonnenbildchen im Tautropfen oder an einer gläsernen
Thermometerkugel oder durch einen Konvexspiegel überhaupt, nur so,
daß die Linse der Atmosphäre noch hilfreich zutritt, wie man auch das
Bild, was ein Konvexspiegel im Kleinen gibt, noch durch geeigneten
Zusatz einer Linse vervollkommnen kann. Freilich wir sehen das
Sonnenbild im Meere nicht so groß, wie es ist, aber nur aus gleichen
Gründen, warum wir die Sonne selber nicht so groß sehen, wie sie ist;
wegen der Entfernung. Jenes ungeheure Sonnenbild von 4 Meilen
Durchmesser liegt nämlich virtuell (da eine wirkliche Einigung der
Strahlen darin so wenig als bei unsern ebenen und Konvex-Spiegeln
erfolgt) um den halben Erdhalbmesser von der Erdoberfläche entfernt in
der Tiefe, d. h. erscheint optisch so, und ist in jeder Hinsicht so zu
betrachten, als läge es da, eben wie das Bild in unsern gewöhnlichen
ebenen Spiegeln hinter diesen erscheint und sich optisch ganz so verhält,
als wäre es wirklich dahinter, wenn auch unmittelbar hinter dem Spiegel
eine Wand ist. Alle Teiche, alle See'n, wie abgesondert sie auch vom
Meere sind, wirken nach optischen Gesetzen mit dem Meere dahin
zusammen, ein- und dasselbe Sonnenbild zu liefern; da ihre Krümmung
sich rings um die Erde zu einem Spiegel ergänzt, und eine Kontinuität
dazu nicht nötig ist. Es ist, wo wir auch in's Wasser blicken, immer
nur ein und dasselbe Sonnenbild, das wir erblicken, wie es überall
nur eine und dieselbe Sonne ist, die wir direkt am Himmel sehen; das
Bild scheint freilich mit uns zu gehen; aber nicht anders, als auch die
Sonne oder der Mond (abgesehen von ihrem täglichen Gange) mit uns
überall hin zu gehen scheinen; im Grunde sind wir es nur, die gehen,

---

*) Seine Größe ist nur obenhin berechnet.

das Sonnenbild bleibt unverrückt unter unſern Füßen ſtehen, oder ändert ſeinen Ort nur unten, wie die Sonne ihn oben ändert.

Nun meine ich, wenn die Erde überhaupt nicht bloß im einzelnen, ſondern auch im ganzen empfindet, und das iſt unſre Grundvorausſetzung, ein empfindendes Weſen vermag aber manches Zerſtreute in eins zu faſſen, ſo kann ſie auch empfinden, wie die Geſamtheit der von einem Lichtpunkt hergekommenen Lichtſtrahlen, vermöge der Zurückwerfung durch ihren Meeresſpiegel, wieder wie von einem Punkt aus divergiert, ſie ſelbſt erzeugt ja dieſe Divergenz, und kann hiemit das Bild dieſes Punktes empfinden. Aus den Bildern aller Punkte eines Gegenſtandes ſetzt ſich aber das Bild des ganzen Gegenſtandes ſelbſt zuſammen. Wir müſſen dann freilich nicht verlangen, daß wir, mittelſt eines Stückes Meeresſpiegel in unſer Auge geſetzt, auch ſehen könnten. Die Meeresfläche und Meeresmaterie paßt nun eben nicht in unſern kleinen Ätherſpannungsapparat, oder, ohne Hypotheſe, in unſern Empfindungsapparat überhaupt.

An ſich kann es nichts Unwahrſcheinliches haben, daß das virtuelle Zuſammentreffen vieler Strahlen in einem Punkte*) eben ſowohl als das wirkliche die Empfindung eines ſichtbaren Punktes gibt, da die Seele überhaupt die Eigenſchaft hat, eine Mannigfaltigkeit materieller Wirkungen in der Empfindung zuſammenzuziehen, wie denn mehrerwähntermaßen bei jeder einfachen Schall- und Lichtempfindung viele phyſiſche Schwingungen ſich pſychiſch in eins faſſen. Auch iſt es bei unſern objektiven optiſchen Apparaten für die Erſcheinung des Bildes gleichgültig, ob das Zuſammentreffen der Strahlen darin virtuell oder wirklich iſt; und ſo kann man ſich auch wohl denken, daß der hievon abhängigen doppelten Möglichkeit objektiver Entſtehung eines Bildes, eine gleich doppelte Möglichkeit ſubjektiver Entſtehung entſpreche. Die Natur iſt ja ſonſt gewohnt, in den Organismen die Mannigfaltigkeit ihrer phyſikaliſchen Prinzipe auszubeuten.

Mittelſt unſrer Netzhaut freilich könnte nicht das virtuelle, ſondern kann nur das wirkliche Zuſammentreffen der Strahlen in einem Punkte als Bild empfunden werden. Aber unſre Netzhaut iſt auch kein Spiegel, ſondern eine das Licht zerſtreuende Fläche, und überhaupt in ganz andern Verhältniſſen zum optiſchen Apparat als die Meeresfläche, die gar keinen

---

*) Virtuell nennt man das Zuſammentreffen der Strahlen, ſofern die Strahlen nicht wirklich, ſondern nur rückwärts hinter den Spiegel verlängert gedacht zuſammentreffen, wie auch bei unſern ebenen Spiegeln der Fall. Konkavſpiegel können Bilder geben, wo die Strahlen wirklich zuſammentreffen.

reinen Vergleich damit zuläßt. Wenn wir übrigens schon bei uns nicht eigentlich sagen können, die Netzhaut empfindet, denn ohne den Zusammenhang mit dem Ganzen empfindet sie nichts, so werden wir natürlich um so weniger sagen können, die Meeresfläche empfindet; sie dient nur, in einer andern Kombinationsweise als unsre Netzhaut, der Empfindung eines im ganzen empfindenden Wesens. Das scheinbar Gewaltsame der Ansicht aber, daß die Meeresfläche zur Empfindung mitwirkt, findet nur in bezug zu einer Vorstellung statt, welche sich gewöhnt hat, einmal das Meer als etwas physikalisch Totes in einem toten Wesen anzusehen, und dann, Einrichtungen, die unsrer Empfindung dienen, nicht nur ihrem Prinzip, sondern auch ihrer äußern Erscheinung nach als maßgebend für die Einrichtung von Empfindungsapparaten überhaupt zu halten.

Dabei will ich die Schwierigkeiten nicht verkleinern, die darin liegen, daß wir noch gänzlich im Dunkel über die materiellen Bedingungen sind, welche die Empfindung als Unterlage fordert; so lange sie nicht gelöst sind, kann eine exakte Wissenschaft auf die hier aufgestellte Ansicht nicht eingehen, welche auf andern Gesichtspunkten fußt, als die in ihr Gebiet fallen; kann aber auch eben so wenig, ehe sie selbst dies Dunkel gelöst hat, etwas zur Widerlegung derselben sagen. Für sie liegt hier noch ein Feld unbestimmter und bis jetzt unbestimmbarer Möglichkeiten vor. Wer voreilig im gegenteiligen Sinne abspricht, beweist damit nur, daß er nicht weiß, worauf es bei dieser Frage wesentlich ankommt.

Unter Anerkennung dieser Unsicherheit, die aus exaktem Gesichtspunkte noch an unsrer Ansicht haften bleibt, gestehe ich doch, daß für mich etwas subjektiv Überwindendes in dem Entgegenkommen der beiden Betrachtungen liegt: einmal, sollte die Erde, so ganz auf das Leben im Sonnenlichte gewiesen, kein Auge haben, den Quell dieses Lichtes gefahrlos zu betrachten? Zweitens, sollte das ungeheure Bild, das im Meer wirklich von der Sonne entsteht, zu dessen Bildung es als Spiegel wie gemacht ist, umsonst sein? Denn dazu, daß uns sein kleiner Widerschein im Wasser blende, ist es sicher nicht da.

Das Gewicht dieser kombinierenden Betrachtung verstärkt sich aber noch durch ein weiteres Eingehen in das teleologische Detail des optischen Apparats der Erde.

Durch den großen Krümmungsradius und die Größe des Konvexspiegels, den das Meer darbietet, werden zwei Vorteile zugleich erreicht, die wir auch durch Vergrößerung der Spiegel oder Objektive bei unsern Fernröhren erreichen, einmal das Bild selbst größer zu machen, so daß mehr Partikularitäten darin unterſcheidbar werden, zweitens es lichtſtärker zu machen, ſo daß ſie deutlicher erkannt werden. Unſtreitig wird die Erde hieburch in den Stand geſetzt, die Oberfläche der Sonne und ihrer Nachbarplaneten mit verhältnismäßig eben ſo großer Deutlichkeit zu erkennen, als wir das Geſicht eines uns gegenüberſtehenden Menſchen; obſchon nicht mit ſo großer Deutlichkeit, als ſie ihre eigene Oberfläche mittelſt ihrer irdiſchen Augen erkennen kann; die Fixſterne, die für uns bei ſtärkſter Vergrößerung nur als Punkte erſcheinen, mögen ſich für die Erde zu Lichtſcheiben ausdehnen, wie für uns die Sonne erſcheint; ohne aber eine Auffaſſung ihrer Partikularitäten zu geſtatten, wozu die Stufe der Erde noch nicht hoch genug iſt.

Selbſt die feinern Einrichtungen unſres optiſchen Apparates wiederholen ſich in der Erde und wahrſcheinlich mit geſteigerter Vollkommenheit; oder vielmehr umgekehrt, in unſern Augen wiederholen ſich die feinern Einrichtungen des optiſchen Apparates der Erde. Die Dichtigkeit der Linſe in unſern Augen nimmt von außen nach innen zu, ſo iſt es mit der Linſe der Atmoſphäre auch. Die gekrümmten Mittel in unſerm Auge weichen etwas von der ſphäriſchen Geſtalt ab, ins Elliptiſche (und Paraboliſche), um die von der ſphäriſchen Abweichung abhängige Undeutlichkeit zu mindern; eben ſo weichen auch das Meer und die Atmoſphäre vom Sphäriſchen etwas ins Elliptiſche ab, mit verſchiedener elliptiſcher Krümmung. Es wäre von Intereſſe, einmal den optiſchen Effekt dieſer Umſtände genauer zu berechnen. Zwar da Atmoſphäre und Meer noch andern als optiſchen Zwecken zu dienen haben, läßt ſich nicht behaupten, daß alles ganz genau und eigens eben nur für den optiſchen Zweck berechnet ſei, vielmehr möglich finden, daß im Konflikt der Zwecke der optiſche hier und da etwas habe nachgeben müſſen. Aber wir haben ſonſt ſo vielfältig gefunden, daß die Erde durch ihre Einrichtungen im Ganzen und Großen die verſchiedenſten Zwecke zugleich und gleich vollkommen zu erfüllen und Konflikte auf das Glücklichſte zu löſen weiß, die bei unſern kleinen Einrichtungen beſtehen, daß wir es unwahrſcheinlich finden würden, wenn doch hier ein erheblicher Konflikt zwiſchen verſchiedenen Zwecken beſtehen bliebe.

Daß die Atmoſphäre ſich ſo allmählich ins Dünne verläuft, iſt nicht gleichgültig. Denn wäre die Atmoſphäre mit dichter Schicht begrenzt, ſo würde durch deren reflektierende Wirkung nach gleichem Prinzip ein Bild entſtehen und empfunden werden können, wie durch die Meeresfläche, und ein Bild würde das andere ſtören. Daß das Meer Wellen ſchlägt, mithin nicht glatt iſt, wie ein Spiegel, hat bei der Größe desselben nichts zu sagen. Die kleinen Unebenheiten unsrer vollkommensten Spiegel sind unstreitig verhältnismäßig sehr beträchtlich gegen die, welche auf der Meeresfläche durch die Wellen entstehen.

Unser Auge ist mit einem Gehirn in Verbindung und jede Faser der Netzhaut hängt mit einer Gehirnfaser zusammen. Das setzt uns in den Stand, nicht bloß zu schauen, sondern auch das Geschaute zu bedenken. Wo wird denn nun das bedacht, was in den großen Bildern der Gestirne von der Erde geschaut wird? Nichts scheint dazu da zu sein, denn wir selbst sehen das Sonnenbild im Wasser so klein und verwaschen, wie wir die Sonne direkt sehen, oder können es vielmehr eben so wenig gerade ansehen. Auf uns ist also in dieser Beziehung nichts zu rechnen. Aber wir haben schon sonst den ganzen obern Raum der Erde mit einem Gehirn zu vergleichen Anlaß gefunden, das über die menschlichen Gehirne hinaus greifend diesen selbst zur Verknüpfung dient, indem es sie zugleich befaßt; dorthin gehen die Strahlen zurück, die das Meer spiegelt, und werden in das allgemeine Leben und Weben, was da in Luft und Äther herrscht, und einem höhern geistigen Leben, als wir im Diesseits erfassen können, zur Grundlage dient, eingreifen. Wenn wir vom Jenseits sprechen, wird sich zeigen, wie auch wir hoffen können, dereinst darein einzugreifen, und so auf eine höhere Stufe gehoben als jetzt, am höher bewußten Leben und himmlischen Verkehr der Erde Teil zu nehmen. Es liegt freilich auf der Hand, daß solche Betrachtungen nur Andeutungen sein können, die für den Zusammenhang unsrer Ansichten eine Bedeutung haben. Auch verkenne ich nicht, daß in diesem Felde überhaupt noch viel dunkel bleibt.

Abgesehen von dem wesentlichen optischen Apparate der Erde, welcher in Meer und Atmosphäre gegeben ist, muß uns die Ähnlichkeit auffallen, welche die ganze Erde überhaupt mit einem Auge hat; und ist die Erde ein himmlisches Geschöpf, bestimmt, ganz im Lichte zu leben, warum sollte sie nicht einen demgemäß gestalteten Leib haben, der ganz ist, was unser Körper nur zu einem beiläufigen Teile, voll ist, was dieser nur unvollkommen?

Man kann in der Tat sagen: die Erde ist mehr Auge als unser Auge selbst. Eben wie unser Skelett alles nur halb und unvollkommen ist, was das Skelett der Erde voll und ganz ist, ist es mit unserm Auge und der Erde als Auge. Es wäre ein Wunder, wenn sie nicht sehen könnte, da alles so wunderbar zum Dienste des Sehens bei ihr eingerichtet ist. Auch brauchte unser Auge deshalb alles nur halb zu sein, was die Erde ganz ist, weil es selbst die ganze Erde noch so in Rückhalt hat, wie unser Skelett das der Erde. Untriftig aber würde es sein, eben auch nur diesen Rückhalt, diese Hilfe für unsre Augen in der Erde zu sehen, ihre optischen Einrichtungen nur zur Ergänzung für unsre Augen bestimmt zu halten, da vielmehr unsre Augen sich in jeder Hinsicht nur als ergänzend für sie nach irdischen Sonderbeziehungen verhalten, nur eben irdische, nicht himmlische Leistungen vollziehen können.

Unser Auge ist eigentlich nur von vorn ein Auge, nach hinten ist es blind. Sollte es bloß solche halb blinde Augen geben? Die Erde dagegen ist ganz rings frei eingetaucht in den Lichtäther, darin frei schwimmend, schwebend, an nichts angewachsen, so daß das Licht überall frei zuströmt; und sollte es umsonst überall zuströmen? Zwar unsre Augen sind rings um die Erde gestellt, machen sie ringsum sehen; aber eben nicht nach dem Himmel sehen, von dem das Licht kommt, in dem sie geht.

Unser Auge ist rund, doch ist bei der Rundung unsers Auges noch etwas Halbes, Gebrochenes; es ist aus zwei ungleichen Rundteilen zusammengefügt. Sollte es bloß so gebrochene Augen geben? Die Erde ist rund in eins und aus dem Ganzen.

Unser Auge ist schön mit Glanz und Farbe geziert, ja unter allen Teilen unsers Körpers am meisten mit Glanz und Farbe geziert; die Erde ist noch schöner mit Glanz und Farbe geziert; sie ist ganz ringsum mit Glanz und Farbe geziert.

Unser Auge ist mit einer rollenden Bewegung begabt, um sich den irdischen Gegenständen immer zweckmäßig darzubieten; die Erde ist mit einer noch vollkommenern rollenden Bewegung begabt, um sich den himmlischen Gegenständen immer zweckmäßig darzubieten, und vermag damit noch Vollkommneres zu leisten. In der Tat, unser Auge genügt mit seiner rollenden Bewegung sich selbst nicht ganz, die Drehung unsers Kopfes, unsers Körpers, endlich der Gang unsrer Füße müssen noch zu Hilfe kommen, um überall die erforderliche Stellung gegen die irdischen Dinge hervorzubringen. Die Erde aber genügt mit ihrer rollenden Bewegung sich ganz, um immer die rechte Stellung gegen die himmlischen Dinge zu gewinnen. Da aber die himmlischen Außenverhältnisse einfacher und geregelter sind als unsre irdischen, so konnte auch die rollende Bewegung der Erde einfacher und geregelter sein als die unsres Auges.

Unsre Augen schlafen die halbe Zeit und wachen die halbe Zeit; sind auch hier nur halb, was die Erde ganz, die zugleich von einer Seite schläft und von der andern wacht.

Wir ziehen, wenn wir schlafen wollen, das Augenlid vor und legen uns auf die Seite oder den Rücken; sie zieht sich um zu schlafen selbst als Augenlid vor, indem sie sich so umlegt, daß die Lichtseite vor die Nachtseite tritt.

Wir haben die Regenbogenhaut (Iris), um auch im Wachen den
Zutritt des Lichtes zu beschränken, daß es nicht zu grell in das Auge
leuchte; die Erde hat auch eine Regenbogenhaut dazu, die den Namen
noch eigentlicher verdient, das sind die Wolken; nur daß sie dieselben da
und dort zuziehen kann, wo Not; indes unsre Regenbogenhaut ihre
Öffnung nur einfach im ganzen erweitern und verengern kann.

Unser Auge hat einen knochigen Halt, indem es in der Augen-
höhle festgeheftet ist, das Erdauge hat auch einen knochigen Halt, nur
daß es mit viel größerm Vorteile, wie wir früher betrachtet, diesen
inwendig hat.

Faßt man die Erde wirklich im ganzen als Auge, so sieht man,
daß dieses Auge im Grunde zwei Abteilungen hat, von denen die eine
vorzugsweise bestimmt ist, dem Blick nach dem Himmel, die andre dem
Blick nach der Erde zu dienen; ersteres die große aber einfache Meeresfläche, letzteres die Landfläche mit den unzähligen, aber kleinen Augen
der Landgeschöpfe, über beide gemeinschaftlich die Atmosphäre gespannt;
doch ist nicht zu vergessen, daß keine ausschließliche Bestimmung nach
einer oder der andern Seite statt findet. Denn es spiegeln sich doch im
Meere auch Wolken und Schiffe und Gegenstände des Ufers; und leben
Fische mit Augen unter der Oberfläche; und andrerseits richten die
Landgeschöpfe doch ihren Blick auch mitunter nach dem Himmel, ja von
selbst richtet er sich gegen den Horizont; und die See'n und Teiche des
Landes tragen mit zum Bilde des Himmels bei, was der Meeresspiegel
gibt. So sehen wir auch in unserm Organismus viele Teile außer
ihrem Hauptzwecke in die Zwecke andrer Teile nebensächlich mit eingreifen.

Ich werde nun noch eine kühne Hypothese aufstellen. Sie läßt sich
nicht beweisen; eröffnet aber, nimmt man sie an, schöne Blicke in die
Natur und läßt selbst an eine Art Sprache der Gestirne denken. Dabei
kommt der früher (Bd. I. S. 102) aufgestellte Satz in Rücksicht, daß die
Gestirne, indes sie von einer Seite sich individueller gegenüberstehen als
wir, von andrer Seite in unmittelbarerm Verkehr treten. Was sich in
dieser Hinsicht im Äußerlichen zeigte, wird sich nun auch nach folgenden
Betrachtungen im Seelenverkehr zeigen.

Ich meine, die Strahlen, die von der Sonne ausgehen, sind noch
der Sonne, sind Fortsetzungen derselben, lange Lichtfinger, Fühlfäden,
die sie ausstreckt. Wo sie nun die Erde rühren, regen sie Tätigkeiten,
Veränderungen an, die spürt die Erde; aber sie erleiden auch Veränderungen (in Zurückwerfung, Brechung, Zerstreuung u. s. w.), die spürt die

Sonne. So verkehren Sonne und Erde in unmittelbarster Weise mit einander, indem die Sonne der Erde nichts tun kann, ohne zu fühlen, was diese ihr wieder tut. Die Strahlen, die von einem Punkte der Sonne ausgehend auf den Meeresspiegel fallen, werden erörtertermaßen vom Meeresspiegel so umgelenkt, als divergierten sie wieder von einem Punkte unter der Oberfläche des Meeres. Die Erde spürt nun den Punkt dieser Divergenz als ein Bild des Punktes. Aber wie die Erde den Punkt der Divergenz spürt, die sie erzeugt, spürt auch die Sonne den Punkt der Divergenz, die an ihren Strahlen erzeugt wird, indem sie umgelenkt werden. So, indes die Erde das Bild der Sonne (das sich aus den Bildern der einzelnen Punkte zusammensetzt) direkt mittelst des eigenen Auges sieht, sieht die Sonne ihr Spiegelbild im gegenüberstehenden Auge der Erde. Nicht bloß die Menschen haben Spiegel, auch die Engel, ihre Spiegel sind aber die Augen der andern Engel. Spiegelt doch auch selbst der Mensch sich klein im Auge des Gegenüberstehenden. Und auch die Bilder, welche die Engel im gegenüberliegenden Auge von sich sehen, erscheinen ihnen nur klein in Verhältnis zu ihrer eigenen Größe. Aber, warum, fragt man, erscheinen sie überhaupt? Haben sie nicht besondere kleine Augen, sich selbst direkt im Nahen zu besehen? Es ist wahr, aber sie sollen auch sehen, wie sie andern erscheinen. Bei uns ist das Spiegelbild, das wir im Auge des andern von uns sehen, gesondert von dem Netzhautbilde, womit der andre uns sieht, und beides gleicht sich nicht. Aber im Auge des Engels ist das Spiegelbild, womit er dem andern sein Bild zurückgibt, dasselbe, das er selbst empfindet. So weiß jeder Engel genau, wie er dem andern erscheint.

Indes das Land dem Meer nach einer Beziehung im himmlischen Lichtverkehr weicht, überbietet es dasselbe nach einer andern Beziehung. Das Land muß dem Meer die großen Bilder der Gestirne lassen; dafür aber das Meer dem Lande etwas lassen, was noch bedeutsamer für den Verkehr der Erde mit den Gestirnen sein mag als diese Bilder.

Das Land ist mit Pflanzenwuchs bedeckt, und wo die Sonne am mächtigsten, ist es auch der Pflanzenwuchs. Der Lebensprozeß der Pflanze hängt wesentlich von Licht und Wärme der Sonne ab, umgekehrt hat der Sonnenstrahl das schönste und reichste Feld der Betätigung seiner Kräfte in der Einwirkung auf die Pflanzenwelt. Wenn die Pflanze nicht vom Strahl der Sonne gerührt würde, was färbte ihre Blätter, was bräche ihre Blüte auf, was braute ihren Duft, was zeigte dem Schmetterling, der Biene den Weg zu ihr? Tot und kalt blieben ihre Stoffe auf der

Erbe liegen; sie schmachtet schon, gibt es nicht Sonne genug; der
Sonnenstrahl aber, ins Leere gehend, bliebe müßig, farblos, kraftlos.
Im Meer erblickt die Sonne nur ihr kaltes Spiegelbild, Wüsten und
Pole bieten ihr ein ewig farbloses Einerlei, aber im Verkehr mit der
grünenden und blühenden Pflanzenwelt grünt und blüht das Licht selbst
aus weißem Stengel, und wird erst recht seines Reichtums an Wärme
und Farbe gewahr, den es verschlossen herniedergebracht.

Wie nun Sonne und Erde dasselbe Spiegelbild, das sie zusammen
geben, voraussetzlich auch beide spüren, die Erde nur als etwas, was sie
vom andern in sich aufnimmt, die Sonne als etwas, was sie vom
andern rückempfängt, so wird es auch mit dem sein, was Sonne und
Erde im Wechselverkehr von Strahl und Pflanze zusammen geben. Was
keins für sich allein kann, was erst in ihrem Wechselverkehr entsteht,
das werden auch beide zusammen und in eins spüren, so daß jedes sich
dabei durch das andre bestimmt fühlt. Jede Pflanze spürt in besonderer
Weise, sie ist ja ein besonderes Wesen, wie sie an diesem Verkehr teil
hat, die Erde aber, die alle aus einem Zusammenhange heraus erzeugt
hat und noch im Zusammenhange trägt, wird auch spüren, was allen
zusammen begegnet, und nicht bloß die Summe davon, sondern auch
den Zusammenhang davon spüren. Nicht minder wird die Sonne den
Zusammenhang der Wirkungen spüren, die sie hiebei äußert. So mag
sich jede Pflanze wie eine Art bunter Buchstabe betrachten lassen und
das Ganze der Pflanzenwelt über der Erde als eine Schrift mit einem
Sinne, um den sich Sonne und Erde verstehen. Doch ist es nicht die
Zusammenordnung der Pflanzen allein, auf die es ankommt; sie bilden
nur die Hauptmasse, aber nicht die Hauptworte der Schrift; als solche
wandeln Menschen und Tiere darin, die zwar nicht durch das Sonnenlicht wachsen, aber sich unter dessen Leitung regen und bewegen. Und
das ist noch wichtiger nach höhern Bezügen.

In der ganzen lebendigen Anordnung der Pflanzen-, Tier- und
Menschenwelt und deren Veränderungen durch Kultur und Verkehr offenbart sich überhaupt ein hoher Sinn im ganzen, dessen nur kein einzelnes
irdisches Geschöpf ganz mächtig ist, wohl aber mögen die himmlischen
Geschöpfe, indem sie diese Anordnung, dieses Regen und Bewegen von
oben herab leiten und von unten herauf begründen, sich darum im Lichtverkehr verständigen können. Dabei wird es sein wie mit unsrer Sprache.
Nicht alles drücken wir mit der Sprache aus; viel bleibt im Innern
verborgen. Und so können auch die Gestirne einander nicht alles äußerlich
absehen, was in ihrem Innern verborgen vorgeht. Nur immer etwas

tritt davon an die Oberfläche, was doch aber mit dem Innerlichen
bedeutungsvoll zusammenhängt, so daß es als ein teilweiser äußerer
Ausdruck davon gelten kann.

Wenn wir einen derartigen Verkehr mit Schrift oder Sprache vergleichen, ist es freilich nur ein Vergleich, der, wie alle solche Vergleiche,
zum Teil trifft, zum Teil nicht. Es ist ein Verkehr, der nicht auf
Abbildung des Geistigen beruht, das mitgeteilt werden soll, aber mittelst
einer dazu bezugsvollen Zusammenstellung von äußern sinnlichen Zeichen
geschieht, die ein wechselseitiges Vernehmen vermitteln. In sofern ist
dieser Verkehr dem durch Schrift und Sprache gleich. Sonst sind die
Verhältnisse sehr verschieden.

Unstreitig teilt sich das, was die Geschöpfe auf jedem Weltkörper
innerlich denken, bei weitem unvollständiger durch das Analogon der
Sprache zwischen den Weltkörpern mit, als durch die Sprache zwischen
den Geschöpfen auf jedem Weltkörper selbst; wie der geistige Verkehr
durch die Sprache zwischen den Geschöpfen auf jedem Weltkörper wieder
unvollkommener ist als der Verkehr zwischen den eigenen Gedanken
eines Geschöpfes, aber dafür mag ein unmittelbareres Verständnis über
allgemeinere und höhere Wechselverhältnisse zwischen den Weltkörpern
statt finden als zwischen uns. Doch sind alle Vermutungen über
diesen Gegenstand zu unsicher, als daß es nicht besser wäre, auf eine
weitere Ausführung zu verzichten. Es galt hier eben nur Möglichkeiten
anzudeuten.

Da die Erde zu den irdischen Augen ein himmlisches hat, oder
selbst im ganzen ein solches darstellt, sollte sie nicht auch zu den
irdischen Ohren ein himmlisches haben oder sein; es nichts für die Erde
im Himmel zu hören geben, da es so viel für sie zu sehen gibt? Freilich,
es ist keine Luft zwischen den Weltkörpern, die den Schall von einem
zum andern fortpflanzen könnte. Dennoch ist nicht undenkbar, daß die
Erde die andern Gestirne nicht bloß gehen sieht, sondern auch den Tritt
derselben hört, sei es auch, daß dies Hören nicht ganz mit dem unsrigen
vergleichbar. Wir müssen nur wieder nicht dieselbe Einrichtung im
Großen wie im Kleinen zum Hören wollen. Finden wir jedoch jedenfalls
große Oszillationen auf der Erde, bewirkt durch den Gang der Gestirne.
Oszillationen aber sind das wesentlich Hörbare; nun ist es gleichgültig,
durch welche Vermittelungen sie von den Gestirnen auf die Erde übergepflanzt werden.

Wir wissen ja, die Oszillationen des Meeres in Ebbe und Flut
werden durch den Gang der Gestirne hervorgebracht. Wäre freilich die

Erde eine glatte Kugel, so würde auch die Flutwelle sie nur glatt umlaufen, nun aber ist das Land aufgestiegen und das Meer stößt während eines Tages zweimal gegen das Land und tritt zweimal wieder davon zurück. Diese Oszillation kann der Erde vernehmbar sein. Die Oszillationen sind freilich sehr langsam; aber es hindert nichts, daß die Erde viel tiefere Töne vernimmt als wir. Wir nennen es Hören, ohne damit zu behaupten, daß die Empfindung unserm Hören ganz gleichgeartet sei.

Man kann bemerken, daß während an einer Stelle der Erde Ebbe ist, an der andern zugleich Flut ist; überhaupt alle Phasen einer Oszillation zugleich auf der Erde vorkommen. Man muß es dahin gestellt sein lassen, ob nicht die Erde die ringsum gleiche Größe der Periode nach Analogie der Tonhöhe zu empfinden vermag, oder nur ein Rauschen für sie entsteht. Jedenfalls dürfte sich die Art des Eindrucks irgendwie nach der Größe der Periode ändern. Sofern sich nun die ganze Oszillation der Ebbe und Flut aus den besondern Oszillationen zusammensetzt, welche durch die Gestirne einzeln betrachtet hervorgerufen werden, (wobei die durch den Mond hervorgerufene an Stärke überwiegt,) mag auch die Erde den Gang der einzelnen Gestirne unterscheiden können.

Bei uns bedarf es des Zwischenseins von Luft, damit wir etwas von einem andern hören. Bei den Himmelskörpern aber bedarf es dessen nicht. Die Gravitation ersetzt die Luftspannung (sofern Ebbe und Flut davon abhängen), nur darin von ihr unterschieden, daß sie einen materiellen Kraftbezug statt von einem Luftatom zum andern, von einem Weltatom zum andern vorstellt. Wie durchs Licht das Sehen, pflanzt sich durch die Schwere das Hören durch den Weltraum fort, überall hin, wo sich nur das geeignete Organ dazu findet. Denn für sich freilich ist die Schwere so wenig hörbar wie die Luftspannung, und wie das Licht sichtbar. Der Körper, den sie zieht, muß anstoßen, um Gehörempfindung zu erwecken, wie das Licht anstoßen muß, um Gesichtsempfindung zu erwecken. Nun gilt es, Einrichtungen zu treffen, daß dieser Anstoß in geordneter und vom Gange der Gestirne abhängiger Weise erfolge. So ist nun das Land da, daß das Meer daran sich stoße.

Unter den verschiedenen Oszillationen, in welche das Meer durch die Gestirne versetzt wird, hat die vom Monde abhängige bei weitem das Übergewicht über alle andern, demnächst die durch die Sonne bewirkte, dann folgen die durch die andern Planeten; unmerklich sind die durch die Fixsterne. Die Erde hört also am meisten von dem Weltkörper, der mit ihr zu demselben System verbunden ist; ja in gewisser

6*

Weise noch zu ihr gerechnet werden kann; demnächst am meisten von der Sonne, dann von den andern Planeten; von den übrigen Firsternen hört sie nichts, weil diese einer höhern Sphäre angehören.

Scheut man einen etwas gesuchten Vergleich nicht, so kann man die Erde sogar im Formellen der Einrichtung einigermaßen mit einem Ohre vergleichen, nur nicht mit dem der entwickeltsten, sondern der einfachsten Geschöpfe, wie auch die Ähnlichkeit der Erde mit einem Auge vorzugsweise mit den einfachern Formen des Auges statt findet. Aber die einfachsten Einrichtungen werden bei der Erde in großartigster Weise genutzt. Auch widersprechen sich beide Vergleiche nicht, denn die Erde vermag überhaupt das Verschiedenste in sich vereinigt darzustellen.

Nehmen wir das Gehörorgan eines Muscheltieres. Es besteht aus einem einfachen nervenreichen Säckchen oder Bläschen voll Flüssigkeit, mit einem runden Steinchen (Otolith) darin. Das Steinchen befindet sich beständig in einer tanzenden Bewegung, was von der Wirkung zarter Wimpern abhängt, die an der Innenwand des Bläschens sitzen und, unbekannt durch welche Kraft, in beständig flimmernder Bewegung sind, wodurch sie die Flüssigkeit, in der das Steinchen schwebt, peitschen. Bei allen niedern Tieren ist das Gehörorgan ähnlich eingerichtet, doch sind bei vielen Tieren, wie den Schnecken, mehrere Steinchen statt eines einzigen vorhanden, und sie nehmen öfters eine kristallinische Beschaffenheit an.

Nun sehen wir in der Erde eine im Äußern gewissermaßen ähnliche Einrichtung. Der runde oder kristallinische Otolith ist der runde feste Erdkörper mit seinem zackigen Lande, die Flüssigkeit ist das Meer, die nervenreiche Hülle ist die mit Licht und Wärme durchsetzte Atmosphäre. Der Flimmerhaare bedarf es nicht, den Otolithen und die Flüssigkeit zu bewegen. Der Otolith bewegt sich drehend, und ihm entgegen dreht sich das Meer im Kreislauf der Flut. Im Kleinen wird das Meer durch die Winde gepeitscht.

Es würde leicht sein, diese Betrachtungen noch weiter auszudehnen, ja auch Vermutungen in Betreff der andern Sinne aufzustellen. Doch ist das Vorige bei der Unsicherheit des Gegenstandes genug, und wohl schon mehr als genug, eine Vorstellung zu erwecken, wie es in der höhern Sinnlichkeitssphäre möglicherweise beschaffen sein könnte. Wir wiederholen es, diese Betrachtungen sollen nicht maßgebend sein; aber sie sollen andeuten, in welcher Richtung ungefähr der Gesichtspunkt der Betrachtung zu erhöhen und zu erweitern sein möchte, wenn es gilt, von den Verhältnissen, die für unser Sinnesleben gelten, zu den Verhältnissen der übergeordneten Wesen aufzusteigen. Jedenfalls ist eine Erhöhung und Erweiterung hiebei nötig; ein Irren aber für uns untergeordnete Wesen hiebei auch leicht möglich; dessen bescheiden wir uns gern.

XVIII. Anhang zum neunten Abschnitt.

Zusätze über den Stufenbau der Welt.

Wenn es doch viele Abstufungen der Geschöpfe im nachbarlichen Sinne des Höhern zum Niedern gibt, so läßt sich auch wohl denken, daß es viele Abstufungen in jenem andern des Obern zum Untern gebe.*) Bei Gottes und der Welt Größe hat man vor nichts zu erschrecken. Die Gliederung des göttlichen Alls reicht sicher nicht bloß ins Breite, sondern auch ins Tiefe von oben nach unten.

Nun bietet sich als die nächste Stufe über unsrer Erde leicht von selbst unser Sonnensystem dar. Vielleicht zwar erscheint es obenhin betrachtet einerseits weniger in sich gebunden, andrerseits mehr mit dem Weltganzen verschmolzen als unser Leib oder die Erde. Bei näherer Betrachtung aber finden wir es anders.

Das erste anlangend, so hängen alle Bewegungen der Planeten durch Wechselbestimmtheit unter einander und mit der Sonne aufs Innigste zusammen; alle Zweckverhältnisse nicht minder. Und eher möchte die Erde einen Stein von sich lassen, indem ihn etwa ein Vulkan über ihre Anziehungssphäre hinausschleuderte, als das Sonnensystem einen Planeten. Das Band, das alle Körper desselben zusammenbindet, ist unzerreißbar. Nur daß es, obwohl fester als der Zusammenhang des härtesten Steins, doch zugleich eine größere Freiheit innerer Bewegungen gestattet als die lockersten Bänder unsers Körpers.

Das andre anlangend, so hängen zwar in weiterm Sinne alle Bewegungen und Zweckverhältnisse unsers Sonnensystems mit denen der ganzen Welt zusammen, weil überhaupt in weiterm Sinne alles in der Welt in Wirken und Zwecken zusammenhängt; aber wenn schon die Menschen weiter von einander abgerückt sind als die Gliedmaßen jedes Menschen, so sind die Sonnensysteme wieder unsäglich weiter von einander gerückt als die Planeten, ja so weit, daß die Abstände der Planeten unter einander dagegen verschwindend klein ausfallen. Alle Wirkungen eines Systems auf das andre erfolgen merklich nur wie von einem Punkt auf den andern, indes in jedem Sonnensysteme für sich die

---

*) Ich gebrauche in diesem Anhange die Ausdrücke Höheres und Niederes, Oberes und Unteres immer im Sinne der Unterscheidung von Bd. I. S. 196.

einzelnen Körper auch einzeln verfolgbare Wirkungen auf einander äußern. Alle Körper unsres Sonnensystems gehen in gemeinsamer Richtung um dasselbe in bezug zu ihnen allen unveränderliche Zentrum, um das sogar die Sonne selbst sich, nur im engsten Zirkel, mit wälzt; die Zentren der verschiedenen Sonnensysteme aber kreisen wieder um ein höheres Zentrum. Alle Planeten desselben Sonnensystems sind wie Geschwister zu einander, aber nur wie Vettern zu den Planeten eines andern Sonnensystems zu betrachten, und nur die ganzen Sonnensysteme wieder wie Geschwister in einer obern Sphäre zu einander.

In der Tat gelten nach den wahrscheinlichsten kosmogonischen Vorstellungen alle Planeten unsres Systems nur für Ausgeburten desselben großen Materienballs, wovon die Sonne noch als Mutterstock inmitten geblieben, und sind noch durch das Band der Kräfte an diesen Mutterstock gebunden. Der große Sonnenkörper steht so gewissermaßen zu den aus ihm gebornen, ihn umkreisenden Planeten in ähnlichem Verhältnisse wie die Erde zu den aus ihr gebornen, sie nur enger umkreisenden Menschen und Tieren. Freilich hängt die Sonne nicht so unmittelbar durch Kontinuität mit den Planeten zusammen wie die Erde mit ihren Geschöpfen, indes ist der materielle Zusammenhang weniger wichtig als der Zusammenhang in Zwecken, Kräften und Bewegen; auch hängen wir selbst im Grunde ebenfalls nur durch die Kraft der Schwere mit der Erde zusammen. Fiele die Kraft der Schwere weg, würde die Zentrifugalkraft uns so gut von der Erde wegschleudern wie die Planeten von der Sonne. Und je weiter oben auf der Stufenleiter ein Wesen steht, desto freier, loser werden die Bestandstücke, Glieder desselben. Die Erde steht schon in dieser Beziehung über uns, da wir und die Tiere loser an ihr befestigt sind als unsre Glieder an uns; das Sonnensystem dann wieder über der Erde, da die Planeten loser an der Sonne befestigt sind als wir an der Erde; aber ein solches mehr Losesein bedeutet nicht ein mehr Lossein; da im Gegenteil sich ein Glied doch leichter von unserm Leibe trennen kann als wir von der Erde; und in demselben Verhältnisse es noch schwerer sein möchte, daß sich ein Planet aus unserm Sonnensystem löste. Das Kräfteband wird vielmehr so fester, je höher die Sphäre ist.

Man sieht, es liegt uns ein doppelter Vergleich vor, indem wir die Planeten an der Sonne bald mit Gliedern am Stamme unsers Leibes, bald mit Tieren an der Erde vergleichen können. In gewisser Hinsicht ist es nur ein und derselbe Vergleich, weil wir auch die Tiere an der Erde selber mit Gliedern am Stamme eines Leibes vergleichen können, nur daß freilich keiner dieser Vergleiche ganz Stich halten kann, indem die Überordnung des Sonnensystems über das irdische System eben so neue Verhältnisse mitbringt wie die Überordnung des irdischen Systems über unser leibliches System, die sich in den untergeordneten Systemen nicht wiederfinden lassen. Doch können solche Vergleiche immer von gewisser Seite erläuternd bleiben.

Im Sinne des ersten Vergleiches werden wir sagen können: Die Sonne bewegt die Planeten als ihre Gliedmaßen in weiten Kreisen um sich, oder richtiger das Sonnensystem tut es, da die bewegende Kraft der Totalität des Systems zukommt, worin die Sonne nur als Hauptstamm die Mitte einnimmt, wie auch die bewegende Kraft unsres Leibes eigentlich seiner Totalität, nicht bloß seinem Hauptstamme beigelegt werden muß. Nun gilt aber vom Sonnensystem noch viel mehr als von unserm irdischem System und als von uns, daß es die Mittel, seine Zwecke zu befriedigen, in sich hat; die Bewegungen seiner Gliedmaßen dienen daher auch nicht, nach äußerem zu langen, sondern in den abgeänderten Lagen dieser Gliedmaßen liegen selbst die Mittel, innere Zwecke zu befriedigen. Das ist ein wichtiger Punkt, in dem der Vergleich mit unsern Gliedmaßen nicht mehr Stich hält. Ein andrer liegt darin, daß die Bewegungen der Planeten keiner solchen regellosen Unbeständigkeit unterliegen. Aus diesen Gesichtspunkten erschiene der Kreislauf der Planeten mehr den innern Kreisläufen ähnlich, an die sich unsre wichtigsten Lebensphänomene knüpfen; aber auch dieser Vergleich würde wieder von andrer Seite nicht Stich halten. So lassen sich Ähnlichkeiten überall nur bis zu gewissen Grenzen durchführen.

Aus dem Gesichtspunkte des andern Vergleiches erscheinen die Planeten wie Geschöpfe von verschiedener Lebensart, die als Bewohner des Sonnensystems durch ihre äußerlichen Bewegungen · um eine zentrale Hauptmasse in ähnlicher Art eigene Zwecke zu befriedigen streben, wie Menschen und Tiere als Bewohner und Teile des irdischen Systems, obwohl nach einer festern Gesetzlichkeit als die Geschöpfe unsrer Erde.

Nun kann es für den ersten Anblick sonderbar erscheinen, daß, während das irdische System eine so unzählige Menge Tiere und Pflanzen als besondere Geschöpfe trägt, das so viel größere Sonnensystem nur so wenig individuelle Geschöpfe einschließt, zumal ein Gesichtspunkt der Steigerung hier fehl zu schlagen scheint, den wir doch im Verhältnis des irdischen Systems zu unserm eigenen leiblichen System deutlich ausgesprochen sehen. Denn wie viel mehr individuell-geartete Glieder hat die Erde doch in ihren Menschen, Tieren, Pflanzen als wir in unsern Gliedmaßen.

Aber durch das Dasein der Planeten ist ja nicht ausgeschlossen, daß außer diesen weit in den Himmel vorgestreckten Riesengliedern des Sonnenrumpfes, diesen großen Vögeln, welche den Sonnenball in weiten Kreisen umfliegen, derselbe auch noch von nähern, aus ihm erzeugten, individuellen körperlichen Wesen umkreist, begangen, pflanzenartig bewachsen wird, die wir aber wegen ihrer geringen Größe, ihres größern Gedrängtseins, und ihrem Versenktsein in den Sonnenglanz nicht einzeln unterscheiden können; es wäre vielmehr wunderlich wenn es nicht so wäre. Zu diesen nähern Sonnengeschöpfen wären dann die Planeten nur in Verhältnis ferner erstgeborner Geschwister oder Nachbarn zu betrachten, was nicht hinderte, daß sie außerordentlich verschieden von ihnen wären, wie ja auch die Geschöpfe unsers irdischen Systems selbst sehr verschieden von einander sind, manche viel fester, manche viel loser mit der Zentralmasse des Erdkörpers verbunden, manche viel größer, manche viel kleiner, manche viel rundlicher, manche viel unregelmäßiger von Form, manche von viel höherer und reicherer, manche von viel geringerer und mehr ärmlicher Begabung, manche viel mehr nötigenden Instinkten folgend, manche viel mehr einer höhern Freiheit genießend. Alle Freiheit des äußern Verkehrs, die wir zwischen den Planeten vermissen, obwohl sie in jedem Planeten selbst wieder hervortritt, kann zwischen jenen nähern Sonnengeschöpfen so gut bestehen, als zwischen den mit unsrer Erde enger verknüpften Geschöpfen, wie auch in unserm Leibe die Freiheit der Bewegungen sich verschieden auf die verschiedenen Glieder verteilt.

Die nähern Sonnengeschöpfe mögen so den Planeten in gewisser Hinsicht voran-, in gewisser Hinsicht nachstehen. Es mögen verhältnismäßig weniger reich entfaltete Wesen sein, wie das schon in ihrer Kleinheit liegt, schwerlich werden sie sich noch einmal in so besondere Geschöpfe gliedern wie die Planeten; vielmehr den Geschöpfen dieser Planeten selbst ähnlicher sein; indes die Planeten jeder für sich, zumal die selbst Trabanten haben, dem ganzen Sonnensystem ähnlicher sind, dessen größere Teile sie bilden. Die nähern Sonnengeschöpfe mögen dagegen gewisser Vorteile und Vorzüge durch ihre Nähe zu einander und zum Zentralkörper genießen; sie leben in engerer und mannigfacherer geselliger Beziehung auf demselben, ja die Sonne ist wie ein Bienenstock derselben, indes die Planeten mehr einsam leben, weil jeder eine Gesellschaft in sich trägt, in der es aber kein Individuum so hoch bringen mag, wie es ein Sonnengeschöpf bringen kann; nur ein Planet im ganzen bringt es doch in gewisser Hinsicht höher als ein einzelnes Sonnengeschöpf, das die verhältnismäßige innere Armut durch einen äußern Reichtum des Lebens zu kompensieren sucht. Zuletzt aber bleiben die nähern Sonnengeschöpfe immer Geschwister der Planeten, deren Geschöpfe wir dagegen nur sind.

Vielleicht steht der Lichtprozeß der Sonne mit dem Lebensprozeß der Wesen an ihrer Oberfläche in Beziehung; man hält es ja wahrscheinlich, daß der zentrale Sonnenkörper an sich dunkel sei. Vielleicht sind sie selbstleuchtend, wie wir selbst-warm; gibt es doch selbst auf der Erde einzelne Selbstleuchter. Dann wäre der Lichtverkehr der Sonne mit den Planeten nur ein Verkehr der kleinern nähern mit den größern fernern Sonnenwesen; wie denn auch die Wesen auf der Sonne selbst unstreitig ihr Licht zum Verkehr unter einander nutzen werden. Doch sind das eben nur Gedanken.

Jedenfalls kann nach vorstehenden Betrachtungen die Sonne eigentlich unsrer Erde nicht als ein einzelnes gleichstufiges Geschöpf, sondern entweder nur als eine Sammlung gleichstufiger Geschöpfe samt deren Mutterstock gegenübergestellt, oder noch triftiger als ein Geschöpf oberer Stufe über sie gestellt werden, in solcher Weise, daß die Erde und die andern Planeten selbst als Glieder mit dazu zu rechnen. Die Sonne, als ein Körper ohne die Planeten gedacht, wäre wie ein verstümmelter Leib, dem man die größten bewegenden und empfindenden Glieder abgeschnitten.

Konsequent mit diesen Betrachtungen würde sich der Mond zur Erde wie die Planeten zur Sonne verhalten. Der Mond ist eben so aus dem irdischen System herausgeboren und umkreist die Erde noch, indem er aber die Drehung um die eigene Achse aufgehen läßt in der Drehung um die Erde, das obere Zentrum, immer dieselbe Seite ihr zuwendend, dagegen die Erde als Geschöpf schon oberer Stufe ihre Drehung um die eigene Achse unabhängig von dem Gange um die Sonne hält, den Mond aber, ihr Glied, immer mit derselben Seite an sich geheftet hält, wie an uns ein Glied immer mit derselben Seite am Körper haftet. Man kann es auch, im Sinne des andern Vergleiches, so betrachten, daß, wie der Mensch und jedes Tier, indem es um die Erde geht, immer dieselbe Sohlenfläche gegen die Erde kehrt und sich nie auf den Kopf stellt, dies auch vom Monde gilt, der, wie hoch er über der Erde gehe, doch immer noch in der Reihe der irdischen Geschöpfe Platz greift, in gewisser Beziehung höher stehend, in andrer wohl niedriger als wir. Sein höchstes Geschöpf, wenn er noch besondere Geschöpfe trägt, wird niedriger als das höchste Geschöpf an der Erdoberfläche sein, im Grunde jedoch gar keine eigentliche Selbständigkeit im Sinne unsrer irdischen Geschöpfe mehr haben können, (wie denn der Mond unbewohnt zu sein scheint,) indes er im ganzen in gewisser Hinsicht ein höher Wesen ist, als wir es sind.

Wohl manches ließe sich noch vermuten. Aber es ist besser, diesen Gegenstand nicht weiter zu verfolgen. Gestehen wir immerhin, daß sich hier Schwierigkeiten eröffnen, die denen in gewisser Weise analog sind, die wir bei Betrachtung der niedersten Geschöpfe finden. Sollen wir einen Polypenstamm mit vielen Polypenblüten als ein Tier, oder als eine Sammlung vieler Tiere ansehen? Wahrscheinlich ist er eins und das andre, wie das Sonnensystem. Aber es wird schwer, sich eine triftige Vorstellung von solchen Verhältnissen zu machen, die von denen unsres eigenen Körpers und unsrer eigenen Seele so ganz abweichen Trotz dieser Schwierigkeit zweifelt niemand, daß die Polypen lebendige Wesen mit Seele sind. Und so mag dieselbe Schwierigkeit im Gebiete der obern Wesen in einem nur viel höhern Sinne wiederkehren; aber wie könnte uns bei den obern irren, was uns bei den niedern nicht irrt? Die Berührung der Extreme mag sich auch hiebei geltend machen?

Nur der allgemeine Vorblick sei noch gestattet: daß, sofern man jetzt annimmt, unser Sonnensystem gehöre selbst einem größern Sternsystem an, welches die ganze Milchstraße mit befaßt, hier das unserm Sonnensysteme nächst übergeordnete System zu suchen sein würde; wollte man versuchen, weiter zu gehen.

XIX. Anhang zum elften Abschnitt.

A. Praktisches Argument für die Existenz Gottes und eines künftigen Lebens.

Argumentum a consensu boni et veri.

Zu dem theoretischen Argumente für die Existenz Gottes und des künftigen Lebens (Bd. I. S. 216 ff.) füge ich hier ein praktisches, welchem ich den Namen Argumentum a consensu boni et veri geben möchte;

da die Wahrheit des Glaubens hier aus seiner Güte nach dem allgemeinen Prinzip der Übereinstimmung des Guten und Wahren abgeleitet wird. Es lassen sich weitgreifende Erörterungen an dies Prinzip und den davon abhängigen Beweis für die Gültigkeit der höchsten Ideen knüpfen; hier aber begnüge ich mich mit kurzer Darlegung der Hauptmomente.

1) Jede irrige oder mangelhafte Voraussetzung erweist sich dadurch als eine solche, daß sie, als wahr angenommen, durch den Einfluß, den sie auf unser Denken, Fühlen und Handeln gewinnt, Nachteile nach sich zieht oder dem menschlichen Glücke Abbruch tut, indem sie uns in widerwärtige Stimmungen und verkehrte Handlungen verwickelt, die teils direkte Unluft, Unbefriedigung, teils spätere Unluftfolgen mit- oder nachführen, dagegen die Wahrheit einer Voraussetzung sich durch das Gegenteil von all diesem als solche erweist. Dieser Satz bewährt sich um so mehr, je größern Einfluß Irrtum oder Wahrheit auf unser Fühlen, Denken, Handeln gewinnt, auf einen je größern Umkreis von Menschen und je längere Dauer er sich erstreckt, während ein Irrtum ohne erheblichen Eingriff in unser übriges Fühlen, Denken, Handeln für einen kleinen Umkreis von Menschen und auf kurze Zeit auch wohl befriedigend und selbst nützlich erscheinen kann. Nun zeigt sich aber gerade, daß der Glaube an Gott und Unsterblichkeit, abgesehen von der theoretischen Befriedigung, die er mit sich zu führen vermag, auch sonst um so größere, wichtigere und weitergreifende Vorteile, der Unglaube aber Nachteile für die Menschheit und einzelnen Menschen mitführt, je weiter und tiefer dieser Glaube oder Unglaube in das Gemüt und die Handlungsweise der Menschen bestimmend eingreift und in je größerem Umkreise und auf je längere Dauer er sich forterstreckt; woher es eben rührt, daß der Unglaube sich gar nicht auf die Dauer in großem Umkreise erheblich geltend erhalten kann. Also trägt der Glaube, daß Gott und Unsterblichkeit existieren, das Merkmal der Wahrheit an sich.

Selbst Eltern und Regenten, die nicht an Gott und Unsterblichkeit glauben, halten es doch im allgemeinen für nützlich, daß ihre Kinder und Untertanen in diesem Glauben erzogen werden, so sehr drängt sich das Heilsame dieses Glaubens auf; auch wird man nicht in Abrede stellen, daß wirklich die Heilsamkeit desselben mit der Verbreitung und Verstärkung des Einflusses wächst, den er auf Fühlen, Denken, Handeln der Menschen gewinnt. Und sei es auch, daß dies nur bei einer gewissen Gestaltung dieses Glaubens der Fall, so ist jedenfalls eine derartige Gestaltung desselben möglich, die dann (nach No. 2.) eben als die rechte zu betrachten sein wird.

2) Die nähere Gestaltung dieses Glaubens tritt dann unter dasselbe Prinzip: Sofern sich findet, daß eine Gestaltung oder Seite der

Geſtaltung des Glaubens an Gott und Unſterblichkeit um ſo mehr zum Glück der Menſchheit beiträgt, je mehr, je länger und in je weiterem Umkreiſe ſie Einfluß auf das Fühlen, Denken, Handeln gewinnt, ſo iſt dieſe Geſtaltung oder Seite der Geſtaltung des Glaubens als wahr an- zuſehen, im Gegenfall als falſch oder mangelhaft, ſo daß nach allem nur der Glaube als der wahrſte gelten kann, welcher der Menſchheit nach der Geſamtheit der Beziehungen am heilſamſten iſt.

3) Sofern als das Beſte für den Menſchen zu gelten hat, was der Menſchheit Befriedigung, Glück, Wohl nicht bloß nach einzelnen Beziehungen, auf kurze Zeit, für einzelne Fraktionen, ſondern nach allen Seiten des menſchlichen Weſens, für die Geſamtheit der Menſchheit, auf unbegrenzte Dauer, mit Hinblick auf alle Folgen, am meiſten zu ſichern und zu fördern geeignet iſt, wird der in voriger Weiſe begründete wahrſte Glaube zugleich der beſte genannt werden können, und wird überhaupt aus der Güte des Glaubens auf deſſen Wahrheit geſchloſſen werden können. Dies nenne ich den Schluß aus praktiſchem Prinzip.

Dem Schluß aus praktiſchem Prinzip gegenüber ſteht der Schluß aus theoretiſchem Prinzip, welcher die Übereinſtimmung des Glaubens in ſich und mit der tatſächlichen Natur der Dinge als maßgebend nimmt. Das praktiſche Prinzip beurteilt die Wahrheit des Glaubens nach der Gemäßheit zu den Zwecken, das theoretiſche nach der Gemäßheit zu den Gründen des Seins und Geſchehens.

An ſich kann das praktiſche Prinzip ganz eben ſo gut zur Geſtaltung des Glaubens benutzt werden wie das theoretiſche, nur daß es im allgemeinen ebenſo ſchwer iſt, die Güte des Glaubens aus allgemeinſten, höchſten, letzten Geſichtspunkten zu beurteilen, wie die Widerſpruchsloſigkeit deſſelben mit ſich und der tatſächlichen Natur der Dinge. Deshalb iſt eine kombinierte Anwendung beider Prinzipe das Rätlichſte, und da (nach No. 4 und 5) beide Prinzipe von Anfange an zur Geſtaltung des Glaubens gewirkt haben, gewinnt die Rückſicht auf das Hiſtoriſche des Glaubens eine Bedeutung, der ſich kein einzelner entziehen kann und ſoll; wie denn die Einzelvernunft ſelbſt nur auf Grund der hiſtoriſchen Baſis des Glaubens zu ihrer Höhe gelangt und nach Maßgabe leichter irrt, als ſie ſich weiter davon entfernt.

4) Von jeher hat das praktiſche Argument, welches von der Güte des Glaubens entlehnt iſt, bewußt und unbewußt dahin gewirkt, den Glauben an Gott und Unſterblichkeit zu erzeugen, zu erhalten und zu geſtalten, und fährt noch ſo fort zu tun, nicht zwar allein, aber zugleich mit theoretiſchen Gründen und auf Grund eines eingebornen Gefühles. Selbſt Chriſti Lehre konnte nur als heilverkündende und heilbringende Platz greifen. Dabei kann es geſchehen und iſt oft geſchehen, daß der

Glaube teils zum zeitlichen Vorteile einzelner, teils aus untriftiger
Ansicht von dem, was dem Ganzen frommt, teils vermöge scheinbaren
Konflikts mit theoretischen Gründen, irrige und hiemit der Menschheit
unzuträgliche Gestaltungen angenommen; aber nicht darin liegt die
Irrung, daß die Menschen ihn zu ihrem Vorteile einzurichten suchten,
sondern daß sie ihn nicht genug zu ihrem Vorteile einrichteten und den
Konflikt mit den theoretischen Gründen vielmehr durch einseitiges Recht-
geben, als verträgliche Lösung zu beseitigen suchten.

5) Unser Prinzip läßt uns hiemit in einem Zusammenhange
Klarheit darüber gewinnen, warum noch so viel an der rechten
Gestaltung des Glaubens fehlt, und die sichere Aussicht gewinnen, daß
wir uns derselben doch ins Unbestimmte nähern werden. Der Mensch
beginnt damit, Partikulär=Interessen zu haben und den dadurch gestalteten
Glauben für den besten zu halten oder zu erklären. Aber nach Maßgabe,
als die Vorteile des Wahren und die Nachteile des Falschen immer
weiter in Zeit und Raum greifen, treffen sie auch immer mehr und
schwerer alle einzelnen, die den wahren oder falschen Glauben haben,
und befestigen jene in der richtigen Erkenntnis, bringen diese zurück von
der falschen, so daß zuletzt nur der Glaube übrig bleiben kann, welcher
alle Einzel=Interessen am besten und vollkommensten zu einem Allgemein=
Interesse verknüpft.

6) Unser Prinzip läßt uns etwas als zum Wesen der Religion
gehörig achten, dessen Wesentlichkeit gerade in neuerer Zeit vielfach
angefochten wird, die Festigkeit, Sicherheit und Einigkeit aller in einem
gemeinschaftlichen Glauben, wogegen viele Neuere wollen, jeder solle
seine Religion so viel möglich für sich haben, nach seinen besondern
Bedürfnissen sich zurecht legen. Denn nach unserm Prinzip beweist sich
die Wahrheit des Glaubens praktisch eben dadurch, daß seine Heilsamkeit
wächst, je mehr Menschen und je fester und inniger diese davon durchdrungen sind. Ein Glaube, der bloß von einzelnen oder einzelnen
Fraktionen der Menschheit festgehalten, diesen diente oder zu dienen
schiene, aber von der ganzen Menschheit angenommen nicht dasselbe zu
leisten vermöchte, bewiese eben damit, daß er nicht der wahrste wäre,
und es würde sich immer zeigen, daß sein Vorteil selbst für den
einzelnen nicht wahrhaft und dauernd Stich hielte. Nicht also der
Glaube ist dem Bedürfnisse des einzelnen, sondern das Bedürfnis des
einzelnen ist (durch die Erziehung, eigene und fremde) einem Glauben
anzupassen, der den Bedürfnissen aller im Zusammenhange am meisten
zu genügen imstande ist; und wenn die Einigkeit in einem besten

Glauben auch bisher noch nicht zu erreichen gewesen, so ist sie wenigstens als idealer Zielpunkt immer vor Augen zu stellen.

Aus diesem Gesichtspunkte sind allgemeine Maßregeln, welche die religiöse Erziehung in gemeinsamer guter Richtung leiten, nicht nur nicht verwerflich, sondern im Wesen der rechten Religion selbst begründet. Ja es liegt ein großer Segen in der möglichsten Einigung aller in einem gegebenen Glauben, selbst abgesehen von dessen besonderm Inhalte, sind nur seine allgemeinen Grundlagen gut. Die Gefahr, welche das Volk läuft, wenn es bei gemeinsamer Erziehung in dem einmal historisch begründeten Glauben gewisse Irrtümer in den Kauf bekommt, welche die Grundlagen des Guten nicht betreffen, ist unsäglich geringer, als wenn es dem Zerwürfnis der Ansichten Preis gegeben und auf eigene Kritik des Glaubens angewiesen wird, zu welcher nach der Natur der Dinge nur sehr wenige befähigt und berufen sein können. Dann läuft es Gefahr, in den wichtigsten Dingen zu irren, die Grunlagen des Guten selbst zu verlieren, und büßt jedenfalls den Segen der Einigung ein. In Rücksicht dessen aber, daß die historische Basis doch nicht schon als eine absolut in allen Einzelheiten gültige angesehen werden kann, muß es auch jedem frei gelassen sein, auf dem Grunde der Erziehung, die ihm im Sinne derselben geworden, das Wahrste und Beste in seiner Weise zu suchen, ohne daß daraus eine Berechtigung erwächst, seine Ansichten auch ohne Weiteres in die öffentliche Erziehung einzuführen. Der Beruf eines Reformators kann überhaupt nur wenig Menschen von Gott kommen. Aber dieser schwierige an Rücksichten und Gegenrücksichten so reiche Gegenstand läßt sich hier überhaupt nicht vollständig erledigen.

7) Durch den Gesichtspunkt unsres Prinzips wird die Entwickelung und Gestaltung der religiösen Ideen in den harmonischsten und praktischsten Zusammenhang mit der Gestaltung der Moral und des ganzen Lebens gesetzt, weil auch die Tendenzen der Moral und des Lebens dahin gehen, das geltend zu machen und zu erhalten, was der Menschheit am heilsamsten und gedeihlichsten; die Ideen von Gott und Unsterblichkeit treten aber nach der Gestaltung, die sie durch unser Prinzip annehmen, selbst als die kräftigsten Hilfsmittel zur gedeihlichen Gestaltung des Lebens auf, weil der Gesichtspunkt ihrer Gestaltung ja eben der ist, das in ihnen als gültig festzusetzen, was aus oberstem Gesichtspunkte den allgemeinsten durchgreifendsten heilsamen Einfluß auf das gesamte Menschliche haben muß.

8) Unser Argument fußt überhaupt auf einer allgemeinsten, in der innersten Natur der Dinge und dem letzten Wesen des Geistes zugleich liegenden Grundbeziehung, der man von jeher eine göttliche Würde zuerkannt hat, der des Wahren und Guten, und läßt diese Beziehung selbst zugleich aus dem praktischsten Gesichtspunkte hervortreten. Zugleich aber fußt es auf der breitesten Basis der Erfahrung,

sofern der Mensch doch in letzter Instanz nur erfahren kann, was ihm dient oder ihn durch seine Folgen befriedigt. Ja die ganze Verknüpfung des Guten und Wahren im angegebenen Sinne konnte nur durch möglichste Verallgemeinerung des Erfahrungsmäßigen gefunden werden.

9) Man kann das vorige Argument mit folgendem in Beziehung setzen oder in folgendes umsetzen.

Wir würden den Glauben an Gott und Unsterblichkeit nicht brauchen, wenn Gott und Unsterblichkeit nicht wären; denn wenn der Mensch den Glauben an Gott gemacht hat, weil er ihn braucht, so hat er den Umstand selbst nicht gemacht, daß er den Glauben an Gott zu seinem Gedeihen braucht, und demgemäß ihn zu machen durch das Bedürfnis genötigt wird. Die Erzeugung dieses Glaubens durch den Menschen muß also in derselben realen Natur der Dinge begründet sein, welche den Menschen mit seinen Bedürfnissen selbst erzeugt hat. Es hieße aber teils, der Natur der Dinge eine Absurdität beilegen, teils läuft es gegen die Erfahrung, so weit sich solche machen läßt, daß die Natur die Menschen darauf eingerichtet hätte, nur mit dem Glauben an etwas gedeihen zu können, was nicht wäre.

B. Zusatz über das oberste Weltgesetz und dessen Beziehungen zur Freiheit.[*)]

Das oberste Weltgesetz, was wir Bd. I. S. 210 aufgestellt, wird zwar allwärts stillschweigend anerkannt und faktisch angewandt und ist also an sich nichts Neues. Doch scheint mir die prinzipielle Bedeutung, die ihm nach seiner Allgemeinheit und begrifflichen Selbstverständlichkeit für das ganze Gebiet realer Existenz zukommt, noch nicht hinreichend gewürdigt. Hierüber folgen nun noch einige Erörterungen, teils zur Erweiterung, teils zur nähern Ausführung der früher angestellten. Auf die Beziehungen des Gesetzes zur Existenz des göttlichen Geistes gehe ich jedoch hier nicht nochmals des Nähern ein; da eben die frühern Erörterungen sich hiemit vorzugsweise beschäftigten.

Sowohl im Bereiche des materiellen als geistigen Geschehens unterscheiden wir mancherlei Gesetze; in jenem z. B. das der Gravitation, der magnetischen, elektrischen, chemischen Anziehung, des Beharrens, der Koexistenz kleiner Schwingungen u. s. w.; in diesem das der Assoziation,

---

*) Das Folgende ist im Wesentlichen einer Abhandlung in den Berichten der K. S. Ges. der Wiss. (math.-phys. Klasse) zu Leipzig vom Jahre 1849 S. 98 ff. entlehnt. Doch hat die Behandlung der Freiheitsfrage hier eine etwas andre Wendung erhalten.

der Gewöhnung, der Verknüpfung von Luft und Trieb u. s. w. Viele besondere Gesetze können sich einem allgemeinern unterordnen; so alle besondern Anziehungsgesetze dem allgemeineren, daß die Massen sich in der sie verbindenden geraden Linie nach einander hin zu bewegen streben, und alle Anziehungs= und alle Abstoßungsgesetze zugleich dem allgemeinern Gesetze der Wechselwirkung, daß die Massen in der Richtung ihrer Verbindungslinie überhaupt mit gleichen Bewegungsquantitäten ihren Abstand zu ändern streben. Die Gesetze der Assoziation, der Gewöhnung u. s. w. im geistigen Gebiete sind selbst schon allgemeine Gesetze, denen sich besondere Gesetze für besondere Verhältnisse unterordnen, und ihrerseits noch allgemeinern Gesetzen geistigen Geschehens unterzuordnen.

Leicht erhellt, daß die Verschiedenheit der Gesetze des Geschehens eben so mit der Verschiedenheit der Umstände, für die sie gelten, wie mit der Verschiedenheit der Erfolge, die durch sie bestimmt werden, zusammenhängt. Das Gravitationsgesetz ist verschieden von dem Kohäsionsgesetz, sofern jenes sich auf merkliche Entfernungen der Teilchen, dieses auf Berührungsnähe bezieht; das sind verschiedene Umstände, mit denen auch ein verschiedener Erfolg zusammenhängt; und das verschiedene Gesetz bestimmt eben den nach den verschiedenen Umständen verschiedenen Erfolg oder die Beziehung zwischen beiden. Entsprechend mit den Gesetzen im Geistigen. Allgemeinere Gesetze des Geschehens sind daher nicht nur solche, welche formell einen größeren Kreis von Gesetzen, sondern auch, weil dies damit zusammenhängt, solche, welche real einen größeren Kreis von Umständen und Erfolgen unter sich begreifen, zwischen denen sie die Beziehung festsetzen; und die Frage, ob es ein allgemeinstes Gesetz des Geschehens gibt, wird also hiemit von selbst zugleich die sein: ob es ein Gesetz gibt, welches alle möglichen Gesetze und welches alle möglichen Umstände und alle möglichen Erfolge, die im Gebiete des Geschehens vorkommen können, unter sich befaßt.

Ein solches Gesetz haben wir in dem Satze aufgestellt: „Wenn und wo auch dieselben Umstände wiederkehren, und welches auch diese Umstände sein mögen, so kehren auch dieselben Erfolge wieder, unter andern Umständen aber andere Erfolge.

Im Grunde ist dies der sich von selbst verstehende Begriff eines formal und real allgemeinsten Gesetzes für das Geschehen. Denn wenn irgendwo und irgendwann einmal etwas unter denselben Umständen anders erfolgen könnte als das andre Mal, so träte eben dieser Fall aus der allgemeinen Gesetzlichkeit, welche verlangt wird, heraus, und sie beständе nicht wirklich als solche. Wenn aber dieselbe Folge auch einmal andre Gründe als das andre Mal haben könnte, so bestände innerhalb dieser Möglichkeit Gesetzlosigkeit in umgekehrter Richtung.

Um keinen Zweifel über die Bedeutung der Ausdrücke zu lassen, verstehe ich ein- für allemal unter Umständen alle irgendwie angebbaren Bestimmungen der materiellen und geistigen Existenz in Raum und Zeit*), nur der absolute Ort im Raum und Zeitpunkt in der Zeit kann nicht als ein Umstand, eine Bestimmung der Existenz angesehen werden, da er seine Bestimmtheit erst durch das darin Existierende erhält. Der Gebrauch des Wortes Umstand erscheint insofern zweckmäßig, als in unserm Gesetze die Natur jedes Geschehens mit der Natur dessen, wovon es in Zeit und Raum umstanden wird, in Beziehung gesetzt wird. Insofern Umstände einen Erfolg im Sinne unsres Gesetzes mitführen, nennen wir sie Gründe des Erfolgs.

Man könnte den Einwand erheben, unser Gesetz sei von vorn herein illusorisch, da für jedes Geschehen doch eigentlich die Totalität der Umstände in Zeit und Raum als bedingend in Betracht komme, mithin von einer Wiederholung derselben in Zeit und Raum als Gründen des Geschehens nicht die Rede sein könne. Dann könnte aber überhaupt von keinem Gesetze des Geschehens die Rede sein, da ein solches die mögliche Wiederholung der Fälle und ihrer Umstände voraussetzt. Gesetz ist nur, was wiederholte Anwendung zuläßt. Bei jedem Gesetze des Geschehens müssen wir daher die Möglichkeit supponieren, von in Raum und Zeit ferner liegenden Gründen zu Gunsten der nähern oder um so mehr zu abstrahieren, je ferner sie liegen. Ob diese Supposition real zulässig, fällt mit der erfahrungsmäßigen Bewährung unsres Gesetzes selbst, auf die wir gleich zu sprechen kommen, zusammen, da nur mit Bezug auf diese Voraussetzung die Bewährung möglich ist und einen Sinn haben kann. Im Fall ihrer Triftigkeit aber läßt sich dann unter Anleitung unsres Gesetzes selbst auch der reine Erfolg für isoliert gedachte Umstände finden. Wir können zwei Weltkörper nicht wirklich von der Wirkung der übrigen Weltkörper abschneiden, aber finden, wie sie sich wirklich ohne diese Mitwirkung gegen einander benehmen würden, indem wir zusehen, was erfolgt, je mehr sie sich von den andern entfernen.

Die bloße Denkbarkeit unsres Gesetzes schließt aber noch nicht seine Realität oder wirkliche Gültigkeit ein, so lange auch das Gegenteil denkbar. Und in der Tat hindert an sich nichts zu denken, daß zu

---

*) Vgl. darüber das Nähere Bd. I S. 210. Anm.

verschiedenen Zeiten oder an verschiedenen Orten dieselben Umstände auch einen verschiedenen Erfolg mit sich führten, derselbe Erfolg auch von verschiedenen Umständen abhängen könnte; daß z. B. zwei Weltkörper von bestimmt gegebener Masse und Entfernung sich heute so und morgen so anzögen, oder hier anzögen, an einer andern Stelle des Himmels abstießen; daß zwei Menschen oder derselbe Mensch unter ganz denselben äußern und innern Verhältnissen doch verschieden handeln könnte. Da nun die Denkbarkeit weder hier noch dort für die Realität entscheidet, gilt es, in der Erfahrung nachzusehen.

Nun ist zuzugestehen, daß ganz reine Erfahrungen sich nicht machen lassen, weil nach aller Beziehung genau weder dieselben Umstände noch Erfolge in irgendwelchem größern oder kleinern räumlichen oder zeitlichen Umkreise wiederkehren; aber sie kehren vielfach angenähert wieder, und in der größten Verschiedenheit der Umstände lassen sich doch immer übereinstimmende Gesichtspunkte auffinden, wozu sich auch das Über-einstimmende in den Folgen aufsuchen läßt. Und so kann man sagen, daß, so weit die Erfahrungen zu schließen gestatten, wir jenes allgemeine Gesetz nur bestätigt finden können. Daß zuvörderst im Gebiete des Körperlichen dieselben Umstände wirklich immer dieselben Erfolge mit-führen, ist die Grundlage, auf der Astronomie, Physik, Physiologie übereinstimmend fußen. Zwar mag es erscheinen, daß doch umgekehrt derselbe Erfolg von verschiedenerlei Gründen abhängen kann. Eine Saite kann z. B. denselben Ton geben, mag sie gestrichen, geschlagen, gezupft, überhaupt auf die verschiedenste Weise in Schwingung versetzt sein; allein stets werden wir dann finden: einmal, daß diese verschiedenen Gründe doch etwas Gemeinschaftliches haben, was das Gemeinschaftliche im Erfolge bedingt; zweitens, daß wir die von der Verschiedenheit der Gründe abhängige verschiedene Seite der Erfolge nur vernachlässigen. Wie denn in unserm Falle das denselben Ton mitführende Gemeinschaft-liche die Schwingung einer immer in derselben Weise gespannten Saite ist, das Verschiedene im Erfolge aber, was wir vernachlässigen, darin liegt, daß eine gestrichene und eine gezupfte Saite ihre Schwingung doch in sehr verschiedener Weise ausführen und die Luft in verschiedener Weise anstoßen.

Unser allgemeinstes Gesetz faßt Organisches und Unorganisches in gleicher Weise und Weite. Es ist in der Tat nur ein besonderer, obwohl sehr allgemeiner Fall unsres allgemeinsten Gesetzes, den ich in dem Satze ausspreche, daß, in so weit im Organischen dieselben Umstände wiederkehren wie im Unorganischen, auch dieselben Erfolge

wiederkehren, in so weit nicht dieselben Umstände, auch nicht dieselben
Erfolge. Die Erfahrung aber bestätigt diesen Satz, so weit sie immer
vorliegt, und hiemit zugleich unser Gesetz selbst durch einen seiner
allgemeinsten Fälle.

So wirkt das Auge optisch nach den Gesetzen der camera obscura,
weil und so weit die Umstände seiner Einrichtung die einer camera
obscura sind; das Stimmorgan gibt Töne nach den Gesetzen der Blasinstrumente und schwingenden Bänder, weil und so weit die Umstände
seiner Einrichtung dieselben sind; das Herz wirkt wie ein Druckwerk,
weil und in so weit es als solches eingerichtet ist; die Gliedmaßen
wirken wie Hebel und Pendel, weil und in so weit sie als solche eingerichtet sind; und so in allen Fällen. Dagegen erzeugt der organische
Leib Stoffe, die in keiner Retorte und keinem Tiegel erzeugt werden
können, weil der Leib ganz anders eingerichtet ist als diese; im Nervensystem gehen Vorgänge vonstatten, wie sie sonst nirgends vorgehen,
weil sonst nirgends äquivalente Einrichtungen da sind.

Das geistige Gebiet anlangend, was jedoch nie ohne materielle oder
leibliche Mitgabe existiert, die daher auch immer Mitrücksicht erfordert,
(wenn man nicht durch den spiritualistischen Standpunkt die Betrachtung
desselben eliminiert,) so finden wir auch hier, daß nach Maßgabe, als die
Menschen sich in der Art ihrer vorhandenen geistigen Konstitution mehr
gleichen und ähnlichen sonstigen Umständen unterliegen, auch ihr Benehmen
ähnlicher wird, so daß wenigstens in der Erfahrung kein Grund liegt
zu zweifeln, daß zwei innerlich, geistig und leiblich ganz gleich konstituierte
Menschen unter ganz gleichen äußern Anlässen sich auch immer ganz
gleich benehmen würden. Was gewisse Freiheitstheorien gegen diesen in
gewisser Weise doch selbstverständlich erscheinenden Satz einzuwenden
finden könnten, berührt uns hier nicht, wo wir erst auf den erfahrungsmäßigen Gesichtspunkt achten. Dagegen wendet man vielleicht ein, daß
er müßig sei, weil eine absolute Gleichheit aller innern und äußern
Umstände für zwei Menschen doch überhaupt nicht vorkommt und
unstreitig der Natur der Sache nach nicht vorkommen kann; Gleichheit
findet immer nur nach gewissen Beziehungen statt. Aber da es größere
oder geringere Annäherungen an diesen Fall gibt, so ist immerhin nötig,
ihn als idealen Grenzfall vor Augen zu stellen; und daß er sich nie vollständig verwirklicht, gilt uns selbst als die Basis von Betrachtungen,
wodurch sich dem Interesse der Freiheit nicht trotz unsres Gesetzes, sondern vermöge desselben genügen läßt.

Wenn alle Bewährungen unsres Gesetzes bloß unter der Voraus-

7*

ſetzung gewonnen werden konnten und zur Beſtätigung der Vorausſetzung
wieder dienen können, „daß ſich von in Raum und Zeit ferner liegenden
Gründen zu Gunſten der nähern oder um ſo mehr abſtrahieren laſſe, je
ferner ſie liegen“, ſo iſt damit nicht geſagt noch begründet, daß wirklich
die in Zeit und Raum fern liegenden Gründe keinen Einfluß auf den
Erfolg haben, er wird vielleicht nur erſt in einer längern Folge und einem
größern Umkreis des Geſchehens ſpürbar werden. Alle Bewährungen
und Anwendungen des Geſetzes könnten unter der an ſich nicht unwahr-
ſcheinlichen Vorausſetzung, daß dem ſo ſei, nur approximative ſein, weil
wir in der Tat die Totalität der bedingten Umſtände nie in Betracht
ziehen und demgemäß den vollen Erfolg nicht durch Schluß finden
können; aber teils könnte dieſe Annäherung für unſre praktiſchen
Intereſſen der Genauigkeit gleich kommen, teils verlöre das Geſetz
darum nicht ſeine bindende Kraft und Nutzbarkeit, daß es nur auf
Approximationen anwendbar, wenn doch überhaupt bloß ſolche möglich.
Wir würden dann doch den Erfolg immer um ſo richtiger erhalten,
einen je weitern Umkreis von Bedingungen wir in Betracht zögen, und
je weniger weit wir die Folgen verfolgten; wollten wir auf weit hinaus
ſchließen, ſo müßten wir auch den Blick auf den Kreis von Bedingungen
in Zeit und Raum erweitern. Dieſe Beſchränkung liegt nun einmal
unter jener Vorausſetzung in unſrer Endlichkeit, und wir müßten uns
dieſelbe nicht verſtecken, ſondern darüber klar werden.

Dies ſchlöſſe die Unterſuchung nicht aus, forderte vielmehr dazu
auf, in wie fern gegebene Umſtände merkbar ins Weite des Raums
und der Zeit wirken; aber dieſe beſondere Unterſuchung beſchäftigt uns
hier um ſo weniger, als die ganze Vorausſetzung erſt noch beſondere
Prüfung verlangt. Die Erfahrungswiſſenſchaft ſcheint mir aber noch
nicht hinreichende Data zur ſichern und ſcharfen allgemeinen Beantwortung
der hiebei obſchwebenden Fragen zu liefern. Im Räumlichen zwar nimmt
man ziemlich durchgehends an, daß die Wirkſamkeit der Kräfte keine
Grenzen hat, ſtatuiert jedoch Kräfte, die mit der Entfernung ſehr ſchnell
abnehmen. Anders im Zeitlichen. Man könnte es da für möglich
halten, daß die Geſamtheit der jetzigen Umſtände in jedem Falle
genüge, den künftigen Erfolg zu beſtimmen, ſo weit er überhaupt voraus
beſtimmbar iſt, ohne daß man nötig hätte, ſich noch nach den in der
Zeit rückwärts liegenden Gründen umzuſehen, ſofern jede Gegenwart in
ſich die Mittel habe, die nächſte Gegenwart zu erzeugen, und dieſe ſo
weiter ins Unbeſtimmte; alles Frühere aber ſeine Wirkungen auf die
jetzige Gegenwart in der Art übertragen habe, daß man im Grunde von

selbst alles Frühere als Grund mit berücksichtigt, indem man die Gegenwart berücksichtigte. Indes ist dies eine Frage, die erst noch keine Untersuchungen fordert, in Betracht dessen, daß die Gegenwart selbst eine fließende ist, und weder der Beschleunigungszustand eines Körpers, noch der Zustand einer Seele durch einen Moment zulänglich charakterisiert werden kann.

Nach den Untersuchungen von W. Weber kommt namentlich bei den Bewegungen des Unwägbaren der Beschleunigungszustand in eigentümlich wichtigen Betracht.

Knüpfen wir nun einige allgemeine Betrachtungen an unser Gesetz, die schon früher angestellten teils kurz rekapitulierend, teils nach einiger Beziehung weiter ausführend.

1) Unser Gesetz ist das allgemeinste Kausalgesetz; denn Grund und Folge beziehen sich nur nach diesem Gesetze auf einander; und heißen nur Grund und Folge, sofern sie sich danach auf einander beziehen.

2) Sofern von verschiedenen Umständen immer verschiedene Erfolge abhängen, liegt in dieser Seite unsres obersten Gesetzes das allgemeine Prinzip für seine Besonderung, und sofern man Kräfte als Vermittler der Erfolge statuiert, zugleich das Prinzip für die Besonderung der Kräfte, als welche nur durch ihr Gesetz charakterisiert werden können. Da nämlich jeder besondere Umstand oder Komplex von Umständen bei Wiederholung immer denselben besondern Erfolg oder Komplex von Erfolgen mit sich führt, kann man dafür auch immer ein besonderes Gesetz und eine besondere, diese Art des Erfolgs vermittelnde Kraft aufstellen. Auf solche Art lassen sich Gesetze und Kräfte bis ins einzelnste spezialisieren, und in der Tat hat nie eine Grenze in dieser Beziehung statt gefunden. Sofern aber die verschiedenen besonderen Umstände in Kontinuität zusammenhängen oder sich allgemeinern unterordnen, gilt es auch von den verschiedenen Gesetzen und Kräften. Gewöhnlich unterscheiden wir nur die besondersten Gesetze nicht besonders und kennen die allgemeinsten nicht hinlänglich, um davon zu sprechen oder sie in die Betrachtung einzuführen. Wir unterscheiden z. B. nicht die Gesetze der Anziehung für jeden andern Abstand und jedes andre Verhältnis der Massen, sondern betrachten sie nur vereinigt unter dem allgemeinen Gesetze der Gravitation; wir kennen die allgemeinen Gesetze nicht hinreichend, unter denen sich die Erscheinungen des Lichts und Magnetismus vereinigen, und betrachten diese Erscheinungen demnach nur unter den besonders dafür geltenden Gesetzen.

Natürlich kann mit dieser Auffassung die nicht seltene Vorstellung nicht bestehen, als seien die verschiedenen Kräfte selbständig existierende, real von einander abgesonderte Wesen, welche die Erfolge zu beherrschen vermögen, ohne selbst von ihnen beherrscht zu werden. Vielmehr, wie sich die Umstände ändern, unter denen die Kräfte wirken, ändern sich die Kräfte zwar nicht begrifflich, aber real, indem sie dabei nur immer unter dem allgemeinen Gesetze begriffen bleiben, welches die Umstände vor und nach der Wandlung und hiermit die der Wandlung selbst umfaßt. So kann sich Gravitation durch ihre eigene Wirkung in Kohäsion verwandeln, indem sie die Teilchen aus merklicher Entfernung zur Berührungsnähe bringt; doch faßt unstreitig ein allgemeineres Gesetz Gravitation und Kohäsion als besondere Fälle unter sich, indem es für alle möglichen Grade der Entfernung und Nähe den Erfolg bestimmt, mithin auch für den Übergang aus merklichen Entfernungen in Berührungsnähe.

Wenn Stoffe, die in der Außenwelt noch eben den unorganischen Kräften, weil unorganischen Verhältnissen, unterlagen, in den Organismus eintreten, so geht nicht ein neues fremdartiges Kraftwesen darauf über, welches die neuen Erfolge, die sich daran zeigen, bedingte, sondern die organischen und unorganischen Anordnungen sind selbst beides nur besondere Fälle der allgemein möglichen materiellen Anordnungen, wofür auch allgemeine Gesetze gelten müssen, in den es begründet liegt, wie sich die Erscheinungen ändern, wenn Stoffe aus den einen in die andern Anordnungen eintreten. Die Bildung des Kristalls in der Salzlauge und die Bildung des Hühnchens im Ei gehen unter dem Einfluß sehr verschiedener Kräfte vonstatten; aber dies hindert nicht, daß es ein Gesetz gebe, welches bestimmt, wie nach den verschiedenen materiellen Umständen, welche in der Salzlauge und welche in dem bebrüteten Ei obwalten, auch die materiellen Bildungserfolge in beiden verschieden ausfallen müssen; welches allgemeinere Gesetz eine allgemeinere materielle Bildungskraft charakterisiert, wovon die organische und unorganische nur besondere Fälle sind.

Auf solche Weise fallen überhaupt alle Scheidewände, die man so gern zwischen verschiedenen Kräften zu setzen pflegt, ohne daß doch die Unterscheidungen dazwischen fallen, die man vielmehr beliebig noch weiter treiben kann, als man gewohnt ist es zu tun.

Der eben so verwirrende als verwirrte Streit, inwiefern die Gesetze des Unorganischen auf das Organische übertragbar sind, das Organische nach den Gesetzen des Unorganischen betrachtet werden dürfe, klärt und erledigt sich hiermit aus einem zwar nur sehr allgemeinen, aber doch für die exakte Forschung hinreichend maßgebenden Gesichtspunkte.

Es gelten nur in sofern andre Gesetze für das organische als das unorganische Geschehen, als die Umstände, die Einrichtungen, von welchen das Geschehen abhängt, beidesfalls andre sind. Nun läßt sich streiten, ob die Unterschiede der organischen und unorganischen Einrichtung in einem Wesensunterschiede beider beruhen, oder auf welche letzten Gründe sie überhaupt rückführbar sind. Aber der exakte Forscher, wie sehr ihn auch dieser Streit im philosophischen Interesse kümmern mag, kann doch an der Hand unsres Gesetzes der Rücksichtsnahme auf denselben im Gange seiner Forschung selbst völlig entbehren. Er darf jedenfalls das Organische nach den im Unorganischen gültig gefundenen Regeln betrachten und behandeln, so weit er entsprechende, oder nach Regeln, die sich im Sinne unsres Gesetzes bewähren, darauf zurückführbare Umstände darin wiederfindet, wie die (Bd. II. S. 99) angeführten Beispiele selbst beweisen; er muß für neue, nicht so darauf reduzierbare Umstände eben so gut neue Regeln suchen, als wenn ihm neue, auf Früheres nicht zurückführbare Umstände im Unorganischen selbst begegnen, und muß dann ferner suchen, die neuen Regeln mit den alten so viel möglich unter allgemeinere Regeln zu vereinigen; nicht anders, als er schon im Gebiete des Unorganischen für sich zu tun gewohnt gewesen.

Die Unterscheidung des Organischen von dem Unorganischen, die Überhebung, wenn man will, des ersteren über das letztere, bedeutet sonach nichts mehr vor der Instanz unsres allgemeinsten Gesetzes, das selbst noch über diese Unterscheidung hinweggreift und sich über diese Überhebung erhebt. Der Charakter des Organischen kann besondere Erfolge nur nach Maßgabe bedingen, als er auch besondere Umstände oder Mittel mitführt, sie zu bedingen; und das tut er freilich vielfach und liegt selbst in seinem Begriffe. Aber nicht in jeder Beziehung tut er es, und so weit es nicht der Fall, kann er auch keine neuen Erfolge gegen das Unorganische bedingen. Aber die andre Seite der Sache ist eben so gewiß; in so weit es der Fall, muß er auch neue Folgen bedingen; und die Erforschung der neuen Gesetze für diese neuen Umstände wird also hiermit nicht abgeschnitten, sondern gefordert. Es gilt nur, diese neuen Gesetze auch wirklich wieder mit den neuen Umständen in Beziehung zu setzen, nicht, wie so häufig, durch den allgemeinen Begriff des Organischen die Frage nach dieser Beziehung überhaupt für beseitigt zu halten.

Man versucht vielleicht, dem Naturforscher dies leitende Prinzip durch folgenden Einwand zu verkümmern: es lasse sich zwischen Organischem und Unorganischem wohl die Gleichheit der materiellen Umstände beobachten; aber im Organischen wirke auch ein ideelles Prinzip, nenne man es nun Seele, Lebensprinzip, Zweckprinzip, mit, das nicht in die Beobachtung des Naturforschers falle und doch die Erfolge mit beteilige; die Umstände könnten also im Organischen und Unorganischen wohl äußerlich gleich scheinen, aber in Rücksicht auf den zutretenden ideellen Faktor nicht wirklich gleich sein. Hiermit werde die Übertragung von Regeln aus dem Unorganischen in's Organische nach beobachteter scheinbarer Gleichheit der Umstände in jedem Falle unstatthaft. Aber Erfahrungen der obgenannten Art (Bd. II. S. 99) zeigen doch jedenfalls, daß, wie es sich auch mit dem Unterschiede des Ideellen zwischen beiden Gebieten verhalte, so weit nur die materiellen Umstände in beiden dieselben sind, auch die materiellen Erfolge dieselben in beiden bleiben, so daß jener voraussetzliche Unterschied des Ideellen zwischen beiden Gebieten die Schlüsse in nichts ändern kann, die in Betreff materieller Erfolge aus der Gleichheit oder Ungleichheit der materiellen Umstände gezogen werden können. Der Grund, daß dies sich so verhält, ist in unsern allgemeinen Ansichten über die Beziehung von Körper und Geist leicht zu finden.

4) Die Erfahrungsschlüsse, Induktion und Analogie, gewinnen unter Anerkennung unsres Gesetzes eine Verallgemeinerung und prinzipielle Bestimmtheit und Sicherheit, worin sie gewöhnlich nicht gefaßt werden.

Für Induktion hält man im allgemeinen das Fußen auf wiederholten Erfahrungen nötig. Nach unserm Gesetze aber reicht an sich eine einzige Erfahrung vollkommen aus, die Wiederkehr eines Erfolgs unter denselben Umständen für alle Zeit zu verbürgen und ein sicheres Gesetz darauf zu gründen, und die Wiederholung der Erfahrung ist nur nötig, teils für die Unsicherheit und Zerstreutheit unsrer sinnlichen Auffassung Abhilfe zu gewähren, teils aus den einzelnen Fällen allgemeinere Gesetze für das Allgemeine oder Elementare, das mehreren Fällen gemein, zu abstrahieren. Die Analogie anlangend, so schließt man gewöhnlich unbestimmt: Ähnliche Gründe werden ähnliche Erfolge geben; aber es fragt sich, in wie weit ähnliche? Nach unserm Gesetze wird man vollkommen bestimmt schließen: In so weit sich die Gründe gleichen, werden sich die Erfolge gleichen; in so weit sich die Gründe nicht gleichen, werden sich auch die Erfolge nicht gleichen. Hierdurch wird das Ungleiche der Fälle dem Schlusse eben so dienstbar gemacht wie das Gleiche. Die meisten Erfahrungsfehlschlüsse beruhen auf einem Mangel an konsequenter Sonderung und Festhaltung dieses doppelten Gesichtspunktes, und die Häufigkeit solcher Fehlschlüsse ist

Grund gewesen, daß man den Erfahrungsschlüssen gewöhnlich überhaupt
nur eine prekäre Sicherheit den sogenannten Vernunftschlüssen gegenüber
beilegt, die auf dem Satze des Widerspruchs ruhen. Inzwischen haben
die Erfahrungsschlüsse prinzipiell eine Sicherheit, welche der unsres obersten
Gesetzes selbst gleich kommt, das für das reale Gebiet eine analoge
Bedeutung hat wie der Satz des Widerspruchs für das begriffliche;
sofern das reale Gebiet so wenig wie das Vernunftgebiet einen
Widerspruch mit dem einmal Gesetzten duldet; nur daß freilich unser
Gesetz als ein Gesetz für die Erfahrung auch seine allgemeinste Bewährung prinzipiell nur in der allgemeinsten Erfahrung suchen kann. Fehler
in Anwendung der Erfahrungsschlüsse können natürlich dem Prinzip
derselben so wenig zugerechnet werden wie logische Fehler dem der
Vernunftschlüsse.

Bemerken wir nun noch, daß Vernunftschlüsse ohne Zuziehung von
Erfahrungsschlüssen, anstatt für die Wirklichkeit irgendwie Gültigkeit zu
haben, überhaupt nichts dafür bedeuten können. Denn ich kann zwar
schließen: Alle Menschen sind sterblich, Cajus ist ein Mensch, also ist
Cajus sterblich; daß aber alle Menschen sterblich sind, ist selbst erst eine
Sache der Induktion und Analogie, ohne welche der ganze Schluß ins
Leere gebaut wäre. Hiernach kann man behaupten, daß jede Sicherheit
des Schlusses auf dem Gebiet des Wirklichen von der Sicherheit und
sichern Anwendung unsers allgemeinsten Gesetzes abhängt.

Die Hauptschwierigkeit triftiger Erfahrungsschlüsse liegt darin, daß
bei komplizierten Vorgängen, und alle Vorgänge sind mehr oder weniger
kompliziert, nicht sofort erhellt, was darin als Grund und Folge im
Besondern auf einander zu beziehen. Treten neue komplizierte Erfahrungen ein, die sich mit den vorigen nicht vollständig decken, und nie
decken sich spätere Erfahrungen ganz mit früheren, sie werden stets etwas
Gleiches und etwas Ungleiches damit haben, so kann die Folge, welche
dem ersten Komplex von Gründen zugehörte, nicht auf den zweiten ganz
übertragen werden; aber es bleibt zunächst unbestimmt, was für Folgen
hängen am Gleichen, was für Folgen am Ungleichen. In so fern kann
allerdings eine einzige Erfahrung nie maßgebend für die Beurteilung
folgender Erfahrungen sein. Zugleich sieht man aber, wie hieran das
Prinzip der exakten Forschung hängt, aus wiederholten Erfahrungen
unter abgeänderten Umständen und mit möglichster Isolierung besonderer
Umstände die Gesetze für das Allgemeine und Elementare der Erscheinungen zu ermitteln. Unser oberstes Gesetz kann nichts von dieser Arbeit
ersparen, sondern bloß den allgemeinsten Gesichtspunkt dafür stellen.

5) Sofern unser Gesetz gilt, können wir eine vollkommen unverbrüchliche Gesetzlichkeit durch die ganze Natur und Geisterwelt herrschend annehmen, wie dies eben so im Interesse unsrer theoretischen Forschung, als im richtig verstandenen praktischen Interesse ist, dessenungeachtet aber die Freiheit dadurch nicht aufgehoben halten. Denn wie Bd. I. S. 213 ff. gezeigt worden, läßt unser Gesetz trotzdem, daß es bindend für allen Raum und alle Zeit, für alle Materie und allen Geist ist, doch seinem Wesen nach eine Indetermination noch übrig, ja die größte die sich denken läßt. Denn es sagt wohl, daß, in so fern dieselben Umstände wiederkehren, auch derselbe Erfolg wiederkehren müsse, so fern nicht, nicht; aber es liegt nichts in seinem Ausdrucke, was die Art des ersten Erfolgs selbst an irgendwelchem Orte für irgendwelche Umstände, noch die Art des Eintritts der ersten Umstände selbst irgendwie bestimmte. In diesem Bezuge war von Anfang an nach dem Gesetze alles frei; und ist jetzt noch alles frei, in so weit sich nicht alte Umstände wiederholen, was sie aber nie vollständig tun.

Wenden wir dies insbesondere auf die Freiheit des Menschen an, so wird sich sagen lassen:

Jeder Mensch stellt, nach geistiger und leiblicher Seite in eins betrachtet, eine besondere und der allgemeinen Zusammenstellung der Umstände in besonderer Weise eingestellte Zusammenstellung von Umständen dar, die wohl von gewisser Seite hier und da, voll aber nirgends eben so wiederkehrt, und denkt und handelt demgemäß auch nach seiner eigenen, von seinem Innern und seiner davon nicht ablösbaren Weltstellung in eins abhängigen, Gebundenheit und Freiheit verknüpfenden Gesetzlichkeit in einer nirgends ganz so wiederkehrenden Weise, die seinen individuellen Charakter ausmacht, also daß er zwar nach Maßgabe gebunden ist, gleich zu denken und zu handeln wie andre, als er gleiche vorgängige Umstände seines Innern und seiner Weltstellung mit ihnen teilt, was von tausend verschiedenen Seiten der Fall sein kann und sein wird; mit seiner Freiheit aber von andern Seiten darüber immer hinausgreift, so daß auch das Besondere nicht ganz gleich zwischen ihm und andern ausfallen kann.

Da jeder neue Mensch schon die ganze bisherige Entwickelungsgeschichte der Menschheit hinter sich hat, ist er freilich auch ihrer ganzen schon entwickelten Gesetzlichkeit untertan; aber er kann doch immer selbst neue Momente zur Fortentwickelung derselben mit Freiheit beitragen, die maßgebend werden für die Zukunft. Auch läßt sich aus allgemeinem Gesichtspunkte als die Bestimmung des einzelnen ansehen, nicht sowohl das von der Menschheit schon Gewonnene wieder aufzulösen, als es fortzubilden.

Bei den mannigfaltigen Wendungen, welche der Freiheitsbegriff annehmen kann (vergl. unten Zusatz 1), läßt sich allerdings nicht erwarten, daß die Freiheit, wie sie in Abhängigkeit von unserm Prinzip erscheint, allen Wendungen dieses Begriffes in gleicher Weise entsprechen werde, was vielmehr unmöglich. Statuiert man z. B. einen freien Willen der Art, daß er so zu sagen grundlos, aus nichts, entsteht; so entspricht der von unserm Prinzip abhängige Freiheitsbegriff dieser Vorstellung nicht. Alles Freie, hiemit auch der freiste Wille den es gibt, hat hienach seine Gründe, durch die er aus dem frühern hervorwächst, mit dem Frühern in Beziehung steht; nur welche Richtung er in Folge dieser Gründe nehmen wird, bleibt unbestimmt und unbestimmbar, so weit er frei ist. Sucht man ferner Freiheit überhaupt bloß im Willen, so entspricht diese enge Fassung ebenfalls dem von unserm Prinzip abhängigen Freiheitsbegriffe nicht; wenigstens liegt nichts in unserm Freiheitsbegriffe, wodurch er auf den Willen beschränkt würde, obwohl er Anwendung darauf finden kann. Inzwischen ist unser Freiheitsbegriff jedenfalls ein solcher, der das schwankende Gebiet der geläufigen Freiheitsbegriffe nicht überschreitet; und unsre Freiheitsansicht insofern eine indeterministische, als nicht alles danach von vornherein notwendig vorbestimmt erscheint, wie nach dem Determinismus, obwohl sie des Nähern ziemlich von den jetzt herrschenden indeterministischen Ansichten abweicht.

Zusatz 1. Über den mannigfaltigen Gebrauch des Freiheitsbegriffes. Nach manchen gilt das Tun aus innern Gründen, aus Selbstbestimmung, ohne äußere Nötigung, überhaupt als freies Tun; wo dann freilich konsequenterweise auch das sich rein durch sich selbst zu seinen Bewegungen bestimmende Planetensystem frei in Ausübung dieser Bewegungen zu nennen wäre. Man identifiziert aus diesem Gesichtspunkte wohl gar Freiheit mit innerer Notwendigkeit; sofern man die Selbstbestimmung als eine in der Natur des freien Subjektes liegende und nach der Art des Subjekts sich notwendig äußernde hält. Anderwärts verlangt man zur Freiheit die Abwesenheit jeder, sei es innerer oder äußerer, Nötigung, ja in extremen Ansichten wohl die Abwesenheit der Gründe überhaupt. Andere Male ist es nur die Abwesenheit innerer oder äußerer Hemmnisse des Tuns, was man zur Freiheit des Tuns fordert, wobei aber an sich nicht ausgeschlossen wäre, daß dies Tun durch innere oder äußere nötigende Gründe erwachsen sei. Bald ist es eine unbestimmbare Möglichkeit verschiedener Weisen des Tuns, die als Freiheit gerechnet wird; aber diese unbestimmbare Möglichkeit kann sich teils auf jeden einzelnen Fall insbesondere beziehen, teils auf das ganze Bereich des Handelns im Zusammenhange, teils eine an sich stattfindende, objektive sein, sofern es keine Gründe der Entscheidung gibt, teils eine subjektive, sofern sich diese nur nicht von uns beurteilen lassen, wodurch wieder verschiedene Wendungen des Freiheitsbegriffes möglich und wirklich werden. In engerem Sinne zieht man die Kategorie des Geistigen zur Freiheit, nennt nur geistige Wesen freie, obwohl Selbstbestimmung, Frage nach der Notwendigkeit des Geschehens, mangelndes Hindernis, unbestimmbare Möglichkeit ebensowohl auf das körperliche Gebiet Anwendung finden, also in jenen allgemeinen Begriffs= bestimmungen der Freiheit, bei denen sich manche begnügen, an sich kein Grund der Einschränkung auf das Geistige liegt, und man auch von freien Bewegungen der Körper spricht. Die obigen Schwankungen in der allgemeinen Begriffsbestimmung der Freiheit tragen sich nun auch auf die Freiheit der geistigen oder mit Seele begabten Wesen über, und es treten noch neue dazu. Im weiteren Sinne mißt man nicht nur den Menschen sondern auch den Tieren Freiheit des Tuns bei und meint hierin ein Unterscheidungs= merkmal derselben von den als unbeseelt angenommenen Pflanzen zu haben: in engerm Sinne aber legt man Freiheit nur Geschöpfen bei, welche einen Willen oder eine bewußte Wahl haben, wobei jedoch noch fraglich bleibt, wo Wille und Wahl eigentlich beginnt. Auch läßt das Dasein des Willens wie der Fähigkeit zu wählen noch die Frage übrig, ob der Wille oder die Entscheidung bei der Wahl mit oder ohne nötigende Determination entsteht; was den Hauptstreitpunkt zwischen den Deterministen und Indeterministen ausmacht. Je nachdem man nun den Willen schlechthin, ohne Rücksicht auf die Art seiner Entstehung, oder einen indeterministisch gefaßten Willen zur Freiheit wesentlich hält, kann dann die Anwendung des Freiheitsbegriffes wieder sehr verschieden ausfallen. Man kann ferner auch zur Freiheit außer dem Willen die Fähigkeit, den Willen auszuführen, verlangen. Auch nennt man wohl jemand mit allem Willen unfrei, wenn er seinen Lüsten nicht zu widerstehen vermag, frei nur den, der seinen Willen dem Willen Gottes oder einer allgemeinen moralischen Maxime unterordnet. Man unterscheidet ferner höhere, niedere, äußere, innere, absolute, relative, physische, moralische, rechtliche Freiheit u. s. w. Im gewöhnlichen Leben findet eine große Ver= wirrung zwischen diesen verschiedenen Fassungen des Freiheitsbegriffes statt; und man kann sagen, daß sie durch die wissenschaftliche Behandlung der= selben eher noch vermehrt als vermindert ist.

Es ist auch hier nicht die Absicht diesen Gegenstand zu klären, noch weniger, etwa eine bestimmte Definition des Freiheitsbegriffes als die allein zulängliche und überall festzuhaltende aufstellen zu wollen, da man umsonst versuchen würde, der Freiheit des Sprachgebrauches durch irgendwelche Ein= schränkung Gewalt anzutun. Wir fassen nur in Bezug zu unserm Grundgesetze Freiheit in einer bestimmten Weise, wie sie durch die Erläuterung dieses Gesetzes sich von selbst herausgestellt hat, um daran nicht Erörterungen über das Wort, den Begriff Freiheit, den man immerhin in verschiedenen Zusammenhängen verschieden brauchen mag, sondern sachliche Betrachtungen über die Vorbestimmbarkeit oder Nichtvor= bestimmbarkeit des Geschehens zu knüpfen.

Zusatz 2. Über den Gegensatz der deterministischen und indeterministischen Ansicht. Im allgemeinen behauptet die deterministische Ansicht eine durchgehende Notwendigkeit alles Geschehens, ohne daß im Geistigen, Moralischen, Wollen, Denken es sich anders damit verhält als in dem Physischen, das Gegenstand der Naturerforschung; die Gesetze mögen andere, schwerer faßliche und verfolgbare sein; aber die Notwendigkeit ist dieselbe. Überall folgt aus den gegebenen Gründen mit Notwendigkeit das, was eben erfolgt, und es ist überall nur eine Weise des Erfolgs möglich, die durch die Beschaffenheit der eben vorhandenen Gründen bestimmt wird; diese Gründe sind wieder durch ihre rückwärtsliegenden Gründe vorbestimmt, und so ins Unbestimmte. Ist für einen Menschen die Beschaffenheit seines Innern und Außern gegeben, und sind die äußern Umstände für ihn gegeben, so ist alles für ihn in Ewigkeit gegeben, indem nach diesen Gründen sich alle Folgen mit Notwendigkeit ins Unbestimmte entwickeln. Glaubt ein Mensch frei zu handeln, so ist er sich der nötigenden Gründe nur nicht bewußt.

Die indeterministische Ansicht, als Gegensatz der deterministischen, leugnet diese durchgängige Notwendigkeit, ohne leugnen zu können oder zu wollen, daß es ein Gebiet oder eine Seite der Notwendigkeit in der Welt gebe. Ihr Wesen liegt nur eben darin, daß sie nicht alles nach allen Seiten notwendig bestimmt hält, wie die deterministische. Sie kann aber eine verschiedene Gestalt annehmen, je nachdem sie die Freiheit als Fehlen oder Gegenteil der Notwendigkeit, hier oder da, in weiterer oder engerer Sphäre sucht und selbst näher so oder so bestimmt. Nach den jetzt herrschenden Ansichten wird die Freiheit in engerem Sinne nicht nur auf das geistige Gebiet beschränkt, sondern auch hierin insbesondere auf das Willensgebiet, oder jedenfalls im Willen die vorzüglichste Manifestation der Freiheit gefunden.*) Im Willen ist ein Prinzip gegeben, welches die Schranken der Notwendigkeit durchbricht, darüber erhaben ist und durch sein Walten das abändert, was sonst der Notwendigkeit unterläge. Der Wille ist durch keine inneren oder äußeren nötigenden Gründe dahin bestimmt, daß er gerade die Richtung nimmt, die wir ihn annehmen sehen; sondern seine Entscheidung nach dieser oder jener Richtung, insbesondere in moralischer Hinsicht, zum Guten oder Bösen, kommt, unbestimmbar durch alles andre, rein aus ihm selbst zustande. Er bringt die Gründe der Entscheidung aus sich selbst mit. Weder Vorgängiges noch Mitgehendes hat auf das Wesen derselben Einfluß. Nicht Anlage und Erziehung machen den Menschen gut oder böse, sondern trotz Anlage und Erziehung macht der eigene Wille den Menschen gut oder böse, ein Wille, der nicht selbst durch Anlage und Erziehung vorbestimmt ist. Was Anlage und Erziehung hauptsächlich wirken kann, ist nur das Gebiet und die Form zu bestimmen, worin sich die guten oder bösen Willensbestimmungen entfalten werden. Zwar

---

*) Ohne zu behaupten, daß die nachfolgende Darstellung den Sinn aller indeterministischen Ansichten genau trifft, dürfte sie doch das Wesentlichste der meisten hervorheben, und stimmt insbesondere mit der von Müller in seiner Lehre von der Sünde Th. II. vorgetragenen Ansicht überein.

Soſern

ter Natur

ſes geſchehen

an ſich nicht

nſtänden, Umſtänden,

m Prinzip der

Selt nöt. Einen

nothwendig

bſinne

der Weltentwickelung fortgehends Umstände ein, die, wenn schon nicht nach aller Hinsicht neu, doch eine Seite des Neuen haben, und hierin liegt unser Freiheitsgebiet, das doch nie abgesondert vom Gebiet des Notwendigen besteht.

Nun aber kann der Determinist eben hier den Schein zu finden meinen und leugnen, daß überhaupt etwas Neues in der Welt vorkommt. Er kann darauf aufmerksam machen, daß jedenfalls vieles von dem, was wir schlechthin neue Umstände oder neu an den Umständen zu nennen geneigt sind, nur eine derartige Kombination oder Abänderung alter Umstände ist, daß die neuen Erfolge als besondere Fälle unter schon gewonnene alte Regeln treten; der Erfolg einer Neuerung lasse sich oft nach einer durch alte Gesetze gedeckten Proportionalität oder Zusammensetzung oder allgemeiner als Funktion des früher Dagewesenen berechnen. Und die Möglichkeit hiervon liege in der Allgemeinheit unseres Gesetzes selbst begründet. Denn vermöge derselben werde es nicht bloß für das einzelne, sondern auch das Allgemeine der Fälle zu gelten haben, und so fern in gewissem Raume, in gewisser Zeit sich eine gewisse Regel der Proportionalität oder Zusammensetzung gültig erweise, fordere die volle Allgemeinheit des Gesetzes, daß sie für alle Zeiten und alle Räume ferner gültig bleibe.

So kehrt unser Planetensystem in Betreff der Anordnung seiner Massen in Ewigkeit nie wieder ganz in die Verfassung zurück, die es in irgend einem Momente gehabt; aber dessenungeachtet ist alle Bewegung desselben in Ewigkeit völlig determiniert nach Regeln, welche sich ganz auf schon Dagewesenes gründen. Zuletzt reduzieren sich alle Umstände, auf die es bei dem Erfolge hier ankommt, auf Größen von Massen, Distanzen, Geschwindigkeiten, Richtungen, auf Zusammensetzungen und Verhältnisse von all Diesem; und wie sich die Ursachen zusammensetzen, setzen sich die Folgen zusammen; die Erfahrung selbst hat bewiesen, daß es der Fall ist, und hat zugleich die Regeln kennen gelehrt, nach der Zusammensetzung der Ursachen die Zusammensetzung der Folgen zu berechnen.

Im Sinne des Deterministen wird es nun liegen, das, was wir beim Planetensystem bemerken, zu verallgemeinern, zu sagen: Alles was wir neue Umstände oder neu an den Umständen nennen, sind solche Zusammensetzungen und Abänderungen, die sich nach Regeln berechnen lassen, welche, wenn nicht aus dem Dagewesenen schon gefunden, doch daraus findbar sind. Von Anbeginn an sind alle die Grundverhältnisse gegeben, auf die es ankommt, und so gegeben, daß keine neue Determination im Laufe der Zeiten erst eintreten kann.

können äußere Motive den Willen zur Entscheidung anregen, aber die Art der Entscheidung bleibt ihm selbst anheimgegeben, ohne daß er durch etwas gebunden ist, sich so oder so zu entscheiden. Doch gibt der Indeterminismus nach neuerer Fassung im allgemeinen zu, daß die Freiheit des menschlichen Willens einer Selbstbeschränkung unterliege, sofern er sich durch frühere Entscheidungen immer mehr zu einer beharrlichen Richtung determiniere. Je öfter er sich schon nach einer gewissen Richtung entschieden habe, desto mehr nehme die Neigung zu, sich ferner in derselben Richtung zu entscheiden; so entstehe der Charakter und die Neigung des Menschen. Nur ein Resultat früherer freier Selbstbestimmungen des Willens sei es, was das herrschende Interesse des Menschen ausmacht; daher auch fehlerhafte Neigungen die Schuld des Menschen. Doch sei auch diese Determination nie vollständig. Manche, um das Angeborne der Neigung zu erklären, sprechen von Willens= entscheidungen schon vor der Geburt in einem Sein, von dem wir keine Kunde haben.

Bekanntlich erklärt der Determinist die Freiheit des Indeterministen für Schein. Seine Einwürfe werden sich auch gegen unsere Auffassung der Freiheit kehren können, nur unter anderer Form als gegen die gewöhnliche indeterministische Auffassung. Ich halte die Entscheidung der Streitfrage überhaupt für schwierig; ja war früher einem reinen Determinismus zugetan, indes scheint mir die Festhaltung eines indeterministischen Freiheitsmomentes in dem von uns erörterten Sinne sich nicht nur rechtfertigen, sondern auch mit den Vorzügen eines recht= gefaßten Determinismus in vorteilhafter Weise vereinigen zu lassen. Hierüber soll jetzt einiges aus theoretischem Gesichtspunkte gesagt werden, um nachher (C.) den Gegenstand nochmals aus praktischem Gesichtspunkte aufzunehmen.

Nach unserer Darstellung ist etwas nur insoweit vorbestimmt und vorbestimmbar, als es aus einer Wiederholung früherer Umstände hervorgeht; insofern neue Umstände eintreten, besteht Unbestimmbarkeit des Erfolgs. Der Erfolg kann so oder so eintreten, nur daß er nicht übereinstimme mit dem, was anderwärts oder früher aus andern Gründen schon in bestimmter Weise erfolgt ist. Im Übrigen ist er frei. Sofern nun die Unbestimmtheit des Erfolgs, so weit sie stattfindet, in der Natur der Dinge, d. h. des obersten Gesetzes, das alle Dinge, alles Geschehen beherrscht, liegt, kann man sagen, die Weise des Erfolgs sei an sich nicht notwendig diese oder diese. Aus allen neuen Gründen, Umständen, so weit sie wirklich neu, folgt etwas, wozu es kein Prinzip der Bestimmung, daß es so eintreten müsse, in der Welt gibt. Einen andern Sinn wüßten wir dem Ausdruck, daß etwas nicht notwendig bestimmt sei, überhaupt nicht unterzulegen. Es treten aber im Laufe der Weltentwickelung fortgehends Umstände ein, die, wenn schon nicht nach aller Hinsicht neu, doch eine Seite des Neuen haben, und hierin liegt unser Freiheitsgebiet, das doch nie abgesondert vom Gebiet des Notwendigen besteht.

Nun aber kann der Determinist eben hier den Schein zu finden meinen und leugnen, daß überhaupt etwas Neues in der Welt vorkommt. Er kann darauf aufmerksam machen, daß jedenfalls vieles von dem, was wir schlechthin neue Umstände oder neu an den Umständen zu nennen geneigt sind, nur eine derartige Kombination oder Abänderung alter Umstände ist, daß die neuen Erfolge als besondere Fälle unter schon gewonnene alte Regeln treten; der Erfolg einer Neuerung lasse sich oft nach einer durch alte Gesetze gedeckten Proportionalität oder Zusammensetzung oder allgemeiner als Funktion des früher Dagewesenen berechnen. Und die Möglichkeit hiervon liege in der Allgemeinheit unseres Gesetzes selbst begründet. Denn vermöge derselben werde es nicht bloß für das einzelne, sondern auch das Allgemeine der Fälle zu gelten haben, und so fern in gewissem Raume, in gewisser Zeit sich eine gewisse Regel der Proportionalität oder Zusammensetzung gültig erweise, fordere die volle Allgemeinheit des Gesetzes, daß sie für alle Zeiten und alle Räume ferner gültig bleibe.

So kehrt unser Planetensystem in Betreff der Anordnung seiner Massen in Ewigkeit nie wieder ganz in die Verfassung zurück, die es in irgend einem Momente gehabt; aber dessenungeachtet ist alle Bewegung desselben in Ewigkeit völlig determiniert nach Regeln, welche sich ganz auf schon Dagewesenes gründen. Zuletzt reduzieren sich alle Umstände, auf die es bei dem Erfolge hier ankommt, auf Größen von Massen, Distanzen, Geschwindigkeiten, Richtungen, auf Zusammensetzungen und Verhältnisse von all Diesem; und wie sich die Ursachen zusammensetzen, setzen sich die Folgen zusammen; die Erfahrung selbst hat bewiesen, daß es der Fall ist, und hat zugleich die Regeln kennen gelehrt, nach der Zusammensetzung der Ursachen die Zusammensetzung der Folgen zu berechnen.

Im Sinne des Deterministen wird es nun liegen, das, was wir beim Planetensystem bemerken, zu verallgemeinern, zu sagen: Alles was wir neue Umstände oder neu an den Umständen nennen, sind solche Zusammensetzungen und Abänderungen, die sich nach Regeln berechnen lassen, welche, wenn nicht aus dem Dagewesenen schon gefunden, doch daraus findbar sind. Von Anbeginn an sind alle die Grundverhältnisse gegeben, auf die es ankommt, und so gegeben, daß keine neue Determination im Laufe der Zeiten erst eintreten kann.

Diese Betrachtungsweise hat Schein, jedoch nur in sofern, als ein Beispiel als Ausgang der Betrachtung gewählt und auf dessen Verallgemeinerung angetragen ist, welches allerdings einem Gebiete der Notwendigkeit, das ja nicht zu leugnen ist, angehört, aber die Berechtigung seiner Verallgemeinerung gar nicht von selbst mitführt.

Faktisch ist, daß für den Deterministen die Zurückführung des Neuen auf alte Umstände nach Regeln der Proportion und Zusammensetzung oder überhaupt als Funktion des Einfachen bei weitem nicht gelungen ist und eben so wenig Aussicht ist, daß sie je vollständig gelingen könne. Das geistige Gebiet anlangend, so reichen die einfachsten Gesetze, welche für die einfachsten Verhältnisse gelten, nirgends hin, durch Zusammensetzung und nach Proportion oder in irgendwelcher Verwendung auch das zu decken, was der Verwickelung dieser Verhältnisse im ganzen zugehört. Was von geistigen Verhältnissen und Entwickelungen aus dem Zusammentritt dreier Menschen entstehen wird, ist so wenig vollständig aus dem berechenbar, was aus dem Zusammentritt je zweier entsteht, wie der Eindruck eines Akkords, einer Melodie auch nicht aus dem seiner einzelnen Intervalle findbar. Es liegt etwas in der ganzen Zusammenstellung, was mit jeder andern Zusammenstellung unberechenbar anders wird.

Wie es aber in dem Geistigen ist, ist es auch in der materiellen Grundlage des Geistigen. Mit den Prinzipien, mit denen man bei der Gravitation ausreicht, reicht man nicht überall in der Körperwelt aus. Früher freilich waren die Naturforscher mehr als jetzt geneigt anzunehmen, es lasse sich alles in der Natur, wie bei der Wirkung der Schwere, auf Zusammensetzung der Wirkungen von Elementarkräften zwischen je einem und einem andern Teilchen zurückführen, und mit den Gesetzen dieser Kräfte und der Zusammensetzung ihrer Wirkungen sei das Prinzip gegeben, alles zu berechnen was in der Natur geschieht. Aber es hat sich gezeigt, daß dem nicht so ist. Im Organischen liegt es fast auf der Hand, daß dies Prinzip nicht ausreicht. Auch ist keine Notwendigkeit, daß die Grundwirkungen überall bloß von der Beziehung je zweier Teilchen abhängen. Warum kann es nicht auch solche geben, wo drei, wo vier, wo alle Teile eines Systems zur Grundwirkung beitragen? So scheint es mit den organischen Molekularwirkungen wirklich der Fall zu sein. Daß jedenfalls eine Annahme solcher Wirkungen nicht ins Leere stattfindet, beweist sich dadurch, daß im Gebiet des Unwägbaren, das doch überall auch in das Wägbare eingreift und im Organischen selbst eine große Rolle spielt, sicher solche vorkommen. Es hat sich hier

(im Felde elektrischer, galvanischer, magnetischer Bewegung) gezeigt, daß
nicht bloß der besondere Erfolg, sondern auch das allgemeine Gesetz des
Erfolges bei der Wirkung zweier Teilchen durch Mitwirkung anderer
Teilchen in einer Weise abgeändert wird, für welche bis jetzt kein
Prinzip bestimmter Berechnung gegeben ist. Die Verbindung zum
Ganzen hat einen Einfluß, der sich aus der Zusammensetzung irgendwelcher Einzelheiten nicht bestimmen läßt. Man weiß noch nicht recht,
wie weit derartige Wirkungen greifen und welches ihre Grundnatur ist;
kann also auch nähere Aufschlüsse darüber noch nicht von der Wissenschaft erwarten; gewiß bleibt nur, daß solche Wirkungen vorhanden sind.
Im Bereiche des Chemischen, Molekularen überhaupt, zeigen sich Wirkungen, die auch hierher zu gehören scheinen; wobei man in Frage
stellen kann, ob sie nicht, eben wie auch die im Organischen, vom Eingriff des Unwägbaren ins Wägbare erst abhängen. Wichtig ist dann
ferner, daß durch den unwägbaren Äther im Himmelsraume, der nicht
nur zwischen allen Weltkörpern enthalten ist, sondern auch alles Wägbare durchbringt und in Wechselwirkung damit steht, die ganze Welt zu
einem Ganzen verknüpft ist, welchem sich alles einzelne durch seinen unwägbaren Inhalt einordnet.

Man vergleiche hiezu eine Stelle in W. Weber's „Elektrodynamische
Maßbestimmungen" (Abhandlungen der Jablonowskischen Gesellsch. 1846.
S. 376.) Er sagt: „Hiernach hängt also diese Kraft (welche zwei elektrische
Teilchen auf einander ausüben) von der Größe der Massen, von ihrer Entfernung, von ihrer relativen Geschwindigkeit, und außerdem endlich von derjenigen relativen Beschleunigung ab, welche ihnen zukommt teils in Folge
der Fortdauer der in ihnen schon vorhandenen Bewegung, teils in Folge
der von anderen Körpern auf sie wirkenden Kräfte.

Es scheint hieraus zu folgen, daß die unmittelbare Wechselwirkung
zweier elektrischen Massen nicht ausschließlich von diesen Massen selbst und
ihren Verhältnissen zu einander, sondern auch von der Gegenwart dritter
Körper abhängig sei. Nun ist bekannt, daß Berzelius eine solche Abhängigkeit der unmittelbaren Wechselwirkung zweier Körper von der Gegenwart eines dritten schon vermutet hat, und die daraus resultierenden Kräfte
mit dem Namen der katalytischen bezeichnet hat. Bedienen wir uns dieses
Namens, so kann hiernach gesagt werden, daß auch die elektrischen Erscheinungen zum Teil von katalytischen Kräften herrühren.

Diese Nachweisung katalytischer Kräfte für die Elektrizität ist jedoch
keine strenge Folgerung aus dem gefundenen elektrischen Grundgesetze. Sie
würde es nur dann sein, wenn man mit diesem Grundgesetze notwendig
die Idee verbinden müßte, daß dadurch nur solche Kräfte bestimmt wären,
welche elektrische Massen aus der Ferne unmittelbar auf einander ausübten.
Es läßt sich aber auch denken, daß die unter dem gefundenen Grundgesetze

begriffenen Kräfte zum Teil auch solche Kräfte sind, welche zwei elektrische Massen mittelbar auf einander ausüben, und welche daher zunächst von dem vermittelnden Medium, und ferner von allen Körpern, welche auf dieses Medium wirken, abhängen müssen. Es kann leicht geschehen, daß solche mittelbar ausgeübten Kräfte, wenn sich das vermittelnde Medium unserer Betrachtung entzieht, als katalytische Kräfte erscheinen, wiewohl sie es nicht sind...... Die Idee von der Existenz eines solchen vermittelnden Mediums findet sich schon in der Idee des überall verbreiteten elektrischen neutralen Fluidums vor."

Dazu spricht es Weber als nicht unwahrscheinlich aus, daß das überall verbreitete elektrische neutrale Medium „mit dem überall verbreiteten Äther, welcher die Lichtschwingungen mache und fortpflanze", zusammenfällt.

Fußen wir auf der Voraussetzung einer solchen durch die ganze Welt greifenden, sei es auch nur durch das Unwägbare vermittelten Verknüpfung, der sich dann auch jeder einzelne Organismus einordnen muß, so läßt sich leicht übersehen, wie Betrachtungen, die auf die von Beharrung, Stoß, Schwere abhängigen Erscheinungen anwendbar sind, für alles, was von dieser Verknüpfung abhängt, unanwendbar werden, und wie die Notwendigkeit, die im Gebiete jener Erscheinungen Platz greift, auf das Gebiet dessen, was von dieser Verknüpfung abhängt, un= übertragbar ist.

In der Tat bei Beharrung, Stoß und Schwere kommt überhaupt als Grundlage der Berechnung nur das Verhalten eines Körpers für sich oder die Wirkung, die je zwei Körperteilchen oder Körper auf einander äußern, in Betracht; die Verhältnisse eines Einzelkörpers oder je zweier Körper zu einander wiederholen sich aber allwegs in Raum und Zeit, und so wiederholt und verallgemeinert sich auch die dafür geltende Regel und läßt sich in der Berechnung darauf fußen. Auch Fälle, wo die Grundwirkung von Zusammenstellung dreier oder mehrerer Körper oder Körperteile abhängt, könnten sich wiederholen, und es ist eine Verallgemeinerung von einem Falle zu andern Fällen und mithin eine Voraussicht der Erfolge für diese andern gleichen Fälle prinzipiell möglich. Gibt es aber eine allgemeine Wirkungsverknüpfung, wo die Zusammenstellung aller (sei es auch nur aller unwägbaren, doch auf das Wägbare rückwirkenden) Teile in Betracht kommt, so kann eine solche Zusammenstellung weder ganz so in anderem Raume und anderer Zeit wiederkehren, da die ganze Welt nichts außer sich hat und stets in Fort= entwickelung begriffen ist, noch ist nach der Voraussetzung selbst eine Berechnung der Totalwirkung aus den Einzelwirkungen und Vergleichung mit früheren Zuständen danach prinzipiell möglich; und mithin bleibt

hier etwas im ganzen Unvorbestimmbares. Dieses Unvorbestimmbare
im ganzen geht dann aber auch natürlich das einzelne an, das darunter
inbegriffen ist, und zwar jedes einzelne verschieden nach seiner verschiedenen Stellung zum Ganzen, so daß es, wenn es selbst den Charakter
einer Individualität hat, auch in individueller Weise an der allgemeinen
Freiheit teil gewinnt.

So erscheint unsre Freiheit nicht als herausgerissen aus dem
Zusammenhange mit dem Ganzen, wie man sie so gern vorstellt; sondern
recht eigentlich nur durch und in diesem Zusammenhang begründet, ist
eben so als ein Teil der allgemeinen Freiheit und als ein Beitrag dazu
anzusehen, wie auch die Notwendigkeit, der wir unterliegen, nur ein Teil
der allgemeinen Notwendigkeit und ein Beitrag dazu ist.

Das Wirken von Beharrung, Stoß und Schwere hat selbst einen
Hintergrund von Freiheit, ist wieder Grundlage freien Wirkens und mit
solchem wesentlich in Zusammenhang, sofern man frei entstanden überhaupt
nennt, dessen Entstehung nicht nach irgendwelchen Gesetzen als notwendig
ableitbar. Weder die erste Anordnung noch die ersten Bewegungen in der
Welt lassen sich aus den Gesetzen von Beharrung, Stoß und Schwere oder
irgendwelchen Gesetzen als notwendige ableiten, ja nicht einmal diese Gesetze
selbst; was aber danach als notwendig abgeleitet werden kann, bedarf dazu
doch selbst erst des ohne Berechnung Vorgegebenen und ist, auch wenn wir
die genauesten astronomischen Rechnungen in Betracht nehmen, in letzter
Instanz nur eine Approximation, die endlich untriftig werden muß, weil im
Grunde jeder Körper von der Summe aller Körper influiert wird; wir können
aber bloß die Wirkung einer beschränkten Körperwelt in Rechnung nehmen.
Nun ist es eben so schwer, eine begrenzte, wie eine unbegrenzte Welt zu
denken, die Regel der Berechnung der Schwerewirkungen könnte aber
prinzipiell bloß für erstere vollen Erfolg haben; sonst muß, und wäre es
erst nach zentillion mal zentillion Jahren, zur zentillion mal zentillionsten
Potenz erhoben, die Abweichung der noch so weit getriebenen Berechnung
von dem an sich Unberechenbaren nicht bloß faktisch, sondern prinzipiell
endlich spürbar werden. Und wie notwendig sich auch die Weltkörper vermöge Schwere und Beharrung im Himmelsraum bewegen mögen, ist es
doch ein Gebiet der Freiheit, das sich hiebei in ihnen fortbewegt. Nach
Maßgabe der Bewegungen der Himmelskörper und der Wirkungen der
Schwere ändert sich auch Leben und Bau der freien Geschöpfe, und der
ganze schwere Bau der Weltkörper, ja der ganzen Welt ist nur der Unterbau dieses freien Lebens, ging ursprünglich mit ihm aus einem Zusammenhange des Wirkens hervor, besteht und wirkt damit noch in untrennbarem
Zusammenhange, wie wir ja so vielfach erläutert. Die freien Geschöpfe
andrerseits sind nicht nach aller Hinsicht frei.

Wie viel Freiheit aber auch in der Welt walte, so hindert dies nicht,
alles einzelne darin nach der Seite zu berechnen, die eben an ihm notwendig ist, indem wir das, was durch Freiheit dabei unbestimmbar ist, sei

8*

es als unbestimmt (mitttelst unbestimmter Koeffizienten, Glieder u. s. w.) oder als durch die Erfahrung zu geben in die Rechnung einführen; nicht anders, als wir schon längst mit alle dem verfahren, was durch unsre Unkenntnis der Gründe oder der Gesetze, nach denen sie wirken, unbestimmbar ist.

Vergleiche hierüber meine Abhandlung „Über die mathematische Bestimmbarkeit organischer Gestalten und Prozesse" in den Berichten der Leipz. Soz., mathemat. phys. Abt., f. 1849. S. 50.

Es ist nicht zu verkennen, daß diese Betrachtungen über die physischen Verhältnisse, welche der Freiheit zugrunde liegen mögen, noch viel zu wünschen übrig lassen, sofern unsre mangelhafte Erkenntnis dieser Verhältnisse keinen sichern Gang der Betrachtung gestattet; möglich, daß sie noch Einwänden unterliegen; ja es möchte mit der Freiheitslehre schlecht bestellt sein, wenn sie sich nur hierauf stützen könnte; aber es war auch bloß die Absicht zu zeigen, daß selbst bei Voraussetzung einer festen Anknüpfung des Geistigen an das Materielle die Naturforschung kein Recht hat, die Notwendigkeit, die sie aus gewissen Gebieten abstrahiert, auf das Ganze des physischen und dadurch begründeten psychischen Geschehens zu übertragen, indes andrerseits keine Freiheitsansicht leugnen kann, daß es auch eine Seite der Notwendigkeit in der Welt gibt.

Zur objektiven Unmöglichkeit, alles Geschehen voraus zu berechnen, tritt noch eine subjektive. Faktisch und begreiflich nämlich ist, daß, nach Maßgabe als sich die Verhältnisse verwickeln oder auf eine höhere Ordnung steigen, wie dies im Sinne der fortschreitenden Entwickelung der Welt im ganzen ist, die Berechnung der Erfolge dieser verwickeltern Verhältnisse immer schwieriger wird, einen immer höhern Entwickelungsgrad des Geistes voraussetzt, sei es auch, daß sie an sich immer möglich sei. Und unstreitig kann kein Wesen Erfolge berechnen, die aus Gründen hervorgehen, welche komplizierter oder von höherer Ordnung sind, als die innern Verhältnisse des Wesens selbst, sondern nur niebrigere, mögen wir dies übrigens auf das Geistige oder Leibliche beziehen, was immer mit einander geht, da ein höher entwickeltes Geistige stets mit einem höher entwickelten Leiblichen zusammenhängt. Ein Wurm wird nie voraussehn können, wie sich ein Affe, ein Affe nie, wie sich ein Mensch, ein Mensch nie, wie sich Gott benehmen wird, außer nach Beziehungen, nach denen sie dem Höhern selbst adäquat sind; denn sofern die Einsicht jedes Wesens mit seiner Entwickelungsstufe zusammenhängt, kann es nicht über das Vermögen dieser hinaus etwas erschließen, was erst in einer höhern Entwickelungsstufe Raum hat.

So wird ein Mensch, der noch auf einer niedern Bildungsstufe steht, nie berechnen können, wie er sich benehmen wird, wenn er auf eine höhere gelangt ist, außer nach Beziehungen, in denen er schon jetzt mit der höhern übereinkommt; das Umgekehrte ist wohl eher möglich, daß der Mensch, auf höhere Bildungsstufe gelangt, die Motive seiner Handlungsweise auf der frühern niedern übersieht, obschon auch dies nie vollständig. Sofern nun faktisch die Welt in einer fortschreitenden Entwickelung begriffen ist, müssen wir gestehen, es bestehe auch aus diesem Grunde eine Unmöglichkeit schlechthin in der Natur der Sache, alle Erfolge der Welt voraus zu berechnen, in sofern die Berechnung dessen, was in die spätere höhere Entwickelung fallen wird, ein Wesen von höherm Entwickelungsgrade schon voraussetzen würde, was sich widerspricht. Und sollte man selbst eine objektive Berechenbarkeit alles dessen, was in der Welt geschieht, an sich behaupten wollen, würde diese subjektive Unberechenbarkeit immer in der Natur der Sache bestehend bleiben.

Man kann zwar sagen, daß, wenn auch die Erkenntnis des Zukünftigen solchergestalt immer eine Indetermination einschließt, es dagegen für den erlangten höhern Erkenntnisgrad möglich sein wird, die Notwendigkeit des frühern Bildungsganges mehr und mehr rückwärts zu berechnen. Allein sehen wir näher zu, scheint dies triftiger so auszudrücken: wir werden mit steigendem Bildungsgrade immer mehr befähigt, das Notwendige im höhern Bildungsgange zu berechnen, etwas anderes werden wir wenigstens nach Erfahrung nicht behaupten können.

C. Über die Freiheitsfrage aus praktischem Gesichtspunkte.

Wie es seine Schwierigkeit hat, nach theoretischen Gesichtspunkten zwischen der deterministischen und indeterministischen Freiheitsansicht[*] eine reine Entscheidung zu fassen, ist es auch nach praktischen der Fall, während freilich die Entscheidung sehr leicht fällt, wenn man, wie nur zu gewöhnlich, die eine aus dem vorteilhaftesten, die andre aus dem nachteiligsten Gesichtspunkte ins Auge faßt. Schließlich erkläre ich mich zwar für eine indeterministische Auffassung, doch mit geringem Übergewicht der Gründe, und so, daß das deterministische Moment, was jeder Indeterminismus aufnehmen muß, (da doch jeder ein Gebiet der Notwendigkeit anzuerkennen hat,) einen ohne Vergleich größern Spiel-

---

*) Vgl. über das Begriffliche dieser Ansichten B. II. S. 109.

raum erhält als nach den gewöhnlichen indeterministischen Ansichten; von andern Seiten aber das indeterministische Moment nicht bloß auf das Willensgebiet beschränkt wird.

Lassen wir erst den reinen Determinismus sich unter seiner vorteilhaftesten Gestalt entwickeln; was um so weniger überflüssig sein wird, als sich weiterhin zeigen wird, daß wir von dieser deterministischen Ansicht auch schließlich eigentlich nichts aufzugeben, sondern nur anzuerkennen haben werden, daß sie statt des Ganzen nur eine Seite des Ganzen deckt.

Die Nachteile, welche man dem Determinismus in seiner gewöhnlichen Fassung beimißt, schwinden in der Tat, wenn man ihn unter der nähern Bestimmung aufstellt und aus dem Gesichtspunkte durchführt, daß die notwendige Weltordnung zugleich eine notwendig gute sei in der Art, daß alles einzelne darin, ob auch zeitweise und als einzelnes betrachtet, jetzt und hier nicht gut erscheint, doch im Ganzen der Zeit und des Raums betrachtet, sich zum Guten endlich notwendig fügt und selbst der Böse durch die Folgen des Bösen hier oder dort notwendig endlich zum Guten determiniert wird.

Unser Determinismus postuliert aber nicht bloß eine solche Weltordnung, sondern er kann sich auf die faktische Kundgebung derselben berufen, sofern Gegenwirkungen gegen das Gute und Rückläufe gegen dasselbe allerdings im einzelnen unzählige erscheinen, im ganzen aber doch eine Tendenz zum Guten immer verwaltet. Diese Tendenz tritt nach Maßgabe deutlicher hervor, als wir uns vom einzelnen mehr zum Ganzen erheben (vgl. Bd. I. S. 246); so daß wir schließen können, was an ihrer vollen Verwirklichung uns noch zu fehlen scheint, fehle eben nur in so fern, als wir nicht imstande sind, das Ganze der Zeit und des Raums zu überblicken, daraus selbst aber Zuversicht in Betreff dieses Ganzen schöpfen können. Unser Leben hienieden, wie kurz es sei, reicht doch aus, den Sinn und Gang der Weltordnung in so weit zu übersehen, um uns sicher zu stellen, es geht im ganzen zu guten und gerechten Zielen. Die einzelnen Menschen irren und sündigen in mancherlei Weise, und oft erhält der Böse den Lohn, den der Gute verdient hat; aber die Gesetze und Regeln, welche die Menschheit oder größere Fraktionen derselben binden, sind, wenn auch nicht der Gefahr des Irrtums entnommen, doch im ganzen überall vorwaltend auf das Gute, Rechte und Gerechte gerichtet; und es besteht eine innere Notwendigkeit, welche die Menschheit treibt, sie in dieser Richtung immer mehr zu vervollkommnen. Der einzelne selbst, der jetzt sündigt und irrt, wird durch die über kurz

ober lang auf ihn zurückschlagenden Folgen seines Irrtums und seiner
Sünden eben so angetrieben, endlich zur Erkenntnis und zum Guten
zu kommen, als der das Rechte Erkennende und Tuende durch den
innern und äußern Lohn, den das Gute und Wahre mit und schließlich
nach sich führt, darin bestärkt und befestigt wird. Schon im jetzigen
Leben sehen wir gutes und böses Gewissen, göttliche und menschliche
Strafen, Drohungen und Verheißungen, Ermahnungen und Abmahnungen,
Lob und Tadel, Ehre und Schande, die sich allwegs beziehentlich an das
Gute und Böse knüpfen, allwegs auch in die Richtung zum Guten
drängen und von der des Bösen wegdrängen, sehen die guten Folgen
des Guten und die bösen Folgen des Bösen um so mehr anwachsen
und um so sicherer und kräftiger auf den Urheber zurückschlagen, je
länger sie Zeit haben, anzuwachsen und sich zu entwickeln; doch reicht
das jetzige Leben oft nicht zur gerechten Vollendung hin; und wir
dürfen uns darüber nicht wundern, wenn doch die Weltordnung nicht
bloß die engen Schranken unsres hiesigen, sondern unsres ewigen Daseins
umfaßt. Alles aber, was sich im jetzigen Leben hiervon noch nicht
erfüllt und vollendet, können wir mit Fug im folgenden Leben suchen;
in dem wir doch nur eine Fortentwickelung desselben Planes voraussetzen können, den wir schon im jetzigen Leben ausgesprochen sehen. Ja
der Umstand selbst, daß wir hier einen Plan, eine Tendenz aus dem
Ganzen und im Ganzen deutlich hervorleuchten und doch im einzelnen
nicht vollendet und durchgebildet sehen, gibt uns die bestimmteste Hoffnung
einer Zukunft, läßt uns das jetzige Leben als Moment oder Bruchstück
eines größern Ganzen erscheinen, welches dieser Vollendung zuschreitet.
Und unstreitig wird die deterministische Ansicht dadurch nicht schlechter,
daß sie den Hinblick auf ein künftiges Leben nicht nur einschließt,
sondern fordert.

Denken wir uns demgemäß das Gesetz, daß, je länger, so sicherer
die guten oder bösen Folgen des Tuns auf den Urheber zurückschlagen
und endlich so gehäufter zurückschlagen, je mehr und länger sich das
Tun in derselben Richtung geäußert hat, über dies Leben hinausreichend,
ja den Tod selbst als ein großes Mittel, das, was unter den Bedingungen des Jetztlebens nicht in dieser Beziehung erreicht werden konnte,
unter neuen Bedingungen zu erreichen und zu vollenden, so wird auch
der Gute sicher endlich seinen vielleicht hier noch verkürzten Lohn finden,
um so reichlicher, je länger er ihm verkürzt wurde; für den Bösen aber
wird bei noch so beharrlicher Verstockung endlich ein Zeitpunkt kommen
müssen, wo ihm die Folgen seines Bösen zu mächtig werden, er durch

dieselben endlich gezwungen wird umzulenken, und nach Maßgabe als er umlenkt, wird er auch der Segnungen, die an das Gute geknüpft sind, teilhaftig werden.

Und so können wir bei dieser Fassung des Determinismus, welche den Menschen überall notwendig bestimmt sein läßt, aber so bestimmt sein läßt, daß die Folgen seiner Handlungen selbst notwendige Bestimmungsgründe desselben für sein Heil werden, vornweg und bei allem zeitlichen Kreuz und Leid, aller jetzigen Irrung und Trübsal, ganz allgemein den Trost fassen, daß alles noch einmal zum Besten ausschlagen müsse, der Gute noch einmal seinen Lohn, der Böse seine Strafe finden müsse, und durch fortgesetzte Strafen der Böse endlich zur Umkehr und hiemit zu seinem eigenen Heile endlich gezwungen werden müsse, weil dies in der allgemeinen Notwendigkeit, ihren ewigen und unabänderlichen Gesetzen so begründet liegt. Nach dieser Ansicht kommt jemand dadurch, daß er sich recht verstockt, in gewissem Sinne dem Umschlage zum Guten nur um so näher, weil die Folgen der Verstockung wachsen, je mehr sie selbst wächst; und nach dem notwendigen Gange der Weltordnung zuletzt sie überwachsen. Wer also sich verstockt, mag zwar eine Zeit lang immer böser werden, die Gewohnheit des Sündigens selbst wirkt dazu, kommt aber zuletzt mit gleicher Notwendigkeit, nur auf einem härtern Wege, zu dem Guten, als der sich nicht verstockt, da die strafende und erlösende Macht der Weltordnung größer als die Verstockung jedes einzelnen Menschen.

Sehen wir z. B. den Unmäßigen an. Er ißt, trinkt, und läßt sich's wohl sein, aber nach Maßgabe als er über das Rechte dabei hinausgeht, fangen auch Folgen seiner Unmäßigkeit an, sich vorzubereiten, oder selbst schon jetzt seinen Genüssen sich beizumischen, mit der Tendenz ihm seine Untugend zu verleiden. Der Überladung folgt Unbehagen, nach öfterer Wiederholung Zerrüttung der Gesundheit, auch wohl des Vermögens, Mißachtung von andern. Schon mancher ist durch diese Folgen zur Mäßigkeit bekehrt, mancher durch Betrachtung derselben zum voraus von der Unmäßigkeit abgehalten worden. Aber viele nicht. Wohl, es ist nach der einmal statt findenden Einrichtung der Weltordnung, über deren letzten Gründe der Determinismus und Indeterminismus gleich unwissend sind, nicht möglich, daß dieser oder jener Unmäßige unter den Bedingungen dieses Lebens zur Umkehr gebracht werde; was ihn zur Sünde treibt, ist zu mächtig in ihm; es müßten Leiden eintreten, unter denen sein Leben nicht bestehen kann, um ihn zur Besserung zu zwingen. Nun sie treten auch wirklich ein, wenn er in seiner Unmäßigkeit beharrt;

er stirbt, nimmt seinen unmäßigen Sinn in die andre Welt hinüber, und tritt nun unter neue Bedingungen, aber es werden voraussetzlich solche sein, welche das Fortwuchern der leidigen Folgen seines Fehlers nicht aufheben, vielmehr eine höhere Steigerung derselben als bisher gestatten. Endlich hält es der Mensch doch nicht mehr aus, es gibt einen Punkt, wo jedem die Hölle zu heiß wird; wo er sich gar nicht mehr anders zu helfen weiß, als daß er besser wird, und indem er besser wird, führt er auch hiemit Bedingungen herbei, wodurch sein Leiden gehoben, ja in das Gegenteil umgewandelt wird.

Ein andres Beispiel:

Es ist jemand ein Egoist, der alles auf sich bezieht. Allmählich entfremdet er sich dadurch alle Menschen. Man begegnet ihm mit Zurücksetzung; man will nichts mehr mit ihm zu schaffen haben; man versagt ihm Liebe, Achtung; man hilft ihm nicht, weil er andern nicht hilft. Er kann in solche Not, solches Elend dadurch kommen, er kann sich zuletzt so einsam fühlen, daß er in sich geht, und endlich bestimmt wird, seine Handlungs- und Denkweise zu ändern. Vielleicht auch nicht. Denn alles jenes wirkt zwar notwendig etwas, aber es schlägt deshalb nicht notwendig gleich zum guten Erfolge durch. Nun dann wird er wieder seinen Egoismus in die andre Welt hinüber nehmen; die Folgen seines Fehlers werden wieder in der andern Welt fortwuchern; die Vereinsamung, oder was sonst die Hölle für ihn hat, wird so furchtbar für ihn werden, daß sein Sinn doch endlich zu einer andern Richtung gezwungen wird. So in allen Fällen.

Führt sich der Mensch diesen Gang der Weltordnung als einen notwendigen recht zu Gemüt, so wird er hierin selbst einen mächtigen Antrieb finden, der ihn teils vom Bösen abwendet, teils auf den rechten Weg zurückführt. Und so läßt uns der so gefaßte Determinismus keineswegs, wie man ihm vorwirft, den guten Endzielen müßig entgegensehen oder schlaff entgegengehen, hilft vielmehr selbst zur Tätigkeit und Tugend mit determinieren. Mag der Böse immerhin auf die Ermahnung, sich zu bessern, antworten: was kann ich dafür, daß ich so handle; ich handle so, weil ich so muß, was vermag ich gegen die Notwendigkeit, die mich treibt, und muß einmal alles gut werden, so brauche ich mich nicht darum zu kümmern. Aber die Gegenantwort ist bereit: gut, du handelst so, weil es so notwendig ist; aber eben so notwendig ist, daß, wenn du fortfährst, unmäßig zu sein, du krank wirst, wenn du fortfährst, faul zu sein, du arm wirst, wenn du fortfährst, lieblos zu sein, du verlassen und gehaßt wirst, und über alles, daß alle Folgen deiner bösen

Taten dich einst im Jenseits noch verfolgen werden. Mag nun der
Mensch noch so sehr sich bei sich und andern mit seiner notwendigen
Bestimmtheit entschuldigen, wenn er nur zugleich an die Notwendigkeit
dieser Folgen glaubt, so wird die Betrachtung derselben ihn notwendig
mitbestimmen, dahin, daß er ihnen auszuweichen sucht. Daß ihm aber
der Glaube an diese Notwendigkeit erweckt wird, liegt selbst in der
Notwendigkeit der Weltordnung. Sage ich ihm dergleichen nicht,
werden es ihm andere sagen, sagen es ihm andre nicht, so wird er
an andern die Folgen selbst sehen, und wenn all' dies Sagen und
Sehen nichts fruchtet, der Antrieb der zukünftigen Folgen nicht hinreicht,
die Besserung durchzusetzen, so werden die einst wirklich eintretenden
Folgen selbst doch endlich dazu hinreichen. Die Qual kann und wird
zuletzt immer so hoch steigen, daß sie den Menschen zwingt, zuvörderst
alles zu tun, sie los zu werden, dann alles zu vermeiden, was sie
wieder herbeiführen könnte. Je stärker überhaupt auf irgend einem
dieser Wege die Überzeugung wird, daß die Folgen des Bösen mit
Notwendigkeit auf den Bösen selbst zurückschlagen und ihn zwingen
werden, sich zu ändern, desto mehr wird ihn ihre Betrachtung nötigen,
sich schon jetzt zu ändern. Daß jemand glaubt, er sei notwendig
bestimmt, kann ja nicht die Wirkungen der nötigenden Bestimmungen
selbst aufheben, und doch scheint man dies immer vorauszusetzen, wenn
man dem Determinismus Vorwürfe von praktischer Seite macht. Es
bestehen nun einmal nötigende Bestimmungen zum Guten in der Weltordnung, und zwar sind sie der Art, daß selbst die Überlegung dieser
Nötigung zur Nötigung beiträgt. Der deterministische Glaube, recht
und gründlich gefaßt, gehört so selbst zu den wirksamsten Nötigungs-
mitteln zum Guten.

Eine Auffassung des Determinismus in diesem Sinne war es,
welche mich früher demselben geneigt machte, den herrschenden Auffassungen des Indeterminismus gegenüber, die entweder ganz unklar
sind, wie die im Leben umlaufende Ansicht, oder wissenschaftlich auf klare
Gesichtspunkte gebracht, uns entweder in Ewigkeit der Gefahr Preis
geben, zwischen Gutem und Bösem zu schwanken, sofern die unvorbestimmbare Wahl zwischen Gutem und Bösem selbst als stets wesentlich
zur Freiheit gerechnet wird, oder bei Zuziehung der jetzt im allgemeinen
angenommenen Modifikation, daß frühere freie Willensbestimmungen in
gegebener Richtung den Willen immer geneigter machen, immer mehr
binden, nötigen, künftig dieselbe Richtung einzuschlagen, zu noch
traurigeren Konsequenzen führen, (die man sich freilich gern versteckt,)

sofern diese Nötigung nur ein Erfolg des eigenen Menschenwillens sein
soll, keine Bestimmbarkeit des Willens zum Guten und Bösen aber
durch die erziehenden Mittel der Weltordnung anerkannt wird. Nur
Anregungen sich zum Guten oder Bösen zu entscheiden sollen dadurch
gegeben werden können, die Entscheidung selbst aber nicht dadurch insluiert
werden; diese komme immer nur unmittelbar aus der durch nichts als
sich selbst bestimmbaren Freiheit des Willens, oder sei durch frühere
freie Entscheidungen desselben vorbedingt. Der einmal ins Sündigen
Geratene fällt so unzweifelhaft der ewigen Hölle anheim; denn je öfter
er gesündigt hat, desto mehr nimmt die Freiheit ab, umzulenken, während
nach der vorhin aufgestellten deterministischen Ansicht freilich die Macht
der Gewöhnung auch als ein zum Bösen determinierendes Moment anerkannt wird, nur daß eine mächtigere allgemeine Determination durch
die Weltordnung zuletzt stets in gutem Sinne überwiegen wird.

Alle inneren wie äußeren Mittel der Weltordnung, wodurch die Menschen
faktisch zum Guten gelenkt, vom Bösen zurückgehalten werden, verlieren in
dieser Fassung des Indeterminismus, (wie sie von Müller, Baader, Fischer
u. a. aufgestellt wird,) ihre Bedeutung. Wenn ein Böser ermahnt wird,
sich zu bessern, so liegt in der Konsequenz dieser Ansicht, daß sein freier
Wille sich sträubt und erwidert, nur ich bestimme mich durch mich selbst;
was du auch sagen magst, es liegt darin keine Bestimmung für mich, daß
ich mir vielmehr ein Motiv zum Guten als Schlechten daraus nähme, und
wenn das Schrecklichste, was du drohst, einträfe, es würde wie Wasser von
der Unburchdringlichkeit meiner Freiheit ablaufen. Zwar macht der Wille
diese Konsequenz nie geltend; aber eben das ist ein Beweis, daß ihr Prinzip
faktisch nicht in dieser Weise besteht.

Die bringendsten Ermahnungen, Strafen, Leiden gehen allerdings oft
scheinbar spurlos an dem Menschen vorüber; er bleibt verstockt; andremale
kann ein Wort, ein kleiner Anlaß, eine totale Umänderung im Menschen
bewirken. Und auf solche Fälle beziehen sich die Anhänger dieser Ansicht
gern. Aber es ist, wenn wir näher zusehen, nur derselbe Fall, weshalb
wir in eine Wagschale oft viele Pfunde legen können, ohne daß die Wage
nach dieser Seite umschlägt, und ein andresmal reicht das Hundertteil eines
Grans dazu hin; es kommt darauf an, ob auf der entgegengesetzten Wagschale viel liegt oder nicht, das Gleichgewicht schon ziemlich hergestellt ist
oder nicht. Wer aber wird sagen, daß die vielen Pfunde nichts wirkten?
Sie tragen gewiß bei, den endlichen Ausschlag nach ihrer Seite zu befördern,
wenn er doch nach ihrer Seite erfolgen muß. Strafe und Gewissenspein
sollen durch jene Ansicht gerechtfertigt werden, treten aber vielmehr danach
grell in das Licht des Überflüssigen. Die Folge einer Willensentscheidung
zum Bösen soll ja immer nur die sein, um so leichtere Entscheidung künftig
nach derselben Richtung zu bedingen. Die rückziehende Kraft des Schuld-
bewußtseins und der Strafe findet hier keine mögliche Stelle. Der böse

Wille hat hier nur Folgen, die ihn immer mehr verschlechtern, keine, die ihn
bessern könnten. Nun bedenke man doch einmal, was man damit ausspricht,
daß all' das bittere Kreuz und Leid, was Gott über den Menschen in Folge
seiner Sünden verhängt, auch ganz vergeblich sein soll, den Menschen zum
Bessern zu wenden. Freilich man spricht es nicht aus. Man versteckt sich
die Folgerung. Nach unserer obigen Fassung des Determinismus können
Strafe und Schuldbewußtsein doch etwas nützen, den Menschen zu bessern;
es sind nach uns die über kurz oder lang notwendig eintretenden üblen
Folgen vorausgegangener übler Gründe, welche nun aber auch einen notwendigen Erfolg oder notwendigen Beitrag zum Erfolge dereinstiger Aufhebung dieser üblen Gründe mit sich bringen. Nach jener Ansicht aber sind
es zwar eben so die notwendigen Folgen übler Gründe, denn diese Notwendigkeit wird nicht bestritten, welche aber keinen notwendigen Erfolg
zur Besserung dieser üblen Gründe mit sich führen, denn der freie Wille
bleibt unbestimmbar durch alles, was nicht er selbst ist, und das ist weder
Schuldbewußtsein noch Strafe. Beide sollen nichts mehr bewirken können
als eine Gelegenheit, sich die Folgen des Bösen zu überlegen; wenn sie aber
bei dieser Überlegung auch einen Ausschlag nach der Richtung des Guten
beförbern könnten, so würde eben hiedurch das dem Willen Vorangehende
und noch außerhalb des Willens Liegende als bestimmend für den Willen
selbst erklärt, der Mensch hinge von vergangenen, nicht in seinem Willen
gelegenen Momenten ab, denn Strafe und Schuldbewußtsein hängen nicht
von seinem Willen ab, und es würde nur darauf ankommen die Strafen
recht zu verstärken, um diese Bestimmung recht zu verstärken; dies aber wäre
ja ganz deterministisch; oder wenigstens so weit deterministisch, daß man
offenbar einsieht, es läge nichts mehr an dem Reste, den man retten will.
Nach jener indeterministischen Ansicht ist es das schwache Kind, welchem die
hauptsächlichste und · schwerste Verantwortlichkeit für sein ganzes künftiges
Leben, ja für seine Ewigkeit aufgebürdet wird. Denn die ersten Selbst-
entscheidungen des Kindes sind hienach die wichtigsten, weil sie bindend für
die spätern werden. Erziehung kommt dabei nicht wesentlich in Frage. Das
Kind soll sich ja seinen spätern Charakter selbst machen. Wollte diese
Ansicht einen Einfluß der Erziehung auf Gut- und Bösewerden zugeben, so
würde sie sich hiemit selbst aufheben. Auch geht in der Tat die Tendenz
dieser Ansicht dahin, den Einfluß der Erziehung recht niedrig darzustellen.*)
Die beste Erziehung kann hienach nur verhältnismäßig Äußerliches am
Menschen ändern und den, welchen der Zufall seines Willens zur Hölle
bestimmt, derselben nicht entreißen. Immer bleibt es der Freiheit des
Willens ganz anheimgestellt, ob er selbst die besten Anregungen, Motive
zum Guten, die ihm dargeboten werden, gelten lassen will. Wenn es aber
so ist, wozu überhaupt die besten aussuchen? So erweist diese Ansicht von
selbst ihre praktische Untauglichkeit, da im Praktischen derselben keine Folge
gegeben werden kann. Und eine harte Aufgabe bleibt es doch, die Behauptung
durchzuführen, daß in Betreff der sittlichen Richtung des Menschen im
späteren Alter nichts darauf ankomme, wie der Mensch als Kind von andern

---

*) Vgl. Müller's Schrift von der Sünde Th. II. S. 84.

geleitet worden, ob er gewöhnt worden, guten Geboten folge zu leisten, seine Begierden zu zähmen, sich der Ordnung der menschlichen Gesellschaft zu fügen, ob man ihm Religion beigebracht habe, oder ob von Kindheit an Einflüsse von entgegengesetztem Charakter auf ihn gewirkt haben; und doch muß dies gleichgültig sein, wenn es bei den ersten Entscheidungen und folgweise den davon abhängigen spätern in der unbestimmbaren Freiheit des Willens liegt, ob er sich der ihm gewordenen Leitung oder Zucht annehmen will oder sich dagegen verstocken. Es ist wahr, daß manches Kind verstockter ist als ein anderes; aber eine nicht minder harte Aufgabe ist es, die Behauptung aufrecht zu erhalten, daß das Kind durch seine ersten Willens= entscheidungen sich selbst verstockt habe; daß das verschiedene angeborne Temperament, das sich bei dem Kinde schon zeigt, wenn es in Windeln ist, nichts zur Bestimmung seiner spätern Willensrichtungen beitrage. Es widerspricht diese Auffassung so sehr nicht nur aller unbefangenen, sondern auch tiefergehenden Betrachtung, daß in der Tat diese Ansicht, sofern sie überhaupt auf Tieferes eingeht, sich unwillkürlich genötigt sieht, noch weiter zurückzugehen oder auszuholen. Und so kommt sie denn zu Entscheidungen des Menschen entweder schon vor, oder auch außer der Sphäre seines jetzigen Seins, wodurch dem Willen gewisse Richtungen eingepflanzt sein sollen, die auch schon das Kind bestimmen. Es tritt hier die sog. intelligible oder transzendente Freiheit ein, welche Kant, Schelling, Müller jeder in ihrer besondern Weise gefaßt haben, wiewohl die Schellingsche Auffassung eigentlich mehr eine deterministische ist. In dieses dunkle Gebiet, wo die Freiheits= frage vollends ganz ins Unpraktische gerät, die wichtigsten Schwierigkeiten ungelöst, die andern nur ins Dunkel zurückgeschoben erscheinen, wollen wir den Leser nicht führen. Näheres darüber kann man in Müllers Schrift von der Sünde nachlesen.

Die gewöhnliche unklare Ansicht erschrickt vor dem Determinismus häufig wegen eines Umstandes, wegen dessen sie vielmehr vor dem In= determinismus in seiner gewöhnlichen Fassung erschrecken sollte. Es sei nach erstem nichts mehr von dem Menschen selbst abhängig; er werde dadurch zu einem passiven Werkzeuge fremder Mächte. Aber gerade im Sinne des Determinismus ist es recht eigentlich der Mensch selbst, sein eigenstes, innerstes Wesen, was will; es will nur mit einer in ihm selbst, d. h. seinem ganzen bisherigen Sein begründeten Notwendigkeit jedesmal das, was es will, und selbst in das, was den Menschen von außen bedingt, geht sein Wesen stets mit als Faktor ein; daher dieselben Anlässe einen Menschen ganz anders als den andern bestimmen. Die ganze Anlage, die der Mensch als Grundstock seines Wesens mitbekommt, alles, was sich fernerweit daran entwickelt hat durch Lernen, Lesen, Hören, Erfahren, Erziehen, jede, auch die kleinste Bestimmung, die im Laufe des Lebens in sein Wesen übergegangen ist, wirkt nach dem Determinismus zusammen, seinen jetzigen Willen zu bestimmen, und heißt dies nicht mit andern Worten, sein ganzer bisheriger Mensch? Nach dem gewöhnlichen Indeterminismus aber wirkt von allem diesem nichts mit, den Willen zu bestimmen, so weit er frei ist, und das Wesentlichste des Willens soll doch in seiner Freiheit liegen; der Sinn der Ansicht geht eben dahin, den Willen nach seiner freien Seite aus dieser Kausalität, und eben hiemit aus dem Menschen selbst, heraus zu lösen. So schwebt der freie Wille wie eine fremde unheimliche Macht über allem, was der Mensch ist und was auf ihn wirkt.

Die freien Willensentscheidungen, von welchen nach der herrschenden indeterministischen Ansicht das Wichtigste für den Menschen abhängen soll, tragen im Grunde ganz den Charakter der Zufälligkeit, da gar kein rück= liegender oder allgemeiner Grund zugelassen wird, weshalb sich der Wille vielmehr zum Guten oder Bösen entscheidet. Zwar sucht man diesen Vor= wurf der Zufälligkeit dadurch abzulehnen, daß man sagt: der Wille setzt sich selbst seine Gründe, seine Motive; dies oder jenes bietet sich ihm von Außen anregend dar; aber ob er es sich als Motiv annehmen will, steht ganz bei ihm. Sofern er aber nach selbst geschaffenen oder gewählten Motiven handelt, handelt er doch nicht zufällig.

Dies mag richtig sein, die Handlungen des Menschen mögen dann nicht mehr zufällig heißen, aber seine Willensentscheidungen, und hierauf kommt es an. Man verlegt auf solche Weise die Zufälligkeit nur aus der Handlung in den Kern des Willens selbst, denn es bleibt ja nun doch rein zufällig, in wiefern der freie Mensch sich nun eben dies und nichts anders als Motiv setzt oder als Motiv annimmt, weil gar kein mit irgend etwas zusammenhängender Bestimmungsgrund für das eine oder andere zugelassen wird.

Nun ist nicht in Abrede zu stellen, daß bei allem, was sich gegen die gewöhnlichen Auffassungsweisen des Indeterminismus und für obige Auffassung des Determinismus sagen läßt, in uns doch etwas der An= nahme eines reinen Determinismus widerstrebt. Man kann zwar fragen, ob dies nicht daher rühre, daß der Determinismus gewöhnlich aus dem ungügstigsten Gesichtspunkte aufgefaßt und dargestellt wird, und deshalb natürlich auch im ungünstigsten Lichte erscheint. Denn nach der gewöhn= lichen Fassung des Determinismus findet eben so wohl eine Vor= bestimmung gewisser Personen zur ewigen Hölle, als andrer zum Himmel statt, wogegen kein Wille des Menschen etwas helfen kann. Und dies muß freilich moralische Lässigkeit zur Folge haben und gibt eine traurige Ansicht von der Weltordnung. Das zum Guten, zur Tätigkeit determinierende Moment unsrer Ansicht ist im gewöhnlichen Determinismus nicht aufgenommen. Der Determinismus gewinnt aber einen ganz andern Charakter, wenn er im obigen Sinne gefaßt wird.

Und sehen wir, wie viele Völker sich selbst mit einem sehr rohen Determinismus vertragen, ohne etwas Widerstrebendes darin zu finden, ja wie die Türken im Leben ihn selbst strenger fassen, als durch ihre Religionsvorschriften geboten wird (s. unten), so läßt sich denken, daß ein im obigen Sinne geläuterter Determinismus es noch leichter finden müsse, Eingang zu finden; und um so weniger die übeln Konsequenzen mit sich führen werde, die er allerdings in seiner rohen Gestalt bei diesen Völkern von gewisser Seite hat, indes er von der andern auch das Gute hat, eine Fassung und Ergebung in das Geschick bei ihnen zu erzeugen, die uns oft sehr zu wünschen wäre. Diese Fassung und Ergebung muß sich natürlich nur noch steigern, wenn sie sich nicht sowohl auf die Vorstellung gründet, es sei nun einmal nichts zu ändern, als auf die, was auch geschehe, so müsse es doch noch einmal gut werden. Auch ist zur Kompensation zu bemerken, daß, wenn der gewöhnliche Indeterminismus nicht noch schlimmere Konsequenzen mitführt als der gewöhnliche Determinismus, es nur darum ist, weil er sich praktisch nie konsequent geltend macht, da man vielmehr eine Bestimmbarkeit des Willens zum Guten und Bösen durch noch andres als den Willen selbst im Praktischen überall anerkennt, wenn man sie auch theoretisch nach klarer Entwickelung der Ansicht nicht zugeben könnte.

Zu den Nationen, welche dem Determinismus huldigen, gehören insbesondere die Türken, die Mohammedaner überhaupt, die Hindus, die Chinesen, die amerikanischen Rothäute. Hier einige Belegstellen:

„Der Fatalismus der Moslemin enthält folgende drei allgemeine Sätze: 1) Die Prädestination bezieht sich nur auf den geistlichen Zustand des Menschen; 2) betrifft nicht das ganze Menschengeschlecht; sondern nur einen Teil der Sterblichen, die, schon vor ihrer Geburt, bestimmt waren, unter der Zahl der Auserwählten oder Verworfenen zu sein, und hat 3) gar keine Beziehung auf den moralischen, körperlichen und politischen Zustand des Menschen, der bei jeder Handlung seinen freien Willen hat. Wer den freien Willen läugnet, wird für ungläubig und des Todes würdig gehalten. So erklären die Mufti's wenigstens die Lehre, da hingegen die ganze Nation beinahe sich an dem Grundsatz des unabänderlichen Schicksals hält, das im göttlichen Rate beschlossen ist und auch in bürgerlichen und moralischen Handlungen dem freien Willen des Menschen wenig übrig läßt."

(Flügge, „Gesch. des Gl. an Unsterbl." II. S. 299.)

Im Gesetzb. Menu's (v. Hüttner) S. 7 findet sich folgende Stelle (Kap. 7):

„28. Und so oft eine Lebensseele einen neuen Körper bekommt, hält sie sich von selbst an die Beschäftigung, welche ihr der höchste Herr zuerst anwies.

29. Wenn Er (Gott) ein Wesen bei der Erschaffung schädlich oder unschädlich, hart oder gelinde, ungerecht oder gerecht, falsch oder wahr bildete, so nimmt es natürlicherweise dieselbe Eigenschaft bei seinen folgenden Geburten an.

30. Wie die sechs Jahreszeiten ihr Kennzeichen zu gehöriger Stunde von sich selbst annehmen, so sind jedem bekörperten Geiste seine Handlungen von Natur zugesellt."

Ein Mann von Beobachtung erzählt in den **Travels in Europe, Asia etc.**, S. 328 folgendes Beispiel der auf den Fatalismus gegründeten Fühllosigkeit der Hindus: Einer seiner Bekannten reiste mit seinen Leuten bei einem Dickicht vorbei. Ein Tiger sprang auf einmal heraus und ergriff einen kleinen laut aufschreienden Knaben. Der Engländer war außer sich vor Schrecken und Angst, der Hindu ruhig. „Wie", sagt jener, „könnt ihr so kalt bleiben?" Der Hindu antwortete: „Der große Gott wollte es so haben."

„Auch die abscheulichsten Verbrechen, welche die Chinesen begehen, entschuldigen sie damit, daß sie den Grund derselben in einer unausweichlichen Vorherbestimmung der Gottheit suchen. Von dem niederträchtigsten Bösewicht sagen sie: er sei ein bedauernswürdiger Mensch; aber er könne nicht anders: so sei es über ihn beschlossen." (**Beseler's Miss. Mag.** 1816. S. 328 aus **Bruder's Miss. Anecd.**)

„Über dem großen Geiste (der nordamerikanischen Wilden) steht das unabänderliche Schicksal, welches zunächst die Irokesen Tibariman nennen. Was dieses verhängt, kann jener nicht ändern. (Klemm, II. S. 158.) Auf gleiche Weise ist bei den Huronen der große Geist Tharon Hiaouagon in der Zeit entstanden und rührt von einer Großmutter her, der bösen Totengöttin Ataentsic, die allen den Untergang bringt. Die Großmutter ist ebenfalls nichts anderes als das Schicksal, denn die Urgründe der Dinge werden Großväter oder Großmütter genannt." (J. G. Müller, Theolog. Stud. u. Krit. 1849. S. 867.)

Inzwischen, hat der Mensch die Wahl, dürfte er es dennoch vorziehen, nicht absolut genötigt zu sein, sein Schicksal nicht absolut vorbestimmt zu haben. Nun aber tritt uns die Betrachtung entgegen, daß wir ja auch gar nicht daran gebunden sind, in jener deterministischen Ansicht die ganze Ansicht zu sehen. Mögen alle Menschen absolut zum Guten determiniert sein, so kann noch die größtmögliche Freiheit sich auf dem Wege entwickeln, wie sie dazu gelangen; und sind sie fest im Guten geworden, so ist das Gute nicht der Art, daß es den Menschen unfreier machte, sondern indem es ihn der Macht der trägen Gewöhnung und dem Zwang der Begierden enthebt, macht es ·ihn in gewisser Beziehung freier; er kann zuletzt vollkommen gebunden sein, gut, mit guter Absicht zu handeln, aber auf dieser notwendigen Grundlage kann sich noch die größte Freiheit, so oder so zu wollen und zu handeln, entwickeln, und wenn auch immer der Einwand frei steht, daß eine geheime Nötigung hiebei die Wahl entscheide, so ist eine solche nicht beweisbar und wird nie beweisbar werden, und es ist kein praktisches Interesse, eine solche anzunehmen.

Zuletzt aber sieht man, daß das praktische Interesse überhaupt nicht so groß ist, das uns veranlassen könnte, uns vorzugsweise auf die Seite eines vollständigen Determinismus oder des Indeterminismus zu schlagen; wenn nur beidesfalls die wesentliche definitive Vorbestimmtheit zum Guten festgehalten wird.

Man kann sagen: wenn aber denn doch nach beiden Ansichten das Gute im Menschen ein gezwungenes ist, so fällt hiemit der Wert des Gutseins weg. Allein abgesehen davon, daß notwendig und gezwungen zweierlei; wie denn im Menschen etwas ist, was ihn auch von Natur zum Guten treibt, nur freilich in Konflikt mit gegenteiligen Trieben kommt; so meine ich, daß, wenn ein Mensch durch göttliche Strafen zu dem Gefühl oder der Überzeugung genötigt wird, daß er auf dem bisherigen Wege sein ewiges Heil nicht erreichen kann, seine Besserung darum nicht weniger wert sei, falls es nur eine wirkliche Besserung ist. Der Wert des Guten hängt überhaupt nicht an seiner Abhängigkeit von einem durch nichts als sich selbst bestimmbaren Willen (der doch im Grunde ein leerer Scheinbegriff ist), sondern das Gute hat einen realen Inhalt, ein reales Vermögen, das seinen Wert behält, wie es auch entstanden sei. Der Wille, die Gesinnung, müssen eine gewisse Eigenschaft annehmen, damit ein Mensch gut heißen könne; aber ob diese Eigenschaft notwendig oder nicht notwendig entstanden ist, ändert nichts an der Natur der Güte. Freilich steht es jedem frei, den Begriff der Güte durch willkürliche Definition mit dem Begriffe einer Freiheit in Beziehung zu setzen, die das Gute auch in Ewigkeit hätte verschmähen können; aber der im Leben geltende Begriff der Güte und die Erziehungsmittel zum Guten kümmern sich nicht darum.

D. Grundansicht über das Verhältnis von Körper und Geist.

Die Bd. I. S. 251 ff. in ihren allgemeinsten Grundzügen entwickelte Ansicht über das Verhältnis von Körper und Geist oder Leib und Seele rekapituliert, erläutert und führt sich etwas aus näher, wie folgt:

In der demnächst folgenden a) Darlegung suche ich zuvörderst den Sinn der Ansicht möglichst klar zu stellen; in der darauffolgenden b) Vergleichung ihr Verhältnis zu andern Ansichten zu entwickeln, was zur

Klarstellung ihres Sinnes selbst beitragen und die allgemeinsten wissenschaft=
lichen Konsequenzen derselben erkennen lassen wird, in der c) Begründung
und Bewährung endlich durch Zusammenfassung der teilweis schon unter
a) und b) geltend gemachten Gründe zu zeigen, was uns an diese Ansicht
bindet.

a) Darlegung.

Um mit einem Bilde zu beginnen, so ist das Leibliche oder Körper=
liche gleich einer Schrift, das Geistige, Psychische (Höheres und Niederes
zunächst noch in eins gefaßt) wie der zugehörige Sinn der Schrift, in
solcher Weise aber, daß die als lebendig zu fassende Schrift sich selbst
nur unter der Form ihres Sinnes, andern nur unter der Form der
äußern Zeichen erscheinen kann, und daß beides nicht zufällig bei einander
ist, wie in unsern Schriften, sondern in notwendiger wesentlicher Be=
ziehung zu einander, sofern jeder bestimmten Selbsterscheinungsweise nach
Seiten des Sinnes eine bestimmte äußerliche Erscheinungsweise nach
Seiten der Zeichen als natürlicher Ausdruck zugehört und beide sich in
steter Wechselabhängigkeit ändern. Es kommt aber zum Ausdruck des
Sinnes viel mehr auf die Zusammenstellung oder Folge der Zeichen
und ihrer einfachen Kombinationen, Worte, als auf die Beschaffenheit
der elementaren Zeichen und Worte selbst an, so daß mit denselben
Elementen je nach ihrer Zusammenstellung ein sehr verschiedener Sinn
ausgedrückt werden kann. D. h. dieselben körperlichen Elemente können
je nach ihrer Zusammenstellung und Bewegung ein Geistiges von sehr
verschiedener Art tragen. Die Grundbeziehung zwischen der äußerlich
erscheinenden Körperschrift und dem innerlich erscheinenden geistigen Sinne
läßt sich dahin aussprechen, daß im Grunde in beiden nur eine und
dieselbe Sache erscheint; sie erscheint aber verschieden eben deshalb, weil
sie einmal sich selbst innerlich, das andremal einem andern äußerlich
erscheint; jede Sache erscheint aber verschieden, je nachdem sie Verschiedenen
von verschiedenem Standpunkt erscheint.

Die Erscheinung des Sonnensystems nimmt sich z. B. ganz anders aus
von der Sonne, dem zentralen Standpunkt, als der Erde, dem peripherischen,
dort gibt es die einfachere Erscheinung des kopernikanischen, hier die ver=
wickeltere des ptolemäischen Weltsystems; beide Erscheinungen passen stets
zusammen wie in prästabilierter Harmonie, jeder kopernikanischen Anschauung
vom zentralen Standpunkt gehört notwendig und wesentlich eine ptolemäische
vom peripherischen zu, beide ändern sich genau im Zusammenhange nicht
anders als die Erscheinung der Seele und des Leibes; und bleiben doch stets
verschieden dem verschiedenen Standpunkt der Betrachtung gemäß. Nun haben
wir es im Grunde bei diesem Beispiel nur erst mit zwei verschiedenen

äußerlichen Standpunkten zu tun, denn wer auf der Sonne steht, steht
doch noch so gut außerhalb der Sonne und der andern Körper des Sonnen=
systems, als wer auf einem Planeten steht; aber eben deshalb kann der
Unterschied beider noch äußerlichen Erscheinungsweisen hier auch noch nicht so
groß sein, als wo, wie bei dem Unterschiede der geistigen und leiblichen
Erscheinung, das betrachtende Wesen einmal mit dem betrachteten unmittelbar
selbst zusammenfällt (was erst den wahren zentralen innern Standpunkt
gibt), und hiemit die geistige Selbsterscheinung gewinnt, ein andresmal dem
Betrachteten gegenübersteht, und hiemit die materielle Erscheinung des andern
gewinnt. Am Extrem der Verschiedenheit des Standpunktes hängt auch ein
Extrem der Verschiedenheit der Erscheinung.

Ungeachtet der Sinn der Schrift nichts mit dem äußern Ansehen
der Schrift gemein hat, kann doch ein der Schrift Gegenüberstehender
den Sinn aus der äußerlichen Erscheinung der Schrift erraten, wenn
er es gelernt hat; sie aber auch falsch deuten, wenn er es nicht gelernt
hat; und wie mit dem Sinn der gewöhnlichen ist's mit dem der Natur=
schrift. Ein niederer und höherer Sinn kann durch Schriftzeichen der=
selben Art, nur in andrer Zusammenstellung oder Folge ausgedrückt
werden, und entsprechend ist es mit dem niedern und höhern Geistigen,
das als Sinn in der Naturschrift liegt.

Der Blick auf unsere gewöhnliche Schrift oder Sprache kann in der
Tat von vorn herein sehr gut dienen, den (später nochmals in Rücksicht zu
nehmenden) Einwurf zu entkräften, als könne nur das niedere Geistige,
Sinnliche (das Seelengebiet im engern Sinne mancher Philosophen) einen
derartig adäquaten Ausdruck im Körperlichen finden, daß eins sich wesentlich
mit dem andern und nach Maßgabe desselben ändere, indes das höhere
Geistige gar nicht notwendig Hand in Hand mit körperlichen Veränderungen
gehe. Wenn doch die erhabensten Gedanken ihren objektiven Ausdruck zwar
nicht in einzelnen Buchstaben, Lauten, aber in der Ordnung, Folge derselben
finden können, ja die ganze Mannigfaltigkeit des menschlichen Wissens dadurch
äußerlich ausdrückbar ist, so sieht man durchaus nicht ein, warum solches
nicht auch einen in demselben Sinne adäquaten Ausdruck in unserm Körper
durch Ordnung, Folge von materiellen Elementen, Bewegungen und deren
Änderungen soll finden können, dazumal der Natur in dieser Hinsicht noch
unsäglich mehr und mannigfaltigere und abgestuftere Mittel zu Gebote
stehen, als uns in den Mitteln der Schrift oder Sprache. Mit 25 toten
Buchstaben auf totem Papier sind alle Werke der Dichter und Philosophen
draußen geschrieben, warum sollen nicht mit den unendlich zahlreichern,
lebendigern Gehirnfibern und deren lebendigen Bewegungen, seien es
Strömungen oder Schwingungen, und den Änderungen derselben und
höheren Änderungen dieser Änderungen jene Werke noch ursprünglicher
drinnen geschrieben sein können? Und könnten wohl die Schriften der
Dichter und Philosophen selbst die höheren Gedanken, von denen sie abhingen,
wieder in anderen erwecken, wenn sie nicht eine ähnliche Ordnung und

Folge von Änderungen im Gehirne des Lesenden wieder zu erzeugen vermöchten, als die ist, an welche sich die Gedanken des Dichters und Philosophen selbst knüpften? Zunächst liegt doch nur die Wirkung der materiellen Zeichen auf das materielle Gehirn vor, das freilich, um eine gegebene Wirkung zu empfangen, auch demgemäß schon vorgerichtet sein muß; daher ein Tier nicht die Schrift versteht, die ein Mensch versteht, ein Kind nicht die, die ein Erwachsener versteht.

Freilich kann man diese Ansicht dadurch verunehren, daß man das Gehirn als einen rohen Klumpen darstellt, mit dem der Geist sich schämen müsse, sich viel zu befassen; aber kann man nicht seinen wunderbaren Bau auch anders fassen? Kann die göttliche Vernunft, die zu seiner Schöpfung gehörte, sich nicht auch ferner darin ausdrücken, betätigen?

Man sagt, das Gehirn der Tiere erscheine dem der Menschen doch gar zu ähnlich, als daß man glauben könnte, der Unterschied ihrer geistigen Vermögen knüpfe sich wesentlich an den Unterschied seiner Organisation. Aber können nicht zwei Harfen sogar ganz gleich aussehen, und doch nur auf der einen ein Stück von höherm Ausdruck sich spielen lassen, sofern etwa die Saiten der andern unisono oder gar nicht gestimmt sind? Soll man dem unsäglich feiner entwickelten Saiteninstrument des Gehirns leichter ansehen können als der Harfe, worauf es im geistigen Spiel ankommt?

Indem man das Höhere nicht minder an den materiellen Ausdruck knüpft als das Niedere, das Sinnliche der Selbsterscheinung, wirft man es noch nicht mit diesem zusammen, so wenig man die Spitze einer Pyramide mit der Basis zusammenwirft, wenn man sie mittelst derselben auf demselben Boden ruhen läßt, auf dem diese ruht, und die Richtung zur Spitze gleich von der Basis an erkennt. Wie dies zu verstehen, wird deutlich genug aus den spätern Erörterungen erhellen.

Gehen wir vom Bilde zur Sache über: Stellen wir uns einen Menschen vor, welcher denkt, empfindet, so kann ein anderer, welcher in sein Gehirn, seine Nerven hineinblickt, nichts von seinen darin vorgehenden Gedanken und Empfindungen wahrnehmen. Statt dessen wird er Materie und allerlei feine materielle Bewegungen*) wahrnehmen, um so mehr, je mehr er die Beobachtungsmittel schärft, oder, wenn er solche Bewegungen nicht direkt äußerlich wahrnehmen kann, wird er doch aus direkt äußerlich Wahrnehmbaren (sei es auch nur in wissenschaftlichem Zusammenhange) auf solche Bewegungen schließen können. Diese Bewegungen mit der zu Grunde liegenden Materie stellen den Buchstaben, das Wort des Gedankens, der Empfindung vor, aber ein Wort, das naturnotwendig damit verknüpft ist. Umgekehrt kann der, welcher denkt,

---

*) Der Kürze halber füge ich nicht immer hinzu: „und Änderungen der Bewegung" (obwohl es auf solche hauptsächlich ankommen mag), dazumal sich Änderungen der Bewegung selbst unter den Begriff von Bewegungen höherer Ordnung fassen lassen.

empfindet, nichts von diesen physischen Bewegungen und der unterliegenden Materie seines Gehirns, seiner Nerven äußerlich wahrnehmen,
weil er sich nicht selbst gegenüberstehen kann, vielmehr nur das Denken,
Empfinden selbst hat er als den Sinn dieses Ausdrucks für sich. Ihm
erscheint Gehirn und Nerv mit den darin vorgehenden Bewegungen als
Gedanke, Empfindung, weil er selbst Gehirn und Nerv ist, einem andern
als Materie und Bewegung, weil er ihnen gegenübersteht.

Diese Vorstellungsweise mag für den ersten Anblick ganz materialistisch
erscheinen; ist es aber nicht; denn so wenig die innerlich erscheinenden
Gedanken anders laufen können, als die äußerlich erscheinenden Bewegungen
im Gehirn gestatten, an die sie durch Identität des Grundwesens gebunden
sind, können vermöge derselben Identität die Bewegungen im Gehirne anders
laufen, als die Gedanken gestatten, an die sie gebunden sind. Die Gedanken
sind nicht einseitige Produkte, Folgen materieller Bewegungen, sondern
die materiellen Bewegungen, welche Gedanken zu tragen vermögend sind,
können selbst nur aus solchen folgen, die auch dergleichen zu tragen vermögend sind, und so rückwärts ins Unbestimmte. Nur eine gedankenvolle
Bewegung vermag wieder eine gedankenvolle Bewegung zu erzeugen; also
fließt nach uns nicht Geist aus Materie. Erzeugt tote Schrift in jemand
einen Gedanken, kann sie es doch nur, sofern sie erst von einer gedankenvollen Bewegung ausging und noch einem höhern gedankenvollen Zusammenhange, in dem wir alle mit der Schrift zugleich begriffen sind, angehört
und in ein gedankentragendes Gehirn hineinwirkt. Auch die erste Einrichtung
des Gehirns selbst, welche den Menschen so hoher Gedanken fähig macht,
konnte nur aus einer materiellen Ordnung fließen, welche noch allgemeinerer
und höherer gedankenvoller Bewegungen fähig ist (vgl. Bd. I. S. 264), diese
mußten bei der Schöpfung tätig sein; sonst ward es freilich zu dem rohen
Klumpen, dem bloßen Ballast des Geistes, wofür man es so häufig hält.
Die wesentliche Wechselbezüglichkeit des Materiellen und Geistigen, die aus
der Identität ihres Grundwesens hervorgeht, führt überhaupt zu andern
Folgerungen, als die einseitige Bedingtheit des Geistes durch die Materie,
bei welcher der Materialist stehen bleibt. Dies beweist sich überall durch
vorliegende Schrift selbst, als welche auf der hier erörterten Grundansicht
fußt. Im ersten Teile derselben sind Vorstellungen von Gott auf diese
Ansicht gegründet, welche sich den würdigsten zur Seite stellen dürfen, und
im folgenden wird sich die Hoffnung eines künftigen Lebens darauf gründen
lassen, indes der Materialist auf seine Ansicht stets nur die Läugnung
eines Gottes, der diesen Namen verdient, und eines Jenseits zu gründen
gewußt hat.

Das Geistige kann auch durch die hier statuierte Identität seines Grundwesens mit dem Materiellen in keiner Weise unfreier werden als ihm lose
gegenüber gedacht. Denn worin man auch das Wesen der Freiheit suchen
möge, dadurch daß der Geist auch seinen Ausdruck im Körper hat, kann
seine Freiheit nicht beschränkt werden; das Körperliche wird dann natürlich
auch den Ausdruck seiner Freiheit mitenthalten. Wirklich gibt man ja

überall zu, daß die Freiheit des Geistes Abänderungen im Gebiete des Körperlichen bewirke, und meint nur, sie ziehe solche folgeweis nach. Dies ändert sich für uns nur in sofern, daß sie solche unmittelbar als ihren Ausdruck mitzieht. Ob eins oder das andre, läßt sich begreiflich durch Erfahrung gar nicht entscheiden; und das letzte ist mindestens eben so vernünftig als das erste, ja meines Erachtens, wenn man die Folgerungen und Zusammenhänge beider Annahmen übersieht, vernünftiger als das erste. (Vgl. Bd. I. S. 291 ff.)

Inzwischen, wenn unsere Ansicht keineswegs ganz materialistisch ist, hat sie allerdings eine ganz materialistische Seite, welche sich aber mit einer ganz spiritualistischen Seite ergänzt (worüber unter b). Hiemit aber ist sie weder Materialismus noch Spiritualismus, deren Wesen auf ihrer Einseitigkeit beruht.

Manche haben daraus, daß unsere Gedanken und Empfindungen und der materielle Gehirn= und Nervenprozeß, der sie begleitet, sich doch so gar nicht gleichen, schließen wollen, im Grunde gehen sich doch beide nicht viel an, eins sei nicht gründlich auf das andere zu beziehen. Aber nach uns erklärt sich die Verschiedenheit der Erscheinung zugleich mit der Täuschung, als läge ein verschiedenes Wesen vor, ganz einfach daraus, daß der, welcher den Gehirnprozeß von außen ansieht oder aus Äußerlichem so erschließt, als sähe er ihn äußerlich, der Natur der Sache nach nicht dieselbe Erscheinung davon haben oder aus dem Zusammenhange der Tatsachen, der ihm auf äußerm Standpunkt vorliegt, erschließen kann, die das Gehirn unmittelbar von sich selbst auf seinem innern zentralen Standpunkt hat. So meint man nun ein anderes Wesen vor sich zu haben, als sich darin selbst erscheint. Weil indes doch schon rohe Beobachtungen oder Schlüsse lehren, daß sich materieller Gehirnprozeß (was äußerlich so erscheint) und psychischer Zustand (was innerlich so erscheint) in gewissem Zusammenhange ändern, so sieht man nun doch zwei irgendwie zusammengehörige Wesen darin, meint indes, aus Unkenntnis der Identität ihres Grundwesens, es könne auch wohl in gewisser Beziehung eins unabhängig vom andern gehen; dagegen nach uns die Fähigkeit, sich geistig, psychisch in einer gewissen Weise selbst zu erscheinen, wesentlich wechselbedingt ist mit der Fähigkeit, einem andern in bestimmt zugehöriger Weise leiblich, physisch zu erscheinen, in bestimmter Weise natürlich nur bei bestimmtem äußerm Standpunkt und bestimmter Beschaffenheit der Sinne des Wahrnehmenden, was zur Vergleichbarkeit nie außer acht zu lassen und hier stets mit zu verstehen ist, auch wo es nicht ausdrücklich hinzugefügt wird.

Sofern der geistige Prozeß im Menschen seiner Gesamtheit nach nicht bloß mit Gehirn und Nerven in Bezug stehen sollte, was erst näher zu untersuchen, hätten wir unsere Vorstellung allgemeiner als vorher so zu fassen: Es sind im Grunde nur dieselben Prozesse, die von der einen Seite als leiblich organische, von der andern als geistige, psychische aufgefaßt werden können. Als leibliche Prozesse stellen sie sich jemandem dar, der, außerhalb dieser Prozesse selbst stehend, dieselben ansieht, oder aus Gesehenem unter Form des äußerlich Wahrnehmbaren erschließt, wie der Anatom, Physiolog, Physiker tut; ein solcher mag es anfangen, wie er will, er wird nicht das Geringste von psychischen Erscheinungen im andern direkt wahrzunehmen vermögen. Dagegen stellen sich diese Prozesse wieder als psychische dar, als Gemeingefühle, Sinnesempfindungen, Vorstellungen, Bestrebungen u. s. w., sofern eine Selbstgewahrung in diesen Prozessen stattfindet.

Man kann die physiologischen Bedingungen, welche erfahrungsmäßig dazu gehören, daß dem Menschen etwas objektiv als Körper erscheine, (nicht bloß ein subjektives körperliches Gemeingefühl entstehe,) noch etwas näher spezifizieren, als hier geschehen, und manche fernere Erörterungen daran knüpfen, ohne daß der Ausdruck, die Verschiedenheit des objektiv erscheinenden Körperlichen und des Geistigen hänge respektive am äußern und innern Standpunkt der Betrachtung, deshalb eine Abänderung zu erfahren braucht. Und da auch die allgemeinen Betrachtungen, die wir zunächst anzustellen haben, durch diese Spezifikation nicht abgeändert werden, abstrahieren wir zunächst davon, um das Genauere hierüber erst zum Schluß (unter Zusatz 1) nachzutragen, damit nicht der Gegenstand durch Besonderheiten verwickelt werde, die jetzt noch beiseit gestellt werden können.

Fassen wir unsere Ansicht überhaupt unter einen allgemeinen Ausdruck, so werden wir sagen können:

Körper und Geist oder Leib und Seele oder Materielles und Ideelles oder Physisches und Psychisches (diese Gegensätze hier im weitesten Sinne als gleichgeltend gebraucht) sind nicht im letzten Grund und Wesen, sondern nur nach dem Standpunkt der Auffassung oder Betrachtung verschieden. Was sich selbst auf innerm Standpunkt als geistig, psychisch erscheint, vermag einem Gegenüberstehenden vermöge dessen dagegen äußern Standpunkts nur in anderer Form, welche eben die des leiblich materiellen Ausdrucks ist, zu erscheinen. Die Verschiedenheit der Erscheinung hängt an der Verschiedenheit des Standpunkts der Betrachtung und der darauf Stehenden. In sofern hat dasselbe Wesen zwei Seiten, eine geistige, psychische, sofern es sich selbst, eine materielle, leibliche, sofern es einem andern als sich selbst in anderer Form zu erscheinen vermag, nicht aber haften etwa Körper und Geist oder Leib und Seele als zwei grundwesentlich verschiedene Wesen an einander.

In der äußeren Sinneswahrnehmung berührt oder deckt sich allemal eine geistige Selbsterscheinung niederer Art mit der materiellen Erscheinung eines andern. Die sinnliche Selbsterscheinung, die in mir durch ein andres angeregt wird, verrät mir zugleich das Dasein und Wirken dieses andern, und gilt mir eben in sofern als dessen äußerliche Erscheinung. Ich kann so in der sinnlichen Wahrnehmung Geistiges oder Leibliches, Psychisches oder Physisches finden, wie .ich will; es kommt nur auf die Richtung der Auffassung an. In der Tat, wenn ich um mich blicke, so kann ich die Erscheinung, die mir im Sehen wird, als eine von außen in mir angeregte Selbsterscheinung betrachten, indem ich sie der einheitlichen Selbsterscheinung meines ganzen Wesens einreihe, diese dadurch fortbestimmt finde als meine Anschauung, Empfindung, was ein niederer geistiger Prozeß ist, aber auch als die nur von meinem Geist ergriffene materielle Erscheinung der äußern Natur, indem ich das einzelne derselben in Verhältnis zu den andern Einzelheiten derselben betrachte. Beiderlei Erscheinung fällt in eins, deshalb in eins, weil wir überhaupt keine andre Weise kennen und haben, wie uns etwas andres erscheinen kann, als mittelst einer dadurch angeregten Selbsterscheinung unsres Geistes. Eins vertritt das andre. Doch rechnen wir die Selbsterscheinung, die das Ding in uns anregt, nicht als das Ding selbst, sondern suchen noch etwas als eigentümliche Substanz desselben hinter der Erscheinung, was solche eben in uns anregt, und was dann auch (für sich oder in Zusammenhang mit anderm) einer Selbsterscheinung andrer Art unterliegen kann, als die wir von demselben haben. Diese eigene Selbsterscheinung des Dinges setzen wir dann als seine Seele derjenigen Selbsterscheinung, die es in uns anregt, und durch die wir seinen Leib charakterisiert halten, gegenüber. Der Unterschied der geistigen Selbsterscheinung und der materiellen Erscheinung eines andern, der in der sinnlichen Wahrnehmung für einen Standpunkt verschwindet, in eins zusammengeht, tritt demnach auch sogleich wieder grell hervor, wenn wir, wie in Gegenüberstellung des auf einander bezüglichen Geistigen und Leiblichen immer geschieht, und daher auch bei Erörterung ihres Verhältnisses von uns immer vorausgesetzt wird, das, was sich selbst auf innerem Standpunkt erscheint, zugleich von einem äußern Standpunkt betrachtet denken. Sollte jemand, während ich die Natur äußerlich betrachte und dabei eine innere Selbsterscheinung gewinne, die sich für mich mit der Erscheinung der äußern Natur deckt, in mein Auge und Gehirn blicken, und die darin vorgehenden Sehprozesse verfolgen können (und vermag er es nicht direkt, vermag er

es doch bis zu gewissen Grenzen schlußweise aus äußerlich Gesehenem),
so würde er sie, obwohl auch sinnlich, doch in einer ganz andern Form
vermöge seines äußern Standpunktes dazu erblicken, als sie mir auf
meinem innern Standpunkt erscheinen. In meiner Anschauung stellt sich
mir mein tätiger Nerv vielleicht in Form von Bergen, See'n, Bäumen,
Häusern dar, und er würde eine weiße Nervenmasse und darin allerlei
Strömungen und Schwingungen sehen, wenn er sich hinreichend geschärfter
Hilfsmittel bedienen könnte. Und nur dies nennt man tätigen Nerven.
Aber auch die Natur, die ich äußerlich in Form von Bergen, See'n,
Bäumen, Häusern sehe, kann sich innerlich im ganzen noch auf eine
andre Weise selbst erscheinen, als ich sie auf meinem äußern Standpunkt
sehe, so gut sich mein Gehirn und Sehnerv, die jemand äußerlich in
Form einer weißen schwingenden Nervenmasse sieht, noch in andrer
Weise selbst innerlich erscheint, wo wir dann aber den Namen Gehirn
und Sehnerv nicht mehr für die Erscheinung brauchen. So macht der
doppelte Standpunkt der Betrachtung die Erscheinung immer verschieden,
und unterscheiden wir immer das Geistige, Psychische und Leibliche,
Physische danach, ob wir die Erscheinung als eigene innere Selbsterscheinung oder als Erscheinung eines andern fassen. Ja, wenn Fälle
vorkommen können, wo es zweifelhaft wird, ob man von geistiger,
psychischer, oder leiblicher, physischer Erscheinung zu sprechen habe,
werden es zugleich immer Fälle des Zweifels sein, ob man die Erscheinung als eine Selbsterscheinung oder eine Erscheinung von etwas
Gegenüber zu fassen habe.

Sieht einer Teile seines eigenen Leibes, ist's doch nur mit
andern Teilen seines Leibes, also vermöge einer Gegenüberstellung
des Wahrnehmenden und Wahrgenommenen, die in ihm eintritt, und
über welche das Ganze in höherer Selbsterscheinung hinweggreift. Auch
hier also ist die Erscheinung des Leiblichen, Physischen nur für ein
andres als das Selbst da. Das Bein erscheint als Leibliches nicht für
sich, sondern fürs Auge; die Empfindung, die es in diesem anregt, ordnet
sich aber der Selbsterscheinung, dem Bewußtsein des Ganzen, ein, dem
das Auge mit dem Bein zugleich angehört; ja kann eben so nur als
Teil einer solchen allgemeinern Selbsterscheinung bestehen, wie das Auge
nur als Teil eines allgemeinern Leibes. Das Bein, so lange es dem
Leibe angehört, trägt auch seinerseits zum Allgemeingefühl der Seele,
hiemit zur Selbsterscheinung des Ganzen bei. So trägt überhaupt die
Gesamtheit der Teile unsres Leibes zu unsrer allgemeinen. Selbsterscheinung bei; es können aber besondere sinnliche Bestimmungen eben

so durch die äußere Stellung gewisser Leibesteile (der Sinnesorgane)
gegen die übrigen, als gegen die äußere Natur (der ja unser Leib auch
selbst angehört), hervorgerufen werden, die doch immer der Selbsterscheinung unsres Ganzen untergeordnet bleiben, d. h. in unsre Seele
fallen. Hievon ist schon Bd. I. S. 254 gehandelt; und es mag sich die
hier angestellte Betrachtung mit der dort angestellten näher erläutern, da
vielleicht der Gegenstand für den ersten Anblick etwas Schwieriges hat.

Wie im kleinen Leibe des Menschen verhält es sich dann auch in
dieser Beziehung im größern der Natur (Bd. I. S. 256). Geschöpfe
treten darin einer Außenwelt gewahrend gegenüber, das gibt für sie
und durch sie für Gott die materielle Erscheinung der Welt. Die geistige
Seite der Welt überhaupt liegt teils in der Selbsterscheinung der
ganzen Welt, teils, nach untergeordneten Beziehungen, in der Selbsterscheinung der einzelnen Geschöpfe, die zur Welt gehören; aber jene
wird durch die Summe von diesen keineswegs vollständig gedeckt, indem
nicht bloß der Summe der einzelnen Wesen die Summe ihrer einzelnen
Selbsterscheinungen, sondern auch der Verknüpfung derselben eine obere
verknüpfende Selbsterscheinung zugehört. Hierüber verweisen wir des
Nähern auf die schon im ersten Bande (a. a. O.) gepflogenen Erörterungen.

Da wir gegen vieles von Natur nur auf innerm, gegen andres nur
auf äußerm Standpunkt stehen, das Dasein oder die Möglichkeit des andern
Standpunktes aber immer anzuerkennen haben, so haben wir in der Vorstellung und durch Schluß zu ergänzen, (in so weit nicht etwa Instinkt oder
Offenbarung den Schluß ersparen sollte, welche Möglichkeit hier immerhin
offen bleiben kann,) was uns durch unsre natürliche Stellung versagt ist,
womit wir zum wirklich wahrnehmbaren Physischen und Psychischen das
Vorgestellte und Erschlossene erhalten. Ich kann in mein eigenes Gehirn,
ja selbst eines andern Lebenden Gehirn, nicht äußerlich hineinsehen, aber
mich doch in Gedanken auf den Standpunkt des äußerlich Hineinsehens
stellen, erschließen, wie es darin aussieht und zugeht; ich kann nicht in eines
andern Geist sehen, nicht Gottes Absichten unmittelbar erkennen; aber doch
in der Vorstellung mich auf den Standpunkt der Selbsterscheinung eines
andern Menschen oder Gottes stellen, erschließen, oder zu erschließen suchen,
was ein andrer Mensch etwa denkt, Gott für Absichten hat. Zwar bleibt
eigentlich alles, was wir nur erschlossen haben, bloß Vermutung, Wahrscheinlichkeit, Hypothese, so lange es uns nicht glückt, es auch durch unmittelbare Erfahrung zu bewähren, aber wir rechnen das Hypothetische oder
erschlossene Physische und Psychische dem wirklichen oder erfahrbaren gleich,
stellen es unter die Kategorie desselben, fügen es in den Zusammenhang
desselben ein, ordnen das Erfahrbare selbst danach, nach Maßgabe, als es
folgende drei Bedingungen erfüllt: 1) daß es, wenn schon nicht direkt

erfahren oder erfahrbar, doch unter der Form des äußerlich oder innerlich
Erfahrbaren und in widerspruchslosem Zusammenhange damit vorstellbar sei;
2) daß es doch aus dem Zusammenhange des Erfahrnen und nach Regeln,
die sich in der Erfahrung bewähren, erschlossen sei; 3) daß seine Annahme,
indem sie unser Erfahrungsgebiet widerspruchslos ergänzt, nicht mit unsern
praktischen Interessen in Widerspruch trete, vielmehr in dieselben verträglich
oder förderlich hineintrete.

Vieles gibt es im physischen und psychischen Gebiete, was zwar als
Abstraktum gedacht werden kann, aber nicht so abstrakt besteht, wie z. B.
Geschwindigkeit, Zahl, Kraft, Veränderung, Mannigfaltigkeit, Einheit, Ordnung, alle allgemeinen Kategorien der Realität überhaupt. Dergleichen zählt
bei Betrachtung der erfahrbaren oder erschließbaren Wirklichkeit im körperlichen oder geistigen Gebiete mit, je nachdem es selbst als abstrahiert aus
dem einen oder andern oder als bezogen auf das eine oder andre erscheint.

Diese Bestimmungen sind im Grunde nichts als Erklärungen, daß wir
die Verhältnisse in diesen Beziehungen eben so nehmen, wie sie überall im
Leben genommen werden.

Wir haben Grund zu glauben, daß die äußere Gestalt und die
Handlungen eines Menschen, die unsrer äußern Wahrnehmung unmittelbar
unterliegen, teils nur die äußere Umgrenzung einer innern Organisation,
teils die Folgen und Ausläufer innerer Bewegungen darstellen, mit
deren Änderungen sich die Seelenverhältnisse unmittelbar ändern, und
welche in sofern als der unmittelbare Ausdruck derselben gelten können,
dagegen das äußerlich Erscheinende diesen festen Bezug zur geistigen Selbsterscheinung des Menschen nicht zeigt. Hienach läßt sich ein innerer und
äußerer Ausdruck der Seelenerscheinungen unterscheiden; und die Wissenschaft muß trachten, den innern zu ermitteln, was sie aber selbst nur
schlußweise unter Zuziehung des äußern kann. Diese Betrachtung widerspricht nicht der allgemeinen Ansicht, daß alles Leibliche in bestimmter
Beziehung zu Geistigem stehe; denn das äußerlich am Menschen
Erscheinende, was zu seinem besondern Geistigen keinen ganz bestimmten
Bezug verrät, gehört doch zum innern wesentlichen Ausdruck desjenigen
Geistigen, was der ganzen Natur zugehört, und wird dazu seine bestimmte
Beziehung haben.

In der Selbsterscheinung des Geistigen unterscheidet man höhere
und niedere Stufen, von denen die sinnliche Empfindung als die niederste
gilt; doch teilt sie mit der höchsten geistigen den Charakter des Selbst-
erscheinens. Denn, läßt sich auch nicht sagen, sie erscheine sich für sich
selbst, so fällt sie doch in eine allgemeinere Selbsterscheinung, ordnet sich
einer solchen ein und unter. Nun kann gefragt werden, wie ist es
möglich, wenn schon die sinnliche Empfindung sich in materiellen Vor-

gängen der Nerven und des Gehirns und dem, was damit zusammenhängt, ausdrückt, daß das höhere Geistige es auch tut; wird es sich
nicht vielmehr eben dadurch unterscheiden, daß es sich darüber unabhängig
erhebt? Allein, sofern das höhere Geistige doch nicht ohne eine sinnliche
oder sinnbildliche Unterlage sein kann (vgl. Bd. II. S. 66), in Bezügen,
Verhältnissen, Änderungen des Sinnlichen oder Sinnbildlichen waltet,
bleibt es auch mittelst desselben an das Körperliche und dessen Änder-
rungen gebunden. Indes nun dem Sinnlichen der Selbsterscheinung als
Ausdruck das einzelne gegebener materieller Vorgänge zugehört, drückt
sich das höhere Geistige in einer derartigen Ordnung und Folge solcher
Vorgänge aus, daß nach Maßgabe der größern Höhe des Geistigen
Bezüge, Verhältnisse, Änderungen höherer Ordnung in diesen Vorgängen Platz greifen, oder drückt sich, abstrakt gefaßt, in diesen Bezügen,
Verhältnissen, Änderungen höherer Ordnung selbst aus. Anstatt also
bezugslos zu den Verhältnissen und Änderungen des Körperlichen zu
sein, wie viele meinen, ist es in der Art wechselbedingt damit, daß,
sollten die körperlichen Funktionen einmal eine Zeit lang einen gleichförmigen Gang annehmen, es in dieser Zeit schweigen müßte. Mit einem
Wort, das höhere geistige Leben ist an ein höheres körperliches Leben
gebunden, wie umgekehrt, nicht aber los vom körperlichen Leben; bedarf
demnach auch einer höhern Steigerung und Entwickelung der körperlichen
Organisation, um bestehen zu können, als ein bloß niedres geistiges
Leben, wie umgekehrt. Dies bestätigt die Erfahrung bestens.

Man kann sagen, Ordnung, Folge, Verhältnis, Änderung ist doch
nichts Materielles; so drückt sich also das höhere Geistige doch nicht in etwas
Materiellem aus. Aber Ordnung, Folge, Verhältnis, Änderung ist überhaupt nichts Wirkliches, wenn nicht im wirklichen materiellen oder geistigen
Gebiete; es sind aber diese Kategorien in der Tat eben sowohl auf das
materielle als zeistige Gebiet anwendbar; und ein geordneter materieller
Prozeß bleibt immer ein materieller Prozeß, und die Natur eines materiellen
Prozesses kann immer dadurch mit charakterisiert werden, daß man von den Verhältnissen und Änderungen der in ihm vorgehenden Bewegungen spricht,
ohne daß unsre geistige Auffaßbarkeit dieser Verhältnisse sie selbst zu geistigen
macht, wenn sie im materiellen Gebiete walten. Hier gilt das oben S. 189
Bemerkte. Für sich sind Ordnung, Folge, Verhältnis, Änderung Abstrakta;
aber auch das zugehörige höhere Geistige ist für sich ein Abstraktum, realiter
nur in Bezug auf Niedres oder in Bezügen des Niedern selbst bestehend.
Wie sich nun das niedre Geistige im einzelnen des materiellen Prozesses
oder in einem einzelnen materiellen Prozesse ausdrückt, so das höhere in
dem, was sich im Zusammenhange solchen Prozesses oder solcher Prozesse
als höhere Ordnung, höherer Bezug, höheres Verhältnis, höhere Änderung
derselben fassen läßt.

Untriftig würde es sein, wenn man aus dem Parallelismus des
Geistigen und Körperlichen, der in unsrer Ansicht begründet liegt, die Auf=
gabe ableiten wollte, zu jedem besondern Körper, jeder besondern Bewegung
in der Natur, ein zugehöriges besonderes Geistige anzugeben, da vielmehr
die allgemeinsten Erfahrungen zeigen, daß eine unterscheidbare Vielheit
des Materiellen zu einer einfachen Einheit des Geistigen zusammen=
stimmen kann; viele Nerven=Erzitterungen zu einer Empfindung, sehr
komplexe Gehirnbewegungen zu einem Gedanken, beide Gehirnhemisphären
zu einem Denken. Die materielle Erscheinung zieht sich in der Selbst=
erscheinung so zu sagen zusammen. Die Seele hat eine verein=
fachende Kraft. Das Geistige ist zwar nicht überall einfach, aber
überall einfacher als das Materielle, in dem es sich selbst erscheint.
Wie ein Verhältnis immer einfacher ist als die Zahlen, deren Ver=
hältnis es darstellt, wie ein Wort aus vielen Buchstaben einen ganz
einfachen Sinn haben kann, ist das Geistige einfacher als das Materielle,
worin es sich ausdrückt. Wie es aber doch höhere Verhältnisse geben
kann, für welche wieder niedere Verhältnisse den Stoff bilden, und der
Sinn einer ganzen Rede sich aus dem Sinn mehrerer Worte zusammen=
setzen kann, ist auch das Geistige nicht notwendig einfach; es ist nur
eben einfacher als das Materielle, dessen Sinn es darstellt, und das
höhere Geistige einfacher als das niedere, das ihm unterliegt, im Ver=
hältnis des Stoffes zu ihm steht. Nur die Aufgabe läßt sich daher
aus unserer Ansicht ableiten, von jedem Körper und jeder Bewegung
anzugeben, entweder, welcherlei Art Geistiges ihm für sich zugehört.
oder, welches größere, Geist tragende Ganze es konstituieren hilft. Denn
was für sich kein solches Ganze bildet, wird doch stets in ein solches eingehn.

Der allgemeine Gesichtspunkt unsrer Ansicht würde z. B. nicht hindern,
daß die ganze Gesamtheit der von der Gravitation abhängigen Bewegungen
der Weltkörper ein einziges in sich ununterscheidbares Bewußtseinsphänomen
oder Grundgefühl im göttlichen Geiste trüge oder auch nur etwas, was
unbewußt, d. i. ununterscheidbar (im Sinne des Unbewußten Bd. I. S. 160)
in seine Bewußtseinsphänomene einginge und sie konstituieren hülfe. Die
Beschaffenheit der einzelnen Bewegungen, welche zu einem identischen
Bewußtseinsphänomen beitragen, ist aber darum noch nicht gleichgültig;
denn das ganze Bewußtseinsphänomen erfährt durch die Abänderung des
einzelnen Einfluß. Man kann es so erläutern: jede Art des Geruchs ist
eine einfache Empfindung; jede riechende Substanz aber ist ein zusammen=
gesetzter Stoff; ändert sich nun auch bloß ein einzelner Bestandteil der
riechenden Substanz, so ändert sich damit doch die ganze einfache Empfindung;
obwohl eine geringe Abänderung der Zusammensetzung sie auch nur wenig
ändern mag.

Nach diesem Prinzip ist auch der Beitrag zu beurteilen, welchen die festen Einrichtungen unseres Organismus und der Welt zum Bewußtsein liefern (obwohl es nichts absolut Unbewegliches eigentlich gibt). Umsonst würde man fragen, was diesen festen Einrichtungen besonderes Geistiges entspricht; gar nichts. Aber der Zusammenhang des Beweglichen mit dem Festen gibt dem Beweglichen selbst Richtung und Form, die ohne jenen Zusammenhang gar nicht bestehen könnte. Also muß man das Bewegliche auch nur im Zusammenhange mit diesem Festen als Unterlage für das Geistige fassen; oder, wenn auch besondre Bewegungen zur besondern Charakteristik des Geistigen dienen können, nicht vergessen, daß sie doch nur durch den Zusammenhang mit dem Festen das sein können, was sie sind, mithin das Feste selbst nicht vom Ausdruck oder Träger des Geistigen ausscheiden, sondern mindestens still mit einrechnen.

Die vorigen Betrachtungen erklären, worin die Veranlassung gelegen, das Geistige schlechthin als ein Einfaches dem Materiellen als Mannigfaltigem gegenüberzustellen, obwohl sie in der Tat nur berechtigen, es in relativem Sinn zu tun. Es gibt viel Geistiges, was gar nicht einfach ist, doch immer einfacher als das zugehörige Körperliche. Ferner erklärt sich, in wie fern die Seele, das Geistige, als das Band des Leibes, des Körperlichen gelten kann. Endlich liegt darin der rationelle Grund, weshalb man das Materielle in Verhältnis zum Geistigen als das Niedrigere, die Basis, die Unterlage, den Sitz desselben betrachten kann; es schließt nämlich gleich einer Basis nur ein Verhältnis unten ab, welches sich schon innerhalb des Geistigen vom Höhern zum Niedern geltend macht. Auch das höhere Geistige ist immer einfacher als das niedrigere, welches in Verhältnis des Stoffes dazu steht. Das Geistige setzt sich solchergestalt auf die breite Unterlage des Körperlichen gewissermaßen auf und spitzt sich noch vom Niedern zum Höhern darüber zu.

Hienach erhellt dann auch, wie dasselbe Materielle ein niedrigeres und höheres Geistige zugleich tragen kann, indem das Höhere mittelst des Niedrigern auf ihm ruht. Aber das Materielle muß anders organisiert sein, um ein hohes, als bloß ein niedriges Geistige zu tragen, nach einer höhern Ordnung, wie wir's nannten, es muß nicht bloß selber ein Mannigfaltiges sein, sondern auch eine Mannigfaltigkeit von Verhältnissen einschließen, die wieder solche einschließen.

Wie etwas (als Körperliches) einem andern mannigfaltiger erscheinen kann, als sich (nach seiner geistigen Seite), läßt sich zwar nicht erklären, denn es bleibt Grundtatsache, aber erläutern wie folgt. Stelle ein System von 5 Punkten einem andern System von 5 Punkten gegenüber, und jedes empfinde die ganze Verknüpfung seiner Punkte in eins, so daß die verschiedene Zahl und Anordnung der Punkte bloß eine verschiedene Stärke und

Beſchaffenheit der einfachen Empfindung mitführt. Nun iſt das eine Syſtem mit dem andern Syſtem nicht eben ſo verknüpft, wie jedes in ſich; denn wir ſetzen ja eben beide als zwei verſchiedene Syſteme voraus; alſo wird ihm die Verknüpfung des andern auch nicht eben ſo wie dieſem ſelbſt ſpürbar, ſondern es wird von jedem Punkte desſelben wie von einer Einzelheit affiziert.

Eine ähnliche Betrachtung wie auf das Gleichzeitige oder Räumliche iſt auf das ſukzeſſiv Zeitliche anzuwenden. Wir können nicht fordern, für jeden beſondern Moment eines materiellen Vorganges das zugehörige Beſondere eines geiſtigen Vorganges anzugeben; ſondern es faßt ſich auch vom ſukzeſſiv Zeitlichen eines materiellen Vorganges manches in eine einfache geiſtige Einheit zuſammen. Geſichts- und Gehörsempfindungen in uns werden durch Oszillationsprozeſſe angeregt, und ſo mögen die materiellen Änderungen, die ihnen in uns unterliegen, ſelbſt auch oszillierender Natur ſein; aber wir empfinden kein Oszillieren, ſondern es faßt ſich dies Oszillieren der Materie für uns in das kontinuierlich Einfache einer Empfindung zuſammen. Jeder Moment der Oszillation iſt anders geartet als der andere; aber wir ſpüren nichts von dieſen in ſich zuſammenhängenden Änderungen, vielmehr den ganzen Zuſammenhang derſelben in eins. So ſind die Zuſtände des Schlafes, in die wir zeitweiſe verfallen können, aus doppeltem Geſichtspunkte als Mitträger von Bewußtſein zu betrachten. Einmal, indem unſer ſchlafender Körper doch eingeht in das im ganzen bewußte Syſtem der Natur, mit deſſen bewußtſeinstragenden Bewegungen in beſtimmter und beſtimmender Beziehung ſteht; das Schlafen der Menſchen auf einer Seite der Erde hängt mit dem Wachen auf der andern Seite in gemeinſchaftlicher Bedingtheit zuſammen; zweitens, indem unſer Schlaf ſelbſt vorbedingend iſt für unſer Wachen. Wir könnten nicht ſo wachen, wenn wir nicht ſo geſchlafen hätten, und es wird ſomit unſer Bewußtſeinszuſtand mit von dieſen, für ſich freilich unbewußten, Vorgängen der Materie getragen.

Daß es ſo ſein müſſe, liegt freilich gar nicht an ſich in den begrifflichen Vorderſätzen unſerer Anſicht, ſondern nur in den faktiſchen. Wir leiten aber überhaupt nichts an ſich aus dem Begriff ab, ſondern das Begriffliche unſerer Anſicht iſt ſelbſt nur im Sinne der Verallgemeinerung des Faktiſchen auszulegen, ſonſt führt es zu falſchen Folgerungen.

Man erläutert ſich manches von den vorſtehenden Verhältniſſen gut durch arithmetiſche Zahlenreihen.
In der arithmetiſchen Reihe erſter Ordnung:

$$1, \ 2, \ 3, \ 4, \ 5, \ 6 \ \ldots \ldots \ (\text{a})$$

gibt es eine Mannigfaltigkeit sichtbarer Glieder, welche unsichtbar das konstante (arithmetische) Verhältnis oder die Differenz 1 zwischen sich haben. Die Mannigfaltigkeit der sichtbaren Glieder der Reihe soll die körperliche Mannigfaltigkeit eines Organismus, die überall identische unsichtbare Differenz, woburch sich die Glieder der Reihe verknüpfen, das Gesetz der Reihe sich charakterisiert, die im Körper waltende Seele oder das Geistige bezeichnen, was äußerlich unsichtbar zu dem Körper allgegenwärtig gehört, das geheime Band desselben bildet. Da haben wir ein einfaches Geistige zu der Mannigfaltigkeit des Körperlichen.

Sollte es keine an sich einfache Seele geben, so hat doch die Seele immer in Verhältnis zum Körper den Charakter der Einfachheit, und dies brückt sich jedenfalls im Schema aus. Statt an eine einfache Seele kann man aber auch an eine einfache Empfindung denken, der ein zusammengesetzter körperlicher Vorgang unterliegt.

Die Reihen

$$1, 3, 5, 7, 9, 11 \ldots (b)$$
$$1, 4, 7, 10, 13, 16 \ldots (c)$$

unterscheiden sich von der vorigen nur in sofern, als sich ein anderer konstanter Verhältnisbezug, respektive 2 oder 3, statt vorhin 1, darin findet. Auch in ihnen waltet etwas durchgehend Identisches, nur daß es für verschiedene Reihen verschieden ist. So kann also ein verschieden zusammengesetzter Körper eine verschieden geartete Seele, oder ein verschieden modifizierter körperlicher Vorgang eine verschieden geartete Empfindung tragen, die aber in diesen einfachen Fällen doch immer einfach bleibt, sofern wir nämlich die Identität des Verhältnisses durch die ganze Zahlenreihe als Repräsentant dessen ansehen, daß sich in der Seele des Körpers oder der Empfindung des körperlichen Vorganges, der durch diese Reihe vorgestellt wird, nichts unterscheiden läßt.

Um eine andersgeartete Seele oder Empfindung zu erhalten, muß nach dem Schema der ganze Leib oder körperliche Empfindungsvorgang ein anderer werden. Und so bestätigt es die Erfahrung, so weit wir solche machen können.

Sieht man näher zu, so findet man in vorigen Schematen eines der größten Wunder ausgedrückt, das sich im Verhältnis der Seele zum Leibe zeigt. Der Leib ist ein anderer von Stelle zu Stelle, nun könnte man meinen, die Seele, die diesem Leibe inwohnt, müßte, in sofern sie in fester Beziehung dazu gedacht wird, nach Maßgabe dieser Verschiedenheit selbst eine eben so verschiedene werden; dahingegen die Seele durch die größte leibliche Mannigfaltigkeit in identischer Weise greifen kann, sich also unabhängig zeigt von der Einzelbeschaffenheit dieser Mannigfaltigkeit, dagegen ihre Beschaffenheit zur totalen Verhältnisbeschaffenheit der körperlichen Mannigfaltigkeit in wesentlichem Bezuge steht.

Dasselbe, was vom Verhältnis der Seele, des Geistes zum Leibe gilt, läßt sich auch auf das Verhältnis des geistigen zum leiblichen Geschehen übertragen; wenn wir die einzelnen sichtbaren Zahlen als sukzessive Momente des leiblichen Geschehens oder als aufeinanderfolgende leibliche Zuständlichkeiten desselben Individuums vorstellen.

Betrachten wir z. B. die Zahlenreihe

$$1, 2, 3, 4, 5, 6 \ldots$$

so kann man durch jede spätere Zahl einen andern leiblichen Zustand ausgedrückt halten als durch jeden frühern. Nun könnte es für den ersten
Anblick auch scheinen, das Individuum könne sich in den spätern Zuständlichkeiten nicht wiederfinden; es ist ja jede Zahl anders. Aber indem jede
Zahl in gleicher Weise aus der frühern fließt und durch das Gesetz oder
Verhältnis der Fortschreitung die Seele repräsentiert wird, bleibt doch dieselbe Seele und behält die ganze Zahlenreihe denselben Charakter.

Das Schema ist bisher bloß in seiner einfachsten unentwickeltsten Gestalt
vorgeführt worden, wodurch bloß die allgemeinsten Verhältnisse gedeckt werden
können, darunter die Einfachheit des Geistigen der körperlichen Mannigfaltigkeit gegenüber. Inzwischen ist diese Einfachheit mindestens für unsre
Seele bloß in relativem Sinne gültig. Wir unterscheiden doch manches in
unsrer Seele, in unserm Geiste. Es scheint nun für den ersten Anblick
schwierig, im Schema dieses eigentümliche Verhältnis innerer Mannigfaltigkeit des Geistes zugleich mit dem Charakter verknüpfender Einheit dem
Leiblichen gegenüber wiederzufinden. Auch ist es in dem unentwickelten
Schema nicht zu finden. Aber das Prinzip der Zahlenreihen schließt diese
Repräsentation auf die natürlichste Weise von selbst ein; indem sich Reihen
höherer Ordnung finden lassen, welche die Mannigfaltigkeit des Leiblichen
durch eine nur abgeschwächte Mannigfaltigkeit geistiger Bezüge verknüpft
darstellen, die sich aber selbst in einem ganz identischen allgemeinen Bezuge,
der zugleich sie und das Leibliche beherrscht, abschließen.

Nehmen wir z. B. eine sogenannte Reihe zweiter Ordnung

$$1, 2, 4, 7, 11, 16, 22 \ldots (A)$$

so sind die Differenzen der auf einander folgenden Zahlen nicht mehr wie
in den bisherigen Reihen konstant, bilden vielmehr selbst die Reihe

$$1, 2, 3, 4, 5, 6 \ldots (A')$$

Durch die Reihe dieser unsichtbar zu denkenden Differenzen, welche in der
sichtbaren Reihe geheim eingeschlossen liegen, erhalten wir also ein mannigfaltiges Geistige repräsentiert, das von der körperlichen Mannigfaltigkeit der
sichtbaren Reihe A getragen wird; doch nähern sich die Zahlen der geistigen
Reihe A' in ihrer Aufeinanderfolge der Identität mehr, als die der körperlichen Reihe A. Aber die Reihe A' drückt nur erst ein niederes Geistige
aus und schließt sich selbst noch in einem höhern identischen geistigen Bezuge
ab; denn nimmt man ihre Differenzen, so sind sie konstant 1. Dieselbe
körperliche Reihe A trägt also niedres und höheres Geistige zugleich, wobei
die Abweichung der Zahlen von einander, die zum Maß der Mannigfaltigkeit
dient, in der Reihe des niedern Geistigen A' noch besteht, obwohl geringer
ist als in A; im höchsten Geistigen, der konstanten Differenz, aber verschwindet. Wir haben hier überhaupt eine Seele höherer Stufe gegen die,
welche von den körperlichen Reihen erster Ordnung a, b, c getragen wird.
Das höher entwickelte Schema repräsentiert auch eine höher entwickelte Seele.
In allen niedern und höhern Seelen waltet eine geistige Einheit, etwas

Identisches, was durch alles durchgreift; aber in den niedern Seelen unter=
scheidet sich nichts, das Niederste darin ist zugleich das Höchste; alles einigt
sich darin in einer unterschiedslosen Empfindung, dieser ist die Seeleneinheit
unmittelbar immanent; oder auch, wir können im Grunde nur einfache
Empfindungen durch das einfachste Schema repräsentieren, nicht eine Einheit
verschiedener Empfindungen, wie sie in einer Seele statt findet; in den
Seelen höherer Stufe oder Seelen überhaupt aber, so weit wir solche kennen,
befaßt die höchste geistige Einheit selbst noch geistige Unterschiede unter sich,
ja vermag nur auf Grund derselben als höhere Einheit zu bestehen.

Andre Beispiele von Reihen zweiter Ordnung (wo sich erst die Differenzen
zweiter Stufe konstant finden) sind:

$$1, 5, 12, 22, 35, 51, 70 \ldots (B)$$
$$1, 6, 15, 28, 45, 66, 91 \ldots (C).$$

Erstere schließt mit der konstanten Differenz 3, letztere mit der konstanten
Differenz 4 ab.

Es sind überhaupt so gut unendlich viele verschiedene Reihen zweiter
als erster Ordnung möglich*), wenn wir immer Reihen zweiter Ordnung
solche nennen, wo die Differenzen zweiter Stufe konstant sind, und auch hier
kann die konstante Differenz je nach Beschaffenheit der Reihe die verschiedensten
Werte annehmen. Eben so sind aber auch Reihen beliebig höherer Ordnung
möglich, wo erst die dritten, vierten, fünften Differenzen u. s. w. konstant
ausfallen**), und wodurch Leiber (oder Prozesse) repräsentiert werden, die
Seelen (oder Bewußtseinsvorgänge) von noch höhern Stufen tragen, worin
sich geistige Beziehungen über Beziehungen aufbauen, und doch immer in
etwas Identischem abschließen.

Braucht man allgemein die höhern Zahlenbezüge zur Repräsentation
des höhern Geistigen, so sieht man, daß das höhere Geistige überall nicht
unabhängig von dem niedern Geistigen und Leiblichen zu bestehen vermag;
da vielmehr sein Bestand und sein Leben nur an dessen Verhältnisse geknüpft
ist, indem es zugleich dasselbe regelt und beherrscht.

Das Identische oder die Bewußtseinseinheit, worin sich die geistigen
Bezüge abschließen, ist nach dem Schema in den am tiefsten stehenden sinn=
lichen Wesen und Vorgängen überall so vollkommen wie in den am höchsten
stehenden, aber sie nimmt in den höchsten eben dadurch eine höhere Bedeutung
an, daß sie sich über niedern Bezügen emporbaut.

Vergleichen wir die Zahlen der Reihen höherer Ordnung, wodurch

---

*) Man kann Reihen zweiter Ordnung u. a. beliebig dadurch bilden, daß man
die unter einander gestellten Glieder zweier Reihen erster Ordnung (z. B. b. und c.
S. 144) zu je zweien mit einander multipliziert, oder auch dadurch, daß man die
Glieder einer Reihe quadriert; so ist

$$1, 4, 9, 16, 25, 36, 49 \ldots$$

bestehend aus den Quadraten von 1, 2, 3, 4, 5, 6, 7 eine Reihe zweiter Ordnung.

**) Man erhält z. B. solche, wenn man die Zahlen einer Reihe erster Ordnung
respektiv zum Kubus, zur 4ten, 5ten Potenz u. s. w. erhebt, oder die untereinander=
gestellten Glieder respektiv von 3, 4, 5 Reihen erster Ordnung mit einander multipliziert.

Individuen mit dem Besitze eines höhern Geistigen repräsentiert werden, mit den Zahlen der Reihen niedrer Ordnung, so finden wir die höhern und niedern Reihen aus gleichartigem Material gebildet, und keinen andern Unterschied zwischen ihnen, als daß jene Reihen in ihrer Form verwickelter erscheinen als diese. So sind die Leiber geistig hochstehender Individuen aus demselben Material gemacht wie geistig tiefstehender, die der Menschen aus demselben Material wie die der Tiere, auch die organischen Prozesse derselben lassen sich in den einen wie in den andern auf materielle Bewegungen reduzieren, nur findet eine größere Verwickelung, keine so einfach hervortretende Gesetzmäßigkeit der leiblichen Organisation und Bewegung statt; es treten Differenzen und Änderungen höherer Ordnung in der Organisation und Bewegung ein, denen im Geistigen höhere Seelenerscheinungen entsprechen.

Statt arithmetischer Reihen kann man in vorigen Schematen mit einigem Vorteile für Darstellung mancher Verhältnisse auch geometrische anwenden; ich habe aber das Einfachste hier vorgezogen; bin übrigens weit entfernt zu glauben, daß alle Verhältnisse von Geist und Körper zutreffend durch Reihen der einen oder andern Art repräsentiert werden können, wovon vielmehr entschieden das Gegenteil statt findet. Eine vollständiger zutreffende (direkte, nicht bloß schematische) mathematische Repräsentation der Verhältnisse von Leib und Seele scheint mir vielmehr auf die zum Schluß dieses Anhanges unter Zusatz 2. anzuführenden Prinzipien zu gründen, welche zugleich die einer mathematischen Psychologie sind; aber diese lassen keine so einfache Darstellung und Anwendung zu, sind auch noch nicht ganz zweifelsfrei. Und geht man mit den Erläuterungen durch das Schema der Reihen nicht über die rechten Grenzen hinaus, so bleibt dasselbe immer sehr geeignet, gerade die allgemeinsten und wichtigsten Verhältnisse von Körper und Geist, niederm und höherm Geistigen zu erläutern. Besonders gut stellt sich danach die Untriftigkeit heraus, Veränderungen im höhern Geistigen zu statuieren ohne zugehörige Änderungen im Leiblichen.

Um das Schema mit unsrer allgemeinen Betrachtungsweise des Verhältnisses von Geist und Körper in Beziehung zu setzen, würde es untriftig sein, die sichtbare körperliche Zahlenreihe als das für sich selbständige substanzielle Grundwesen und die unsichtbaren Verhältniszahlen als einen davon abhängigen innern Schein zu betrachten; dies wäre ganz materialistisch. In Wirklichkeit sind die Differenzen der Grundreihe so gut reale, nur äußerlich unsichtbare und andersgeartete Zahlen als die Zahlen der Grundreihe selbst, und die körperliche Grundreihe kann eben so gut als eine Funktion der geistigen Differenzreihe wie umgekehrt gelten.

Auch so kann man es nicht stellen, als ob die körperliche Grundreihe und die zugehörige geistige Differenzreihe (mit allen höhern Differenzen, die sie etwa noch einschließt) zwei an sich verschiedene, in Verhältnis der Selbständigkeit zu einander stehende Dinge seien, die erste bloß mit dem Vermögen der Erscheinung für andres, die andre bloß mit dem Vermögen der Selbsterscheinung begabt; sondern ihre Verschiedenheit hängt selbst nur daran, daß ein und dasselbe real gar nicht trennbare Grundwesen einesfalls einem andern als sich selbst in Form der körperlichen Grund-

reihe, andernfalls ſich ſelbſt in Form der geiſtigen Differenzreihe erſcheint.
Erſtenfalls wird die Erſcheinungsweiſe weſentlich durch die Verhältniſſe des
erſcheinenden Grundweſens zu etwas Äußerm beſtimmt, welche Verhältniſſe
der Selbſterſcheinung als ſolche nichts angehen, letztenfalls durch die eigenen
innern Verhältniſſe des Grundweſens, welche wieder die Erſcheinung für
andre als ſolche nicht betreffen, obſchon doch beiderlei Verhältniſſe in Wechſel=
abhängigkeit ſich ändern. Daher die Erſcheinung verſchiedener Zahlen in
beiderlei Reihen; ſofern Zahlen immer zum Ausdruck von Verhältniſſen
dienen; daher aber auch die fortlaufende Beziehung derſelben.

b) Vergleichung.

Nach der gewöhnlichen Anſicht ſind Leib und Seele zwei weſentlich
verſchiedene, ſogar in einer Art Gegenſatz ſtehende Dinge, oder doch
zwei an ſich verſchiedene Seiten desſelben Grundweſens mit gegenſätzlichen
Beſtimmungen. Unſtreitig iſt unſre Anſicht nicht die gewöhnliche, doch
läßt ſie ſich mit der letzten Faſſung derſelben in nahe Beziehung ſetzen.
In der Tat, ſo ſehr nach unſrer Betrachtungsweiſe Leib und Seele
von gewiſſer Seite in eins zuſammenzugehen ſcheinen, ſo ſehr treten ſie
doch von der andern danach aus einander. Denn die Fähigkeit desſelben
Grundweſens, einem andern als ſich ſelbſt zu erſcheinen, iſt an ſich
etwas ganz andres als die Fähigkeit, ſich ſelbſt zu erſcheinen, und beide
Erſcheinungsweiſen für den verſchiedenen Standpunkt ſind nicht minder
verſchieden. In die leibliche Erſcheinungsweiſe geht auch weſentlich die
Natur eines andern als das Selbſt ein; denn ſie ändert ſich eben ſo
weſentlich mit nach der Natur des andern, als nach der Natur des
Selbſt. Und ſo kann es denn auch nach uns nichts ſchaden, wenn man
Seele und Leib immer noch wie gewöhnlich als zwei verſchiedene,
mit einander verknüpfte Seiten desſelben Weſens betrachtet, da
der Umſtand, daß dasſelbe Weſen eine zweiſeitig verſchiedene Auffaſſung
geſtattet, von innen und von außen, ſelbſt als eine Zweiſeitigkeit ſeiner
Natur angeſehen werden kann. Ja wirklich als etwas Gegenſätzliches
kann man ſie noch faſſen, nur daß wir nun gewahr worden ſind, es iſt
nur ein Gegenſatz des Standpunktes, von dem ſie erſcheinen, und eine
Verſchiedenheit der Weſen, denen ſie erſcheinen, nicht ein Gegenſatz in
oder an der Subſtanz des Weſens ſelbſt, das erſcheint, um was es ſich
hier als Grund der verſchiedenen Erſcheinung handelt. Und hierin liegt
der Hauptunterſchied unſrer Anſicht von der gewöhnlichen, wenn ſie Leib
und Seele als zwei Seiten desſelben Weſens faßt. Die gewöhnliche
Anſicht ſieht es ſo an, als ob dieſe Verſchiedenheit ſchon ohne Rückſicht
auf die Verſchiedenheit des Standpunktes der Betrachtung und der

Betrachtenden an sich bestehe, dagegen sie nach uns erst durch letztere Verschiedenheit zum Vorschein kommt.

Der grundwesentlichen oder zu scharfen Scheidung des Materiellen und Geistigen, welche in der gewöhnlichen Ansicht statt findet, steht als andres Extrem die fast noch unhaltbarere Identifizierung oder Vermischung beider entgegen, welche öfters in der Wissenschaft vorkommt. In der Tat darf die (von den Philosophen meist irgendwie, wenn auch aus andern Gesichtspunkten als von uns anerkannte) wesentliche Identität dessen, was dem Geistigen und Materiellen zu Grunde liegt, doch nicht verleiten, Geistiges und Materielles selbst identifizieren zu wollen, da das identisch Eine als Geistiges und Materielles jedenfalls in entgegengesetzter Relation auftritt; und eben hienach so oder so zu nennen ist, sonst entsteht eine unheilbare Verwirrung der Sprache und Begriffe. Nun vollends, wenn das Prinzip hinzutritt, alles in der Natur, was und weil es von uns denkbar ist, mit objektiven Gedanken zu identifizieren.

Hier einige Beispiele in dieser Beziehung:

G. sagt (N. Jen. Literat. 1845. Nr. 64. S. 258): „Die Natur ist ein System von Gedanken, das Gott aus sich herausgestellt hat . . . . Gott fand und findet in der Schöpfung die Materie nicht vor, sondern sein Gedanke schafft und formt zugleich die Materie, oder vielmehr der Gedanke ist auch zugleich seine Realisation, die Materie."

Ich meine aber, die materielle Natur läßt sich nie als ein System von Gedanken, der Gedanke nie als Materie fassen, weil die Sprache eben Gedanken und Materie nicht als Synonyma für das identisch Eine, was beiden unterliegt, sondern als Unterscheidungsworte dafür, je nachdem es sich selbst erscheint oder in äußerlicher Manifestation (realisirt) erscheint, auf innerm oder äußerm Standpunkt erscheint, gebildet hat. Sonst müßte ich auch die Konkavität und Konvexität einer mathematischen Kreislinie für dasselbe erklären, weil beide sich in der Tat nur nach dem Standpunkt der Betrachtung innerhalb oder außerhalb der Kreislinie unterscheiden; das unterliegende Wesen, die mathematische Linie, ist beidesfalls dasselbe; doch ist es gut, daß wir zwei Worte für die Doppelerscheinung haben, und wir sollen nicht eine begriffliche Identität daran knüpfen.*)

In der Philosophenversammlung zu Gotha (23. Sept. 1847), hielt Professor U. einen Vortrag über das Wesen und den Begriff der logischen Kategorien. Ein gewisser H. bemerkte gegen diesen Vortrag: „Nach der

---

*) Das obige Bild kann zugleich die Möglichkeit verschiedener, ja in gewisser Weise entgegengesetzter Erscheinung desselben Wesens von verschiedenem Standpunkt her gut erläutern; obwohl der Standpunkt innerhalb des Kreises noch kein wahrer innerer Standpunkt der Kreislinie ist, der vielmehr mit dem Ort der Kreislinie selbst koinzibieren würde.

Ansicht des Vortragenden sei in den Sachen noch etwas andres, als die Sache selbst; Sauerstoff sei nicht Sauerstoff, sondern Gedanke Gottes. Aber er möge wohl wissen, wie Sauerstoff und Wasserstoff Gedanken sein können. Beide seien eben Sauerstoff und Wasserstoff und durchdringen sich gegenseitig; dazu, daß Wasser werde, gehöre eben nur dieses gegenseitige Durchdringen, aber kein Denken u. s. w." Hiegegen erklärte sich U. wie folgt: „Durch sein Sprechen widerlege sein Gegner unmittelbar, was er spreche. Er behaupte, Sauerstoff sei kein Gedanke, sondern eben Sauerstoff. Allein indem er von Sauerstoff rede, müsse er selbst doch wohl eine Vorstellung davon haben, müsse er Sauerstoff denken im weitern Sinne des Worts. Der Name Sauerstoff sei doch nur die Bezeichnung einer Vorstellung, eines Gedankens, oder, wenn man wolle, eines (vorgestellten) Bildes, in dem alles enthalten sei, was in der Sache selbst enthalten; und nur, weil das menschliche bedingte Denken ein bloßes Abbilden (Nachdenken), kein Urbilden sei, sei der reelle Gegenstand vom menschlichen Gedanken desselben verschieden. Oder sei etwa die menschliche Rede nichts als Lufterschütterung, das Denken nichts als Nervenaffektion oder ein Verdauungsprozeß des Gehirns? Dann aber sei offenbar nicht einzusehen, warum eine so zahlreiche Versammlung, wie die gegenwärtige, hier sitze, um sich gegenseitig leere Schälle zuzuwerfen oder ihre Nerven zu affizieren. Aller Wert, alles Interesse des geistigen Lebens und damit des Daseins überhaupt höre auf. Liege dagegen ein Gedanke zu Grunde, und vermöge Herr H. Sauerstoff, Wasserstoff u. s. w. zu denken, so sei nicht einzusehen, warum Sauerstoff nicht Gedanke eines absoluten, unbedingten und eben damit schöpferischen urbildenden Denkens solle sein, und in diesem Gedanken die Sache selbst ihre Existenz haben können." (Fichte's Zeitschrift für Philos. XVIII. S. 313.)

Ich muß gestehen, daß mir H.'s gemeiner Verstand hier doch mehr im Rechte scheint, als U.'s philosophischer. Möchte immerhin dem Sauerstoff ein Gedanke Gottes unterliegen; obwohl ich keineswegs glaube, daß dem, was uns äußerlich als Sauerstoff erscheint, wirklich ein besonderer Gedanke in Gott als Selbsterscheinung entspricht, so ist doch Sauerstoff als solcher immer nur ein Körperliches, weil nur für die äußere Erscheinung da. Und daß Sauerstoff von uns gedacht werden kann, macht ihn nicht zu einem Gedanken, sonst heben wir wieder den Unterschied, den die Sprache zum großen Vorteil der Deutlichkeit zwischen Gedanken und Körper macht, überhaupt auf.

Von andrer Seite müssen wir uns im Sinne unsrer Ansicht sehr gegen den bei neuern materialistischen Naturforschern nicht seltenen Ausspruch erklären, daß das Denken in selber Weise eine Funktion des Gehirns sei wie Gallabsonderung eine Funktion der Leber, Verdauung eine Funktion des Magens. Das heißt die Standpunkte verwirren. Die Gallabsonderung ist eine Funktion der Leber, welche der naturwissenschaftlichen Beobachtung auf äußerm Standpunkt so gut wie die Leber selbst anheimfällt; das Denken aber ist eine Funktion, welche der Beobachtung auf äußerm Standpunkt überhaupt nicht angehört. Nur die Bewegungen im Gehirn, welche dem Denken unterliegen, und etwa damit zusammenhängende Absonderungen und Aussonderungen kann man in ähnlicher Weise eine Funktion des Gehirns

nennen wie Gallabsonderung eine Funktion der Leber. Dies scheint vielleicht in der Sache auf eins hinauszukommen; aber es liegt an der klaren
Auseinanderhaltung dessen, was zwei verschiedenen Standpunkten angehört,
eine weitgreifende Klarheit überhaupt.

Die gewöhnliche Ansicht hat verschiedene Ausdrücke für das Verhältnis zwischen Leib und Seele, wie, daß der Leib Träger, Unterlage, Sitz, Hülle, Organ, Bedingung der Seele sei. Auch dieser Ausdrücke werden wir uns immer noch gefahrlos bedienen können, mit dem
Vorteil, uns bei Darlegung sachlicher Verhältnisse mit dem gewöhnlichen
Verständnis in Beziehung zu erhalten, wenn wir nur dieselben immer im
Sinne unsrer Grundansicht verstehen, oder nötigenfalls in solche, die
direkter darauf rückweisen, übersetzen.

Träger, Unterlage, Sitz des Geistigen ist dasjenige Leibliche, dessen
Zustand und Veränderungen mit denen des Geistigen wechselbedingt sind,
oder dessen äußere Erscheinung der Selbsterscheinung des Geistigen zugehört.
Über den rationellen Grund dieser Ausdrücke s. oben S. 142.

Das Leibliche ist die äußere Hülle des Geistigen, sofern die leibliche
Erscheinung nie das Selbst gibt, sondern nur dessen äußere Erscheinung
für ein andres, die doch auch sich nach der Form des Selbst mit richtet,
wie eine Hülle nach der Form des Inhalts. Zwar verbindet man mit dem
Begriff einer Hülle in der Regel auch die Vorstellung, daß sie abgelegt
werden könne, ohne daß es dem Wesen, was damit bekleidet war, schade,
eine Vorstellung, die auf das Verhältnis des Körpers zum Geiste unanwendbar
scheint, jedoch in der Tat in so fern anwendbar darauf ist, als dieselbe
individuelle Seele, derselbe individuelle Geist, schon während des Lebens
sukzessiv den Leib wechselt, woraus sich Schlüsse für das ziehen lassen, was
bei unserm Tode geschieht. Die Selbsterscheinung einer Seele hat also zwar
immer eine leibliche Hülle in der Erscheinung für andres, aber nicht notwendig immer dieselbe; sie wechselt mit Verlassen der frühern Hülle notwendig die Weise der Selbsterscheinung; aber sofern durch verschiedene
Hüllen sich ein identischer Grundbezug forterhalten kann, nicht notwendig
die hieran geknüpfte Individualität. Dies wird im folgenden Teile dieser
Schrift weiter erörtert.

Der Leib ist Organ oder Werkzeug der Seele, sofern nur mittelst
desselben die Seele überhaupt nach außen wirken kann; denn an sich bleibt
sie Selbsterscheinung.

Der Leib ist Bedingung der Seele, des Geistigen, sofern eine gegebene Weise der Selbsterscheinung nur nach Maßgabe des Vermögens, zugleich in gegebener Weise für andres zu erscheinen, stattfinden kann. Aber
der Leib ist nicht einseitige Bedingung der Seele, sondern wechselbedingt
damit, seine Erscheinungsweise in gleichem Maße abhängig von der Selbsterscheinung der Seele wie umgekehrt.

Die gewöhnliche Ansicht leidet im Eingehen auf das Besondere an vielen Schwierigkeiten und Inkongruenzen, welche zum Teil daher rühren, daß sie von verschiedenartig philosophischen und religiösen Ansichten her bestimmt worden ist, ohne sich über deren Unvereinbarkeit teils mit der Natur der Dinge, teils unter sich klar zu werden. Nach der gewöhnlichen Ansicht greift Leibliches abwechselnd in Geistiges und Geistiges in Leibliches wirkend ein; aber doch nicht überall, indem auch beides zum Teil für sich abläuft; auch soll das Geistige das Leibliche bald mitziehen, bald nachziehen und umgekehrt. Aber es fällt nun teils schwer zu erklären, wie zwei ihrer Natur nach als ganz fremdartig gedachte Wesen, (in sofern der Gegensatz des Wesens noch fest gehalten wird,) sollen auf einander wirken können, eine Schwierigkeit, die sowohl der einseitige Materialismus als Spiritualismus zu seinen Gunsten zu nutzen gesucht hat, teils welches Prinzip für den so unregelmäßig erscheinenden Wechseleingriff statt findet. Nach uns aber wirken heterogene Wesen hiebei überhaupt nicht auf einander ein, sondern es ist im Grunde nur ein Wesen da, das auf verschiedenen Standpunkten verschieden erscheint, noch greifen zwei einander fremde Kausalzusammenhänge unregelmäßig in einander ein, denn es ist nur ein Kausalzusammenhang da, der in der einen Substanz, auf zwei Weisen, d. i. von zwei Standpunkten her, verfolgbar abläuft. So wird die Schwierigkeit und Inkonsequenz der gewöhnlichen Ansicht begegnet, ohne darum in die Einseitigkeit der monistischen Systeme zu verfallen, da man den Standpunkt der Betrachtung beliebig wechseln kann. Ich komme darauf unten.

Der Parallelismus im Ablauf des Körperlichen und Geistigen, der sich so ergibt, erinnert an die Leibnizische prästabilirte Harmonie (vgl. S. 130), nur daß er auf sehr anderm Grunde ruht als diese. Nach uns, wie nach Leibniz, wenn etwas im Geiste geht, geht etwas korrespondierend im Leibe, ohne daß man sagen kann, eins habe das andre hervorgerufen. Wenn aber nach Leibniz Seele und Leib gleichnisweise zwei Uhren sind, die mit einander zusammenpassend, doch ganz unabhängig von einander, nur vermöge ihrer guten Einrichtung durch Gott nie von einander abirrend gehen, ist es nach uns vielmehr eine und dieselbe Uhr, die sich selbst in ihrem Gange als geistig sich regendes Wesen und einem Gegenüberstehenden als ein Getriebe und Treiben materieller Räder erscheint. Statt prästabilierter Harmonie ist es Identität des Grundwesens, was beide Erscheinungen zusammenpassend macht. Es bedarf dazu keines Gottes als äußern Werkmeisters, doch wohnt Gott selbst als Werkmeister in seiner Uhr, der Natur.

Im übrigen dürfen wir allgemein sagen: trotz des empirischen

Charakters, den unsre Ansicht hat, (da sie sich in der Tat ganz auf
empirische Bewährung stützt, wovon unter c.,) vereinigt sie doch die dis-
paratesten philosophischen Grundrichtungen unter sich und gibt zugleich
einen obersten Gesichtspunkt an die Hand, aus dem sich ihr Verhältnis
zu einander klar stellt.

Sie ist von einer Seite ganz materialistisch; denn das Geistige
muß sich danach überall ändern, nach Maßgabe als sich das Körperliche
ändert, worin es sich ausdrückt, erscheint in sofern ganz als abhängig
davon, als Funktion desselben, ja läßt sich ganz in solches übersetzen;
aber sie ist von der andern Seite ganz spiritualistisch und idealistisch;
denn für sich existiert gar nichts Materielles, es hat als solches eine
Existenz bloß für den Geist gegenüber, als Ausdruck von etwas sich
geistig selbst Erscheinendem für andern Geist; ist in sofern ganz Funktion
des Geistigen und Verhältnisses von Geist zu Geist. Die ganze Natur
verflüchtigt sich in selbsterscheinenden Geist, weil auch die Erscheinung
für andres doch nur in der Selbsterscheinung dieses Geistes Wirklichkeit
gewinnt. Es liegt eben im Wesen der Ansicht, daß man, je nach Standpunkt, Zweck und Zusammenhang der Betrachtung, das Geistige oder das
Körperliche als das Alleinige oder Priore für die Betrachtung setzen
kann, nur daß man es nicht als das Alleinige für die Wirklichkeit setze.
Einesfalls, für rein materialistische Betrachtung, stellt man sich konsequent
auf den äußern Standpunkt. Da ist weder von Gott noch Geist die
Rede, sondern nur von Materie und deren Kräften, Bewegungen und
deren Gesetzen, Verhältnissen, Änderungen. Materielle Prozesse im Hirn
lösen beim Willens- und Denkvorgange die Bewegung des Arms oder
andre materielle Prozesse im Hirn aus. Ein Nadelstich, ein Lichtstrahl
ins Auge regt nicht Empfindung, sondern materielle Nervenprozesse an,
die immerhin Empfindung tragen mögen; aber weil nur auf dem Standpunkt der Selbsterscheinung solche wahrgenommen werden kann, geht uns
diese auf diesem Standpunkte nichts an, wo wir uns immer außerhalb
der Sache stellen. Wenn zwei mit einander sprechen, sind es Gehirn-
schwingungen, die mittelst Schwingungen der Stimmbänder und des
Trommelfells und Luftschwingungen dazwischen kommunizieren; und es
läßt sich auf diesem Standpunkte nach dem Kausalnexus fragen, in dem
diese Bewegungsprozesse stehen, ohne alle Rücksicht auf die Art, wie sie
sich geistig selbst erscheinen. Aber eben so kann auch alles in geistigem
Nexus betrachtet werden, ohne Körperliches einzuschieben. Man stellt sich
dabei überall konsequent auf den innern Standpunkt, den der Selbsterscheinung, wo nicht direkt, durch Schluß. Da gibt es nur Anschauungen,

Empfindungen, Gedanken, Gefühle, Absichten, Zwecke, Geist und Gott. Beim Willen kommen nicht materielle Bewegungen und deren materielle Folgen in Betracht, sondern das, was der Geist des Wollenden und der Weltgeist in diesen Bewegungen und Folgen spürt, das Gefühl des Willens selbst, das Gefühl des Gelingens oder Hindernisses bei der Ausführung; das Eingreifen in die Absichten und Zwecke eines höhern Geistes, der die Welt erfüllt, die über uns hinausgreift. Kommen uns Anregungen aus der Natur, so ist es der Geist der Natur, der den unsern anregt. Weil freilich nicht allem einzelnen Körperlichen ein eben so einzelnes Geistiges entspricht (S. 141), so können wir bemerktermaßen nicht die Aufgabe stellen, jeden einzelnen körperlichen Reiz, mit dem die Natur auf uns wirkt, in etwas eben so einzelnes Geistige zu übersetzen, wohl aber wird die Anregung, die wir dadurch erfahren, in allgemeinern Bestimmungen des Weltgeistes inbegriffen sein. Eine Lichtwelle, die von der Sonne ausgeht, regt tausend Menschenaugen und Blumen zugleich und in einem Zusammenhange an, und diese weitverbreitete Lichtwelle trägt im göttlichen Geiste sicher für sich oder in Zusammenhang mit anderm etwas, was sich nicht eben so zersplittert wie jene Welle, vielmehr erst in den verschiedenen Menschen und Blumen nach Maßgabe des speziell in ihnen angeregten Prozesses geistig spezialisiert. Jeder äußere Reiz trägt so mit an etwas Geistigem der Natur, obwohl er es nicht notwendig für sich allein trägt und in diesem Falle auf der geistigen Seite der Betrachtung auch nur in Zusammenhang mit anderm zu verwerten ist.

Somit kann unsre Ansicht beliebig als monistische in materialistischem oder in spiritualistischem Sinne gefaßt und konsequent entwickelt werden; nur mit Rückhalt, daß hiemit bloß eine Seite derselben gefaßt und entwickelt ist. Zugleich aber deckt sie sich im Identifizieren der substanziellen Unterlage des Körperlichen und Geistigen mit den Identitäts-Ansichten, nur daß sie die Relation des Körperlichen und Geistigen zu einander und zu der einen Substanz anders faßt als die bisherigen Ansichten. Schon die Stoiker dachten sich Gott und die Natur als im Grundwesen identisch; dieselbe Substanz galt ihnen nach Seite ihres leidenden veränderlichen Vermögens als Materie, nach Seite der tätigen bildenden immer sich gleich bleibenden Kraft als Gott. Die ganze Natur war ihnen demgemäß göttlich beseelt; die Gestirne noch insbesondere individuell beseelt (vgl. Bd. I. S. 346 ff.). Wir teilen den allgemeinsten Gesichtspunkt wie die Hauptfolgerungen ihrer Ansicht; nur der Gesichtspunkt der Unterscheidung von Materie und Geist stellt sich bei uns anders.

Von gewisser Seite erscheint unsre Ansicht ganz spinozistisch, ja kann als reiner Spinozismus erscheinen.*) Spinoza's Ansicht gestattet wie die unsrige die doppelte, materialistische und spiritualistische Auffassung des Gebiets der Existenz, indem er das identisch eine Wesen (die Substanz) einmal als Körperliches (unter dem Attribut der Ausdehnung), dann wieder als Geistiges (unter dem Attribut des Denkens) fassen und verfolgen läßt, beide Auffassungsweisen aber durch die substanzielle Identität des Grundwesens verknüpft. Wenn der Mensch will, so kann man diesen Vorgang nach Spinoza unter dem Attribut des Denkens, d. h. als einen psychischen betrachten, aber eben so als einen physischen oder unter dem Attribut der Ausdehnung, indem man auf die körperliche Veränderung, die voraussetzlich im Willen statt hat, reflektiert. Die Seele ist notwendig um so vollkommener, je vollkommener der Leib, weil ja Leib und Seele immer substanziell dasselbe sind, nur für die Betrachtung verschieden. Eine bestimmte Seele kann ein- für allemal nur mit einem bestimmten Körper bestehen. Für den Einfluß des Körperlichen auf das Geistige substituiert sich bei Spinoza ein Miteinandergehen beider, wie bei Leibniz, nur auf Grund ihrer Wesensidentität, wie bei uns. Jedes Gebiet hat einen rein in sich verfolgbaren Kausalablauf.

In all dem stimmen wir ganz mit Spinoza überein. Aber das ist wesentlich anders: Spinoza meint, daß der Kausalablauf in jedem Gebiet nicht bloß für sich verfolgt werden könne, sondern auch für sich verfolgt werden müsse; es gibt nach ihm keinen Übergriff der Kausalität aus einem Gebiet in's andre, wohl aber nach uns vermöge des möglichen Standpunktwechsels. Der Geist hat nach Spinoza keinen Einfluß auf den Körper, noch der Körper auf den Geist; beides geht immer nur mit einander, kausal unabhängig von einander. Spinoza kennt demgemäß keine teleologische Betrachtung, welche die Ordnung der materiellen Welt von geistigen Absichten abhängig macht, verwirft sie vielmehr prinzipiell, und muß es wohl, da kein Prinzip des Überganges zwischen seinen Attributen (dem des Körperlichen und Geistigen) stattfindet, außer dem allgemeinsten durch den Substanzbegriff; dagegen bei uns die teleologische

---

*) Mit Schelling's Identitätslehre dagegen kann ich mindestens keine klaren Berührungspunkte finden; weil mir seine ganze Ansicht von Grund aus unklar erscheint; obwohl es ein in Schelling's Ansichten wurzelndes Werk (die Naturphilosophie von Oken) war, das mich durch seine titanische Kühnheit zuerst über die gemeine Ansicht der Natur hinaus und eine Zeit lang in seine Richtung drängte.

Betrachtung prinzipiell einen Spielraum weit über den gewöhnlich an=
genommenen hinaus findet.

So gut man sich nämlich stets auf innern, und so gut man sich
stets auf äußern Standpunkt gegen die Dinge stellen kann, so gut kann
man auch mit dem Standpunkt der Betrachtung wechseln, in Betrachtung
der Ursach sich auf den innern Standpunkt stellen, in Betrachtung der
Folge auf den äußern, wie umgekehrt, und so von geistiger Ursache zu
materieller Folge übergehen, wie umgekehrt; ohne deshalb die Gegenseite
zu leugnen, welche sich bei der Umsetzung des einen Standpunktes in
den andern immer wieder findet. Ja, da wir gegen manches von Natur
nur auf innerm, gegen andres nur auf äußerm Standpunkt stehen, so
ist dieser Wechsel zwischen beiden Standpunkten uns selbst der natürliche,
an sich geläufige, Schluß und Hypothese ersparende; der Standpunkt
wechselt sich so zu sagen von selbst, indem wir das Wirken unsres
Geistes in die Außenwelt oder das Wirken der Natur in unsern Geist
hinein verfolgen oder erfahren. Wenn mich eine Nadel sticht, so stehe
ich ja doch von Natur gegen meine Empfindung auf innerm, gegen die
Nadel und die ganze Natur, in der sie inbegriffen ist, auf äußerm
Standpunkt. Nur durch höhere wissenschaftliche und religiöse Bedürfnisse
getrieben, und zum Teil durch verwickelte Vermittelungen, können wir
zu den Denkprozessen in uns die Hirnprozesse, zu den Naturprozessen
draußen die göttlich geistigen Prozesse finden; wir sollen es freilich eben
im Interesse jener höhern Bedürfnisse; aber, indem wir sie finden, nicht
die Auffassung der Dinge vom natürlichen unmittelbar gegebenen Stand=
punkt für unstatthaft halten, wie es Spinoza tut, der mit der teleo=
logischen die natürliche Betrachtungsweise zu verwerfen genötigt ist.
Nach unsrer Betrachtungsweise kann uns die natürliche Ansicht durch
keine wissenschaftliche verkümmert werden, wie andrerseits diese sich durch
sie in ihrer Konsequenz nicht irren zu lassen haben. Ich komme darauf
noch unten.

Wenn Spinoza in dieser Hinsicht nicht mit uns gleichen Schritt
hält, liegt dies in seiner Mißkenntnis des Umstandes, worauf die Ver=
schiedenheit des körperlichen und des geistigen Attributes (nach uns der
körperlichen und geistigen Erscheinung) beruht. In der Tat läßt
Spinoza den Grund, wie das identisch Eine doch so verschieden, einmal
als Körperliches, dann wieder als Geistiges erscheinen könne, nicht nur
unerklärt, sondern läßt ihn geradezu verkennen, indem er im Sinn der
gewöhnlichsten Vorstellungsweise (S. 148) die Verschiedenheit der Attribute
(nach uns der Erscheinung) für das betrachtende Subjekt ohne Rücksicht

auf die Verschiedenheit seines Standpunktes dagegen als vorhanden darstellt, und demgemäß auch nicht durch den Wechsel des Standpunktes als aufhebbar ansehen kann, wie bei uns der Fall ist. Nach
Spinoza sind demgemäß die materialistische und spiritualistische Betrachtungsweise, beide einseitig durchgeführt, die einzig statthaften, nach uns
sind sie auch statthaft, als wissenschaftliche notwendig und triftig, aber
nicht die alleinigen, die möglich, und weil nicht allein möglich, auch nicht
allein zugänglich. Sie vermitteln sich durch eine dritte Betrachtungsweise, die sich auf das Lebensvollste und Speziellste zwischen beiden hin-
und herschlingt, je nachdem es die Veränderlichkeit unsres natürlichen
Standpunktes so mitbringt.

Trendelenburg hat in einer neuern Abhandlung „Über Spinoza's
Grundgedanken und dessen Erfolg. Berlin 1850," (aus den Schriften der
Berl. Akad.) die schwachen Seiten von Spinoza's System scharfsinnig erörtert.
Die Polemik gegen ihn dürfte im Ganzen treffend sein, untriftig aber, wenn
er damit die Identitätsansicht überhaupt widerlegt hält, und wenn er die
materialistische, teleologische und Identitäts-Ansicht sich gegenseitig aus-
schließend hält. Denn die hier dargelegte Fassungsweise der Identitäts-
Ansicht wird von seinen Einwürfen nicht getroffen, und die Möglichkeit, die
andern Ansichten darunter zu fassen, besteht, wie noch bestimmter aus dem
Verfolg hervorgehen wird.

Zu den vorigen drei Betrachtungsweisen, der materialistischen,
spiritualistischen und mit dem Standpunkt wechselnden, tritt noch eine
vierte, die man auch schon im Spinozismus als begründet ansehen kann,
obwohl ihr Spinoza keine Entwickelung gegeben hat, eine höhere verknüpfende jener beiden ersten, welche konsequent die Beziehung des
Geistigen zum Körperlichen verfolgt, zeigt, wie Gott zur Natur, die
Natur zu Gott gehört, überhaupt wie die Erscheinungen für innern und
äußern Standpunkt zusammengehören; welcherlei Funktion das Geistige
vom Körperlichen und umgekehrt im ganzen Gebiete der Existenz ist.
Freilich, wenn schon die ersten beiden Betrachtungsweisen bis jetzt nirgends
in voller Konsequenz entwickelt und ausgebildet sind, weil man nicht einmal die reine Aufgabe derselben recht erkannt hat, und wenn die gewöhnliche Betrachtungsweise des Lebens selbst sich mit diesen rein wissenschaftlichen teils immer verwirrt, teils sie verwirrt hat, so liegt die vierte
Betrachtungsweise noch weiter zurück, und reduziert sich bis jetzt erst auf
Streitigkeiten über ihre Möglichkeit.

Zum Gebiet dieser vierten Betrachtungsweise rechne ich das Problem
einer mathematischen Psychologie, in der Weise gefaßt, wie ich es zum
Schluß unter Zusatz 2. darlegen werde.

Die Einsicht in das Verhältnis der genannten vier Betrachtungs=
weisen scheint mir von großem Belang. Im allgemeinen glaubt man,
was man der Natur von Kräften und Wirkungen beilegt, entziehe man
dem Geiste, und was man dem Geiste beilegt, entziehe man der Natur.
Da man nun weder Natur noch Geist müßig und kraftlos werden lassen
kann und will, so macht man halbe Zugeständnisse nach einer und der
andern Seite, und der Streit hört nicht auf, wie weit sie zu gehen
haben. Da man nur eine Weise, den Zusammenhang der Dinge zu
verfolgen, statuiert, weil man das Geheimnis der Verdoppelung durch
den zwiefachen Standpunkt nicht kennt, so schiebt man, um in dem
einen Zusammenhange dem Geist und der Materie genug zu tun,
immer eines zwischen das andere und weiß so weder die Naturwissen=
schaft frei von dem, was eigentlich in den geistigen Zusammenhang
gehört, zu halten, noch umgekehrt; jeder solche Eingriff aber wird eine
Lücke, Beschränkung und Störung im Gebiete der betreffenden Wissen=
schaft. Nach den meisten Philosophen sollen Ideen die Naturkräfte
beherrschen oder gar ersetzen, auch wo es sich nur um einen Zusammen=
hang innerhalb der Natur selbst handelt; und der Physiolog füllt die
Lücke seiner Beobachtungen im Gehirn mit Geist aus, als wäre es eine
wirkliche Lücke im Körper, der Psycholog aber glaubt bei seiner Erörterung
des geistigen Getriebes auch auf das Körperliche teils als Ballast, teils
als Hebel für die geistige Bewegung mit Rücksicht nehmen zu müssen
und daraus manches erklären zu können, was sonst nicht erklärbar sei,
ungeachtet es sich doch auf seinem Standpunkt darum handelte, die
Gründe der innern Hemmung wie Förderung des Geistigen selbst nur
im Geistigen zu suchen.

Nicht daß der Physiolog nicht auf den bewegenden Geist und der
Psycholog auf die äußerlich anregende Natur und die eigenen leiblichen
Organe des Menschen mit Rücksicht zu nehmen hätte; keine Lehre kann
und soll sich so von den andern isolieren, um auch der Anknüpfung an
die andern zu vergessen; doch sollten es dann eben nur Anknüpfungs=
punkte an die andern, nicht eigene Bande, eigener Inhalt der Lehre selbst
sein. Aber nach uns braucht der Naturforscher als solcher nirgends
mehr sei es den Eingriff geistiger Prinzipe in das Gebiet, das er
behandelt, zu dulden, sei es selbst ins geistige Gebiet überzugreifen. Die
Naturwissenschaft kann nun eines vollen Zusammenhanges sich erfreuen,
erhält nun die Berechtigung, mit dem reinsten Materialismus zusammen=
zufallen, wozu sie von jeher die Tendenz gezeigt hat, ohne daß sie sich
je recht getraut hat, und man ihr je gestattet hat, derselben zu folgen,

und es früher je gestatten durfte, so lange sich Geist und Leib um das=
selbe noch zu streiten schienen, um was sie sich nun nach unsrer Ansicht
vertragen. Nun weiß man, die Naturwissenschaft gibt zwar das Ganze,
aber gibt es bloß von einer Seite, von einem Standpunkt, und was sie
versäumt, ist damit nicht verloren, sondern findet sich auf der andern
Seite, auf dem andern Standpunkt um so reiner wieder. Wo statt
materiellen Mittelgliedes ein geistiges in die unmittelbare Erfahrung
tritt, da wissen wir, es ist nur darum, weil wir auf innerm Standpunkt
dagegen stehen, und lassen uns nicht irren, wir schiebens fort, und
schließen die Lücke mit Materie durch den Schluß. Schlecht ziemt's der
Wissenschaft, der nur ein allgemeiner Standpunkt ziemt, die Zufälligkeit
der besondern Stellung gegen dies und das als maßgebende Beschränkung
anzusehen und sich solcher Zufälligkeit zu akkommodieren; da diese
Akkommodation dadurch erspart wird, daß das Geistige auf anderm
Standpunkt in seinem eigenen unbeschränkten Rechte auftritt.

Denn ist denn damit, daß für die reine Naturwissenschaft alles
Geschehen in der Welt, selbst das Gehen des Gedankens, sich in
materiellen Prozeß aufgelöst oder übersetzt hat, der Geisteslehre ihr
Gebiet beschränkt, verkümmert? Nein, vielmehr es ist zu gleicher Voll-
ständigkeit, Reinheit, Konsequenz, gleichem Zusammenhange dadurch erst
gebracht, daß man den Geist nirgends mehr zwischen die Materie ein-
schiebt; so wird sich nun auch umgekehrt die Materie nirgends mehr
zwischen den Geist einschieben. Die Gebiete des Geistigen und Materiellen
lösen sich wissenschaftlich aus der gegenseitigen Verwickelung, in welcher
sie gewöhnlich, unserm natürlichen Standpunkt gemäß, gefaßt werden,
prinzipiell rein heraus, jedes stellt sich rein auf sich selbst, dem andern
als etwas Fremdes gegenüber. Die Geisteslehre kann sich eben so in
sich vollenden, wie vorhin die Naturlehre; indem der Schluß überall, wo
die Beschaffenheit unsres Standpunktes und die Selbsterscheinung
versagt, ergänzend zuzutreten hat, das Innere aufzuschließen, wie oben
zuzuschließen. Alles Materielle läßt sich, wenn nicht einzeln, aber in
Zusammenhang mit anderm, in Geistiges übersetzen; und eine
zusammenhängende Geisteslehre gibt nur diese Übersetzung. Wo es uns
unmöglich ist, diese Übersetzung schon jetzt zu finden, da, wissen wir, liegt's
nicht am Fehler der Sache, sondern am Fehler unsrer Erkenntnis, und
die Aufgabe bleibt doch bestehen. Aber wir sind freilich nur zu geneigt,
die jedesmalige Grenze unsrer Erkenntnis der Dinge mit einer Grenze
der Dinge selbst zu verwechseln.

Nun aber, daß sich die reine Naturlehre und die reine Geisteslehre

so fremdartig, so abweisend, so unabhängig einander gegenübergestellt
haben, hebt dies etwa ihren Bezug auf? Nein. Er bricht anderwärts
aus unsrer Grundstellung der Sache wieder hervor, und zwar in doppelter
Weise, teils im natürlichen Wechsel, teils im wissenschaftlich zusammenhängenden Verfolg beider einseitigen Betrachtungsweisen, die sich vorhin
einander entgegenstellten. Ja, man kann fragen, ob eine reine Durchführung der materialistischen und spiritualistischen Auffassung überall
praktisch sein wird; aber theoretisch möglich wird sie immer bleiben.
Sie wird sich eben überall so weit fortsetzen lassen, als sie wirklich
praktisch zu sein verspricht; ohne in der Natur der Sache eine Grenze zu
finden. Wirklich theoretisch bestimmt hat sie ohnehin nie werden können;
und der Grund ist, daß sie überhaupt nicht besteht.

Unsere Gegeneinanderstellung der möglichen Weltansichten weicht etwas
von derjenigen ab, welche Trendelenburg a. a. O. (vgl. S. 157) gegeben
hat, ist aber wie mich dünkt, schärfer und erschöpfender. Er statuiert nur
drei; wir glauben, die angegebenen vier dafür substituieren, ja zur Voll-
ständigkeit noch zwei, nicht minder aus unserem Prinzip zu entwickelnde,
hinzufügen zu müssen, soll es sich um eine Erschöpfung der möglichen und
wirklichen Betrachtungsweisen handeln, obwohl diese zwei keine bleibende
Berechtigung haben. In der Tat, zu der zwiefachen Einseitigkeit, der
Kombination und dem Wechsel der Standpunkte, tritt noch die Unterscheidungslosigkeit und die Verwechselung oder Verwirrung derselben hinzu; und auch
hierauf gründen sich Betrachtungsweisen von faktischer Potenz. Durch die
Unterscheidungslosigkeit der Standpunkte charakterisiert sich die ursprüngliche
naturwüchsige Ansicht, indem der Mensch sich anfangs noch gar nicht dessen
bewußt wird, daß er im Übergang vom Körperlichen zum Geistigen den
Standpunkt wechselt, daher keinen bestimmten Unterschied zwischen Körperlichem und Geistigem macht. Die Seele ist ihm ein materieller Hauch, die
Bezeichnungen aller Seelentätigkeiten sind von körperlichen Tätigkeiten entlehnt, was sich noch heute teils unmittelbar in den Worten, teils durch
Zurückführung auf ihre Wurzeln verrät; das Walten der Natur wird mit
dem göttlichen Walten identifiziert; alles lebt. Durch die Verwirrung der
Standpunkte aber charakterisiert sich die gemeine Ansicht, denn so möchte ich
sie nennen, d. i. die mit philosophischen Ansichten unklar vermischte herrschende,
(von der natürlich wechselnden wie ursprünglich naturwüchsigen noch sehr zu
unterscheiden,) und man muß leider hinzufügen auch gar manche philosophische, wo sich Gesichtspunkte, die eigentlich verschiedenen Betrachtungsweisen angehören, unklar mischen.

Alles zusammengefaßt ergeben sich aus unserer Grundansicht folgende
mögliche Weisen, das ganze Gebiet der Existenz zu verfolgen.

1) Die materialistische (rein naturwissenschaftliche), wo man, stets
nur auf äußern Standpunkt gestellt, bloß die materielle Seite der Welt in
Betracht zieht.

2) Die spiritualistische (rein geisteswissenschaftliche), wo man, stets auf innern Standpunkt gestellt, bloß die ideelle oder geistige Seite derselben in Betracht zieht.

3) Die verknüpfende (naturphilosophische), wo man, beide Standpunkte kombinierend, die materielle und ideelle Seite in konsequenter Beziehung auf einander verfolgt.

4) Die wechselnde (natürliche), wo man, den Standpunkt wechselnd, zwischen der materiellen und ideellen Seite hin= und hergeht, natürliche in so weit zu nennen, als der Standpunktwechsel in der Betrachtung der natürlichen Stellung des Betrachtenden gemäß oder nach unbewußt sich geltend machenden Analogieen reflexionslos geschieht.

5) Die nicht unterscheidende (ursprünglich naturwüchsige), wo ein bestimmter Unterschied zwischen dem, was auf innerm und äußerm Stand= punkt erscheint, d. i. zwischen Geistigem und Materiellem, noch nicht gemacht wird.

6) Die mischende (gemeine), wo die Standpunkte reflexionslos oder aus begrifflicher Unklarheit vermischt, verwirrt, verwechselt werden, und dem= gemäß unklare und sich widersprechende Vorstellungen über das Verhältnis von Materiellem und Geistigem entstehen.

Die drei ersten dieser Betrachtungsweisen sind als rein wissenschaftliche anzusehen, die drei letzten sind die des Lebens; so aber, daß die vierte auch eine wissenschaftliche Behandlung verträgt, die sechste sie oft usurpiert; die fünfte den gemeinschaftlichen Ausgangspunkt aller andern darstellt. Die natürlich wechselnde hat insbesondere die Bedeutung, daß sie die Erfahrungs= grundlage für die andern liefert und die in sie zu übertragenden Früchte der andern dem praktischen Gebrauche darbietet; die verknüpfende, ganz auf Schluß gestellt, vermittelt die allgemeine Möglichkeit, aus einer in die andre überzugehen; die materialistische und spiritualistische, Schluß an Beobachtung knüpfend, sind einseitige Vermittelungsglieder zwischen beiden. Die gemeine Ansicht wogt unbestimmt zwischen den andern hin und wieder.

Im ganzen sind, wie ich glaube, durch diese sechs Betrachtungsweisen für den zu Grunde gelegten Gesichtspunkt ihrer Unterscheidung die möglichen Fälle erschöpft: stets äußerer, stets innerer Standpunkt, Kombination beider, Wechsel zwischen beiden, Identifizieren beider, Mischen und Verwirrung beider.

c) Begründung und Bewährung.

In letzter Instanz können wir die ganze vorstehende Ansicht als einen verallgemeinernden Ausdruck der Erfahrung, ja in gewisser Hinsicht nur als eine Erklärung des Sprachgebrauchs ansehen.

Im ersten Sinne sagen wir: es ist allgemeine Tatsache der Er= fahrung, daß, wenn wir etwas als leiblich, materiell, körperlich, physisch auffassen, wir uns dabei entweder ganz oder mit einem zur Wahrnehmung besonders eingerichteten Organe auf äußerm Standpunkt wirklich oder in der Vorstellung dagegen gestellt finden; wenn aber als geistig, psychisch, auf dem innern der Selbsterscheinung.

In letzter Hinsicht sagen wir: man nennt etwas leiblich, materiell, körperlich, physisch oder geistig, psychisch, je nachdem es einem andern als sich erscheint oder sich erscheint, so aber, daß auch die letzten Ausdrücke, sich und andern erscheinen, nach dem Sprachgebrauche auf die Erfahrungen zu beziehen sind, wobei allerdings eine gewisse Fixierung des verschiedene Wendungen gestattenden Sprachgebrauchs für wissenschaftliche Konsequenz nötig ist.

Man kann sagen, sei es, daß sich im Sinne der Erfahrung und des Sprachgebrauchs das Geistige als Selbsterscheinendes dem Materiellen als dem für andres Erscheinenden gegenüberstellt, so folgt daraus nicht, daß es dasselbe Wesen ist, das sich selbst und das einem andern als sich selbst erscheint oder erscheinen kann. Es könnte ja sein, daß es ein andres Wesen wäre, welchem das Vermögen der Selbsterscheinung, und ein anderes, welchem das Vermögen, anderm als sich zu erscheinen, zukäme. Also könnte immerhin unser Geist bezugslos zu den Vorgängen in unserm Hirn, und die Naturprozesse bezugslos zu immanenten geistigen Prozessen vor sich gehen, indem z. B. der Selbsterscheinung unseres Geistes eben nicht dasselbe Wesen unterläge, wie der äußern Erscheinung des Gehirns.

In der Tat liegt begrifflich gar keine Notwendigkeit vor, der geistigen Selbsterscheinung und der materiellen Erscheinung für anderes dasselbe Wesen unterzulegen, wie wir doch tun. Aber die Erfahrungen, so weit sich solche überhaupt machen lassen, sind der Art, daß die sachlichen Verhältnisse des Geistigen und Leiblichen am kürzesten und bezeichnendsten und zugleich verträglichsten mit einem konsequenten Sprachgebrauche ausgedrückt werden, wenn wir sagen, es ist dasselbe, was sich selbst als geistiges und einem andern als sich als materielles Objekt erscheint. Wobei immer noch hinzuzufügen ist, daß nichts andres Sachliches aus diesen Worten abzuleiten, sie nicht anders zu verstehen sind, als im Sinne der frühern Erläuterungen liegen kann.

Es sind aber die Grund-Fakta und Gesichtspunkte, auf denen ich hiebei fuße, näher zusammengefaßt und rekapituliert, folgende:

1) Es ist ein allgemeines Faktum, daß eine und dieselbe Sache von verschiedenen Standpunkten und für verschiedene darauf Stehende verschieden erscheint, also die verschiedene Erscheinung des zu einander gehörigen Körperlichen und Geistigen auch hieraus erklärbar, da wir in der Tat stets einen verschiedenen, respektive äußern oder innern

Standpunkt der Betrachtung für diese verschiedenen Erscheinungen unterliegend finden.

2) Wenn man den Unterschied der körperlichen und geistigen
Erscheinung nicht hierauf schieben, vielmehr einen Unterschied des Wesens
oder einen Unterschied am Wesen dabei unterliegend halten will, wie so
gewöhnlich geschieht, müßte es uns Wunder nehmen, daß der Geist seines
Gleichen am wenigsten zu erkennen vermag, ja gar nicht überhaupt unmittelbar zu erkennen vermag, indes er sich selbst als Geist erkennen
kann. Man sollte hienach meinen, er müßte am leichtesten und unmittelbarsten auch des andern Geistes gewahr werden, der mit ihm zu demselben Gebiete gehört, sein Wesen teilt. Statt dessen nimmt er bloß
materielle leibliche Zeichen vom andern Geiste wahr, etwas wahr, was
der Natur des Geistes so ganz fremd scheint, der Geist die Materie.
Aber nach uns versteht sich das von selbst. Was wir von einem fremden
Geiste sehen, kann uns nicht so aussehen, wie es diesem selbst aussieht,
dazu gehörte nicht bloß derselbe Gegenstand, auch derselbe Standpunkt
seiner Betrachtung und dasselbe darauf stehende betrachtende Wesen; und
was der äußere Standpunkt überhaupt anders macht als der innere,
das ist eben die Erscheinung des Leibes statt des Geistes.

3) Die unmittelbare Erscheinungsweise jedes Geistigen, Physischen,
ist nur eine, weil bloß ein innerer Standpunkt, der der Koinzidenz
des Subjekts mit dem Objekt der Auffassung möglich ist, dahingegen
dasselbe Ding verschiedenen sehr verschieden nach körperlicher Hinsicht
erscheinen kann, weil sehr verschiedene äußere Standpunkte dagegen
möglich sind, und auf diesen äußern Standpunkten verschiedengeartete
Wesen stehen können.

4) Es besteht ein faktischer Parallelismus des Körperlichen und
Geistigen, der sich um so durchgreifender zeigt, je mehr man ihn mit
Schlüssen auf Grund von Tatsachen verfolgt. Dieser Parallelismus,
der Leibniz veranlaßt hat, an eine prästabilierte Harmonie des Körperlichen und Geistigen zu denken*), erklärt sich nach unserer Ansicht von
selbst auf Grund ihrer Wesensgleichheit, oder vielmehr läßt sich nach der
Weise, wie er sich geltend macht, am kürzesten und treffendsten so
bezeichnen, daß man sagt, es liege der körperlichen und geistigen Erscheinung nur eine doppelte Betrachtungsweise desselben Wesens unter.

5) Das Materielle und Geistige steht in einem Wirkungs- und

---

*) Es ist mir nicht unbekannt, daß Leibniz's System im letzten Grunde
idealistisch ist; aber das Körperliche findet doch auch in der verworrenen Vorstellung
von anderm Geistigen bei ihm seine Stelle.

11*

Kausalzusammenhang, der sich leichter aus dem Gesichtspunkte der substanziellen Gleichartigkeit als Ungleichartigkeit dessen, was beiden unterliegt, deuten läßt; da zwar auch im Gebiete des Materiellen wie Ideellen für sich Gegensätzliches auf einander wirken kann, aber doch nur auf Grund einer gemeinschaftlichen Unterlage. (Den Wirkungen der entgegengesetzten Elektrizitäten aufeinander z. B. liegt doch immer Elektrizität gemeinschaftlich unter.)

6) Zwar bleibt unsere Ansicht für einen exakten Standbunkt immer in soweit hypothetisch, als sich nie direkt durch Erfahrung nachweisen läßt, teils daß das, was sich selbst als denkender, fühlender Geist, Seele erscheint, mit dem, was äußerlich als körperliche Unterlage desselben erscheint, ein= und dasselbe Wesen sei, teils, daß die von uns äußerlich angeschaute Natur ein selbst fühlendes, bewußtes Wesen sei; allein die Unmöglichkeit dieses direkten Nachweises ist selbst eine Folgerung unserer Ansicht und kann insofern beitragen, ihr zur Bestätigung zu dienen, sofern nämlich ein Wesen oder Organ, indem es als Ganzes der Selbsterscheinung auf innerm Standbunkt unterliegt, nicht auch zugleich ganz auf äußerm gegen sich stehen kann und umgekehrt, mithin das reine Zusammentreffen beider Erscheinungsweisen in einem Wesen oder Organ nie direkt in die Erfahrung fallen kann. Die rein geistige und leibliche Erscheinungsweise desselben Wesens oder Organs treten vielmehr solchergestalt notwendig immer wie etwas von zwei Standbunkten Zusammengebrachtes auf, was die Entstehung des Dualismus zugleich begünstigt und erklärt.

7) Die vierfache und gleiche Möglichkeit, einmal das ganze Gebiet der Existenz als materielle, ein andermal als geistige Wesenheit, ein drittesmal in wechselnder oder Folgebeziehung, ein viertesmal in stetiger Wechselbeziehung aufzufassen, welche den Widerstreit des Materialismus, Spiritualismus, der natürlichen und Identitäts-Ansicht bedingt, fordert eine Verknüpfung und Versöhnung, welche in unserer Ansicht und nur in unserer Ansicht vollständig gefunden wird. Dazu schließt unsre Ansicht die Uransicht der Völker ein, welche Materielles und Ideelles noch nicht substanziell schied, und gibt den klärenden Gesichtspunkt für die vielfachen Ansichten, in denen sich beides verwirrt.

8) Dieselbe Ansicht genügt auch bestens unsern praktischen Interessen, wie sich durch die Folgerungen selbst beweist, die in dieser Schrift darauf gegründet werden.

Ich sage nach allem nicht, daß, indem wir das Geistige als Selbsterscheinung dem Materiellen als dem, was anderm als sich

ſelbſt erſcheint, gegenüberſetzen, wir damit auch das identiſche Grund-
weſen ſelbſt, das ihrer beiderſeitigen Erſcheinung unterliegt, erfaßt
haben, inſofern wir ein Weſen noch hinter ihrer Erſcheinung ſuchen
wollen; es iſt eben nur ein Verhältnis damit bezeichnet, das uns
geſtattet, uns im Gebiete der Erſcheinungen ſelbſt zu orientieren, und ein
Prinzip damit gegeben, Aufgaben für den Schluß zu ſtellen, wo die
Beobachtung abbricht. Unſre Anſicht gebietet, Körper überall zum Geiſte
und Geiſt überall zum Körper zu ſuchen, auch wo wir vermöge der
Einſeitigkeit des Standpunktes nur eins von beiden direkt wahrnehmen;
und findet in der Vorausſetzung dieſes, erfahrungsgemäß freilich nie
vollſtändig zu beweiſenden, durchgehenden Zuſammengehörens ſelbſt das
befriedigendſte Prinzip des Zuſammenhangs aller Dinge. Was aber
Körper und Geiſt noch abgeſehen von dem ſind, wie ſie erſcheinen oder
als erſcheinend vorgeſtellt werden, vermag ſie nicht zu ſagen. Will man
mehr, als unſre Anſicht in dieſer Hinſicht zu geben vermag, ſo mag man
ſehen, ob man es in andern philoſophiſchen Darſtellungen findet; ich
beſorge freilich, man wird vielmehr Worte finden, die, indem ſie den
Schein geben, tiefer zu führen, nur in tieferes Dunkel führen.

Zuſatz 1. Über die nähern phyſiologiſchen Bedingungen der objektiven körperlichen Erſcheinung.

Man muß die objektive körperliche Erſcheinung, welche uns etwas
Körperliches noch außer unſrer Wahrnehmung davon annehmen läßt, wodurch
uns ein Menſch gegenüber oder unſre Hand, unſer Bein als etwas außer
unſrer Wahrnehmung davon Vorhandenes erſcheint, wohl unterſcheiden von
bloß ſubjektiven körperlichen Gefühlen (Gemeingefühlen), wie Schmerz,
Wohlbehagen, Hunger, Durſt, Schwere, Anſtrengung, Schwäche, Froſt, Hitze,
wodurch wir wohl erinnert werden können, daß wir einen Körper haben, die
uns denſelben aber nicht ſelbſt zur objektiven Erſcheinung bringen. Ja,
wenn wir nicht durch Auge und Getaſt den Körper ſonſt noch äußerlich
geſehen und gefühlt hätten, würden wir nie dazu kommen, an jene Gefühle
die Vorſtellung eines Körpers, der noch außer jenen Gefühlen vorhanden,
zu knüpfen; wir würden immer nur ſubjektive, körperliche Gefühle oder
Empfindungen, aber nicht die Vorſtellung eines der Seele äußern Körpers
haben, um welche es ſich bei dem Gegenſatze von Körper und Seele doch
handelt, welcher Gegenſatz noch ein anderer iſt, als der von ſinnlichem
Gefühl, ſinnlicher Empfindung und höherer Geiſtigkeit, denn erſtre als ſolche
gehören doch immer zur Seele.

Zur Entſtehung ſubjektiver körperlicher Gefühle gehört nun, wie
ſchon früher erinnert, für den Menſchen überhaupt nur eine gewiſſe tätige
Beziehung des Nervenſyſtems zu dem übrigen Leibe, in dem es eingewachſen
iſt, und mithin immer ein Gegenüber eines Leibesteils gegen den andern.

Weder bloßes Nervensystem, noch bloßer übriger Leib vermöchten sie zu geben. Aber zur Entstehung der objektiven Erscheinung des Leiblichen, Körperlichen, wodurch dieses in Verhältnis zum geistigen Innern als etwas Äußeres erscheint, muß die Gegenüberstellung der Körperteile noch besondere Bedingungen erfüllen, wie sie in der Gegenüberstellung der äußern Sinnesorgane gegen den übrigen Leib und die Natur wirklich erfüllt sind, und eine gründliche Betrachtung wird demgemäß zum äußern Standpunkt, welcher den Leib als etwas Objektives, der Seele Äußerliches, erscheinen läßt, auch überall die Erfüllung dieser oder äquivalenter (gleich näher zu besprechender) Bedingungen fordern müssen. Wo von äußerm Standpunkt und von Körperlichkeit dem Geiste gegenüber die Rede gewesen, ist daher auch die Erfüllung solcher Bedingungen immer stillschweigend vorauszusetzen.

Welches sind diese Bedingungen? Sie lassen sich allerdings angeben.*) Folgende Bemerkung kann uns darauf führen:

Wenn wir, in eine Gegend hinausschauend, den Kopf oder das Auge drehen, oder mit dem Finger einen Gegenstand betasten, so ändert sich die Gesichtsempfindung, Tastempfindung in Zusammenhang mit unsrer Bewegung. Wenn wir Kopfschmerz oder Hunger haben, ändern sich diese Empfindungen nicht in Zusammenhang mit unsrer Bewegung. Sie gehen unverändert mit, wie wir uns bewegen; und so rechnen wir sie auch zu uns, den sich Bewegenden mit, setzen sie uns nicht entgegen oder legen ihnen keine Ursache unter, die uns entgegenstände; dagegen jene ersten Empfindungen objektiviert oder so ausgelegt werden, als hängen sie von äußern Objekten ab, in Bezug zu denen wir uns bewegen und die wir dann durch diese Empfindung selbst charakterisieren.

Zwar objektiviere ich auch eine glatte Spiegelfläche, über die ich mit dem Finger fahre, trotz dem, daß die Tastempfindung sich hiebei nicht ändert, so wie einen Vogel, der bei meinem stillgehaltenen Auge vorbeifliegt, wo eine Änderung der Empfindung ohne meine Bewegung eintritt; doch gründet sich das Gefühl der Objektivität hiebei immer auf Erfahrungen, die wir sonst mit Änderung der Gesichts- und Tastempfindungen je nach Bewegung der Sinnesorgane machten, und wir legen jene Erfahrungen nach ihrem Zusammenhange mit der Gesamtheit unsrer Erfahrungen nun so aus (da keine andre widerspruchslose Auslegung durch Verstand oder Gefühl möglich ist), daß der Spiegel überall eine gleiche Beschaffenheit habe und der Vogel sich statt unsrer bewege. Wir können doch immer mit dem Finger über den Spiegel hinauskommen, das stillgehaltene Auge wieder bewegen, dann macht sich auch die Änderung der Empfindung mit der Bewegung gleich wieder geltend; und so objektivieren wir alsbald alles überhaupt, was uns durch Gesicht und Getast erscheint.

Daß diese Betrachtungsweise triftig ist, bestätigt sich dadurch, daß es

---

*) Vgl. über diesen Gegenstand insbesondre die Erörterungen von E. H. Weber in dem Artikel „Tastsinn und Gemeingefühl" in Wagners physiolog. Wörterb. S. 481 ff., oder in dem besondern Abdruck dieses Artikels (Braunschweig, Vieweg. 1851) S. 1 ff. So viel mir bekannt, ist der Gegenstand hier zum erstenmal gründlich und sachgemäß auf Erfahrungswege erörtert.

unter den äußern Sinnen nur Gesicht und Getast ist, was uns die Vor=
stellung objektiver Körperlichkeit deutlich erweckt, weil nur bei diesen Sinnen
eine deutliche Änderung der Empfindung mit Bewegung der Sinnesorgane
in Verhältnis zu den Objekten eintritt. In der Tat, Schall und Geruch
ändern sich nur sehr im Groben, wenn wir Ohr und Nase gegen das
schallende und riechende Objekt anders wenden. Aber etwas ist es doch der
Fall; daher wir auch mittelst Ohr und Nase doch den allgemeinen Eindruck
von Objekten außer uns erhalten. Würde sich, während wir mit Ohr oder
Nase um ein Objekt herumgehen, die Schallempfindung oder Geruchsempfindung
entsprechend modifizieren, wie wenn wir Auge oder Finger darum herum=
bewegen, so würden wir nicht nur die Gestalt eines Körpers eben so gut
hören oder riechen, wie sehen oder fühlen können, sondern er würde sich auch
deutlich, während jetzt nur undeutlich, uns dadurch gegenüberstellen. Die
Zunge gewährt uns nach diesem Prinzip deutlichere objektive Wahrnehmungen,
wenn sie als Tastorgan, denn wenn sie als Geschmacksorgan wirkt. Denn
sie schmeckt nur das Aufgelöste und kann sich nicht so gegen die sie netzende
Auflösung verschieben, wie gegen die Zähne und den Gaumen. Geschmacks=
empfindung erscheint daher mehr als etwas Subjektives; und nur, daß wir
den geschmeckten Körper mit der Zunge auch betasten, läßt uns ihn objektiv
erscheinen. Ein strenge Grenze zwischen den bloß subjektiven körperlichen
Gefühlen oder Empfindungen und der objektiven Erscheinung des Körperlichen
läßt sich aber eben deshalb nicht ziehen, weil diese Bedingungen in ver=
schiedener Annäherung erfüllt werden können.

Wenn Gehör, Geruch und Geschmack an sich nur undeutlich zur objektiven
Erscheinung beitragen, objektivieren wir aber doch auch das Schallende,
Schmeckende, Riechende in seinem Zusammenhange mit dem Sichtbaren und
Tastbaren. Die Violine ist uns ein objektiv tönender, die Orange ein
objektiv riechender und süßer Körper, weil wir Schall, Geruch, Geschmack
hier in deutlichem Zusammenhange mit dem erfahren, was daran sichtbar
und fühlbar ist.

Jedenfalls sieht man, daß zum Gewinn der Erscheinung objektiver
Körperlichkeit der Besitz von Sinnesorganen nötig ist, welche sich (für sich
oder vermöge der Bewegung des ganzen Körpers) gegen die Objekte bewegen
können. Es hindert dann natürlich nichts, durch solche Sinnesorgane auch
Teile des eigenen Körpers wahrzunehmen. Die freie Beweglichkeit unsres
Auges, unsres Tastorgans und unsrer Zunge (als Tastorgan für die Speisen),
die freie Beweglichkeit der ganzen Menschen, der ganzen Weltkörper gegen
einander gewinnt aus diesem Gesichtspunkte eine neue wichtige Bedeutung.
Nehmen wir aber an, die Welt stellte anfangs einen einzigen Urball dar,
in dem sich noch keine gegen einander beweglichen Massen geschieden hatten,
so gab es auch anfangs noch keine Erscheinung objektiver Körperlichkeit; die
Natur, als Inbegriff von solcher, existierte noch nicht in Gegenüberstellung
gegen das geistige Wesen, obwohl es subjektive körperliche Gefühle geben
konnte. Alles trat nur erst unter der Form der Selbsterscheinung auf, und
die Erscheinung äußerer Körper fiel erst von da an hinein, als wirklich
Körper gegen Körper beweglich in der Welt auftraten. Die Natur trat im
selben Momente hervor aus dem Geiste, als aus dem Urball bewegliche

Weltbälle, Urgeschöpfe tragend, oder nach uns selbst Urgeschöpfe, hervortraten; eher erschien sie nicht objektiv als Natur, nur subjektiv als Seele, Geist. Ja, wäre nie eine derartige Scheidung eingetreten, gäbe es noch heute keine abgesondert beweglichen Weltkörper, Geschöpfe, Sinnesorgane, so hätte auch eine Unterscheidung von Natur und Geist, Leib und Seele als zweien disparaten Wesen nie eintreten können. Ein reiner Idealismus, Spiritualismus wäre noch heute das einzig mögliche System, und die Welt mag damit begonnen haben. Diese Betrachtungen treten in die hinein, die wir schon früher (Bd. I. S. 264) über die Weltschöpfung aufgestellt.

Wenn die vorstehenden Betrachtungen triftig sind, so kann die objektive körperliche Erscheinung nur mit Hilfe eines Vermögens zu Stande kommen, die früheren und späteren Eindrücke, die im Laufe der Bewegung gewonnen werden, in der Erinnerung (wenn auch nur unbewußt) zu kombinieren, was schon kein rein sinnliches Vermögen mehr ist. Auch charakterisieren wir jeden Körper als solchen durch eine Menge Eigenschaften, die wir nur aus Erinnerung früherer sinnlicher Erfahrungen daran knüpfen. Da nun die Pflanzen weder Organe haben, die sie gegen die Objekte frei bewegen können; noch wahrscheinlich ein kombinierendes Erinnerungsvermögen besitzen, so werden sie nur subjektive körperliche Empfindungen haben können, was mit unsren Betrachtungen in Nanna S. 309 ff. übereinstimmt; dagegen die Erde bei ihrer freien Drehung und ihren höhern geistigen Vermögen sich unter noch günstigeren Bedingungen findet, entschiedene objektive Anschauungen zu gewinnen, als der Mensch, den sie aber selbst dazu mit braucht, wie der Mensch seine Sinnesorgane.

Wie leicht zu erachten, hält sich diese ganze Darlegung der Bedingungen, unter denen etwas objektiv körperlich erscheint, auf äußerm Standpunkt. Es ist eben eine Darstellung im Sinne der Naturwissenschaft. Denn indem ich sage: es muß ein Körperteil dem andern beweglich gegenübertreten, damit die Erscheinung der objektiven Körperlichkeit erfolge, also die Bedingungen der Erscheinung des Körpers ganz im Gebiet des Körperlichen selbst verfolge, stelle ich mich auf denselben äußern Standpunkt der Betrachtung, den ich zugleich dadurch charakterisiere. Inzwischen ist die Übersetzung in eine Auffassung von innerm Standpunkte leicht. Wir fühlen, daß wir uns oder Teile unsrer bewegen; und fühlen, daß gewisse Empfindungen sich im Zusammenhange damit ändern, andre nicht. Jene objektivieren wir, diese nicht. Hier ist alles auf den Standpunkt der Selbsterscheinung zurückgeführt.

Ferner ist nicht zu übersehen, daß das Gegenübertreten eines beweglichen Körperteils gegen andere an sich noch nicht genügt, die Erscheinung objektiver Körperlichkeit zu geben. Eine trockene Kugel möchte sich drehen wie sie wollte, sie würde keine Erscheinung einer Körperwelt gegenüber gewinnen. Sie muß gehörig organisiert sein, eine nach Beschaffenheit der Eindrücke veränderliche Sinnesempfindung überhaupt zu haben. Ihre Beweglichkeit und die damit zusammenhängende Veränderung der Empfindung bringt dann nur mit, daß diese sich auch objektiviere, womit erst die Erscheinung der objektiven Körperlichkeit entsteht. Inzwischen alles, was nicht organisiert ist, für sich zu empfinden, ist doch nach unsrer Ansicht Teil eines derartigen größern Ganzen.

Zusatz 2. Kurze Darlegung eines neuen Prinzips mathematischer Psychologie.

Aus Gründen, deren Erörterung hier zu weit führen würde, halte ich das Herbart'sche Prinzip mathematischer Psychologie für untriftig. Ist überhaupt eine solche möglich, und ich glaube, daß es der Fall sei, wird sie meines Erachtens darauf zu gründen sein, daß man die materiellen Phänomene, an welche die psychischen geknüpft sind, zur Unterlage der Rechnung nimmt, weil diese einen unmittelbaren Angriff für die Rechnung und ein bestimmtes Maß gestatten, was nicht so in Betreff der psychischen der Fall ist, obwohl an sich nichts hindert, die materiellen Phänomene, welche gegebenen psychischen unterliegen, eben so wohl als Funktion von diesen zu betrachten, wie umgekehrt. Es ist aber jedenfalls triftiger, das an sich nicht wegzudisputierende aber immer unbestimmte Gefühlsmaß psychischer Phänomene durch eine, innerhalb der Grenzen der Sicherheit dieses Maßes überall zutreffende, Beziehung zu dem bestimmtern Maß der zugehörigen physischen Phänomene zu charakterisieren und dadurch mittelbar selbst zur Bestimmtheit zu erheben, als umgekehrt zu verfahren, und das Bestimmte vom Unbestimmten abhängig zu machen. Dazu ist aber nötig, daß man die Grundbeziehung des Physischen und Psychischen nicht mehr bloß so im allgemeinen statuiere, wie es in den bisherigen Betrachtungen immer geschehen, wo es nur auf Feststellung des allgemeinsten Grundgesichtspunktes ankam, sondern daß man auf Grund dieser Feststellung auch ein bestimmtes mathematisches Abhängigkeitsverhältnis dazwischen angebe, welches sich, in Ermangelung einer direkten genauen Meßbarkeit der Erscheinungen auf psychischem Gebiete, doch einer erfahrungsmäßigen Bewährung für Grenzfälle, Wechsel und Wendepunkte, Zunahmen und Abnahmen, Überwiegen und Unterliegen, Über- und Unterordnung der geistigen Phänomene fügt, was alles ohne genaue Messung doch genau vom Gefühl oder im Bewußtsein beurteilt werden kann; und daß die auf das Prinzip dieser Abhängigkeit gegründete Rechnung die Qualität der geistigen Phänomene in ähnlichem Sinne ins Bereich zu ziehen vermöge, als die rechnende Physik die Qualität der Farben und Töne ins Bereich gezogen hat, und zwar auf eine damit zusammenhängende Weise. Hiemit wäre dann auch eine feste wissenschaftliche Grundlage für die ganze vierte Betrachtungsweise des Gebietes der Existenz, die wir S. 157 aufgestellt, gewonnen.

Ich glaube in der Tat, ein solches Abhängigkeitsverhältnis gefunden zu haben, welches wenigstens, so weit sich die Sache bis jetzt beurteilen läßt, diesen Anforderungen genügt. Es ist dieses:

Messen wir die Stärke der körperlichen Tätigkeit, die einer geistigen unterliegt, an einem gegebenen Ort und zu einer gegebenen Zeit durch ihre lebendige Kraft β (lebendige Kraft im Sinne der Mechanik verstanden)[*],

---

[*] Es ist im Folgenden nur von der lebendigen Kraft die Rede, die aus den relativen Lagenveränderungen der Teile des empfindenden Systems hervorgeht; da z. B. unsre Fortführung durch die Bewegung der Erde, oder eine Erhebung im Luftballon unsre Empfindung nicht affiziert.

unb nennen bie Änderung derselben, sei es in einem unendlich kleinen Raum- oder Zeitteil, $d\beta$, so ist die zugehörige Änderung der durch das Gefühl oder im Bewußtsein zu schätzenden Intensität geistiger Tätigkeit nicht der absoluten Änderung der lebendigen Kraft $d\beta$, sondern der verhältnismäßigen Änderung $\frac{d\beta}{\beta}$ proportional, mithin durch $\frac{k\,d\beta}{\beta}$, oder wenn wir k ein für allemal $= 1$ setzen, durch $\frac{d\beta}{\beta}$ selbst auszudrücken.

Ist die lebendige Kraft eines materiellen Elements zu bestimmter Zeit unb an bestimmtem Orte gegeben, so wird man durch Summation einer kontinuierlichen Reihe absoluter Zuwüchse derselben zur lebendigen Kraft eines beliebigen andern Elements (oder auch desselben Elements) in beliebig anderm Raum unb beliebig andrer Zeit gelangen können; durch entsprechend ausgeführte Summation aber der zugehörigen verhältnismäßigen Zuwüchse, d. i. durch das Integral

$$\int \frac{d\beta}{\beta} \ldots (1)$$

zur geistigen oder psychischen Intensität des betreffenden Elements*), wobei die geistige Intensität des Ausgangs-Elements als bekannt gelten muß, indem sie zur Bestimmung der Konstante des Integrals dient. So ergibt sich die gesuchte geistige Intensität γ des zweiten Elements

$$\gamma = \log \frac{\beta}{b} \ldots (2),$$

wo b den Wert von β bezeichnet, für welchen $\gamma = 0$, sofern nämlich nach der Formel selbst der Nullwert von γ nicht beim Nullwert von β eintreten kann, was mit wichtigen Folgerungen zusammenhängt.

Kurz, obwohl recht zu verstehen, wird man also sagen können, die psychische Intensität ist der Logarithmus der zugehörigen physischen Intensität, schreitet in arithmetischem Verhältnisse fort, wenn diese in geometrischem; mit welcher Form der psychischen Funktion der Umstand selbst zusammenhängen mag, daß wir von psychischen Intensitäten nur ein Mehr und Minder, nicht aber ein Wievielmal zu schätzen wissen.

Um nun die psychische Intensität zu haben, die innerhalb eines bestimmten Raums und einer bestimmten Zeit waltet, ist β als Funktion der Zeit t und des Raums s zu bestimmen und (in so weit Diskontinuitätsverhältnisse es erlauben) das Integral

$$\iint \log \frac{\beta}{b} \, dt \, ds \ldots (3)$$

innerhalb der betreffenden Grenzen zu nehmen.

Sofern momentane Empfindungen nicht unterschieden werden, sondern stets eine gewisse Zeitdauer in der Empfindung zusammengefaßt wird, auch zu jeder einfachen Empfindung doch eine gewisse Ausdehnung des unterliegenden

---

*) Die geistige Intensität eines Elements ist eine mathematische Fiktion, die keine andere Bedeutung hat, als zur Berechnung dessen zu führen, was einer Verbindung, einem System von Elementen zukommt; da eine Empfindung merkbarer Größe weder einem unendlich kleinen Raum- noch Zeitteil zugehören kann.

Prozesses gehört, wird auch die meßbare Stärke einer einfachen Empfindung immer durch ein Integral von der Form (3) ausgedrückt werden, indes der Wert von γ in (2) bloß das nicht besonders unterscheidbare Elementare, was dazu beiträgt, ausdrückt; obwohl eine vergleichende Betrachtung dieses Elementaren für verschiedene Empfindungen schon manche Schlüsse erlaubt.*)

Unter Voraussetzung, daß die Empfindungsreize eine ihrer lebendigen Kraft proportionale Änderung in unsern Empfindungswerkzeugen hervorbringen, was mindestens bei Licht- und Schallschwingungen wahrscheinlich, leitet man aus (2) und (3) ohne Schwierigkeit ab, wie es kommt, daß die Stärke der Licht- und Schallempfindung in viel schwächerm Verhältnisse zunimmt, als die physische Stärke (lebendige Kraft) des Lichts und Schalls selbst, wie sich auch ohne bestimmte Messung wohl beurteilen läßt, ja daß man, was entscheidend ist, die Gradation höherer Lichtstärke gar nicht mehr deutlich unterscheiden kann. Schon das Spiegelbild eines Kerzenlichtes erscheint dem Auge fast eben so hell wie das gespiegelte Licht selbst, trotz dem, daß es wirklich bei Weitem schwächer ist, (die Pupillenänderung erklärt dies bei Weitem nicht, auch kann man ja Lichter verschiedener Intensität zugleich ins Auge fassen,) und besonders erläuternd ist die Vergleichung der physischen Stärke des Fixsternlichtes mit der psychischen Schätzung seiner Stärke (bei Sternen erster, zweiter Größe u. f. w.). Auch fließt unter obiger Voraussetzung (durch eine leichte Rechnung) der nicht minder erfahrungsmäßige Umstand aus den Formeln, daß ein Empfindungsreiz durch hinreichende Verteilung, ohne Änderung seiner lebendigen Kraft im ganzen, doch für die Empfindung bis zum Unmerklichen abgeschwächt werden kann; ein sehr starker Empfindungsreiz durch mäßige Verteilung aber vielmehr eine größere Summe Empfindung erregt.*) Ferner ergibt sich daraus, unter Zuziehung eines bekannten Satzes, daß es von größerm Vorteil für die Stärke von Bewußtseinsphänomenen ist, dieselbe Größe lebendiger Kraft in mehrern gleichen und gleichwirkenden Organen (z. B. in zwei gleichen Gehirnhälften) verteilt zu gebrauchen, als in mehrern ungleichen und ungleichwirkenden; wonach die symmetrische Zusammensetzung des Menschen

---

*) Es ist dabei noch fraglich, ob nicht die Zusammenfassung der Bewegungen, welche einer und derselben Empfindung zugehören, unter einer andern Voraussetzung als der Kontinuität der unterliegenden Materie im Raum geschehen muß, und ob mithin die Integration sich über verschiedene materielle Elemente aus dem Gesichtspunkte solcher Kontinuität erstrecken kann, wenn es gilt, das, was derselben Empfindung zugehört, in eins zu fassen. Es ließe sich noch an ein andres Prinzip denken, wo die Integration in Bezug auf den Raum nicht mehr, wie oben vorläufig angenommen, gültig sein würde. Vgl. eine später folgende Anmerkung (S. 175), wodurch diese Bemerkung sich noch mehr erläutert.

**) Eine bloße Bleikugel auf der einen Hand scheint uns schwerer als eine gleiche Bleikugel, in einer leichten Schachtel auf die andere gelegt; ungeachtet das Gewicht der Schachtel hier noch zutritt; weil der Druck sich letzenfalls mehr verteilt. Sehr verdünnte Färbungen erkennt man bei Verbreitung über große Flächen gar nicht mehr. Verteilt man aber ein Licht, das schon so hell ist, daß eine Halbierung seiner Intensität keine merkliche Schwächung mehr für die Empfindung mitbringt, auf den doppelten Raum, so erweckt es merklich die doppelte Summe von Empfindung.

und nennen die Änderung derſelben, ſei es in einem unendlich kleinen Raum= oder Zeitteil, $d\beta$, ſo iſt die zugehörige Änderung der durch das Gefühl oder im Bewußtſein zu ſchätzenden Intenſität geiſtiger Tätigkeit nicht der abſoluten Änderung der lebendigen Kraft $d\beta$, ſondern der ver= hältnismäßigen Änderung $\dfrac{d\beta}{\beta}$ proportional, mithin durch $\dfrac{k\,d\beta}{\beta}$, oder wenn wir k ein für allemal $= 1$ ſetzen, durch $\dfrac{d\beta}{\beta}$ ſelbſt auszudrücken.

Iſt die lebendige Kraft eines materiellen Elements zu beſtimmter Zeit und an beſtimmtem Orte gegeben, ſo wird man durch Summation einer kontinuierlichen Reihe abſoluter Zuwüchſe derſelben zur lebendigen Kraft eines beliebigen andern Elements (oder auch desſelben Elements) in beliebig anderm Raum und beliebig andrer Zeit gelangen können; durch entſprechend ausgeführte Summation aber der zugehörigen verhältnismäßigen Zu= wüchſe, d. i. durch das Integral

$$\int \frac{d\beta}{\beta} \cdots (1)$$

zur geiſtigen oder pſychiſchen Intenſität des betreffenden Elements[*]), wobei die geiſtige Intenſität des Ausgangs=Elements als bekannt gelten muß, indem ſie zur Beſtimmung der Konſtante des Integrals dient. So ergibt ſich die geſuchte geiſtige Intenſität γ des zweiten Elements

$$\gamma = \log \frac{\beta}{b} \cdots (2),$$

wo b den Wert von β bezeichnet, für welchen $\gamma = 0$, ſofern nämlich nach der Formel ſelbſt der Nullwert von γ nicht beim Nullwert von β eintreten kann, was mit wichtigen Folgerungen zuſammenhängt.

Kurz, obwohl recht zu verſtehen, wird man alſo ſagen können, die pſychiſche Intenſität iſt der Logarithmus der zugehörigen phyſiſchen Intenſität, ſchreitet in arithmetiſchem Verhältniſſe fort, wenn dieſe in geometriſchem; mit welcher Form der pſychiſchen Funktion der Umſtand ſelbſt zuſammen= hängen mag, daß wir von pſychiſchen Intenſitäten nur ein Mehr und Minder, nicht aber ein Wievielmal zu ſchätzen wiſſen.

Um nun die pſychiſche Intenſität zu haben, die innerhalb eines beſtimmten Raums und einer beſtimmten Zeit waltet, iſt β als Funktion der Zeit t und des Raums s zu beſtimmen und (in ſo weit Diskontinuitäts= verhältniſſe es erlauben) das Integral

$$\iint \log \frac{\beta}{b}\, dt\, ds \cdots (3)$$

innerhalb der betreffenden Grenzen zu nehmen.

Sofern momentane Empfindungen nicht unterſchieden werden, ſondern ſtets eine gewiſſe Zeitdauer in der Empfindung zuſammengefaßt wird, auch zu jeder einfachen Empfindung doch eine gewiſſe Ausdehnung des unterliegenden

---

[*]) Die geiſtige Intenſität eines Elements iſt eine mathematiſche Fiktion, die keine andere Bedeutung hat, als zur Berechnung deſſen zu führen, was einer Ver= bindung, einem Syſtem von Elementen zukommt; da eine Empfindung merkbarer Größe weder einem unendlich kleinen Raum= noch Zeitteil zugehören kann.

Prozeſſes gehört, wird auch die meßbare Stärke einer einfachen Empfindung
immer durch ein Integral von der Form (3) ausgedrückt werden, indes der
Wert von γ in (2) bloß das nicht beſonders unterſcheidbare Elementare,
was dazu beiträgt, ausdrückt; obwohl eine vergleichende Betrachtung dieſes
Elementaren für verſchiedene Empfindungen ſchon manche Schlüſſe erlaubt.*)

Unter Vorausſetzung, daß die Empfindungsreize eine ihrer lebendigen
Kraft proportionale Änderung in unſern Empfindungswerkzeugen hervor=
bringen, was mindeſtens bei Licht= und Schallſchwingungen wahrſcheinlich,
leitet man aus (2) und (3) ohne Schwierigkeit ab, wie es kommt, daß die
Stärke der Licht= und Schallempfindung in viel ſchwächerm Verhältniſſe
zunimmt, als die phyſiſche Stärke (lebendige Kraft) des Lichts und Schalls
ſelbſt, wie ſich auch ohne beſtimmte Meſſung wohl beurteilen läßt, ja daß
man, was entſcheidend iſt, die Gradationen höherer Lichtſtärke gar nicht mehr
deutlich unterſcheiden kann. Schon das Spiegelbild eines Kerzenlichtes
erſcheint dem Auge faſt eben ſo hell wie das geſpiegelte Licht ſelbſt, trotz
dem, daß es wirklich bei Weitem ſchwächer iſt, (die Pupillenänderung erklärt
dies bei Weitem nicht, auch kann man ja Lichter verſchiedener Intenſität
zugleich ins Auge faſſen,) und beſonders erläuternd iſt die Vergleichung der
phyſiſchen Stärke des Fixſternlichtes mit der pſychiſchen Schätzung ſeiner
Stärke (bei Sternen erſter, zweiter Größe u. ſ. w.). Auch fließt unter obiger
Vorausſetzung (durch eine leichte Rechnung) der nicht minder erfahrungs=
mäßige Umſtand aus den Formeln, daß ein Empfindungsreiz durch hin=
reichende Verteilung, ohne Änderung ſeiner lebendigen Kraft im ganzen,
doch für die Empfindung bis zum Unmerklichen abgeſchwächt werden kann;
ein ſehr ſtarker Empfindungsreiz durch mäßige Verteilung aber vielmehr
eine größere Summe Empfindung erregt.*) Ferner ergibt ſich daraus,
unter Zuziehung eines bekannten Satzes, daß es von größerm Vorteil für
die Stärke von Bewußtſeinsphänomenen iſt, dieſelbe Größe lebendiger Kraft
in mehrern gleichen und gleichwirkenden Organen (z. B. in zwei gleichen
Gehirnhälften) verteilt zu gebrauchen, als in mehrern ungleichen und
ungleichwirkenden; wonach die ſymmetriſche Zuſammenſetzung des Menſchen

---

*) Es iſt dabei noch fraglich, ob nicht die Zuſammenfaſſung der Bewegungen,
welche einer und derſelben Empfindung zugehören, unter einer andern Vorausſetzung
als der Kontinuität der unterliegenden Materie im Raum geſchehen muß, und ob
mithin die Integration ſich über verſchiedene materielle Elemente aus dem Geſichts=
punkte ſolcher Kontinuität erſtrecken kann, wenn es gilt, das, was derſelben Empfindung
zugehört, in eins zu faſſen. Es ließe ſich noch an ein andres Prinzip denken, wo
die Integration in Bezug auf den Raum nicht mehr, wie oben vorläufig angenommen,
gültig ſein würde. Vgl. eine ſpäter folgende Anmerkung (S. 175), wodurch dieſe
Bemerkung ſich noch mehr erläutert.

**) Eine bloße Bleikugel auf der einen Hand ſcheint uns ſchwerer als eine gleiche
Bleikugel, in einer leichten Schachtel auf die andere gelegt; ungeachtet das Gewicht
der Schachtel hier noch zutritt; weil der Druck ſich letztenfalls mehr verteilt. Sehr
verdünnte Färbungen erkennt man bei Verbreitung über große Flächen gar nicht
mehr. Verteilt man aber ein Licht, das ſchon ſo hell iſt, daß eine Halbierung ſeiner
Intenſität keine merkliche Schwächung mehr für die Empfindung mitbringt, auf den
doppelten Raum, ſo erweckt es merklich die doppelte Summe von Empfindung.

und vieler Tiere aus ähnlichen Teilen noch einen andern Nutzen als den der Vertretung der Teile durch einander hätte.

Der größern Intensität eines Bewußtseinsphänomens oder des ganzen Bewußtseins entspricht natürlicherweise ein größerer positiver Wert des diese Intensität messenden Integrals, der auch einen größern Wert der darein eingehenden lebendigen Kraft fordert; dem Momente, wo das Bewußtsein eben erwacht oder in Schlummer sinkt, was man die Schwelle des Bewußtseins nennt, entspricht ein Nullwert des zugehörigen Integrals und ein gewisser niedrer Wert der lebendigen Kraft, nämlich $\beta = b$ in Formel (2), wo es sich bloß um die momentane psychische Intensität eines Elements handelt, indes in Formel (3), welche einem ganzen Empfindungsvorgang zugehört, die Werte von β innerhalb des Intervalls der Integration teils über, teils unter b liegen können, wie sich ohne Schwierigkeit übersieht. Nun kann aber das Bewußtsein erfahrungsmäßig auch noch unter seine Schwelle sinken, d. h. der Schlaf, das Unbewußtsein sich mehr und mehr vertiefen in der Art, daß ein Wiedererwecken immer schwerer fällt, es immer mehr positive Anregung im Sinne der frühern Bewußtseinstätigkeit fordert, um nur die Schwelle des Bewußtseins wieder zu erreichen. Entspricht nun der Steigerung des Bewußtseins über der Schwelle ein positiver Wert des betreffenden Integrals, der Schwelle selbst ein Nullwert, so wird dem Sinken des Bewußtseins unter die Schwelle ein negativer Wert desselben entsprechen müssen. Denn hier gilt es erst einen Mangel in einem bestimmten Sinne auszufüllen, ehe der Nullwert erreicht wird; dies ist der Charakter negativer Größen. In der Tat können die Integrale (2) und (3) dadurch, daß die lebendige Kraft β immer weiter sinkt, negative Werte erlangen, wodurch sonach ein Schlafzustand oder Unbewußtseinszustand repräsentiert wird, der sich um so mehr vertieft, je größere absolute Werte das negative Integral erlangt.*) Man sieht ein, wie bei der periodischen

---

*) Man hat deshalb, daß dem Wachen und Schlaf respektiv positive und negative mathematische Ausdrücke entsprechen, nicht nötig, Wachen und Schlaf selbst als positiven und negativen Bewußtseinszustand zu fassen, da vielmehr der mathematische Gegensatz des Positiven und Negativen in geometrischen und realen Zusammenhängen überall den Gegensatz des Wirklichen und Nichtwirklichen (Imaginären) bezeichnet, wo der Natur der Sache nach die Wirklichkeit nur in einer Richtung faßbar. Dies gilt z. B. vom Radiusvektor im System der Polarkoordinaten, dies gilt auch von der lebendigen Kraft β, die in Wirklichkeit keine positiven Werten entgegengesetzte negativen zuläßt. Und so ist auch die Entgegensetzung der Zeichen für Wachen und Schlaf oder erhöhtes Bewußtsein und vertieftes Unbewußtsein nicht als Gegensatz eines positiven und negativen Bewußtseins zu deuten, sondern als Gegensatz eines wirklichen und nicht wirklichen Bewußtseins, so aber, daß der absolute Wert der negativen Größe anzeigt, ob die Entfernung von der Wirklichkeit größer oder kleiner ist. Ob dies der Fall ist, ist für den Zusammenhang und die Entwickelung der wirklichen Bewußtseinsphänomene selbst nicht gleichgültig, da sich ihr leichteres oder schwierigeres Wiederhervortreten danach richtet, wenn sie unter die Schwelle des Bewußtseins gesunken sind, und da nach der realen Verknüpfung der Verhältnisse (Gesetz der Erhaltung der lebendigen Kraft) kleine Werte von β, mithin Schlafzustände hier, im allgemeinen mit großen Werten von β, wachen Zuständen anderwärts sich abwägen, wovon oben mehr.

und dem Gesetze des Antagonismus durchgreifend unterliegenden Natur unsres Organismus sowohl die ganze Seele als einzelne Bewußtseins= phänomene oder Vorstellungen mittelst dieses Umstandes bald unter, bald über die Schwelle des Bewußtseins treten können, ohne daß deshalb Still= stand der zugehörigen Bewegungen eintritt, nur Verlangsamung, (die Bewegungen in unserm Gehirn gehen in der Tat fort, während wir schlafen), und wie die Bewußtseinsphänomene selbst hiedurch in lebendige Wechselbeziehung treten können. Wie nämlich die lebendige Kraft für gewisse Bewußtseinsphänomene sinkt, steigt sie antagonistisch für andre, wird aber dabei natürlicherweise geneigt sein, für psychisch zusammenhängende Bewußt= seinsphänomene, denen vorausgesetzlich auch ein physischer Zusammenhang unter= liegt, im Zusammenhange zu steigen. Aus allgemeinem Gesichtspunkte läßt sich sofort übersehen, wie gewisse Empfindungen oder Vorstellungen sich hienach verdrängen, andre aber auch hervorrufen, mitziehen können, nach Umständen, und ich glaube, daß unsre Theorie, obwohl nicht absichtlich darauf zugeschnitten, in dieser Hinsicht mindestens so günstige allgemeine Bedingungen für Repräsentation der Tatsachen als die Herbartsche barbietet, welche ihre Hypothesen hauptsächlich auf Repräsentation derselben gestellt hat, und zwar solche, die mit der Natur unsres Organismus selbst in direktester Weise zusammenhängen; wenn gleich Rechnungsbeispiele von fruchtbarer oder erläuternder Anwendung auf die Erfahrung erst dann möglich sein werden, wenn wir die erfahrungsmäßigen Grundlagen dazu selbst mehr in unsrer Gewalt haben als jetzt.

Jener unstreitig von dem Gesetze der Erhaltung der lebendigen Kraft abhängige Antagonismus, der sich in unserm engen Organismus zeigt und vom Körper auf die Seele erstreckt, wird sich unstreitig überhaupt in der Welt oder dem weitern Organismus äußern, dem unser Organismus selbst eingebaut ist, ja zwischen diesem und der übrigen Welt selbst äußern müssen, mit der er zu einem gemeinschaftlichen System zusammenhängt; woran sich mancherlei Betrachtungen knüpfen lassen, die in die allgemeinen Ansichten dieser Schrift hineintreten.

Die Aufmerksamkeit ist ein in der Selbsttätigkeit unsrer Seele begründetes psychisches Vermögen, das offenbar mit einem in der Selbst= tätigkeit unsres Organismus begründeten physischen Vermögen zusammen= hängt, die lebendige Kraft in gewisser Richtung, für gewisse physisch=psychische Funktionen auf Kosten andrer zu verstärken, und tritt sonach unter das angegebene Prinzip.

Die Stellen oder Zeiten, wo die Änderung der psychischen Intensität, d. i. $\frac{d\beta}{\beta}$, null wird, entsprechen im allgemeinen Maximum= oder Minimum= werten der lebendigen Kraft β und des Integrals (2). Hat man es nun mit periodischen oder oszillierenden Bewegungen zu tun, und die Prozesse des unsre Seele tragenden Organismus, so wie die Sinnesanregungen des Gesichts und Gehörs sind im allgemeinen dieser Natur, so treten solche Maximum= und Minimumwerte von selbst periodisch oder in Intervallen ein. Die Anzahl solcher Perioden oder Intervalle in gegebener Zeit oder Raum bestimmt erfahrungsmäßig (und alle Grundbeziehungen sind möglichst auf Erfahrung zu bauen oder dadurch zu bestätigen) bloß eine Qualität der Empfindung, ohne daß die einzelnen Perioden, Intervalle oder einzelnen Momente darin selbst unterscheidbar in die Empfindung fallen (wenn nicht Diskontinuitäten, wovon nachher, zwischen fallen); die Seele hat, wie wir uns anderwärts ausdrücken, eine vereinfachende Kraft; zieht das physisch Weitläufige, Zusammengesetzte, auf äußerm Standpunkt nur unter Form des Mannigfaltigen zu Fassende, in eine vereinfachte Selbsterscheinung zusammen. Es ist dies als eine Grundtatsache anzusehen.

Die Periodizität kann nun nicht nur im Tempo verschieden sein, sondern kann auch eine einfache oder verwickelte sein, es können sich kleinere Perioden in größere einbauen, rationale und irrationale, niedere und höhere Verhältnisbezüge zwischen den Perioden eintreten, wonach sich die Qualität der Empfindung abändern und Verhältnisse verschiedener Art zwischen den Empfindungen eintreten können, deren Beziehung zu den Verhältnissen der Perioden noch näher zu diskutieren ist. Das Prinzip der Koexistenz kleiner Schwingungen hat hiebei unstreitig eine große Bedeutung für die Koexistenz psychischer Zuständlichkeiten.

Sofern die Höhe der Töne eine analoge Gradation zuläßt wie die Stärke, nimmt auch die Seele diese Vergleichung nach demselben Prinzip vor wie die der Stärke. Die empfundene Tonhöhe richtet sich erfahrungsmäßig nicht nach dem umgekehrten Verhältnis der Schwingungsdauer oder direkten der Schwingungszahlen, sondern nach dem Logarithmus dieses Verhältnisses. Die nächste und zweite Oktave über dem Grundton erscheint uns nicht respektiv noch einmal und viermal so hoch, als der Grundton, ungeachtet die Schwingungszahl doppelt und viermal so groß ist, sondern die Aussage des Gefühls ist, daß jede Oktave um ein gleiches Intervall von der andern abliegt, was dem logarithmischen Verhältnis entspricht. Dies hat schon Drobisch triftig in den Abhandlungen der Jablonowskischen Gesellschaft (1846) S. 109 erörtert. Warum aber vergleichen wir nicht auch Farben nach der Höhe wie Töne? Dies bleibt zur Zeit noch rätselhaft.

Demnächst verdienen die Diskontinuitätsverhältnisse der psychischen Intensitätsänderung $\frac{d\beta}{\beta}$ Beachtung, welche eintreten, wenn die lebendige Kraft β null wird, oder Sprungwerte annimmt, womit auch eine Diskontinuität im psychischen Intensitätswerte $\gamma = \log \frac{\beta}{b}$ und dem Integral (3) eintritt. So lange Kontinuität in dieser Hinsicht statt findet, wie innerhalb einer Schwingung, unterscheiden wir (bemerktermaßen) die psychische Intensität der einzelnen Punkte und Momente nicht einzeln, sondern die Summe der kontinuierlichen Werte von γ, welche in eine Schwingung fallen, mißt in eins die Intensität der Empfindung während der Dauer und in der Ausdehnung der Schwingung; und die ganze Intensitätssumme der Empfindung innerhalb eines gegebenen Zeit= und Raumintervalls wird durch Summation der Summen, welche den einzelnen Schwingungen zugehören, gewonnen. Da bei Tönen verschiedener Höhe und Lichtern verschiedener Farbe die partialen Summen, welche den einzelnen Schwingungen zugehören, nicht bloß wegen Stärke der Bewegung, sondern auch vermöge der Ausdehnung der Perioden abweichen, so hängt hiervon unstreitig die schwierige Vergleichbarkeit der Stärke von Tönen verschiedener Höhe und Lichtern verschiedener Farbe in der Empfindung ab, sofern die Vergleichung eine zusammengesetztere wird.

Tritt nun aber Diskontinuität von $\frac{d\beta}{\beta}$ und hiemit γ ein, so wird ein Unterschied der Stärke empfunden. So, wenn zu einem Ton ein zweiter, wenn auch gleicher Ton hinzu angeschlagen wird, setzt sich die neue Schwingung mit der frühern zusammen, β und γ nehmen plötzlich einen andern Wert an, und wir fühlen den Unterschied der Stärke.*)

Denken wir uns (unangesehen der Mehrheit der Dimensionen) die Punkte eines empfindenden Systems der Ordnung nach in eine gerade Linie oder Ebene ausgebreitet und die Größe der lebendigen Kraft, die ihnen zukommt, durch die Höhe von Ordinaten, die an den betreffenden Punkten errichtet werden, ausgedrückt, so stellt sich die lebendige Kraft des ganzen

---

*) In Betreff der Deutung der Diskontinuitätsverhältnisse bleibt noch manches zweifelhaft. Zwei Weltkörper z. B., die sich wechselseitig durch Anziehung zur Bewegung bestimmen, sind diskontinuierlich im Raum aber die Verhältnisse $\frac{d\beta}{\beta}$, die beiden in derselben Zeit zugehören, sind deshalb nicht diskontinuierlich an Größe, bleiben sich vielmehr, mögen die Massen der Weltkörper gleich oder ungleich sein, durch die ganze Dauer ihrer Bewegung stets gleich. Da nun auch die Periodizität ihrer Bewegung koinzidiert, würde sich meines Erachtens, ungeachtet sie im Raum auseinanderliegen, an ihre Bewegung nur eine in sich identische Empfindung knüpfen, nicht zwei in Stärke und Qualität gesonderte Empfindungen, falls hier überhaupt Empfindungen anzunehmen. Die Seele kümmert sich nicht um räumliche Distanzen, außer sofern sonst wesentliche Unterschiede dadurch mitgeführt werden. Pflanzen sich Wirkungen durch ein gleichförmiges Mittel fort, z. B. eine Nerven- oder Gehirnfaser, so besteht für die sukzessiven Teile immer zwar nicht Identität, aber Kontinuität von $\frac{d\beta}{\beta}$, mithin möchte hier keine Unterscheidung in der Stärke eintreten, sollten auch die Teile derselben im Sinne der Atomistik diskret gedacht werden. Für verschiedene Organismen mag eine derartige Inkommensurabilität der Bewegungsverhältnisse bestehen, daß Identität oder Kontinuität von $\frac{d\beta}{\beta}$ nirgends durch eine endliche Zeit für dieselben Teile zwischen ihnen bestehen bleibt. Wollte man aber zur Unterscheidungslosigkeit der Stärke Kontinuität des Wertes von $\frac{d\beta}{\beta}$ in aufeinanderfolgenden Raumteilen fordern, so würde dies nur mit einer wirklichen kontinuierlichen Raumerfüllung möglich sein, welcher die heutige exakte Physik nicht günstig ist, und überhaupt sich manches weniger gut stellen. Doch verdient der Gegenstand noch Erwägung, da sich manche Schwierigkeiten der Betrachtung auch bei unsrer Auffassung darbieten. Eine Schwierigkeit scheinen auch Nullwerte von β zu machen, sofern in geradlinigen Schwingungen an der Grenze jeder Schwingung $\frac{d\beta}{\beta}$ diskontinuierlich wird, es mithin schiene, die Schwingungen müßten in einzelnen Absätzen unterschieden werden. Vielleicht ist dem durch die Betrachtung zu begegnen, daß es absolut geradlinige Schwingungen in der Natur wohl nicht gibt. Vielleicht aber fordern auch die Diskontinuitätsverhältnisse überhaupt eine etwas andere Auffassung, als sie hier gefunden haben.

Systems im allgemeinen unter Gestalt einer Linie oder eines Wellenzuges
dar, dessen Gestalt sich nach Maßgabe der Änderungen der lebendigen Kraft
ändert. Auf dem Haupt-Wellenzuge, der die lebendige Kraft der Haupt-
bewegungen des Systems darstellt, können durch besondere Wechselwirkungen
einzelner Teile des Systems oder äußere Einwirkungen kleinere Kräuselungen
oder Wellenzüge entstehen, die eine andre Periode befolgen als der große
Wellenzug und untergeordneten Bewußtseinsbestimmungen oder äußerlich
angeregten Empfindungen des Hauptbewußtseins, das sich an den großen
Wellenzug knüpft, zugehören.*) Diese kleinern Kräuselungen oder Wellenzüge können in sehr verschiedene Beziehungen zur Hauptwelle und zu einander
treten; z. B. über oder unter der Schwelle des besondern Bewußtseins sein,
vermöge dessen sie sich von der Hauptwelle losheben, während die Hauptwelle
in entgegengesetztem Zustande ist, verschiedene Perioden in Bezug zur Hauptwelle und zu einander zeigen, Diskontinuitätsverhältnisse höherer Ordnung
mitführen, u. s. f. Auch hieran knüpft sich die Möglichkeit oder Voraussicht
der Möglichkeit, viele wichtige psychische Verhältnisse zu repräsentieren.

3. B. erklärt sich so der Unterschied, ob wir nichts sehen, weil unsre
Aufmerksamkeit nicht in Bezug auf Sichtbares beschäftigt ist, wenn schon
Licht unser Auge trifft, oder Schwarz sehen, welche Empfindung sehr intensiv
sein kann, obwohl sie einem Mangel der Lichtanregung entspricht. Nichts
sehen wir im ersten Sinne, wenn die Hauptwelle der lebendigen Kraft mit
zugehörigem Bewußtsein, welche unserm Gesichtsorgan als Glied eines
beseelten Ganzen abgesehen von äußern Reizen zukommt, unter der Schwelle
des Bewußtseins ist, und mögen nun auch Kräuselungen durch Lichteinfluß
darauf vorhanden sein, so werden diese dadurch mit unter die Schwelle
unsres Allgemeinbewußtseins herabgedrückt. Schwarz sehen wir, wenn die
Hauptwelle oberhalb der Schwelle ist, um so intensiver, je höher sie geht,
es aber an Kräuselungen durch Lichtanregung darauf fehlt. Dies läßt sich
auf andre Sinne übertragen. So unterscheidet sich danach nichts Hören
wegen abgezogener Aufmerksamkeit und Gefühl von Stille, wenn die Aufmerksamkeit im Gebiet des Hörens wach ist, aber keine Anregung durch
Töne statt findet. Auch erklärt sich gut der nicht seltene Fall, daß wir die
Rede eines andern zwar physisch hören, aber nicht gleich psychisch vernehmen; wohl aber dies noch nachträglich können, wenn wir die Aufmerksamkeit noch nachträglich auf das Gehörte richten, indem wir hiemit die lebendige
Kraftwelle der innern Gehörtätigkeit mit den darauf erweckten Kräuselungen,
die erst unter der Schwelle war, über die Schwelle heben.**) Überhaupt

---

*) Unstreitig muß die lebendige Kraft dieser Kräuselungen, welchen besondere
Empfindungen zugehören, auch besonders in Rechnung genommen und nicht mit der
lebendigen Kraft der Hauptwelle zusammen behandelt werden, wo es sich nicht um
die allgemeine Stärke des Bewußtseins überhaupt, sondern die Stärke eben dieser
spezifischen Empfindung auf Grund eines gegebenen Zustandes des Allgemeinbewußtseins handelt.

**) Ich gestehe inzwischen, daß beim Gehörorgane eine Schwierigkeit eintritt,
mittelst des obigen Prinzips zu erklären, wie aus einem Gemisch mehrerer Töne ein
einzelner durch Aufmerksamkeit herausgehört werden kann, falls man annimmt, daß

läßt dies Prinzip vielfache Anwendungen zu. So dürfte sich nur hieraus
erklären lassen, wie überhaupt Druck empfunden werden kann. Wenn ich
einen Gegenstand mit dem Finger drücke, habe ich eine Empfindung davon,
ohne daß es doch scheint, der Druck könne eine lebendige Kraft im Körper
erzeugen oder solche steigern. Aber er kann die Welle lebendiger Kraft,
welche dem Finger zugehört, abändern, und so lange diese Welle über der
Schwelle des Bewußtseins ist, wird diese Abänderung, mag sie nun in's
Positive oder Negative gehen, auch gefühlt. Unstreitig ist eine negative
Änderung der Grundwelle, die hier eintritt. Denn in gewisser Weise fühlen
wir gerade die leiseste Berührung, den Kitzel, am stärksten, in sofern die
unterliegende Welle hiebei noch am wenigsten vermindert ist; sie faßt die
schwächste Veränderung mit der größten Empfindlichkeit auf; dagegen bei
einem starken Druck die starke Veränderung mit verminderter Empfindlichkeit
aufgefaßt wird. Je mehr der Druck steigt, desto mehr stumpft er die
Empfindlichkeit gegen sich selbst ab.

Höhere geistige Tätigkeiten hängen unstreitig mit Bewegungs- oder
Änderungsverhältnissen höherer Ordnung in einer Weise zusammen, die erst
näher diskutiert werden muß. Hier liegt noch ein großes Feld möglicher
Annahmen offen. Differenzialquotienten und Diskontinuitäten höherer
Ordnung, Verhältnisse zwischen Verhältnissen, Logarithmen von Logarithmen,
die Vervielfältigung der Konstanten bei Integration höherer Differenziale
bieten im ersten Anblick einen reichen Stoff möglicher Anwendung hiebei
dar; wie denn auch die Verschiedenheit der höhern geistigen Phänomene
selbst einen verschiedenen Ausdruck fordern wird. Jedenfalls übersieht man
aus allgemeinem Gesichtspunkte, daß unser Prinzip in Darbietung solcher
Verhältnisse die Möglichkeit einschließt, den Aufbau höherer geistiger Tätig=
keiten über niedern in der Art zu erklären, daß sie mit diesen zugleich vom
selben Körper getragen werden, wenn auch das Spezielle zur Zeit noch
dahingestellt bleiben muß.

Um nur obenhin eine Möglichkeit anzudeuten, so könnte man daran

denken, dem Ausdruck $\dfrac{d\gamma}{\gamma} = \dfrac{d\left(\log \dfrac{\beta}{b}\right)}{\log \dfrac{\beta}{b}}$ eine ähnliche Bedeutung für höhere

Phänomene beizulegen, als dem Ausdrucke $\dfrac{d\beta}{\gamma}$ für niedre; dann

erhält man für die elementare Intensität des höhern Phänomens

---

jede Faser des Hörnerven in allen Tonempfindungen zugleich erklingt, alle dasselbe
Empfindungsgemisch repetieren. Die Verstärkung der Hauptwelle durch die Aufmerksamkeit
wird dann alle Tonwellen zugleich über die Schwelle des Bewußtseins in demselben
Grade erhöhen müssen; dagegen die Schwierigkeit verschwindet, wenn man annimmt,
daß die (sonst teleologisch in der Tat schwer zu deutende) Teilung des Hörnerven
in Fasern den Nutzen habe, der Auffassung verschiedener Töne verschiedene Fasern
darzubieten. Und unstreitig ist es eine noch offene Frage, ob dem so sei oder nicht.
Wäre es nicht so, so müßte die Auffassung der Aufmerksamkeit allerdings eine andre
Wendung nehmen.

$$\int \frac{d\gamma}{\gamma} = \log \left[\frac{\log \frac{\beta}{b}}{\log \frac{b}{b}} \right] \text{ wo b, der Wert von } \beta \text{ für den Nullwert des}$$

Integrals. Manches läßt sich hienach gut erläutern. Doch halte ich es besser, noch zu unreife und unsichere Betrachtungen hier nicht weiter zu entwickeln. Und unstreitig hat man auch an höhere Verhältnisbezüge zwischen den Perioden der Bewegung, von denen die Qualität der Empfindung abhängt, zu denken.

Näher zusammengefaßt werden durch die vorige Theorie, nach dem Stande ihrer bisherigen Ausbildung, sehr wohl gedeckt folgende Punkte: wie es zusammenhängt, daß die geistigen Funktionen zwar immer im ganzen den körperlichen parallel gehen und damit zusammenhängende Wechsel und Wendepunkte zeigen, doch aber nicht der absoluten Größe der körperlichen Tätigkeiten proportional erfolgen; — warum namentlich die Steigerung der Sinnesempfindung hinter der Steigerung des Sinnesreizes in Rückstand bleibt, und Verteilung der Reize, ohne Änderung der Größe im ganzen, doch die Empfindung bis zum Unmerklichen abzuschwächen vermag; — warum die geistigen Funktionen stets einfacher erscheinen als die zu Grunde liegenden körperlichen, ohne doch schlechthin einfach zu sein (vgl. S. 141); — wie Schlaf und Wachen des Geistes mit dem des Körpers zusammenhängt; — warum namentlich der Schlaf oder das Sinken einzelner geistiger Tätigkeiten unter die Schwelle des Bewußtseins nicht dem Stillstand der zugehörigen Körpertätigkeiten, sondern nur einem Herabsinken derselben entspricht; — auf welchem Umstand die Vertiefung des Schlafs und des Unbewußtseins beruht; — wie das Versinken gewisser geistiger Tätigkeiten unter die Schwelle des Bewußtseins die Erhebung andrer darüber mitführen kann; — wie die Qualität der Empfindung mit quantitativen Bestimmungen in Beziehung stehen kann; — wie Anspannung oder Abspannung der Aufmerksamkeit, als Funktion der Hauptwelle der lebendigen Kraft, die unserm Organismus eigentümlich ist, die Kräuselungen derselben, die durch äußere Sinnesreize hervorgebracht werden, über die Schwelle des allgemeinen Bewußtseins heben oder unter dieselbe sinken lassen kann; — wie sich höhere geistige Tätigkeiten über niedrigere aufbauen und beide in einem Zusammenhange von derselben körperlichen Grundlage getragen werden können.

Unstreitig genügt dies zu zeigen, daß ungeachtet der Unmöglichkeit genauer Messung der Intensität psychischer Phänomene (wovon man immer den Haupteinwurf gegen die Möglichkeit einer mathematischen Psychologie entlehnt hat), doch eine Anwendung und Vergleichbarkeit unsrer Theorie mit der Erfahrung gerade in Betreff der allerallgemeinsten und wichtigsten Phänomene möglich ist, und selbst einige sehr spezielle Phänomene schon dadurch direkt getroffen werden. Diese Theorie aber ist noch in den ersten Rudimenten, ein Kind in Windeln; so läßt sich auch wohl noch mehr davon erwarten; wie aber freilich auch möglich halten, daß das Kind in dieser Form wieder eingehe. Denn ich kann allerdings nicht behaupten, daß diese Theorie schon sicher gestellt sei; dazu fehlt noch ein Experimentum crucis, wie es eine exakte Wissenschaft verlangt; die allgemeine Übereinstimmung mit den Tatsachen kann immer nur ein günstiges Vorurteil für sie erwecken. Auch gibt es noch manche Schwierigkeiten dabei, die ich bis jetzt noch nicht zu überwinden weiß, wie dies bei einer so jungen Theorie leicht zu erachten, die aber doch nicht der Art sind, daß sie einer möglichen Lösung an sich widerstrebten. Eine nähere Auseinandersetzung behalte ich vielleicht einem andern Orte vor; inzwischen wünschte ich durch diese kurzen Andeutungen andre zum Verfolg desselben Gegenstandes anzuregen, da manches, was mir noch schwierig scheint, vielleicht von andern leichter überwunden, vielleicht auch sei es das Prinzip oder die Entwickelung des Prinzips nach dieser oder jener Seite glücklicher in einer andern Wendung als von mir gefaßt wird. Ich glaube, daß, wenn mit dieser Aufstellung des Prinzips der Nagel noch nicht auf den Kopf getroffen sein sollte, es wenigstens beitragen kann, darauf zu führen.

XX. Überblick der Lehre von den Dingen des Himmels.*)

- - ------

1) Im Sinne der an sich triftigen, wenn schon nicht gewöhnlichen Betrachtungsweise der Erde, welche zu ihr alles rechnen läßt, was durch die Schwere um ihren Mittelpunkt zusammengehalten wird, also auch Wasser, Luft, Menschen, Tiere, Pflanzen (II), stellt die Erde so gut als unser Leib ein durch Kontinuität der Materie, wie in Zwecken und Wirken innig verknüpftes System dar, welches sich in eine Mannigfaltigkeit besonders unterscheidbarer Gebiete und Teile gliedert, und ein nimmer rastendes, wieder in eine Mannigfaltigkeit von Perioden und Kreisläufen gegliedertes und große Entwickelungsepochen durchschreitendes Spiel von Tätigkeiten entfaltet, in welche Gliederung von Teilen und Tätigkeiten unser Leib mit seinen Tätigkeiten selbst nur in untergeordneter Weise eingeht (III, XV, B. ff.).

2) Alle Punkte der Ähnlichkeit und Verschiedenheit zwischen uns und der Erde überhaupt erwogen (III), stimmt die Erde mit uns in

------

*) Durch die römischen Zahlen im Folgenden wird auf die Abschnitte verwiesen, unter welchen die betreffenden Gegenstände behandelt sind.

allen Punkten überein, welche nach irgend einer Ansicht über das Verhältnis von Leib und Seele als wesentliche Kennzeichen oder Andeutungen
eines beseelten Sonderwesens sich in der Materialität geltend machen
können, während die nicht minder auffälligen Verschiedenheiten zwischen
uns und der Erde alle sich ebenso dahin vereinigen, die Erde als ein
in höherem Sinne lebendiges, selbständigeres, individueller geartetes Wesen
erscheinen zu lassen, als wir selbst sind, wogegen unser eigenes Leben an
Fülle und Tiefe sehr in Nachteil steht, unsre eigene Selbständigkeit sehr
zurücktritt, unsre Individualität nur sehr untergeordnet ist. Dies wird
in ausführlichen Erörterungen näher dargelegt (III, IV). Daß die Erde
alle ihre lebendigen Geschöpfe selbst aus ihrem Schoße erzeugt hat, noch
als eigene Teile besitzt und ein allgemeines Band zwischen ihnen herstellt,
ist im Sinne derselben Vorstellungsweise (V).

3) Wie unsre Leiber dem größern oder höhern individuellen Leibe
der Erde angehören, so unsre Geister dem größern oder höhern individuellen Geiste der Erde, welcher überhaupt alle Geister der irdischen
Geschöpfe eben so in Unterordnung begreift, wie der Leib der Erde alle
Leiber derselben. Der Geist der Erde ist aber nicht bloß eine Summe
der irdischen Einzelgeister, sondern die alle begreifende, einheitliche, höhere,
bewußte Verknüpfung derselben. Unsre Individualität, Selbständigkeit
und Freiheit, die aber nur relativ zu fassen, leiden nicht dadurch, daß
wir ihm angehören, finden vielmehr Wurzel und Grund darin, indem sie
nur immer das Verhältnis der Unterordnung dazu behalten.

Diese Vorstellungen werden (von I bis VIII) aus verschiedenen
Gesichtspunkten näher begründet, auch wird (VII, VIII) versucht, in die
Psychologie des höhern Geistes etwas näher einzugehen.

Es wird erinnert, daß wir ohnehin schon gewohnt sind, von einem
Geiste der Menschheit, der unsre Geister verknüpfend inbegreift, zu
sprechen, und gezeigt, wie die Ansicht vom Geiste der Erde nur eine
erweiterte und triftigere Fassung dieser Vorstellung ist. Soll die Vorstellung vom Geiste der Menschheit Halt gewinnen, so geht sie notwendig
in die des Geistes der Erde über. (Bd. I. S. 117, 171, 188.)

4) Was von unsrer Erde gilt, als welche selbst nur ein Himmels=
körper ist, gilt analog von den andern Gestirnen. Sie sind alle individueller Beseelung teilhaftig; und bilden so ein Reich höherer uns
übergeordneter himmlischer Wesen. Es wird (insbesondere VI) gezeigt,
daß sowohl nach körperlicher als geistiger Hinsicht die Gestirne den
Anforderungen, die wir an höhere uns übergeordnete Wesen machen
können, wohl entsprechen, und daran erinnert, daß nicht nur der natur=

wüchsige Glaube der Völker überall in den Gestirnen höhere, göttliche
Wesen sieht (I, XIV), sondern selbst unser Engelglaube seinen ersten
Ausgang von dem Glauben an die höher beseelte Natur der Gestirne
genommen hat, so daß unsre Ansicht nur in den naturwüchsigen Glauben
zurückführt (VI).

5) Wie alle Gestirne nach materieller Seite der Natur als dem
Inbegriff alles Körperlichen angehören, so alle Geister der Gestirne dem
Geiste, welcher der ganzen Natur zugehört, d. i. dem göttlichen Geiste.
Sie verlieren aber dadurch, daß sie ihm angehören, so wenig ihre
Individualität, relative Selbständigkeit und Freiheit, wie unsre Geister
dadurch, daß sie dem Geiste der Erde angehören; sondern finden nur
ihr oberstes Band, ihre oberste bewußte Verknüpfung in ihm (II, VI).

6) Der göttliche Geist ist ein einiges, höchst bewußtes, wahrhaft
allwissendes, d. i. alles Bewußtsein der Welt in sich tragendes und
hiemit auch das Bewußtsein aller Einzelgeschöpfe in höheren Bezügen
und höchster Bewußtseinseinheit verknüpfendes Wesen, dessen Verhältnisse
zu seinen Einzelwesen und zur Natur näher erörtert werden (XI). Insbesondere wird gezeigt, daß das Böse in der Welt Gott nicht zur Last
zu legen (XI, G), und seine Anknüpfung an die Natur seiner Würde,
Höhe, Freiheit keinen Eintrag zu tun vermag (XI, O). Der Beweis für
das Dasein Gottes wird einmal aus theoretischem (XI, B), ein andersmal
aus praktischem (XIX, A) Gesichtspunkte geführt.

7) So wenig die Erde ein scheidendes Zwischenglied zwischen
unserm Körper und der Natur ist, da vielmehr derselbe durch sie der
Natur selbst einverleibt wird, so wenig bildet der Geist der Erde ein
scheidendes Zwischenglied zwischen uns und dem göttlichen Geist; ist
vielmehr die höhere individuelle Vermittelung, durch die unser Geist
gemeinsam mit andern irdischen Geistern dem Geiste Gottes angehört.
Es wird gezeigt (Bd. I S. 311), wie diese Vorstellung passend in unsre
praktischen Interessen hineintritt.

8) Das innige Verhältnis des göttlichen Geistes zur Natur und
Inbegriffensein unsrer Geister im göttlichen Geiste widerspricht den
herrschenden Vorstellungen nur scheinbar, nur in so weit, als sie sich
selbst widersprechen. Es wird gezeigt, wie wir durch ein klares volles
Eingehen darauf nur gewinnen können (XII).

9) Die allgemeine Vermittelung durch den Geist der Erde zu Gott
ersetzt uns nicht die besondre Vermittelung durch Christus. Vielmehr
verlangt der Geist der Erde selbst nach den höchsten und besten Beziehungen einen Vermittler zu Gott, der ihm in Christus zu teil wird,

und hiemit zugleich der Menschheit zu teil wird. Die Gesichtspunkte, unter denen das Christentum in unsrer Lehre auftritt, werden überhaupt näher erörtert (XIII).

10) Das oberste Weltgesetz (XI, B; XIX, B), die Beziehungen von Notwendigkeit und Freiheit (XI, B; XIX, B, C), die Beziehungen von Leib und Seele (XI, S. 252; XIX, D), die Entstehungsweise der Geschöpfe (XVI), werden aus allgemeinen Gesichtspunkten näher besprochen.

er die Dinge des Jenseits.

Vorwort.

Die folgende Lehre ist ihren allgemeinsten Grundzügen nach schon vorlängst von mir in einer kleinen Schrift*) dargelegt worden, welche sich ihrer Zeit manche Freunde erworben, nur daß sie hier auf breitern Grundlagen, mit gewichtigern Konsequenzen und triftigerer Fassung und Stellung einiger besondrer Punkte entwickelt ist. Dabei mag es wohl sein, daß die Gedrängtheit und Frische jener ersten Darstellung einen formellen Vorzug in Verhältnis zu der reichern, aber breitern jetzigen behauptet. Ich würde ihr aber diese breitere Ausführung nicht haben zu teil werden lassen, wenn sie nicht, namentlich durch die Bezugsetzung zu den Betrachtungen der vorhergehenden Lehre von den Dingen des Himmels, zugleich eine tiefere hätte werden können, und sich nicht die Überzeugung, daß die Lehre eine solche verdiente, durch den Gewinn bindenderer Gründe dafür und die fortgehende Erfahrung ihrer lebendigen Wirkung auf das Gemüt je länger je mehr verstärkt hätte.

Freilich kann ich das Folgende nur als vernünftige Möglichkeiten geben, vernünftig insofern, als sie widerspruchslos in sich und mit den Tatsachen, Gesetzen und Forderungen unsers Jetztlebens zusammenhängen, und selbst positive Stützen darin finden. Beweise im Sinne der Mathematik und Physik muß man nicht fordern. Man frage sich, ob unter den denkbaren Möglichkeiten die wahrscheinlichsten, mit unsern Kenntnissen von der Natur der Dinge, unsren gerechten Hoffnungen und praktischen Forderungen, wie sie durch das Christentum selbst begründet sind, zugleich verträglichsten hier getroffen sind. Ich sage, ob die zugleich verträglichsten. Denn freilich, der Naturforscher wird wenig Bindendes in den Betrachtungen dieser Schrift finden, wenn er die Forderung eines ewigen Lebens überhaupt nicht anerkennt; ist es aber der Fall, so wird

---

*) Das Büchlein vom Leben nach dem Tode, von Dr. Mises. Leipzig. Voß. 1836.

er es nicht ungern sehen, daß diese Forderung, die durch ein Stehen-
bleiben auf seinem gewohnten Wege nun einmal nicht zu befriedigen,
durch eine Erweiterung desselben hier befriedigt wird. Für den Theologen
andrerseits muß alles eitel scheinen, was ich hier sagen werde, wenn
er von vorn herein als Axiom stellt, daß der Übergang vom Diesseits
zum Jenseits nur auf einem übernatürlichen Wege erfolgen kann, der
wohl das Licht des Glaubens, aber nicht des Wissens verträgt, dagegen
ihm bei andern Ansichten eine Lehre willkommen sein kann, die ihm zur
Unterstützung seiner Glaubensforderungen auch einige Wissenswaffen in
die Hände gibt. Zwingen aber kann diese Lehre an sich so wenig
jemand, als die vorige, nur Bedürfnissen entgegenkommen, die freilich
selber zwingend genug sind.

Übrigens achte man bei dieser ganzen Lehre weniger auf das
einzelne als auf die Gesamtheit der Gesichtspunkte, die durch ihre
Zusammenstimmung oft ersetzen und ergänzen müssen, was im einzelnen
unzulänglich bleibt; und lege mehr Gewicht auf die Grundzüge als auf
die spezielle Ausführung der Ansicht. Jede Neugestaltung hebt mit
unsichern Griffen an; aber ohne deren Vorausgehen würde die Sicherheit
nie kommen. Man hüte sich aber auch, bei beschränkten Gesichtspunkten
stehen zu bleiben in einem Gebiete, welches seiner Natur nach ein
Hinausgehen über die gewöhnlichen Schranken der Betrachtung fordert.
Wer den Weg über das Diesseits hinaus finden will, kann unmöglich
den Blick bloß auf das richten, was vor seinen Füßen liegt.

Ich denke nach allem, es ist hier ein Anfang mit einem neuen
Wege gemacht, und mehr als einen solchen muß man zunächst nicht
fordern. Ich hoffe, einzelne von der Triftigkeit der Grundlagen dieser
Ansichten zu überzeugen; sie werden dann helfen, den Grund fester zu
legen und weiter zu bauen und das Fehlerhafte zu berichtigen und das
zu Rasche zu zügeln und das zu Hochgebaute wieder abzutragen, daß
das Unternehmen geeigneter und würdiger werde, auch allgemeinere
Überzeugung zu erwecken. Denn wie sehr es in allen diesen Beziehungen
noch Hilfe verlangt, kann niemand besser als ich fühlen.

XXI. Über die Bedeutung des menschlichen Todes und das Verhältnis des künftigen zum jetzigen Leben.

–––––––

Wie ist es mit des Menschen Tode?

Wird nicht der Geist des Menschen als Erzeugnis eines höhern Geistes im Tode in dessen Allgemeinheit oder Unbewußtsein zurückgenommen werden, wie er sich erst aus demselben heraus individualisiert hatte?

Ist es doch so mit den Erzeugnissen unsers eignen Geistes. Unsre Gedanken treten hervor aus dem Unbewußtsein, um wieder darin zu verlöschen. Nur der ganze Geist hat Bestand in der Flüchtigkeit und Vergänglichkeit des einzelnen, was in und aus ihm kommt.

Auch der Leib des Menschen zergeht im Tode wieder in den allgemeinen Leib der Natur oder der Erde, wie er sich erst daraus heraus individualisiert hatte. Sein kleiner Leib zergeht, der große bleibt. Der Geist wird aber nicht umsonst vom Leib getragen; er hat auch dessen Schicksal mitzutragen.

Wie kann noch Zweifel sein, wo alles stimmt nach allen Seiten?

Es ist die alte Frage und das alte Bedenken, was sich hier gegen unsre Zukunft erhebt, gleichgültig übrigens, ob wir dabei an unser Zergehen in einem Geist und Leib des Irdischen oder in Gott denken wollen, denn indem wir im einen zergehen, zergehen wir im andern.

So drohend aber schwebt die Frage und das Bedenken über unsern Häuptern, und so in eins verflochten ist das Geschick des Menschen und der Erde, daß es in Wahrheit nur ein traurig halbes Werk wäre, wollten wir nicht, nachdem wir die Seele der Erde zu retten gesucht, nun auch des Menschen Seele jenem Bedenken gegenüber zu retten suchen.

Und gerade das, was andern so bedenklich dünkt, soll sie uns retten. Daß der Menschengeist Erzeugnis und Moment eines höhern Geistes sei, scheint vielen die Gefahr zu bringen. Für uns aber hängt gerade daran, daß er in einem Höhern und Höchsten sei und bleibe, alle Sicherheit. Wenn die Menschenseele nicht schon jetzt im Schoße eines selbstlebendigen Geiste getragen wird, und der Menschenleib einem selbstlebendigen Leibe angehört; so weiß ich in der Tat nicht, wo Platz und Sitz für das künftige Leben des Menschen sein soll, nachdem er seine jetzige Daseinsweise aufgegeben; der Tod entzieht ihm, dem nur auf den eigenen Lebensquell Gewiesenen, dann mit den Bedingungen des bisherigen Lebens die Bedingungen des ganzen Lebens; ist aber die Erde und in weiterm Sinne die Welt um uns lebendig, sind wir schon jetzt Teilhaber ihres Lebens, ohne darin zu verschwimmen, uns darin zu verlieren, so erscheint alsbald der Tod nur wie der Durchbruch aus einer niedern engern in eine höhere weitere Lebenssphäre des Geistes und Leibes, dessen Glieder wir schon sind, und unser enges niederes Leben diesseits selbst nur wie das Samenkorn des höhern weitern jenseits. Nun freilich, wenn der Samen birst, so breitet sich die Pflanze aus= einander; das Pflänzchen meint im Augenblicke, es zergeht, nachdem es erst so lange im Samenkorne eng gefaltet lag; doch wie, zergeht's denn wirklich und verfließt mit andern Pflanzen? Vielmehr gewinnt es eine neue Welt.

Was so viele irrt, ist eine untriftige Analogie. Sofern die Menschengeister Erzeugnisse eines höhern Geistes, wie unsre Gedanken des unsern, soll nun auch der Tod zu vergleichen sein mit einer Zurück= nahme dieser Gedanken ins Unbewußtsein, wie die Geburt mit einem Hervortreten derselben aus dem Unbewußtsein dieses Geistes. Ich meine aber, dazwischen ist nichts gleich.

Gedanken spinnen sich fort an Gedanken; einer verfließt allmählich in den andern; damit einer komme, muß ein andrer gehen, und wie er geht, so kommt aus ihm der andre; und wie der Gedanke geistig, ver= fließt die leibliche Regung, die ihn tragen mag, in die des folgenden Gedankens. Da bricht nichts plötzlich ab. Ein ruhig Gehen ist's, ein Fortgeschehen.

Aber der Tod ist ein plötzlich Wesen, schroff abschneidend einen frühern Zustand, abbrechend, nicht schlagend eine Brücke zu verwandten Wesen, nicht fortspinnend deinen geistigen Faden, sondern kurz abreißend, den Leib dazu zerbrechend, schroff mit einem Male. Aus ist der alte Zustand. Das ist alles. Wenigstens so scheint es.

Nicht anders schroff als mit dem Tode ist es mit der Geburt. Tritt nicht jeder Menschengeist als ein eigentümlich neues, in seiner Art unzuberechnendes Ereignis in die Geisterwelt, als neuer Anfang, zum Teil wohl als ein Abdruck früherer Geister, aber nicht daraus fort= gesponnen? Ein jeder Geist ist wie ein neues Wunder. Nun spinnt die alte Geisterwelt sich erst hinein mit ihrem alten Wissen, Glauben; doch sind die alten Geister nicht der Stoff, aus dem der neue kam. Des Vaters und der Mutter Geist sind freilich als Anlaß zur Entstehung nötig, als Werkzeug, wenn du willst, in eines Größern Hand; doch gehen nicht über in des Kindes Geist, noch erlöschen, wie des Kindes Geist erwacht. Es hängt überhaupt gar nicht unmittelbar wie Ursach und Folge, vielmehr nur fern in einer höhern Ordnung zusammen, daß Geister kommen, Geister gehen, indes es unmittelbar wie Ursach und Folge zusammenhängt, daß Gedanken gehen, wie andere entstehen, denn die alten gehen nur, indem sie in die neuen übergehen.

So paßt das Bild nach allen Seiten wenig; aber ein anderes steht zu Gebote, freilich auch nur ein Bild, und das deshalb nicht allwegs passen kann. Aber wenn es auch nur um ein Weniges besser paßte als jenes, warum von jenem die Hoffnung auf ein Jenseits sich noch verkümmern lassen, als gäbe es keinen Ausweg? In der Tat aber paßt das, was wir bringen, mehr.

Schlag' deine Augen auf, plötzlich fällt ein Bild darein, aus nichts erklärlich, was bisher in deinem Geiste war, ein neuer Anfang, aus dem vieles werden kann; was kann sich nicht durch das neue Bild in deinem Geiste alles entwickeln; wie kann es neu aufrühren deine ganze innere Welt, nicht anders als ein neugeborener Mensch die ganze äußere Welt. In gewisser Beziehung zwar wird es immer ein Abdruck schon gehabter Bilder sein, wie jeder neu geborene Mensch in gewisser Beziehung nur frühere wiederholt, doch ist's ein neuer Abdruck, ist kein Fortgespinst der alten, und gleicht nie ganz den frühern. Dein beseelter Leib muß Säfte, Kräfte und Empfindung hergeben, das Bild in seinem Schoße leiblich geistig zu gestalten und zu erhalten, nicht anders als der Leib der Erde Säfte, Kräfte und Empfindung hergeben muß, um einen neuen Menschen in seinem Schoße zu gestalten und zu erhalten. Du für dich allein vermöcht'st es freilich nicht, das Bild in dir zu schaffen; die Welt die dich umfängt, die wirft ihr Bild in dich; und so vermöchte die Erde für sich allein nicht einen Menschen zu schaffen; Gott, der sie umfängt, der wirft sein Bild in sie. Denn nicht bloß ist der Mensch ein Sproß und Bild der Erde, er ist ein Sproß und Bild der ganzen gottbeseelten

Welt, obwohl zunächst der Erde. Du schauſt dich ſelbſt auch mit in
jedem neuen Bilde, ſo ſchaut die Erde ſich in jedem neuen Kinde. Das
neue Bild in dir iſt wie ein neues Kind auf Erden, ein neues Erden-
kind iſt wie ein neues Bild in dir. Nur daß du freilich als ein Kind
der Erde mehr biſt und mehr bedeuteſt als ein Bild in dir, weil auch
die irdiſche Welt, in die du trittſt als Kind, mehr iſt und mehr bedeutet
als die, in die das Bild tritt.

Ich meine in Wahrheit, des Menſchen erſtes leiblich geiſtiges Werden,
Eintreten ins große leiblich geiſtige Reich der irdiſchen Welt durch Gottes
ſchöpferiſches Walten, womit begonnen iſt eine neue, durch nichts im
ſelben Reich erklärte Reihe von Geſchicken darin, gleicht viel mehr ſolch
erſtem Werden, Eintreten eines neuen leiblich geiſtigen Bildes in dein
kleines Reich des Leibes und des Geiſtes, womit auch begonnen iſt eine
neue, durch nichts im ſelben Reich erklärte Reihe von Geſchicken darin,
als jenes Hervorfließen eines Gedankens aus dem andern. Auch mag
der Umſtand ſich gar wohl vergleichen, daß das Bild in dir wie das
Kind auf Erden damit beginnt, etwas rein Sinnliches zu ſein, doch tritt's
alsbald in höhere geiſtige Bezüge; Erinnerungen, Begriffe, Ideen ergreifen
und begeiſten es alsbald in höherm Sinne. Der Anfang nur iſt bloße
Sinnlichkeit, die Folge mehr.

Doch womit vergleichen wir das Sterben?

Schlag' zu dein Auge! Auf einmal erblaßt das Bild, das helle,
warme, iſt plötzlich hin, geht in kein andres über; die Säfte und Kräfte,
die ſich von allen Seiten ins Auge zuſammengedrängt, das Bild zum
Träger von Empfindung zu geſtalten, verfließen kurzweg wieder in den
allgemeinen Leib. Wer kann noch etwas vom Bilde im ganzen Leibe
wiederfinden? Es iſt alles aus. So iſt dein Tod, gleich plötzlich,
ſchlagend, abbrechend, wie der Augenzuſchlag. Die Nacht des Todes
zieht mit einem Male einen Schleier vor die ganze Anſchauung, die der
höhere Geiſt durch dich bisher gewonnen; ſie ſchwindet, die helle, warme,
und wie das individuell geſtaltete leibliche Bild in deinem Auge wieder
verfließt in den größern Leib, der es erſt geboren, ſo dein individuell
geſtalteter Leib wieder in den größern Leib der Erde, der erſt Säfte
und Kräfte dazu gegeben.

So wahr es aus iſt bei dem Augenzuſchlag im Leben mit dem
Bilde, ſo wahr wird's bei dem Augenzuſchlag im Tode aus ſein mit
dir. So wahr; ja ſicher; aber auch nicht wahrer. Und wirſt du an
dein künftig Leben glauben, wenn hinter dem Leben jenes Bildes noch
ein zweites hervorbricht, ein höheres, ein freieres, ein ſchrankenloſeres,

ein leibloferes oder freier leibliches, all' wie du's wollteft von deinem
künftigen Leben? Was gefchieht am Bild in dir, warum foll das nicht
gefchehen können an dir in einem Größeren denn du; gefcheh's nur auch
in einem größern Sinne?

Wenn ich das Auge fchließe, und das finnliche Bild erlifcht, erwacht
dann nicht ftatt feiner das geiftigere der Erinnerung? Und wenn mich
vorher der gegenwärtige Moment. der Anfchauung ganz befing, ich fah
zwar alles hell und ftarf, doch immer nur, was eben da und wie fich's
eben aufdrang, fo fängt jetzt die Erinnerung alles deffen, was die Dauer
meiner Anfchauung umfaßte, im einzelnen wohl weniger hell, im ganzen
lebendiger und reicher, felbftkräftig an, in mir zu leben und zu weben
und zu verkehren mit allem andern, was durch frühere Anfchauungen
und andere Sinne erinnernd in mich eingegangen ift.

Wenn ich nun das Auge im Tode fchließe, und mein finnliches
Anfchauungsleben erlifcht, wird dann nicht auch ftatt feiner ein Erinnerungs=
leben im höhern Geift dafür erwachen können? Und wenn er durch
mich im Anfchauungsleben alles hell und ftark fah, doch immer nur,
was eben da war, und wie fich's eben aufdrang, wird nicht jetzt auch
die Erinnerung alles deffen, was mein Anfchauungsleben umfaßte,
im einzelnen wohl weniger hell, im ganzen lebendiger und reicher,
felbftkräftig anfangen zu leben und zu weben, und in Beziehung und
Verkehr zu treten mit den Erinnerungskreifen, die er durch den Tod
andrer Menfchen gewonnen? So wahr aber mein Anfchauungsleben
das eines felbftändig in ihm fich fühlenden und unterfcheidenden
Wefens war, fo wahr wird es auch noch das Erinnerungsleben fein
müffen.

Denn vergeffen wir im Gebrauche der Analogie nur nicht die
Unterfchiede, die daran hängen, daß wir doch fchon im Anfchauungsleben
des höhern Geiftes etwas fehr andres find, als unfere Anfchauungen in
uns, und der höhere Geift felbft etwas Höheres als wir. Aus dem
Ungleichen aber folgt eben fo Ungleiches, wie aus dem Gleichen Gleiches.
Unfre Erinnerungen find nur unfelbftändige Wefen, getrieben von dem
Strome und wieder darin treibend, ohne um fich felbft und das zu
wiffen, was fie treiben. Aber deshalb wird nicht von dir dereinft das=
felbe gelten. Denn da du fchon hier felbftändig, um das wiffend bift,
was dich treibt und was du treibft, fo wird es auch in deinem Erinne-
rungsdafein der Fall fein. Erinnerung bift du nur, fofern du geiftig
hinterbleibft nach Zerftörung deiner jetzigen finnlichen Exiftenz, doch mehr
als Erinnerung, fofern fchon das, aus dem du geiftig hinterbleibft, mehr

ift, als das, woraus Erinnerung hinterbleibt. Auch unſre Erinnerung
ſpiegelt die weſentlichen Eigentümlichkeiten deſſen, woraus ſie erwuchs.
So die Erinnerung, die aus dir im höhern Geiſt erwächſt. Dein
Eigentümlichſtes, deine Individualität, kann dabei nicht verloren gehen,
auch ſie beſteht noch im Erinnern fort. Wäre das empfundene Bild in
dir ſchon ſelbſtändig, ſelbſtbewußt in demſelben Sinne, als du es hienieden
biſt, ſo würde auch ſeine Erinnerung in dir es ſein. Und ſo gilt es
auch ſonſt überall, die Seite der Unterſchiede neben der Seite der Übereinſtimmung ins Auge zu faſſen, und nicht, was ſchwach und kümmerlich
und eng in dir, auch eben ſo im größern Geiſt zu ſuchen. Denke dir
vielmehr da alles unſagbar weit und groß und hoch und reich und
kräftig und frei und auseinandergehalten, ſo wirſt du der Sache genug
tun, und deine Hoffnungen werden gut fahren.

So kann mein enger Geiſt natürlich nicht ſo viel Erinnerungen oder
Erinnerungsgebiete auf einmal zugleich im Bewußtſein unterſchieden
tragen, als der größere Geiſt, weil er auch nicht ſo viel Anſchauungen
oder Anſchauungsgebiete auf einmal zugleich im Bewußtſein unterſchieden
tragen kann. So wie ſich alſo die Erinnerungen in meinem Geiſte verdrängen und immer nur nach einander im Bewußtſein auftauchen, wird
es nicht im höhern Geiſte ſein, weil es nicht mit den Anſchauungen ſo
iſt; ſo gut in tauſend verſchiedenen Menſchen tauſend verſchiedene Anſchauungsgebiete klar und ſelbſtändig neben einander in ihm beſtehen, ſo
gut auch tauſend Erinnerungsgebiete mit einander. Da wird nicht immer
eins, um ins Bewußtſein zu treten, zu warten brauchen, daß das andre
im Bewußtſein des höhern Geiſtes erlöſche, weil ſchon ein Anſchauungs-
gebiet nicht darauf wartet, ins Bewußtſein zu treten, daß das andre im
Bewußtſein des höhern Geiſtes erlöſche.

Du haſt überhaupt bloß zwei Augen zuzuſchlagen, und ſind ſie zu,
iſt alles für deine Anſchauung zu, bis du ſie wieder öffneſt; damit
hilfſt du dir, um neue Anſchauungen zu gewinnen; er hat die Augen
aller Menſchen zuzuſchlagen, behält noch tauſend offen, wenn er tauſend
zuſchlägt, und ſtatt die im Tode zugeſchlagenen je wieder zu öffnen,
ſchlägt er tauſend neue dafür auf an andern Orten, ſo hilft er
ſich, und gewinnt dadurch in viel höherm Sinne immer neue Anſchauungen denn du, indes er zugleich die Erinnerungen der frühern verarbeitet im Verkehr der jenſeitigen Geiſter. Ein jedes neue Menſchen-
augenpaar iſt ihm ein neues Eimerpaar, womit er Beſondres ſchöpft in
beſonderer Weiſe, ſogar aus Altem ſchöpft in neuer Weiſe; du biſt ſelbſt
bloß ein Träger eines ſolchen Eimerpaares in ſeinen Dienſten; haſt du

genug geschöpft für ihn, so heißt er es dich heimtragen, tut den Deckel
außen auf die Eimer, um ja nichts zu verschütten und öffnet sie im
Innern seines Hauses; nun gilt es, das Geschöpfte weiter zu verbrauchen.
Aber nicht entläßt er dich den Diener. Der du es heimgetragen hast,
mußt nun dessen auch im Innern walten; denn draußen braucht er dich
nicht mehr; doch drinnen bist du ihm nun nütze, das weiter zu verarbeiten, was du hast geschöpft. Da stehen tausend Arbeiter, die wie du
das Ihrige ihm heimgetragen, und arbeiten sich in die Hände in dem
Hause desselben Geistes; erst jetzt recht wissend, was es gilt. Wie viel
näher kommen sie sich jetzt, da sie die vollen Eimer von allen Seiten
zusammentragen, als da sie zum Schöpfen sie nach allen Seiten aus-
trugen, und immer einzeln einer nur dem andern begegnete, und sie
fragten sich, woher, wohin, und irrten um die noch verschlossene Tür
des Hauses, die sich erst im Tode auftut. Was ist nun dein Lohn?
Wie gütig ist der Herr! All was du heimgetragen und was du damit
schaffst am Werke des höhern Geistes, ist dein Lohn; er behält nichts
für sich allein, er teilt es so mit dir, daß er es ganz hat und du hast
es ganz, weil du selber bist ganz sein. Nun sorge, daß du ihm Gutes
heimträgst; du trägst es dir heim.

Doch verlieren wir uns nicht aus einem Bilde ins andere, sondern
fassen noch Einiges ins Auge, worin das Bild, das bisher unsren
Betrachtungen untergelegen, teils nicht zu treffen scheint, teils wirklich
nicht trifft.

Erinnerung in uns erscheint in gewisser Weise bloß als ein entwickelungsloser Nachklang der Anschauung, welcher nichts mehr zu dem
gewinnen kann, was in der Anschauung ein- für allemal gegeben ist.
Soll unser künftig Leben auch nichts sein als solch entwickelungsloser
Nachhall des jetzigen? Aber Erinnerung kann nur in sofern sich nicht
weiter entwickeln, als es die Anschauung nicht tut; doch wir entwickeln
uns schon hier; so wird auch unsre Erinnerung sich entwickeln; sie nimmt
die Kräfte dessen mit, woraus sie ist geboren. Und doch, wer sagt, daß
unsre Anschauungen und Erinnerungen sich nicht entwickeln? Vielmehr
was entwickelt sich nicht alles in uns aus unsern Anschauungen und
folgweis Erinnerungen? Der Mensch wird als sinnliches Anschauungs-
wesen geboren und schließt als höheres Ideenwesen. Ideen aber tragen
den Keim ihrer Fortentwickelung in sich selbst. Du wirst also auch,
weil du nicht bloß Anschauungen, sondern Ideen hinübernimmst in die
andre Welt, auch deine Ideenwelt dort fortentwickeln.

Viel einzelnes, was wir gesehen, tritt gar nicht besonders wieder in unsre Erinnerung, nur dies und das, sei's auch, daß alles beiträgt, unser Seelenleben im ganzen fortzubilden, denn nichts ist ohne Nachwirkung in uns. Werden also etwa viele Menschen auch gar nicht im Erinnerungsreiche des höhern Geistes besonders wieder auf= treten; nur diese und jene, die andern nur im allgemeinen beitragen, das Leben des höhern Geistes fortzubilden? So wären auch wir wieder zum Verschwimmen der Geister zurückgelangt. Aber nur darum treten viele Anschauungen in uns nicht besonders wieder in die Erinnerung, weil sie schon als Anschauungen nichts so besondres sind als wir, unser ganzes Anschauungsleben vielmehr ein Fluß ist. Eines jeden Anschauungsleben aber bildet seinen besondern Fluß, und so wird auch eines jeden Erinnerungsleben seinen besondern Fluß bilden und die verschiedenen Flüsse der Erinnerung werden so wenig in einen zusammenfließen wie die der Anschauung. Auch das hängt zusammen mit der Höhe und Weite des Geistes über uns. Er ist ein Strom= gebiet, indes ein jeder von uns nur ein Strom, im Anschauen so wie im Erinnern.

Was wenig trifft im Bilde einzelner Anschauungen desselben Sinnes= reiches, wird auch gleich treffender im Bilde ganzer Sinnesreiche, weil dies der Sache selber uns mehr nähert. Mag viel des einzelnen Gesehenen und Gehörten in der Erinnerung verschwimmen, so verschwimmen doch die ganzen Erinnerungsreiche des Sehens, Hörens in uns nicht eben so in einander, weil schon die Sinnesreiche des Sehens, Hörens selbst mehr als besondere Ströme fließen, denn die Wellen des einzelnen Gesehenen, Gehörten darin. Nun aber um so mehr und in noch höherm Sinne als die verschiedenen Sinnesreiche eines Menschen, sind die ganzen Sinnesreiche verschiedener Menschen als verschiedene Ströme zu betrachten. Mag also auch viel einzelnes, was uns in unserm diesseitigen Sinnesleben begegnet, in unserm jenseitigen Erinnerungsleben nicht wieder besonders auftauchen, mag es mit anderm verflossen nur ein gemeinschaftlich Resultat in unserm Geiste geben, doch sicher taucht ein besonderes Erinnerungsleben in Bezug zu eines jeden ganzem Sinnesleben im höhern Geiste wieder auf und verfließt mit dem von andern Menschen nicht.

Der Vergleich der verschiedenen Menschen mit ganzen Sinnessphären des höhern Wesens trifft überhaupt nach manchen Beziehungen besser als der Vergleich derselben bloß mit Bildern derselben Sinnessphäre, doch ist der letzte Vergleich nicht nur oft handlicher, sondern trifft auch seinerseits nach andern Beziehungen besser, teils in Betracht der großen Menge und räumlichen Verhältnisbeziehungen der Menschen, die sich in der Menge und den räumlichen Verhältnissen der Anschauungsbilder wiederspiegeln, teils der Artübereinstimmung der Menschen, die sich in der Artüberein= stimmung der Anschauungen desselben Sinnes wiederspiegelt, indes sich jedoch die reale Gegenüberstellung der Menschen nicht so darin wieder=

spiegelt.*) Hier eben fängt die andre Wendung des Vergleichs an triftiger zu werden. Man wird daher bald die eine, bald die andre Wendung vor= ziehen dürfen, je nachdem es der Gesichtspunkt des Vergleiches selbst mit sich bringt, oder, wenn man sich vorzugsweise nur an eine Wendung halten will, wie von uns geschieht, das Prinzip des Schlusses vom Ungleichen auf's Ungleiche (Bd. II. S. 104 f.) bei Auslegung des Bildes gehörig zuzuziehen haben, indem man sich zu erinnern hat, daß ohne dessen Hilfe überhaupt kein Bild, keine Analogie triftig auslegbar und verfolgbar, indes man mit Hilfe desselben auch von an sich nur halb treffenden Analogien wohl Gebrauch machen kann.

Meine Erinnerung ist schwach, ist blaß, gehalten gegen die An= schauung. Wird so mein künftig Leben auch sein gegen das jetzige, da der höhere Geist mich nach dem Anschauungsleben erinnernd in sich auf= nimmt? Aber ist es nicht ein andres, ob ich schwacher Mensch bloß die oberflächliche Anschauung meines Auges erinnernd in mich aufnehme, oder ob ein höheres Wesen meinen ganzen vollen Menschen in sich auf= nimmt; das wird auch einen ganz andern vollern Nachklang geben, und ich werde dieser Nachklang sein. Also miß nicht nach der Schwäche deiner jetzigen Erinnerung die Schwäche deines einstigen Erinnerungs= lebens.

Das Massive, Handgreifliche deines jetzigen Lebens mag freilich künftig schwinden, dein Leib nicht mehr mit Händen zu fassen sein, nicht mehr mit schweren Füßen gehen, nicht mehr Lasten tragen und bewegen können, wie hier; all das liegt im Grab, liegt hinter dir; in all dem mag dein künftig Leben wirklich machtloser und kraftloser sein als dein jetziges. Denn unstreitig wird sich das Verhältnis sinnlicher Abschwächung, was zwischen Anschauungen und Erinnerungen in uns besteht, auch zwischen unserm Anschauungsleben und Erinnerungsleben im höhern Geiste wiederspiegeln; die Analogie wird keinen Bruch erleiden; und so mag unser künftiges Erinnerungsleben überhaupt leicht, licht, luftig, äußerlich unfaßlich gegen unser jetziges schweres, dickes, sattes, mit groben Sinnen ergreifliches und nur mit solchen Sinnen ergreifliches Leben erscheinen; statt schwerer anschaulicher Leibesgestalten mögen leichte freier bewegliche Erinnerungsgestalten im Haupt des höhern Geistes wandeln; wir kommen darauf künftig. Nun aber gilt es nicht bloß, diese sinnliche Abschwächung unsres künftigen Erinnerungslebens gegen unser

---

*) Die reale Gegenüberstellung der Wesen steht mit der Artübereinstimmung derselben nicht in Widerspruch. Zwei Flüsse von gleichgeartetem Wasser können sich doch in Realität mehr als etwas Besonderes gegenüberstehen, als eine Welle von Wein und Wasser in demselben Flusse.

jetziges Anschauungsleben, sondern auch die Steigerung unsres künftigen Erinnerungslebens gegen unser jetziges Erinnerungsleben in Betracht zu ziehen, eine Steigerung, die mit jener Schwächung selbst zusammenhängt.

In der Tat derselbe Umstand, der unser bisheriges Anschauungs= leben im Tode blaß, kraft= und farblos werden läßt, ist es, der unser bisher blasses, kraft= und farbloses, undeutliches Erinnerungsleben fortan hell, kräftig, lebendig farbig, voll, bestimmt machen wird, die Aufhebung unsres diesseitigen Anschauungslebens nämlich in das jenseitige Erinne= rungsleben selbst. Das Anschauungsleben geht im Tode nicht unter, vielmehr es geht auf, wird aufgehoben in ein höheres Leben, wie das Leben der Raupe, der Puppe nicht untergeht, wenn der Schmetterling hervorkommt, sondern im Schmetterling · selber nur zu einer höhern, freiern lichtern Form erhoben wird. Als Raupen=Puppenleben besteht es freilich nicht mehr. Direkte Betrachtungen knüpfen sich hier an analogische.

Sieh zu, schon jetzt, je fester sich einmal alle meine Sinne schließen vor dem Äußern, je mehr ich mich zurückziehe in die Verdunkelung des Äußern, so wacher, heller wird das Erinnerungsleben, das längst Ver= gessene fällt mir wieder ein. Der Tod tut aber nichts anders, als die Sinne ganz fest, auf immer schließen, so daß auch die Möglichkeit des Wiedereröffnens erlischt. So tief ist kein Augenschluß im Leben, so hell kann auch kein Erwachen von Erinnerungen sein, als es im Tode sein wird. Was der Augenschluß im Leben nur vorübergehend, oberflächlich tut für einen Sinn, für einen kurzen Tag, das tut der letzte tiefste Augenschluß für die Gesamtheit deiner Sinne und in Bezug zu deinem ganzen Leib und Leben, tut's mit dir in Bezug zu einem höhern Geist und Leibe, indes der Augenschluß im Leben es nur getan mit dem Bild im Auge zu dir. Alle Kraft, die sich zwischen deinem diesseitigen Anschauungsleben und Erinnerungsleben teilt, fällt im Jenseits deinem Erinnerungsleben allein zu, denn nur eben darum ist dein jetziges Erinnerungsleben so schwach, weil das Anschauungsleben hienieden den größten Teil der Kraft, die auf dich vom höhern Geist verwandt wird, in Anspruch nimmt. Wenn aber die diesseitige Anschauung ganz tot, ja wenn eine neue ganz unmöglich geworden ist, wird jede alte in Erinnerung wieder möglich werden. Ein volles Erinnern an das alte Leben wird beginnen, wenn das ganze alte Leben hinten liegt, und alles Erinnern innerhalb des alten Lebens selber ist bloß ein kleiner Vor= begriff davon.

Was wir jetzt in Erinnerungen und höhern Bezügen derselben leben,

ist gleichsam nur ein leichter Hauch, der sich über unser jetziges Anschauungsleben erhebt, wie ein leiser Dampf unsichtbar über dem
erzeugenden Wasser schwebt, als Vorläufer in dasselbe Himmelsblau,
wohin zuletzt das ganze Wasser will. Vernichte, zerstöre aber das
Wasser, jage es in alle Lüfte, denn freilich wahrhaft vernichten, zerstören
kannst du es so wenig, als einen Menschen, indes scheinbar eben so gut,
mit einem Worte verwandle es ganz in Dampf, wie ungeheuer viel
ausgedehntere mächtigere Wirkungen wird dieser Dampf erzeugen können,
in den das ganze Wasser sich unsichtbar erhoben hat, als der sich erst
nur vorbedeutend von seiner Oberfläche hob, ja wie viel ausgedehntere,
mannigfaltigere, im einzelnen unmerklichere, im ganzen mächtigere
Wirkungen als das Wasser selbst, das sich darein gewandelt. In Wolken,
Morgenrot und Abendrot, Regen, Donner, Blitz, kann es in seinem neuen
höhern, freiern, lichtern, leichtern, klarern Zustande nun die wichtigste
Rolle im Haushalte der Natur spielen, indeß du wohl gar töricht meinst,
es sei dahin, weil du es nicht mehr mit Händen greifen, noch in ein
besondres Glas schöpfen kannst.

Vergleichen wir nur auch hiebei nicht, was nicht vergleichbar ist. Die
Dämpfe des Wassers sind ein gleichförmig Wesen; aber das Wasser ist es
schon, wie sollte es nicht der Dampf sein? Der Mensch hienieden ist kein
gleichförmig Wesen, wie sollte es das sein, was aus ihm kommt? Der
Dampf, der aus dem Wasser kommt, verfließt alsbald mit dem Dampf von
allem andern Wasser. Doch schon das Wasser selbst, woher der Dampf
kommt, verfließt mit anderm Wasser, das man dazu bringt; ist nichts
Individuelles. Der Mensch, aus dem der jenseitige Geist kommt, verfließt
aber nicht so mit andern Menschen, die man dazu bringt, bleibt unter allen
Einwirkungen, die ihm begegnen mögen, ein Individuelles. Was also schon
im Grunde ungleich, davon erwarte auch wieder die entsprechend ungleiche
Folge. Daß aber die Dämpfe sich leichter und freier begegnen als die
Wässer, daß sie einen gemeinsamen Spielraum der Tätigkeit über den Wässern
haben, die Wässer speisen, wie sie von ihnen gespeist werden; von all dem
werden wir das Entsprechende in den Verhältnissen des Jenseits und des
Diesseits im Fortschritt der Betrachtung wiederfinden.

Unstreitig aber können solche fern liegenden Bilder überhaupt nur zur
nebensächlichen Erläuterung dienen.

So denke dir also, daß nach dem letzten Augenschluß, der gänzlichen
Abtötung aller diesseitigen Anschauung und Sinnesempfindung überhaupt, die der höhere Geist bisher durch dich gewonnen, nicht bloß die
Erinnerungen an den letzten Tag erwachen, sondern teils die Erinnerungen, teils die Fähigkeit zu Erinnerungen an dein ganzes Leben,
lebendiger, zusammenhängender, umfassender, heller, klarer, überschaulicher,

als je Erinnerungen erwachten, da du immer noch halb in Sinnes-
banden gefangen lagst; denn so sehr dein enger Leib das Mittel war,
diesseitige Sinnesanschauungen zu schöpfen und irdisch zu verarbeiten, so
sehr war er das Mittel, dich an dies Geschäft zu binden. Nun ist aus
das Schöpfen, Sammeln, Umbilden im Sinne des Diesseits; der heim-
getragene Eimer öffnet sich, du gewinnst, und in dir tut's der höhere
Geist, auf einmal allen Reichtum, den du nach und nach hineingetan.
Ein geistiger Zusammenhang und Abklang alles dessen, was du je
getan, gesehen, gedacht, errungen in deinem ganzen irdischen Leben
wird nun in dir wach und helle, wohl dir, wenn du dich dessen freuen
kannst. Mit solchem Lichtwerden deines ganzen Geistesbaues wirst du
geboren ins neue Leben, um mit hellerm Bewußtsein fortan zu arbeiten
an dem höhern Geistesbau.

Schon im Jetztleben sollte jeder Mensch beim Schlafengehen und
beim Erwachen, wenn alles um ihn dunkel, sich innerlich besinnen,
was er Rechts und Schlechts getan an dem vergangenen Tage, was
fortzuführen, was zu lassen an dem folgenden. Doch wie viele tun's.
Nun aber der Tod, in eins Einschlafen für das bisherige und Erwachen
zum neuen Leben, drängt uns unwillkürlich, wir mögen wollen oder
nicht, die Erinnerung nicht nur an einen Tag, sondern an den ganzen
Kreis unsers bisherigen Lebens, und den Gedanken, was nun im neuen
Leben fortzuführen und zu lassen, auf; und Mächte, die hier bloß
dunkel mahnend auftraten, werden dann laut und zwingend aufzutreten
anfangen.

Nicht zwar, daß es im Jenseits bloß bei der Erinnerung des Diesseits bleiben sollte. Im Gegenteil, das Jenseits wird auch seine Fortentwickelung haben. Wir haben es schon gesagt. Aber die Erinnerung
des Diesseits wird es doch zunächst nur sein, durch welche der Tod
unsern bewußten Teil ins Jenseits rettet, und worin wir die Unterlage für unsere Fortentwickelung im neuen Leben finden; damit heben
wir doch an. Die Erinnerung des alten Lebens bildet jedenfalls den
Ausgangspunkt des neuen Lebens; doch bietet sich nun weitrer Fortbestimmung dar.

Erinnerung selbst ist aber hierbei in weiterm Sinn zu fassen. Mit
der Erinnerung zugleich, was man in engerm Sinn so nennt, wird alles
das ins Jenseits aufgehoben werden, was sich des Höheren auf Grund
von Erinnerungen schon hienieden in uns aufgebaut hat, samt den
höher bauenden Vermögen selbst. Und all' das wird zugleich im selben
Verhältnis mit den Erinnerungen lichter, klarer werden. So ist's ja

auch, wenn wir das Aug' im Leben zeitweis vor dem Äußern schließen.
Da fängt die Überlegung, Einsicht, der höhere Gedanke, die Phantasie,
der Vorblick erst recht lebendig in uns an zu spielen. Wie viel mehr
wird es der Fall sein, wenn wir's ewig schließen. So rechnen wir denn
auch in unser Erinnerungsleben all dies Höhere gleich mit ein; der
Ausdruck bleibt nur immer gut geeignet, das Verhältnis dieses ganzen
höhern Lebens, dessen ersten Stoff und Unterlage die Erinnerungen des
alten bilden, zum alten Leben selber gegenwärtig zu erhalten, und dies
läßt uns ihn künftig ferner brauchen.

Manche sind, die glauben wohl an ein künftig Leben, nur gerade,
daß die Erinnerung des jetzigen hinüber reichen werde, wollen sie nicht
glauben. Der Mensch werde neu gemacht, und finde sich ein anderer
im neuen Leben, der wisse nichts mehr von dem frühern Menschen.
Sie brechen damit selbst die Brücke ab, die zwischen Diesseits und
Jenseits überleitet und werfen eine dunkle Wolke zwischen. Statt daß
nach uns der Mensch mit dem Tode sich ganz und vollständig wieder
gewinnen soll, ja so vollständig, als er sich niemals im Leben hatte,
lassen sie ihn sich ganz verlieren; der Hauch, der aus dem Wasser steigt,
statt den künftigen Zustand des ganzen Wassers vorzubedeuten, und das
endlich schwindende ganz in sich aufzuheben, verschwindet ihnen mit dem
Wasser zugleich. Nun soll es plötzlich als neues Wasser in einer neuen
Welt da sein. Allein wie ward es so? Wie kam's dahin? Die Antwort
bleiben sie uns schuldig. So bleibt man auch gar leicht den Glauben
daran schuldig.

Was ist der Grund von solcher Ansicht? Weil keine Erinnerungen
aus einem frühern Leben ins jetzige hinüberreichen, sei auch nicht zu
erwarten, daß solche aus dem jetzigen ins folgende hinüberreichen werden.
Aber hören wir doch auf, Gleiches aus Ungleichem zu folgern. Das
Leben vor der Geburt hatte noch keine Erinnerungen, ja kein Erinnerungsvermögen in sich, wie sollten Erinnerungen davon in das jetzige
Leben reichen; das jetzige hat Erinnerungen und ein Erinnerungsvermögen
in sich entwickelt, wie sollten Erinnerungen nicht in das künftige Leben
reichen, ja sich nicht steigern, wenn wir doch im künftigen Leben eine
Steigerung dessen zu erwarten haben, was sich im Übergange vom
vorigen zum jetzigen Leben gesteigert hat. Wohl wird der Tod als
zweite Geburt in ein neues Leben zu fassen sein; wir wollen selbst die
Gleichungspunkte noch verfolgen; aber kann darum alles gleich sein
zwischen Geburt und Tod? Nichts ist doch sonst ganz gleich zwischen
zwei Dingen. Der Tod ist eine zweite Geburt, indes die Geburt eine

erfte. Und foll uns die zweite zurückwerfen auf den Punkt der erften, nicht vielmehr von neuem Anlauf auf uns weiter führen? Und muß der Abfchnitt zwifchen zwei Leben notwendig ein Schnitt fein? Kann er nicht auch darin beftehen, daß das Enge fich plötzlich ausdehnt in das Weite?

———

Nach all' dem warum noch ängftlich auf das Zergehen des Leibes im Tode blicken, als fei es damit um dich getan? Braucht auch die geiftige Erinnerung in dir noch dasfelbe eng umfchriebene leibliche Bild zum verkörperten Träger wie die finnliche Anfchauung, ja kann fie bei ihrer größern Freiheit folche enge Unterlage behalten? Warum foll der höhere Geift für dein künftig geiftiges Erinnerungsleben noch eben fo diefelbe enge fefte leibliche Geftalt zur Verkörperung brauchen, die er für dein finnlich Anfchauungsleben brauchte, ja wie könnte er fie dazu brauchen, wenn dein künftig Leben auch um fo viel freier als dein jetziges fein foll? Haft du nicht immer gefprochen von einem Abtun der Bande der Leiblich= keit im Jenfeits? Du fiehft ein folches fchon im Kleinen innerhalb deiner felbft vorgefpiegelt, ohne daß das Geiftige, das an dem Leiblichen haftet, verloren geht; warum nicht das Entfprechende nur in höherm Sinne fuchen in einem Höheren denn du, da du nicht bloß etwas Enges in deinem Leibe, fondern deinen engen Leib felbft in dem größeren Leibe zergehen fiehft? Wenn doch mit dem Zergehen des materiellen Bildes in deinem Leibe nicht auch das Geiftige des Bildes in deinem Geifte zergeht, warum foll denn mit dem Zergehen deines Leibes in dem größeren Leibe dein Geift in dem größern Geifte zergehen, warum nicht auch bloß um fo freier in ihm exiftieren?

In ähnlichem Sinne fchreibt der heilige Auguftin an Evadius:

„Ich will dir etwas erzählen, worüber du nachdenken kannft. Unfer Bruder Gennadius, uns allen bekannt, einer der berühmteften Ärzte, den wir vorzüglich liebten, der jetzt zu Karthago lebt und fich ehedem zu Rom ausgezeichnet hatte, den du felbft als einen gottesfürchtigen Mann und mit= leidsvollen Wohltäter kennft, hatte, wie er uns vor Kurzem erzählt, als Jüngling und bei aller feiner Liebe für die Armen, Zweifel, ob es wohl ein Leben nach dem Tode gebe. Da nun Gott feine Seele nicht verließ, erfchien ihm im Traume ein Jüngling, hellglänzend und würdig des Anblicks, und fprach zu ihm: folge mir. Als diefer ihm folgte, kam er zu einer Stadt, wo er zur rechten Seite Töne des lieblichften Gefanges vernahm. Da er nun gern gewußt hätte, was dies wäre, fagte der Jüngling, es feien Lobgefänge der Seligen und Heiligen. Er erwachte; der Traum entfloh, er dachte aber so weit noch nach, als man über einen Traum zu denken pflegt. In einer andern Nacht, siehe, da erschien ihm der nämliche Jüngling wieder, und fragte, ob er ihn kenne? Er antwortete, daß er ihn gut kenne, worauf der Jüngling weiter fragte, woher er ihn denn kenne? Gennadius konnte genau Antwort geben, konnte den ganzen Traum, die Gesänge der Heiligen, ohne Anstoß erzählen, weil ihm alles noch in frischem Andenken war. Dann fragte ihn der Jüngling, ob er das, was er soeben erzählt habe, im Schlafe oder wachend gesehen habe. Im Schlafe, antwortete er. Du weißt es recht gut und hast alles wohl behalten, sagte der Jüngling; es ist wahr, du hast es im Schlafe gesehen, und wisse, was du jetzt siehst, siehst du auch im Schlafe. — Jetzt sprach der lehrende Jüngling: wo ist denn nun dein Leib? Gennadius: In meiner Schlafkammer. Der Jüngling: Aber weißt du, daß deine Augen jetzt an deinen Körper gebunden zugeschlossen und untätig sind? Gennadius: Ich weiß es. Der Jüngling: Was sind denn also das für Augen, mit denen du mich siehst? Da wußte Gennadius nicht, was er antworten sollte und schwieg. Da er zögerte, erklärte ihm der Jüngling das, was er ihn mit diesen Fragen lehren wollte, und fuhr fort: Wie die Augen deines Leibes jetzt, da du im Bette liegst und schläfst, untätig und unwirksam sind, und dennoch jene Augen, mit denen du mich siehst und dies ganze Gesicht wahrnimmst, wahrhaftig sind, so wirst du auch nach dem Tode alsdann, wenn die Augen deines Leibes nicht mehr tätig sind, doch noch eine Lebenskraft zum Leben und eine Empfindungskraft zum Empfinden haben. Laß dich also in keinen Zweifel mehr ein, ob nach dem Tode ein andres Leben sei. — So ward mir, bezeugte der glaubwürdige Mann, aller Zweifel benommen. Und wer belehrte ihn wohl anders als die Vorsicht und Erbarmung Gottes?" (August. epist. 159. Edit. Antwerp. l. I. pag. 428. Hier aus Ennemoser, Geschichte der Magie. S. 140.)

Zwar du möchtest auch im Jenseits nicht ganz ohne Leib sein; nur das Grobe, Schwere möchtest du fahren lassen. Kann denn überhaupt je die Seele eines leiblichen Trägers ganz missen? Werden nicht auch meine Erinnerungen noch von etwas Leiblichem getragen? Wie könnten sie stocken, wenn die Bewegungen in meinem Gehirn stocken, in Unordnung geraten, wenn die Ordnung meines Gehirns gestört wird? Wohl werden sie von etwas Leiblichem getragen, aber was sie trägt, ist nur eben nicht mehr in ein so enges Bild gesammelt, greift frei durch dein Gehirn, ja die Träger aller Erinnerungen mögen durch einander greifen; denke dir's etwa wie Wellen im Teiche durch einander greifen, ohne sich zu stören; nur ein freierer Verkehr der Erinnerungen wird durch das einträchtige Zusammen= und Durcheinanderwirken der leiblichen Anordnungen und Bewegungen, woran sie sich heften, möglich. Aufzeigen läßt sich nichts davon in einem einzelnen begrenzten Raume. Könnte es nun nicht auch so dereinst mit unserm leiblichen Dasein sein? Wir nicht auch dereinst, ohne ganz leiblos zu werden, wie es unsere

Erinnerungen ebenso wenig sind, doch in einer freiern materiellen Existenzweise gemeinschaftlich die irdische Natur erfüllen und uns selbst darin
begegnen; also, daß wir doch verhältnismäßig des beengenden und
trennenden Leibes entkleidet erschienen? Und könnten trotz dieser Ent-
kleidung doch gestaltet erscheinen wie früher, gleich wie die Erinnerungen
an Gestaltetes noch gestaltet wie früher erscheinen, ungeachtet ihnen die
handgreiflich leibliche Gestalt von früher nicht mehr unterliegt. So
hätten wir den geistlichen Leib, von dem Paulus spricht. Künftig hiervon mehr. Aber jetzt gilt es uns noch nicht den Leib, sondern die
Seele zu retten. Genug, wenn wir sehen, daß bei Zerstörung eines
anschaulich materiellen Bildes in uns eine geistige Erinnerung davon
hinterbleibt, ja erst recht erwacht, so wird dasselbe auch bei Zerstörung
unsers anschaulichen Leibesbildes in dem größern Wesen, das uns hegt
und trägt, der Fall sein können. Und wir dürfen es uns dann nicht
irren lassen, wenn wir die neue materielle Basis, auf die sich unser
Erinnerungsleben einst stützen wird, nicht gleich recht erkennen; da wir
sie selbst für das beschränktere Erinnern in uns hienieden nicht recht
erkennen. Doch ist sie da. Sollte aber jemand überhaupt eine besondere
materielle Basis für die Erinnerungen in uns unnötig halten, und es
gibt ja deren manche, die den Geist schon hienieden nicht genug des
Leiblichen entkleiden können, so wird er sich ebenso die Frage nach einer
besondern materiellen Unterlage unsers künftigen Erinnerungslebens
ersparen können. Die allgemeine Natur ist ebenso gut noch als allgemeine
Unterlage dazu da, als das Gehirn für unsere Erinnerungen. Mag es
sich doch jeder denken, wie er will, nicht die künftige Existenz unserer
Seele wird dadurch in Frage gestellt, nur die künftige Beziehung derselben
zur Leiblichkeit, in ähnlicher Weise, als es schon jetzt der Fall.

Unstreitig kann man nicht schon vom Diesseits die Erfahrbarkeit
von Zuständen verlangen, die herbeizuführen erst in der Natur und
Bestimmung des Jenseits liegt. Indes, da die Natur nicht leicht strenge
Scheidewände setzt, läßt sich denken, daß doch mitunter schon im Diesseits
Zustände eintreten, welche denen des Jenseits erheblich ähnlicher sind,
als die gewöhnlichen, ohne freilich je zu denen des Jenseits selbst werden
zu können, so lange dies noch nicht eingetreten ist. Zumal wir doch
schon im Diesseits etwas in uns haben, was nur gesteigert und erweitert
und befreit zu werden braucht, um unser Jenseits zu geben. Wir werden
aber solche Annäherungen vorzugsweise in den Fällen suchen und finden

können, wo durch eigentümliche Veranlassungen auf Kosten der Helligkeit
des äußerlichen Sinneslebens das innere geistige Leben in ungewöhn-
lichem Grade wach und zu ungewöhnlichen Leistungen befähigt wird,
wenn zumal diese Veranlassungen nur gesteigert zu werden brauchten,
um wirklichen Tod herbeizuführen. Solche Fälle kommen wirklich vor.
Freilich bleiben sie für unsere jetzigen Verhältnisse immer abnorm, und
man muß an dem krankhaften Charakter, den sie für das Diesseits tragen,
keinen Anstoß nehmen, als könnten sie deshalb keinen Anklang an das
künftige Leben bedeuten. Sollte ein Hühnchen im Ei einmal die Augen
oder Ohren öffnen und etwas vom äußern Lichte durch die Schale
durchscheinen sehen oder etwas von Schall durchklingen hören, so würde
das auch krankhaft und seiner Entwickelung im Ei gewiß nicht zuträglich
sein; aber es ist doch gar nicht krankhaft, wenn es nach dem wirklichen
Durchbruche durch die Schale sich in dem Reich des Lichtes und der
Töne frei bewegt.

Zunächst einige Beispiele, durch welche sich mir einigermaßen das zu
erläutern scheint, was ich ein Lichtwerden des innern Geistesbaues mit dem
Tode nannte; obwohl es unstreitig nur sehr unvollständige Annäherungen
an das sind, was wir mit dem wirklichen Erwachen ins andre Leben zu
erwarten haben, wo so zu sagen ein größeres Gehirn als unser jetziges die
Funktionen für uns übernehmen wird, die wir denn doch hier noch an unser
enges Gehirn geknüpft denken müssen, das selbst aber seine Bedeutung für
uns nur dadurch erhält, daß es sich zugleich zum Spiegelbilde des größern
und zum Werkzeuge macht, durch das sich der Mensch wieder darein zurück-
spiegelt, wie weiter zu betrachten.

„Hat man doch einzelne seltsame Beobachtungen gemacht, bei denen es
schien, als ob sich mit einem Male eine Helligkeit des Bewußtseins über
ein ganzes Reich des Vorstellungswesens verbreitete. Solche Erfahrung
machte einst ein englischer Opiumesser bekannt, dem es vor dem Eintritt der
vollen narkotischen Wirkung des betäubenden Mittels vorkam, als ob alles,
was er je ins Bewußtsein aufgenommen hätte, mit einem Male wie
eine sonnenbeschienene Gegend vor ihm ausgebreitet sei. Auf gleiche Weise
wird von einem jungen Mädchen erzählt, der bei einem Sturz ins
Wasser vor dem Verlieren des Bewußtseins dasselbe geschehen war.“ (Carus,
Psyche S. 207.)

„Mir war eine Frau bekannt, welche zuweilen an dem allerheftigsten
Nervenkopfweh litt. Wenn der Schmerz den höchsten Grad erreicht hatte,
hörte er dann plötzlich auf, und sie befand sich in einem ihr angenehmen
Zustande, der nach ihrer Aussage mit einem ungemeinen Gedächtnisse bis in
ihre frühesten Lebensjahre verbunden war.“ (Passavant, Unters. über den
Lebensmagnetismus.)

Auszug aus einem Bericht des Pfarrers Kern in Horn-
hausen an die preußische Regierung in Halberstadt vom Jahr

1788: „Johann Schwertfeger war nach einer langwierigen, schmerzhaften Krankheit dem Tode nahe. Er ließ mich rufen, nahm das heilige Abend= mahl und sah mit Heiterkeit dem Tode entgegen. Bald fiel er in eine Ohnmacht, die eine Stunde währte. Er erwachte, ohne etwas zu sagen. Nach einer zweiten Ohnmacht, die etwas länger gewährt, erzählte er eine Vision, die er gehabt habe. Eine Stimme rief ihm, er müsse wieder zurück und sein Leben untersuchen. Dann solle er vor dem Richterstuhle Gottes erscheinen. Die ersten Worte bei seinem Erwachen waren die: Ich muß wieder fort; aber das wird ein schwerer Stand sein; ich werde zwar wieder kommen, aber nicht sobald als zuvor.

„Nach zwei Tagen fiel er in eine dritte Ohnmacht, die vier Stunden dauerte. Seine Frau und Kinder hielten ihn für tot, legten ihn auf Stroh und waren im Begriff, ihm das Totenhemd anzuziehen. Da schlug er seine Augen auf und sagte: Schicket nach dem Prediger; denn ich will ihm offen= baren, was ich erfahren habe. Sobald ich in die Stube trat, richtete er sich von selbst auf, als hätte ihm nie etwas gefehlt, umarmte mich fest und sprach mit starker Stimme: Ach was habe ich für einen Kampf ausgestanden! Der Kranke übersah sein ganzes Leben und alle Fehler, die er in demselben begangen hatte, selbst die ihm ganz aus der Erinnerung gekommen waren. Alles war ihm so gegenwärtig, als sei es erst jetzt geschehen." Die ganze Erzählung schließt damit, daß er am Ende herrliche Töne vernommen und einen unaussprechlichen Lichtglanz geschaut habe, wodurch er in große Wonne versetzt worden. „Aus solcher Freude bin ich nun wieder in dieses Tal des Jammers zurückgekommen, in dem mich alles anekelt, nachdem ich etwas Besseres erfahren. Auch will ich den himmlischen Geschmack nicht mit irdischer Speise und Trank vermischen, sondern so lange warten, bis ich wieder in meine Ruhe komme."

„Merkwürdig war es", fährt der Prediger fort, „daß ihn die Krank= heit verlassen. Denn er war nach der letzten Ohnmacht stark, frisch und gesund und von allen Schmerzen befreit, da er doch vorher kein Glied rühren konnte. Die Augen, welche vorhin trieften, trübe und tief im Kopfe lagen, waren so helle und klar, als wären sie mit frischem Wasser gewaschen worden. Das Gesicht war wie eines Jünglings in seiner Blüte." Inzwischen sagte der Kranke voraus, daß er nach zwei Tagen sterben werde; wie auch eintraf. (Passavant, Unters. üb. den Lebensmagnetismus. S. 165.)

Daß mit Annäherung an den Tod zuweilen längst verschollene Erinne= rungen wiederkehren, ist auch sonst mehrfach bemerkt worden.

In somnambulen Zuständen kommt manches vor, was hieher bezogen werden kann, jedoch zum Teil passender dem Zusammenhange späterer Erörterungen eingereiht werden wird.

„Bei Zuständen (magnetischen Hellsehens) zeigte sich unter anderm, daß der Seele kaum ein einziges Wort, kaum ein Gedanke aus der Erinnerung verloren gehe. Sie sieht alles das, was sie getan, und was ihr, so lange sie im Leibe war, geschehen, in klarem Lichte um und neben sich, sobald sie innerlich erwacht. Auch zeigt sich da der Mensch in seiner eigentlichen freien ungehemmten Kraft des Denkens, des Fühlens, des geistigen Auffassens und Darstellens." (Schubert, Gesch. d. Seele II. S. 43).

„Wie uns im Traum die gewöhnliche Art des Gehens, bei welcher ein Fuß nach dem andern fortgesetzt wird, äußerst schwer, ja unmöglich fällt, leicht dagegen die des unmittelbaren schnellen Versetzens unsres Wesens an einen fernen Ort, oder das freie Schweben über dem Boden; so gleicht auch das eigentlich geistige Bewegen der Seele in den Zuständen des Hellsehens mehr einem Fluge, als einem langsamen Gange; das Wahrnehmen und Erkennen der Außenwelt geschieht wie von oben, aus einer höhern Region her, und die betrachtende Seele überblickt, gleich dem schwebenden Vogel, zugleich und mit einem Male die ganze Aufeinanderfolge der Empfindungen und Handlungen, welche sie im gewöhnlichen wachen Zustande langsam und allmählich erfährt. Daher wurde in einem von Moritz erzähltem Falle, in einem Hellgesicht, welches kurze Zeit vor dem Tode eingetreten, das ganze vergangene Leben, mit allen seinen reichen Erfahrungen und Führungen, mit seinen tausendfältigen Handlungen, in geisterhafter Nebeneinanderstellung und Blitzesschnelle überblickt, und in andern Fällen schien die Geschichte einer ganzen Vergangenheit wie durch eine einzige bedeutungsvolle, nur der Seele verständliche Zahl oder durch ein einziges Bild ausgedrückt. Wenn dann die Seele im Hellsehen diesen eigentümlichen Flug genommen, so vermag seinen Spuren der gewöhnliche Gang der Erinnerung eben so wenig zu folgen, als ein vierfüßiges Tier dem Fluge des Vogels. Denn die Auf= einanderfolge und Verkettung des Gesehenen ist hier eine ganz andre als dort." (Ebendas. II. 46 f.)

„Die von mir (Passavant) beobachtete Somnambüle tat Rückblicke in ihr ganzes vergangenes Leben, berichtete Ereignisse aus ihrer frühesten Jugend (die Wahrheit ihrer Aussagen ward erwiesen) und erhielt namentlich über ihren moralischen Zustand bis in die verborgensten Gedanken Licht, was nach ihrer Aussage einst jeder im Tode erhalten wird." (Passavant S. 99.)

„Ein Knabe, Alexander Hebert, hatte in Folge eines starken Stoßes an den Kopf eine Lokalkrankheit am Hirne bekommen. In seinem vierten Jahre wurde er operiert, und ein Depot, das sich gesammelt hatte, wurde herausgenommen. Der Knabe bekam öfters Nervenzufälle, die man anfänglich für epileptische hielt; allein es bildeten sich diese Zufälle in Akzesse von Wahnsinn aus. Der Knabe verlor zugleich völlig sein Gedächtnis, so daß er sich auch nicht erinnerte, was er die Stunde vorher getan hatte. Puysegur übernahm es, ihn zu magnetisieren. Der Knabe wurde somnambul. Die heftigsten Anfälle von Wahnsinn, in denen er oft boshaft und zer= störungssüchtig ward, waren wie verschwunden, sobald ihn die Hand des Magnetiseurs berührte. Sein Gedächtnis, das er durch seine Hirnkrankheit völlig eingebüßt hatte, war im Schlafwachen zurückgekehrt, und er erinnerte sich nun genau an alles, was in seinem Leben geschehen war. Er beschrieb die Entstehung seiner Krankheit, die Art der Operation, die er im vierten Jahre erlitten hatte, die Instrumente, die man dabei angewandt, und er sagte, ohne diese Operation hätte er sterben müssen, bei derselben sei aber das Hirn verletzt worden und die Krankheit habe seitdem zugenommen. Er behauptete ferner, sein Wahnsinn könne durch den Magnetismus geheilt werden, aber sein Gedächtnis würde er nie wieder bekommen; und der Erfolg bewährte die Wahrheit seiner Aussage." (Ebendas. S. 100.)

Auch selbst der gewöhnliche Schlaf bietet zuweilen Phänomene dar, die hier vielleicht Erwähnung verdienen. So beweist die Seele zuweilen im Traum das Vermögen, eine ungeheure Menge von Vorstellungen, die wir im Wachen nur in langer Zeit nach einander entwickeln könnten, in kürzester Zeit zu entwickeln. Es träumt z. B. jemand eine lange Geschichte, die nach ihrem natürlichen Gange mit einem Schusse oder einem Steinwurf gegen das Fenster endigt, wovon der Schlafende erwacht. Nun aber findet sich, daß er von einem wirklichen Schusse oder Wurfe gegen das Fenster erwacht ist, so daß kaum eine andere Annahme bleibt, als der Schuß oder Wurf sei Veranlassung des ganzen Traumes gewesen und dieser im Moment des Erwachens komponiert worden. Dies scheint freilich so unglaublich, daß ohne gründlichere Bestätigung und Untersuchung solcher Fälle noch Zweifel an der Tatsache oder Auffassung derselben gestattet sein muß; doch sind mir von sonst glaubwürdigen Personen Beispiele der Art mitgeteilt worden. Folgender hierher gehörige Fall findet sich in den Mém. et Souv. du comte Lavallette T. I. Paris. 1831. p. XXVIII. angeführt:

„Eine Nacht, wo ich im Gefängnisse eingeschlafen war, weckte mich die Glocke des Palais auf, indem sie 12 Uhr schlug; ich hörte, wie man das Gitter öffnete, um die Schildwache abzulösen, aber ich schlief gleich darauf wieder ein. In meinem Schlafe hatte ich einen Traum (... es folgt nun die Erzählung eines furchtbaren Traums, dessen Einzelnheiten für den Träumenden wenigstens einen Zeitraum von 5 Stunden füllten), als plötzlich das Gitter mit Heftigkeit wieder geschlossen wurde und ich wieder aufwachte. Ich ließ meine Taschenuhr schlagen, es war immer um 12 Uhr. So daß also die furchtbare Phantasmagorie nur 2 oder 3 Minuten gedauert hatte, d. h. die Zeit, welche zur Ablösung der Schildwache und zum Öffnen und Schließen des Gitters nötig war. Es war sehr kalt und die Consigne war sehr kurz; und der Schließer bestätigte am andern Morgen meine Rechnung. Und doch erinnere ich mich keines Ereignisses in meinem Leben, wovon ich die Dauer mit größerer Sicherheit angeben könnte, wovon die Einzelnheiten besser meinem Gedächtnisse eingeprägt wären, und dessen ich mir vollständiger bewußt wäre." (Froriep, Notizen ꝛc., XXXI. S. 313.)

Es wird noch mancherlei von Zuständlichkeiten und Gefühlen bei Betäubung oder Scheintode oder in Annäherung an den gewöhnlichen Tod berichtet, wobei man daran denken könnte oder gedacht hat, daß schon ein Anklang von jenseitigen Zuständen ins Diesseits übergreift.

So kommt mitunter etwas der Art unter den sehr veränderlichen psychischen Zuständen vor, welche die Betäubung durch Äther mitführt. Ein Student, der unter Aufsicht des Professor Pfeufer einen Versuch an sich mit Äthereinatmung anstellte, schildert den Zustand, in den er dadurch geriet, wie folgt:

„Ein Feuermeer von Lichtfunken wirbelte vor meinen Augen. Es erfaßte mich dabei große Beklemmung und Angst. Aber noch einen Augenblick, und ich empfand von alle dem, aber auch von der Außenwelt überhaupt, ja von meinem eigenen Körper, nichts mehr. Die Seele war gleichsam ganz isoliert und getrennt von dem Körper. Dabei fühlte sich der Geist aber noch als solcher, und ich hatte den Gedanken, als sei ich jetzt tot, hätte aber ewiges Bewußtsein. Nun wähnte ich auf einmal, Hrn. Professor Pfeufer die Worte sprechen zu hören: „Meine Herren, ich glaube, er ist wirklich tot.“ Kurz darauf war mir's, als ströme das Blut so aus dem Kopfe zurück, und käme ich so wieder zu mir, wie wenn man sich gebückt hat und das Blut stark nach dem Kopfe strömte und man einige Augenblicke still halten muß, bis man seiner Sinne wieder vollkommen mächtig ist.“ (Henle und Pfeufer, Zeitschr. 1847. Bd. VI. S. 79.)

Eine Person, die sich ihres Zustandes während der Asphyxie (des Scheintodes) nach dem Wiedererwachen zu erinnern mußte, sagt von sich: „Ich hatte ein Gefühl, wie im Erwachen aus einem süßen Morgentraum. Ist so der Augenblick des Todes, so ist's einer des höchsten Wonnegefühls.“ (Hagen, Sinnestäuschungen S. 184, nach Nasse, Zeitschr. 1825. H. 1. S. 189.)

Hüffell sagt: „Wir finden nicht selten, wenn nicht besondere Krankheitszustände wie Wolken die Sonne verhüllen, die letzten Momente der Sterbenden überaus ruhig, verklärt, oft wahrhaft ergreifend glücklich. Alle Sorge, alle Unruhe ist gewichen; der letzte Segen wird wie aus höherer Machtvollkommenheit erteilt, und ein seliges Lächeln umschwebt selbst dann noch den Mund, wenn der Tod bereits sein Werk vollendet hat. Eine Sterbende, in deren Gegenwart sich der Verfasser dieses befand, entschlummerte unter einem Choral, welchen sie angab und den ein Freund auf dem Klavier in sanften Akkorden anstimmte. Dergleichen Tatsachen nötigen uns anzunehmen, daß sich die ersten Anfänge des jenseitigen Daseins schon in die letzten Augenblicke des irdischen Daseins einsenken.“ (Hüffell, Briefe üb. d. Unsterblichkeit. S. 112.)

„Ein Vater, ein Mann von vieler Bildung, versicherte mich, daß er noch in dem fast gebrochenen Auge seiner sterbenden Tochter einen Ausdruck gefunden habe, welchen er nie vergessen werde, worin sich alles verklärt habe, was nur Liebe, Ergebung, Seligkeit in sich vereinige.“ (Ebendas. S. 45.)

„Und einen Solchen (mit Weltverstand) hört' ich einmal röchelnd im Tode sagen: „„Es ist nun alles Leben vom Gehirn in die Herzgrube, ich fühle von meinem Gehirn nun gar nichts mehr, ich fühle meine Arme, meine Füße nicht mehr, aber ich sehe unaussprechliche Dinge, an die ich nie glaubte; es ist ein andres Leben““ — und da verschied er.“ (Justinus Kerner, Die Seherin von Prevorst. I. S. 4.)

— · —

Fassen wir das Bisherige kurz zusammen.

Wir sagten: Wenn der Mensch das Auge im Leben schließt und die Anschauung hiermit verlischt, erwacht dafür eine Erinnerung in ihm. So, wenn der Mensch das Auge im Tode schließt und sein Anschauungsleben hiemit erlischt, erwacht dafür ein Erinnerungsleben im höhern Geiste. Je fester der Mensch das Auge, die Sinne überhaupt im Leben schließt und sich zurückzieht in die Verdunkelung des Äußern, so heller erwacht in ihm die Erinnerung; wenn er nun das Auge und alle Sinne im Tode ganz fest und unwiederbringlich schließen wird, wird ein noch um so viel helleres Erinnerungsleben dafür im höhern Geist erwachen, indem nun eben nicht mehr bloß einzelne Anschauungen in ihm, sondern sein ganzes Anschauungsleben im höhern Geiste selbst zum Erinnerungs= leben aufgehoben wird, das ihm, dem Menschen, aber noch so gut gehört wie das Anschauungsleben, von dem es ausging.

Nun aber begegnet uns ein Einwand: schließt denn der Mensch nicht auch das Auge, ja alle Sinne im Schlafe, ohne daß doch Erinne= rungen erwachen? Sinkt nicht vielmehr im Schlafe das Erinnerungs= leben mit dem Anschauungsleben zugleich in Nacht? Und ist nicht der Tod als der tiefste Schlaf zu fassen? Wird nicht also auch im Tode sich unser Erinnerungsleben mit unserm Anschauungsleben zugleich ver= dunkeln müssen?

Dieser Einwand erinnert uns daran, daß es in der Tat zwei Fälle der Verdunkelung des Sineslebens gibt, die wohl zu unter= scheiden. So lange der Geist im ganzen wachend bleibt, gibt es den ersten, den wir bisher betrachtet; das Erinnerungsleben wird um so heller, je fester sich die Sinne schließen; doch wie er ganz einschläft, tritt der zweite Fall ein, das Erinnerungsleben sinkt mit dem Anschauungs= leben zugleich in Nacht. Und sicher, wenn der höhere Geist, dessen wir diesseits und jenseits sind, einmal ganz einschlafen sollte und könnte, würde auch das Erinnerungsleben, das die Geister des Jenseits in ihm führen, mit dem Anschauungsleben, das die Geister des Diesseits in ihm führen, zugleich in Nacht versinken, so lange, bis er wieder erwachte. Stellen wir es dahin, ob ein solcher Fall möglich ist. Gewiß aber, wenn wir sterben, schläft damit der höhere Geist nicht im ganzen ein, sondern bleibt fortgehends wachend. Es gilt für ihn also der erste, nicht der zweite Fall. Der Tod eines Menschen ist nur eine partielle Ver= dunkelung des Anschauungslebens im höhern Geiste während seines Wachens, wie wir einen Sinn während des Wachens schließen können, indes wir andere geöffnet behalten; und mithin ist die Bedingung zum Übergang dieses Anschauungslebens in ein entsprechendes Erinnerungs= leben in ihm vorhanden, das uns nun aber nicht weniger zu gute kommt wie ihm, da es von unserm Anschauungsleben eben so gilt. Der Tod ist in gewisser Hinsicht vielmehr ebenso das Gegenteil von unserm gewöhnlichen Einschlafen, als wenn ein Schmetterling aus der Puppe bricht. Denn unser gewöhnlicher Schlaf stellt das erschöpfte Vermögen, diesseitige Sinnesanschauungen zu gewinnen und diese nach der Weise des Diesseits zu verarbeiten, immer von Neuem her; der Tod hebt es geradezu auf. Der Schlaf bedingt einen immer neuen Rückfall in das alte Leben, und das tiefste Unbewußtsein charakterisiert gerade den Schlaf, der uns am kräftigsten und frischesten wieder zum alten Leben erwachen lassen wird; der Tod bewirkt das Gegenteil hiervon. Ja wir können in der Zerstörung der Bedingungen des alten Lebens eben den Anreiz zum Erwachen in ein neues bewußtes Leben finden, wie überhaupt neue Entwickelungsepochen gern durch Zerstörung des Alten charakterisiert sind; da mit jener Zerstörung doch nicht die Bedingungen unsres Fortlebens überhaupt zerstört sind; denn der größere Geist und Leib, in dem wir diesseits leben, weben und sind, aus dem wir alle Lebensbedingungen diesseits ziehen, bleibt uns fortdauernd als Lebensquell auch für das Jenseits.

Es hindert zwar nichts, den Tod, wie es so gewöhnlich, fernerhin den tiefsten Schlaf zu nennen; denn er behält immerhin seine Gleichungspunkte damit, einmal sofern das diesseitige Anschauungsleben durch ihn eben so für immer aufgehoben wird, wie durch den gewöhnlichen Schlaf zeitweise; zweitens, sofern ihm ein Erwachen folgt, aber in das folgende Leben. Der wesentliche Unterschied aber bleibt immer der, daß der gewöhnliche Schlaf die erschöpfte Kraft zum Gebrauch für das alte Anschauungsleben durch Ruhe wiederherstellt, der Tod den Gebrauch der Kraft in eine neue Lebensform umsetzt. Die Seele legt sich im Tode nicht wie im Schlafe in ihr altes Bett, sondern ihr ganzes altes Haus wird zerstört und sie wird in die freie Weite getrieben; findet aber nun sofort in dieser freien Weite ihr neues größeres Haus, das des größern Geistes selbst, der sie bisher wie in einem engen Kämmerlein gehegt hatte; nun erst ist sie ganz bei ihm zugleich mit den andern Geistern des Jenseits, die nicht mehr so zellenartig durch ihre Leiber von einander abgesperrt sind wie jetzt, sondern alle zusammen in demselben großen Hause wohnen, wie alle Erinnerungen in demselben Hirn, wie alle Schmetterlinge, die einst durch die Puppenhülse von einander abgeschlossen waren, in demselben Garten fliegen.

Eine wesentliche Verschiedenheit des Todes vom Schlafe beweist sich auch darin, daß der frischeste und lebenskräftigste Mensch sterben kann, wenn er auch noch gar nicht lebensmüde ist, · eben wie die lebendigste Anschauung verlöschen und sich plötzlich in Erinnerung wandeln kann, wenn ein noch gar nicht ermüdetes Auge zugeschlagen wird. Der Schlaf aber verlangt Ermüdung und zwar nicht bloß eines einzelnen Teils, sondern des ganzen Menschen. Ein Greis freilich wird endlich auch ganz und gar lebensmüde und sehnt sich nach dem Tode. Aber damit ist das höhere Wesen, dem er angehört, noch nicht müde geworden.

Wenn der Greis ganz und gar ermüdet ist, ist das für das höhere
Wesen dasselbe wie für uns, wenn ein einzelnes Organ, es sei das
Auge, von langem Anschauen ganz und gar erschöpft ist, indes wir noch
im Übrigen munter; dann entsteht für uns nicht das Bedürfnis des
Schlafes, sondern das Bedürfnis, den besondern Teil, das Auge,
dauernd in Ruhe zu setzen, und teils andere Sinne zu beschäftigen,
teils sich der Erinnerung des Gesehenen hinzugeben, was wir freilich
nur abwechselnd tun können; aber wir wissen, der höhere Geist kann
vieles zugleich an verschiedenen Orten, was wir nur nach einander an
demselben Orte können. Es wird also die Ermüdung, die im Anschauungsleben eines einzelnen Menschen naturgemäß mit dem Alter eintritt,
nur das Bedürfnis der Aufhebung dieses Anschauungslebens, nicht des
Erinnerungslebens dieses Menschen im höhern Geiste mitführen; vielmehr
wird im Erinnerungsleben selbst zugleich das Ausruhen vom Anschauungsleben dieses Menschen enthalten sein. So bedarf es nicht erst eines
Zwischenschlafes. Zwar kann wohl jemand im diesseitigen Leben einschlafen und im folgenden erwachen; aber nicht der Schlaf ist es, der
ihn hinüberträgt in das andere Leben, dieser könnte ihn bloß zurück-
tragen in das alte, sondern der Umsturz des Schlafes; und es war kein
zuvoriger Schlaf nötig. Wen eine Kugel trifft, der schläft gewiß nicht
erst, ehe er im andern Leben erwacht. Sondern der Riß des alten
Lebens öffnet zugleich den Eingang in das neue Leben. Es mag aber
sein, daß im gewöhnlichen Gange des Sterbens sich das Bewußtsein bis
zum Momente des Übergangs zwischen altem und neuem Leben allmählich
verdunkelt und überall im Momente des Überganges selbst ganz schwindet;
aber der Moment, wo es für das alte ganz schwindet, wird zugleich der
sein, wo es für das neue zu erwachen anfängt, eben wie eine Saite in
demselben Momente, wo sie eine Schwingung beendet, eine neue beginnt;
nur der Moment der Umkehr selbst kann als der eines Stillstandes
angesehen werden. Dies ist anders beim Schlaf; da ist der Moment
des Versinkens in Unbewußtsein der Beginn eines längern Zustandes
dieser Art. Der Schlaf ist eine Schwingung unterhalb, wie das Wachen
oberhalb der Schwelle des Bewußtseins, der Tod aber bewirkt nicht eine
Niederschwingung im Sinne des Schlafes, sondern eine Aufsteigung im
Sinne eines neuen Wachens.

So wenig wir eine Verstärkung oder Vertiefung des gewöhnlichen
Schlafes im Tode sehen können; so wenig eine Vertiefung von Ohnmacht
oder Scheintod, wie solche mitunter den Menschen befallen. Sie unterscheiden sich vom Schlafe dadurch, daß statt einer Wiederherstellung der

erschöpften Seelen= und Leibeskräfte zu Diensten des diesseitigen Lebens einfach ein Stillstand derselben eintritt, wo nichts von Kraft wieder= hergestellt, noch verbraucht wird. Aber der Tod begnügt sich nicht mit einem solchen Stillstand und unterscheidet sich in sofern auch von diesen Zuständen anders als bloß quantitativ. Er zerstört zwar nicht die Bedingungen unsres Lebens überhaupt, die uns vor wie nach in einem Höhern, denn wir sind, bleiben, aber unsres bisherigen Lebens; macht zwar nicht die Kraft, die bisher zu unserm Leben verbraucht wurde, überhaupt aus der Welt verschwinden; aber hebt selbst die Möglichkeit ihrer Wiederverwendung in der alten Form auf.

Sehr irrig ist also die Betrachtung, die man leicht anstellt: da schon Ohnmacht oder Betäubung den Menschen bewußtlos macht; wie bewußtlos muß erst der Tod, als eine noch tiefere Betäubung oder Ohnmacht, den Menschen machen. Aber ein Stillstand kann sich nicht verstärken; der Tod ist vielmehr, wenn er in Folge der Betäubung ein= tritt, eine neue Wendung aus der Ohnmacht; und es ist im allgemeinen immer fraglich, ob aus einer Ohnmacht oder Betäubung die Rückwendung ins alte oder die Vorwärtswendung ins neue Leben erfolgen wird. Die Ohnmacht oder Betäubung ist ein intermediärer Zustand zwischen dies= seitigem und jenseitigem Leben; und in sofern allerdings eine Annäherung an letzteres, weil von einem Stillstand der Tätigkeiten aus die Richtung leichter in die des folgenden Lebens umschlagen kann, als wenn noch die Richtung im Sinne dieses Lebens besteht; der Tod ist aber nicht eine Fortsetzung dieses Stillstandes, sondern Aufhebung desselben, die sich durch das Zerfallen unsres Leibes, dem Zergehen des Bildes in unserm Auge vergleichbar, bezeichnet; womit nun eben die Bedingungen zum Erwachen unseres Erinnerungslebens im höhern Wesen gegeben sind.

———

Im Rückblick auf den Ausgang unsrer Betrachtungen entsteht viel= leicht noch ein Bedenken. Wie, kann man fragen, soll das höhere und höchste Wesen sich bei unsrer Entstehung bloß so passiv verhalten, wie wir bei der Entstehung der Bilder, die in uns fallen? Tut das höhere Wesen, tut Gott nichts dazu? Wir meinten doch, er beweise sich gerade recht selbsttätig bei der Schöpfung seiner Geister. Sollen unsre Geister gar von außen in ihn hineinkommen, wie unsre Anschauungen in uns, ihm so neu erscheinen, als wär's ein fremd Geschenk? Wir meinten doch, sie seien Fleisch von seinem Fleische, Bein von seinem Bein.

Auch unsre Anschauungen aber sind ja Fleisch vom Fleisch und

Bein vom Bein unsres Geistes. Entstehen sie nicht ganz darin? Sind sie nicht ganz seine Tätigkeit? Trotz dem erscheinen sie ihm als neue Eingeburten. Und so werden auch wir im Entstehen dem höhern und höchsten Geiste wie neue Eingeburten erscheinen können, trotz dem, daß wir ganz in ihm entstehen, unsre anschauende Tätigkeit zu seiner Tätigkeit gehört.

Von außen aber kommen wir in Wahrheit nicht anders in ihn, als eine neue Anschauung von außen in mich kommt, wenn ich meine Augen neu aufschlage oder richte und einen Teil meines eigenen Leibes, des Trägers meiner eigenen Seele, sein Regen und Bewegen damit neu betrachte; im Grunde kommt doch alles hierbei aus mir in mich; der eine Teil von mir erzeugt sein Bild durch Hineinwirken in den andern. Und ich, der ganze Mensch, habe es in meiner Macht, Augen und Glieder vernünftig in Bezug auf einander zu richten, daß die neuen Anschauungen immer in zweckmäßigem Zusammenhange und zweckmäßiger Folge ent= stehen; nur daß freilich solche in mir auch noch durch anderes als meine eigenen Leibesteile und anders als nach meinem Willen entstehen können, weil's außer mir noch andres gibt. Das höchste Wesen aber hat nichts andres als sich selbst, das Regen und Bewegen seiner eigenen Teile, um durch ihr Wirken auf einander neue Bilder seiner, d. i. neue lebendige Wesen zu gewinnen, und kann dies auch vernünftig und in zweckmäßigem Zusammenhange bewirken. So kommt doch alles dabei auch aus ihm durch ihn.

Sind wir denn nun passiv, wenn wir nach Maßgabe, als es der Blick auf unser bisheriges Sein und Wirken fordert, unser Auge und unsere Glieder immer neu und zweckmäßig und vernünftig richten, und damit uns neue Anschauungen verschaffen? Von seiten unsrer empfangenden Sinnlichkeit, ja; doch nicht nach seiten unsers Willens, unsrer Vernunft, unsrer höhern Absicht. Das neue Richten unsrer Augen und Glieder ist vielmehr selbst ein Teil unsres vernünftigen selbsttätigen Handelns. Und im Grunde wird auch das Bild selbst durch eigene Tätigkeit des Auges und übrigen Körpers erzeugt, nur daß die Anregung dem Auge von außen kommt. Und so mag auch das höhere und höchste Weltwesen sich in der Eingeburt neuer (im Beginn ja wirklich ganz sinnlicher) Seelen von seiner Sinnlichkeitsseite her eben so passiv bestimmt erscheinen, als wir bei der Eingeburt neuer Anschauungen in uns; doch wird es auch eben so wenig sich wirklich passiv dabei verhalten in seiner höhern Bewußtseinssphäre, vielmehr von dieser aus in höherm Zusammenhange die Mittel und die Ordnung der

neuen Eingeburten selbsttätig lenken, wie's für den Zusammenhang des
Ganzen selbst am besten; es ist aber nach der höchsten Ordnung für den
Zusammenhang des Ganzen am besten, was selber daraus fließt; so daß
freilich die Entstehung neuer Menschen im Flusse natürlichen Geschehens
erfolgt; doch dieser ist selbst durchdrungen von höherm handelndem
Bewußtsein, und nur die allgemeine Richtung ist davon gewiß; das
einzelne, wer könnte das berechnen? Am wenigsten aber, wenn und wo
ein Mensch entstehen soll. Da liegt die Freiheit jenes höhern Handelns.
Auch bleibt selbst die sinnliche Erzeugung eines Menschen immer des
höchsten Wesens eigene Tat, nur daß die Anregung dazu von einem
andern Teile desselben Wesens kommt, weil's für das höchste Wesen
kein andres Außen gibt.

Gestehen wir zu, daß alle Bilder und Vergleiche aus unserm Leben
nur schwach und unvollständig an die Sache reichen, die's in dem höhern
Leben gilt, doch etwas mögen sie wohl beitragen, zu erläutern, wie sich's
mit unsrer Eingeburt in dieses höhere Leben stellt. Der Gegenstand
bleibt immer schwierig, dunkel. Im Übrigen galt's auch nur beiläufig
hier davon zu handeln, um den Zusammenhang der ganzen Ansicht
anzudeuten; und weiß ein andrer dasselbe besser zu erläutern, wir geben
diesen Versuch ihm gerne preis. Nun aber kehren wir zurück zu unserer
Zukunft.

Noch eins zuvor und ein für allemal: wir scheiden oftmals nicht,
was dem höhern Geist (des Irdischen) und was dem Höchsten (Gott)
gehört. Wozu es scheiden! Was jenem gehört, gehört diesem, durch
jenen sind wir in diesem; durch jenen schöpft uns dieser, und bleiben
wir in ihm. Nur daß vom höchsten Geist ganz voll gilt, was von dem
höhern nur verhältnismäßig zu uns, daß seiner Selbsterscheinung das
ganze, nicht bloß größere Gebiet der Welt unterliegt, in dem wir
inbegriffen.

————

XXII. Entwickelung der Analogie des künftigen Lebens mit einem Erinnerungsleben.

—— .

Hüten wir uns nach allem, unsre Hoffnungen auf das Jenseits
und Ansichten von demselben nur auf das eine Bild oder die eine
Analogie bauen zu wollen, die wir bisher zumeist vor Augen gehabt;

wer weiß nicht, welch unsichern Boden eine Analogie für sich allein
gewährt; wir werden uns also noch nach andern Grundlagen umzusehen
haben. Es kann uns aber nur zu statten kommen, wenn wir, die
bisherige noch etwas weiter verfolgend, überall nur solche Vorstellungen
vom Jenseits erweckt sehen, welche den liebsten und gerechtesten Forderungen, die wir an das Jenseits von jeher zu stellen gewohnt waren,
entsprechen. Bleibt auch immer die Basis solchen Schlusses zu schmal,
als daß der ganze Aufbau der folgends darauf zu gründenden Betrachtungen als sicher gelten könnte; wohlan, wir geben ihn nicht dafür.
Doch kann er als ein Abriß der ganzen Ansicht nützen, den Umfang,
die Tiefe und die Fülle unsers Gegenstandes in eins übersehen zu
lassen, und vorläufige Wahrscheinlichkeiten und Möglichkeiten bieten, die
der unbestimmt schwankenden Vorstellung vorweg eine vernünftige
Richtung, der Prüfung, Bewährung und Berichtigung von andrer Seite
her aber ein bestimmtes Objekt liefern; indes sie sich zunächst durch
ihren Zusammenhang in sich und mit dem Ausgangspunkte der Betrachtungen zu halten suchen.

So wichtig die Analogie des künftigen Lebens mit unserm diesseitigen
Erinnerungsleben für die Erläuterung unsrer Ansicht ist, so wenig ist doch
in der Tat die Begründung derselben daran gebunden, obwohl freilich jede
triftig gebrauchte Analogie auch zur Begründung mit beitragen kann. Aber
hat man einmal den Gesichtspunkt unsrer Lehre recht gefaßt, so findet sich
bald, wie alles von allen Seiten dazu zurückführt, und so kann der Weg
in sehr verschiedener Weise genommen werden. Im Büchlein vom Leben
nach dem Tode, wo ich diese Lehre zuerst darstellte, ist der Analogie unsres
künftigen Lebens mit einem Erinnerungsleben noch gar nicht gedacht; und
in Vorlesungen, die ich im Jahre 1847 über denselben Gegenstand hielt,
nahm sie erst eine ganz beiläufige Stellung ein. In jener Schrift war
es hauptsächlich die Analogie des Todes mit der Geburt, in diesen Vorlesungen die direkte Schlußweise, die ich weiterhin (XXVII) vortragen
werde, worauf ich die Lehre baute. Alle diese Wege aber führen zu einer
wesentlich übereinstimmenden Grundansicht von der Natur und Beziehung
des Jenseits zum Diesseits, nur daß auf dem einen die Entwickelung der
Lehre leichter nach dieser, auf der andern nach jener Seite gelingt. Ich
habe aber in dieser Schrift die Analogie des künftigen Lebens mit einem
Erinnerungsleben mit Bedacht zur Hauptgrundlage der Betrachtungen gemacht, teils weil sich so die Lehre vom Jenseits mit der Lehre vom Geiste
über uns, welche in der vorigen Abteilung dieser Schrift vorgetragen
worden, am natürlichsten verknüpft, teils weil das in den neuern Zeiten
in den Vordergrund getretene Bedenken, daß die Individualität unsrer
Geister, weil aus dem höhern Geiste gekommen, auch wieder in demselben
untergehen müsse, dadurch sich am direktesten erledigt, teils endlich, weil
sie überhaupt sehr sachgemäß, erläuternd und fruchtbar, ja in gewisser

Beziehung noch etwas mehr als bloße Analogie ist, sofern unser Erinnerungsleben im Diesseits schon als Keim und Probe unsres Erinnerungslebens im Jenseits angesehen werden kann; unser Diesseits und Jenseits
dadurch real im höhern Geiste zusammenhängen.

A. Verhältnisse der jenseitigen Geister zum höheren Geiste und zu einander.

Zuvörderst deutet unsere Analogie darauf, daß wir künftig in ein
inniger bewußtes, höher gesteigertes Verhältnis zum höhern Geiste treten
werden als jetzt. Das Anschauungsbild tritt dem Geiste immer wie
etwas Äußerliches, Fremdes gegenüber, im Grunde ist es zwar auch
sein, aber die Erinnerung fühlt er erst recht als sein, ganz in seinem
Schoße. So wird auch uns der höhere Geist nach dem Tode noch in
einer andern Weise als sein fühlen, denn jetzt, und indem er es tut,
werden wir es erst recht mit fühlen, daß wir sein sind, da sein Selbstbewußtsein und unser Bewußtsein seiner gar nicht äußerlich auseinander
liegen. Jetzt ist der höhere Geist, ungeachtet wir ihm freilich auch schon
faktisch angehören, doch immer nur wie ein fernes Gespenst hinter uns,
das wir wohl dunkel erschließen können, dem wir uns aber doch nicht
unmittelbar angehörig fühlen; das wird künftig anders sein; da werden
wir unmittelbarer erkennen, daß wir in ihm leben und weben und sind,
und er in uns. Wir werden fühlen, daß wir unsern Lebensboden in
ihm haben, aber auch fühlen, daß und was wir für ihn bedeuten.

Eine solche, nicht erst wie jetzt durch Schluß und für den Verstand
fernher vermittelte, sondern unmittelbare, stetige und mit den andern
Geistern des Jenseits gemeinschaftliche Teilnahme am Selbstbewußtsein
des höhern Geistes ist nun gerade das Gegenteil vom Aufgehen in
seinem Unbewußtsein. In den Geistern des Jenseits wird er sich erst
recht vollständig und hell seiner bewußt, und indem er sich seiner in
ihnen bewußt wird, werden sie sich ihrer in ihm bewußt. In Erinnerungen und mittelst Erinnerungen wirkt und schafft unser Geist erst
recht frei und selbsttätig, indes er sich bei Anschauungen äußerlich
bestimmt fühlt. So wird denn auch der höhere Geist erst recht frei und
selbsttätig mit uns im Jenseits zu wirken und zu schaffen anfangen,
und wir werden uns als seine selbsttätigen Werkzeuge fühlen.

Zunächst ist es der allgemeine Geist des Irdischen, dem wir angehören; aber als himmlischer Geist ist derselbe nur die einheitliche
Vermittelung, durch welche die Gesamtheit der irdischen Einzelgeister
sich in Gott verknüpft. Indem wir nun eine unmittelbarere, lichtere

Erkenntnis unsrer Einigung mit und in diesem höhern himmlischen Geiste gewinnen, gewinnen wir hiermit auch eine unmittelbarere lichtere Erkenntnis unsrer Einigungsweise in Gott, sind damit Gott selbst um eine Bewußtseinsstufe näher getreten. Wie man denn überall das jenseitige Leben als ein solches gefaßt hat, was den Menschen mit höhern und dem höchsten Wesen in innigere lichtere Beziehungen setzen wird.

Nach Maßgabe als wir uns aber im Jenseits unseres Verhältnisses zu dem höhern Geist und hiermit zu Gott unmittelbarer und klarer bewußt werden als jetzt, werden wir auch das Verhältnis der Ein= stimmung oder des Widerstreites, in dem wir zu ihm und durch ihn zu Gott stehen, unmittelbarer und deutlicher fühlen als jetzt. Ob wir jetzt im Sinne oder wider den Sinn des Geistes, der uns mit Gott vermittelt, gehen, ob er demgemäß wieder mit oder gegen uns geht, wissen wir nur durch eine nie ganz zureichende Verstandesvermittelung, oder fühlen es nur in der immer dunkel bleibenden und wie oft und bei wie vielen zweifelhaften und halb schweigenden Gewissensmahnung. Das sind nur schwache Vorbedeutungen der hellen Einsicht und der Gefühlsfülle, die wir einst in dieser Beziehung davon tragen werden.

Es wird aber das Lichtwerden oder Hellerbewußtwerden unsrer Beziehungen zu dem höhern und höchsten Geist im Jenseits eben sowohl ein Lichtwerden des Himmels, als ein Entbrennen der Hölle für uns sein können, und ob das eine oder andere, wird von unserm Verdienst im Diesseits abhängen. Denn die volle Erinnerung unsers diesseitigen Lebens ist es ja, welche der höhere Geist von uns in das Gebiet, das wir unser Jenseits nennen, hinüber nimmt. Erinnerungen nun gefallen oder mißfallen nach Maßgabe, als das gut oder schlecht erscheint, woran sie erinnern oder woraus die Erinnerung erwachsen ist. Also werden auch wir dem höhern Geist, der uns erinnernd in sich aufnimmt, nur nach Maßgabe dessen gefallen, was wir im Anschauungsleben gewesen; und je nachdem wir ihm gefallen oder mißfallen werden, wird es uns in ihm gefallen oder mißfallen; indem nach seinem Gefallen oder Miß= fallen an uns sich auch seine innern Mit= oder Gegenwirkungen gegen uns abwägen werden. Die Gerechtigkeit, die im Diesseits noch verschoben scheint, oder gar nicht recht zu Tage zu treten scheint, wird sich dort ganz erfüllen.

In der Tat, in der unmittelbaren Anschauung, sinnlichen Er= fahrung, gefällt und mißfällt uns vieles bloß in Betracht seines unmittelbaren Lust= und Unlusterfolges. Erst im Erinnerungsleben

hinter der Anschauung erwacht die reinere Erwägung, die freilich immer
noch nicht so rein wie in einem höhern Geiste sein kann, was auch
dasselbe in weitern Beziehungen für uns bedeute, ob es gut oder schlimm
für uns im ganzen sei, und banach billigen oder verwerfen wir in uns
selbst das Gesehene oder Geschehene nach einem ganz andern Maßstabe,
als dem der augenblicklichen Lust oder Unlust, die es gewährte; wir
fragen nach seinen fernern Folgen im ganzen Zusammenhange unsers
Lebens und Seins. Und je größer, umfassender unser Geist, desto weiter
gehen wir hiermit, und um so richtiger wird unsre Abwägung. So aber
wird's auch in dem höhern und höchsten Geiste sein, nur in höherm
Maßstabe und in größerer Vollendung, weil er alles Irdische, der höchste
gar die Welt umfaßt, also die vollen Mittel in sich schließt, recht abzuwägen, was wir für das Irdische, die Welt gewesen. Erst nachdem
er uns aus dem Anschauungsleben ins Erinnerungsleben aufgenommen,
wird er uns nach dem vollen Werte messen, den unser Dasein bisher
für ihn gehabt; und nicht mehr die augenblickliche Lust oder Unlust, die
wir im Anschauungsleben für ihn geschöpft, wird den Maßstab unsers
Verdienstes bilden, sondern die Rücksicht, was unser diesseitiges Leben
im ganzen nach allen seinen Beziehungen und Folgen für die irdische
Existenz, welcher der höhere Geist vorsteht, bedeutet hat. Wie er aber
seine Beziehungen zu uns ins Bewußtsein faßt, so werden wir auch die
Wirkungen davon in unserm Bewußtsein spüren, wie wir ihm Lust oder
Unlust machen, so er uns.

Wehe uns · also, wenn im Jenseits die Erinnerung eines ganzen
verlorenen oder verderbten Lebens auf einmal oder in immer wachsender
Macht, nach Maßgabe als sich die gerechte Erwägung im höhern Geiste
mehr und mehr entwickelt, über uns hereinbricht, uns immer klarer und
klarer wird, wie leer oder böse es war für die geistige Gemeinschaft, der
wir angehörten, und nun leer oder böse ist für uns; da diese Erinnerung
nicht mehr schwach, müßig und verwischbar in unserm Haupte schwebt,
sondern in ein höheres Haupt ganz und voll aufgenommen, mehr als
es eine diesseitige Erinnerung je tun kann, unser ganzes bisheriges
Leben nach allen seinen Beziehungen zusammenfassen, die Basis unsrer
ganzen künftigen geistigen Existenz bilden, und unsre bewußte Stellung
zu allen andern geistigen Existenzen und dem höhern Geiste selbst
bestimmen wird; da alle Gegenwirkungen nun strafend auf uns ein-
stürmen, die der höhere Geist für den bereit hat, der wider seinen Sinn
geht, um ihn mit Pein zu nötigen, doch endlich nach seinem Sinne
umzulenken. Heil aber eben so dem, der hier ein Leben im Sinne des

höhern Geistes geführt hat; er wird alles im Jenseits bereit und
geschmückt zu seinem freudigen Empfange finden; und wie die Erinnerung
an die Leiden, die wir um einer guten Sache willen standhaft erdulbet
haben, uns schon hier die größte Befriedigung gewährt, ja die Erholung
von Leiden selbst eine Art Seligkeit ist, wenn wir uns bewußt sind, sie
recht getragen zu haben; so und in noch viel höherm Sinne wird es
dort mit dem Erinnerungsleben sein, was aus einem leidensvoll aber
in gutem Sinne hienieden geführten Leben erwachsen ist.

Unstreitig sind diese leicht weiter zu entwickelnden Vorstellungen
nur im Sinne unsrer besten praktischen Forderungen. Später wird sich
ihnen noch von anderen Gesichtspunkten entgegen kommen lassen.

Die Sprache, wodurch verschiedene Menschen mit einander verkehren,
sich von ihren innern geistigen Zuständen benachrichtigen, ist nur mittelst
ihrer Erinnerungen möglich. Nur durch Assoziation von Erinnerungen
an Worte entsteht das Verständnis in der Sprache. Sonst wären es
hohle Laute. Man kann in dieser Hinsicht sagen, die verschiedenen
Menschen vermögen geistig nur durch ihre Erinnerungswelten zu verkehren; das bloße Ansehen der Gestalt, das bloße Hören der Stimme
ist noch kein geistiger Verkehr.

Also mögen wir auch glauben, daß der höhere Geist des Irdischen
mit andern Geistern des Himmels nur durch seine Erinnerungswelt
geistig wird verkehren können, und daß wir, nachdem wir in diese
Erinnerungswelt eingetreten sein werden, auch Anteil an diesem bewußten Verkehr des höhern Geistes mit andern himmlischen Geistern
gewinnen werden. Insofern werden wir wirklich noch auf eine andere
Art in den Himmel mit dem Tode eingehen, als wir jetzt schon darin
sind. Wir werden zwar nicht, wie manche träumen, auf andere Weltkörper übergehen, denn der Erde, der wir jetzt angehören, bleiben wir,
aber eine innerlichere Kenntnis vom Geistesinhalt andere Welten gewinnen als jetzt, wo wir bloß ihr äußeres Antlitz sehen.

Früher (Bd. I. S. 143 ff.) ward gezeigt, wie die Vorstellung von
Engeln mit der Vorstellung der Geister der Gestirne zusammenhängt. Nun
läßt sich übersehen, wie zugleich von einer andern Seite die Vorstellung der
Engel mit der Vorstellung unsrer jenseitigen Geister zusammenhängt, und
wie beide Auffassungsweisen der Engel, zwischen denen die Vorstellungen
der Menschen geschwankt haben, so aber, daß in späterer Zeit die eine überwogen hat, selbst zusammenhängen. Unsre jenseitigen Geister können nämlich
selbst als Teilhaber an der höher bewußten Wesenheit eines himmlischen
Geistes. Engels, betrachtet werden, und hiemit, da sie doch individuelle Wesen,
nur untergeordneter Art sind, als untergeordnete Engel, dienende Engel,

indes die Geister der Gestirne als obere Engel, als Erzengel, wenn man
will. Und zwar dienen sie den obern Engeln, denen sie angehören, nicht
nur im Verkehr mit andern obern Engeln, sondern auch als Vermittler zu
den Menschen drunten, wie sich bald des Nähern zeigen wird. Daß aber
diese untergeordneten Engel den obern nicht nebengestellt, sondern eingestellt
sind, ist bloß im Sinne derselben allgemeinen Betrachtungsweise, welche uns
und alle obern Engel ja auch Gott nicht nebengestellt, sondern eingestellt
sein läßt, wovon genug im Frühern gehandelt.

Erinnerungen sind geneigt, in denselben Zusammenhängen und
Verhältnissen aufzutreten wie die Anschauungen, aus denen sie erwachsen
sind; doch mit der größten Freiheit auch in andere Verhältnisse zu
treten und sich in neuen Beziehungen zu verknüpfen, was sogar Zweck
unseres Erinnerungslebens. Also dürfen wir glauben, daß auch die
Bande, durch welche die Menschen im Anschauungsleben des höhern
Geistes hienieden mit einander verschlungen sind, beim Eintritt in dessen
Erinnerungsleben nicht zerrissen werden, obwohl die größte Freiheit, ja
der größte Anlaß für Abänderung und Fortbildung dieser Verhältnisse
besteht. Wir werden also unsre hiesigen Verhältnisse mit unsern Lieben
dort wieder anknüpfen, ja bald wird sich zeigen, daß sie durch den nur
scheinbaren Riß hindurch, welchen der Tod zwischen dem Diesseits und
dem Jenseits setzt, fortgehends verknüpft bleiben, und sich sogar fortentwickeln, vermöge eines Verkehrs der Geister beider Welten der nur
nicht gegenseitig so hell bewußt ist, als er innerhalb jeder Welt für sich
ist, und also für die durch den Tod Getrennten wieder werden wird,
wenn die diesseits Zurückgebliebenen den ins Jenseits Vorangegangenen
nachfolgen.

Das ganze Reich unsrer Erinnerungen ist ein einziges Reich, in
dem das spätest Eingetretene sich mit dem frühest Eingetretenen begegnen
kann. Also dürfen wir auch glauben, daß wir, mit dem Tode in das
Erinnerungsreich des höhern Geistes übergehend, dort allen den Geistern
begegnen können, die uns längst schon in dieses Erinnerungsreich voran-
gegangen sind, nicht nur denen, die mit uns gelebt, sondern auch denen,
die vor uns gelebt haben.

Erinnerungen treten überhaupt in einen innigern, vielseitigern,
freiern, lebendigern, direktern Verkehr mit einander, als die Anschau-
ungen, aus denen sie erwachsen sind, als welche sich im Mit- und
Nacheinander nur auf eine viel mehr äußerliche und durch äußerliche
Bedingungen beschränkte Weise berühren und insofern begegnen können.
Also dürfen wir auch glauben, daß wir im Erinnerungleben des höhern
Geistes dereinst in einen innigern, vielseitigern, freiern, lebendigern,

direktern Verkehr mit einander treten werden als jetzt, da wir noch im Anschauungsleben desselben befangen sind, uns dereinst nicht mehr auf eine durch so äußerliche Bedingungen beschränkte Weise berühren und begegnen werden wie jetzt.

Doch rufen und begegnen sich Erinnerungen nach Regeln der Assoziation, ordnen sich Begriffen unter und wirken zur Erzeugung neuer Begriffe, werden verwandt in Schlüssen, folgen dem Zuge der Entwickelung von Ideen, kurz ihre Freiheit ist keine Zügellosigkeit, sondern ihr lebendiger Wandel und Verkehr eben so in Unterordnung unter die Herrschaft, als in Ausübung der Freiheit unsers Geistes begriffen.

So wird es auch mit dem Erinnerungsreich des höhern Geistes sein; es wird nicht ein zügelloses Hin- und Herschweben der Geister des Jenseits darin geben, sondern es wird Ordnung und Regel darin walten; es werden sich Gruppen, Gebiete, Gemeinschaften, Verwandtschaften, Über- und Unterordnungen der Geister darin finden und bilden, es wird in Wahrheit ein Reich, mit Gliederungen dieses Reiches, sein.

Vergessen wir nur den Unterschied nicht, den die Höhe und Weite des größern Geistes über unserem dabei mitbringt. In uns können die Erinnerungen, zwischen denen dergleichen Verhältnisse eintreten, bloß nach einander im Bewußtsein deutlich geschieden auftreten; im Bewußtsein des höhern Geistes aber finden unzählige Erinnerungen deutlich unter- schieden gleichzeitig mit einander Platz. Auch sind die Verhältnisse zwischen den Geistern des Jenseits nicht einfache Wiederholungen der Verhältnisse zwischen unsern Erinnerungen; sondern wie wir als Geister des Jenseits Mehr und Höheres sind als die Erinnerungen in uns im Diesseits, so wird es auch von den Verhältnissen zwischen uns gelten. Dieser Gesichtspunkt des Ungleichen mit dem Gleichen muß hier und überall sorgfältig im Auge gehalten werden.

Irrige Betrachtungsweisen liegen hier überhaupt nahe:
Begriffe spielen in uns eine große Rolle. Der Begriff eines Baumes z. B. läßt sich in gewisser Weise oder aus gewissem Gesichtspunkte als geistige Resultante aller unsrer Baumerinnerungen fassen, worin aber die Unterscheidung der einzelnen individuellen Bäume verschwindet oder zu ver- schwinden scheint. Nun könnte man nach Analogie schließen: also werden unsre Geister ins Erinnerungsgebiet des höhern Geistes aufgenommen auch höhere Resultanten geben, worin aber unsre Individualität erlischt. Allein sehen wir näher zu, so erlöschen unsre Erinnerungen gar nicht wirklich in allgemeinen Begriffen. Trotz dem, daß ich alle Baumerinnerungen im Begriffe des Baums zusammenfasse, vermag doch auch ihrerzeit jede einzeln

für sich im Gedächtnis hervorzutreten, und wenn es nicht jede wirklich wieder tut, und immer eine auf den Fortgang der andern warten muß, um es zu tun, hängt dies nicht an ihrem Verschwimmen im Begriffe; das Aufheben im Begriffe hat gar nichts damit zu schaffen; und selbst beim Wiederhervortreten ins Bewußtsein bleibt jede Erinnerung noch unter dem Begriffe oder den Begriffen, in die sie einging, wie vorher enthalten; sondern daran hängt es, daß unser Geist vermöge seiner größern Dürftigkeit und Enge und tiefern Stufe deutlich unterschiedene Erinnerungen überhaupt nur im Nacheinander spielen lassen kann; in welcher Beziehung im höhern Geiste die oft berührten ganz andern Verhältnisse statt haben. Der Begriff ist also gar nicht als der Untergang des Individuellen im allgemeinen Geiste, er ist vielmehr als die höhere Vermittelung des Individuellen mit dem allgemeinen Geiste zu betrachten. Der Geist beherrscht und ordnet und übersieht das in und unter ihm enthaltene Individuelle durch die Einregistrierung unter die Cadres der Begriffe; aber deshalb bleibt es Individuelles und tritt nach einander oder zugleich, vollständig oder unvollständig, auf, je nachdem es die Natur des Geistes aus andern Gesichtspunkten gestattet.

So werden wir also allerdings auch im Jenseits in Verknüpfungen eintreten, die der höhere Geist eben so wie wir besondere Begriffe ins Bewußtsein faßt; aber nichts besto weniger unsre Individualität darin behaupten, wie jeder, der in einen Staat eintritt, nichts besto weniger ein Individuum bleibt, daß der Staat sich als übergeordnetes Allgemein-Wesen über allen untergeordneten Individualitäten fassen läßt.

Obwohl die räumlichen und zeitlichen Verhältnisse und Beziehungen, in denen unsere Anschauungen aufgetreten sind, auch in unser Erinnerungsreich hinein ihren Einfluß forterstrecken, so entwickelt doch die Verwandtschaft und Verschiedenheit unsrer Anschauungen und daraus hervorgehenden Erinnerungen nach Wesen, Ursprung, Wert, in unsrer Erinnerungswelt noch viel bedeutsamere Beziehungen und Verhältnisse. Und es geht unser inneres geistiges Leben hauptsächlich aus dem Trachten hervor und äußert sich in der ˙ Richtung, die Gesamtheit unsrer Erinnerungen aus diesen Gesichtspunkten in angemessene, harmonische, verträgliche Beziehungen zu einander zu versetzen, unangesehen der räumlichen und zeitlichen Entfernung, in welcher die Anschauungen auftraten, denen sie ihren Ursprung verdanken. Begriffe, Urteile, Schlüsse selbst erfolgen aus solchen Gesichtspunkten. Die ganze höhere Ordnung und Tätigkeit des Geistes, von der wir sprachen, bezieht sich darauf. Alle Baumanschauungen, wie fern auch die gesehenen Bäume in Zeit und Raum abstanden, treten in unserm Erinnerungsreiche nach bloßen Ähnlichkeitsbeziehungen unter denselben Baumbegriff, und die Begriffe der Bäume ordnen sich in den Begriff des Pflanzenreiches ein, und dieser tritt zum Begriff des Tierreichs in Beziehung, wobei die zeitlichen und räumlichen Verhältnisse der Pflanzen und Tiere zu einander nicht mehr in Betracht kommen. Zwar auch die Anschauungen fügen sich schon solcher Ordnung gemeinschaftlich mit Erinnerungen ein; aber teils fällt die bewußte Tätigkeit dieses Beziehens, Ordnens nicht in das Anschauungs-, sondern das Erinnerungsreich, teils ist erst im Erinnerungsreiche die volle harmonische Entwickelung der Ordnung zu erwarten, in welche einzelne Anschauungen von dieser oder jener Seite doch anfangs oft noch störend hineintreten.

So werden wir auch zu glauben haben, daß, obwohl die zeitlich räumlichen Verhältnisse und Beziehungen, in denen wir im diesseitigen Anschauungsleben auftreten, auch ins Jenseits ihren Einfluß forterstrecken, sich darin noch wiederspiegeln, doch die innere Verwandtschaft und Verschiedenheit der ins Erinnerungsreich des höhern Geistes übergegangenen Geister nach Wesen, Ursprung, Wert noch bedeutsamere Beziehungen und Verhältnisse für sie dort entwickeln wird, als jene Äußerlichkeiten, und daß das höhere Leben des höhern Geistes hauptsächlich aus dem Trachten hervorgehn und in der Richtung sich äußern wird, die Geister des Jenseits aus diesen Gesichtspunkten in harmonische, gerechte und verträgliche Beziehungen zu versetzen. Es werden sich unangesehen dessen, ob die Geister heute oder vor tausend Jahren ins Jenseits übergingen, hier oder in Amerika lebten, Gemeinschaften aus ihnen bilden nach der Gemeinsamkeit von Ideen, Erkenntnissen und Trennungen nach der Verschiedenheit von solchen. Schon hienieden sind wir in solchen Gemeinschaften inbegriffen; aber erst im Jenseits wird das recht bewußte Leben darin erwachen. Alles, was mehrere Geister von Ideen, Erkenntnissen gemein haben, kann entweder als aus einem in den andern übergegangen, oder als aus einer allgemeinern Bildungsquelle des höhern Geistes in sie übergegangen angesehen werden; erst im Jenseits werden wir uns des Zusammenhanges, in dem wir so unter uns unmittelbar oder durch Vermittelung von Verknüpfungsgliedern im höhern Geiste stehen, deutlich bewußt werden können.

So wird uns auch (was an schon Früheres anknüpft) die Übereinstimmung im Wert oder Unwert unsers Wesens eine gemeinschaftliche Stelle im Himmel oder der Hölle verleihen, die nicht als verschiedene Orte, sondern als Gemeinsamkeiten verschiedener Zustände und Verhältnisse zu betrachten, welche uns im Jenseits nur deutlicher, fühlbarer und mehr in Verhältnis zu unserm Verdienst zugemessen sein werden als jetzt; indem der höhere Geist alle, die in einer Art des Guten oder Bösen übereinstimmen, unter eine gemeinsame Kategorie faßt und ihnen aus gemeinsamem Gesichtspunkte förderlich oder gegenwirkend begegnet; wie auch in uns alle Erinnerungen nach ihrem Werte oder Unwerte unter die Kategorien des Guten oder Bösen überhaupt und dieser oder jener Art des Guten oder Bösen insbesondere treten und danach in die harmonischen, wohltuenden oder widerwärtigen Beziehungen eingehen, ja sie vermitteln helfen, die sich überhaupt in uns an die Begriffe oder Ideen des Guten oder Bösen knüpfen, oder anders, in denen diese ihren wesentlichen Inhalt haben.

Sofern alles Wahre und Gute im Sinne des obersten Wissens und Wollens des höhern und höchsten Geistes ist, alles Falsche und Schlimme aber nur der Widerstreit des einzelnen in ihm gegen das oberste Wissen und Wollen, kann man auch sagen, daß die Geister des Jenseits nach Maßgabe des Wahren und Guten, was in ihnen ist, oder der Abweichung davon, eine zusagende oder widerwärtige Stelle im Jenseits haben und ihrer Einigung mit und durch den höhern und höchsten Geist in Befriedigung, Ruhe, Freude, Seligkeit oder ihres Widerstreits damit in dem entgegengesetzten Gefühle gewahr werden. Es hindert nichts, daß sie in demselben Geiste sind, dem sie doch wider=streben; es ist auch so mit vielem, was in unserm Geiste ist und ihm doch widerstrebt. Wir haben das schon anderwärts betrachtet.

Mit dem Vorigen und manchem Folgenden berührt sich die Lehre Schwedenborgs in seiner Schrift von Himmel und Hölle*) in so wesentlichen Hinsichten, daß ich nicht umhin kann, etwas näher auf diese Beziehungen einzugehen. Seine Lehre stellt sich in etwas wunderlicher Form und phan=tastischer Ausschmückung dar, ist aber meines Erachtens ihrem Kern nach sehr würdig und auf einen tiefsinnigen Gesichtspunkt erbaut. Doch begründet Schwedenborg dieselbe nicht durch Argumente, sondern gibt sie als etwas durch Anschauung und Umgang mit jenseitigen Geistern Gewonnenes.

Nach ihm wie nach uns hängen die wesentlichen Verknüpfungen und Trennungen der Geister des Jenseits von der Übereinstimmung ihres Wesens ab, und namentlich ist es die Übereinstimmung im Guten und Wahren oder dessen Gegenteil, was ihnen einen gemeinschaftlichen Platz in dem Himmel oder der Hölle anweist, die auch nach Schw. keine real räumlich geschiedenen Orte, (wenn gleich nach dem sog. Entsprechungsverhältnis so erscheinend,) sondern verschiedene Vereinigungen nach seiten des Guten und Wahren oder dessen Gegenteil sind. Auch wird von ihm die Gemeinsamkeit, welche die guten Geister haben, eben so wie von uns, der harmonischen Einigung derselben durch und in dem höhern Geiste (dem Herrn) beigelegt,

---

*) Der Himmel mit seinen Wundererscheinungen und die Hölle. Vernommenes und Geschautes. Zu der neuen Kirche des Herrn. Tübingen. Verlag zu „Gutten=berg" 1830.

ben er unmittelbar als Gott faßt, die Bösen aber, obwohl wider den höhern
Geist, doch ihm unterworfen gedacht. Ihre Gemeinschaft ist keine Einigung
in demselben Sinne wie die der Guten, da vielmehr ein Böser wider den
andern ist; doch ist die Übereinstimmung im Schlechten und Falschen
immer etwas, was sie den himmlischen Vereinen gegenüber in dieselbe
Gemeinschaft versetzt. Auf andre Gesichtspunkte, worin wir uns mit
Schwedenborg begegnen, komme ich anderwärts.

Zwar gibt es auch Punkte nicht unwesentlicher Abweichung seiner Lehre
von der unsern. Schw. nimmt an, obwohl im Jenseits keine räumlichen
Verhältnisse mehr wie hier bestehen, erscheinen sich doch die Geister im
Jenseits unmittelbar äußerlich ferner oder näher, je nach der Ähnlichkeit
oder Verschiedenheit ihrer innern Zuständlichkeit, so daß die Hölle aus diesem
Grunde als weit abliegend vom Himmel erscheine (§ 198), weil die bösen
Geister sich in einem entgegengesetzten Zustande befinden, als die guten
Geister (die er Engel nennt), und allgemein bilde sich die Ähnlichkeit und
Unähnlichkeit der geistigen Zuständlichkeit (nach dem sog. Entsprechungsverhältnis) im Scheine einer räumlichen Nähe oder Entfernung ab, dagegen
ich auf Grund unsrer Vordersätze glaube, daß die Ähnlichkeit oder Unähnlichkeit der geistigen Zuständlichkeit nicht abbildlich in Nähe und Entfernung, sondern unmittelbar als das, was sie ist, im Jenseits besser als
hienieden von denen erkannt werden kann, die sich im Verhältnisse dieser
Zuständlichkeit befinden. Wie unsre Erinnerungen an Anschauliches noch
die frühern räumlichen und zeitlichen Verhältnisse wiederspiegeln und selbst
durch Phantasie in neue anschauliche Beziehungen treten, aber auch in
begrifflichen Beziehungen sich bewegen und nach Wertverhältnissen zu einander
stellen können, was gewissermaßen zwei verschiedene Seiten unsres Erinnerungslebens sind, so mag es auch in dem Jenseits oder dem Erinnerungsreiche des höhern Geistes zwei solche Seiten des Geisterlebens geben, die
sich so wenig dort widersprechen werden, wie hier in uns; aber Schwedenborg wirft beide Seiten in eins zusammen, indem er die ans jetzige Sinnesleben erinnernden anschaulichen Beziehungen nur als äußere Erscheinlichkeit
innerer Ähnlichkeits- und Verschiedenheitsbeziehungen gelten läßt.

Überhaupt liegt darin ein Grundzug der ganzen Schwedenborgischen
Lehre, daß die innern geistigen Zustände im Jenseits einen Schein äußerlicher Zuständlichkeit oder eine äußere Erscheinlichkeit an und um sich erzeugen
sollen, welche zum innern Zustande in einer gewissen angemessenen Beziehung
(im Entsprechungsverhältnis damit) ist, in sofern sie es aber ist, nun auch
mit der vollen Kraft der äußern Wirklichkeit im Jenseits auftritt, ja im
Jenseits als solche gilt. Gestalt, Kleidung, anschauliche Umgebung der
Geister sind so bloß Ausdruck ihrer innern geistigen Zustände und Verhältnisse, ahmen zwar die räumlichen, zeitlichen, materiellen Zustände des
Diesseits mit Abänderungen, die doch nur unter der Form des diesseits
Erscheinenden fallen, nach, ohne daß ihnen doch räumliche, zeitliche, materielle
Zustände wirklich wie jetzt noch unterliegen, wogegen sich Schwedenborg
ausdrücklich verwahrt. Diese Ansicht, obwohl sinnreich, scheint mir jedoch in
der von Schwedenborg geltend gemachten Weise kein triftiges Fundament
in der Natur der Dinge zu haben, wie denn das Phantastische, was der

Schwedenborgschen Lehre von Himmel und Hölle anhängt, hauptsächlich in
dieser Seite derselben liegt, da Schw. bei Schilderung der äußern Zuständlichkeiten der Geister auf sehr vagen Voraussetzungen über das Entsprechungsverhältnis zwischen innern Zuständen und äußerer Erscheinlichkeit fußt.

Ferner hält Schwedenborg Himmel und Hölle rein aus einander, indem
er das geistige Grundwesen, die Grundneigung des einen Menschen schlechthin
für gut, die des andern für böse nimmt, was sich nach dem Tode erst recht
rein herausstelle und entscheide; dagegen ich glaube, daß sich ein Mensch
nach gewissen Gesichtspunkten der Kategorie des Guten, nach andern der
des Bösen einordnen kann, und auch der Böse im Jenseits durch die
Strafen der Hölle noch gebessert werden wird; wovon sich bei Schwedenborg
nichts findet.

Abgesehen aber von diesen (und manchen andern, hier beiseitzulassenden)
Unterschieden stimmen die Ansichten Schwedenborgs mit den unsern vielfach
so genau überein, daß man sagen möchte, es sei von uns weiter nichts
geschehen, als seinen Offenbarungen eine theoretische Grundlage untergebreitet,
ungeachtet mir seine Lehre in der Tat erst bekannt wurde, als diese Schrift
schon fast beendigt war.

Hierzu auszugsweise einiges aus seiner Schrift:

Schwedenborgs Ansichten über das Band, das die Geister
des Jenseits in einem höhern Geiste (dem Herrn) finden, und
ihre Beziehungen zu einander.

§ 7. „Die Engel (d. i. seligen guten Geister) in ihrer Gesamtheit
heißen der Himmel, weil er aus ihnen besteht; immer jedoch ist es das vom
Herrn ausgehende Göttliche, das in die Engel einfließt und von diesen
aufgenommen wird, was den Himmel im ganzen und in seinen Teilen
macht. Das vom Herrn ausgehende Göttliche ist das Liebegute und das
Glaubenswahre; so viel an Gutem und Wahren sie denn aufnehmen vom
Herrn, so weit sind sie Engel, und so weit sind sie der Himmel."

§ 8. „Jeder im Himmel weiß und glaubt und wird selbst inne, daß
er nichts Gutes aus sich will und tut, und daß er nichts Wahres aus sich
heraus denkt und glaubt, sondern aus dem Göttlichen, mithin aus dem
Herrn; auch daß das Gute und Wahre, so aus ihm kommt, nichts Gutes
und nichts Wahres ist, weil es nicht Leben aus dem Göttlichen hat: die
Engel des innersten Himmels werden selbst deutlich inne und empfinden das
Einfließen, und, wie weit sie aufnehmen, so weit nur meinen sie im Himmel
zu sein, indem sie so weit in der Liebe und im Glauben, und so weit im
Lichte der Einsicht und der Weisheit, und aus diesen in der himmlischen
Freude sind: weil nun alles dies vom Göttlichen des Herrn ausgeht und
in diesem für die Engel der Himmel ist, so folgt, daß das Göttliche des
Herrn den Himmel macht, nicht aber etwa die Engel irgend aus ihrem
Selbstigen" .....

§ 9. „Die Engel, vermög' ihrer Weisheit, gehen noch weiter; sie sagen
nicht allein, alles Gute und Wahre komme vom Herrn, sondern auch des
Lebens alles; ..... sie sagen ferner, es gebe nur einen Urquell des Lebens,
und das Leben des Menschen sei ein Ausfluß desselben, der, wenn er nicht

fortbauernd von jenem genährt werde, sogleich versiegen gehe. Ferner: aus diesem einzigen Urborne des Lebens, welcher der Herr ist, fließe nichts als das göttliche Gute und das göttliche Wahre hervor, und diese regen jeden an je nach der Aufnehmung; in denen, welche sie mit Glauben und mit Wandel aufnehmen, sei der Himmel; welche sie aber von sich abstoßen oder in sich ersticken, die verwandeln jenes in Hölle, denn sie verkehren Gutes in Böses und Wahres in Falsches, also Leben in Tod"....,

§ 12. „Dies mag denn bekunden, daß der Herr in dem Seinigen wohnt bei den Engeln des Himmels; und also, daß der Herr ist alles in allem des Himmels; dies aus dem Grunde, weil das Gute vom Herrn, ist der Herr bei ihnen, denn was von Ihm ist, das ist Er selbst; daß mithin das Gute vom Herrn für die Engel der Himmel ist, und nimmer etwas von ihrem Selbstigen."

§ 41. „Die Engel eines jeglichen Himmels*) sind nicht alle an einem Orte zusammt, sondern in größere oder kleinere Vereine geteilt nach den Unterschieden des Liebeguten und des Glaubensguten, worin sie sind: die in dem gleichen Guten sind, bilden Einen Verein: das Gute in den Himmeln ist in unendlicher Mannigfaltigkeit, und jeder einzelne Engel ist wie sein Gutes."

§ 42. „Die Engelvereine in den Himmeln sind von einander auch räumlich geschieden nach dem Maß, als ihr Gutes im allgemeinen und im besondern verschieden**); denn die Abstände in der geistigen Welt rühren von nichts anderm als von der Verschiedenheit der Zustände des Inwendigen, im Himmel also aus der Verschiedenheit der Zustände der Liebe. In großer räumlicher Entfernung von einander sind, welche sehr verschieden hierin sind; sich näher aber stehen, die sich wenig unterscheiden; nahe Ähnlichkeit bewirkt, daß sie beisammen sind."

§ 43. „Auch die einzelnen in demselben Vereine scheiden sich auf gleiche Weise wieder alle von einander".....

§ 45. „Hieraus erhellt, daß Gutes zusammengesellt alle in den Himmeln, und daß sie sich unterscheiden je nach dessen Beschaffenheit; jedoch aber sind es nicht die Engel, die sich so zusammentun, sondern der Herr, von welchem Gutes kommt; Er selbst leitet sie, verbindet sie, scheidet sie ab, und erhält sie nach dem Maß, als sie im Guten sind, in ihrer Freiheit; und so jeden einzelnen in dem Leben seiner Liebe, seines Glaubens, seiner Einsicht und Weisheit, und sohin in Seligkeit."

---

*) Des Nähern unterscheidet nämlich Schwedenborg drei Himmel nach den verschiedenen Stufen der Güte und demgemäßen Seligkeit der himmlischen Geister, was er (§ 30) mit einer Dreiteilung des menschlichen Gemüts in Beziehung setzt. Alle drei Himmel sind zwar an sich geschieden, doch durch ein Einfließen vom Herrn mittelbar verknüpft (§ 87).

**) Anderwärts § 191, 192 wird ausdrücklich gesagt, daß zwar im Himmel wie hienieden alles in zeitlichen und örtlichen Verhältnissen erscheine; im Grunde aber es „keinen Abstand, keine Räume gebe, sondern an deren Stelle nur Zustände und Wechsel", wie auch durch das Folgende im Text erläutert wird (vgl. S. 224).

§ 46. „Auch kennen sich dort alle, die in ähnlichem Guten sind, ganz wie die Menschen hienieden ihre Blutsverwandten, ihre Verschwägerten und ihre Freunde, und zwar auch dann, wenn sie sich nie vorher gesehen haben; der Grund ist, weil es im andern Leben keine andern Verwandtschaften, Schwägerschaften und Freundschaften als geistige, mithin nur auf den Grund der Liebe und des Glaubens gibt. Dieß wurde mir einigemale zu sehen vergönnt, als ich im Geist, also meinem Körper entrückt, und so im Umgang mit Engeln war; da sah ich welche, die mir wie von Kind auf bekannt, und andre, die mir als völlig unbekannt erschienen. Die mir wie von Kindheit an bekannt erschienen, waren die, so mit mir in ähnlichem Zustande des Geistes, die mir aber unbekannt schienen, die im unähnlichen waren."

§ 54. „Nimmer kann gesagt werden, der Himmel sei außerhalb jemandes, sondern innerhalb, denn jeder Engel nimmt den Himmel außer ihm nach dem Himmel auf, der in ihm ist."

§ 194. „Hierin (daß nach Maßgabe der Ähnlichkeit oder Unähnlichkeit der geistigen Zuständlichkeit die Geister sich näher oder ferner erscheinen) hat auch seinen Grund, daß in der geistigen Welt einer dem andern gegenwärtig wird, sobald dieser seine Gegenwart sehnlich verlangt, denn mit seiner Sehnsucht sieht er jenen in Gedanken, und überträgt sich gleichsam in dessen Zustand. Die entgegengesetzte Folge daraus ist, daß der eine vom andern nach dem Verhältnis entfernt wird, als er demselben abgeneigt ist: und weil alle Abneigung aus dem Widerstreite der Triebe und aus dem Zwiespalt der Gedanken kommt, so geschieht denn, daß mehrere, welche sich in der geistigen Welt an einem Orte befinden, so lang sie einmütig sind, sich im Angesicht bleiben, sobald sie aber nicht mehr überein denken, einander entschwinden."

§ 205. „Zusammengesellt sind alle im Himmel je nach den geistigen Verwandtschaften, welche bestehen durch Gutes und Wahres in seiner Ordnung, so im ganzen Himmel, so in jedem Verein, so endlich in jedem Haus; daher denn die Engel, die in ähnlichem Guten und Wahren sind, sich, wie Blutsfreunde und Verwandte auf dieser Welt und ganz wie Bekannte von Kind auf, kennen. In gleicher Weise zusammengesellt sind Gutes und Wahres, welche Weisheit und Einsicht hervorbringen, bei jeglichem Engel; diese beiden erkennen sich ebenfalls, und wie sie sich erkennen, so verbinden sie sich auch. Weshalb denn die, bei welchen Wahres und Gutes sich nach der Form des Himmels vereint hat, die Folgen in ihrer Verkettung, und in weitem Umkreis um sich her ihren innern Zusammenhang, ersehen; nicht also die, bei welchen Gutes und Wahres nicht nach der Form des Himmels verbunden sind."

§ 268. „Wie groß die Weisheit der Engel ist, bekundet sich daraus, daß in den Himmeln gegenseitige Mitteilung aller besteht, die Einsicht und Weisheit des einen teilt sich dem andern mit; der Himmel ist Gemeinschaft aller Güter; die Ursache davon liegt in der Natur der himmlischen Liebe, sie will, daß, was das ihre ist, des andern sei; darum wird niemand im Himmel sein Gutes in sich inne als Gutes, wenn es nicht auch in dem andern ist, hieraus die Wonne des Himmels; die Engel haben dies vom Herrn, dessen göttliche Liebe so ist."

15*

B. Verhältnisse der jenseitigen zur diesseitigen Geisterwelt.

Die einzelne Erinnerung in uns erwächst aus der Anschauung, die einzelne Anschauung wird in Erinnerung übergehen. Eins folgt aus und nach dem andern. Aber die Beziehung des gesamten Erinnerungslebens zum gesamten Anschauungsleben in uns ist nicht als ein bloßes Nacheinander zu fassen. Anschauungsleben und Erinnerungsleben bestehen mit einander in unserm Geiste und bestehen nicht zusammenhanglos neben einander. Das ganze Reich unserer Anschauungen hängt in unserm Geiste vollständig mit dem ganzen Reiche der Erinnerungen in eins zusammen; und die ganze Mannigfaltigkeit der Anschauungen gewinnt nur durch Zusammenhang mit dem Erinnerungsreiche selbst einen Zusammenhang, der über das Gefühl des einfachen Nach= und Nebeneinander hinausgeht. Das Anschauungsleben bleibt die unabtrennbare niedere Basis des Erinnerungslebens, und das Erinnerungsleben mit seinen höhern Beziehungen und Verknüpfungen enthält zugleich das höhere Band des Anschauungslebens.

So erwächst das jenseitige Leben des einzelnen Menschen aus seinem diesseitigen Leben, und dieses wird in jenes übergehen. Aber die Beziehung des ganzen Jenseits zum ganzen Diesseits im höhern Geiste ist auch nicht als ein bloßes Nacheinander zu fassen. Diesseits und Jenseits bestehen zugleich im höheren Geiste und bestehen nicht zusammenhanglos neben einander. Das ganze Reich des Diesseits hängt auch vollständig und in eins mit dem des Jenseits im höheren Geiste zusammen, und alle allgemeinen Verknüpfungen in jenem werden nur durch die Verknüpfung mit diesem und mittelst dieses möglich. Das Diesseits bleibt als niedere unabtrennbare Basis unter dem Jenseits stehen; und das Jenseits enthält in seinen Beziehungen das höhere Band des Diesseits.

Wir glauben in Staat, Kirche, Wissenschaft, und was wir sonst von allgemeinen Verknüpfungen in der Menschheit kennen, etwas zu haben, was sich im Diesseits abschließe; aber diese ganzen Zusammenhänge, so weit sie uns im Diesseits vorliegen, sind nur so zu sagen die Oberfläche eines tief nach Innen gehenden, das Jenseits füllenden Zusammenhanges, und ohne daß wir es glauben und wissen, hängen wir durch Bande des Jenseits zusammen. Das Diesseits verdankt seine ganze Erhebung über das niedrig Sinnliche schon der stillen Gemeinschaft mit dem jenseitigen höhern Reiche.

Wie man freilich alles aus einander zu reißen gewohnt ist, Gott und Welt, Leib und Seele, Seele und Geist, so ist man auch gewohnt, das Reich des Jenseits vom Reiche des Diesseits ganz loszureißen, und seine Höhe über dem Diesseits so anzusehen, als ob das Jenseits über den Wolken, das Diesseits auf der Erde, durch einen Zwischenraum von einander geschieden wären. Aber wir haben schon gelernt, solche untriftige Trennungen aufzugeben.

Wir können das Jenseits als eine höhere Entwickelungsstufe des Diesseits betrachten; aber es ist überall nicht die Natur höherer Entwickelungsstufen, die bisherige Basis aufzugeben, sich davon loszumachen, sondern die bisherige Basis selbst zu gipfeln, zu krönen; höhere Beziehungen daran zu entwickeln.

„Indem wir sagen, daß ein Fortschreiten und eine Entwickelung im Totenreiche statt findet, müssen wir dieselbe notwendig zum Entwickelungsgang des Reiches Gottes in dieser Welt in Verhältnis denken. Denn obgleich es zwei Welten gibt, ist doch nur Ein Reich Gottes, nur Ein Geist Gottes und nur Ein Ziel der Weltentwickelung. Erst, wenn dieser irdische Zustand vollkommen ist, erst, wenn die streitende Kirche ihren Kampf auf Erden durchgekämpft hat, kann auch das jenseitige Reich vollkommen werden . . . . . . Es muß so ein Wechselverhältnis zwischen dem jenseitigen und dem diesseitigen Reiche gesetzt werden, und die diesseitige Weltentwickelung ist ihrer wesentlichen Wahrheit nach als hineinscheinend in das Bewußtsein der jenseitigen Geister zu denken. Die jenseitigen Geister müssen sich in innerer Selbstbestimmung zu denjenigen Momenten unsrer Entwickelung verhalten, an welche sie sich ihrer Willensrichtung nach geknüpft haben, und der Geisterkampf der Geschichte muß sich in der Tiefe ihres Willens abspiegeln." (Martensen, Christl. Dogm. S. 520.)

Entwickeln wir diese allgemeinen Betrachtungen etwas ins Besondre.

Jede neue Anschauung, die wir fassen mögen, tritt mit dem Reich unsrer Erinnerungen in Verknüpfung, Beziehung, und es bestimmt sich danach schon die Stelle, die sie, einst selbst Erinnerung geworden, darin einnehmen wird. Ja sie geht schon als Anschauung unbewußt in gemeinsame Begriffe mit Erinnerungen ein, wird darin mit solchen vom Geiste zusammengefaßt.

So ordnet sich auch jeder Mensch schon im Diesseits durch Beziehungen, in die er, wenn auch jetzt noch derselben unbewußt, mit dem Reich des Jenseits tritt, schon zum Voraus dem Jenseits ein oder bestimmt sich die Stelle, die er einst darin einnehmen wird; ja wird schon während seines diesseitigen Lebens in höheren Verknüpfungen mit Geistern des Jenseits vom obern Geiste zusammengefaßt.

„Diesem darf ich beisetzen, daß jeglicher Mensch, auch während er noch im Körper lebt, für den Betreff seines Geistes in Gesellschaft von Geistern

ift, obwohl er nicht davon weiß; daß mittelst dieser der Gute in einem
Engelsverein, und der Böse in einem höllischen Verein ist; und daß er
nach seinem Tod in denselben Verein kommt." (Schwedenborg, „Himmel
und Hölle." § 488.)

Aber nicht nur die allgemeine Ordnung, die höhere Verknüpfung
und Beziehung des Jenseits ergreift das Diesseits mit, sondern auch die
Geister des Jenseits selbst weben und wirken aus dem Jenseits noch in
das Diesseits hinein, ja finden im Diesseits noch einen Boden, über dem
sie nur in einer freiern Weise als wir wandeln, und doch desselben noch
zum Wandeln bedürfen.

Blicken wir in uns selbst zurück. Erinnerungen spielen beständig
in unser Anschauungsleben hinein, helfen unsre Anschauungen näher
bestimmen, ausmalen, machen den grünen Fleck in der Landschaft für
uns zum Walde, das silberne Band darin zum Flusse. Erinnerten wir
uns nicht: da wächst's, da singen Vögel, gehen Jäger, gibt es Schatten,
Kühlung, blieb es für uns ein roher grüner Fleck. Unzählige, unzu-
berechnende Erinnerungen sind es so im Grunde, die mir den anschaulichen grünen Fleck zum Walde machen, ob ich sie auch nicht einzeln
unterscheide. Nur sind die Erinnerungen nicht gebunden, im Zusammenspiel mit andern Erinnerungen an Anschauungen geheftet aufzutreten; sie
können auch selbständig auftreten.

So nun, wie mit den Erinnerungen in unserm Geiste, wird es
auch mit unsern Geistern im Erinnerungsreiche des höhern Geistes sein.
Die Geister des Jenseits spielen in sein diesseitiges Anschauungsleben
hinein; und wir, die noch in diesem wandeln, teilen Unzähliges mit
Geistern des Jenseits, haben es von ihnen, was wir für uns zu haben
meinen. Wie die ganze anschauliche Natur nichts als eine rohe Farbentafel für uns bleiben würde, wenn nicht tausend und aber tausend früher
geschöpfte Erinnerungen zuträten und die Farbentafel in höherm Sinne
ausmalten, so würde die Menschheit in ihrem jetzigen Anschauungsleben
nichts anders als ein rohes Wesen bleiben, wenn nicht tausend und aber
tausend Geister der Vorwelt noch in uns mit darin wirkten, ob wir ihr
Wirken auch nicht einzeln unterscheiden, und all ihre früher gesammelte
Bildung uns Lebenden mit zu Gute käme, sich immer von Neuem in
uns abdrückte, und uns schon hier zu etwas Höherem stempelte, als wir
durch uns allein zu werden vermöchten. Wir schalten in unserm diesseitigen Leben mit geistigen Schätzen, die zugleich dem Jenseits angehören.
Plato lebt noch in den Ideen fort, die er in uns hinterlassen hat; ja
wohin eine Idee von Plato gedrungen ist, da lebt Plato fort, und die

verschiedensten Menschen, die dieser Idee sich bemächtigt haben, sind durch
den Geist Platos verknüpft, der nun nach dem Tode das ganze Schicksal
dieser Idee als seines mit erfährt. Wer törichte Ideen in die Welt
bringt, wird selbst vom Schicksal derselben leiden, bis sie bereinst berichtigt
und gebessert sind. Wer Wahres und Gutes in uns hinein erzeugt, der wird
auch die erfreuliche Wirkung dieses Wahren und Guten in uns mit spüren.

Zwar meinen wir, es sind nur tote Rückstände, deren wir uns
von den Verstorbenen bemächtigen; das aber eben ist der Irrtum. Was
von den Toten geblieben, regt uns lebendig an, greift tausendfach in
unser Leben ein, aber indem es dies tut, leben die Toten selbst darin
mit fort. Das eigene Leben derselben können wir freilich in all dem
nicht erfahren, nur immer wie es eingreift in das unsere, nur die
Wirkungen, die wir von ihnen empfangen, nicht das Wirkende, womit sie
sich äußern. Aber warum soll hinter den Wirkungen, die wir bewußt
erfahren, nicht auch ein Wirken sein, das sich bewußt äußert? Die
Geister des Jenseits haben ihren alten Wirkungskreis nicht aufgegeben,
obwohl sie auch nicht auf dessen Niedrigkeit beschränkt bleiben; sie arbeiten
mit uns im Zusammenhange weiter aus, was sie hier begonnen, und
führen es höher hinauf, nur unter neuen Beziehungen des Bewußtseins
dazu. Alles, was von Ideen und mit Bewußtsein geschaffenen Werken
im Laufe ihres Lebens an die Welt übergegangen, fällt ihnen mit dem
Tode als Ausgang und Angriffspunkt fernern bewußten Wirkens zu.
So wirken sie um uns, in uns hinein; geistig und materiell, wir spüren
ihr Fortwirken und können nur freilich nicht spüren, daß sie auch etwas
dabei spüren.

Darin liegt einer der Vorzüge des Lebens im Jenseits vor dem im
Dießseits, daß die Geister des Jenseits ihrem Sein und Wirken nach nicht
mehr an eine so enge Örtlichkeit gebannt sind, sondern an der Allgegenwart und Freiheit des höhern Geistes im irdischen Gebiete selbst
Anteil gewinnen; sie werden zu seinen Verknüpfungsgliedern des Dießseits,
jeder nach der besondern Richtung, nach der sich nun eben sein Geist hier
betätigt hat. Bemerken wir doch auch in uns die größte Freiheit der
Erinnerungen, sich an jede Anschauung zu assoziieren, mit der sie Ver-
wandschaftsbeziehungen haben, und so Brücken zwischen den verschiedensten
Anschauungen zu schlagen; so werden auch die Erinnerungsgebiete, welche
der größere Geist durch unsern Tod gewinnt, die größte Freiheit haben,
mit den verschiedensten Anschauungsgebieten der Lebenden in Bewußtseins-
beziehung zu treten und selbst eine Bewußtseinsbeziehung zwischen ihnen
im höhern Geiste zu vermitteln.

Jeder Geist des Jenseits wirkt so in unzählige Menschen und in jeden Menschen wirken unzählige Geister hinein. Indes aber jeder lebende Mensch im Diesseits ein Schauplatz des Wirkens und Verkehrs vieler Geister des Jenseits ist, geht keiner dieser Geister ganz mit seinen Wirkungen in ihn ein, sondern nur von dieser oder jener Seite; wie auch zur Begeistung jeder Anschauung zwar die mannigfaltigsten Erinnerungen, aber jede immer nur von dieser oder jener Seite beiträgt, nach Maßgabe als sie in verwandtschaftlicher Beziehung dazu steht. Kein Mensch kann sich eines Geistes des Jenseits ganz bemächtigen. Nun ist es ganz natürlich, daß, wenn jeder von uns nur von dieser oder jener Seite des Daseins eines Verstorbenen berührt wird, nur etwa diese oder jene einzelne Idee desselben in sich aufnimmt und diese mit den Wirkungen so vieler andern Geister, er von der Einheit nichts spüren kann, in welcher jeder Geist des Jenseits alle Seiten seines Wirkens für sich zusammenfaßt. In jeden von uns wächst so zu sagen nur diese oder jene von den vielen Wurzeln hinein, mit denen ein Geist des Jenseits noch im Diesseits sich verzweigt, wie sollten wir des einigen Stammes, in dem sich alle Wurzeln einigen, gewahren; zumal da ein Geflecht so vieler Wurzeln von so vielen Geistern in uns eingeht; was uns erschwert, zu unterscheiden, was uns von jedem einzelnen kommt.

Es geht aber die Individualität der Geister des Jenseits nicht in der unsern unter, verfließt nicht damit; noch umgekehrt. Denn das setzt bei allem Wirken derselben auf und in uns immer eine geistige Scheide zwischen ihnen und uns, daß sie sich dabei als gebend, wir als empfangend fühlen, so weit wir wirklich empfangen. Auch eine Erinnerung verliert dadurch, daß sie aus dem Erinnerungsreiche heraus eine, ja viele Anschauungen begeistet, nicht im Geringsten das Vermögen, selbständig für sich aufzutreten. Und tut sie's nicht immer, so ist's aus andern mehrbesprochenen Gründen. Sie begeistet die Anschauung und bleibt doch was sie ist. Auch eine Kupferplatte verliert dadurch nichts von ihrem eigentümlichen Gepräge, daß sie sich in noch so viele Blätter abdruckt, und verschmilzt nicht damit. Und so mögen auch die Geister des Jenseits ihre Ideen noch so vielfältig in uns abdrücken, und es derselbe Akt sein, in dem sie und wir dies spüren; aber jede Idee wird nach andern Beziehungen, in anderm Zusammenhange die ihre als die unsere sein; und wenn sie von ihnen herrührt, werden sie sich als bestimmend, wir als bestimmt fühlen. Nun aber können wir sie auch gegenbestimmen. In der Tat ist das Verhältnis nicht einseitig zu fassen. Zu den Wirkungen, welche die Geister des Jenseits auf uns äußern, treten wir

mit neuen Wirkungen und wirken selbst auf sie zurück, nach Maßgabe
als sie auf uns wirken. Ihr Leben hat fortan das unsre zu etwas
Äußerm, wie Erinnerungen sich in uns heften an neue Anschauungen,
als an etwas Äußeres, und selbst neue Bestimmungen dadurch gewinnen.
Jede Idee der Verstorbenen, die in uns eintritt, wird doch nach unsrer
Eigentümlichkeit aufgefaßt und gestaltet; darin fühlen wir uns selbsttätig, gebend; sie empfangend oder angeregt.   So tragen wir etwas
auch zu ihrer Förderung bei, indem die neuen Gesichtspunkte, Beziehungen,
unter denen wir ihre Ideen fassen, überhaupt das erfassen, was als
Folge ihres Daseins geistig fortwirkt, zu neuen Anregungen, Bestimmungen
für sie werden.

Wie viel Berührungen aber auch das Leben der Geister des Jenseits
mit dem unsern hat, so ist es doch in dem Verkehr mit uns nicht
beschlossen, und ihre Fortentwickelung beruht nicht bloß darauf; da auch
Erinnerungen nicht bloß in der Anknüpfung an Anschauungen ihr Leben
führen, sondern einen höhern Verkehr unter sich haben, von dem wir
im Anschauungsleben nur die Reflexe spüren.   Das Erinnerungsleben
entwickelt sich so zu sagen nur in unterer Abhängigkeit vom Anschauungsleben, aber in oberer Freiheit von demselben.   Denken wir uns unser
Leben wie einen Keim, der mit dem Tode in ein Reich des Lichtes durchbricht, aber noch in seinem alten Boden wurzeln bleibt.   Nun hängt
freilich fortgehends die ganze Entwickelung des Keims von der Art seiner
Einwurzelung ab, aber nicht allein und besteht auch nicht in der bloßen
Fortentwickelung der Wurzeln.   Was sind nach Durchbruch der Erde oben
auf Grund der Wurzeln in Zweigen, Blättern und Blüten entwickelt,
das ist aus dem, was unter der Erde im alten Boden an den Wurzeln
erfolgt, gar nicht allein zu berechnen, obschon in beständiger Beziehung
damit.   Alle Ideen, mit denen die Verstorbenen in uns fortwirken,
mögen aber solche Wurzeln sein.   Das höhere Dasein der Geister des
Jenseits selbst zu erkennen, müssen wir selbst erst zu demselben höhern
Dasein durchgebrochen sein.   .

Mit diesen Ansichten besteht recht wohl sowohl unsre Freiheit, als
die Freiheit der Geister des Jenseits, soweit nicht das Verbundensein zu
einer höhern geistigen Gemeinschaft Beschränkungen der Art mitführt,
wie wir solche ohnehin fordern.   Das Spiel und der Konflikt der
Freiheit, die wir im Diesseits anerkennen, dehnt sich nur aus auf die
Verknüpfung des diesseitigen und jenseitigen Reiches.   Man ziehe in
Betracht, daß es, welcher Freiheitsansicht man auch huldigen mag, kein
ganz freies Wesen überhaupt gibt; sondern jedes Wesen teils durch

die Erfolge seiner frühern Freiheitsakte, teils durch äußere Einwirkungen
mehr oder weniger mit bestimmt wird. Also wird auch jeder Mensch
durch die Ideen der Verstorbenen oder die nachgelassenen Werke,
welche Träger derselben sind, wesentlich mit bestimmt, und es gilt dies,
gleichgültig, ob sich dabei ein Bewußtsein der Geister des Jenseits
betätigt oder nicht. Wenn jener Mann nicht diese Schule gestiftet,
dieser nicht dies Buch geschrieben hätte, so hätte dieser Knabe nicht
diesen Unterricht empfangen, jener Mann diese Idee nicht weiter entwickeln können. Alle Basis der Kultur, auf der wir als auf einer
überkommenen fußen, gehört also zu unsrer unfreien Seite. Nun aber
arbeiten wir die überkommene Basis der Kultur auch durch uns selbsttätig weiter aus; und alles, was in dieser Beziehung von uns mit dem
Gefühle eigener Anstrengung und eigenen Willens geschieht, gehört zu
unsrer freien Seite. Indem wir dabei die Ideen der frühern Geister
nach unsrer Eigentümlichkeit auffassen, selbsttätig verarbeiten und um-
gestalten, fühlen sie sich nun ihrerseits hierbei von uns bestimmt, gehört
dies zu ihrer unfreien Seite, haben sie ihrerseits eine unfreie Basis der
Fortentwickelung in uns; doch nicht so, daß sie in ihrer Fortentwickelung
uns passiv und unselbständig dahingegeben wären, wie auch wir nicht
ihnen; da es ja immer in ihrer Freiheit liegt, ob sie unsre Auffassung
und Gestaltung ihrer Ideen sich selbst annehmen wollen; wie es in
unsrer Freiheit liegt, in wie fern wir auf ihre Ideen eingehen wollen.
Nur daß es weder in unsrer noch ihrer Freiheit liegt, sich von der
betreffenden Basis der Fortentwickelung überhaupt los zu machen. Und
unstreitig, so wenigstens ist unser Glaube, wird die höhere Führung
eine solche sein, daß zuletzt alle mit aller ihrer Freiheit endlich doch zum
guten Ziele sich entwickeln müssen.

Man kann für das Zusammenbestehen und Zusammenwirken der
Geister des Jenseits mit den Geistern des Diesseits, wie mit einander
selbst, ein großes Prinzip maßgebend halten. Das ist folgendes:

Gleich wie ein Geist vieles haben kann, und doch einer
bleiben, können umgekehrt viele Geister eines haben und
doch viele bleiben.

Was ein Geist hat, können andre mit haben, nur in andrer Beziehung haben. So allein ist es möglich, daß so viele Geister des
Jenseits und Diesseits in derselben Welt bestehen und sich vertragen
können. Durch das Gemeinsame entsteht ihnen ein Band. Doch schmelzen
sie dadurch nicht in einander.

Es ist, wie wenn zwei Wellenkreise sich begegnen; dann gehört die

Kreuzungsstelle beiden zugleich an, und die Wellenkreise bleiben doch jeder etwas Besondres. Nichts kann die eine Welle an der Kreuzungs= stelle treffen, was nicht zugleich die andre beträfe, doch gehört die Kreuzungsstelle einem verschiedenen Zusammenhang in jeder Welle an, und was die eine Welle aktiv wirkt, erleidet die andre rezeptiv und umgekehrt.

Oder es ist, wie wenn zwei Zahlenreihen, deren jede durch ihr besondres Gesetz verknüpft ist, sich kreuzen.

1.

3.

1. 2. 3. 4. 5. 6. 7. 8. . .

7.

9.

Dieselbe Zahl 5 kann beiden gemeinschaftlich sein, doch bleiben es verschiedene Reihen und dieselbe Zahl tritt in jeder beider Reihen in verschiedener Beziehung, Bedeutung auf.

Können doch auch in unserm Geiste verschiedene Vorstellungen sich in demselben Merkmale begegnen, und doch verschieden bleiben. Dasselbe Merkmal ist ihnen aber in verschiedener Weise gemein. Warum soll nicht auch das Entsprechende im höhern Geiste stattfinden.

Ähnliche Ansichten über den Verkehr der Geister des Jenseits mit denen des Diesseits als hier sind auch von andern aufgestellt worden.

„Abgeschiedene Seelen und reine Geister können zwar niemals unsern äußern Sinnen gegenwärtig sein, noch sonst mit der Materie in Gemeinschaft stehen, aber wohl auf den Geist des Menschen, der mit ihnen zu einer großen Republik gehört, wirken, so daß die Vorstellungen, welche sie in ihm er= wecken, sich nach dem Gesetze seiner Phantasie in verwandte Bilder einkleiden und die Apparenz der ihnen gemäßen Gegenstände außer ihm anregen." (Kant, Träume eines Geistersehers 1, 2.)

„Es wird künftig, ich weiß nicht, wo oder wann, noch bewiesen werden, daß die menschliche Seele auch in diesem Leben in einer unauflöslich verknüpften Gemeinschaft mit allen immateriellen Naturen der Geisterwelt stehe, daß sie wechselsweise in diese wirke und von ihnen Eindrücke empfange, deren sie sich aber als Mensch nicht bewußt ist, so lange alles wohlsteht." (Ebendaselbst.)

Die Somnambule Kachler in Dresden beantwortete im Hochschlafe die Frage: „Können die Geister Verstorbener uns nahe kommen und fühlbar werden?" wie folgt:

„Fühlbar werden wohl nicht, aber nahe kommen wohl, doch auch fühlbar durch das geistige Denken. Der abgeschiedene Geist kann sich mit den noch Lebenden beschäftigen, und beschäftigt sich dieser in demselben Augenblicke mit dem Verstorbenen, so kann es beiderseits durch das Begegnen fühlbar

werden." (Mitteil. aus dem magnet. Schlafleben der Somnambule Auguste
K. in Dresden. 1843. S. 297.)

Wie die Ansichten Schwedenborgs über den Verkehr der Geister des
Jenseits unter einander sich sehr mit den unsrigen berühren, so auch über
den Verkehr der Geister des Jenseits mit den Lebenden. Nicht minder tritt
die Jbbur der alten Rabbiner ganz in die obigen Vorstellungen hinein; ja,
wie später noch besonders zu betrachten, löst sich selbst das Mysterium der
christlichen Lehre von Christi Gegenwart in seiner Gemeine hierin auf.

Aus Schwedenborgs Schrift über Himmel und Hölle.

§ 228. „Verstand und Wille des Menschen werden vom Herrn geleitet
durch Engel und Geister*), und weil Verstand und Wille, so dann auch
des Körpers alles, denn letzteres geht hervor aus jenen; ja der Mensch
kann, wenn ihr mir glauben wollt, keinen Schritt tun, ohne Einfließen des
Himmels. Daß dem so ist, ward mir in vielfältiger Erfahrung gezeigt; es
ward Engeln gegeben, mein Schreiten, meine Geberdung, meine Zunge und
Rede beliebig zu bewegen, und zwar mittelst Einfließens in mein Wollen
und Denken; und ich erkannte, daß ich nichts aus mir vermöge: nachher
sagten sie, jeglicher Mensch werde so geleitet, und könnte dies aus der Lehre
der Kirche und aus dem Worte wissen, denn er bäte ja, Gott möge seine
Engel senden, daß sie ihn führen, seine Tritte lenken, ihn lehren und ihm
eingeben möchten, was er denken und reden sollte u. s. w.; und doch,
wenn er abwärts der Lehre bei sich selber dächte, spräch' er anders, als er
glaube. Was hier gesagt ist, soll zeigen, welche Macht die Engel bei den
Menschen haben."

§ 246. „Engel, welche mit einem Menschen reden, reden nicht in
ihrer Sprache, sondern in der Sprache der Menschen; so wie auch in andern
Sprachen, deren der Mensch kundig ist, nicht aber in Sprachen, die ihm
unbekannt sind: der Grund hiervon ist, weil die Engel, wenn sie mit
dem Menschen reden, sich gegen ihn wenden, und so sich mit ihm verbinden;
und die Verbindung des Engels mit dem Menschen bewirkt, daß beide sind
gleichen Denkens; und weil des Menschen Denken mit seinem Gedächtnis
zusammenhängt, und aus letzterm seine Rede hervorgeht, so sind beide auch
in derselben Sprache: überdies wird ein Engel oder ein Geist, wenn sie zu
einem Menschen kommen und mittelst Hinwendung gegen ihn mit ihm ver=
bunden werden, in dessen ganzes Gedächtnis hinein versetzt, in der Art, daß
sie kaum anders wissen, als daß sie aus sich wissen, was der Mensch weiß;
so denn auch seine Sprachen. Ich sprach hierüber mit Engeln, und sagte:
sie meinten vielleicht, daß sie mit mir in meiner Muttersprache sprächen
(weil es so vernommen wird), und doch seien nicht sie es, die sprächen,
sondern ich; was der Umstand erweise, daß die Engel nicht Ein Wort aus=

---

*) Schwedenborg unterscheidet Geister schlechthin von Engeln. Engel sind die
schon in den Himmel übergegangenen seligen Geister; Geister schlechthin sind noch in
einem Mittelreiche, wo sie sich erst für Himmel oder Hölle zu entscheiden haben.

sprechen könnten aus einer menschlichen Sprache; (zudem ist die menschliche
Sprache eine naturmäßige, sie aber sind geistig; und Geistige vermögen nichts
in naturmäßiger Art vorzubringen); sie entgegneten: es sei ihnen bekannt,
daß ihre Verbindung mit dem Menschen, zu dem sie sprechen, mit dessen
geistigem Denken geschehe, weil aber dieses in sein naturmäßiges Denken
einfließe, und letzteres mit seinem Gedächtnis zusammenhänge, so erscheine
die Sprache des Menschen ihnen als die ihrige, und eben so all' sein Wissen,
und dies geschehe darum, weil es dem Herrn gefallen habe, daß eine solche
Verbindung und gleichsam Einfügung des Himmels in den Menschen bestehe;
es sei aber in jetziger Zeit der Zustand des Menschen dahin verändert, daß
eine solche Verbindung nicht mehr mit den Engeln, sondern mit Geistern
bestehe, die nicht im Himmel sind. Auch mit Geistern sprach ich über diese
Erscheinung, die aber wollten nicht glauben, daß der Mensch rede, sondern
sie sprächen im Menschen, meinten sie; auch wisse der Mensch, was er wisse.
nicht selbst, sondern sie wüßten es, und also sei alles menschliche Wissen
von ihnen; meine Bemühung, sie vom Gegenteil zu überzeugen, war
vergeblich."

§ 247. „Daß die Engel und Geister sich in so enger Weise mit dem
Menschen verbinden, bis zu dem Punkte, daß sie nicht anders wissen, als
daß, was dem Menschen angehört, das Ihrige sei, liegt auch darin, weil die
geistige und die naturmäßige Welt sich bei dem Menschen so verknüpfen, daß
sie gleichsam eines sind: weil jedoch der Mensch sich vom Himmel getrennt
hatte, so ist vom Herrn Vorsehung geschehen, daß bei jeglichem Menschen
Engel und Geister seien, und daß der Mensch durch sie vom Herrn geleitet
werde, um deswillen besteht eine so enge Verbindung. Ein andres wäre
gewesen, wenn der Mensch sich nicht losgetrennt hätte, dann hätt' er nämlich,
ohne Zugesellung von Geistern und Engeln, mittelst des gemeinsamen Einfließens durch den Himmel vom Herrn können geleitet werden."

§ 248. „Die Rede eines Engels oder Geistes mit einem Menschen
wird eben so vernehmlich gehört, als die Rede von Mensch zu Mensch, sie
wird aber nicht von denen vernommen, die neben diesem stehen, sondern
bloß von ihm selbst: der Grund ist, weil die Rede des Engels oder Geistes
zuerst in das Denken des Menschen einfließt, und auf innerm Weg in sein
Gehörwerkzeug, und so das letztere von innen heraus anregt; indes die Rede
von Mensch mit Mensch erst auf die Luft, und so auf äußerm Weg auf das
Gehörwerkzeug einwirkt, und letzteres denn von außen herein anregt."

§ 255. „Denkwürdig ist auch dies: Wenn Engel oder Geister sich
dem Menschen zukehren, so können sie mit ihm auf jegliche Entfernung
reden; auch sprachen sie mit mir aus weiter Ferne her eben so vernehmbar, als
wie in voller Nähe; wenden sie aber sich ab vom Menschen und wechseln
Rede unter sich, so vernimmt der Mensch nicht das Geringste davon; ob
sie auch hart an seinem Ohre sprächen; dies bekundete, daß in der geistigen
Welt alle Verbindung nach dem Maße des Zukehrens erfolgt. Denkwürdig
ist auch, daß Mehrere zugleich mit dem Menschen reden können, so wie der
Mensch mit ihnen: sie senden nämlich an den Menschen, mit welchem sie
reden wollen, einen Geist ab, und der entsendete Geist kehrt sich dem

Menschen, und jene Mehrere kehren sich ihrem Geiste zu, oder vereinen so in ihm ihre Gedanken, die dann der Geist, so geeint, dem Menschen mitteilt; der Geist weiß da nicht anders, als daß er aus sich rede; und die Engel wissen nicht anders, als daß sie selbst reden; so geht die Vereinigung mehrerer mit einem gleichfalls mittelst Zukehrung vor sich.“

§ 256. „Es darf kein Engel noch Geist mit dem Menschen aus eigener Erinnerung reden, sondern nur aus der Erinnerung des Menschen; die Engel und Geister nämlich haben eben sowohl eine Erinnerung als die Menschen; spräche nun ein Geist aus seiner Erinnerung mit dem Menschen, so würde der Mensch nicht anders wissen, als daß die Gegenstände, die er eben bei sich denkt, zu ihm gehören, während sie dem Geist angehören; in solchem Falle gemahnt es den Menschen wie Rückerinnerung an etwas, das er doch niemals gehört noch gesehen hat: es wurde mir selbst zu erfahren vergönnt, daß es sich so verhält.“

§ 302. „Ich sprach mit Engeln über die Verknüpfung des Himmels mit dem Menschengeschlechte und sagte: die Menschen, welche zur Kirche gehören, sprächen zwar, alles Gute komme von Gott und es wohnten Engel bei dem Menschen, wenige jedoch glaubten wirklich, daß Engel mit dem Menschen verknüpft seien; wenigere noch, daß Engel in ihrem Denken und ihrem Treiben seien: hierauf erwiderten die Engel, sie müßten, daß ein solcher Glaube und selbst solche Reden sich finden, und zumeist innerhalb der Kirche; sie wunderten sich dessen, da doch in der Kirche das Wort sei, welches vom Himmel und über die Verbindung desselben mit dem Menschen Kunde gebe; sei doch die Verbindung so innig, daß der Mensch reinhin nichts denken könnte ohne die ihm zugesellten Geister; und es sei durch sie sein geistiges Leben bedingt: der Grund dieser Unkunde, sagten sie, sei der, daß der Mensch durch sich selbst und ohne Verband mit dem Ur=Sein des Lebens zu leben meine und nicht wisse, daß jener Verband durch den Himmel vermittelt werde; indes doch der Mensch, wenn jener Verband sich löste, sofort entseelt niederfiele.“

Über die Jbbur der alten Rabbiner.

Die Lehre der alten Rabbiner, welche den Namen Jbbur führt, besteht darin, daß die Seele eines Verstorbenen in einen lebenden Menschen oder ein ganzes Geschlecht, eine ganze Nachkommenschaft von Menschen übergehen, sich in dieselbe verteilen kann, ohne fest daran gebunden zu sein; auch können durch die Jbbur mehrere Seelen Teil an demselben Menschen gewinnen. So hat sich Moses Seele unter alle Geschlechter, unter alle Lehrjünger der Weisen und Gerechten, die im Gesetz studieren, ausgebreitet und pflanzt sich von Geschlecht zu Geschlecht fort; so kommen die Seelen der Eltern an ihre Kinder, und der Mensch sündigt, wenn er sündigt, mit seinen Eltern zugleich. Doch identifiziert sich die Seele der Verstorbenen nicht mit der der Lebenden, es findet nur eine Zugesellung statt, wodurch aber doch die Seele der Verstorbenen in innigsten Wirkungsbezug mit der Seele der Lebenden tritt.

Diese Ibbur ist freilich in ihrer Ausführung sehr roh und fußt vielmehr auf willkürlicher Auslegung von Schriftstellen als vernünftigen Gründen. Indes mußte es doch Anlässe geben, wirklich die Schriftstellen so aus= zulegen.

Es ist erklärlich, daß bei dieser rohen Begründung und Ausführung die Ibbur eben so wenig allgemeinen Beifall und Verbreitung gewinnen konnte, als Schwedenborgs Lehre in ihr phantastischen Ausführung. In= zwischen hat man verschiedene Urteile darüber gefällt.

Flügge (Gesch. I. S. 433) sagt darüber: „Erbaulicher können wir das Gewebe Rabbinischer Narrheit wohl nicht schließen, als mit der echt Rabbi= nischen Behauptung, daß die Seele in viele tausend Teile zerstückt und zerlegt werde, und dadurch in eben so viele Menschen versetzt werden könne."

Herder dagegen (Zerstr. Bl. I. S. 290) nennt in seinem Gespr. über die Seelenwanderung die Ibbur eine liebliche Dichtung, indem er sie mit folgenden Zügen darstellt:

„Charikles. Und was halten Sie von der Seelenwanderung der Juden, die die Rabbiner Ibbur nennen? Sie sagen, daß sich zu einem Menschen mehrere, auch Menschenseelen, gesellen können, die ihm, insonderheit zu gewissen Zeiten, (wenn nämlich ein freundschaftlicher Geist siehet, daß er's bedarf, und Gott es ihm erlaubet,) beistehen, ihn stärken, begeistern, mit und in ihm wohnen. Sie verlassen ihn aber, wenn das Geschäft zu Ende ist, dazu sie ihm helfen sollten: es sei denn, daß Gott einen Menschen mit diesem Beistande eines fremden Geistes bis an sein Ende begünstige.

Theages. Die Dichtung ist lieblich. Sie erklärt, warum ein Mensch oft so ungleich handelt, wie er insonderheit in spätern Jahren bisweilen so sehr unter sich sinket. Der fremde, hilfreiche Geist hat ihn verlassen, und er sitzt mit dem Seinen nackt da. Auch ehrt die Einkleidung außer= ordentliche Menschen auf eine schöne Weise: denn welch ein Lob ist's, daß einen Weisen die Seele eines alten Weisen, oder gar mehrere derselben auf einmal beleben! — Sie halten doch aber die schöne poetische Einkleidung nicht für physisch=historische Wahrheit?

Ch. Wer weiß? Die Revolution menschlicher Seelen ist bei vielen Völkern allgemein geglaubt worden. Sie haben doch die Frage an Johannes gelesen: „Bist du Elias? Bist du ein Prophet?" Sie wissen, wer's sogar bestätigte und gerade heraus sagte: „Er ist Elias!""

Obwohl bei uns niemand an die Ibbur der alten Juden glaubt, so hat man wenigstens Ausdrücke genug, die im Sinne derselben sind; nur daß man sie nicht wörtlich genommen haben will. Wie oft hört man sagen, daß der Geist eines Vaters auf seine Kinder übergegangen sei, sie noch beseele, der Geist eines großen Mannes in seinen Schülern fortwirke. Aber man meint, indem er auf die Kinder und Schüler übergegangen ist, hat ihn der Vater, der Lehrer nicht mehr, oder man meint nur eine Ähnlichkeit mit dem Geiste des Vaters.

Mehrere auf die Ibbur bezügliche Stellen aus den Schriften der alten Rabbiner finden sich in Eisenmenger's Entd. Judenth. II. S. 85 ff. angeführt.

C. Über die Beziehungen der jenseitigen Geister zur dies=
seitigen Sinneswelt und die höhere Wirklichkeit.

Werden die Geister des Jenseits, nachdem sie der bisherigen Sinnes=
organe bar geworden, neue Sinnesorgane bekommen? Zuvörderst werden
sie die unsrigen mitbekommen? Denn indem sie in uns mit eingehen
und durch gemeinsame geistige Momente sich mit uns verknüpfen, werden
sie auch an den Fortbestimmungen, welche diese geistigen Momente durch
unsre Anschauungen gewinnen, Anteil gewinnen; unsre Anschauungen
werden in so fern mit die ihren sein, obwohl nur eben so weit, als
dieselben wirklich zur Fortbestimmung dessen, was sie mit uns gemein
haben, beitragen. Doch wird es kein Sehen, Hören im Sinne des
Diesseits mehr für sie geben. Sie spüren nicht mehr die sinnliche
Tätigkeit im Gebrauche unsrer Sinnesorgane, die wir spüren; sehen,
hören so zu sagen, in uns hinein, ohne doch mit unsren Augen zu
sehen, zu hören; spüren gleichsam nur noch den Atem unsrer Sinne,
doch atmen selber nicht damit. Die Arbeit des Schöpfens, Sammelns im
Sinne des Diesseits liegt nun ein für allemal für sie dahinten. Wie auch
die Erinnerungen in uns wohl Fortbestimmungen durch unsre Sinne
empfangen; doch gibt's kein eigentlich Sehen, Hören mit Erinnerungen.

Nicht nur die Weise, auch der Spielraum der Beziehungen zur
Sinnenwelt wird sich künftig anders als jetzt gestalten. Jetzt hat jeder
seine besondern paar Augen, Ohren und beherrscht damit seinen be=
schränkten räumlichen Umkreis. So wird's künftig nicht mehr sein.
Einzelne Sinnesorgane für uns werden wir jenseits gar nicht mehr
haben; wir haben sie im Übergange zum Jenseits eben fallen lassen.
Allgemein gesprochen wird der ganzen jenseitigen irdischen Geisterwelt
die ganze Sinnessphäre, der ganze Sinnesapparat der Erde in eins und
gemeinschaftlich zur ihrer Fortbestimmung zu Gebote stehen, wie der
ganzen Erinnerungswelt in uns die ganze Sinnessphäre unsers Leibes
zu ihrer Fortbestimmung zu Gebote steht; nur daß doch jeder Geist
immer nur in seiner besondern Weise, nach Maßgabe, als er sich hier
dazu vorgebildet hatte, Anknüpfungspunkte dazu entwickelt hatte, und
sein Interesse jenseits sich richtet, davon wird Gebrauch machen können
und wollen. Außer den Sinnesorganen der Menschen und Tiere
können aber der Erde möglicherweise noch andere und allgemeinere
Sinnesvermittelungen, wovon jenes vielleicht nur spezielle Abzweigungen
sind, zu Gebote stehen, an denen wir künftig Anteil gewinnen; obwohl
sich hierüber nichts Bestimmtes aussagen läßt.

Durch räumliche Entfernungen und materielle Hindernisse werden wir in unserm Schauen, nennen wir es so, obwohl es keines mehr im Sinne des Diesseits ist, nicht mehr beschränkt sein wie hier. Eine Meile oder Mauer zwischen kann uns nichts ferner rücken, nichts verstecken. Wir gehen, dringen durch alles durch, sind überall wohnhaft und seßhaft im irdischen Gebiete, und können uns dahin und dorthin wenden, wie eine Erinnerung in unserm Gehirn überall da und bereit ist, wo etwas Verwandtes und Bekanntes sie anruft. Doch wird's darum an andern Schranken nicht fehlen; ja wie die alten gefallen sind, werden neue aufsteigen, die eben nur für das Jenseits Bedeutung haben. Nicht alles, was zu sehen, zu hören, wird uns berühren können; sondern es wird dazu ein Bezug (Rapport) zu den Dingen erforderlich sein, der im Diesseits durch unsre Beschäftigung damit oder ihr Eingreifen in unsern Lebenskreis schon geknüpft, oder der auf Grundlage des im Diesseits Geknüpften im Jenseits entwickelt sein mußte; wir werden blind und taub sein für alles andre. Auch Erinnerungen in uns empfangen nur Fortbestimmung durch Anschauungen, mit denen sie nach Assoziationsgesetzen in verwandtschaftlicher Beziehung stehen. Wie sich's des Nähern stellt, kann erst die Zukunft lehren. Vielleicht aber erläutert sich's einigermaßen, wenn wir daran denken, wie die Phänomene des Hellgesichts geschildert werden. Das ist auch ein Sehen, Hören, Fühlen, Ahnen durch weiten Raum und Mauern durch, in andre sogar hinein, ohne Gebrauch von besondern einzelnen Sinnesorganen, ohne eigentliche Sinnestätigkeit überhaupt; nur uneigentlich Sehen, Hören zu nennen, und doch die Leistungen davon in höherm Sinn vollziehend, und dabei auch wieder ein Nichts-Sehen, Hören von dem, was jeder diesseits sieht und hört, Blind-Taubsein für das Nächste; es hängt an einem besondern Rapport, der sich im einzelnen freilich nicht verfolgen läßt.

Wir fragen nicht, denn dies ist eine noch ganz andre Frage, sind diese Angaben über das Hellsehen richtig; sie sind jedenfalls für uns erläuternd. Ist's nicht im Diesseits so, wird's doch im Jenseits so oder ähnlich sein, und kann's im Jenseits so sein, könnte nicht auch ins Diesseits hinein etwas davon mitunter spielen? Ist denn der Zustand des Schlafwachens überhaupt noch ein reiner Zustand des Diesseits? Nicht einmal Erinnerung davon reicht ins wache Diesseits zurück; indes es umgekehrt der Fall.

Das versteht sich aus allgemeinem Gesichtspunkte, daß wir einem derartigen Unglauben nicht beipflichten können, welcher die Möglichkeit für den Menschengeist, noch in andrer Weise als durch unsre jetzige gewöhnliche Sinnesvermittelung Erkenntnisse zu gewinnen, überhaupt leugnet, weil hiemit die Möglichkeit seiner künftigen Fortexistenz zugleich geleugnet wäre.

taufchen, ohne daß Züge von Erinnerungen mit den Worten und Blicken gingen.

Wenn ſich Gemeingefühle an die großartigen Naturvorgänge der Erde knüpfen, ſo dürfen wir glauben, daß wir im Jenſeits auch hierbei mitbeteiligt ſein werden. Wie anders läuft der Fluß der Erinnerungen und Zug der Gedanken in unſerm Geiſte, je nachdem die allgemeinen Vorgänge in unſerm Körper unſer Lebensgefühl verſchieden ſtimmen. So mögen alſo auch auf den Fluß und Zug des höhern geiſtigen Lebens, das wir jenſeits in und mit dem Geiſte der Erde führen werden, die allgemeinen ſinnlichen Stimmungen der Erde einen Einfluß haben, den wir jetzt noch nicht im ſelben Sinne ſpüren können.

Auf Grund von Erinnerungen baut ſich die Vorausſicht und Vorausbeſtimmung deſſen, was künftig in unſerm Anſchauungsleben Platz greifen wird und ſoll, in vorweiſenden und vorwirkenden Bildern in uns auf. Dasſelbe Reich in uns iſt es, in welchem das Vergangene in Form von Erinnerungsbildern aufgehoben wird, und in welchem die Vorbilder des Zukünftigen ſich entwickeln. Die Erinnerung des Vergangenen muß den Stoff zu den Bildern der Zukunft wie die leitenden Geſichtspunkte für die Vorausſicht und Vorausbeſtimmung des Zukünftigen liefern. Je vollkommener, größer, mächtiger unſer Geiſt iſt, je weiter und höher ſeine Überſchauung der Gegenwart, ſein Erinnerungsvermögen, ſeine Kombinationsgabe, ſeine Macht über die Mittel der Ausführung reicht, einen deſto größern Umfang, eine deſto weiter greifende Folge deſſen, was geſchehen wird und geſchehen ſoll, vermag er vorauszuſehen und vorauszubeſtimmen; deſto ſicherer iſt die Vorausſicht des Geſchehenden und die Erfüllung des Gewollten. Für alles, was in den gewöhnlichen Gang unſrer Lebensſphäre hineintritt, iſt gar kein beſonderer Schluß, keine beſondere Erwägung zur Vorausſicht und Vorausbeſtimmung nötig; es kommt uns von ſelbſt als ſich von ſelbſt verſtehend in den Sinn und trifft ein, ohne daß wir etwas Wunderbares in dieſem Eintreffen ſehen. Anderſeits aber fehlt es keinem endlichen Geiſte an Schranken, die er nicht überſchreiten kann, die Möglichkeit des Irrens und Mißlingens bleibt immer beſtehen, und es gibt ein Gebiet unvorbeſtimmbarer Freiheit, was außer aller Vorausſicht und Berechnung fällt.

Alles nun, was wir in dieſer Hinſicht in uns finden, wird nur in höherm Sinne, größerm Umfang und höherer Vollendung im höhern Geiſte wiederzufinden ſein, alſo daß das, was wir davon in uns finden, ſelbſt nur in untergeordneter Weiſe zu dem beiträgt, was in ihm zu finden. Eine höhere, umfaſſendere, weiter vorgreifende Vorausſicht und

Vorausbeſtimmung deſſen, was in ſeinem Anſchauungsleben ſich verwirklichen wird und verwirklichen ſoll, wird auch in vorweiſenden und
vorwirkenden Bildern ſchon zuvor in ihm lebendig ſein; nur in Bildern
von einer ganz andern Klarheit, Fülle, Lebendigkeit, Umfänglichkeit, als
wir ſie hienieden in uns tragen können. Auch bei ihm wird dies Vermögen der Schranken nicht ermangeln; aber ſie werden für ihn weiter
geſteckt ſein als für uns, indem die Wände, die das Gebiet unſres
Blickes begrenzen, großenteils nur Zwiſchenwände des Gebiets ſind, das
ſein Blick noch ganz begreift. Auch bei ihm wird dies Vorausſchauen
und Vorausbeſtimmen der zukünftigen Verhältniſſe ſeiner Anſchauungsſphäre nur mittelſt Erinnerungen, die aus ſeiner Anſchauungsſphäre erwachſen ſind, zuſtande kommen können. Und ſofern wir ſelbſt aus
ſeinem Anſchauungsleben erwachſene Teilhaber ſeines Erinnerungslebens
in einem ganz andern höhern Sinne jenſeits als diesſeits ſind, wo wir
in den engen Banden des Anſchauungslebens ſelbſt noch gefeſſelt liegen,
werden wir auch jenſeits ganz andern Anteil an dieſer höhern Vorausſicht, dieſer höhern Vorausbeſtimmung gewinnen als jetzt, obwohl
jeder wieder nur nach beſondern Beziehungen. Wie unſer Erinnerungsvermögen und unſer Umblick in Betreff der Anſchauungswelt ſich ſteigern
wird, ſo alſo auch und in Zuſammenhang damit unſre Vorausſicht und
unſre vorbeſtimmende Kraft, obwohl dieſe Vermögen auch der Schranken
nicht ermangeln werden, die nur nicht mehr die des Diesſeits ſind.

Indem wir nun als jenſeitige Geiſter noch in den diesſeitigen
Menſchen mit wohnen und wirken, haben dieſe auch Anteil an unſrer
Vorausſicht und unſrem Vorbeſtimmen; doch keiner kann unſre ganze
höhere Vorausſicht und unſre Vorbeſtimmung in derſelben Weiſe ſich
zu eigen machen, wie wir ſie haben werden, ſondern jeder nur von gewiſſer
Seite und in gewiſſen Grenzen, wie es eben die Schranken des Diesſeits
und ſeines, nach dem engen diesſeitigen Anſchauungs- und Erinnerungsleben zu, bemeſſen Gemüts iſt. Umgekehrt kann kein Geiſt des Jenſeits
die höhere Vorausbeſtimmen, womit ein diesſeitiger Menſch ſeine
Verhältniſſe ſich und uns zu eigen machen, ganz teilen, ſondern
nur von gewiſſen Seiten, nach gewiſſen Beziehungen mit hinein-
greifen, wie das
... Wahrnehmung des Gegenwärtigen gilt. Auch iſt
das Vorausbeſtimmen der jenſeitigen Geiſter eben ſo
... und in den diesſeitigen Menſchen er-
... Es iſt ein Mit- und Durch-
... es für mich allein.

Wie die Fernsicht, scheint auch die Voraussicht des Jenseits abnormer-
weise zuweilen ins Diesseits hinüberzuspielen, in so weit man nämlich das
gelten lassen will, was von Vorahnungen, vorbedeutenden Träumen und der
Voraussicht hellsehender Somnambulen berichtet wird. Der Zusammenhang
der Fernsicht mit der Voraussicht, der sich nach Obigem für das Jenseits
ergibt, findet sich auch in diesen Erscheinungen des Diesseits, die man
damit in Beziehung setzen kann, wieder. Das Vermögen der Fernsicht und
Voraussicht stellt sich nämlich dabei als ein in sich zusammenhängendes oder
wesentlich als dasselbe Vermögen dar. Freilich darf man nicht übersehen,
daß die Fernsichten und Voraussichten der Somnambulen öfter trügen, als
man nach den gewöhnlichen Berichten der Enthusiasten darüber glauben
sollte; was inzwischen kein Gegengrund gegen ihre Beziehung zur jenseitigen
Fernsicht und Voraussicht sein würde, sei es, daß man diese Irrtümer auf
die doch nur unvollständige Annäherung des somnambulen Zustandes an den
jenseitigen Zustand, sei es auf die Schranken, die auch dem Jenseits nicht
fehlen, schreiben will. Zu weit würde es jedenfalls führen, hier in eine
Kritik dieses ganzen Gegenstandes und eine Erörterung alles dessen, was
dabei in Erwägung zu ziehen ist, einzugehen. Wir weisen, wie oben bemerkt,
die Möglichkeit dieser Klasse von Erscheinungen nicht überhaupt ab, nehmen
doch aber aus guten Gründen bloß beiläufig darauf Bezug, und lassen jedem
gern seine Ansicht darüber. Wie die allgemeine Theorie derselben in Zusammenhang mit unsern Vorstellungen vom Jenseits zu stellen wäre, falls
man ihre Statthaftigkeit überhaupt zugibt, wird in einem spätern Abschnitt
(XXIV, D) angedeutet werden. Hier nur noch ein Beispiel, wie das Vermögen der Voraussicht von einem Somnambulen selbst aufgefaßt wird.

Der oberwähnte Richard Görwitz sagte (S. 156 der angeführten
Schrift) von einem neugebornen Kinde, dessen Geburt er aus der Ferne
angezeigt hatte, im 28 sten Jahre werde sein Schicksal eine sehr ernste
Wendung nehmen.

F. „Was nennst du denn eigentlich das Schicksal, Richard?“

A. „Es ist die Folge des Vergangenen. Das Kleinste, auch wenn es
schon vor unsrer Geburt geschehen ist, hat eine Folge für und eine Beziehung auf uns; eine Folge, die sich immer weiter verbreitet und endlich
das Schicksal wird oder ist. Ihr kennt wohl das Schicksal, könnt aber
nicht zurückschauen, wie ich es kann, und denkt nun, es wäre Zufall! —
Das ist es aber nicht! — Denn was ihr jetzt leidet und was euch jetzt freut,
dazu war schon lange der Grund gelegt. Wie eine Blume, ein Baum
wächst aus dem kleinsten Samenkörnchen, das wir kaum erkennen, so wächst
das Schicksal der Menschen aus tiefster Verborgenheit, aus dem Schoße der
Notwendigkeit. — Für alles Geschehende sind zureichende Ursachen vorhanden! — Kein Zufall! — Und wenn ich in meinem jetzigen (magnetischen) Zustande in die Zukunft sehe, so sehe ich die fortlaufenden
Ursachen auf einmal, und der Geist des Schicksals steht vor mir! —
Nur Ihr nennt es Voraussehen; es sieht sich aber eigentlich gar nicht
voraus; sondern es ist schon jetzt.“

S. 135 sagt Richard: „Die Zukunft ist ein gar eigenes Licht!“

Denn der Geist läßt mit dem Tode nicht nur die jetzigen Sinnesorgane, sondern auch sogar das jetzige Gehirn fallen. Will man nun den Zweck, so muß man auch die Mittel wollen. Ein Naturforscher, der da glaubt und verlangt, daß er nach dem Tode ohne seine jetzigen Sinnesorgane und Gehirn noch geistig fortbestehen und etwas vernehmen werde, darf es nicht für unmöglich halten, daß diese andre Weise des Vernehmens auch ins Diesseits hineinspiele; denn wer hat ihm bewiesen, oder wie kann er beweisen, daß zwischen beiden Zuständen eine absolute Scheidewand sei; da wir doch sonst nirgends absolute Scheidewände sehen? Und ich halte es nicht für schön, etwas andres glauben und etwas andres wissen wollen. Aber ich sage damit nicht, daß man unbestimmte Möglichkeiten für mehr als solche halten solle. Nur eine Unmöglichkeit darf man nicht da sehen, wo es sich um die Möglichkeit der Vereinigung unsrer höhern praktischen mit wissenschaftlichen Interessen handelt.

Wie dem auch sei, die Aussagen der Schlafwachenden selbst bezeugen wenigstens einstimmig, daß sie in einer andern Weise wahrnehmen als im eigentlich wachen Zustande, und zwar in einer solchen, welche in unsre obigen Betrachtungen gut hineintritt. Ja sie behaupten selbst eine Beziehung dieses Wahrnehmungsvermögens zu dem jenseitigen. Hiezu einige Belege:

Aus der Schrift: „Idiosomnambulismus oder natürlich magnetischer Schlaf Richards, von Dr. Görwitz. Leipz. 1851.

S. 98. Frage. „Kannst Du mich sehen, Richard?"

Antwort. „Ich sehe Sie ganz deutlich. Sie sind sehr groß und bleich. — Doch mit diesem meinen Auge hier sehe ich Sie nicht; das ist ja fest verschlossen; sondern ich sehe Sie im Innern!"

F. „Kannst du in der Stadt herumsehen?"

A. „O ja; nur heute nicht besonders; es wogt und schaukelt alles in mir und in der Luft."

S. 106. F. „Woher weißt du das?"*)

A. „Ich weiß alles, was auf mich Bezug hat oder durch die Frage in mein Bereich gebracht wird. Ich fühle es, es weht mich an, wie eine Luft, es tönt mir im Innern wie ein Klang. Eure Träume haben die meiste Ähnlichkeit mit diesem meinen Anschauen. Auch ihr könnt ganze lange Geschichten, zusammenhängende Tatsachen und Entwickelungen träumen, und zwar in ganz kurzer Zeit, oft in wenigen Minuten: — Aber ihr träumt, ich schaue; bei mir ist dieser Traum das Sein, ohne daß ich denke, bei euch ist er Gedanke."

S. 185. F. „Kannst du denn sehen?"

A. „Mit den Augen sehe ich gar nichts! es ist eigentlich auch kein Sehen: ich fühle alles in meiner Seele."

F. „Erkläre es doch deutlicher."

A. „Hm, erklären kann ich es nicht. Es ist, als wenn ihr träumt;

---

*) Der Somnambule hatte angegeben, was seine Schwester in Eisenach zur selben Zeit machte, während er selbst in Apolda war.

da seht ihr auch mit der Seele und braucht keine Sinne. Aber ihr seht
nicht die Wahrheit, und das ist der Unterschied zwischen euerm Sehen und
dem meinigen."

Aus den: „Mitteilungen aus dem magnetischen Schlafleben
der Auguste K. (Kachler) in Dresden. 1843."

S. 270 sagt die Somnambule:

„Es gibt eine Allwissenheit des Geistes; hier im Leben ist sie als
Ahnungsvermögen tätig. Diese Art von Allwissenheit, die hier schon erscheint, ist ein Vorschmack des dortigen Lebens. Der Geist wird dort frei;
im Körper ist das nicht möglich, denn sobald der Geist denkt, so hindert
ihn oft die Seele*), die sich körperlich beschäftigt."

S. 119. Frage. „Das Vermögen, von andern Leuten und andern
Orten etwas Bestimmtes zu wissen, willst du bloß Ahnung genannt wissen.
Die Beweise, die du davon gegeben hast, sind aber doch mehr als eine bloße
Ahnung."

Antwort. „Nein, es ist dies nichts andres, nur in einem gesteigerten
Grade. Ahnung ist überhaupt bloß geistig, und eben weil im gewöhnlichen
Zustande das Sinnliche mit ins Spiel kommt und falsche Vorstellungen mit
einwebt, ist es da unsicher und Täuschungen unterworfen. Bei mir aber,
wo der Geist in engem Verbande mit der Seele steht, ist sie sicherer und
gesteigerter, doch ebenfalls nie ganz frei von möglicher Täuschung. So wie
wir in der Hoffnung stehen, im künftigen Leben eine ungehinderte Einsicht
in alles zu haben, was mittelst unsres Geistes zu erkennen ist, so ist auch
diese Ahnung schon eine Annäherung an jenen Zustand."

S. 296. F. „Bis in welche Ferne reicht das Wahrnehmungsvermögen
der Somnambulen?"

A. „Die Ferne hat dabei gar nichts zu tun, denn der Geist wird
nicht versendet. Wir können uns so recht gut erklären, daß Gott mit seinem
Geiste, seinem Wesen, seinem Ahnen überall und doch unsichtbar ist. Es
bleibt sich gleich, ob eine Somnambule von etwas in Afrika oder von etwas
im Nebenhause spricht, doch das ist der Unterschied, daß es leichter ist, wenn
die Person, von der sie etwas weiß, schon einmal in ihrer Nähe war."

S. 382. F. „Hörst du im Hochschlafe auf gewöhnliche Art mit den
Ohren?"

A. „Ich höre wohl mit den Ohren, aber es ist nicht ganz so, wie
mit dem gewöhnlichen Zustande; das Hören ist verändert. Die schwierigste
Frage kann ich sogleich beantworten, ehe sie noch verklungen ist; das Gehör
bedarf nicht der langen Leitung der Nerven, um erst zu dem Geiste zu
dringen, sondern das geistige Wesen tritt schnell mit den Sinnen in Verbindung."

Nochmals also: wenn der höhere Geist uns aus dem Anschauungsgebiet in das Erinnerungsgebiet aufnimmt, wird zwar die besondere

---

*) Diese wird von der Somnambule als die Sphäre der Sinnlichkeit dem
höhern Geistigen als dem Geiste gegenübergestellt.

Sinnestätigkeit, mit der jetzt jeder einen beschränkten Kreis der Welt
ergreift und beherrscht, für uns wegfallen, aber es wird dafür die
Möglichkeit eintreten, mit dem ganzen Sinnesgebiete des höhern Geistes
in Beziehung zu treten, dadurch fortbestimmt zu werden. Diese an sich
unbegrenzte und fort und fort sich auch immer mehr verwirklichende
Möglichkeit wird inzwischen zunächst doch dadurch ihre Beschränkung
und nähere Bestimmung finden, daß jeder nur nach Maßgabe der
Anknüpfungspunkte, welche seine bisherige Bildung und sein Interesse
zu diesem Sinnesgebiete darbietet, der Fortbestimmung daraus wird
teilhaftig werden können. Jeder wird zunächst fortfahren, sich mit dem
zu beschäftigen, was ihn bisher beschäftigte, mit dem, was seinem
bisherigen Lebenszusammenhange analog, was seinem bisherigen Interesse
gemäß ist. Was auch in die Erfahrung des höhern Geistes durch irgendwelche Sinnesvermittelung tritt, so wird der hinübergegangene Mensch
nach Maßgabe mehr dabei beteiligt sein, davon affiziert werden, als es
mehr in diesem Sinne ist. Unsere Erkenntnissphäre und unsre Interessen
werden sich aber jenseits erweitern und abändern können, wie es schon
diesseits der Fall gewesen sein würde, wenn wir fortgelebt hätten. Wir
werden je länger je mehr in die ganze Erkenntnissphäre des Geistes,
dem wir angehören, eindringen lernen, indem jeder gewonnene Anknüpfungspunkt Gelegenheit zu neuen Anknüpfungen gibt; und immer
mehr Teilhaber seiner allgemeinen höhern Interessen werden, indem
wir immer mehr fühlen und einsehen lernen, wie dasselbe mit unserm
eigenen wahren Interesse Hand in Hand geht; und uns zugleich immer
besser in die erweiterten und erhöhten Verhältnisse des Jenseits finden
lernen. Denn unstreitig, wie das Kind erst lernen muß, seine neuen
Verhältnisse zu verstehen, die neuen Mittel zu benutzen, wie es anfangs
noch ein Fremdling ist in der neuen Welt, wird es auch mit uns sein.
Wir werden unsäglich weiter schauen als jetzt; aber was bedeutet das,
was wir schauen, für die neue Welt?

Lassen wir die früher (Abschn. XVII.) aufgestellte Vermutung
gelten, daß der Erde große Sinnesorgane zum Verkehr mit den
Gestirnen verliehen sind, so eröffnet sich uns nun auch eine bestimmtere
Ansicht über die Beteiligung der Geister des Jenseits beim Verkehre
der Gestirne. Wie die Geister im neuen Leben an Erkenntnis
wachsen, fangen sie auch an, das Verständnis dieser großen Verkehrs-
mittel zu gewinnen, darin mit zu weben und zu wirken. Und hätten
die Gestirne nicht die Geister des Jenseits, so möchte ihr sinnlicher
Verkehr so hohl und leer sein, als wenn wir Worte und Blicke

tauschen, ohne daß Züge von Erinnerungen mit den Worten und
Blicken gingen.

Wenn sich Gemeingefühle an die großartigen Naturvorgänge der
Erde knüpfen, so dürfen wir glauben, daß wir im Jenseits auch hierbei
mitbeteiligt sein werden. Wie anders läuft der Fluß der Erinnerungen
und Zug der Gedanken in unserm Geiste, je nachdem die allgemeinen
Vorgänge in unserm Körper unser Lebensgefühl verschieden stimmen.
So mögen also auch auf den Fluß und Zug des höhern geistigen Lebens,
das wir jenseits in und mit dem Geiste der Erde führen werden, die
allgemeinen sinnlichen Stimmungen der Erde einen Einfluß haben, den
wir jetzt noch nicht im selben Sinne spüren können.

Auf Grund von Erinnerungen baut sich die Voraussicht und
Vorausbestimmung dessen, was künftig in unserm Anschauungsleben
Platz greifen wird und soll, in vorweisenden und vorwirkenden Bildern
in uns auf. Dasselbe Reich in uns ist es, in welchem das Vergangene
in Form von Erinnerungsbildern aufgehoben wird, und in welchem die
Vorbilder des Zukünftigen sich entwickeln. Die Erinnerung des Vergangenen muß den Stoff zu den Bildern der Zukunft wie die leitenden
Gesichtspunkte für die Voraussicht und Vorausbestimmung des Zukünftigen
liefern. Je vollkommener, größer, mächtiger unser Geist ist, je weiter
und höher seine Überschauung der Gegenwart, sein Erinnerungsvermögen,
seine Kombinationsgabe, seine Macht über die Mittel der Ausführung
reicht, einen desto größern Umfang, eine desto weiter greifende Folge
dessen, was geschehen wird und geschehen soll, vermag er vorauszusehen
und vorauszubestimmen; desto sicherer ist die Voraussicht des Geschehenden
und die Erfüllung des Gewollten. Für alles, was in den gewöhnlichen
Gang unsrer Lebenssphäre hineintritt, ist gar kein besonderer Schluß,
keine besondere Erwägung zur Voraussicht und Vorausbestimmung nötig;
es kommt uns von selbst als sich von selbst verstehend in den Sinn
und trifft ein, ohne daß wir etwas Wunderbares in diesem Eintreffen
sehen. Anderseits aber fehlt es keinem endlichen Geiste an Schranken,
die er nicht überschreiten kann, die Möglichkeit des Irrens und Mißlingens bleibt immer bestehen, und es gibt ein Gebiet unvorbestimmbarer
Freiheit, was außer aller Voraussicht und Berechnung fällt.

Alles nun, was wir in dieser Hinsicht in uns finden, wird nur in
höherm Sinne, größerm Umfang und höherer Vollendung im höhern
Geiste wiederzufinden sein, also daß das, was wir davon in uns finden,
selbst nur in untergeordneter Weise zu dem beiträgt, was in ihm zu
finden. Eine höhere, umfassendere, weiter vorgreifende Voraussicht und

Vorausbestimmung dessen, was in seinem Anschauungsleben sich verwirklichen wird und verwirklichen soll, wird auch in vorweisenden und
vorwirkenden Bildern schon zuvor in ihm lebendig sein; nur in Bildern
von einer ganz andern Klarheit, Fülle, Lebendigkeit, Umfänglichkeit, als
wir sie hienieden in uns tragen können. Auch bei ihm wird dies Vermögen der Schranken nicht ermangeln; aber sie werden für ihn weiter
gesteckt sein als für uns, indem die Wände, die das Gebiet unsres
Blickes begrenzen, großenteils nur Zwischenwände des Gebiets sind, das
sein Blick noch ganz begreift. Auch bei ihm wird dies Vorausschauen
und Vorausbestimmen der zukünftigen Verhältnisse seiner Anschauungssphäre nur mittelst Erinnerungen, die aus seiner Anschauungssphäre erwachsen sind, zustande kommen können. Und sofern wir selbst aus
seinem Anschauungsleben erwachsene Teilhaber seines Erinnerungslebens
in einem ganz andern höhern Sinne jenseits als diesseits sind, wo wir
in den engen Banden des Anschauungslebens selbst noch gefesselt liegen,
werden wir auch jenseits ganz andern Anteil an dieser höhern Voraussicht, dieser höhern Vorausbestimmung gewinnen als jetzt, obwohl
jeder wieder nur nach besondern Beziehungen. Wie unser Erinnerungsvermögen und unser Umblick in Betreff der Anschauungswelt sich steigern
wird, so also auch und in Zusammenhang damit unsre Voraussicht und
unsre vorbestimmende Kraft, obwohl diese Vermögen auch der Schranken
nicht ermangeln werden, die nur nicht mehr die des Diesseits sind.

Indem wir nun als jenseitige Geister noch in den diesseitigen
Menschen mit wohnen und wirken, haben diese auch Anteil an unsrer
Voraussicht und unsrem Vorbestimmen; doch keiner kann unsre ganze
jenseitige Voraussicht und unsre Vorbestimmung in derselben Weise sich
zu eigen machen, wie wir sie haben werden, sondern jeder nur von gewisser
Seite bis zu gewissen Grenzen, wie es eben die Schranken des Diesseits
mit sich bringen, wie es dem engen diesseitigen Anschauungs- und Erinnerungsgebiet eines jeden gemäß ist. Umgekehrt kann kein Geist des Jenseits
die Voraussicht und das Vorbestimmen, womit ein diesseitiger Mensch seine
Lebenssphäre beherrscht, sich ganz zu eigen machen, ganz teilen, sondern
seinerseits bloß von gewissen Seiten, nach gewissen Beziehungen mit hinein-
greifen; indem er aber nach andern Seiten darüber hinausgreift, wie dasselbe auch in Betreff der Wahrnehmung des Gegenwärtigen gilt. Auch ist
die Voraussicht und das Vorausbestimmen der jenseitigen Geister eben so
wesentlich von dem, was sie durch und in den diesseitigen Menschen erfahren, abhängig, als umgekehrt. Es ist ein Mit- und Durcheinander, da
keiner sagen kann, ich habe es und tue es für mich allein.

Wie die Fernsicht, scheint auch die Voraussicht des Jenseits abnormer-
weise zuweilen ins Diesseits hinüberzuspielen, in so weit man nämlich das
gelten lassen will, was von Vorahnungen, vorbedeutenden Träumen und der
Voraussicht hellsehender Somnambulen berichtet wird. Der Zusammenhang
der Fernsicht mit der Voraussicht, der sich nach Obigem für das Jenseits
ergibt, findet sich auch in diesen Erscheinungen des Diesseits, die man
damit in Beziehung setzen kann, wieder. Das Vermögen der Fernsicht und
Voraussicht stellt sich nämlich dabei als ein in sich zusammenhängendes oder
wesentlich als dasselbe Vermögen dar. Freilich darf man nicht übersehen,
daß die Fernsichten und Voraussichten der Somnambulen öfter trügen, als
man nach den gewöhnlichen Berichten der Enthusiasten darüber glauben
sollte; was inzwischen kein Gegengrund gegen ihre Beziehung zur jenseitigen
Fernsicht und Voraussicht sein würde, sei es, daß man diese Irrtümer auf
die doch nur unvollständige Annäherung des somnambulen Zustandes an den
jenseitigen Zustand, sei es auf die Schranken, die auch dem Jenseits nicht
fehlen, schreiben will. Zu weit würde es jedenfalls führen, hier in eine
Kritik dieses ganzen Gegenstandes und eine Erörterung alles dessen, was
dabei in Erwägung zu ziehen ist, einzugehen. Wir weisen, wie oben bemerkt,
die Möglichkeit dieser Klasse von Erscheinungen nicht überhaupt ab, nehmen
doch aber aus guten Gründen bloß beiläufig darauf Bezug, und lassen jedem
gern seine Ansicht darüber. Wie die allgemeine Theorie derselben in Zusammenhang mit unsern Vorstellungen vom Jenseits zu stellen wäre, falls
man ihre Statthaftigkeit überhaupt zugibt, wird in einem spätern Abschnitt
(XXIV, D) angedeutet werden. Hier nur noch ein Beispiel, wie das Vermögen der Voraussicht von einem Somnambulen selbst aufgefaßt wird.

Der oberwähnte Richard Görwitz sagte (S. 156 der angeführten
Schrift) von einem neugebornen Kinde, dessen Geburt er aus der Ferne
angezeigt hatte, im 23 sten Jahre werde sein Schicksal eine sehr ernste
Wendung nehmen.

F. „Was nennst du denn eigentlich das Schicksal, Richard?"

A. „Es ist die Folge des Vergangenen. Das Kleinste, auch wenn es
schon vor unsrer Geburt geschehen ist, hat eine Folge für und eine Beziehung auf uns; eine Folge, die sich immer weiter verbreitet und endlich
das Schicksal wird oder ist. Ihr kennt wohl das Schicksal, könnt aber
nicht zurückschauen, wie ich es kann, und denkt nun, es wäre Zufall! —
Das ist es aber nicht! — Denn was ihr jetzt leidet und was euch jetzt freut,
dazu war schon lange der Grund gelegt. Wie eine Blume, ein Baum
wächst aus dem kleinsten Samenkörnchen, das wir kaum erkennen, so wächst
das Schicksal der Menschen aus tiefster Verborgenheit, aus dem Schoße der
Notwendigkeit. — Für alles Geschehende sind zureichende Ursachen vorhanden! — Kein Zufall! — Und wenn ich in meinem jetzigen (magnetischen) Zustande in die Zukunft sehe, so sehe ich die fortlaufenden
Ursachen auf einmal, und der Geist des Schicksals steht vor mir! —
Nur Ihr nennt es Voraussehen; es sieht sich aber eigentlich gar nicht
voraus; sondern es ist schon jetzt."

S. 185 sagt Richard: „Die Zukunft ist ein gar eigenes Licht!"

Frage. „Wie meinst du dieses Letztere?"

Antwort. „Es ist hell und auch nicht hell; dunkel und auch nicht dunkel. In Worten, wie ihr sie habt, läßt sich's nicht fassen. Das menschliche Auge, ich meine sein geistiges, kann dieses Licht nicht vertragen."

F. „Wodurch weißt du denn die Zukunft?"

A. „Es strömt mir das Geschehende entgegen wie ein Äther in hellem Wissen, wie ein Ton im geistigen Hören."

Außer den Bildern des Zukünftigen, die einer Verwirklichung in der Anschauungswelt entgegensehen, ergeht sich unser Geist auch in Phantasieschöpfungen; ja die Phantasie wirkt und schafft fortgehends in unsrer Erinnerungswelt und aus unsrer Erinnerungswelt heraus neue Gebilde. Erinnerungsleben und Phantasieleben hängen als ein Leben in uns zusammen; auch haben die Phantasiegebilde gleiche Lebendigkeit und Realitätsstufe wie die Erinnerungsbilder selbst, die dazu beigetragen haben, es tragen aber zu jedem Phantasiebilde immer mehr oder weniger Erinnerungen von verschiedenen Seiten her bei. Je edler, höher, reicher, kräftiger der Geist ist, desto schöner, reicher, lebendiger gestaltet sich auch sein Phantasieleben, und je mehr eine höhere ordnende Vernunft mit der Phantasie Hand in Hand geht, desto mehr gestaltet es sich zu einem poetischen Leben, in dem sich die Wahrheit des anschaulichen wirklichen Lebens nur gereinigt und verklärt wiederspiegelt.

So wird nun auch die Phantasie des höhern Geistes, was wir vergleichungsweise so nennen mögen, obwohl es ein gestaltendes Vermögen von viel höherer Stufe ist als unsre Phantasie, in und aus seiner Erinnerungswelt heraus außer den Vorbildern dessen, was sich künftig in seiner Anschauungswelt verwirklichen soll, neue Gebilde weben, bloß zur Beschäftigung und Erfreuung und Erbauung der Gegenwart seines höhern Lebens selbst, und wir als selbstthätige Teilhaber dieses höhern Lebens werden unsern Erinnerungsstoff und unsere gestaltende Tätigkeit im Jenseits von verschiedenen Seiten dazu beitragen und hiermit auch beitragen, dies Leben für uns selbst erfreulich auszubauen. Nachdem die trennenden Schranken des Diesseits für uns gefallen sind, werden wir nicht mehr bloß mit unsern Erinnerungen und unsrer Phantasietätigkeit jeder in sich brüten, sondern in das allgemeine Erinnerungs- und Phantasieleben des höhern Geistes werktätig damit eingreifen, ihm neue Gebilde durch unser Zusammenwirken schaffen helfen. Statt der materiellen Hände, die wir verloren haben, werden nun die Hände eines geistigern Tuns und Schaffens, die jeder bisher noch wie in embryonischem Verschluß zusammengefaltet trug, die noch nichts ver-

mochten, anfangen, kräftig und lebendig zu werden und sich zu gemeinsamem Wirken mit andern zu regen. Und diese Phantasiewelt des höhern
Geistes, an der wir so mitarbeiten, wird seiner höhern Stufe gemäß
eine ganz andere Klarheit, Fülle, Schönheit, Erhabenheit, Wirklichkeit
haben als die kleine diesseitige Phantasiewelt unsers Geistes, das kleine
Knöspchen, das sich jenseits nun öffnet, um fortan als Zweig am Baume
des neuen Lebens zu treiben und zu blühen. Wie schön wir uns immer
ben künftigen Himmel mit unsrer jetzt noch kleinen, engen, armen
Phantasie auszumalen versuchen; die größere, mächtigere, reichere
Phantasie des Geistes über uns wird es doch noch besser können; und
statt daß das, was unsre Phantasie jetzt in sich wirkt, uns nur eine
Welt von leeren Gebilden dünkt, wir den Himmel erst nur als Schein
darin erbauen können, wird das, was die Phantasie des höhern Geistes
in sich wirkt, uns eine Welt höherer Wirklichkeit dünken, ja eine Welt
höherer Wirklichkeit für uns sein; wir in der Phantasie des Geistes über
uns des Himmels Wahrheit finden und an und in diesem Himmel selbst
mit bauen, wirken helfen.

In der Tat, nachdem wir die jetzige greifliche Wirklichkeit unter
und hinter uns haben, leben wir im Reiche der Erinnerung und Phantasie
als in einer neuen höhern Wirklichkeit, nur nicht bloß und nicht mehr
im Reiche unsrer eigenen diesseitigen schwachen, sondern der ganzen,
mächtigen, reichen, vollen, farbigen, in hohem Sinn geordneten Erinne-
rungs- und Phantasiewelt des höhern Geistes, zu der sich uns die
Tore aufgetan haben, in der wir einander mit unsern Erinnerungsgestalten selbst erscheinen, in und an der wir fortan zu wohnen und zu
wirken haben.

Auch unsre jetzige kleine Erinnerungs- und Phantasiewelt hat ihre
Wirklichkeit in sich. Für alle Gestalten, die darin erscheinen, wandeln
und weben, ist dies die wahre Wirklichkeit. Eben so, wenn wir in der
Erinnerungs- und Phantasiewelt des höhern Geistes erscheinen, wandeln
und weben, ist dies für uns die wahre Wirklichkeit; und dürfen wir den
Begriff eines Scheines nicht mehr daran knüpfen.

Unser Wirken in und an der jenseitigen Wirklichkeit bleibt immer
unter der Herrschaft und Leitung des höhern Geistes. Er ist es im
Grunde, der durch uns seine Lebenssphäre jenseits wie diesseits anschaulich
ausbaut, nur jenseits in einem höhern Sinne als diesseits; und nur
das kann von den Schöpfungen, an denen wir jenseits wirken, Bestand
gewinnen und behalten, um was wir uns in seinem Sinne vertragen,
also, daß keiner dabei nach törichten Launen schalten kann, oder, ist

es ein Törichter und Böser, doch endlich in die allgemeine Ordnung einlenken muß.

Auch in Betreff der den Charakter der Wirklichkeit tragenden höhern Phantasiewelt begegnet uns wieder eine Verwandtschaft des somnambulen Zustandes mit dem jenseitigen Zustande; sofern fast alle Somnambulen Visionen mit dem Gepräge der Wirklichkeit haben, die oft sehr schön sind, und von ihnen selbst als himmlische Erscheinungen angesehen werden.

Nicht minder berühren sich Schwedenborgs Vorstellungen mit den unsrigen hier vielfach.

Dasselbe, was von den Phantasie-Gebilden der höhern Welt, die bloß bestimmt sind, in dieser höhern Welt zu entstehen, zu bestehen und, wenn ihre Zeit kommt, zu vergehen, wird auch von den Vorbildern dessen gelten, was sich künftig in der niedern Welt verwirklichen wird und soll, daß sie eine Lebendigkeit und Wirklichkeit für die jenseitigen Geister haben, wie deren eigene Erscheinung darin hat. Jene Gebilde einer höhern Phantasie stellen gewissermaßen das Brot vor, das nur im Himmel selber gebacken und genossen wird, von dem wir diesseits nichts oder nur einen schwachen Vorschmack in unsrer Phantasie empfangen. Diese Vorbilder, die der Verwirklichung entgegensehen, stellen den Samen dar, der rückwärts in das Diesseits gesäet wird, um neues Korn für das Brot des Himmels zu liefern. Denn die Erinnerungen an die Anschaulichkeiten des Diesseits mit ihren Fortbestimmungen aus dem Diesseits bleiben doch der Grundstoff, aus dem alle Phantasiegebilde des Jenseits erwachsen. Beides aber, Brot und Samen, hat gleiche Wirklichkeit im Sinne des Jenseits. Insofern wird uns im Jenseits das, was in der Anschauungswelt diesseits erst künftig wirklich werden soll, wie in einer Gegenwart schon wirklich erscheinen. Wir weben und wirken jenseits mit an den Vorbildern, Musterbildern dessen, was sich hienieden verwirklicht darstellen soll, wie an etwas in höherm Sinne schon Wirklichem, und wenn die Verwirklichung im Anschauungsleben dann erfolgt, so ist das in einer Welt, die wir schon unter oder hinter uns haben. Das Trachten des höhern Geistes wird aber dahin gehen, die Gebilde, die nur zum Ausbau des Jenseits dienen, mit denen, die auf die Basis dieses Ausbaues, d. i. den Ausbau des Diesseits rückwirken, selbst immer zu einer harmonischen Welt zu vereinigen.

Unsre ganze Poesie diesseits ist nur ein kleiner Reflex zugleich und Vorschein der höhern Phantasiewirklichkeit des Jenseits, welche sich immer harmonischer zugleich in sich und mit der gleiche Wirklichkeit tragenden und ein Reich damit bildenden Welt der Erinnerungsgestalten des

dießseits Vergangenen und Vorbilder des dießseits Zukünftigen zu vollenden
strebt, eben wie unsre kleine dießseitige poetische Phantasiewelt eine solche
Harmonie in sich und mit der Erinnerungswelt des Vergangenen und
vorbildlichen Welt des Zukünftigen anstrebt; aber doch nur in einer
Welt des Scheines erreicht. Das himmlische Leben im Jenseits aber
ist ein solches, wo die poetische Wahrheit selbst zur Wirklichkeit wird,
worein das dießseits Vergangene in seiner Erinnerungsgestalt, das dießseits Zukünftige in seinem Vorbilde leibhaftig wirklich eingeht, und in
und an dieser Welt leben und wirken wir im Jenseits selbst mit. Wie
aber im schönsten Dichterwerke eine Gerechtigkeit waltet, nach welcher
der Böse den strafenden Wirkungen einer höheren Ordnung unterliegt,
ja das Dichterwerk um so erhabener und schöner wird, je mehr es der
Fall, darf auch der Böse trotz jener schönen und erhabenen Welt des
Jenseits, an der er Teil haben wird, nicht hoffen, daß er sich ihrer
freuen werde; ihre größere Schönheit und Erhabenheit gegen unser
jetziges Anschauungsleben wird selbst in der vollern Erfüllung der
höhern Gerechtigkeit mit beruhen. Für den Bösen wird der Himmel
kein Himmel sein, trotz dem, daß er mit darin wohnt, weil er wider den
Himmel und mithin der Himmel wider ihn ist. Nur ist der Himmel
mächtiger als er und leitet und zwingt ihn endlich an seiner Ordnung
willig Teil zu nehmen, der er unwillig schon vorher unterliegt. Dies
aber tritt in frühere Betrachtungen hinein.

Wie stellt sich's nun bisher? Der Geist des Irdischen, ein einiger
Geist, gewinnt in der Geburt immer neuer Menschen immer neue Anschauungen, ja Anschauungsweisen der Welt, das sind eben so viel neue
Anfänge seiner innern Fortentwickelung. Die Entstehung dieser Geister
liegt in einem höhern allgemeinern Zusammenhang begründet, als den
wir im Diesseits verfolgen können. Hinter dieser Welt der Geister des
Diesseits spielt aber noch eine Welt Geister des Jenseits, welche hervorgegangen sind aus den Geistern des Diesseits, wie die Welt unsrer
Erinnerungen und alles dessen, was folgweise aus unsern Erinnerungen
erwachsen ist, hinter unsrer Anschauungswelt spielt, aus der sie erst
hervorgegangen, doch Beides nicht getrennt von einander. Die Geister
des Jenseits weben und wirken noch in unser Leben diesseits hinein,
wie die Welt unsrer Erinnerungen in die Welt unsrer Anschauungen;
nur, wie wir in der Anschauung nicht mehr das einzelne, was sich von
Erinnerungen einwebt, einzeln unterscheiden können, so vermögen wir

auch um so weniger in userm jetzigen Anschauungsleben das, was von den Geistern des Jenseits in uns hineinwebt und hineinwirkt, einzeln zu unterscheiden; aber die Geister selbst vermögen sich zu unterscheiden. Dieses Wirken der Geister des Jenseits in uns hinein hilft uns schon hienieden bilden und schon zu etwas mehr machen, als bloß sinnlichen Wesen. So treten wir auch schon mit etwas mehr einst in das Jenseits. Mit Anschauungsleben beginnen wir, mit Ideenleben endigen wir. Zur Entwickelung dieser Ideen in uns aber haben die Verstorbenen wesentlich beigetragen. Umgekehrt bleiben wir immer eine Basis zur Fortent= wickelung der Geister des Jenseits. Die Geister des Jenseits gehen aber weder in uns noch wir in ihnen unter oder auf. Denn wir ver= spüren ihr Wirken in uns nach Maßgabe, als sie es in uns äußern, nur als empfangende; sie aber spüren es als in uns erzeugende. Wir erfassen und verarbeiten die Wirkungen derselben in userm Sinne, sie äußern dieselben in ihrem Sinne. Viele Geister des Jenseits wirken von allen Seiten in jeden von uns hinein; und jeder Geist der Vor= welt wirkt in viele von uns hinein, und erfährt dabei unsre Gegen= wirkungen. Nach Maßgabe, als sie in uns eingehen, erfahren sie auch Fortbestimmung durch unsre Anschauungen. Die ganze Sinneswelt der Erde steht überhaupt den Geistern des Jenseits offen, neue Anschauungen daraus zu gewinnen; sie sind nicht mehr so durch räumliche Schranken dabei gefesselt wie wir, doch den Schranken dabei nicht enthoben, und es bestimmt sich die allgemeine Möglichkeit näher durch die Art, wie sie bisher ihr Anschauungsleben führten. Sie sind auch mit beteiligt in der Werkstatt des höhern Geistes, wo die Zukunft dieser diesseitigen Welt gewebt wird, an der Voraussicht und Vorausbestimmung dessen, was hienieden geschehen wird; obwohl auch hierbei nicht der Schranken ledig.

Nachdem die Wirklichkeit der jetzigen Anschauungswelt, wie sie mit unsern diesseitigen Sinnesorganen ergreifbar, mit unsern Händen greifbar ist, hinter den Geistern des Jenseits liegt, fangen sie in einer neuen, zur vorigen zwar bezugsreichen, aber höhern Wirklichkeit zu wohnen und zu weben an, welche die Erinnerungsbilder der vergangenen, die Fortbestimmungen aus der gegenwärtigen, die Vorbilder der zukünftigen diesseitigen Wirklichkeit einschließt, und noch einem fortgehenden Ausbau und Umbau durch die unsrer Phantasietätigkeit vergleichbare, aber Gebilde einer höhern Realität webende, freischaffende Tätigkeit des Jenseits unterliegt. Und zwar wird nicht bloß die dem Einzelgeiste zukommende, sondern die ganze in den höhern Geist fallende Welt dieser das Diesseits teils rück=, teils ab=, teils vorspiegelnden Gebilde famt benen, die nur im höhern Lichte des Jenſeits entſtehen, beſtehen und vergehen, als jenſeitige Wirklichkeit gelten; jeder einzelne aber nur in anderer Weiſe an dieſer Wirklichkeit wirkend teil haben und teil nehmen. Und dieſe höhere Wirklichkeit, welche zu jeder Zeit gleichſam die höhere Blüte der dieſſeitigen Wirklichkeit iſt, wird ſich doch fort= gehends in Zuſammenhange mit ihrer Wurzel zu noch höherer Vollendung entwickeln.

Bei ſolcher Auffaſſung des Verhältniſſes des Dieſſeits zum Jenſeits wird uns nun auch ein Bedenken, was manche geirrt hat, nicht mehr irren können, als müſſen wir deshalb ſchon bereinſt wieder untergehen, weil wir doch einmal entſtanden ſind, nur das ewig Geweſene könne ewig bleiben. Wenn alles wieder zurückgehen ſollte in denſelben Zuſtand, aus dem es erſt hervorgetreten, ſo käme die Welt und die darin wirkenden Geiſter nie weiter. Nur dadurch, daß uns der höhere Geiſt in ſich erhebt, erhebt er ſich ſelbſt höher. Verlöſchten wir immer neu, ſo finge er immer wieder von vorn an. So gewinnt er dagegen in immer neu zum Sebſtbewußtſein erwachenden Geiſtern immer neue Anfänge der höhern Fortentwickelung ſeines Selbſtbewußtſeins, ohne aber den Gewinn, den er durch die frühern gemacht hat, wieder auf= zugeben, da er vielmehr durch die Erhebung der frühern und den Ver= kehr der frühern mit den neuen Geiſtern den ganzen Gewinn ſelbſt immer mehr ſteigert.

XXIII. Von der leiblichen Unterlage des künftigen Lebens.

Wir haben unſern Blick bis jetzt vorzugsweiſe auf die geiſtige Seite unſrer künftigen Exiſtenz gerichtet und die Frage nach der leib= lichen mehr beſchwichtigt, als beantwortet oder erledigt. Faſſen wir dieſe leibliche Seite jetzt etwas näher ins Auge. Und zwar betrachten wir zuerſt, wie ſie auf unſerm dieſſeitigen Standpunkte erſcheint, danach, wie ſie den Geiſtern des Jenſeits ſelbſt erſcheint. Es wird ſich zeigen, daß beide Erſcheinungsweiſen ſehr verſchieden ſind. Wie ſollten ſie nicht?

Obzwar es beidesfalls dasselbe ist, was erscheint, ist doch der diesseitige und jenseitige Standpunkt der Betrachtung sehr verschieden, nicht minder die Auffassungsweise derer, die darauf stehen. So muß freilich auch die Erscheinung beidesfalls sehr verschieden ausfallen. Wundern wir uns also auch von vorn herein nicht, wenn unsre künftige Leiblichkeit zunächst, d. i. für unsern diesseitigen Standpunkt, sich in einer Form oder Formlosigkeit darstellt, die gegen die Erscheinungsweise unsrer jetzigen Leiblichkeit sehr in Nachteil erscheint. Der Nachteil liegt in der Tat nur in unsrer jetzigen Stellung dagegen. Wie wäre es, wenn ein kleines Wesen, statt uns gegenüberzustehen, wie wir einander gegenüberstehen, von unserm Leibe äußerlich umgeben wäre, würde es wohl unsre Gestalt eben so erblicken, wie wir sie erblicken? Es würde gar nichts von unsrer Gestalt erblicken, sondern eine ungefüge ins Unbestimmte gehende Ausbreitung von Zellen, Röhren, Strömungen u. s. w. Doch haben wir eine Gestalt, aber um sie zu erblicken, muß der Mensch den Menschen unter den Verhältnissen betrachten, unter denen Menschen nun eben einander zu betrachten bestimmt sind. So erscheint uns nun auch die Leiblichkeit der Geister des Jenseits vom diesseitigen Stand= punkte in einer ungefügen, unbestimmten Form, weil wir uns unter analogen ungünstigen Verhältnissen ihrer Auffassung dazu befinden. Aber wenn wir uns dann auf den jenseitigen Standpunkt zu den Ver= hältnissen erheben werden, unter denen die Geister des Jenseits selbst einander betrachten, die freilich andere als die des diesseitigen Gegenüber= tretens sind, wird sich uns auch eine gestaltete Erscheinung der künftigen Leiblichkeit ergeben. Es ist jedoch für uns, die wir noch auf diesseitigem Standpunkt stehen, die Erscheinungsweise für diesen Standpunkt fast wichtiger als die andere und auf diesem Standpunkt als die wesentliche Unterlage und Bedingung der Erscheinungsweise selbst anzusehen, welche den Geistern des Jenseits dafür wird, also, daß die Erörterung davon anzuheben hat.

Die allgemeine Betrachtung, daß uns die künftige Leiblichkeit not= wendig unter einer unangemessenen Form erscheinen muß, weil wir sie noch nicht aus dem Standpunkt und mit den auffassenden Mitteln des Jenseits selbst ergreifen können, dient auch vorweg zur Erklärung, warum wir überhaupt von den jenseitigen Wesen jetzt nichts zu erblicken glauben, ungeachtet sie um, ja in uns wohnen und walten, und wie daraus die Meinung entstehen konnte, sie seien in ferne Himmel, ferne Welten ver= setzt, da sie doch dasselbe Haus der Erde noch mit uns teilen, dieselben Räume darin mit uns bewohnen, ja wir nichts sehen und berühren können, ohne die Körper jenseitiger Geister mit zu sehen und zu berühren. Aber was wir jetzt davon sehen und berühren, und wie wir es sehen und berühren, scheint es uns gar nicht der Art, daß es einer individuellen Existenz zugehören könnte, wie es denen erscheinen wird, die sich zum jenseitigen Standpunkt und zur jenseitigen Existenz erhoben haben.

A. Von der jenseitigen Leiblichkeit, wie sie auf diesseitigem Standpunkt erscheint.

Lassen wir uns zunächst bei den folgenden Betrachtungen noch von der Analogie führen, die uns bisher immer geführt hat. Wir werden aber dem, was wir unter ihrer Anleitung finden, künftig von andern Gesichtspunkten entgegenkommen.

Indes ein Bild in deinem Auge steht, wirkt es durch Nerven und Adern in den größern Leib, der selbst erst Säfte und Kräfte dazu gegeben, vor allem dein Gehirn, zurück, erzeugt darin irgendwie eine neue Änderung, Ordnung, Einrichtung im Bau und im Bewegen, sei es, was es sei, wir können es, wenn nicht mit den Augen, doch bis zu gewissen Grenzen mit dem Schluß verfolgen; eine Änderung, Ordnung, Einrichtung, die nicht vergeht, wie das Bild vergeht, die nachbleibt und nachwirkt, und woran sich die Erinnerung des Bildes nun heftet, so weit sie der Anheftung ans Leibliche noch bedarf. Und ob alle Änderungen, Ordnungen, Einrichtungen, erzeugt und nachgelassen von verschiedenen Bildern, im selben Raume des Gehirns durch einander greifen, doch stören, verwirren sie sich nicht, so wenig als Wellen um Tropfen oder Steine in dem Teiche; das Gehirn arbeitet sich damit nur immer reicher, feiner und vollkommener aus, und die Erinnerungen treten dadurch in den freiesten Verkehr. Jede neue Anschauung erzeugt ihren neuen Kreis von Wirkungen in das Gehirn hinein, womit ein neuer Zuwachs von Entwickelung in dasselbe und den davon getragenen Geist kommt. Und mögen diese von der Anschauung hinterlassenen Wirkungen uns auch noch so unbestimmt, so wenig äußerlich verfolgbar und ergreifbar erscheinen, doch ergreift sich die Erinnerung selbst bestimmt darin, und ihr geistig Wesen heftet sich daran.

Nicht anders aber wirkt der Mensch, indes er im Anschauungsleben steht, durch tausend Wege in den größern Leib, der selbst erst Säfte und Kräfte zu ihm hergegeben, vor allem den obern, Gehirnkraft tragenden Teil der Erde zurück, erzeugt darin in Wirkungen und Werken eine neue Änderung, Ordnung, Einrichtung im Bau und im Bewegen, die nicht vergeht, wie der Mensch vergeht, die nachbleibt und nachwirkt, und an die sich sein künftiges geistiges Sein nun knüpft, so weit es der Anknüpfung ans Materielle noch bedarf. Und ob alle Änderungen, Ordnungen, Einrichtungen, erzeugt und nachgelassen von verschiedenen Menschen, im selben Raume durch einandergreifen; doch stören, verwirren sie sich nicht, so wenig als Wellen in dem Teiche; der obere Raum der Erde arbeitet sich damit nur immer reicher, feiner und vollkommener aus, und die Geister treten dadurch in den freiesten Ver-kehr. Jeder neue Mensch schlägt einen neuen Kreis von Wirkungen in die Welt hinein, womit ein neuer Zuwachs der Entwickelung in dieselbe und den davon getragenen Geist kommt. Und ob auch die von seinem Anschauungsleben hinterbliebenen Wirkungen uns noch so unbestimmt, so wenig äußerlich verfolgbar und ergreifbar erscheinen, doch ergreift er sich selbst bereinst bestimmt darin, wenn das Anschauungsleben sich in das Erinnerungsleben gewandelt, und sein geistig Wesen heftet sich daran. ·

Bei spezieller Entwickelung dieser Analogie würden wir der Unzu-länglichkeit, die jede Analogie von gewisser Seite hat, auch wieder Rechnung zu tragen haben. Was im Grunde nicht trifft, wird auch hier in den Folgen nicht treffen können. Doch gehen wir auf die nähere Erörterung hiervon nicht ein. Die obige Analogie dient uns überhaupt nur zum ersten Anknüpfungspunkte direkterer Betrachtungen.

Um aber einigen Einwänden zuvorzukommen oder zu begegnen, die von physiologischer Seite gegen diese Analogie gemacht werden könnten, sei noch Folgendes hinzugefügt.

Gewöhnlich stellt man es so dar, als ob die Empfindung des·Bildes im Auge selbst erst durch die Fortwirkungen, die es ins Gehirn erstreckt, zustande komme. Allein das Tatsächliche ist nur, daß sie nicht ohne Zusammenhang der Netzhaut und mithin des Bildes mit einem tätigen Gehirn und durch dieses mit dem übrigen Körper zustande kommen kann; wie auch der Mensch lebendig und empfindungsvoll nur in Zusammenhang mit dem größern Ganzen, und hierin insbesondere dem Oberraum der Erde, dem er zunächst zugehört, bestehen kann, nicht aber bloß durch die Fort-wirkungen, die von ihm dahinein übergehen, lebendig und empfindungsvoll wird. Unstreitig ist der Zusammenhang der Netzhaut mit dem Gehirn und übrigen Körper selbst wesentlich, die Netzhaut tätig und ihre Veränderungen in Zusammenhange mit den Veränderungen des Gehirns und übrigen Leibes, woran sich ein allgemeineres Bewußtsein knüpft, zu erhalten; aber daß die Veränderungen der Netzhaut im Bilde selbst, so lange sie in solchem Zusammenhange stehen, nichts zur Empfindung beitrügen, ist in keiner Weise darzutun. Das Bild im Auge wird eben so nötig sein, die Empfindung auf einem gewissen Stande zu erhalten, wie die tätige Verbindung mit dem Hirn und übrigen Leibe, sie mit dem Allgemeinbewußtsein in Beziehung zu setzen, und wenn ohne diese Beziehung von Empfindung überhaupt nicht die

Rede sein könnte, so ist darum das, was in diese Beziehung eintritt, nicht
gleichgültig. Es ist an sich sonderbar zu glauben, daß das Sehen erst
hinter dem Auge beginne; und man mag immerhin sagen, das Gehirn sieht,
aber es sieht durch das Auge, wie das höhere Wesen, dem wir angehören,
durch uns sieht. Die Netzhaut läßt sich selbst als ein Gehirnteil fassen
und wird neuerdings öfters selbst von Physiologen so gefaßt. Des Nähern
läßt sich die Sache so darstellen: so lange das Bild im Auge steht, bringen
seine Fortwirkungen ins Hirn keine selbständig und abgesondert von den
Wirkungen des Bildes auffaßbare Empfindung hervor; alles geht in derselben Anschauung auf, und wenn die Anschauung sich fortgehends ändert,
hindert die Beschäftigung mit der anschaulichen Änderung selbst, daß die
Fortwirkungen der bisherigen Anschauung sich deutlich als Erinnerung
geltend machen; erst wenn die ganze Anschauung verlischt, können die Fortwirkungen ihres bisherigen Daseins und ihrer Änderungen selbständig und
deutlich als Erinnerung auftreten; obwohl auch nur unter Mittun des
keineswegs als Folge der Anschauung zu betrachtenden allgemeinen Gehirn-
lebens, woran sich unser allgemeines Geistesleben knüpft. Davon müssen
die Folgen ergriffen werden, wie darein eingreifen. Eben so, so lange der
Mensch auf Erden steht, rufen seine Wirkungen in die Welt um sich kein
selbständig und abgesondert von dem Bewußtsein, das seinem Anschauungsleben zugehört, auffaßbares Bewußtsein desselben hervor; alles geht im Bewußtsein dieses Anschauungslebens mit auf, und auch, wenn sich sein Anschauungsleben ändert, bleiben die nach außen gehenden Fortwirkungen des
bisherigen Lebens noch ins Unbewußtsein versenkt, indem die Änderungen
des Anschauungslebens selbst sein Bewußtsein beschäftigen; erst mit Erlöschen
des Anschauungslebens erwacht das Erinnerungsleben; obwohl dieses Erinnerungsleben auch nur unter Mittun des keineswegs als Folge seines
bisherigen Anschauungslebens zu betrachtenden allgemeinen Lebens, welches
dem allgemeinen Geiste unterliegt, entstehen kann; die Folgen, die sein Anschauungsleben hinterläßt, müssen von diesem allgemeinen Leben ergriffen
werden, wie darein eingreifen.

Ist das, woran sich unser Geist im Jenseits heftet, der Kreis der
Wirkungen und Werke, den jeder diesseits um sich hat geschlagen, kein
Leid mehr gleich dem jetzigen; so soll ja auch das künftige Dasein dem
jetzigen nicht mehr gleichen. Der Geist soll freier in dem Jenseits
werden, darum muß es auch der Leib werden; er kann sich nicht mehr
auf ein so enges Häufchen Materie beschränken wie jetzt; sondern damit
der Geist frei durchs Irdische gehe und walte, muß auch der leibliche
Träger eine demgemäße Freiheit haben.

Du sagst etwa: aber mein Gehirn ist ein wunderbar entwickelter und ent-
wickelbarer Bau, aus wie viel tausend Fäden kunstvoll zusammengeschlungen,
mit tausend Strömen Bluts dazwischen; was mag nicht alles gehn auf seinen
weißen Straßen, und was darauf geht, läßt auch da seine Spur. Dazu
ist seine Einrichtung so zusammengepaßt mit der des Auges, daß, was

im Auge vorgeht, durch seine Fortwirkungen sich wirklich im Gehirn auch wiederspiegeln kann. Die Tafel des Gehirns ist dazu absonderlich hergerichtet. Und das allein macht die Erinnerung möglich. Ohne so wundervolle und mit dem Auge wunderbar zusammengepaßte Einrichtung des Gehirns könnte Erinnerung nimmer entstehen, und möchten auch noch so viel Wirkungen aus dem Auge kommen. Was aber hat die Welt, in die ich den Kreis meiner Wirkungen und Werke schlage, desgleichen, daß ich hoffen dürfte, ein Erinnerungsleben meiner könnte eben so in ihr dadurch begründet werden, und noch dazu ein entwickelteres und in höherm Sinne entwickelbares Erinnerungsleben, als ich in mir selbst jetzt führe? Das setzt doch auch entwickeltere Anstalten dazu voraus. Was vertritt, was überbietet in der Welt um mich die kunstvolle Organisation meines Hirns; was macht sie fähig, ein gleich lebendiges Spiegelbild meines Anschauungslebens in sich aufzunehmen, wie mein Gehirn von meiner Anschauung?

Doch wie, ist denn die Welt um dich, die irdische Oberwelt zumal, in die der Kreis deiner Wirkungen und Werke zunächst geht, ein minder wunderbar entwickelt und entwickelbares Reich als dein Gehirn, das selber nur ein kleiner Teil davon, und etwa weniger mit dir zusammenpassend und darauf eingerichtet, den Abdruck deines Wesens in Wirkungen und Werken zu empfangen; und etwa weniger lebendig als du selbst, des Leben erst aus ihrem kam, an ihrem hängt? In deinem Hirne nichts als weiße Fäden, der eine wie der andre, mit roten Strömen zwischen, der eine wie der andre; doch draußen eine Welt mit Ländern, Meeren, darin mit Gärten, Wäldern, Feldern, Städten, darin mit Blumen, Bäumen, Tieren, Menschen, darin mit Blättern, Adern, Sehnen, Nerven; der Ausbau geht ins einzelste, und ist doch alles verwebt zum lebensvollsten Ganzen, verknüpft teils durch die allgemeinen Grundbeziehungen der irdischen Natur, teils durch die höhern Beziehungen der Menschen in Staat und Kirche, Handel, Wandel; was arbeitet da nicht alles in einander, was tauscht sich da nicht mit einander, was gibt's nicht da für tausendfach verschlungene Wege, für tausendfache Mittel des Verkehrs. Wir haben's früher oft betrachtet. In dieses lebensvolle Ganze hinein schlägst du den Kreis deiner Wirkungen und Werke, eine Organisation, die tausend Millionen Menschenhirne mit allem lebendigen Verkehr der Menschen in sich schließt, da dein Gehirn bloß etwa so viel Fäden. Und alles ist drin frei und weit und groß, indes in deinem Hirne alles klein und eng gebunden und gefesselt. Und diese große Organisation sollte weniger vermögen, als deine kleine; das erhabene Ganze weniger

als sein winzig kleiner Teil? Sollte unvermögend sein, dein Wesen in
Wirkungen und Werken rückgespiegelt zu empfangen, da dies dein Wesen
selbst erst aus ihr kam, sie selbst dich erst zu ihrem Bilde machte?

Wollte man bei der gemeinen Ansicht stehen bleiben, so wäre die
ganze Erde freilich nur ein totes Wesen, und man müßte fragen, wie
kann sie, die selber tote, mein künftig Leben tragen. Da siehst du nun,
daß es gut ist, zu wissen, es verhält sich anders mit der Erde, sie ist
kein unorganisch totes, vielmehr ein höher organisch lebendig Wesen als
du selbst. Nun ist auch für den Glauben an dein künftig Leben nicht
umsonst, was du von dem Leben der Erde gelernt hast. Ja wäre die
Erde wirklich ein totes Wesen, wie sollte denn dein künftig Leben in
ihr wurzeln können, wenn dein jetziges dahin? In einen Stein hinein
könntest du freilich keine Bedingungen deiner künftigen Forterhaltung
und Fortentwickelung erzeugen, so wenig als eine Anschauung die Bedingungen ihrer Forterhaltung und Fortentwickelung als Erinnerung in
ein Gehirn von Stein. Ist aber die Erde ein höher beseelter Leib als
jetzt du, so kann auch wohl eine höhere Entwickelung deines Lebens in
ihr wurzeln und selbst ihrer eigenen Entwickelung dienen. So offenbart
sich nach geistiger wie leiblicher Seite der tiefste Zusammenhang zwischen
dem Leben der Erde und unserm eigenen zukünftigen Leben. In beiden sehen
wir ergänzende Erweiterungen unsres diesseitigen Lebens, in jenem eine
Erweiterung schon in der Gegenwart über uns hinaus, in diesem in die
Zukunft hinein. Das Leben der Erde greift schon in der Gegenwart so
über dein diesseitiges hinaus, wie dein zukünftiges Leben in der Zukunft,
das diesseitige nicht ausschließend, sondern einschließend. Aber auch dein
zukünftiges Leben gehört der Erde wieder an, und so ist dein jetziges
Leben im Grunde nur ein Teil des ganzen Lebens der Erde eben so
in der Gegenwart wie in der Zukunft. Das Leben der Erde, dem du
künftig angehören, an dem du selbst mitwirken wirst, ist aber eine höher
geartete Seite ihres ganzen Lebens als die, in der du jetzt befangen bist.
Dein künftig höher Leben und ihr jetzig höher Leben bedingen und verbürgen sich überhaupt wechselseitig. Wäre die Erde über eure Seele
hinaus tot, wie ihr's euch meist denkt, so wäre es mit diesem Leben
auch aus mit euch, alles reduzierte sich auf euer jetziges zumeist sinnliches
Anschauungsleben; aber hiermit hätte auch die Erde nichts Höheres als
das, wie wir es früher schon betrachtet haben.

Zum Kreise unsrer Wirkungen und Werke und hiemit zum Träger
unsrer Zukunft gehört alles, was wir immer um uns wirken auf Luft
und Licht und Erdreich, in die Menschheit und einzelne Menschen hinein,

17*

in Familie, Staat und Kirche, in Kunst und Wissenschaft, in Taten, Worten, Schriften, alles was durch uns und was aus uns kommt, im Stillen und im Lauten, in sichtlichen oder nur erschließbaren Wirkungen. Nur zählt das alles nicht einzeln, sondern der Zusammenhang von allem ist es, der die Einheit derselben Seele fürder trägt, welche sich in Entwickelung dieses Zusammenhanges erst betätigte.

Keine Wirkung kann von uns abstrakt in den Raum strahlen, sie wird sich, wie geistig oder leiblich sie auch heißen mag, immer auf irgend= welche Materie überpflanzen müssen, gleichgültig welche, welcherlei, wie ferne. Was wir geistig in andern erzeugen, vermag sich so gut nur durch materielle Vermittelungen mitzuteilen, wie die gröbste materielle Bewegung, und bedarf noch im andern so gut des materiellen Trägers wie in uns. Die philosophischsten Ideen pflanzen sich nur durch Schrift und Wort, mithin Licht und Schall, an die Außenwelt über und erregen, indem sie durch Hören und Sehen andern mitgeteilt werden, in deren Gehirnen physische Prozesse, welche die Materie beteiligen. Die Idee bringt nirgends hin, wohin ihr materieller Träger nicht bringt, und immer ist es eine Begeistung der Materie im andern, welche bei jeder Ideen=Mitteilung stattfindet, wie unser eigenes Psychische stets nur als Begeistung der Materie auftritt. So fehlt denn unsrer leiblichen Fort= setzung ins Jenseits die materielle Unterlage so wenig, als dem jetzigen Leibe selbst.

Wenn Platos Geist noch heute in Ideen fortlebt, die unter uns umlaufen (obwohl es nicht Ideen allein sind, in denen er unter uns fortlebt), so können in der Tat diese Ideen in ihrem Umlauf in und unter uns so wenig eines materiellen Trägers missen, als da sie noch in seinem eigenen Gehirn umliefen, sie heften sich nun an Vorgänge in unserm Hirn, an Worte, Schrift, an jedwedes, was in Kunst und Wissen= schaft und Leben durch diese Ideen begeistet im Sinn derselben geht, und alles das gehört nun mit zum leiblichen Träger von Platos Geist; nur alles das nicht einzeln, sondern die Gesamtheit der Wirkungen, die von einer Idee Platos ausgegangen sind, gehört zum Träger immer noch derselben einen Idee; und so die Gesamtheit der Wirkungen, die von einer Seele überhaupt durch Vermittelung ihres Körpers aus= gegangen sind, immer noch zum Träger derselben einen Seele.

Dem oberflächlichen Blick mag es zwar scheinen, als ob die Wir= kungen und Werke, die von uns übergehen an die Welt, alsbald sich gleichgültig zerstreuten, den Zusammenhang unter sich und mit uns ver= lören; von einer Einigung und Einheit darin also nicht die Rede sein könnte. Aber dem tiefer gehenden Blick erscheint es ganz anders. So zusammenhängend der Mensch selbst ist, so zusammenhängend ist der Kreis seiner Wirkungen und Werke in sich und so zusammenhängend bleibt er mit ihm; so daß er in der Tat nur als der Fortwuchs, die weitere Ausbreitung seines engern leiblichen Systems selbst erscheint.

Sieh einen Schwan, der Furchen zieht im Teiche; so weit er schwimmen mag, hängt seine Bahn zusammen; doch nicht die Bahn bloß, die er zunächst zieht, auch alle Wellen, die man rings von dieser Bahn ausgehen sieht, — und jeder Punkt der Bahn gibt eine Welle, — hängen alle noch zusammen gleich der Bahn selbst; ja greifen in einander über, nur inniger, verflochtener wird der Zusammenhang, je mehr sie sich ausbreiten. Ganz eben so zusammenhängend aber, wie die Bahn des Schwans im Wasser, ist der Lebensgang des Menschen und gleich zusammenhängend und sich verschlingend sind alle Wirkungen, die von ihm während seines Lebensganges ausgehen. Er reise über Land und See, der Anfang seiner Bahn hängt doch zusammen mit dem Ende, und alle Wirkungen, die von da ausgehen, eben so; er reise von der Jugend bis zum Grabe, es ist nicht anders.

Der Schwan kann freilich auffliegen aus dem Wasser und sich wieder an einer andern Stelle darin niederlassen. Dann scheint es doch, gibt's zwei getrennte Wellenzüge. Im Wasser, ja, doch sind sie ver- knüpft durch ein System von Wellen in der Luft. Der Mensch aber kann so wenig als der Schwan aus dem Zusammenhange mit Erde, Wasser, Luft, und was von Unwägbarem ins Irdische eingeht, herauskommen. Also wohin er auch gehen, laufen, springen möge, wie er stehen und sich stellen möge, was er sagen, schreiben, hantieren möge, das System von Wirkungen und Werken oder Bewegungen und Einrichtungen, was aus der Gesamtheit von all dem hervorgeht, kann nie in sich zerfallen; bloß sich im Laufe des Lebens immer weiter teils ausdehnen, teils mit einer größern Mannigfaltigkeit Momente bereichern, indem die früheren Bewegungen sich mit den spätern immer neu zusammensetzen und immer neue Abänderungen an den schon getroffenen Einrichtungen erzeugen, wie solches in unserm engen Leibe auch stattfindet. Jede neue Bewegung, die vom Menschen an die Außenwelt übergeht, jedes Werk, an dessen Schöpfung er seine Kraft und Tätigkeit verwendet, gibt so zu sagen einen neuen Beitrag zur Entwickelung seines jenseitigen weitern Leibes, der sich teils an die früheren erweiternd anknüpft, teils fortbestimmend in sie rückgreift. Wenn wir die ganzen Bewegungen und Einrichtungen, kurz Wirkungen und Werke, die von einem Menschen während seiner

Lebzeiten ausgegangen sind, mit Augen auf einmal überblicken könnten
daß uns nichts entginge, würden wir sie nicht nur eben so unter einander
verwickelt, ineinandergreifend finden, wie die Materie, Bewegungen und
Einrichtungen unsres Leibes, sondern die Materie, auf welche sich diese
Bewegungen übergepflanzt haben, welche Träger dieser Einrichtungen ist,
würde sich auch eben so zu einem vollkommenen Kontinuum gestalten,
wie es die Materie unsres jetzigen Leibes ist, ohne hierbei eine andere
bestimmte Grenze zu haben, als die Materie des irdischen Reiches selbst
Derselbe Zusammenhang, der durch das Räumliche, läßt sich aber
auch durch das Zeitliche verfolgen. Man glaubt es vielleicht nicht für
den ersten Anblick, aber doch ist es gewiß, daß alle Wirkungen, die von
Christus in die Welt ausgegangen sind und sich zu seinen Bekennern und
durch seine Bekenner fortgepflanzt haben, nicht nur durch eine vollkommen
kontinuierliche Kette materieller Folgewirkungen bis zu uns gelangt sind,
sondern auch, daß diese materiellen Folgewirkungen noch jetzt ein voll=
kommen kontinuierliches in sich zusammenhängendes System bilden, daß
sie so zu sagen nur ferne, aber in sich zusammenhängende Wellen=
ausbreitungen der Bahn sind, die dieser Schwan während des Lebens
zog. Was er durch Wort und Beispiel wirkte, wirkte durch Schall und
Licht auf seine Jünger ein, organisierte etwas anders in ihnen, trieb sie
zu neuen Handlungen an; durch Wort, Beispiel, Tun pflanzte sich die
Wirkung weiter fort, nicht nur in die Menschen hinein, auch über die=
selben hinaus; denn im Sinne der erfahrnen Wirkungen handelten sie
nun auch in die Außenwelt hinaus. Es entstanden in Kirche, Staat,
Kunst, Wissenschaft, dem ganzen Leben der Christen allenthalben
neue Einrichtungen, neue Weisen, die Dinge zu nehmen, zu betrachten,
zu behandeln, und alle Einrichtungen, Verhältnisse der ganzen Christen=
heit bleiben notwendig durch Mittelglieder verknüpft. Nirgends können
sie fehlen, wo es Christen gibt. Der Weg selbst, den ein Christ ein=
schlägt, und ginge er in die fernsten Gegenden, ist ein verknüpfendes
Mittelglied. Christi Wirken erfolgte überhaupt während seines Lebens
im Zusammenhange, nun ist unmöglich, daß irgendetwas, was davon
abhängt, und wäre es in den entferntesten und divergentesten Folgen,
außer Zusammenhang mit anderm gerate, was auch davon abhängt,
wie die der Wurzel fernsten und unter einander divergentesten
Blätter und Blüten eines Stammes doch alle unter einander zusammen=
hängend bleiben. Und wohl zu merken, es ist kein bloß äußerer
Zusammenhang des Nebeneinander, es ist ein Zusammenhang des Wirkens,
des gegenseitigen Abänderns, in einander Greifens, ein tätiger Zusammen=

hang, ein solcher, wie er auch in uns jetzt gefordert wird, Träger eines geistigen Wirkens zu sein. Wie wäre es auch möglich, wenn die geistigen Nachwirkungen Christi, die von jenen materiellen getragen werden, in zusammenhangslosen, tatlosen Momenten ruhten, von einer christlichen Gemeine, christlichen Kirche zu sprechen. Nur daß wir freilich, weil wir nicht selbst Christi Geist sind, sondern als Glieder seine Gemeine bloß die Wirkungen empfangen, die sich in uns hinein verzweigen, auch nicht das Selbstbewußtsein haben können, mit dem Christus in seiner Gemeine fortlebt, sich forterhält und fortentwickelt.

Was nun hier bei Christus deutlich und in großartiger Erscheinung hervortritt, gilt aber ganz eben so für den unbedeutendsten Menschen. Nicht die Art der Fortdauer, nur die Bedeutung des Fortdauernden und der Wert der Beziehung zum höhern Geiste ist verschieden. Keines Menschen Leben ist ohne immer und ewig nachbleibende Folgen; alles was in der Welt anders geworden, weil er dagewesen, und nicht so wäre, wenn er nicht dagewesen, gehört zu diesen Folgen, und der ganze weite Kreis dieser Folgen bleibt bei jedem Menschen eben so zusammen= hängend wie der engere Kreis des ursächlichen Lebens zusammenhing.

Wie in unserm jetzigen Körper manche Einrichtungen und Prozesse in direkterer und bedeutungsvollerer Beziehung zu unserm bewußten geistigen Leben stehen, als andere, die nur im Zusammenhange des Ganzen und als niedere Basis mitzählen, nur in allgemeiner Weise zum Träger unserer Seele mitgehören, aber doch in sofern noch zum Leibe mitzurechnen sind, wird es dann auch mit unsrer künftigen Leiblichkeit sein. Wenn schon alles, was als Folge unsrer jetzigen leiblichen, Geist tragenden Existenz in der Welt fortbesteht, auch im Zusammenhange beitragen wird, unsre künftige geistige Existenz zu tragen und in sofern zu unsrer leiblichen Existenz gehören wird, wird doch unstreitig nur das, besonders geistig bedeutsame hier, besonders geistig bedeutsame Folgen dort mitführen. Der Tritt meines Fußes, eine gleichgültige Hand= bewegung mag, viel leichter im Groben verfolgbare, Folgen nachlassen, als ein Blick, eine Handlung, worein der Mensch seine ganze Seele legt, als die Lehren und Werke, wodurch er seine Ideen in andere überpflanzt; aber jene Folgen werden doch dereinst viel gleichgültiger für ihn sein als diese. Ja Vieles mag äußerlich unmerkbar und still in uns vor sich gehen, was eben so stille und äußerlich unmerkbare Folgen nachläßt, die aber doch für unsere geistige Zukunft dereinst bedeutender sein können als die sichtbaren Folgen unsrer sichtbarsten Handlungen. Denn die Wirkungen richten sich in ihrer Weise und Bedeutung nach den Ursachen.

Eine Mutter, die ins Jenseits hinübergegangen, wird noch in ihrem diesseits zurückgebliebenen Kinde mit fortleben; es gehört zu dem, was aus ihr gekommen; aber uur das, was durch ihr Bewußtsein am Kinde geworden und anders geworden, was ihre Pflege, Sorge, Erziehung bei=getragen hat, daß es lebendig bestehe und sich entwickele, wird in seinen Folgen ihr Bewußtsein jenseits wieder berühren. Daß das Kind hier in Unbewußtsein ein Teil ihres Leibes und Lebens war, macht es auch im Jenseits nur zu einem für sie unbewußten Teil desselben. Wie be=wußt auch das Kind für sich sei, mit der Mutter teilt es nur das, was es von der Mutter hat. Die Schwierigkeiten aber, die darin zu liegen scheinen könnten, daß überhaupt dieselbe Materie verschiedenen Geistern zugleich als leiblicher Träger unterliegen kann, wird noch gründlicher im folgenden Abschnitt (XXIV, C) erledigt werden.

Der ganze Charakter eines Menschen pflanzt sich von dem kleinen Kreise seines Leibes auf den großen seiner Wirkungen und Werke über, ja so sichtlich, daß wir den Ausdruck seines Geistes unwillkürlich schon jetzt darin zu erblicken glauben. Die Wirkungen und Werke eines Menschen tragen eine Physiognomie, wie die seines Gesichts. Ja könnten wir den ganzen Zusammenhang der Wirkungen und Werke eines Menschen auf einmal übersehen, was wir freilich nicht können, so möchte uns in der Tat der Geist des Menschen schon so lebendig daraus hervorzutreten scheinen, wie jetzt aus seinem Gesichte; das wird aber erst im folgenden Leben der Fall sein können.

„Auf dem Gesichte lesen wir den Charakter des Menschen, in seinem übrigen Körper ist wenig Spur davon; aber in seinen Umgebungen, in seiner Art sich zu kleiden, in der Einrichtung seines Zimmers, in den Örtern, welche er aufsucht, in den Leuten, mit denen er in Verhältnisse tritt, und besonders in der Art, mit welcher dies geschieht, in allen diesen Dingen lernen wir den Menschen besser kennen, als in seinem Körper selbst; dies alles zusammen bildet in einem weitern Sinne den Körper seiner Seele." (Schnaase, Geschichte der bildenden Künste I. S. 67 f.).

„Nicht durch Schriften wirken wir allein auf die Zukunft; vielmehr können wir's durch Anstalten, Reden, Taten, durch Beispiel und Lebens=weise. Dadurch drücken wir unser Bild lebendig in andre ab, diese nehmen's an und pflanzen es weiter." (Herder, Zerstr. Bl. 4. Samml. S. 169).

„So nun der Leib zerbricht und stirbt, so behält die Seele ihre Bildnis als ihren Willensgeist; jetzt ist er zwar von dem Leibesbilde weg: denn im Sterben ist eine Trennung; alsdann erscheint die Bildniß mit und in den Dingen, was sie allhier hat in sich genommen. damit sie ist infiziert worden (die sie in sich hineinbilden ließ); denn denselben Quell hat sie in sich. Was sie allhier liebte und ihr Schatz gewesen und darin der Willensgeist

einging (imaginierte); nach demselben figuriert sich nun die seelische Bildnis."
(Jac. Böhme, hier aus den Bl. aus Prevorst, 1. Samml. S. 81 entlehnt.)

„Friedrichs Verfahren (in der Schlacht bei Leuthen) war in vollstem
Sinne künstlerisch; wie der Orgelspieler, der mit leisem Fingerdruck die
Flut der Töne erklingen läßt und sie in majestätischer Harmonie führt, so
hatte er alle Bewegungen seines Heeres in bewunderswürdigem Einklange
geleitet. Sein Geist war es, der in den Bewegungen der Truppen sichtbar
ward, der in ihren Herzen wohnte, der ihre Kräfte stählte." (Geschichte
Friedrichs des Großen von Kugler. S. 364).

Daß aber der Kreis unsrer Wirkungen und Werke die äußere
Gestalt unseres Leibes nicht widerspiegelt (obwohl für den jenseitigen
Standpunkt eine solche Spiegelung eintreten wird), muß uns nicht
kümmern; darauf kommt's nicht an. Das große Kraut, das aus dem
kleinen Samen kommt, spiegelt dessen runde Gestalt auch nicht äußerlich
wider und trägt als dessen Fortwuchs doch dessen ganze Natur noch
in sich; ein jeder anders geartete Same gibt ein anders geartetes Kraut.
Wohl aber ist das große Kraut das Spiegelbild eines kleinen Pflänzchens,
das im Samen äußerlich ganz unsichtbar ruht und dessen eigentlich
und treibend Wesen darstellt. So ist der Kreis unsrer Wirkungen und
Werke das Spiegelbild nicht unseres äußern, aber unsres innern Wesens.
Wir können's äußerlich gar nicht anders treiben, als sich's zuvor im
Innern hat getrieben; und unser ganzes äußeres Treiben ist nur der
Austrieb dieses innern Treibens.

Der Mensch hält das, was er hienieden um sich, außer sich gewirkt
hat, jetzt sich äußerlich gewissermaßen für sich verloren, doch ist es ihm
nur scheinbar verloren, es ist immer eine Fortsetzung seiner selbst,
gehört immer unbewußt zu ihm. Und der Tod ist nun nicht umsonst
da, er ist eben dazu da, gewaltig wie er ist, auch einen gewaltigen
Unterschied vom Jetztleben mitzubringen, den, daß vom Momente des
Todes an mit dem Schwinden des Bewußtseins für seine bisherige engere
leibliche Sphäre nun ein Bewußtsein für die weitere erwacht, welche von
der engern doch selbst erst ausgegangen. Selbst in unserm engern Leibe
aber sehen wir einen solchen Antagonismus, daß nach Maßgabe als ein
Teil untätig wird und für das Bewußtsein in Schlaf gerät, andere
dafür erwachen; derselbe Antagonismus besteht dann in noch höherem
Maßstabe zwischen unserm jetzigen engern und dem aus ihm hervor-
getriebenen weitern Leibe. Dies aber betrachten wir gründlicher erst im
folgenden Abschnitte (XXIV, D).

So können wir denn nach allem kurz sagen: Der Mensch schafft
sich schon in seinem Jetztleben, ohne daß er freilich daran denkt, einen

weitern Leib in Wirkungen und Werken um seinen engern Lib, der, wenn der engere vergeht, nicht mit vergeht, sondern in dem er fortlebt und fortwirkt, ja der eben erst mit dem Tode des engern dahin er= wachen wird, der Träger des Bewußtseins zu werden, das bisher an den engern und in engerm Sinne so genannten Leib gebunden war. Ja der Tod ist die natürliche Bedingung dieses Erwachens.

Es bleibt freilich immer nur ein kurzer und in gewisser Hinsicht uneigentlicher Ausdruck, dessen wir uns bedienen, wenn wir etwas, was doch unserm bisherigen Leibe so unähnlich erscheint, nun auch Leib nennen wollen; aber warum sollten wir es nicht, wenn doch dieser weitere Leib die Leistung fortsetzt, die bisher unserm engern Leibe zukam, unserm Geistesleben als Träger zu dienen, so weit es desselben noch bedürfen mag; nur um dieser Leistung willen, nicht um seiner besonderen Form willen nennen wir ja doch auch unsern jetzigen engern Leib einen Leib.

Unser jetziger Leib ist selbst nur ein enger Kreis, ein enges System von Wirkungen und Werken, und das diesseitige Leben besteht bloß darin, es umzusetzen in das weitere. Der Tod ist nur die Lösung des letzten Knotens, der das Bewußtsein noch im Diesseits gebunden hält. Nun tritt der weitere an des engern Stelle, mit dem er unbewußt schon jetzt zusammenhing.

Wir irren, wenn wir meinen, unser jetzig Leben ziele auf nichts als unser jetzig Leben zu erhalten. Nein, es zielt zugleich darauf, ein größeres Leben als unseres zu bereichern, fortzuentwickeln und uns in eben dem, was wir zu dessen Bereicherung, Entwickelung beitragen, einen Anteil daran auch für die Zukunft zu sichern. Denn was jeder am größern Leibe und Leben schafft, das wird er daran haben. Statt engern Anteils jetzt erhält er künftig nur einen weiteren daran; und der engere Anteil jetzt war eben nur da, den weitern für das Jenseits ihm zu schaffen. Und alles Bewußtsein, was sich bei diesem Schaffen betätigte, wird sich auch in Fortführung der Schöpfung im weitern Kreise einst betätigen.

Es ist eigen, daß man bei der Unsterblichkeitsfrage immer nur auf das achtet, was aus der Zerstörung des Leibes im Tode hervorgeht, und da man nichts als Graus und Moder hervorgehen sieht, in Ver= legenheit um den neuen leiblichen Träger der Seele ist. Nicht auf das, was aus dem Leib im Tode und folgweis aus dem toten Leibe kommt, sondern was aus dem lebendigen Leibe, während seines ganzen Lebens kommt, nicht bloß von Stoffen kommt, sondern auch von Wirkungen kommt, und zwar auf die Gesamtheit, den vollen Zusammenhang alles dessen, was aus ihm kommt, hat man zu achten, um wieder einen lebendigen Leib zu haben. Der lebendige Leib ist es, der während und mittelst des ganzen Jetztlebens die leiblichen Vorbedingungen für das ganze Leben der Zukunft schafft. Endlich vergeht dieser enge Leib. Nun braucht nichts mehr aus ihm im Tode zu kommen. Er hat schon im Leben das Seine zu dem getan, was kommen soll, und die letzte Pflicht, die er erfüllt, ist, zu vergehen, weil dies selbst eine Bedingung für das Erwachen des Menschen im neuen Leib und Leben ist. Denn daß das Bewußtsein im alten Leibe und Leben keinen Grund mehr findet, ist selbst der Grund, daß der Mensch zum Bewußtsein des neuen Leibe und Lebens erwache, in dem sich alles wiederfindet, was von Stoffen, Bewegungen und Kräften im alten war. Eben darum ziehen so rastlos die Stoffe, Bewegungen und Kräfte durch deinen Leib hienieden, wirkt das Leben in dir so unermüdlich, wird es so lange fortgeführt, sollst du es so lange als möglich zu erhalten suchen, daß dein Leib und Leben jenseits groß und reich und mächtig werde. Dein kleiner Leib hienieden ist nur der kleine Webstuhl, der die Fäden des weiten Gewebes, aus dem der Leib und das Leben des Jenseits gesponnen wird, durch sich durchlaufen läßt. Dies weite Gewebe aber ist selbst nur ein neues Eingespinst in die Organisation des großen Webers, von dem auch der kleine lebendige Webstuhl nur ein Teil. Denn in diesem Gebiete geht alles innerlich, nicht äußerlich zu.

Zumeist meinen wir, der Tod erst gebe den Leib der Natur zurück, da zersetze er sich und verliere sich darin, vergehe; und fürchten uns, daß unsere Seele mit vergehe. Warum fürchten wir uns nicht vielmehr vor dem Leben, in dem jenes unsäglich mehr geschieht als in dem Tode? Das Leben ist ein Zersetzungsprozeß, der uns beständig der Natur zuwirft; der Tod ist nicht der Eintritt, sondern das Ende dieses Zersetzungsprozesses, aber eines solchen, aus dem die Materialien nur in einen größern Neubau übergehen, und dieselben Kräfte, die dem jetzigen Baue schwinden, dienen eben, diesen Neubau zu schaffen, ja ergreifen dazu nicht bloß die Materie, die durch unsern Leib hindurchlief, diese ist vielmehr bloß wie der Zeugungsstoff, der Gärungsstoff, der Sauerteig, von dem aus die Kräfte den Angriffspunkt gewinnen, den ganzen Leib der Erde zu ergreifen, und sich in besonderer Weise zuzueignen.

„Dabei darf man nicht glauben, daß der Zerstörungs= und Zersetzungsprozeß des Lebens etwa nur in dem Maße vonstatten ginge, wie wir ihn an der Leiche gewahr werden, deren Atome nur sehr allmählich dem all=

gemeinen Naturleben wieder anheimfallen; nein! Dieser Zersetzungsprozeß des Lebens geht weit schneller vonstatten als der des Todes, dergestalt, daß man z. B. berechnen kann, von der gesamten durch die Adern ziehenden Masse des Blutes werde allein im Laufe eines Tages ungefähr der vierte Teil zersetzt und auf verschiedenen Wegen ausgeschieden." (Carus, Physis S. 228).

Viel wichtiger aber als diese Betriebsamkeit und Eile, mit welcher der Mensch die Materie seines Leibes der Außenwelt einwirkt und nun fortgehends neue daraus schöpft, um sie aufs neue einzuwirken, ist die ganz damit zusammenhängende Betriebsamkeit, mit der er seine Tätigkeiten einwirkt. Stoffverbrauch und Kraftverbrauch gehen mit einander. Und welche Menge lebendiger Kraft wird während des Lebens eines Menschen in Wirkungen an die Außenwelt umgesetzt! Und zwar greifen die Wirkungen, welche vom Menschen an die Außenwelt übergehen, wie gleich im Folgenden noch näher zu besprechen, durch die ganze Erde, indes von Stoffen doch nur eine beschränkte Quantität durch seinen Leib unmittelbar an die Außenwelt übergehen kann.

Du fragst vielleicht, wie aber kommt das Kind zurecht, das alsbald nach der Geburt stirbt, ehe es noch Zeit gehabt, aus sich, um sich zu wirken? Wird es verloren sein? Aber wenn es nur einen Augenblick gelebt hat, wird es ewig leben müssen. Denn es können die Stoffe, Bewegungen und Kräfte, an die sich sein Leben und Bewußtsein knüpfte, nicht aus der Welt wieder schwinden, sondern müssen in irgendwelchen, wenn auch von uns nicht verfolgbaren Fortwirkungen sich nach seinem Tode in der Welt wiederfinden. Nun kann das freilich kein so ent= wickeltes System geben, als wenn ein Erwachsener stirbt; aber so gut das Kind diesseits sich von dem schwachen Anfange aus fortentwickeln konnte, so gut wird es auch jenseits der Fall sein können; es wird aber als das Kind in der andern Welt beginnen, als welches es gestorben ist.

Wir können die Ansicht von unsrer künftigen Leiblichkeit noch unter einer etwas andern Form darstellen, als bisher, die zwar im Wesen mit der bisherigen übereinkommt, aber manche Gesichtspunkte schlagender hervortreten läßt. Ziehen wir wirklich den vollen Zusammenhang der von uns ausgegangenen Wirkungen und Fortwirkungen in Betracht, so verleibt sich im Grunde jeder Mensch während seines Jetztlebens der ganzen irdischen Welt ein, denn die Wirkungen, die von ihm ausgehen, durchdringen in ihren Fortwirkungen das ganze Reich des Irdischen. Jeder Fußtritt erschüttert die ganze Erde, jeder Hauch in der Luft die ganze Luft; es kann überhaupt keine gröbere noch feinere, sichtbare oder

unsichtbare Regung und Bewegung seiner wägbaren und unwägbaren
Teile sich von ihm auf die Außenwelt erstrecken, ohne sich in Fort=
wirkungen auf die ganze zu erstrecken; der Zusammenhang des irdischen
Systems selbst bringt dies mit sich. Es ist in dieser Hinsicht nicht
anders als innerhalb unsers engern leiblichen Systems, in dem auch
keine Wirkung erfolgen kann, ohne sich durch das Ganze fortzuerstrecken
(vgl. Bd. I. S. 79 f.). So können wir nun auch sagen, jeder Mensch
dehnt seine diesseitige beschränkte irdische leibliche Existenz im Jenseits
auf das Reich der ganzen Erde aus, erwirbt im Tode die ganze Erde
zu seinem Leibe; doch erwirbt er sie bloß nach der Beziehung, in dem
Sinne, in dem er sich ihr einverleibt hat, in dem er sie geändert hat,
und so jeder Mensch nach anderer Beziehung, Richtung; alle diese Be=
ziehungen, Richtungen kreuzen sich, ohne sich zu stören; verweben sich
vielmehr zu einem höhern System und Verkehr; wie alle Erinnerungen
dasselbe Gehirn, ja denselben ganzen Menschen, zu dem das Gehirn
gehört, zum gemeinschaftlichen Leibe haben; die Änderungen, die ihnen
unterliegen, kreuzen, verweben sich auch zu einem höhern System und
Verkehr, ohne sich zu stören oder in einander zu verlieren. Um so
leichter ist etwas Analoges in dem so viel weitern größern Reiche der
Erde möglich. Wir nehmen aber die Betrachtung dieses Umstandes
künftig (XXIV. C.) nochmals auf.

Wenn wir nun einmal sagen, daß der Kreis von Wirkungen und
Werken, den der Mensch hienieden um sich schlägt und hinter sich läßt,
ein andresmal, daß die ganze Erde seine künftige Leibessphäre bilde,
so widerspricht sich dies nicht, sie bildet ihn eben nach der Richtung,
Beziehung, nach welcher er sich ihr durch seine Wirkungen und Werke
hier einverleibt hat. Die Materie der Erde an sich ist nur die gemein=
schaftliche relativ gleichgültige Unterlage für alle. Auch können wir,
wenn wir wollen, den ganzen künftigen Leib des Menschen schon jetzt mit
zu seiner jetzigen Leiblichkeit rechnen, da keine Trennung davon stattfindet,
nur aber dann als einen jetzt unbewußten Mitträger seiner Seele, der einst
im Tode bewußt werden wird. Man muß sich hüten, wenn bei ver=
schiedenen Wendungen unsrer Betrachtung bald diese, bald jene Wendung
in der Fassung unsrer Leiblichkeit vorgezogen wird, hierin sachliche In=
kongruenzen zu sehen. Die Sprache ist nur eben nicht reich genug,
alle in Betracht kommenden sachlichen Verhältnisse scharf zugleich zu be=
zeichnen und zu unterscheiden. Der Zusammenhang wird aber immer
dienen, das sachliche Verständnis zu erhalten. Im eigentlichsten Sinne
ist Leib nur eben das, was jeder jetzt Leib nennt, aber wie wollten wir

viele Verhältnisse, die der künftige Träger unsrer Seele mit dem jetzigen teilt und durch die er mit ihm zusammenhängt, erläutern, wenn wir nicht den Namen Leib bald in diesem bald in jenem Sinne darauf übertrügen.

Die Geister der Zukunft haben also einem kompakten Leib oder haben keinen, wie man will. Sie haben in gewisser Weise den Leib der ganzen Erde zu ihrem Leibe, und dieser ist noch viel kompakter als ihr jetziger enger, aber sie haben jeder die Erde nur nach gewisser Beziehung zu ihrem Leibe, und diese Besonderheit, in der die Erde eines jeden ist, läßt sich nicht für sich eben so besonders in kompakter Form herausstellen, als ihre jetzige Leiblichkeit. Und eben hieran hängt etwas von der größern Freiheit, welche die künftige Existenz vor der jetzigen voraus hat.

––––––––

Man übersieht nach den bisherigen Betrachtungen leicht, wenn auch nur in sehr allgemeiner Weise, wie die früher betrachteten Hauptverhältnisse der künftigen geistigen Existenz des Menschen mit dem jetzt betrachteten leiblichen zusammenhängen.

Den materiellen Folgen, die eine Anschauung in unserm Leibe hinterläßt, gehört eine Erinnerung in unserm Geiste zu, und so wird den materiellen Folgen, die unser Anschauungsleben im größern Leibe hinterläßt, ein Erinnerungsleben im größern Geiste zugehören.

Der enge Leib, an den unser jetziges Bewußtsein geknüpft ist, hängt nur wie etwas Äußerliches, wenn gleich nicht wahrhaft Abgesondertes, am größern Leibe; einst aber gehen wir ganz und allseitig mit dem Leiblichen, das unser Bewußtsein trägt, darein ein. Also werden wir auch dereinst mit unserm Bewußtsein selbst auf eine innerlichere Weise und allseitiger in das bewußte Leben des größern Geistes eingehen, der vom größern Leibe getragen wird, als jetzt.

Sofern die Folgen, die wir in die Welt um uns nachgelassen haben, fortgehends neue Folgen erzeugen, sich teils in sich selbst fortentwickeln, teils durch die übrige Welt fortbestimmt werden, teils auch dienen, sie fortzuentwickeln, wird auch unser vom Kreise dieser Folgen getragene Geist sich teils in sich fortentwickeln, teils Fortbestimmungen aus dem höhern Geiste empfangen, teils zu seiner Fortentwickelung beitragen.

Indem wir in gewisser Weise die ganze Erde künftig zu unserm Leibe, zum Träger unsers Bewußtseins haben, werden wir auch bei den sie im ganzen beteiligenden Verhältnissen bewußter mitbeteiligt sein; ihre Beziehungen zum Himmel, ihr Verkehr mit andern Gestirnen wird

mehr in unſer Bewußtſein eingreifen, und wir werden mehr mit Be=
wußtſein darein eingreifen.

Indem die Erde nicht bloß eines einzelnen jenſeitigen Geiſtes Leib,
ſondern der gemeinſame Leib aller geworden iſt, eines jeden nur nach
anderer Richtung und Beziehung, Aller Wirkungskreiſe mit zugehörigem
Bewußtſein ſich in der Erde begegnen und kreuzen, wird auch ein er=
leichterter und freierer bewußter Verkehr aller mit allen möglich ſein;
obwohl kein gleichgültig gleicher mit allen; weil doch die Art der Be=
gegnung mit jedem verſchieden ſein wird; denn wie die Fortwirkungen
ſich begegnen, hängt ſelbſt zuſammen mit der Art, wie ſich die Urſachen
begegneten.

Sofern wir künftig mit unſrer Exiſtenz dieſelbe Welt erfüllen,
in der auch die von uns Nachgelaſſenen wohnen, nur in andrer aus=
gedehnterer Weiſe darin wohnen werden, wird auch mit dieſen ein er=
weiterter Verkehr gegen jetzt möglich ſein.

B. Von der jenſeitigen Leiblichkeit, wie ſie auf jenſeitigem Standpunkte erſcheint.

Unſtreitig würde man doch wenig befriedigt ſein, wenn die Er=
ſcheinungsweiſe der künftigen leiblichen Exiſtenz, welche ſich nach den bis=
herigen Betrachtungen für unſern dieſſeitigen Standpunkt ergeben hat,
auch für den jenſeitigen gelten ſollte, wir uns auch da noch in einen
unbeſtimmten Kreis von Wirkungen und Werken zerfahren erſcheinen
oder nur mit den übrigen Geiſtern gemeinſam einen geſtalteten und ſo
gar nicht mehr menſchlich geſtalteten Leib darbieten ſollten. Vielmehr
möchten wir im Jenſeits wie im Dieſſeits Geſtalt gegen Geſtalt ſelbſtändig
einander gegenübertreten. Ja, eine Art Inſtinkt, ſei's auch nur von
Gewöhnung abhängig, ſcheint überall die menſchliche Geſtalt wieder zu
fordern. Und gehen wir etwas tiefer zum Grunde unſrer Anſicht, ver=
ſetzen wir uns hiermit vom dieſſeitigen Standpunkt auf den jenſeitigen,
ſo werden wir haben, was wir wünſchen, werden eine individuelle Ge=
ſtalt wie jetzt haben, ſogar die menſchliche, ſogar die frühere Geſtalt, nur
nicht mehr die grob körperliche, ſchwer auftretende, langſam wandelnde,
ſtarre Geſtalt von früher, die Schiff und Wagen braucht, über die Erde
hinwegzukommen, vielmehr, wie wir ſchon früher angedeutet, eine leichte,
mit körperlichen Händen unfaßliche Geſtalt, die wie der Gedanke und
auf den Ruf des Gedankens geht und kommt. Wollten wir es denn
aber anders vom folgenden Leben?

In der Tat bilden wir uns doch nicht ein, daß die Leiblichkeit

der jenseitigen Geister so ausgedehnt und unbestimmt auch unter den
Verhältnissen der jenseitigen Existenz erscheinen werde, als sie uns
diesseits auf noch fast ganz äußerm Standpunkt dagegen erscheint. Denn
obschon wir selbst von gewisser Seite mit darin inbegriffen sind, greift
doch das Meiste davon über jeden einzelnen von uns hinaus, bleibt
ihm äußerlich. Erfüllen wir aber selbst erst die Sphäre der künftigen
Existenz, wohnen wir mit Bewußtsein darin, so macht sich auch die
vereinfachende Kraft der Seele für alles, was in ihren Träger eingeht
und anregend darein eingreift, wegen des innern Standpunkts dagegen
geltend (vgl. Bd. II. S. 141), und zieht sich hiermit das physisch Weitläufige in der Erscheinung ins Enge. Unsre ganzen leiblichen Existenzen
greifen aber künftig wechselseitig anregend durch einander durch, und so
zieht auch jeder die Erscheinung des andern, die ihm durch diese Anregung wird, ins Einfachere zusammen. Es fragt sich nur, in welche
Form.

· Kurz nun können wir sagen: die Gestalten, in welchen wir uns im
jenseitigen Leben erscheinen, verhalten sich zu den Gestalten, in denen
wir uns im diesseitigen Leben erscheinen, wie die Erinnerungsbilder zu
den Anschauungsbildern dieser Gestalten, da sich das künftige Leben
zum jetzigen selbst wie ein Erinnerungsleben zum Anschauungsleben
verhält. Die Erscheinung der Gestalt bleibt wesentlich noch die frühere,
nur nimmt sie das leichtere, freiere Wesen des Erinnerungsbildes an.

Denn auch in uns jetzt heftet sich ein Erinnerungsbild gleicher
Gestalt wie das Anschauungsbild, dem es den Ursprung verdankte, an die
verbreiteten körperlichen Folgen, die das begrenzte Anschauungsbild in
uns hinterlassen hat. Von jedem Punkte des Anschauungsbildes er-
streckte sich eine ausgedehnte Fortwirkung durch Sehnerv und Gehirn;
aber sie tut in ihrer ganzen Ausdehnung nichts, als die Empfindung
des Ausgangspunktes in der Erinnerung nachzulassen, und die Summe
dieser Fortwirkungen, welche von allen Punkten des Anschauungsbildes
ausgegangen sind, gibt das ganze Erinnerungsbild, oder doch die
Möglichkeit seines Erscheinens, denn zum wirklichen Erscheinen bedarf es
noch zutretender Bedingungen. So wird auch die Summe der aus-
gedehnten Fortwirkungen, die hienieden von deiner Gestalt ausgegangen
sind, ins jenseitige Erinnerungsreich nur die Erscheinung der Gestalt,
von der sie ausgegangen, oder doch die Möglichkeit des Erscheinens
dieser Gestalt unter erforderlich zutretenden Bedingungen nachlassen.
Die Ausbreitung dieser Wirkungen aber wird nur den Erfolg haben,
an jeder Stelle, wohin sie gelangt, diese Möglichkeit zu begründen, daß

deine Gestalt zur Erscheinung gelange, wie dieselbe begrenzte Gestalt
auch jetzt überall da gesehen werden kann, wohin sich Lichtwellen (die
doch auch etwas sehr Ausgedehntes sind) von ihr fortpflanzen, derselbe
begrenzte Ton überall da gehört werden kann, wohin Schwingungen
vom hörbaren Körper gelangen, vorausgesetzt nur, daß auch jemand an
dem Orte ist, der Augen, Ohren hat, zu sehen, zu hören, daß er sie
wirklich auftut, und seine Aufmerksamkeit demgemäß richtet; denn sonst
ist es vergeblich; ja selbst mit offnen Augen und Ohren sehen und
hören wir nicht, was um uns vorgeht, ist unsre Aufmerksamkeit anders
beschäftigt.

Sofern wir nun alle zugleich mit unsern jenseitigen Existenzen die
irdische Welt erfüllen werden, und jeder so zu sagen überall, nur in
andrer Weise als der andre ist, wird hiermit zwar noch nicht überall
für jeden die Wahrnehmung der Gestalt jedes andern sofort gegeben
sein; sofern auch dort noch subjektive Bedingungen der Wahrnehmung
erfüllt sein müssen, aber die Möglichkeit und Gelegenheit zu dieser
Wahrnehmung, wie auch jede Erinnerung zwar nicht in jedem Augenblick jeder andern bewußt begegnet, aber doch die Möglichkeit und Gelegenheit dazu eben dadurch geboten ist, daß die Nachwirkungen, auf
welchen sie beruhen, alle sich in demselben Gehirn begegnen. Die äußern
Schwierigkeiten und Hemmnisse, welche die Ferne des Raums unserm
Verkehr im Diesseits entgegensetzt, werden also im Jenseits für uns
nicht mehr bestehen, was nicht hindert, daß aus andern Gründen der
Verkehr im Jenseits vorzugsweise Richtungen vor andern einschlage und
Hindernisse nach gewissen Richtungen finde, wie das Entsprechende mit
unsern Erinnerungen auch der Fall.

Es ist wohl in Obacht zu nehmen, daß die besondern Bedingungen,
welche nötig sind, damit unsre Gestalt anschaulich andern im Jenseits erscheine, nicht nötig sind, damit eine geistige Selbsterscheinung für uns im
Jenseits Platz greife.

Nichts hindert, daß wir einander jenseits objektiv erscheinen, ungeachtet wir uns durch Wirkungen erscheinen, die von einem in den
andern eingreifen. Auch jetzt, wenn ich jemand mir gegenüber erblicke,
sind es nur Wirkungen, durch die er in mich eingreift, mittelst deren ich
ihn so erblicke. Auch die Gestalten, die in unserm kleinen Erinnerungsreiche sich begegnen, erscheinen einander gegenüber, wie die anschaulichen
Gestalten selbst, an die sie erinnern, trotz dem, daß die Wirkungen, auf
denen diese Erinnerungsbilder beruhen, sich im selben Gehirne kreuzen.
(Denn es ist unmöglich, daß die Nachwirkungen von all dem Unzähligen,

deſſen wir uns erinnern können, neben einander im Gehirn beſtehen
ſollten.) Und ſo werden auch unſre Erinnerungsgeſtalten im Erinnerungsreiche des höhern Geiſtes eben ſo einander gegenüber ſcheinen, wie
die anſchaulichen Geſtalten, von denen ſie abhängen, ungeachtet ſie auf
Wirkungen beruhen, die in einander übergreifen. Die Erinnerungen an
das Objektiverſcheinende unſrer jetzigen Anſchauungswelt mit den Fort-
beſtimmungen, die ſie daraus empfangen, werden das Objektiverſcheinende
der künftigen Erinnerungswelt bilden.

Wie all das und dergleichen im Jenſeits möglich ſei, braucht uns
nicht zu kümmern. Wenn wir es nicht wiſſen, ſo wiſſen wir ja ſchon
nicht, wie das Entſprechende und damit Zuſammenhängende im Dießſeits
möglich iſt; doch iſt es da wirklich. Wir ziehen unſre Schlüſſe eben
nicht aus Möglichkeiten, ſondern aus Wirklichkeiten. Einſt wird eine
Theorie kommen, die beides, Jenſeitiges und Dießſeitiges, im Zuſammenhange erklärt, und nur die Theorie wird die rechte ſein, die beides im
Zuſammenhange erklären kann. Hier aber handelt es ſich nicht um
gemeinſchaftliche Erklärung der Tatſachen des Dießſeits und Jenſeits,
ſondern um den Schluß von Tatſachen des Dießſeits, die der Beobachtung noch zugänglich ſind, auf ſolche des Jenſeits, welche ſie überſchreiten, aber mit jenen in verfolgbarem Verbande ſtehen.

Schon jetzt auch kann jeder in Gedanken, ohne durch räumliche
Schranken gehindert zu ſein, die Geſtalt des andern in der Erinnerung
ſich vergegenwärtigen, eine Entfernung vom andern kommt nicht mehr
in Betracht, nachdem er einmal die Fortwirkungen desſelben in ſich aufgenommen, auf denen die Erinnerung ſeiner Geſtalt fortan beruht, es
bedarf nur auch noch einer beſonderen Richtung der Aufmerkſamkeit, ſei
ſie von innen oder außen angeregt, damit die Erinnerung wirklich
wach und lebendig werde. Schon jetzt auch kann das Erinnerungs- oder
Phantaſiebild, das wir uns von einem andern machen, uns mit dem
Charakter der Objektivität und Wirklichkeit erſcheinen, wenn nur einer
der beiden Punkte eintritt, die im Jenſeits vereinigt auftreten; daß entweder das Erinnerungs- oder Phantaſiebild ſich bis zur Lebendigkeit
ſteigert, die es im Jenſeits haben mag, wie im Fall der Halluzination,
oder daß vermöge Einſchlafens unſers Leibes das dießſeitige Sinnesleben
zurücktritt, wie im Traume. So läßt ſich alles, was wir hier vom
Jenſeits fordern, durch Tatſachen des Dießſeits ſelbſt belegen, indem
wir nur die Umſtände des Jenſeits auf die des Dießſeits zurückführen.

Die Erinnerungsbilder, in denen wir uns ſchon dießſeits erſcheinen
können, laſſen ſich überhaupt gleichſam als die Vorbedeutung oder der

Keim der Erinnerungsgestalten ansehen, in welchen wir uns im Jenseits
erscheinen werden, wie unser ganzes jetziges Erinnerungsleben, das wir
in uns noch verschlossen tragen, nur die Vorbedeutung oder der Keim
des höhern Erinnerungslebens ist, dem wir uns einst im Jenseits auf=
schließen werden, oder, was dasselbe, das sich uns im Jenseits aufschließen
wird. Das Erinnerungsbild, das wir uns diesseits von einem andern
machen, entsteht schon so gut wie das, was wir uns jenseits von ihm
machen werden, durch Fortwirkungen, die sein anschauliches Dasein in
unser bewußtes Leibliche hinein erstreckt hat, Fortwirkungen, die schon
seinem jenseitigen Leibe angehören, sei es auch, daß er noch nicht zum
Bewußtsein dieses Leibes ins Jenseits erwacht ist. Also ist er uns in
dem Bilde, das wir uns diesseits von ihm machen, schon nach gleichem
Prinzip als dereinst im Jenseits, schon so zu sagen im Sinne des
Jenseits selbst, gegenwärtig. Nur findet der Unterschied zwischen den
Bedingungen und Verhältnissen seines Erscheinens im diesseitigen und
jenseitigen Erinnerungsbilde statt, daß das diesseitige bloß durch die
wenigen Fortwirkungen zustande kommt, welche sein anschauliches
Dasein in unsern engen bewußten Leib hat hineinerstrecken und darin
zurücklassen können, indes wir künftig mit unserm weitern bewußten
Leibe der Gesamtheit der Fortwirkungen seines anschaulichen Daseins,
wie diesseitigen Daseins überhaupt begegnen werden; daher auch eine
viel lichtere und lebendigere Erscheinung von ihm werden gewinnen
können als jetzt, und einen bewußten Verkehr mit ihm an seine Er=
scheinung werden anknüpfen können. Denn die Gesamtheit der Fort=
wirkungen, die seine Gestalt ins Jenseits hinterlassen hat und wodurch
uns diese dort zur Erscheinung kommt, verknüpft sich mit der Gesamt=
heit der Wirkungen, die sein ganzes bewußtes Dasein ins Jenseits hinter=
lassen hat, und worin er sich selbst dort bewußt erscheint, zu einem
Ganzen. Und so wird es jenseits hinreichen, eines andern Bild erinnernd
herbeizurufen, so ist er auch gleich selbst ganz in solcher Weise mit
seinem bewußten Wesen gegenwärtig, daß ein Bewußtseins=Verkehr mit
ihm beginnen kann, falls nur auch die erforderlichen innern Anknüpfungs=
punkte dazu nicht fehlen. Im Erinnerungsreiche sind die Erinnerungs=
bilder eben nicht mehr bloß leere blasse Scheine, sondern das Leben und
Weben, Rufen und Begegnen der Geister des Jenseits geschieht in solchen,
aber hellen, lebenskräftigen Scheinen, die nicht nur bloß ins Bewußtsein
des andern fallen, sondern mit eigenem Bewußtsein des Erscheinenden
in Beziehung stehen. Doch wird die Erscheinung der Gestalt des andern
im Erinnerungsreiche so wenig schon einen bewußten Verkehr mit ihm

an sich einschließen, als wenn einer dem andern im diesseitigen An=
schauungsreiche gegenwärtig ist, sondern eben so nur als Anknüpfungs=
punkt dazu gelten können, wozu noch innerlichere Verkehrsvermittelungen
treten müssen.

Des Nähern wird der bewußte Verkehr mit dem, dessen Gestalt ich
erinnernd herbeirufe, und der hiemit gleich bei mir ist, dadurch entstehen,
daß ich an die Erinnerung seiner Gestalt nun auch die Erinnerung der
Bewußtseinsbeziehungen knüpfe, diese lebendig in mir mache, in denen ich
von sonst her mit ihm stehe, wozu von seinem frühern bewußten Leben
ausgegangene Fortwirkungen desselben (durch Sprache, Schrift, Handlung oder
irgendwie vermittelt) in mir da sein müssen, die ich hiedurch lebendig
mache. Diese werde ich dann mit ihm weiter fortspinnen, fortentwickeln
können; ja dies wird selbst in der Sprache, in der ich diesseits mit ihm
gesprochen, geschehen können; denn auch die Sprache wird ins Erinnerungs=
reich hinüberreichen und dort gesprochen werden können ohne Mund und
gehört werden ohne Ohr, wie sie schon jetzt im Reiche der Erinnerung und
Phantasie innerlich ohne Mund und Ohr gesprochen und gehört wird und
den Verkehr und die Fortentwickelung der Vorstellungen vermittelt, die wir
aus dem Anschauungsreiche ins Erinnerungsreich geschöpft haben; sofern wir
doch fast nur in Worten denken. Hat aber einer keine Bewußtseinsbeziehungen
zum andern früher gehabt, so wird er doch solche noch durch neue Ver=
mittelungen gewinnen können; denn da wir alle jenseits desselben Geistes
und desselben Leibes sind, wird es immer hiezu auch geistige und materielle
Mittelglieder geben.

Unstreitig, wie jetzt im Anschauungsreiche ein andrer uns nicht
bloß gerufen erscheinen, sondern auch ungerufen aus eigener Absicht
nahen und wir auch beide unvermutet einander begegnen können, wird
auch im jenseitigen Erinnerungsreiche der andere uns nicht bloß gerufen,
sondern auch ungerufen nach eigener Absicht erscheinen, und wir selbst
unvermutet einander begegnen können, je nachdem es die Verhältnisse
des jenseitigen Erinnerungslebens so mitbringen. Wenn es hinreichen
wird, eines andern Bild in Erinnerung herbeizurufen, damit er komme,
wird es auch hinreichen, ihm erscheinen zu wollen, um sein erinnerndes
Vermögen dahin anzuregen, daß er uns erblicke; und außerdem kann
der höhere Geist Verhältnisse herbeiführen, vermöge deren einer dem
andern erscheint, ohne daß einer oder der andere vorher daran gedacht
hat. Zwar wird es bei all dem auch Beschränkungen geben, analog
denen, die in unserm kleinen Erinnerungsreiche für wechselseitiges Rufen
und Begegnen der Erinnerungsbilder statt finden. Aber es würde zu
weit führen, diese Verhältnisse ferner ins einzelne zu besprechen. Das
Vorige genügt, den allgemeinen Gesichtspunkt dafür zu stellen, und die
Verhältnisse im ganzen übersehen zu lassen.

So können wir also, auf den Standpunkt des Jenseits uns stellend, sagen: Der Mensch nimmt ins Jenseits seine bisherige Leibesgestalt mit hinüber, ohne die Last seiner bisherigen Leibesmaterie. Leicht erscheint sie überall da, wohin sie der eigene und fremde Gedanke ruft; ja sie kann da und dort zugleich erscheinen. Daß sie dies aber kann, dazu ist selbst eine verbreitete materielle Unterlage in solcher Erscheinungsweise für das Diesseits nötig, wie wir sie früher betrachtet haben.

„Jeder, der in jenem Leben an einen andern denkt, vergegenwärtigt sich in Gedanken dessen Gesicht und zugleich manches, was in sein Leben einschlägt, und sobald er dies tut, ist auch der andre da, wie angezogen und gerufen; diese Erscheinung der geistigen Welt hat ihren Grund darin, weil dort die Gedanken sich mitteilen; daher kommt, daß alle, sobald sie in das andre Leben eintreten, wieder erkannt werden von ihren Freunden, Verwandten und sonstigen Bekannten, und auch, daß sie mit einander sprechen und sofort sich zusammentun, je nach ihren freundschaftlichen Verbindungen hienieden: ich hörte manchmal mit an, wie die, so aus der Welt kamen, sich freuten, daß sie ihre Freunde wieder sähen, und wechselseitig die Freunde, daß jene zu ihnen gekommen wären." Schwedenborg, Himmel und Hölle. § 494.

Die Somnambule Auguste Kachler beantwortete die Frage: „Ist der Lebenskeim zu dem verklärten künftigen Leibe (1. Kor. 15, 42—44) schon im Geiste der Menschen vorhanden?" wie folgt:

„Diese Antwort kann ich nur ahnen, aber nicht mit Gewißheit beantworten. Denn Gott ist gerecht und kann ein schwaches Mädchen nicht so vor andern bevorzugt haben, daß er ihr Allwissenheit verliehen hätte. Sobald der Geist befreit ist, können sich Geister durch Begegnen fühlbar machen, denn der Geist hat gewiß auch eine Gestalt, sobald er den Geist des andern betrachtet; doch für unsre körperlichen Augen ist sie freilich nicht sichtbar. Gott ist uns jetzt unsichtbar und soll uns doch künftig sichtbar werden. Er muß auch eine Gestalt haben, aber anders, als wir, an den Körper gefesselt, uns zu denken vermögen. Wird der Geist von den Banden des Leibes befreit, dann kann er des andern Geist auch empfinden. Wenn die Stelle der Bibel, wie du sagst, damit nicht ganz übereinstimmt, so mußt du bedenken, daß unsre Apostel Menschen waren, und Christus selbst vieles nur in Beispielen gab. Ich glaube, daß der Geist eine sichtbare Gestalt erhalten wird, aber keine körperliche, sondern eine bloß für das geistige Auge sichtbare." (Mitteil. aus d. magnetischen Schlafleben der Somnambule Auguste K. in Dresden. S. 297.)

Der Somnambule Bruno Binet beantwortete mehrere an ihn getane Fragen über die Erscheinungsweise der Geister im Jenseits so:

Frage: „Du hast mir auch gesagt, daß ein Geist (im Jenseits) an mehrern Orten zugleich erscheinen kann. Wie geht das zu? — Antwort: Es sind nur Bilder des Geistes, die erscheinen, er kann deren so viel aussenden, als er will. — F. Gut, aber reden diese Bilder? — A. Ja. — F. Es sind also eben so viele Individuen? — A. Nein, es ist immer eines und dasselbe. — F. Da alle diese Bilder, wie du sagst, an verschiedenen Orten zu gleicher Zeit erscheinen und zu verschiedenen Personen sprechen, so sollte man glauben, es sei eine Masse von Geistern statt eines einzigen. — A. Es ist sehr schwierig, dieses Mysterium zu erklären, ich will aber versuchen, es zu deiner Belehrung zu tun. Der Geist, der mich leitet, und im Himmel ist, kann durch eine Art Ausstrahlung eine Menge Fäden aus sich ziehen, die sich ausdehnen und als Rapport mit denen dienen, die mit ihm in Verkehr zu treten wünschen. Der Geist kann jedem Faden die Ähnlichkeit und den Klang seiner Stimme mitteilen, obschon unter Geistern wenig gesprochen wird, da der Gedanke das wesentliche Mitteilungsmittel ist; dann kann er in demselben Momente seinen Gedanken aussenden, welcher mittelst jener sympathetischen Fäden die Fragen derjenigen beantwortet, welche mit ihm in Rapport stehen; es ist nur einer, ob er sich schon je nach Erfordernis in das Unendliche vervielfältigt, und er wird von allen zu gleicher Zeit gesehen, wie das Publikum im Theater den Schauspieler sieht. Man meint, er sei an hundert Orten zu gleicher Zeit, während im Gegenteile nur hundert Geister sich in dem Zustande befinden, ihn zu sehen, ihn an dem Orte, wo er ist, wahrzunehmen; sein Bild kann denselben Dienst verrichten, und dies läßt an das Dasein von hundert Individuen glauben. Dieses ihm entstrahlende Bild steht im Rapport mit seinen Gedanken und kann sie wie er selbst mitteilen, denn die Gedanken sind unwandelbar. Ich bin ermüdet." (Cahagnet, der Verkehr mit d. Verstorbenen auf magnetischem Wege. 1851. S. 41.)

Wenn doch in abnormen Zuständen des Diesseits schon Anklänge des Jenseits manchmal einzutreten scheinen, so könnte man auch die Erscheinungen Verstorbener hieher rechnen, in so weit überhaupt etwas daran triftig ist. Wenigstens treten sie von selbst in die vorstehenden Ansichten hinein, die übrigens gewiß nicht entwickelt wurden, um einen Kommentar zu diesen Erscheinungen zu bilden, und zwar in solcher Weise hinein, daß die zwei scheinbar entgegengesetzten Ansichten, welche über die Natur der Geistererscheinungen bestehen, daß es subjektive Phantasmen dessen, der sie sieht, und daß es reale Erscheinungen der Geister des Jenseits sind, sich dadurch auf die natürlichste Weise verknüpfen.

Im Grunde ist jedes Bild, das wir uns von einem Abwesenden machen, ein Gespenst desselben, was auf der Gegenwart desselben im Sinne des Jenseits beruht; aber so lange er im Diesseits wandelt, noch nicht zum Träger seines bewußten jenseitigen Lebens gehört. Machen wir uns ein Bild von einem Toten, so ist er schon leibhaftig mit dem Träger seines bewußten Lebens gegenwärtig, doch nur mit einem kleinen Teil desselben greift er in den Träger unsers bewußten Lebens ein, das Bild ist nur schwach und blaß, und wir finden keinen Anlaß, an die objektive Gegenwart des Toten zu denken, so lange es bei dieser schwachen Hineinbildung desselben in uns bewendet, welche noch in die Norm des Diesseits selbst fällt. Und so wird es immer sein, so lange unser diesseitiger Lebensprozeß in dem regelrechten vollen Gange ist, der uns alles in den Verhältnissen und in der relativen Intensität erscheinen läßt, wie es eben die Norm unsres diesseitigen Lebens mit sich bringt und verträgt. Aber es können

abnorme Zustände eintreten, wo dieser an sich naturgemäße Eingriff des
Jenseits stärker wird. Zustände, welche bei Nachtzeit durch das Zurücktreten
diesseitiger Sinnesanregungen begünstigt werden. Da kann das Bild des
Toten uns mit einer ähnlichen Macht und Objektivität entgegenzutreten
anfangen, als es uns entgegentreten wird, wenn wir wirklich ins Jenseits
übergegangen sind und unsern jenseitigen Verkehr damit anknüpfen werden.
Und das schauerliche Gefühl, das wir mit dem Eintritt solcher Verhältnisse
aus dem uns noch ans Herz gewachsenen warmen diesseitigen Leben schon
halb heraustreten, hängt naturgemäß damit zusammen; wie denn unstreitig
die Vorgänge, die hiebei in uns entstehen, wirklich schon etwas von uns im
Sinne des Jenseits packen. Ein Mensch mit gesundem Geist und Körper,
der in rechter Weise ins Diesseits eingewachsen ist, wird unstreitig nie
Geistererscheinungen haben. Man kann aber auch hinzusetzen (was mit dem
Volksglauben übereinstimmt), ein Geist des Jenseits, der in die Verhältnisse
des Jenseits in rechter Weise eingewachsen ist, wird nie als Gespenst diesseits
wieder erscheinen können, denn der abnorme Zustand kann hiebei nicht einseitig sein. Die objektive diesseitige Erscheinung ist für den Geist des Jenseits eben so ein abnormer Rückfall ins Diesseits, als sein Erblicken für
den Geist des Diesseits ein abnormer Vorgriff in das Jenseits.

Wenn ein Verzückter glaubt, Heilige oder Engel wie etwas Objektives
zu sehen, ist dies unstreitig in der Hauptsache ein selbstgeschaffenes Phantasie-
bild, was aber doch nicht geschaffen werden konnte, ohne daß Erinnerungen
an wirkliche Wesen dazu beigetragen haben, und in sofern es der Fall ist,
wird auch in solchen Erscheinungen sich die Gegenwart aller dieser Wesen
im Sinne des Jenseits mitbetätigen, jedoch nur nach Maßgabe dessen, als
sie wirklich zur Entstehung der Erscheinung durch Wirkungen beitragen, die
sich von ihrem Dasein in den Ekstatischen hinein fortgepflanzt haben, und so
daß ihre Beteiligung selbst für sie mehr oder weniger im Unbewußten aufgehen kann. Sofern aber die einheitliche Hauptgestaltung der Erscheinung
nur von dem Verzückten selbst hiebei abhängt, wird es auch in der Hauptsache nur sein eigenes Wesen sein, was dabei in besonderer Weise schöpferisch
tätig wird und sich in seinem Gebilde objektiviert. Inzwischen sieht man,
daß beide Fälle, obwohl in den Extremen wohl unterscheidbar, durch
Zwischengrade in einander übergehen können. Etwas Subjektives und Objektives ist überall zugleich dabei; es fragt sich nur, was sich mehr als das
die Haupterscheinung einheitlich Bestimmende geltend macht.

Merkwürdig, daß der Zustand des Somnambulismus, der von so vielen
andern Seiten Annäherungen an den Zustand des Jenseits darzubieten
scheint, auch hiebei wieder in den Vordergrund tritt. Man kann sagen,
daß alle Somnambulen ohne Ausnahme, bei denen der Zustand zu einer
gewissen Entwickelung gediehen ist, Geister, Schutzgeister, Engel u. dgl. wie
etwas Objektives sehen, auch wohl damit umgehen, sprechen, Eingebungen
davon erhalten u. dgl.; und zwar macht sich, da Erinnerungsleben und
Phantasieleben bei den Somnambulen entweder zugleich, oder bei den einen
dieses, bei den andern jenes in einer Weise gesteigert und modifiziert ist,
welche schon eine Annäherung an das Erinnerungs- und Phantasieleben
des Jenseits darbieten oder einen halben Eintritt darein bedeuten mag, auch

der doppelte Charakter hiebei geltend, daß die Gestaltung mancher dieser Erscheinungen mehr von einem objektiven Dasein jenseitiger Persönlichkeiten, welches seine Wirkung in die Somnambulen hineinerstreckt und nach Weise des Jenseits geltend macht, andrer mehr von der eigenen Phantasie=tätigkeit der Somnambulen, welche ihre Produktionskraft nach Art des Jenseits in gleicher Intensität geltend macht, abzuhängen scheint. Viele Somnambulen (z. B. die Seherin von Prevorst, die Somnambulen Cahagnet's in der S. 278 erwähnten Schrift) glauben bestimmte, ihnen oder andern bekannte, verstorbene Personen zu sehen, von deren objektivem Dasein sie überzeugt sind, und deren Äußeres sie in individuellster Weise schildern; andre sehen mit gleicher Lebendigkeit Engel, Schutzgeister u. dgl., von denen sie bei höherer Besinnung wohl selbst erkennen, daß es nur selbstgeschaffene Gebilde, Objektivierungen eigener geistiger Schöpfungen sind (so die Kachler in Dresden, in der S. 277 angeführten Schrift). Unstreitig wird sich in dem so unklaren, mit den Verhältnissen des Jenseits sich nur ganz abnormer Weise berührenden somnambulen Zustande beides überhaupt nicht recht scheiden lassen, und man keinesfalls hoffen dürfen, von hier aus zu reinen Aufschlüssen über das Jenseits zu kommen. Interessant war mir in Bezug auf diesen Gegenstand, was von dem Somnambulen Richard Görwitz in Apolda (in der S. 242 angeführten Schrift) berichtet wird, wo sich in zwei Perioden des somnambulen Zustandes Erscheinungen von beiderlei Charakter in sehr entschiedenem Gegensatze folgten. Eine nähere Diskussion der ver=schiedenen Weisen, wie sich diese Erscheinungen bei verschiedenen Somnambulen gestalten und von ihnen selbst aufgefaßt werden, hat überhaupt ihr Interesse, würde indes hier mehr Raum wegnehmen, als ich nach der beiläufigen Stellung, die ich diesem ganzen Gegenstande nur geben kann, und der Un=klarheit, die denn doch nach allem darüber gebreitet bleibt, ihm hier widmen möchte.

Ich habe überhaupt diese Theorie hier nur entwickelt unter Voraus=setzung, daß ihr Gegenstand nicht ganz nichtig ist. Unsre Lehre nötigt, die Möglichkeit von Geistererscheinungen zuzugestehen, sofern man einen abnormen Übergriff des Jenseits ins Diesseits überhaupt möglich halten will. Sie läßt uns dann eine nähere Einsicht in die Modalität dieses Übergriffs ge=winnen. Aber sie kann diese Möglichkeit selbst nicht beweisen; und es liegt ihr auch nichts Wesentliches daran, solche zu beweisen.

Auch jetzt ist man vielleicht noch nicht ganz zufrieden, und freilich ist es überhaupt schwer, die unbestimmten und widersprechenden Ansprüche, die man an das Jenseits macht, in bestimmter und einstimmiger Weise zu befriedigen. In gewisser Weise möchte man ganz das Alte wieder haben, in gewisser Weise etwas ganz Neues, Unerhörtes. Unsre Ansicht gibt nun zwar wirklich beides. Aber vielleicht wünscht oder vermißt man doch noch etwas. Einen abgetragenen, zerrissenen oder von vorn herein schlecht gemachten Rock möchte man gern wieder ablegen; auch wechselt man von Zeit zu Zeit überhaupt gern das Kleid. Sind wir aber nicht mit dem Leibe hierin viel schlimmer daran als mit dem Kleide, wenn wir die Erscheinung des alten Leibes auch ins Jenseits, ja in die Ewigkeit hinüber nehmen sollen? Der Greis wird fragen: Wie? Ich sollte auch da in meiner eingeschrumpften Gestalt wieder erscheinen? Der Bucklige, ich sollte meiner Mißgestalt nimmer ledig werden? Die kirchliche und die gemeine Ansicht helfen hier leicht ab, indem sie eine Verjüngung und Verschönerung der Gestalt in Aussicht stellen; und für sie genügt es, zu versprechen, nach Gründen lassen sie sich nicht fragen. Aber auf welchen Grundlagen sollen wir an dergleichen denken?

Ich meine, es verhält sich damit so:

Zuvörderst zählt im Jenseits für den, der als Greis gestorben, nicht bloß seine eingeschrumpfte Greisesgestalt, womit er starb, sondern eben so gut seine Kindes- und Jünglingsgestalt. Er begegnet im Jenseits dem sicher zunächst in Kindesgestalt, der ihn hier nur als Kind kennen lernte, dem in Greisesgestalt, mit dem er nur als Greis verkehrte, wem er aber in verschiedenen Lebensstufen bekannt war, dem kann er in Kindes- oder Greisesgestalt erscheinen, nach Umständen; es kommt ja nur darauf an, in welcher der bekannten Gestalten dieser ihn in die Erinnerung rufen will, darin erscheint er ihm, oder in welcher bekannten Erinnerungsgestalt er sich ihm darstellen will. In einer andern freilich als einer bekannten würde er zunächst nicht von ihm erkannt werden. Von selbst aber wird der andere am meisten geneigt sein, ihn in der Gestalt zu suchen und am leichtesten ihn in der Gestalt wiedererkennen, in der er ihn am öftersten oder am liebsten gesehen. Die Gestalt im Jenseits wird also keine so feste mehr sein wie hier, sondern wie sie im Jenseits leicht da und dort, ja an verschiedenen Orten zugleich erscheinen kann, so auch leicht so oder so. Es wird so zu sagen der Begriff aller Anschauungsbilder, in welchen der Mensch je vor einem andern aufgetreten, der Quell aller möglichen Erinnerungsbilder und hiemit Erscheinungsweisen sein, die dieser von ihm zunächst haben kann, nur so, daß die Tendenz zu gewissen überwiegt.

Inzwischen nur die erste Begegnung, das erste Erkennen wird notwendig unter einer dieser Formen geschehen müssen, um den fernern Verkehr anzuknüpfen, was nicht ausschließt, daß sich neue Erscheinungsweisen von da aus vermöge jener umgestaltenden Kraft der anschaulichen Verhältnisse des Jenseits, von der wir früher sprachen, entwickeln. Auch die Erinnerungen im Erinnerungsreiche unsers Geistes gestalten sich vielfach in ihrem Verkehr uuter Herrschaft unsers Geistes noch um, schmücken sich aus oder verzerren sich durch Phantasie, und so

wird es auch im Erinnerungsreiche des höhern Geistes nicht an solcher
Umgestaltung fehlen; sicher wird sie da sogar noch viel mächtiger und
lebendiger walten, als in unserm kleinen Erinnerungsreiche, was ja nur
ein kleines, dürftiges, blasses, undeutliches Abbild davon; nur werden auch
hierdurch keine festen Gestalten entstehen, sondern nur eine Wandlung
der Gestalten, die sich immer den Beziehungen unterordnet, in welchen
die Geister zu einander und zum höhern Geiste auftreten. Haltbar wird
nur das in unsrer Gestalt sein, was sich als Ausdruck unsers eigensten
Wesens durch alle Beziehungen zu andern durch geltend macht, aber
dies wird doch die verschiedensten Abwandlungen in unserm Verkehr mit
andern erfahren können, wie denn die Weise, wie wir andern erscheinen,
ebenso von der Auffassungsweise der andern wie von unserm eignen
Wesen abhängen wird. So werden wir den Leib dort viel mehr wechseln,
als hier das Kleid; nur daß, wie das Kleid bei allem Wechsel je nach
unsern Verhältnissen zum Äußern doch den wesentlichen Zuschnitt unsers
Leibes behält, so der Leib dereinst bei allem Wechsel unsrer Beziehungen
zum Äußern einen Zuschnitt, der ihn immer als Ausdruck des Unveränderlichen in unserm geistigen Wesen erscheinen läßt. Und es wird
im Reiche der höhern Wahrheit unsre Erscheinung vielmehr der Spiegel
unsers Innern und seiner jedesmaligen Beziehung zum Äußern werden
als diesseits. So wird denn der jenseitige Geist anders denen erscheinen
die erst aus dem Diesseits hinüber kommen, anders denen, mit denen er
schon länger im Jenseits verkehrt hat, anders den guten, anders den
bösen Geistern, und wird auch anders erscheinen je nach seinen eignen
Zuständen.

Nach Schwedenborg erscheint der Mensch in der ersten Zeit nach dem
Tode (während des sog. Standes im Äußern) noch ganz eben so, wie er
hier erschienen war, so daß Gefühle und Gesinnungen sich noch nicht rein
im Äußern ausprägen; tritt aber später in einen andern Zustand (den
Stand im Inwendigen), wo seine äußere Erscheinung der vollkommne Ausdruck seines geistigen Innern wird.

Unstreitig können wir nichts Besseres wünschen, als was uns in dieser
Ansicht geboten wird, die in einfachster Konsequenz aus unsren Grundvoraussetzungen fließt. So wird die Mutter, die ins Jenseits tritt,
ein ihr vorangegangenes Kind gewiß zuerst unter der Form suchen und
auch wiederfinden, in der sie es hier gekannt und gepflegt und geliebt; es
wird ihr nicht wie ein Fremdling gegenübertreten; aber diese Form, in
der sie es zuerst wiedererkennt, wird doch nur der Anknüpfungspunkt sein,
dasselbe auch durch die Wandlung in anderen Formen wiederzuerkennen,

deren Entwickelung das neue Leben selbst erst mitgebracht. Eben so
wird die Gattin dem Gatten, die Geliebte dem Geliebten im Jenseits
zuerst in der Gestalt wiederbegegnen, die ihnen auch hier in der Erinnerung am lebendigsten vorschwebt, indem im Erinnerungsreiche das
Erinnerungsbild selbst zur wirklichen lebensvollen Gestalt wird. Je
länger aber der Verkehr zwischen ihnen im Jenseits, desto mehr wird
die diesseitige Erscheinungsweise zurücktreten und Gestaltungen, wie sie
das Jenseits neu entwickelt, sich geltend machen.

Es mag wohl sein, daß wir in dieser Entwickelung der Verhältnisse
unsrer künftigen Gestaltung etwas weiter gegangen, als die Dunkelheit
des Gegenstandes zuläßt. Auch bieten wir hier nur Wahrscheinlichkeiten
dar. Indes erschien der Einwand, der sich von der scheinbaren Gestaltlosigkeit unsrer künftigen Existenz erhebt, zu wichtig, um nicht zu zeigen,
wie die Hebung desselben doch in der Konsequenz unsrer Ansicht selbst
liegt. Die Unbestimmtheit und Gestaltlosigkeit unsrer künftigen Existenz,
die auf diesseitigem Standpunkte erscheint, wandelt sich danach nur in
eine unbestimmbare Vielgestaltigkeit derselben auf jenseitigem Standpunkt.

XXIV. Schwierigkeiten verschiedener Art.

Jeder Mensch verleibt sich, so sagten und sahen wir, im Jetztleben
durch sein Wirken der Außenwelt auf eine eigentümliche Weise ein,
schlägt darin um sich einen Kreis von Wirkungen und Werken, der ihm
dereinst die materielle Basis für seine künftige geistige Existenz gewähren
wird, soweit er einer solchen noch bedarf. Vergessen wir dies zunächst nicht,
so weit er einer leiblichen Unterlage noch bedarf. Es ist ja wohl mancher,
der den Geist schon im Diesseits über das Bedingtsein durch das Leibliche
halb erhebt, und je höher sich der Geist hebe, so mehr befreie er sich
davon. Bleibe auch der Leib, insbesondere das Gehirn, mit seinem
Lebensprozeß als Unterlage für den Geist im allgemeinen und für die
Sinnlichkeit insbesondere immer nötig, so können doch die höheren
Tätigkeiten des Geistes in ihrer besondern Weise von Statten gehen,
ohne daß eben so besondere Tätigkeiten des Körpers, des Gehirns mit=

gehen. Wer diese Ansicht hegt, wird natürlich, da er die Ansprüche des Geistes an den Leib schon im Jetztleben so gering stellt, noch weniger Veranlassung haben, ihn hohe Ansprüche an ein Leibliches im folgenden Leben machen zu lassen, wo die Sinnlichkeit noch mehr zurücktreten soll, zumal wenn er doch deshalb hauptsächlich diese Ansprüche für das Jetzt so gering stellt, um noch weniger für die Zukunft befriedigen zu müssen, wo er sie noch weniger zu befriedigen wüßte. Für eine solche Ansicht kann die Darlegung einer leiblichen Unterlage der künftigen geistigen Existenz in der Allgemeinheit, wie sie im Frühern gegeben ist, schon mehr als genügend erscheinen. Entschiedenere Forderungen für die Zukunft stellen sich aber, wenn man schon im Jetzt die höchsten und entwickeltsten geistigen Funktionen noch im Leiblichen, nur aber eben in den höchsten und entwickeltsten leiblichen Funktionen, sich ausdrückend oder damit wechselbedingt hält, wenn man das feine Instrument des Gehirns eben nur deshalb für so fein ausgearbeitet hält, um das feine geistige Spiel hienieden mit einem entsprechend feinen leiblichen zu begleiten oder dadurch zu begründen. Dann wird man dasselbe oder ein Äquivalent von dem, was hier wesentlich ist, auch vom folgenden Leben fordern und fragen müssen, wo es doch zu finden. Nun haben wir zwar schon darauf hingewiesen, daß die Welt, in die wir den Kreis unsrer Wirkungen und Werke schlagen, noch in viel höherem Sinne ausgearbeitet und entwickelt ist als unser Gehirn selbst, der kleine Teil davon; aber es fragt sich, was können wir uns davon als unsere Wirkung, unser Werk dereinst zurechnen? Ist nicht alles, was sich in Wirkungen und Werken von uns an die Außenwelt überpflanzt, wodurch wir uns derselben einverleiben, doch etwas verhältnismäßig Einfaches und Rohes gegen die ungeheuer feine Ausarbeitung unsres Gehirns und die Entwickelung der Bewegungen darin? Bleibt nicht hiermit der leibliche Träger unsers Jenseits, der im Kreise unsrer Wirkungen und Werke gegeben sein soll, in Nachteil gegen den des Diesseits?

Nachdem nun die erste Ansicht, für welche dies kein wahrer Nachteil ist, da er doch dem Geiste nichts anhat, sich schon mit den bisherigen Betrachtungen befriedigt halten kann, wird es gelten zu zeigen, daß er auch die zweite nicht trifft, für welche der körperliche Nachteil sich in einen geistigen übersetzen würde; da wir selbst ja dieser zweiten Ansicht sind. Einige Andeutungen sind zwar in dieser Beziehung schon früher gegeben worden, aber es wird gelten, sie noch bestimmter in Bezug auf die Bedenken auszuführen, die sich von den entwickeltern Ansprüchen aus gegen unsre Lehre erheben möchten. Zu diesem Zweck

suchen wir demnächst folgende zwei Fragen zu erledigen, womit sich einschließlich auch diese Bedenken erledigen werden: erstens, wie kann der
Mensch bei der von uns angenommenen Weise, wie die jenseitige Existenz
aus der diesseitigen erwächst, seine von einer so feinen innern Organisation getragene geistige Bildung und Entwickelung ins Jenseits
hinübernehmen? Zweitens, wie vertragen sich die Erfahrungen, welche
ein Leiden und Altern der Seele mit dem Leibe beweisen, und somit
ein Aufhören derselben mit dem Tode drohen, mit unsren Hoffnungen?
Hiezu werde ich dann noch die Erörterung zweier andern Fragen fügen,
die bis jetzt mehr abgelehnt oder beiläufig berührt, als erledigt scheinen
mögen: einmal, wie doch so viele Existenzen jenseits unbeirrt durch
einander denselben Raum in Besitz haben können, und ferner, was der
Tod im Grunde hat, das den jetzt noch im Unbewußtsein schlummernden
weitern Leib zum Träger des Bewußtseins erwachen läßt.

A. Frage, wie der Mensch seine innere Bildung und Ent-
wicklung ins Jenseits hinübernehmen könne.

Das Wichtigste und Wertvollste, was der Mensch hat, besteht in
seiner innern Bildung; die Handlungen nach außen sind bloß einzelne
Ausläufer davon, die den innern Reichtum nicht erschöpfen noch decken.
Es kann jemand die schönste und beste Bildung, die erhabensten Gedanken, das reichste Wissen, den edelsten Willen still in sich tragen, aber
er hat vielleicht keine Gelegenheit, das alles in Handlungen auszudrücken,
ja je größer, edler, reicher der Mensch innerlich ist, einen verhältnismäßig desto kleinern Anteil von dem, was er in sich trägt, kann er
überhaupt nur äußerlich aus sich herausstellen. Faßt man nun unsre
Ansicht roh, so scheint es, müßte für das folgende Leben diese innere
Hauptsache für den Menschen verloren sein, sofern doch nur das, was
sich äußerlich aus ihm herausstellt, von ihm übrig bleiben soll; gerade
das Wesentlichste scheint mit dem Tode verloren zu gehen.

Aber vornweg irrt man, wenn man meint, daß sich in den einzelnen
Handlungen des Menschen bloß ein Bruchteil des Menschen ausspreche;
überall spricht sich der ganze Mensch aus, nur jetzt von anderen Seiten
oder nach andern Beziehungen als ein andermal. Der Edle benimmt
sich in jeder Handlung anders, als der Gemeine, der Dumme in jeder
anders, als der Kluge, der Vertrauende in jeder anders als der Zag-
hafte; wir können die Nüancen nur nicht so ins Feine verfolgen, wie
sie stattfinden, obwohl unsern Blick ins Unbestimmte immer mehr dahin
verfeinern, in jedem kleinsten Wirken des Menschen den ganzen Menschen

wiederzufinden. Jede unserer willkürlichen Handlungen ist in der Tat ein Produkt unsrer gesamten bisherigen innern Bildung, und jedes individuelle Moment dieser Bildung trägt gewiß etwas bei, die Handlung individuell zu nüancieren. Wenn dies undeutlich für unsern Blick wird, liegt es nur in der Undeutlichkeit unsers Blicks, zum Teil auch in unsrer Unaufmerksamkeit. Man ist bei unsern Handlungen nur eben zu geneigt, bloß den groben Zug und einzelne Hauptgesichtspunkte derselben in Betracht zu ziehen, und in dieser Hinsicht können sich zwei Handlungen zweier Menschen so ähnlich sehen, wie ein Ei dem andern. Aber dies Bild erinnert uns zugleich, daß grobe Ähnlichkeiten uns nicht täuschen dürfen. Zur Bildung eines Eies hat ein andres System von Wirkungen gedient, als zur Bildung eines andern, d. h. ein andrer Vogel oder derselbe Vogel in einer andern Lebensepoche hat es gelegt, und dies spricht sich in seinen innern Verschiedenheiten der Eier aus, die unserm groben Blick entgehen, aber nichts desto weniger da sind, da sein müssen, sonst könnten nicht verschiedene Vögel auskriechen. Die Handlungen, die Wirkungen und Werke der Menschen sind auch solche Eier, zu denen der ganze Mensch seinen Beitrag gibt, und aus denen, zwar nicht einzeln, aber in ihrer Gesamtheit gefaßt, ein ganzer Mensch wieder hervorgehen wird, die von allen Momenten seines Innern etwas in sich tragen. Die Handlung, das Wort, der Blick des einen, wodurch er sich der Außenwelt einverleibt, ist aus andern feinen Momenten zusammengesetzt, als der des andern, wir können es nur nicht so ins Feine verfolgen. Wie das Spiel eines musikalischen Instruments aus vielen kleinen, für den rohen Blick, aber doch nicht für die analysierende Betrachtung und den Schluß, ununterscheidbaren Schwingungen, Erzittrungen hervorgeht, die sich vom Instrument an die Außenwelt überpflanzen, so geht das Totale der Handlungen, ja jeder einzelnen Handlung eines Menschen, aus dem Zusammenwirken vieler kleinen, für den rohen Blick, aber nicht die analysierende Betrachtung und den Schluß, ununterscheidbaren Tätigkeiten seines Innern hervor, die auch nicht verfehlen können ihre Folgen ins Äußere fortzuerstrecken. Jeder Nerv, jede Muskelfaser, jede Zelle eines Menschen äußert ihre besondere, besonders geartete, besonders gerichtete Tätigkeit, und wie unzählig viele solcher Tätigkeiten wirken bei jeder Handlung des Menschen zusammen. Damit ein Arm sich mit Willen strecke, müssen tausend Gehirn- und Muskelfasern in besonderer Weise erzittern, und diese Erzittrungen können so wenig in ihren Erfolgen auf den Leib beschränkt bleiben, als das Spiel der Saiten auf das Instrument, sondern müssen aus dem

handelnden Leibe durch die Handlung selbst sich nach außen mit fort=
pflanzen, unmerklich freilich für uns, wie schon die Ursach war. Man
kann aber draußen keine gröblichere Erinnerung der Folgen verlangen,
als drinnen der Ursache. Man vergleiche übrigens nur ein mit Innig=
keit und dasselbe mit Spott ausgesprochene Wort nach dem verschiedenen
Eindruck, den sie machen, mit einander, so wird man wohl schließen
können, daß, da sie ein so ganz verschiedenes feines Spiel von Gefühlen
in uns erwecken können, auch dem, was den Eindruck auf uns überpflanzt,
ein sehr verschiedenes feines Spiel unterliegen muß. Also man hat keinen
Grund zu schließen, daß die feine innere Bildung, die wir uns erworben
haben, keine materielle Spuren nach außen fortzupflanzen und hinter
uns zu lassen vermöge; wenn wir sie auch nicht absichtlich in besondern
Handlungen ausdrücken, drückt sie sich in jeder Handlung von selbst aus.

Jedoch wir können weiter und tiefer gehen. Nicht auf unsere äußern
Handlungen allein, was wir so nennen, haben wir zu reflektieren. Werden
unsre Gedanken von leisen Bewegungen getragen, was wir im Sinne
des entwickelteren Anspruchs an die leibliche Unterlage des Geistigen
vorauszusetzen haben, so werden wir auch zu dieser, für uns immer un=
sichtbaren, nur erschließbaren Ursache eben so die unsichtbaren Folgen
hinzuerschließen und die Sichtbarkeit von den Folgen nicht mehr als von
der Ursache verlangen müssen. Die feinen Erzitterungen, Wellen, oder
was es für feine Bewegungen sein mögen, welche das Denken des
Menschen still begleiten, werden natürlich nur eben so stille Bewegungen
nach außen fortpflanzen können, aber auch eben so sicher fortpflanzen
müssen, wie die heftigste Armbewegung, der lauteste Schrei. Mögen sie das
Wägbare oder Unwägbare in uns betreffen; der Äther, welcher die Be=
wegungen des Unwägbaren fortpflanzt, umgibt dazu den Menschen
allenthalben so gut*), wie Luft und Boden, welche die Bewegungen des
Wägbaren fortpflanzen, und wir brauchen uns gar nicht zu entscheiden,
was dabei mehr in Betracht kommt. Genug, die Gründe für das Dasein
feinster leiblicher Wirkungen in uns als Träger unsrer geistigen sind
zugleich die Gründe für das Dasein entsprechender Fortwirkungen über
uns hinaus. Sei es auch, daß sie erst in uns kreisen; endlich müssen

---

*) In der Tat erfüllt und durchdringt der Äther nach der Ansicht der Physiker
Luft und Erde selbst, da ohne das sich Licht und Wärme nicht hindurch fortpflanzen
könnten. Wollte man aber keinen Äther darin annehmen, wie manche tun, so
würde Luft und Erdreich selbst das Vermögen besitzen, Licht und Wärme fortzu=
pflanzen, und es brauchte dann auch keines Äthers, die Nervenwirkungen fort=
zupflanzen.

sie doch über uns hinaus. Wollte man aber im Sinne der weniger entwickelten Ansprüche an das Leibliche das Dasein solcher feinen leiblichen Bewegungen als Träger unsrer geistigen im Jetztleben leugnen, da man sie nicht handgreiflich aufzeigen kann, so hätte man natürlich auch ihre Fortwirkungen zu leugnen, als die man eben so wenig handgreiflich aufzeigen kann, brauchte sie aber auch fürs folgende Leben nicht, da man sie fürs Jetztleben nicht braucht, und die Sache wäre um so einfacher.

Sonderbar wäre es in der Tat, wenn man bei der Unmöglichkeit, Nervenschwingungen oder Ätherschwingungen als Unterlage des Geistigen für das Diesseits experimental nachzuweisen, einen experimentalen Nachweis solcher Unterlage für das Jenseits fordern wollte, und, weil er sich nicht führen läßt, meinte, es fehle unserm Geiste im Jenseits eine Unterlage, die er im Diesseits hat und braucht.

Hat er eine solche im Diesseits, so hat er sie auch sicher im Jenseits als Folge des Diesseits, braucht er sie im Diesseits nicht, gilt dasselbe vom Jenseits. Es ist gleichgültig, wie man sich in dieser Beziehung stellen will; jedenfalls besteht nur diese Alternative.

Ohne besonderes Gewicht darauf legen zu wollen, will ich doch erwähnen, daß man eine Art Nachweis für das stille Ausstrahlen seiner Wirkungen oder das Ausströmen eines feinen Agens aus dem Menschen in einer bekannten Tatsache des Somnambulismus finden kann, falls man derartige Tatsachen überhaupt gelten läßt. Es wird nämlich in großer Allgemeinheit angegeben*), daß die Somnambulen oft einen leuchtenden Schein von lebenden Personen und insbesondere dem Magnetiseur ausgehen sehen, und daß namentlich die Fingerspitzen des Magnetiseurs um so lebhafter leuchten, je tätiger er im Akt des Magnetisierens ist.

Passavant sagt (S. 90 seiner Schrift): „Viele Somnambulen sahen alles Lebendige leuchtend. Das Licht war ihnen der Ausdruck des Lebens, und zwar nicht bloß symbolisch, sondern real. Auch sahen sie die lebenden Wesen und deren Organe auf verschiedene Weise leuchten .... Ein ähnliches Leuchten sahen die Somnambulen oft bei ihren Magnetiseurs, ja bei allen sie umgebenden Personen aus den Augen, den Fingerspitzen, bisweilen der Magengegend ausgehen."

Man kann sich hiebei erinnern, daß Lichterscheinungen von undulatorischen Bewegungen abhängen, und daß die Sichtbarkeit undulatorischer Bewegungen von mancherlei Umständen abhängt. Die Strahlen an der Grenze des Sonnenspektrums sind für gewisse Personen sichtbar, für andre nicht, Wärmeschwingungen werden erst bei gewisser Temperatur sichtbar u. s. w. Also ist die negative Erfahrung, daß wir jenes Lichtausströmen unter

---

*) Selbst Stieglitz, der in seiner Gegenschrift gegen den tierischen Magnetismus die Bedeutung des Phänomens herabzusetzen bestrebt ist, gesteht doch zu, daß diese Übereinstimmung bemerkenswert sei. Kluge hat einige zwanzig Zitate dazu.

gewöhnlichen Umständen nicht wahrnehmen, noch kein Gegenbeweis gegen sein Statthaben.

Es handelt sich freilich in unserm Körper nicht bloß um seine Bewegungen, sondern auch eine feine Organisation als Unterlage des Geistigen. Nun aber, die feinen Bewegungen, die wir so wahr um uns erzeugen, als wir sie in uns erzeugen, gehen nicht ins Leere und sind nicht bloß Wirkungen, sondern auch Träger von Wirkungen, greifen in Zusammenhang mit der ganzen sichtbaren Tätigkeit des Menschen in die lebendige Welt um uns ferner organisierend ein, die ja sogar ursprünglich darauf berechnet ist, hiedurch Fortbestimmungen ihrer Organisation zu empfangen, wovon wir freilich auch nur das Grobe verfolgen können. Wir müssen nur wieder das, was die von uns ausgegangenen feinen Bewegungen zur Ausarbeitung der Organisation der irdischen Welt beitragen, nicht handgreiflicher außer uns haben wollen, als wir das Entsprechende in uns haben, und vermöchten wir wohl handgreiflich nachzuweisen, was die feinen Bewegungen, die unserm Denken unterliegen, zur Ausarbeitung unsers Gehirns beitragen? Wir schließen bloß im Sinne des entwickeltern Anspruchs aus der durch unsre geistige Tätigkeit selbst wachsenden höheren Entwickelung der geistigen Vermögen, das körperliche Instrument müsse durch diese Tätigkeit eine entsprechend höhere Ausarbeitung erlangt haben; aber auch die irdische Welt arbeitet ihre geistigen Vermögen durch das Wirken der Menschen über sich hinaus in immer höherm Sinne aus. Wir können also denselben Schluß machen. Will aber jemand auch die feine Organisation des Gehirns gleichgültig für unsre geistige Organisation erklären, oder keine Rückwirkung der geistigen Tätigkeiten auf die Organisation des Gehirns annehmen, nun so hat er wiederum alles einfacher, wenn auch nach unsrer Ansicht nicht triftiger; so braucht er auch nach dem Beitrag der feinen Tätigkeiten, die über uns hinausgreifen, zur feinen Ausarbeitung der Organisation der Welt um uns nicht zu fragen.

Sofern übrigens jeder Mensch hienieden in andere Menschen hineinwirkt und nur nach Maßgabe des Verkehrs mit ihnen sich selbst höher fortentwickeln kann, und sofern er im Jenseits auch in den Wirkungen mit fortlebt, die er in andere hinein erzeugt hat, läßt sich hierin selbst ein wesentlicher Teil der feinen Organisationsbedingungen finden, die man für das Jenseits verlangt. Statt eines Menschenleibes stehen uns im Jenseits tausend zu Gebote, aber nicht in den einzelnen wohnen wir, sondern in der Organisation, welche sie alle befaßt und bindet.

Um das Vorige zu resümieren: wenn nach den Voraussetzungen der entwickeltern Ansicht von den Beziehungen des Geistigen und Leiblichen all das, was wir unserm jetzigen Leibe und dessen Bewegungen äußerlich ansehen, nur so zu sagen die Scheide, die Hülle, der äußere Umriß einer innern feinen Organisation und innerer feiner wie immer zu fassender Vorgänge ist, die für unser Seelenleben viel wichtiger, viel unmittelbarer bedeutend sind als die äußere Erscheinung der Gestalt und Bewegungen, die wir aber nicht mit Augen zu verfolgen wissen, nur mehr erschließen als sehen können, bei oberflächlich roher Betrachtung gar nicht entdecken, haben wir eben so zu glauben, daß wir in allen äußerlich erscheinenden Folgen unsers Seins und Handelns hienieden nur so zu sagen die Scheide, die Hülle, den äußern Umriß von viel feinern Bestimmungen und Vorgängen erblicken, welche für unser künftiges geistiges Sein von entsprechender Wichtigkeit sind und deren Ursprung mit jenen zusammenhängt; die aber eben so wenig anders als schlußweise von uns erkannt werden können und der rohen oberflächlichen Betrachtung ganz entgehen. Es zeigt sich, daß die Annahme solcher feinen Bestimmungen und Bewegungen in uns und in dem, was von uns nachbleibt, in der Tat so zusammenhängt, daß wir nur beides im Zusammenhange annehmen oder leugnen können; und was wir also vom Diesseits in dieser Hinsicht fordern, auch im Jenseits als Folge des Diesseits vorauszusetzen haben.

Zur Unterstützung des Vorigen noch einige allgemeine Betrachtungen: Man kann es als einen allgemeinen Satz aussprechen, daß keine Bewegung dauernd erlöschen kann, ohne sich entweder in anders geartete Bewegungen oder dauernde, auf Bewegungen wieder influierende Einrichtungen umzusetzen, die nicht roher und gröber sein können als die ursächlichen Bewegungen. Der Schlag des Hammers scheint uns vielleicht zu Ende, wenn er auf den Ambos gefallen; wir sagen, die Wirkung ist aufgehoben; es ist nicht wahr, sie hat sich nur in eine Erschütterung des Amboses und der Erde, in feinste Schwingungen aufgelöst, die nicht verschwinden können, ohne sich in noch feinere Schwingungen aufzulösen, teils ist sie auch verbraucht worden, das gehämmerte Eisen in andre Form zu bringen; aber das heißt nicht Wirkung aufheben, sondern ihr eine bleibende Form geben; denn in allem, was künftig mit dem gehämmerten Werkzeug getan wird, erhält sich noch die Wirkung des Hammerschlages fort; wie könnte mit dem Werkzeuge so gearbeitet werden, wie es geschieht, wenn es nicht so gehämmert worden, wie es geschehen? Und je feiner die Arbeit am Werkzeuge, um so feinere Effekte werden sich damit erzeugen lassen. Jede anders geartete Ursache erzeugt überhaupt eine anders geartete Folge, und in demselben Maße als ein Prozeß sich anders individualisiert, gestaltet, in demselben Maße muß es auch von seinen Folgen gelten bis in die feinsten Nüancen hinein.

Eine Menge komplizierter Tätigkeiten scheinen sich freilich oft zu einem sehr einfachen Resultat zusammenzusetzen, worin alle Verschiedenheit der Ausgangswirkungen untergeht; also die zusammengesetzte Folge einfacher, roher, als die Zusammensetzung der Ursachen zu sein, die zum Resultat beigetragen haben; allein die Sache ist die, daß es unsern Sinnen nur unmöglich fällt, im zusammengesetzten Resultat das fortgehende feine Spiel der Komponenten oder die feine Zusammenstellung, Einrichtung, die dadurch erzeugt worden, eben so gut zu unterscheiden oder zu erkennen, als wir die Ursachen unterscheiden, so lange sie noch getrennt wirkten; obwohl dies feine Spiel, diese feine Einrichtung sich noch durch gewisse Nüancen des resultierenden Prozesses oder Gebildes oder die Entwickelung der Folgen als wirklich vorhanden verrät. So im Fall des einfach scheinenden Eies, das von der verwickelten Henne gelegt ist, so wenn mehrere Wellen von ver= schiedenen Seiten her im Meere zusammentreffen. Eine einzige Welle scheint alle zu verschlingen; sie scheinen darin unterzugehen; aber in den Kräuse= lungen dieser großen Welle verrät sich noch das Spiel der kleinen Wellen, und wie sie davon verschlungen wurden, treten sie auch wieder daraus hervor. Die große Welle ist bloß der Kreuzungspunkt, Durchschreitungspunkt der kleinen, nicht ein Resultat ihrer Aufhebung oder Vernichtung.

Zwar, können denn nicht Bewegungen durch Gegenwirkungen geradezu aufgehoben werden, ohne einen dauernden Effekt in irgend welchen ab= geänderten Verhältnissen zu hinterlassen, z. B. wenn zwei Körper in ent= gegengesetzter Bewegungsrichtung an einander stoßen und ihre Bewegung wechselseitig aufheben? Werden nicht also auch die Bewegungen, die unser Geistiges tragen mögen, in ihren Fortwirkungen allmählich durch Gegen= wirkungen aufgehoben werden können? Es gilt aber nur dasselbe, was von der scheinbaren Aufhebung der Wirkung des Hammerschlags durch den Ambos. So, wenn zwei Kugeln an einander treffen, setzt sich die Bewegung teils in eine Erschütterung der Kugeln um, durch die sie elastisch zurück= getrieben werden, und die sich auch noch an andre Körper mitteilt, mit denen die Kugeln in Berührung kommen; teils wird die Bewegung, sofern die Elastizität nicht vollständig, zu einer Formänderung, einer neuen bleibenden Einrichtung an den Kugeln verwandt, die künftig auf alles, was mit den Kugeln geschieht, ihren Einfluß forterstreckt. Oft freilich sieht man Bewegungen sich von selbst ein Zeit lang verlangsamen; aber, sofern nicht eine dauernde Formänderung die Folge, ist es stets nur, um mit der Zeit wieder in raschere Bewegung überzugehen. So verlangsamt sich die Bewegung der Erde in einer Hälfte des Jahres und beginnt in der andern wieder rascher zu werden: so mag sich im Schlafe vieles in uns verlangsamen, was im Wachen wieder rascher geht. Auf die Dauer erschöpft sich keine Bewegung als in dauernden Effekten, die fortbestimmend auf andre Bewegungen wirken. Und wir haben allen Grund zu schließen, daß selbst die dauernden Effekte oder Einrichtungen mit der Zeit wieder in Bewegungen ausschlagen oder im Zusammenhange des Ganzen kausal zu solchen durch ihr Dasein Anlaß geben, weil die Quantität der Bewegung doch im Ganzen nicht abnimmt. Die Axt, die der Schmied gehämmert, hat durch die Formänderung, die sie erfahren, etwas von seiner bewegenden Kraft verzehrt; aber diese Axt schlägt

19*

vielleicht dasselbe Holz, was einst ihr Eisen wieder schmelzen und die so zu sagen gebundene bewegende Kraft wieder befrein wird. Alle gebundene Wärme wird doch einmal wieder frei u. f w. Was also auch leiblich in uns das Geistige tragen mag, in so weit überhaupt das Geistige einen leiblichen Träger hat, wir haben nicht zu besorgen, daß es je in seinen Wirkungen erlöschen wird; nur die Form dieser Wirkungen mag sich ändern; wie wenig Gefahr aber bei Fortbestand des Kausalzusammenhanges der Wirkungen von den größten Formveränderungen derselben für unsern geistigen Fortbestand zu besorgen, werden spätere Erörterungen zeigen.

B. Fragen, die sich an die Zerstörung des Gehirns im Tode, das Leiden und Altern des Geistes mit dem Körper knüpfen.

Die Beantwortung der Fragen, die sich hier aufdrängen, führt, nur von einem andern Ausgangspunkte her, auf die vorigen und frühern Gesichtspunkte zurück. Indes nehmen wir sie mit Fleiß noch besonders auf, da eben hier der Ausgangspunkt der gewöhnlichsten Einwürfe gegen die Unsterblichkeit liegt, und sich manches früher Gesagte durch verwandte Betrachtungen dabei passend stützen und verstärken läßt.

Wer neu zur Sache kommt, wirft leicht die Frage auf: wie soll ich's verstehen, daß mein Gehirn, das mir doch hienieden zu allen meinen bewußten Tätigkeiten nötig war, mit dem Tode auf einmal überflüssig werden soll? War es denn umsonst hienieden, daß es im Tode weggeworfen werden kann? Leidet nicht mein Geist, wenn das Gehirn leidet; wie sollte er nicht noch mehr leiden, ja überhaupt noch lebendig bestehen können, wenn es ganz wegfällt?

Ich antworte: das Gehirn war nicht umsonst hienieden, wenn es doch eine Bestimmung eben für das Hienieden erfüllte; aber muß es auch noch nötig sein für eine neue Weise des Seins, die über das Hienieden hinausliegt, ja kann es dafür noch brauchbar sein? Mit dem alten Gehirn blieben wir ja die alten Menschen. Das Gehirn war auch nicht umsonst für das Jenseits, wenn es doch im Diesseits diente, Tätigkeiten zu entwickeln, die an unserm Jenseits bauen helfen.

Oder wirst du auch sagen: das Samenkorn sei deshalb umsonst gewesen, weil du siehst, daß es birst und zergeht, um der freien Ent= wickelung des Pflänzchens im Lichte Raum zu geben? Im Gegenteil, es mußte erst sein, um in einem ersten Leben die Anlage des Pflänzchens zu bilden, war dafür ganz notwendig, doch durfte es nicht immer sein, sonst hätte es immer bei der Anlage bleiben müssen. So bleibt dein Gehirn samt übrigem Leibe freilich immer ganz notwendig für dieses erste, in Bezug zum folgenden nur embryonische Leben, um das folgende anzulegen, Störungen des Gehirns stören dann natürlich dieses Leben, aber die Zerstörung desselben kann auch nur dieses Leben zerstören, nicht das folgende, weil die Zerstörung dieses Lebens eben die Bedingung ist, daß die Anlage des folgenden Lebens zum wirklichen folgenden Leben erwache und erwachse.

Du sagst: Aber, wenn ich ein Samenkorn zerstöre, wird die Anlage des Pflänzchens mit zerstört. Sehr wahr, aber nicht, wenn die Natur es zerstört, wie es im Laufe seiner Bestimmung liegt. Und die Naturbestimmung des Menschen ist überall, zu sterben, sei's auf welchem Wege es sei, früh oder spät.

Wenn du dich etwas umsähest unter Dingen, die dir täglich vor Augen sind, und sie etwas genauer ansähest, so würdest du wohl manche Beispiele finden, welche dich lehrten, wie wenig dem Scheine zu trauen, der dich so leicht veranlaßt, an die Zerstörung des Gehirns den Tod der Seele zu knüpfen, weil du das Gehirn so notwendig für das Spiel der Seele hienieden findest.

Wie ist es denn mit dem Spiel einer Violine? Du meinst wohl auch, wenn eine Violine zerschlagen wird, die nur eben noch gespielt ward, so sei es aus mit ihrem Spiel für immer; es verhalle, um nie wieder zu ertönen, und so verhalle das selbstgefühlte Saitenspiel des menschlichen Gehirns, wenn der Tod das Instrument dazu zerschlägt. Aber es ist beim Zerschlagen der Violine etwas, was du vernachlässigst, wie beim Tode des Menschen, indem du nur auf das Nächstliegende acht hast.

Der Ton der Violine hallt in die weite Luft, ja nicht nur der letzte Ton des Spiels, das ganze Spiel hallt hinein. Nun meinst du freilich, wenn der Ton über dich hinaus ist, sei er verhallt; aber ein ferner Stehender kann ihn ja noch hören; er muß also noch da sein; ein zu Ferner hört ihn endlich auch nicht mehr, aber nicht, weil er verschwunden ist, der Ton breitet sich nur zu weit aus, wird zu schwach für eine einzelne enge Stelle; aber denke dir, daß dein Ohr mit dem Schalle oder der ihn tragenden Erschütterung immer mitgehe und sich fortgehends so hörend ausbreite, wie er in dem weiten Umkreis schallend, so würdest du ihn immer hören. Er verlöscht nie; im Grunde bleibt er immer. Nicht bloß an die Luft teilt er sich mit, indem die Erschütterung, die ihn trägt, es tut, auch an Wasser, Boden, was ihm begegnet; er geht durch Dick und Dünn, teilweis zwar immer zurückgeworfen, doch nicht verlöschend, und bleibt immer derselbe, ja die Töne des ganzen Spiels folgen sich immer und überall in derselben Ordnung, bemselben Zusammenhang. Die eng begrenzte Violine hat nur ihr Spiel ins Weiteste ausgebreitet.

Freilich wer könnte dem Schall wirklich allüberall folgen, ihn zu vernehmen? Doch etwas folgt ihm wirklich überall hin; er selber folgt sich überall hin. Wie nun, wenn er sich selbst vernehmen könnte? Würde er sich nicht immerfort vernehmen, wie ein ihm genau folgendes und sich mit ihm ausbreitendes Ohr? Vergebliche Voraussetzung freilich bei dem Spiel der toten Violine, aber ob auch vergebliche bei dem der lebendigen? Die tote wird von andern gespielt, und so wird auch ihr Spiel nur von andern vernommen, wo sie eben stehen, vernimmt sich selbst nicht. Die lebendige Violine unsers Leibes aber spielt sich selbst, so vernimmt sich nun auch ihr Spiel selbst und braucht sich auch nur selber nachzulaufen, um sich zu vernehmen; wie ja auch die Bewegungen, wahrscheinlich sind es selber Schwingungen, die bei unsern Anschauungen aus dem Auge, dieser Lichtvioline, in das Gehirn sich verbreitend erst unsre Lichtempfindungen, dann in ihren Nachwirkungen unsre Erinnerungen daran tragen, keines äußern Ohres oder Auges mehr bedürfen, sondern sich selbst vernehmen in ihrer ganzen Ausdehnung. Warum? Das Auge ist lebendig, das Gehirn ist lebendig. Nun, so sind wir lebendig, und das, wohin das Spiel unsers Lebens überklingt, die Erde um uns ist auch lebendig.

Wir sehen jedenfalls an der Violine, dieselben komplizierten Bedingungen, an welchen die erste Erzeugung einer Wirkung, hier des Schalls, ganz wesentlich hing, müssen nicht auch immer notwendig fortbestehen, wenn es die Forterhaltung derselben Wirkungen gilt. Sie können wegfallen, und die Wirkung erhält sich durch sich selbst unter einfachsten Bedingungen. Also mag immerhin auch die erste Entstehung der Melodie unsers geistigen Lebens ganz wesentlich an das Dasein unsers Gehirns gebunden sein, aber es folgt nicht daraus, daß es auch zur Forterhaltung derselben nötig sei; ja wahrscheinlich möchte ein so einfaches Medium als die Luft eben so wie beim Spiele der Violine hinreichen, unser künftig geistig Leben zu tragen, statt des so komplizierten Gehirns, das freilich erst nötig war, dasselbe zu erzeugen; wenn es für uns einst eben so wie bei der Violine bloß auf Forterhaltung, nicht auch auf Fortentwickelung ankäme; welchem gemäß unsre Wirkungen nicht bloß in die glatte Luft, sondern in das ganze Reich des Irdischen überstrahlen, wo sie allseitige Gelegenheit, unter neue Verhältnisse zu treten, finden, Änderungen aus Änderungen hervorrufen, und mit den beweglichen auch bleibende Wirkungen erzeugen, wie wir schon oben betrachtet.

Übrigens gilt es auch hier wieder, die Seite des Ungleichen mit
der des Gleichen im Bilde in Betracht zu ziehen. Das Spiel der
Violine ist in seinem Ausgange und demgemäß auch Fortgange ganz
passiv, gibt nur den Strich des fremden Bogens wieder, bestimmt sich
nicht durch sich aus sich selbst. Aber das Spiel unsrer bewußten
Violine läuft außer den Bestimmungen von außen auch in Selbstbestimmungen ab, die Körper und Geist zugleich betreffen, und es gibt
ein Gesetz des Antagonismus darin, welches verständlich macht, wie das
Ausgangsspiel erst erlöschen muß, ehe das Fortspiel ins Bewußtsein
tritt. Hiervon sprechen wir bald weiter.

Im Übrigen erscheint das Bild der Violine namentlich in sofern
recht passend, als unser Leib überhaupt allwegs durch Schwingungen,
die sich wellenartig wie der Schall verbreiten, in die Außenwelt hineinwirkt. Jeder Fußtritt erschüttert die Erde in Schwingungen, die sich
allmählich durch die ganze Erde fortpflanzen; jeder Fortschritt, jede Hand-
bewegung, jeder Atemzug, jedes Wort ruft eine Welle hervor, die den
ganzen Luftkreis durchschreitet; die Wärme, die du ausstrahlst, geht in
seinen Schwingungen, jeder Blick von Auge zu Auge pflanzt sich fort
durch Lichtschwingungen, selbst, während du still stehst, gehen tausend
Lichtwellen von dir aus, die dein Bild in den Raum hinein malen;
und in Zusammenhang mit diesen leichter erkennbaren Schwingungen,
die von deinem Äußern kommen, gleichsam als feiner Kern oder Gehalt
derselben, werden sich dann auch, falls sie bestehen, die feinern unmerklichen Schwingungen aus deinem Innern fortpflanzen, die für deine
Seele noch bedeutungsvoller sein mögen als alle diese von außen
kommenden. Die innere Bewegung deines engen Leibes ist selbst
gleichsam nur eine Verschlingung unzähliger Wellen, die von da aus
ins Weite gehen.

Doch ist es nicht ein bloßes Schweben und Verschweben, wie bei
der Violine, was von dir an die Außenwelt übergeht, du wirkst dich
auch in festen Werken in die Außenwelt ein, die mit Erzeugung der
Bewegungen selbst in Verbindung stehen, und wovon du freilich auch
nur den gröblichen Umriß wahrnimmst. Ja hätten wir eine Violine,
die durch ihr Spiel zugleich neue Saiten um sich in der Außenwelt
aufzöge zum Bau einer größern Violine, die nach dem Zerschlagen der
kleinen das Spiel nun fortsetzte, so träfe das Bild noch mehr.

So kannst du dich in deinem jetzigen Leben nun auch betrachten
wie einen Schmied, der sich selbst seinen künftigen Leib zurecht hämmert.
Was jeder an der Erde sich zurecht hämmert, ist einst sein Teil daran.

Iſt der neue Leib fertig, ſo wird das alte Werkzeug, d. i. der alte Leib
ſelbſt, weggeworfen, und wenn auch der Menſch ſterben mag, iſt doch
der neue Leib ſo weit fertig, daß er das Werk des Lebens in einer
neuen Weiſe von dem Punkt an fortführen kann, bis zu dem es der
alte Leib gebracht. Dies iſt ein Bild, das paßt bloß auf das Feſte
in deiner künftigen Leiblichkeit, wie jenes mit dem Spiel der Violine
bloß aufs Bewegliche. Ein Bild kann nun einmal nicht alles auf
einmal decken.

Daß, wenn dein Gehirn doch einmal deinem Geiſte zu Dienſten
für dieſes Leben beſtimmt, ja die Hauptbedingung iſt, denſelben an dies
Leben zu binden, er Nachteil für dieſes Leben ſpüren muß, wenn das
Gehirn beſchädigt wird, iſt ſehr begreiflich; doch folgt daraus nichts
irgendwie gegen die Entbehrlichkeit des Gehirns in einem künftigen
Leben. Schädige es nur ſoweit, daß das jetzige Leben aufhört, ſo wird
mit dem jetzigen Leben auch der Schaden für das jetzige Leben aufhören;
ins folgende Leben aber kann der Schaden nicht reichen, weil die größte
Schädigung des alten Leibes, d. i. ſeine Zerſtörung, eben erſt das neue
Leben möglich macht. Nur, daß es ein Menſch, ſo viel an ihm iſt,
ſo weit als möglich ſoll im jetzigen Leben zu bringen ſuchen, um ins
Jenſeits ſchon möglichſt entwickelt zu treten, als ein gemachtes Weſen;
denn es würde weder dem Dieſſeits noch dem Jenſeits frommen, ſollten
alle Menſchen jung ſterben, wie freilich eben ſo wenig, wenn alle erſt
alt ſterben ſollten. Aber deren, die ſich auf Kindes= oder Jünglings=
baſis dereinſt fortentwickeln ſollen, nimmt ſich der Tod ohnehin genug;
ſo muß der Menſch nach Kräften dahin wirken, daß es auch nicht an
ſolchen fehle, die ſich auf der Baſis eines ganzen vollen dieſſeitigen
Lebens dereinſt fortentwickeln.

Wenn du Zerſtörung des Gehirns ſchlimmer hältſt als Schädigung,
ſo haſt du alſo bloß in ſofern recht, als die Schädigung noch vielleicht
gehoben werden könnte, du ſomit noch etwas länger im alten Leben
bleiben und dich weiter für das künftige vorbereiten könnteſt. Die Zer=
ſtörung nimmt dir dieſes Organ der Vorbereitung ein für allemal; nun
gilt's mit der einmal gewonnenen Baſis hauszuhalten; aber ſie nimmt
dir auch eben nur das Organ der Vorbereitung, worauf ſofort die
Bereitung folgt, die immer etwas Höheres iſt gegen den jetzigen Zuſtand;
in ſofern gewinnſt du immer gegen jetzt. Nur dann iſt Zerſtörung
eines Organs ſchlimmer als Schädigung, wenn nichts da iſt, das Zer=
ſtörte zu erſetzen; iſt aber etwas da, ſo kann die volle Zerſtörung des
Geſchädigten Gewinn als Hebung der Störung ſein. Man amputiert ja

ein krankes Glied und gewinnt dabei, sogar ohne daß etwas zum Ersatz
da ist; wie solltest du nicht um so mehr gewinnen, wenn dein ganzer
kranker Leib, dein krank Gehirn amputiert wird, wenn es doch an er=
setzenden Bedingungen für dich zu einem neuen Dasein nicht fehlt.

Ist es doch faktisch, daß eine kleine Störung im Hirn oft viel mehr
schadet, als das Wegschneiden einer ganzen Hirnhälfte, was der Seele
so gut als gar nichts schadet, wie man durch Versuche an Tieren und
selbst pathologische Erfahrungen an Menschen hinlänglich weiß; ja was
vielleicht, wenn es so einfach ginge, dienen könnte, manche Seelenstörung
zu heben, die durch ein Übel in der betreffenden Hirnhälfte entsteht.*)
Man kann dies sehr paradox finden, es ist aber gerade so hiemit, wie
mit einem von zwei Pferden gezogenen Wagen. Ist das eine lahm oder
wild, so geht der ganze Wagen schlecht, und es ist am besten, das kranke
Pferd ganz auszuspannen; dann geht er wieder ordentlich, nur etwas
matter, wie auch bei Wegfall einer Gehirnhälfte der Geist leichter Er=
müdung spüren soll; wenn du aber beide Pferde ausspannst, so steht
der Wagen still, das ist der Tod. Aber was geschieht? Der Kutscher
steigt aus dem engen Wagen aus und geht durch den weiten Raum
seiner Heimat. Ihn dahin zu führen, war doch nur der Wagen be=
stimmt. Ja, wenn es keinen Kutscher gäbe, der selbststeigende Beine hat.

Ferrus berichtet von einem General, der durch eine Verwundung einen
großen Teil des linken Scheitelbeins verloren hatte, was eine beträchtliche
Atrophie (Verkümmerung) der linken Hirnhemisphäre nach sich zog, die sich
äußerlich durch eine enorme Depression des Schädels kund gab. Dieser

---

*) Longet berichtet von einem 29jährigen Manne, dessen geistige Kräfte keine
merkliche Abweichung darboten, ungeachtet die ganze rechte Hemisphäre des großen
Gehirns mit Ausnahme der Basalteile, fehlte. (Longet, Anat. et Physiol du syst.
nerv. 1842. I. 669.) — Neumann führt einen Fall an, in welchem eine Kugel eine
ganze Hemisphäre zerstört hatte, ohne die Besinnung zu rauben. (Neumann, Von den
Krankheiten des Gehirns des Menschen. Koblenz 1833. S. 88.) — Abercrombie
berichtet von einer Frau, bei welcher die Hälfte des Gehirns in eine krankhafte Masse
aufgelöst war, und die dennoch, eine Unvollkommenheit des Sehens abgerechnet, alle
ihre geistigen Vermögen bis zum letzten Augenblicke behielt, so daß sie noch einige
Stunden vor ihrem Tode einer fröhlichen Gesellschaft in einem befreundeten Hause
beiwohnte. (Abercrombie, Inquiries etc.) — Ein Mann, dessen O'Holloran erwähnt,
erlitt eine solche Verletzung am Kopfe, daß ein großer Teil der Hirnschale auf der
rechten Seite weggenommen werden mußte; und da eine starke Eiterung eingetreten
war, so wurde bei jedem Verbande durch die Öffnung eine große Menge Eiter mit
großen Quantitäten des Gehirns selbst entfernt. So geschah es 17 Tage hindurch,
und man kann berechnen, daß fast die Hälfte des Gehirns, mit Materie vermischt,
auf diese Weise ausgeworfen wurde. Dessenungeachtet behielt der Kranke alle seine
Geisteskräfte bis zu dem Augenblicke seiner Auflösung, sowie auch während dieses
ganzen Krankheitszustandes seine Gemütsstimmung ununterbrochen ruhig war.

General zeigte noch dieselbe Lebhaftigkeit des Geistes, dasselbe richtige Urteil als früher, konnte sich aber geistigen Beschäftigungen nicht mehr hingeben, ohne sich bald ermüdet zu fühlen. Longet sagt, bei Mitteilung dieser Erfahrung, er habe einen alten Soldaten gekannt, der sich ganz in demselben Falle befunden. (Longet, Anat. et Physiol. du syst. nerv. I. 670.)

Jedenfalls, wenn das halbe Gehirn oft mit geringerm Nachteil für die Seele wegfallen kann, als eine bloße Störung erleiden, warum nicht auch möglicherweise das ganze? Es ist nur der Unterschied, daß, so lange wir noch das halbe Gehirn behalten, wir noch in diesem Leben bleiben, weil eine Hälfte die andere im Dienste dafür vertritt, wenn aber beide Hälften wegfallen, so fallen wir damit ins andere Leben über, indem nun eine höhere Vertretung Platz greift.

Wenn man sich etwas näher in den physiologischen und pathologischen Beobachtungen über das Gehirn umsieht, so erstaunt man, wie bedeutende Verletzungen überhaupt das Gehirn ertragen kann, zuweilen selbst auf beiden Seiten zugleich, ohne allen merklichen Nachteil für die Seele. Man möchte glauben, es nütze wirklich nichts dafür. Und manche haben solche Schlüsse gezogen. Andremale wieder scheint eine bloße Störung sehr zu schaden. Kombiniert man alles recht, so findet man, es hängt daran, daß das in unserm Organismus sehr ausgebildete Prinzip der Vertretung sich in unserm Gehirn ganz besonders geltend macht. Ein Auge kann zerstört werden, man sieht noch mit dem andern, eine Lunge kann zerstört werden, man atmet noch mit der andern; wenn auch nur noch ein Stück Lunge übrig, geht es; sind Adern ungangbar geworden, das Blut läuft durch andere; Unordnung schadet fast überall mehr als Zerstörung. So ist's auch mit dem Gehirn. Die Teile vertreten sich darin von rechts zu links, und selbst bis zu gewissen Grenzen auf derselben Seite. Geht's nicht mit einer Faser, geht's mit einer andern; wie, wenn's nicht mit einer Ader geht, es mit einer andern geht. Es wird sein wie bei einem Klavier, nur in viel entwickelterem Grade, wo zu demselben Tone mehrere Saiten gehören. „Es gibt", sagt Abercrombie, und andre stimmen damit überein, „keinen Teil des Gehirns, den man nicht, und in jedem Grade, zerstört gefunden, ohne daß die geistige Entwicklung irgend merklich gelitten hätte." Aber weit entfernt, daß dies die Überflüssigkeit aller dieser Teile bewiese, beweist es bloß, daß alle mehr oder weniger in solidarischer Verbindung eine Vertretung durch die übrigen Teile finden, die doch fürs diesseitige Leben ihre Grenzen hat. Denn, während man einem Tiere eben sowohl die rechte als die linke Hirnhemisphäre besonders nehmen kann, ohne Nachteil für seine Seelentätigkeiten, kann man ihm nicht beide zusammen nehmen, es wird dann ganz dumm, selbst wenn man die Basalteile des Gehirns übrig läßt, weil diese zur Vertretung nicht mehr hinreichen. Nun wohlan, wenn das Prinzip der Vertretung doch schon so weit in unserm Körper getrieben ist, sollte es nicht auch über unsern Körper hinaus ' in den größern Körper, dem wir angehören, hineinreichen; und nicht, wenn unser ganzes Gehirn, unser ganzer Körper zerstört wird, auch etwas schon zu seiner Vertretung da sein? Ich meine, die ganze irdische Welt ist wieder in solidarischer Verbindung dazu da.

Dabei ist der Unterschied, daß unser Tod nicht als eine so abnorme Zerstörung angesehen werden kann, wie wenn wir ein Stück Hirn wegschneiden; sondern als eine solche, die in den normalen Gang des größern Lebens fällt, dem wir angehören. Zerstörungen, die in den normalen Gang des Lebens fallen, charakterisieren aber überall neue Entwicklungsepochen.

Man kann bei dieser Gelegenheit an Fälle erinnern, wo schon eine Annäherung an die vollständige Zerstörung des Körpers im Tode eine Wiederherstellung der geistigen Funktionen hervorrief, die im Leben zerstört waren. Solche Fälle sind nicht eben selten, und, ohne für sich allein beweisen zu können, daß der Tod in diesem Bezuge noch mehr leisten könne, als die Annäherung zum Tode, doch dieser Vorstellung günstig, und zur Unterstützung unsrer andern Schlüsse immerhin erwähnenswert.

Man findet zahlreiche Fälle dieser Art in Burdach, Vom Bau und Leben des Gehirns III. S. 185, Treviranus, Biol. VI. S. 72. Friedreichs Diagnostik S. 364 u. 366 ff., Friedreichs Mag. H. 3, S. 73 ff., Jacobi's Ann. S. 275—282 u. 287—288. Froriep, Tagesber. 1850. Nr 214 mitgeteilt oder erwähnt. Burdach sagt, unter Hinzufügung der belegenden Fälle: „Wenn in einem entzündeten Eingeweide der Brand eintritt, so hört nicht nur der Schmerz auf, sondern es wird bisweilen auch die Seelentätigkeit dabei exaltiert. Auch bei andern Krankheiten bemerkt man zuweilen kurz vor dem Tode einen höhern Schwung der Gedanken. Bei Abnormitäten des Gehirns bekommen Wahnsinnige nicht selten vor dem Tode den Gebrauch ihrer Verstandeskräfte wieder: so bei Ergießung von Blut und Wasser, bei Eiterung, bei Verhärtungen, bei Hypertrophie, Hybatiden und Aftergebilden, und zwar so, daß entweder die Verwirrung in dem Maße, als die Kräfte sinken, allmählich abnimmt, oder plötzlich die volle Besinnung eintritt und noch an demselben Tage der Tod erfolgt.“

Hier einige spezielle Beispiele.

„Daß der Mensch in seiner innersten Tiefe ein höheres, unzerstörbares Eigentum, einen Geist besitzt, den auch der Wahnsinn nicht antastet, ... davon gibt die Geschichte einer 20 Jahre lang wahnsinnig gewesenen Frau in der Uckermark, welche im November 1781 starb, einen merkwürdigen Beweis. In den einzelnen lichten Augenblicken ihres Zustandes hatte man schon früher eine stille Ergebung in einen höhern Willen und fromme Fassung an ihr bemerkt. Vier Wochen vor ihrem Tode erwachte sie endlich aus ihrem langen Traume. Wer sie vor dieser Zeit gesehen und gekannt hatte, erkannte sie jetzt nicht mehr, so erhöht und erweitert waren ihre Geistes= und Seelenkräfte, so veredelt war auch ihre Sprache. Sie sprach die erhabensten Wahrheiten mit einer Klarheit und innern Helle aus, wie man sie im gewöhnlichen Leben selten findet. Man drängte sich an ihr merkwürdiges Krankenbett, und alle, welche sie sahen, gestanden, daß, wenn sie auch während der Zeit ihres Wahnsinns im Umgange der erleuchtesten Menschen sich befunden hätte, ihre Erkenntnisse nicht höher und umfangreicher hätten werden können, als sie jetzt waren." (Ennemoser, Gesch. der Magie. I. S. 170 f.)

„Bei einer seit 3 Jahren Wahnsinnigen wurde der Verstand desto klarer, je mehr ein infolge eines Lendenabszesses entstandenes hektisches Fieber überhand nahm, bis endlich die Kranke unter völligem Gebrauche ihrer Geisteskräfte starb. Die Sektion ergab Hypertrophie des erweichten Gehirns, Verdickung des Schädels und Verwachsung der Dura mater mit dem Knochen. Der Wahnsinn war als Nachkrankheit des Scharlach zurück= geblieben." (Bering in Nasse's Zeitschr. 1840. I. 131—140.)

„Eine 30jährige, robuste, verehelicht gewesene Maniaca (Mania erra= bunda ohne bestimmte Wahnvorstellungen, und ohne lucida intervalla) unterlag nach einem 4jährigen Aufenthalte in einer Anstalt einem gastrisch= nervösen Fieber, nach heftigem und starrsinnigen Widerstreben gegen Arzneien und Getränke. Als sich nun die bevorstehende Auflösung des Körpers durch den Wegfall der Kräfte ankündigte, fing die Seele an, frei zu werden: die Kranke sprach in den letzten zwei Tagen vor ihrem Tode vollkommen ver= nünftig und selbst mit einem Aufwande von Verstand und Klarheit, welche mit ihrer frühern Bildung in auffallendem Gegensatze stand. Sie erkundigte sich nach dem Schicksale ihrer Verwandten, bereute mit Tränen ihre Wider= spenstigkeit gegen die ärztlichen Anordnungen und unterlag endlich dem herben Kampfe der wiedererwachenden Lebenslust mit dem unabwendbaren Tode." (Butzke in Rust's Mag. Band LVI. H. 1.)

Du sagst vielleicht: all das sind weitliegende Bilder und Schlüsse. Ich sehe doch, nach Maßgabe als mein Leib altert, altert auch mein Geist, wie sollte es nicht vollends mit dem Geiste aus sein, wenn es vollends mit dem Leibe aus ist, man sieht ja doch schon deutlich, wo es hinaus will.

Aber wie; sind denn das nicht auch Schlüsse, die du da machst? Die Schlüsse haben Schein, weil sie das Nächste treffen, um das sich's doch nicht handelt; doch nur das Nächste treffen sie, nichts weiter.

Du schließest, weil mit dem Alter Leib und Geist abnimmt, so muß beides mit dem Tode aufhören. Du könntest eben so gut schließen, und würdest scheinbar eben so richtig und in Wahrheit eben so unrichtig schließen: weil das Pendel träge, matt wird, wenn es sich dem Ende feiner Schwingung nähert, ja am Ende einen, freilich nur unmerkbaren, Moment wie still steht, so hören seine Schwingungen hiemit ganz auf. Ist aber dieser Schluß falsch, warum soll denn jener triftiger sein? Es beginnt ja doch von frischem eine Schwingung.

Das Beispiel taugt freilich sonst wenig, als eben den Irrtum deines Schlusses auf das Einfachste zu zeigen; als Bild wär's viel zu dürftig, und zeigte nicht allwegs das Rechte, oder nur mit mühseliger Deutung. Denn die Schwingung unsers neuen Lebens wird, wir schließen das aus anderm, nicht einfach eine rückläufige Wiederholung der alten, sondern eine Erweiterung derselben in neuem Sinne sein. Aber, legen wir's darauf an, können wir selbst dies nach dem Prinzip der Ungleich-heit im Bilde wiederfinden, ohne welches kein Bild triftig ausgelegt werden kann. Ist doch unser Lebensgang schon hienieden nicht ein ein-facher wie der des Pendels, der Saite. Der Greis wird, sagt man, wieder ein Kind; ja in gewisser Beziehung wird er's; doch ist er in anderer Beziehung das Gegenteil von einem Kinde, unser Leben ent-wickelt sich fort und fort von der Jugend bis zum Alter; selbst der älteste Greis macht noch neue Erfahrungen; es wird nur alles matter, selbst das neu Erfahrne; statt dessen erfährt das Pendel, die Saite, auf der zweiten Hälfte ihrer Schwingung genau dasselbe wie auf der ersten. Ist's aber so anders mit uns als mit dem Pendel in der Schwingung des ersten Lebens, nun, so wird dies so Anders auch in das zweite überreichen; die neuen Erfahrungen werden mit dem neuen Leibe fort-gehen, wie sie hier fortgegangen sind, sich auf die alten aufzubauen fort-fahren, aber mit neuer Frische, neuem Schwunge.

Lassen wir alles Bild mit dem Pendel, der Saite, bei Seite, so sollte, wenn irgend etwas, die Betrachtung der Periodizität und fort-gehenden Entwickelung unsers jetzigen Lebens selbst uns verbürgen, daß das Alter eben nur das zu Ende Gehen einer Periode in diesem fort-schreitenden Entwickelungsgange ist, naturgemäß verkündigend den Ein-tritt einer neuen Periode, die Neues in neuem Sinne bringt. Wir kennen sogar mathematisch keine Fortschreitung in Perioden, die irgendwo ein Ziel fände; wohl aber ist der Begriff von kleinen Perioden, wie wir sie z. B. in Schlaf und Wachen haben, die sich in größere einbauen, ein geläufiger. Diese Betrachtung führt dazu über, den Tod selbst nur als Geburt zu neuem Leben zu betrachten, die eine frühere Entwickelungs-epoche abschließt, indem sie eine neue beginnt. Hievon sprechen wir in einem spätern Abschnitt.

C. Frage, wie die Existenzen des Jenseits unbeirrt durch-
einander bestehen können.

Welch Durcheinander, wird man sagen, im Jenseits! Die Wirkungs-
kreise, welche die verschiedenen Menschen hienieden um sich schlagen, greifen
alle in dieselbe irdische Welt hinaus, müssen sich also allwegs darin be-
gegnen und kreuzen; wie mag es nun denkbar sein, daß die daran ge-
knüpften geistigen Existenzen sich dereinst noch als gesonderte fühlen, und
nicht durcheinander beirrt werden können?

Beiläufig haben wir zwar dieser Schwierigkeit schon begegnet; aber
fassen wir die Sache genauer ins Auge.

Tun wir dies, so werden wir ja gleich finden, daß die Zukunft
uns in dieser Beziehung nicht schlimmer stellt als das Jetzt; ja daß sie
wesentlich gar nichts anders mitbringt, als was wir jetzt schon ganz
ohne Schaden erdulden, sogar ganz nötig zum Verkehr mit andern
und zur eigenen Fortentwickelung haben. Bringt sie es aber doch noch
in etwas andrer Weise mit, so bringt sie auch dadurch nur neuen Vor-
teil mit.

Denn schon jetzt greifen in das engere leibliche System des Menschen,
den Träger seines diesseitigen wachen Bewußtseins, die weitern Wirkungs-
kreise der andern Menschen aufs Vielfachste, Verwickeltste, ja in ganz un-
entwirrbarer Weise ein. Was wir von andern Menschen hören, lesen,
erfahren, was überhaupt in uns anders wird, weil andere Menschen da
sind, bildet einen solchen Eingriff ihrer weitern Lebenssphären in unser
jetziges engeres System in ganz demselben Sinne, als er später in unser
weiteres System selbst stattfinden wird, und schon jetzt in dasselbe statt
findet, während es noch nicht den Träger unsers wachen Bewußtseins
bildet. Aber anstatt daß unsre Individualität durch jenen Eingriff jetzt
irgendwie beeinträchtigt, gestört, verwischt, zerrissen würde, gründet sich
unser Verkehr mit andern darauf, und bedürfen wir solchen Eingriffs
zu unsrer eignen Fortentwickelung; jeder solcher Eingriff bereichert uns
mit einer neuen Bestimmung. Der Unterschied des künftigen Lebens
vom jetzigen beruht nun in nichts anderm, als daß nach Wegfall der
engern innern Wirkungssphären, die durch unsere jetzigen Leiber vor-
gestellt werden, bloß noch der Eingriff der von ihnen ausgegangenen
weitern Wirkungssphären in einander übrig bleibt; aber es ist nicht
mehr Grund, daß die Individualitäten sich durch dies Eingreifen der
weitern Sphären in einander verlieren und stören sollten, als es durch
Eingreifen der weiteren Sphären in die engeren der Fall; dazumal jenes

Eingreifen nur eine Fortsetzung und Fortentwickelung von diesem. Vielmehr erklärt sich eben hieburch aufs Beste, wie die im Diesseits an-
geknüpften Verbindungen und Verhältnisse zwischen den Menschen ins
Jenseits hinüberdauern und dort mit Bewußtsein fortgesponnen werden
können, da die ineinandergreifenden weiteren Sphären im Jenseits Träger
von Bewußtsein werden; ja wie ein innigerer Bewußtseinsverkehr hieburch
im Jenseits erwachen kann als im Diesseits; denn während diesseits
jeder nur mit einer unbewußten Ausbreitung seiner Lebenssphäre und
zu kleinem Teile in des andern bewußte Lebenssphäre eingreift, greift
im Jenseits jeder mit seiner ganzen bewußten Sphäre in des andern bewußte
Sphäre ein; und darum können sich die Gedanken und Gefühle dort auf
eine unmittelbarere Weise begegnen als hier, obwohl es auch Beschränkungen dieses Begegnens im größern Geiste wie in unserm Geiste
gibt, wie früher schon besprochen.

Das schon früher geltend gemachte Bild mit dem Steine, der im
Wasser Wellen schlägt, kann uns gut zur Erläuterung mancher Verhältnisse dienen, die hier in Betracht kommen.

Wenn der Stein in den Teich geworfen ist, schwankt das Wasser
an derselben Stelle mehrmals auf und ab, hebt sich, senkt sich, und
durch jede solche Oszillation wird ein Wellenzirkel erzeugt, der, sich aus-
breitend, den ganzen Teich durchläuft. Ähnlich schwankt der engere
leibliche Prozeß des Menschen auf und ab, denken wir nur an Schlaf
und Wachen, Puls, Atmen, den Wechsel von Ruhe und Bewegung
überhaupt, und schlägt dabei in teils sichtbaren, teils unsichtbaren
Wirkungen seine Wellenzirkel in die irdische Außenwelt, die in ihren
fernern Folgen dieselbe ganz durchschreiten. Es ist im Grunde nur eine
andere Form des Bildes mit der Violine. So lange nun der Be-
wegungsprozeß an der Ausgangsstelle der Erschütterung, d. i. in dem
innersten Zirkel der Teichwelle, lebhaft ist, kann man leicht veranlaßt
sein, sie allein in Betracht zu ziehen, und die äußern Zirkel dagegen zu
vernachlässigen, obwohl sie faktisch bestehen. So vernachlässigen wir über
dem engern leiblichen Prozeß gewöhnlich dessen Fortsetzung in den
weitern, obwohl eine solche Fortsetzung doch faktisch besteht. Inzwischen
nimmt die Kraft der Bewegung allmählich in dem innersten Zirkel, dem
der ursprünglichsten Erregung, ab und erlischt endlich ganz; dann bleibt
bloß noch das System der weitern, von da ausgegangenen Zirkel übrig,
worin sich noch alle die bewegende Kraft wiederfindet, die erst in dem
innersten Kreise enthalten war. So wird unser weiterer Leib von aller
der Lebenskraft beseelt werden, die dem engern während seines Lebens zukam.

Wie viel Steine nun auch in den Teich geworfen sind, so erstreckt sich das Wellensystem um jeden so gut als das um jeden andern durch die ganze Materie des Teiches fort, hat so zu sagen den ganzen Teich zum Leibe, wie jeder von uns dereinst die ganze Erde; jeder Punkt des Teiches gehört allen Wellensystemen zugleich, aber jedem in verschiedener Weise und verschiedener Stärke und Richtung der Bewegungen an; alle Bewegungen der verschiedenen Systeme setzen sich immer neu an neuen Punkten mit einander zusammen; und trotz dem bleibt doch jedes System im ganzen von andern individuell unterschieden, das eine schreitet mit unabänderlicher Selbständigkeit durch das andere hindurch. So gut sich aber mit dem Auge objektiv die Gesamtheit dieser von verschiedenen Ursprüngen herrührenden, aufs Mannigfaltigste sich zusammensetzenden, Wirkungen in verschiedene diskrete Systeme zerfällen läßt, so gut kann es auch für ein Selbstgefühl subjektiv sein; ja nicht nur eben so gut, sondern, wenn die objektive Unterscheidung ihre naheliegende Grenze hat, können wir dagegen erwarten, daß die subjektive keine Grenze hat, da es sich bei den Wirkungskreisen, die unsre künftige Existenz tragen werden, um Systeme handelt, deren jedes von vorn herein auch im Jetztleben trotz aller Eingriffe fremder Wirkungskreise nichts als sich selbst und was ihm von andern geschieht, fühlt.

Ungeachtet jedem Wellensystem der ganze Teich gehört, steht doch jedes in einer andern örtlichen Beziehung dazu; der Ausgangspunkt der Wellen ist für jedes ein verschiedener, und so stellt sich auch alles, was davon folgeweis ausgeht, örtlich verschieden zum Teiche. Und so wird es auch dereinst mit unsrer Leiblichkeit sein. Derselbe Raum wird uns allen gemeinschaftlich angehören, doch wird jeder dazu in einer andern Beziehung stehen.

Freilich gestaltet sich das System der von einem Menschen während seines Lebens ausgehenden Wirkungen nicht so einfach wie das System der Wellen um einen Stein in einem Teiche; und wenn wir uns denken sollen, daß die Wirkungssysteme der verschiedenen Menschen nicht nur zu Anfange, sondern auch in ihren entferntesten Fortwirkungen nicht nur die Wirkungssysteme aller jetzt lebenden, sondern auch aller früher gestorbenen Menschen ungestört, unverwirrt mit und durch einander in derselben Welt bestehen sollen, so schwindelt der Vorstellung und es scheint ihr etwas Unmögliches zugemutet zu werden. Doch nichts Wirkliches kann unmöglich sein; es lassen sich aber wirklich für solche schwindelerregende Vorstellungen Beispiele aus der Wirklichkeit anführen, die uns nötigen, ihre Statthaftigkeit als begründet anzuerkennen.

Zuvörderst ist gewiß, daß jede Welle im Teiche, die sich das erstemal mit einer andern ohne Störung kreuzt, auch nach beliebig weiter
Fortschreitung und beliebig vielen Zurückwerfungen, d. i. in den entferntesten Fortwirkungen, ungestört mit ihr kreuzen wird. Die Fortwirkungen vermögen sich in dieser Hinsicht nicht mehr anzuhaben, mehr
zu verwirren als die Anfänge. Wenn sich aber beim Wasser schwer
Experimente anstellen lassen würden zum Beweise, daß auch die Wellen
von beliebig vielen Mittelpunkten unbeirrt durch einander bleiben;
so bedarf es nicht einmal besonderer Experimente dazu bei einem andern
Medium, dem des Lichtes. Der Raum ist von so vielen Lichtwellen durchkreuzt, als es sichtbare Punkte darin gibt, d. i. von unzähligen; und
jede dieser Lichtwellen kreuzt sich im Fortschreiten nicht bloß einmal,
sondern an jedem Punkte, den sie durchschreitet, immer aufs Neue und
in neuer Weise mit allen übrigen Lichtwellen, setzt sich damit zusammen,
die roten mit den grünen, die blauen mit den gelben, die starken mit
den schwachen Wellen. Auch hier schwindelt der Vorstellung ob dieser
Verwickelung, und dennoch langt jede Welle ungestört, als ob sie durch
einen reinen glatten Raum einsam und allein fortgeschritten wäre, beim
Auge an, und zeichnet und malt im Zusammenhang mit den andern die
richtigen Verhältnisse der Gegenstände darin ab. Man würde es auch
für unmöglich halten, wenn es nicht wirklich wäre. Nach solchen Beispielen darf man also auch glauben, daß die Systeme von Wirkungen,
welche von unzählig verschiedenen Menschen ausgehen, sich kreuzen können
mit unzähligen Systemen anderer Wirkungen, ohne deshalb sich zu
stören oder zu verwirren. Nach Maßgabe, als jeder in seinem Jetztleben
anders mit der Natur verkehrt, wird er dereinst die Natur anders
durchdringen, auch in seinen fernsten Fortwirkungen anders durchdringen,
und diese andere Durchdringungsweise wird unbeirrt bleiben können
durch die andern Systeme, mit denen sich sein Bewegungssystem kreuzt.

Man fragt vielleicht: aber kann, was von Wasser- und Lichtwellen gilt, die durch ein ruhiges gleichförmiges Mittel sich fortpflanzen,
auch übertragen werden auf die Wirkungen, die sich vom Menschen aus
in die Außenwelt fortpflanzen, wo jede Wirkung andern Wirkungen auf
unregelmäßige Weise begegnet; muß nicht hier alle Ordnung und aller
ursprüngliche Charakter gänzlich gestört, ja aufgehoben werden durch den
regellosen Zutritt anderer Wirkungen? Wenn ein Stein in ein zügellos
aufgerührtes Meer fällt, wird nicht die Form der durch ihn entstehenden
Wellen hier auch bald gänzlich zerstört sein durch die zufälligen Bewegungen, mit denen sie zusammentrifft; ihr Charakter, ihre Eigentümlich-

keit bald gänzlich verwischt sein, und ein ordnungsloses Wesen von ihr
übrig bleiben?

Aber dieser Einwand fußt auf falschen Voraussetzungen. Die Wir=
kungen des Menschen strahlen eben nicht in eine Welt hinein, in der es
ordnungslos, regellos, zufällig herginge, die sich mit einem zügellos auf=
gerührten Meere vergleichen ließe; sondern es waltet eine Zweckmäßigkeit,
Gesetzlichkeit, ein Fortschritt nach gewissen Zielen im ganzen darin, die
wir auch im ganzen recht wohl erkennen können, wenn sie gleich
zu großartig oder von zu hoher Ordnung ist, als daß wir die Art, wie
jedes einzelne dazu beiträgt, auch so leicht einzeln verfolgen könnten.
Indem aber unsre Wirkungen in die äußere Welt voll gesetzmäßig und
zweckmäßig zusammenwirkender Bewegungen hineinstrahlen, können sie
weder diese Gesetzlichkeit und Zweckmäßigkeit stören, noch in der eignen
Gesetzlichkeit und Zweckmäßigkeit dadurch gestört werden; weil beider Ent=
stehen, Wirken, Fortwirken, Ineinanderwirken von Anfange an in der=
selben allgemeinen höhern Gesetzlichkeit verrechnet liegt; unser Wirken als
Moment der Entwickelung des Ganzen schon in das Gesetz dieser Ent=
wickelung aufgenommen sein muß. Sollten die Wirkungssysteme sich
durch ihre Kreuzung regellos stören; so müßte dies doch auch im Ganzen,
was aus der Kreuzung hervorgeht, sichtbar sein, und je mehr solche
Systeme im Laufe der Zeiten ineinander eingriffen und je weiter sich
ihre Fortwirkungen erstreckten, desto mehr müßte die Irrung und Ver=
wirrung zunehmen. Statt dessen sehen wir die Welt sich nach und nach
immer mehr ordnen, organisieren, gestalten, das Zerstreute sich verknüpfen;
ohne daß doch das einzelne dabei verschwimmt. Kirche, Staat, Kunst,
Wissenschaft, Handel sind Beweise solcher zunehmenden Organisation,
die faktisch ein Erfolg des Ineinandergreifens menschlicher Wirkungskreise
ist, und zwar nicht bloß der Wirkungskreise der Lebenden, sondern auch
der Gewesenen. Wer kann hier von Störung, Irrung, Verwirrung
sprechen? Zeigt sich aber im ganzen die Irrung nicht, warum sie im
einzelnen suchen?

Im Übrigen kann freilich wieder nicht alles im Bilde zulänglich
sein. Unser leiblicher Prozeß ist nicht durch einen äußerlich in das
Lebensmeer geworfenen Stein erweckt, sondern durch eine Selbst=
erschütterung entstanden, nicht empfindungslos, nicht entwickelungsunfähig,
nicht auf Monotonie gleichförmiger Bewegungen beschränkt, wie die
Teichwelle; in all diesen Beziehungen werden auch andre Folgen für den
Wirkungskreis, den unser enger leiblicher Prozeß um sich schlägt, hervor=
gehen, als für den, den der engste Wellenzirkel im Teiche um sich breitet.

Es hindert nichts zu sagen, da überhaupt alle solche Ausdrücke mehr oder weniger uneigentlich sind, daß wir schon jetzt alle die Erde zu unserm gemeinschaftlichen Leibe haben; sie ist ein Leib, und wir sind alle Glieder dieses selbigen einen Leibes; jedes Glied kann aber den ganzen Leib zu sich rechnen; nur daß er für jedes eine andre Bedeutung hat, wie jedes selbst dafür eine andere Bedeutung hat; alle diese Bedeutungen kreuzen sich schon jetzt für uns in der Erde, ohne sich zu stören. Inzwischen ist in unserm Jetztleben doch für jeden bloß ein kleiner Teil des Erbleibes, der engere Leib eines jeden, Träger wachen Bewußtseins, der übrige Erbleib, ja im Grunde der übrige Weltleib, steht in einer mehr unbewußten Beziehung dazu; wie selbst in unserm engern Leibe es einen Teil gibt, das Gehirn, der vorzugsweise ein Träger wachen Bewußtseins ist, indes der übrige in mehr unbewußter Beziehung dazu steht. Mit dem Tode gewinnen wir aber die ganze Erde zu einem gemeinsamen Träger unsers Bewußtseins, und zwar jeder nach der Seite, nach der er sich hienieden in Bewußtseinsbeziehungen mit ihm gesetzt hat, und diese Bewußtseinsbeziehungen entwickeln sich nun weiter fort.

Wenn die vorigen Betrachtungen der Vorstellung manches Un-gewohnte zumuten, was doch näher besehen und faktisch nur in die gewöhnlichsten Vorgänge der Welt hineintritt, so erleichtern sie ihr dagegen von vorn herein anderes, was ihr sonst schwer fällt zu fassen und daher in der Regel lieber dahingestellt wird. Will man die immer neu auftauchenden und ins folgende Leben übergehenden Seelen sich bei Wiederaufnahme eines Leibes in den Raum und die Materie neben einander teilen lassen, so tritt die Schwierigkeit des chinesischen Kirch-hofs ein, wo (angeblich) die Leichen nur nebeneinander begraben werden dürfen. Wo wird zuletzt der Platz für die Lebenden, wie für die Toten herkommen? Man sagt, Gott wird das schon machen. Gewiß; nur gestatte man ihm auch die Mittel dazu und verlange nicht, daß er aus zwei mal zwei fünf mache. Wie wird auf unsern Kirchhöfen die Schwierigkeit der chinesischen vermieden? Dadurch, daß wir die Leichen immer in denselben Raum hineinbegraben, indem wir glauben, daß sich die Leichen nach dem Tode nichts mehr anhaben werden. Nun eben so vermeidet unsre Ansicht die Schwierigkeit für die Geister, da sie dieselben alle in denselben Raum hinein erwachen läßt, in dem Glauben, daß sich die Geister nach dem Tode eben so wenig gegenseitig anhaben werden, und statt sich den Raum zu beengen und streitig zu machen, in dem gemeinschaftlichen Besitze desselben das beste Mittel auch zu gemeinschaft-licher Nutzung desselben finden werden. Es dünkt mich, daß es eine ſchönere Vorſtellung iſt, anſtatt die Geiſter der Zukunft immer räumlich neben einander zu ſetzen, d. h. an neben einander befindliche Materien⸗ haufen zu binden und darin zu begrenzen, vielmehr dieſelben in freierer und ſchrankenloſerer und doch nicht örtlich gleichgültiger Beziehung zum Raum und zur Materie als immer neue Beſtimmungsſtücke in den höhern Geiſt eintreten zu laſſen, ſo daß jeder ſpäter Eintretende fort⸗ fährt, deſſen Entwickelung zu ſteigern, was doch nicht unter der Form des immer neuen Nebeneinanderſeins der Geiſter geſchehen könnte, ſondern nur des Durch⸗ und Miteinanderſeins in der Weiſe, wie es in unſrer Anſicht liegt.

Sehen wir doch, daß ſich recht wohl eine Einheit des Pſychiſchen an eine Zuſammenſetzung aus diskreten Materien zu knüpfen vermag, wofern nur die Bewegungen dieſer Materie ein zuſammenhängendes Syſtem darſtellen, wie unſer jetziger Leib ſelbſt beweiſt; wenn aber die materielle Diskretion die pſychiſche Einheit nicht hindert, kann ſicher eben ſo gut umgekehrt mit einer materiellen Gemeinſchaftlichkeit eine pſychiſche Diskretion beſtehen, d. h. ein und derſelbe Leib, der Leib der Erde, Wohnſitz mehrerer Seelen ſein, ſofern dieſer Leib verſchiedene Bewegungs⸗ ſyſteme zugleich einſchließt; da ſich einmal zeigt, daß die materielle und pſychiſche Diskretion nicht weſentlich zuſammenhängen.

D. Frage, wiefern der Tod unſers jetzigen Leibes ein Erwachen unſers künftigen mitführen könne.

Man kann fragen, was hat der Tod an ſich, das den weitern Leib, den unſer engerer um ſich hervorgetrieben, zum Träger unſers Bewußtſeins dereinſt erheben oder zum Bewußtſein erwachen laſſen könnte, indes er jetzt ſchlummert? Iſt dieſer weitere Leib, was wir ſo nennen, ſchon jetzt als eine Fortſetzung des engern, als uns angehörig zu betrachten, ſo fragt ſich, warum er nicht ſchon jetzt auch an unſerm bewußten Leben Anteil nimmt; oder, wenn dies jetzt nicht wirklich der Fall iſt, was berechtigt überhaupt, anzunehmen, daß es mit dem Tode der Fall ſein wird, ja was berechtigt, ihn überhaupt als eine für unſere Seele irgendwie bedeutungsvolle Fortſetzung unſrer jetzigen Leiblichkeit zu betrachten? Die Wirkungen, welche von uns in die Welt ausgehen, werden doch nur im Ausgangspunkte als unſre gefühlt; das einmal von uns Getane ſcheint uns verloren; was es durch ſeine Folgen weiter wirkt, wie es durch Folgen der Folgen immer mehr ins Ferne greift, welchen Mit⸗ und Gegenwirkungen es begegnet, berührt unſer Bewußtſein nicht mehr oder nur zufällig, und dann nicht anders, als jedes Fremde.

Nun sollen aber unsre Wirkungen und Werke mit ihren Fortwirkungen in der Außenwelt bis ins Fernste eine noch für unser geistiges Dasein bedeutungsvolle Fortsetzung unsrer jetzigen engen Leiblichkeit bilden. Aber in unserm engen Leibe fühlen wir, was vorgeht, seine Veränderungen und die Fortwirkungen dieser Veränderungen sind uns nicht fremd, nicht verloren, begegnen selbst in ihren fernsten Folgerungen immer unserm Gefühle, geben Bestimmungen für unser Bewußtsein her. In sofern geht uns unser enger Leib an, in wiefern aber unser weiter?

Inzwischen was geht uns unser enger Leib selbst noch an, wenn wir im Schlafe nichts mehr von dem, was in ihm vorgeht, fühlen? In sofern geht er uns noch an, als der schlafende Leib eine aus dem wachenden unmittelbar fortgesponnene Fortsetzung des wachenden ist, die wieder zu erwachen verspricht. Das aus dem Wachenden gekommene Schlafende kann also doch, das sehen wir hiermit, wieder erwachen und setzt dann das frühere Leben fort. Also wird auch unser jetzt noch schlafender weiterer Leib als eine aus dem wachenden engern unmittelbar fortgesponnene Fortsetzung desselben dereinst erwachen und das Leben dessen, aus dem er gekommen, fortsetzen können. Was wir im Nacheinander unsers engern leiblichen Lebens sehen, Abwechselung von Schlaf und Wachen, warum sollte das nicht auch im Nebeneinander unsers engern und weitern möglich sein; warum nicht eine Verbindung wie eine Folge eines schlafenden und wachenden Leibes möglich sein; welche Verbindung doch auch wieder in eine Folge auszuschlagen verspricht, sofern einst der engere Leib einschläft, der weitere erwachen wird. Wir haben freilich gesagt, der Tod sei nicht mit einem Einschlafen zu ver- wechseln, d. h. aber nur mit keinem Einschlafen, was den alten Leib bloß zeitweise in Unbewußtsein senkt, um ihn später wieder um so kräftiger erwachen zu lassen; wohl aber kann er als ein Einschlafen betrachtet werden, was den alten Leib für immer ins Unbewußtsein senkt, um dafür einen damit verknüpften schlafenden Leib neu erwachen zu lassen, der die Kraft zum neu beginnenden wachen Leben in seinem Schlummer gesammelt hatte. Denn alles, was von Kraft dem alten Leibe im Wachen entgangen ist, hat der neue Leib im Schlummer aufgenommen.

Noch einleuchtender erscheint dies, wenn wir im Sinne der Vor- stellung S. 269, anstatt bloß den abstrakten Kreis unsrer Wirkungen und Werke als unsern weitern Leib ins Auge zu fassen, die ganze Erde außer uns als solchen fassen, nach der Beziehung aber, nach der wir uns derselben einverleiben, oder wie S. 307 dieselbe schlechthin als einen großen Leib fassen, dessen Glieder wir schon jetzt sind, der zu uns gehört, wie wir zu ihm, nur mit Rücksicht, daß von unserm bewußten Eingreifen in denselben diesseits seine Bedeutung für unser bewußtes Jenseits abhängen wird, was im Grunde alles nur verschiedene Wendungen des Ausdrucks für dieselbe Sache sind. Dann können wir es so ansehen, als setze sich unser jetziges leibliches Gesamtsystem aus dem kleinen, wachen, engen Leib und dem größern, für uns schlafenden, weitern Leib, d. i. der übrigen Erde zusammen; denn wieviel auch in der Erde außer uns wach sein mag, für unser diesseitiges Bewußtsein schläft sie doch bis auf den kleinen Teil, den unser enger Leib von ihr bildet. Im Tode aber, wo unser bewußter enger Leib vergeht, erwacht dieser weitere Leib für unser Bewußtsein eben nach Seiten der Fortwirkungen, die unser bewußtes Leben in ihn hinein erzeugt hat. Jeder wie der andre kann die Erde schon hienieden als seinen Leib rechnen; es ist unser aller gemeinschaftlicher unbewußter Leib hienieden, und wird im Jenseits unser aller gemeinschaftlicher bewußter Leib. Dies ist der ganze Unterschied. Dabei gilt es nicht mehr, die Möglichkeit dieses Zusammenbesitzes zu betrachten, was wir im Vorigen genug getan haben; es fließt aber daraus, daß die Betrachtung, die wir für jeden einzelnen Menschen insbesondere anstellen können, dadurch keine Irrung leidet, daß wir sie eben so für jeden andern auch anstellen können.

Aber, kann man erwidern, hat die Annahme eines solchen Verhältnisses, daß ein Teil unsrer Leiblichkeit jetzt schlafe, indes der andere gleichzeitig wacht, irgend etwas für sich? Im jetzigen Schlafe unsers engen Leibes, der unsren Ansichten von Schlaf doch zu Grunde gelegt werden muß, schläft jedenfalls der ganze Leib auf einmal und erwacht wieder auf einmal; hier aber wird der wunderliche Zustand angenommen, daß das leibliche System einem Teile, dem engern innern nach, wache, und zugleich einem andern, als dazu gehörig anzusehenden äußern weitern nach, schlafe. Wo gibt es etwas im Jetztleben, was für eine solche Möglichkeit spräche?

Inzwischen, wenn man Beispiele verlangt, daß ein Leib zum Teil wachen, zum Teil schlafen könne, so fehlt es in der Tat in unserm engern Leibe selbst nicht daran; man muß sich nur nicht an das Wort Schlaf kehren, welches im gewöhnlichen Sprachgebrauche nun einmal bloß für das totale Schwinden des Bewußtseins und für eine besondere Form dieses Schwindens gebraucht wird, und in sofern selbstverständlich nicht auf partielle Bewußtseinsverfinsterungen angewendet werden kann; sondern die anders bezeichnete Sache ins Auge fassen, welche hier in Betracht kommt, auf die es inzwischen, zur leichtern Hervorhebung mancher

Beziehungen, immerhin erlaubt sein kann, das Wort Schlaf in uneigentlichem verallgemeinernden Sinne zu übertragen.

Wenn jemand mit vollster Aufmerksamkeit einen Gegenstand betrachtet, so hört er unterdes so viel wie nichts von dem, was um ihn
her vorgeht, fühlt nichts von dem Zustande der Wärme und Kälte
seiner Haut; Hunger, Durst schweigen für den Augenblick; alles eigentliche Nachdenken erlischt, vorausgesetzt nur, daß er sich möglichst rein in
die sinnliche Anschauung versenkt; kurz sein Bewußtsein ist in merklichem
Grade nur in Bezug auf die Tätigkeiten wach, die ihren vorzugsweisen
Sitz im Auge und dem, was damit im Gehirn zusammenhängt, haben,
und was wir in seiner Gesamtheit immerhin als Auge schlechthin zusammenfassen mögen, ohne dabei bloß das äußere Auge zu meinen. Daß
es jedenfalls wirklich einen besonderen Teil in uns gibt, der dem
Sehen vorzugsweise vor anderen Teilen dient, beweist sich ja dadurch,
daß wir zwar noch so gut als vorher sehen, wenn das Bein, der Arm,
die Nase, das Ohr abgeschnitten wird, manche Gehirnteile zerstört
werden, aber nicht mehr, wenn äußeres Auge, Sehnerv oder die Teile
des Gehirns, worin dieser wurzelt, zerstört werden. Hier haben wir
also in der Tat einen für das Bewußtsein wachenden Teil in einem
zur Zeit übrigens relativ schlafenden Leibe. Nun ist richtig, der Schlaf
des übrigen engern Leibes ist nicht so tief, als wir ihn von unserm
weitern Leibe annehmen; er ist nicht einmal so tief, als unser gewöhnlicher Schlaf; ein Gesamteindruck macht sich, während wir etwas aufmerksam betrachten, doch auch noch von dem geltend, was uns sonst
affiziert; er ist auch nicht so fest wie der Schlaf unsers weitern Leibes,
jedes heftige Geräusch, ein Nadelstich u. s. w. unterbricht ihn; aber da
es schon für unsern engern Leib die mannigfaltigsten Grade der Relativität und Partialität in dieser Hinsicht vom Totenschlafe oder
Scheintode bis zum gewöhnlichen Schlafe; von der ekstatischen Versenkung
in eine Empfindung, wo alles in uns außer einer kleinen Sphäre tief
schläft, bis zu einer Zerstreuung, wo wir auf alles und nichts recht
aufmerksam sind, gibt, so hindert nichts, den weitern Leib selbst mit
unter die Kategorie dieser Relativität zu fassen, und, wenn wir doch im
Jetztleben niemals ein Zeichen des Wachens an ihm wahrnehmen, das
Extrem der Tiefe und Festigkeit des Schlafes in ihm zu suchen. Überdies ist der Schlaf unsers weitern Leibes vielleicht nicht einmal absolut
tief, wie sich zeigen wird; und wenn der ganze oder partielle Schlaf des
engern Leibes durch einen Nadelstich unterbrochen werden kann, so kann
ja der des weitern durch einen Dolchstoß unterbrochen werden, der uns.

eben zum andern Leben erwachen läßt. Der Stich muß bloß etwas tiefer gehen, weil der Schlaf etwas tiefer ist. Für jeden unsrer Teile hat es einmal eine Zeit gegeben, wo er noch nichts empfand, oder wir noch nichts mittelst desselben empfanden, seine Empfindung noch schlummerte. Die ganze Zeit vor der Geburt ist eine solche, wo noch der ganze engere Leib schlief, unser Jetztleben ist die Zeit, während deren noch der ganze weitere Leib für uns schläft; aber jeder Augenblick kann die Bedingungen zum Zulänglichen ergänzen, daß er das erstemal erwache, wie unser enger Leib ein erstesmal erwacht ist, indem wir jeden Augenblick sterben können.

Sehen wir näher zu, so finden wir, daß es sogar schon in unserm engern Leibe einen Teil gibt, der, obwohl durchaus zu uns gehörig, doch fast eben so konstant, wenn auch nicht ganz eben so tief im Dunkel des Unbewußtseins liegt, als wir von unserm weitern Leibe wollen.

Wer wird seinen Unterleib, seinen Magen, seine Eingeweide nicht zu seinem Leibe rechnen; aber was fühlt er von den Veränderungen darin? Verschluckt er einen Pflaumenkern oder sonst einen Bissen, so spürt er noch oben im Schlunde, wie derselbe herabgleitet, ob er groß, klein, rauh, weich, hart, spitzig, schlüpfrig, kalt, heiß ist; tiefer herab spürt er von all dem nichts mehr; der Magen krümmt sich, windet sich um den Bissen, bewegt ihn hin und her, saugt ihn aus, treibt ihn aus, versperrt ihm den Rückweg; das alles tut ein Teil des Leibes, den wir unser nennen; und doch empfinden wir nichts von all dieser Tätigkeit. Und so spüren wir überhaupt in der Regel nichts, weder von den besondern Veränderungen in unserm Verdauungssystem, noch Gefäßsystem, nicht das wunderbare Spiel des Herzens, nicht den Puls, der unsern ganzen Körper durchdringt. Alles, was nach den gewöhnlichen Ansichten unter der Herrschaft des sogenannten Gangliensystems vor sich geht, ist unserm wachen Bewußtsein entzogen, wenn gleich nicht verloren, denn ein allgemeiner Beitrag zu unserm Gemeingefühl, Lebensgefühl findet von dieser Seite immer statt, ja dies hat seinen hauptsächlichsten Grund darin. So können wir also obenhin selbst unsern engen Leib schon in zwei Teile teilen, einen, innerhalb dessen das Bewußtsein wandert, wechselnd der Zeit und dem Raume nach wacht (Gehirn- und Sinnes-Sphäre), und einen andern, in den es gar nicht eintritt, für den es konstant schläft. Was nun hindert, die Veränderungen in unserm weitern Leibe aus einem ganz ähnlichen Gesichtspunkte zu betrachten, als in unserm engern die sind, welche in die Sphäre des Gangliensystems fallen? In der Tat wird damit gar nichts Neues für den weitern Leib gefordert, daß er eben so schlafen solle; und wenn das neu scheint, daß er einst soll erwachen können, was das Gangliensystem nicht kann, so können doch andre Teile des Menschen wechselnd schlafen und wachen, und selbst in der Gangliensphäre, oder dem, was man dazu zu rechnen pflegt*), findet mitunter doch eine Art des Erwachens statt, worauf ich sogleich komme.

Der Unterschied zwischen wachenden und schlafenden Teilen ist, wie wir schon bemerkt, überhaupt kein strenger noch absoluter; auch was wir unbewußt oder für das Bewußtsein, schlafend nennen, ist darum nicht ohne Einfluß auf das Bewußtsein, nicht mit bewußtlos zu verwechseln; es scheidet sich nur nichts darin für das Bewußtsein, sondern geht in einen allgemeinen Einfluß zusammen. Wer in schöner Gegend spazieren geht und tief nachdenkt, weiß nicht, was für Vögel um ihn singen, was für Bäumen er begegnet; die Sonne wärmt und scheint; er denkt nicht daran; aber doch ist seine Seele anders gestimmt, als wenn er im finstern kalten Zimmer säße und dasselbe bedächte; ja die Umgebungen werden selbst einen Einfluß auf die Form und Lebendigkeit seines Gedankenganges haben; also ist alles jenes Unbewußte doch nicht ohne Einfluß in seinem Bewußtsein, heißt nur darum unbewußt, weil es sich für das Bewußtsein nicht nach besonderen Bestimmungen scheidet. Wir haben dies schon anderwärts betrachtet. Wie es nun hier mit unsrer Gehirn- und Sinnessphäre zeitweise ist, ist es mit unsrer Gangliensphäre immer oder fast immer. Die Veränderungen, die darin vorgehen, und die wir uns unbewußte nennen, sind darum nicht ohne Einfluß auf unser Bewußtsein. Wie wir verdauen, wie unser Blut läuft, hat Einfluß auf unser körperliches Wohlbefinden, sogar auf Form und Gang unsers Denkens. Alles, was im Kreislauf und Ernährungsprozeß vor sich geht, trägt, wenngleich nicht für sich unterschieden, doch im Zusammenhange mit dem andern auf das Wesentlichste, ja als Hauptsache zu unserm allgemeinen Lebensgefühl bei; dieses aber geht in alle Bestimmungen unsers Bewußtseins selbst als Grundmoment ein, bildet so zu sagen das, worüber sich die besondern Bestimmungen des Bewußtseins erst erheben, nur daß in ihm selbst in der Regel nichts unterschieden wird. Aber es reicht hin, daß eine Aufregung in der Sphäre des Gangliensystems sich in abnormer Weise geltend mache, der Magen sich entzünde oder krampfhaft affiziert werde, das Herz sich stark zusammenziehe, so können auch besondere

*) Es waltet nämlich über die Scheidung der Gehirn- oder Cerebrospinal- und Gangliensphäre in der Physiologie noch große Unsicherheit ob, die uns indes hier nicht zu kümmern hat.

Änderungen sehr lebhaft in Schmerz, Angst u. dergl. zum Bewußtsein
kommen; wenn auch nie zu so klarem, als Veränderungen in der Sphäre
des Gehirnsystems. Nun können wir unsern weitern Leib in der Außen-
welt wieder aus dem Gesichtspunkte derselben Relativität betrachten.
Wir können glauben, daß seine Veränderungen zwar auch jetzt nicht einflußlos auf unser Bewußtsein sind, aber daß dieser Einfluß im normalen
Gange des Lebens noch viel mehr in dem allgemeinen Grund- und
Lebensgefühl aufgeht, noch schwerer in besondern Bestimmungen zum
Bewußtsein kommt, als der Einfluß der Veränderungen, die in der
Sphäre unsers Gangliensystems vor sich gehen. Ja könnte ein solcher
Einfluß, den wir unbewußt empfinden, und darum gar nicht zu empfinden
glauben, einmal wegfallen, so würden wir wohl bemerken, daß er auch
jetzt da ist; wie man das Salz in den recht gesalzenen Speisen nicht zu
schmecken glaubt, aber wohl schmeckt, wenn es einmal fehlt. Aber dieser
Einfluß kann von Seiten des weitern Leibes so wenig je wegfallen, als
von Seiten der Sphäre des Gangliensystems, von dem wir auch das,
was er uns leistet, bei all unsern Bewußtseinsbestimmungen mit in den
Kauf nehmen, ohne es besonders zu gewahren, ja fast ohne daran zu
glauben. Wenn aber doch besonders starke Aufregungen und Störungen
in der Sphäre des Gangliensystems sich in unserm Bewußtsein durch
besondere, mehr oder weniger bestimmte oder unbestimmte Empfindungen
geltend machen können, so werden wir solche Fälle für unsern weitern
Leib noch seltener zu erwarten haben, da er noch tiefer für unser Bewußtsein schläft. Sind jenes schon Ausnahmsfälle, so werden dieses
noch seltenere Ausnahmsfälle sein müssen. Dennoch verlangt man vielleicht, daß sie nicht ganz fehlen, um nur irgend einen direkten Beweis
für die psychische Zugehörigkeit des von uns supponierten weitern Leibes
zu uns zu haben.

Vielleicht ist dies Verlangen nicht zu erfüllen; gewiß aber ist, daß,
so lange sich gewisse, freilich von vielen mit Zweifel betrachtete, Phänomene nicht als entschieden irrig erweisen lassen, man auch nicht sagen
kann, daß es ganz an Zeichen des Verlangten fehle. Selten können sie
nach den vorigen Betrachtungen nur sein; und sie sind in der Tat
selten, und eben wegen dieser Seltenheit und der Unmöglichkeit, sie auf
bekannte Phänomene unsrer engern Leiblichkeit zurückzuführen, hat man
von jeher Mißtrauen gegen ihre Statthaftigkeit gehegt; in unsrer Ansicht
aber finden wir das Erklärungsprinzip für diese Seltenheit der Tatsache
und die Tatsache zugleich, indem wir darin die Spur eines abnormen
Erwachens unsers weitern Leibes erkennen, der Art, daß Veränderungen,

bie sonst ins Unbewußtsein gänzlich verschwimmen, sich doch in mehr oder weniger bestimmten oder unbestimmten Empfindungen uns kund geben.

Ich führe einige Beispiele an, die zeigen werden, was ich meine; überlasse es übrigens, wie überhaupt bei dieser ganzen Klasse von Tatsachen, einem jeden, dieselben anzunehmen oder nicht; da sie zwar unsrer Lehre zu statten kommen, aber doch keine notwendige Stütze derselben sind.

Eine junge, mir bekannte Dame, von sonst heiterer Gemütsart, die Tochter eines meiner Kollegen, in deren Erzählung ich nach ihrem durchaus zuverlässigem Charakter nicht den mindesten Zweifel setzen kann, geriet während der Vorbereitungen zu einem Familienfeste, wo alles um sie heiter war, und ohne die geringste Veranlassung dazu zu haben, in eine ihr selbst ganz unerklärliche Angst, vor der sie sich nicht zu lassen wußte, sie weinte, sonderte sich ab von der Gesellschaft und konnte sich gar nicht beruhigen. Bald darauf kam die Nachricht an, daß ein entfernter Verwandter, an dem sie sehr gehangen hatte, zu derselben Zeit durch einen Unglücksfall ums Leben gekommen war.

Folgende Beispiele entnehme ich aus andern Schriftstellern:

Lichtenberg erzählt in seinem Nachlaß: „Ich lag einmal in meiner Jugend des Abends um 11 Uhr im Bette und wachte ganz hell, denn ich hatte mich eben erst niedergelegt. Auf einmal wandelte mich eine Angst wegen Feuer an, die ich kaum bändigen konnte, und mich dünkte, ich fühlte eine immer mehr zunehmende Wärme an den Füßen, wie von einem nahen Feuer. In dem Augenblicke fing die Sturmglocke an zu schlagen und es brannte, aber nicht in meiner Stube, sondern in einem ziemlich entfernten Hause. Diese Bemerkung habe ich, so viel ich mich jetzt erinnern kann, nie erzählt, weil ich mir nicht die Mühe nehmen wollte, sie durch Versicherungen gegen das Lächerliche, das sie zu haben scheint, und mich gegen die philosophische Herabsetzung mancher der Gegenwärtigen zu schützen." (Seherin von Prevorst. II. S. 55.)

„Ein reicher Gutsbesitzer fühlte sich einstmals, als es schon ziemlich spät in der Nacht war, gedrungen, einer armen Familie in seiner Nachbarschaft allerhand Lebensmittel zu senden. Warum gerade heute noch, fragten seine Leute, sollte das nicht bis morgen am Tage Zeit haben? — Nein, sagte der Herr, es muß noch heute geschehen. Der Mann wußte nicht, wie dringend notwendig seine Wohltat für die Bewohner der armen Hütte war. Dort war der Hausvater, der Versorger und Ernährer, plötzlich krank geworden, die Mutter war gebrechlich, die Kinder weinten schon seit gestern vergeblich nach Brot, und der Kleinste war dem Verhungern nahe; jetzt wurde auf einmal die Not gestillt." — „So wurde auch ein anderer Herr, der wenn ich nicht irre, in Schlesien wohnte, in seiner nächtlichen Ruhe durch den unwiderstehlichen Antrieb gestört, hinunter in den Garten zu gehen. Er erhebt sich vom Lager, geht hinunter, der innere Drang führt ihn hinaus, durch die Hintertür des Gartens auf das Feld, und hier kommt er gerade zur rechten Zeit, um der Retter eines Bergmanns zu werden, der beim

Heraussteigen aus der Fahrt (Leiter) ausgeglitten war und im Hinabsteigen sich an dem Kübel mit Steinkohlen festgehalten hatte, den sein Sohn so eben an der Winde heraufzog, jetzt aber die vergrößerte Last nicht mehr allein bewältigen konnte." — „Ein ehrwürdiger Geistlicher in England fühlte sich auch einstmals, noch bei später Nacht, gedrungen, einen an Schwermut leidenden Freund zu besuchen, der in ziemlicher Entfernung von ihm wohnte. So müde er auch ist von den Arbeiten und Anstrengungen des Tages, kann er doch dem Drange nicht widerstehen; er macht sich auf den Weg, kommt in der Tat wie gerufen zu seinem armen Freunde, denn dieser stand so eben im Begriffe, seinem Leben durch eigene Hand ein Ende zu machen, und wurde durch den Besuch und das tröstliche Zureden seines nächtlichen Gastes auf immer aus dieser Gefahr gerettet." — „Professor Böhmer in Marburg fühlte sich einstmals, da er in traulicher Gesellschaft war, innerlich gedrungen, nach Hause zu gehen und hier sein Bett von dem Orte, wo es stand, hinweg an einen andern zu rücken. Als dies geschehen war, ließ die innere Unruhe nach, und er konnte zur Gesellschaft zurückkehren. Aber in der Nacht, als er in der nun für sein Bett gewählten Stelle schläft, stürzte die Decke über dem Teil des Zimmers ein, wo früher seine Lagerstätte war." (Schubert, Spiegel der Natur. S. 24.)

Es genüge an diesen Beispielen, deren sich leicht noch mehrere sammeln ließen.

Man kann alles dies für Zufall oder Dichtung erklären, und ich behaupte nicht, daß dergleichen Erzählungen überhaupt im Sinne exakter Forschung als nach aller Richtung zuverlässig anzusehen. Aber es könnte doch auch nicht Zufall sein, es könnte doch auch nicht alles hiebei erfunden und erlogen sein; und es hat in vielen Fällen nicht das Aussehen danach. Und so wird man immer nicht sagen können, es stehe schlechthin fest, daß der Mensch überall bloß Empfindungen auf gewöhnlichem Wege aus seinem engern Leibe schöpfe, denn in all diesen Fällen fand eine besondere Bestimmung des Bewußtseins durch etwas weit außerhalb des engern Leibes Liegendes Statt.

Es läßt sich hiebei die Bemerkung machen, daß die Ereignisse zumeist etwas betrafen, was den Ahnenden und seinen Wirkungskreis besonders nahe anging, die Gefahr oder Not eines teuern Verwandten oder Personen, denen der Helfende unstreitig hülfreich zu sein gewohnt war; also wirklich etwas, das in den besondern Wirkungskreis der betreffenden Person sehr speziell eintrat. Auch waren es immer besonders starke, dringende Anlässe, welche die Ahnung hervorriefen; wie auch in der Sphäre unsers Ganglionsystems sich Angst, Schmerz nur bei besonders starken Anregungen als Sondergefühl kund gibt.

Natürlich lassen sich auch die Fälle der Fernsicht und hiemit zusammenhängenden Voraussicht der Somnambulen hieher ziehen, von denen schon früher die Rede war. Hierüber werde ich gleich nachher noch einige Bemerkungen beifügen.

Das Bisherige hat bloß zeigen sollen, daß die Annahme eines tiefen Schlafes unsers weitern Leibes während des Jetztlebens mit der Mög-

lichkeit des einstigen Erwachens den Tatsachen dieses Jetztlebens nicht
nur nicht widerspricht, sondern selbst Unterstützung darin findet. Betrachten wir jetzt näher die Frage, warum er aber eben jetzt noch schläft, und
was der Tod mit sich bringen kann, das ihn erwachen läßt. Hiezu wird
bloß ein bestimmteres Eingehen auf die Gesetzlichkeit derselben Tatsachen
nötig sein, die uns schon im Vorigen geleitet haben.

Wir finden, daß in unserm engern Leibe zwischen dem Wachsein
verschiedener Organe ein antagonistisches Verhältnis besteht, so daß das
relative Wachsein eines Teiles mit einem relativen Schlafe anderer für
das Bewußtsein verknüpft ist. Ja es scheint dies ein allgemein und tief
in der Natur unsers Organismus begründetes Gesetz zu sein. Das
vorzugsweise Erwachen eines Teiles kann auf solche Weise selbst als
Ursache gelten, daß andere relativ einschlafen, und das Einschlafen eines
Teiles als Grund, daß andere relativ zu erwachen anfangen. Nach
Maßgabe, als jemand ganz Auge zu sein anfängt, sein Bewußtsein ganz
so zu sagen von der Tätigkeit dieses Organes absorbiert wird, schläft er
für Ohr und andere Sinnesorgane ein; und nach Maßgabe, als er
aufhört, ganz Auge zu sein, werden notwendig wieder Veränderungen
in andern Teilen seines leiblichen Systems das Bewußtsein heller
affizieren.

Nehmen wir nun an, was in der natürlichen Konsequenz unserer
Ansicht liegt, daß dies Gesetz, das sich für unsern engern Leib insbesondere gültig zeigt, auch für das Gesamtsystem unsers engern und
weitern Leibes gültig sei, so wird das Einschlafen des engern Leibes
selbst auch eine Disposition für das Erwachen des weitern mitführen,
ja derselbe wirklich relativ wacher als vorher dadurch werden müssen.
Aber im gewöhnlichen Leben ist das Einschlafen des engern Leibes nicht
so tief, daß der weitere, der noch unverhältnismäßig tiefer schläft, erheblich aufgeweckt werden könnte. (Spuren davon, von der Natur der
früher bemerkten, namentlich in vorbedeutenden Träumen, zeigen sich
jedoch wirklich öfters, und würden sich wohl noch öfter zeigen, wenn uns
mehr Rückerinnerung von unsern Träumen bliebe.) Nun aber der
tiefste, keinem Erwecken mehr Raum gebende Schlaf unsers engern Leibes
ist der Tod, wo alles Bewußtsein für denselben gänzlich und unrettbar
verloren geht. Aber eben dies muß die kräftigste Bedingung sein, daß
es im weitern Leibe erwache. Was uns Zerstörung unsers ganzen
Systems scheint, ist hiernach bloß gänzliches Verlassenwerden seines einen
Teils von der das Bewußtsein tragenden Lebenstätigkeit und dauernder
Übergang des Bewußtseins auf den andern. Wenn wir wollen, können

wir dies wirklich als das Fahren der Seele in einen andern Leib fassen; aber im Grunde ist es nur das Erwachen eines andern Leibesteils, den wir schon an uns haben, zum Bewußtsein, wie wir dergleichen im Leben des engern Leibes innerhalb desselben selbst oft sehen. In Wahrheit verläßt auf solche Weise die Seele eigentlich nie ihren Körper; sondern ihre Änderungen folgen bloß den Änderungen ihres Körpers, wie dies auch bei Lebzeiten ohne Schaden der Individualität der Fall, nur daß die Änderung im Tode auf einmal größer ist, als je während Lebzeiten.

Man kann sagen, aber Zerstörung des engern Leibes ist nicht Einschlafen. Inzwischen lehrt die Erfahrung selbst, daß in der Tat hierfür dieselben Gesetze gelten, so weit sie für uns hier in Betracht kommen. Der Unterschied ist bloß der, daß ein eingeschlafener Teil beim Erwachen das Bewußtsein so zu sagen wieder an sich reißen kann, ein zerstörter nicht; das Auge, das jetzt schläft, weil vielleicht ein andrer Sinn oder die Gedanken lebhaft beschäftigt sind, kann einmal wieder seinerseits sich die Obmacht erringen. Aber wenn das Auge zerstört ist, kann es nie wieder der Fall sein. Vielmehr werden andre Sinnesorgane dauernd um so tätiger, Ohr und Finger fangen an das Auge zu ersetzen; das Bewußtsein, das sich vorher zwischen die Beschäftigung durch die Veränderungen des Auges und der andern Sinne wechselnd gleichsam geteilt hatte, wendet sich jetzt ausschließlich den letztern zu. Ich brauche, indem ich von Teilung des Bewußtseins u. dergl. spreche, etwas palpable Ausdrücke für Fakta, die vielleicht sehr subtiler Betrachtung fähig sind, aber es kommt eben bloß darauf an, das Faktische zu bezeichnen. Und dazu sind sie genügend.

In den bisherigen Betrachtungen suchten wir vornehmlich durch die tatsächlichen Verhältnisse des partiellen Schlafs und Wachens (was wir so nannten) in unserm engern Leibe entsprechende Verhältnisse im Gesamtsystem unsers engern und weitern Leibes zu begründen und zu erläutern, aus dem Gesichtspunkte, daß sich in den Gesetzen unsers engern Leibes nur in besonderer Weise allgemeinere Gesetze unsers gesamten Leibes abspiegeln, von dem der engere nur ein Teil. Aber auch die Verhältnisse des eigentlichen oder vollen Schlafs und Wachens unsers engern Leibes geben Anhalt zu passenden Erläuterungen.

Wie das Leben unsers engern Leibes sich in der Zeitfolge in eine Epoche des Wachens und des Schlafes teilt, so das Gesamtsystem unsers Leibes in der Gleichzeitigkeit in einen wachenden und einen schlafenden Teil. Jenes der engere Leib, dieses der weitere. So

haben wir's schon dargestellt. Dieser schlafende weitere Leib ist aber
selbst erst dadurch entstanden, daß alle Wirkungen, die früher in unserm
engern Leibe zum Wachen beitrugen, in Schlaf versinken, wie sie über
denselben hinauskommen; und alle kommen endlich über denselben hinaus.
Der ganze diesseitige wache Mensch geht nach und nach in den weitern
Leib schlafen. So gut aber der engere Leib aus dem kurzen Tages=
schlafe, in den er periodisch verfällt, wieder erwacht, wenn er entweder
nach natürlicher Einrichtung des Lebensganges Kräfte genug für das
neue Erwachen gesammelt hat, oder gewaltsam erweckt wird, erwacht der
weitere Leib aus dem längern Lebensschlafe, in den er versunken ist,
wenn er nach der natürlichen Einrichtung des menschlichen Lebens Kräfte
genug für das Erwachen ins neue Leben gesammelt hat, oder gewaltsam
ins neue Leben erweckt wird. Und hiermit erwacht also der ganze Mensch
des vorigen Lebens wieder. In jedem Falle erwacht der weitere Leib
in dem Augenblicke, wo der engere Leib unfähig wird, ihn ferner mit
neuen Momenten zu verstärken, die einst dem Bewußtsein dienen können,
sei dieser Zeitpunkt durch natürlichen oder gewaltsamen Tod herbeigeführt;
und überhaupt (wodurch sich diese Betrachtung mit der vorigen verknüpft)
steht der weitere Leib mit dem engern Leibe in einem derartigen anta=
gonistischen Konnex, daß, je tiefer der engere Leib unter die Schwelle
des Bewußtseins sinkt, um so mehr Disposition zum Erwachen des
weitern entsteht, in abnormen Fällen ein zeitweises partielles Erwachen
des weitern Leibes auch wohl schon stattfinden kann, wenn der engere
Leib nur partiell sehr tief einschläft, ein volles und unwiderbringliches
Erwachen des weitern Leibes aber erst dann eintreten kann, wenn das
Wiedererwachen des engern überhaupt nach allen Teilen und Seiten
desselben unmöglich geworden ist. War nun der Schlaf des weitern
Leibes im Jetztleben viel tiefer als der des engern, so wird sein Wachen
im neuen Leben entsprechend viel heller sein, und wenn diesseits im
weitern Leibe alles schlafen gegangen ist, was je im engern gewacht hat,
so wird jenseits alles, was je hier schlafen gegangen ist, wieder erwachen.
Obwohl dies nicht so zu verstehen ist, als ob wir uns nun beim
Erwachen des weitern Leibes auf einmal alles dessen wieder bewußt
werden sollten, was nach und nach durch das Bewußtsein unsers engern
Leibes gegangen; nur teils die allgemeine Möglichkeit, es mit seinen
Fortbestimmungen wieder ins Bewußtsein zu nehmen, teils der allgemeine
Eindruck davon wird damit gegeben sein. Das Bewußtsein wird unstreitig
in unserm weitern Leibe und der Erinnerungswelt, die darin begriffen
und begründet ist, künftig in ähnlichem Sinne wandern, wie jetzt in

unserm engern Leibe und als in der kleinen Erinnerungswelt, die darin
begriffen und begründet ist, nur mit hellerm, einen größern Umkreis auf
einmal deutlich erhellenden Lichte, größeren Schritten, größerer Leichtigkeit und Freiheit, größerer Objektivität und Realität des Erscheinenden
als jetzt das Bewußtsein durch den Kreis der ihm zu Gebote stehenden
Erinnerungen wandelt; und wenn schon nicht alles in einzelnen Stücken
auf einmal in dem jenseitigen Bewußtsein aufgezählt liegen wird, was
sich diesseits im Bewußtsein nach einander abgezählt hat, wird doch das
ganze Fazit, das ganze Gewicht, der ganze Wert unsers bisherigen
Lebensinhaltes sich in eins und auf einmal im Bewußtsein geltend
machen können.*)

    Da wir bei diesem Gegenstande wieder lebhaft an Phänomene und Ver-
hältnisse des Somnambulismus erinnert werden, ja sich eine Art Theorie desselben
an die vorigen Betrachtungen von selbst knüpft, so nehme ich hier Gelegenheit, einige Worte über den Bezug zu sagen, der sich überhaupt von so
vielen Seiten ungerufen zwischen den voraussetzlichen Zuständen des Jenseits
und den Zuständen des Schlafwachens, wie sie geschildert werden, aufdrängt,
und zwar nicht nur uns, sondern den verschiedensten Beobachtern und Dar-
stellern aufgedrängt hat, ja auch den Somnambulen von selbst sich aufzu-
drängen scheint, sofern sie sehr häufig diesen Bezug geltend machen.
    Schubert äußert sich in folgender Weise über den betreffenden
Gegenstand:
    „Mehr als irgend ein anderer ist der Zustand des magnetischen
Schlafes ein Bild des Todes mit allen seinen Schrecknissen und mit seinen
Hindeutungen auf einen siegreichen Ausgang des Lebens aus diesen Schrecknissen. Mitten in dem Zustande, der schon selber einem tiefen Schlafe
gleicht, scheint es öfters, als kündige sich ein noch tieferer, gleichsam eine
zweite höhere Potenz des Schlafens an. Die Kranken reiben sich die
Augen, gähnen und geben alle Zeichen der äußersten Schläfrigkeit von sich;
zuweilen geht hiebei der Odem so schwer aus und ein, wie bei dem angehenden
Röcheln des Todes. Aus einem solchen totenähnlichen Zustande des Schlafes
entwickelt sich aber ein Erwachen, welches ebenfalls jenem, das der Seele
aus dem Tode widerfahren wird, näher zu stehen scheint, als das gewöhnliche Wachen. Plötzlich bewegt das bleiche Gesicht, dessen Augen fest
geschlossen sind, ein inneres Leben, welches die Züge des Schmerzes oder
der gleichgültigen Ruhe in die des Entzückens und des wachesten Bewußtseins umwandelt. In der Tat, es hat öfters ein solches Aussehen jenen Schein,
welchen die Augenblicke der höchsten Begeistrung über das Menschenangesicht
verbreiten, oder es gleichet der Verklärung, welche zuweilen in der letzten
Stunde des Lebens über das Antlitz der Sterbenden herauftsteigt."

---

    *) Die Seherin von Prevorst sagt: „In diesem Momente (des vollen Todes)
steht dann auch dem Geiste das vergangene Leben in einer Zahl und Wort da,
und ist er am Orte seiner Bestimmung nach dieser Zahl und Wort."

„Der Leib ist jetzt mehr noch als im tiefften Schlafe, ja zuweilen so sehr als in der Starrsucht und im Scheintod, nach jener Richtung, in welcher sonft das Gehirn auf die Sinnesorgane und Glieder, und diese rückwärts auf das Gehirn wirken, gelähmt und gebunden. Es zeigt schon die Stellung und das Aussehen, der wie bei einem Toten nach oben starrende Augapfel, einem Beobachter, welcher die Augenliber des magnetisch Schlafenden gewaltsam von einander zieht, daß die Versicherung solcher Schlafenden gegründet sei, nach welcher sie nicht mit diesem gewöhnlichen Auge zu sehen vermögen. Die völlige Taubheit der Somnambulen gegen alle, auch noch so lauten Stimmen, außer jener des Magnetiseurs und andrer mit ihnen mag-netisch verbundenen Wesen, beweist auch, daß der gewöhnliche Weg des Hörens bei ihnen nicht stattfinde, und so ist es mit der Tätigkeit aller andern Sinne." (Schubert, Gesch. d. Seele. II. S. 89f.)

Justinus Kerner sagt: „Und so siehst du auch, mein Lieber, den mag-netischen Menschen, während er noch immer an den Körper und somit an die Welt der Sinne gebunden ist, mit verlängerten Fühlfäden hinaus in eine Welt der Geister ragen und von dieser dir ein Zeuge sein. Ein solches Bestreben, ein solches Hinüberragen in eine Welt der Geister sehen wir auch mehr oder weniger in allen magnetischen Menschen, aber in diesem unsern Falle (Seherin von Prevost) in einem so ausgezeichneten Grade, daß noch kein gleicher bis jetzt bekannt ist." (Justinus Kerner, Seherin von Prevorst II. S. 6.)

Nehmen wir an, es verhalte sich mit den Zuständen des Somnambulismus so, wie berichtet wird, wenigstens teilweis so, so ließe sich nach schon oben gegebener Andeutung die Erklärung davon geben, daß das partielle sehr tiefe Einschlafen gewisser Sphären des engern Leibes, namentlich der ganzen äußern Sinnessphäre, was bei Somnambulen überall statt findet, anta-gonistisch ein partielles Erwachen des weitern Leibes mitführte, und daß die daburch gewonnenen schrankenlosern Wahrnehmungen baburch ins Diesseits mitteilbar werden, daß der Hellsehende doch noch durch eine Seite des engern Leibes im wachen Diesseits wurzelt (da er ja doch sonst nicht mit uns sprechen könnte). Statt daß der Tod den engern Leib ganz einschlafen oder geradezu fallen, den weitern ganz erwachen läßt, ließe der Somnam-bulismus den engern Leib nur teilweis tief einschlafen, den weitern nur teilweis erwachen; und so hätten wir jetzt ein System, welches nach seiner wachen Seite halb dem Diesseits, halb dem Jenseits angehörte; mithin freilich keinem recht angehörte, und daher freilich auch die Leistungen, die beiden zugehören, nicht recht zu vollziehen wüßte. In Bezug auf das Diesseits unterliegt dies keinem Zweifel; aber es würde sich nun auch erklären, wie die Leistungen, die dem Jenseits eigentlich zugehören, nur gestört, unvollständig, getrübt ausgeübt werden können. Der hellsehende Somnambule kann sich im Jetzt-leben nicht mehr recht finden; er sieht manche Dinge nicht, die andre sehen; er sieht manche Dinge, die andre nicht sehen; er sieht und fühlt manche Dinge anders, als sie andre sehen und fühlen; weil schon eine Weise des Sehens und Fühlens in sein Jetztleben hineinspielt, die eigentlich gar nicht mehr Sache des Jetztlebens ist. Aber das Umgekehrte ist auch wahr; wie er sich im diesseitigen Zustande nach manchen Hinsichten nicht mehr recht findet, so findet er sich im jenseitigen Zustande noch nicht recht; er betrachtet alles noch mehr oder weniger mit der Brille des Jetztlebens; sieht alles mehr oder weniger aus engen diesseitigen Gesichtspunkten, die fürs Jenseits keine Wahrheit mehr haben oder eine andre Bedeutung gewinnen; Ein= bildungen des Jetztlebens vermischen und verwirren sich um so leichter mit Realitäten des künftigen Lebens, als Erinnerungen und Phantasieen selbst eine realere Bedeutung für das Jenseits entwickeln werden, als sie hienieden haben, obschon einen realen Bestand auch im Jenseits nur nach Maßgabe erlangen werden, als sie verträglich sind mit denen der übrigen Geister. Wir sind so zu sagen erst mit einem Fuße im Steigbügel des Rosses, das uns einst durch eine neue Welt tragen wird, und sehen so, etwas höher aufgerichtet, auch etwas weiter, als im gewöhnlichen Stande und Gange, aber dieser selbst ist gehemmt und der neue noch nicht angehoben.

Bekanntlich reicht Erinnerung aus dem gewöhnlichen wachen Zustande in den somnambulen hinüber, indes das Umgekehrte nicht gilt. Vielmehr ist nach Erwachen aus dem somnambulen Zustande alle Erinnerung dieses Zustandes erloschen. So, kann man sagen, wird zwar die Erinnerung des diesseitigen Zustandes in den jenseitigen hinüberreichen, aber es gibt keinen Weg, rückwärts den jenseitigen Bewußtseinszustand in den diesseitigen erinnernd abzuspiegeln. Wer ganz tot ist, bleibt ganz tot, und was einer im somnambulen Zustande getan und gedacht, bleibt für seine diesseitige Erinnerung tot; indes wahrscheinlich bei dem Erwachen ins Jenseits die Erinnerung daran wieder lebendig werden wird.

Ich bin in der Tat geneigt, die wunderbaren Erscheinungen des Somnambulismus aus diesem Gesichtspunkte aufzufassen, so weit sie über= haupt richtig sind, wofür ich die Grenze unbestimmt lasse; weil mir so die Gesamtheit dieser Erscheinungen sich am besten zurecht legt.

Zwar scheint es viel einfacher zu sein, das jedenfalls eigentümlich modifizierte und in gewisser Hinsicht gesteigerte Wahrnehmungsvermögen der Somnambulen, das allgemein gesprochen nirgends in Abrede gestellt wird, aus einer antagonistischen Steigerung bloß dieses oder jenes gewöhnlichen Sinnes, dieser oder jener Sphäre der Gehirntätigkeit bei Einschlafen der übrigen zu erklären; und so geschieht es im allgemeinen von denen, welche zwar das Sonderbare, aber nicht das Wunderbare der Erscheinungen des Somnambulismus anerkennen (z. B. von Forbes in einer kleinen, an sich sehr beachtenswerten Schrift); indes kann man eben damit nicht die eigentümlichen Erscheinungen des Hellsehens erklären, falls doch etwas von solchen richtig bleiben sollte; auch bezeugen alle Somnambulen, so viel sich darüber geäußert haben, übereinstimmend, daß ihre Wahr= nehmungen selbst der Umgebung nicht auf dem gewöhnlichen Sinneswege erfolgen (vgl. S. 242). Und das scheint mir doch einiges Gewicht den ziemlich gezwungenen Beweisen gegenüber zu haben, daß es auf solchem Wege noch erfolgen könne. Es erfolgt aber nun einmal nach den Som= nambulen selbst nicht auf solchem Wege, und die innere Erfahrung muß hier mehr bedeuten als die äußere. Ich setze dabei freilich voraus, daß nicht alle Somnambulen Lügner sind, was freilich alle gewiß sind, die den somnambulen Zustand selbst erst lügen; aber auch alle wirklich Somnambulen? Das wäre eine starke Annahme. Die allgemeine Übereinstimmung derselben in dem betreffenden Punkte (während sie in andern Punkten oft gar sehr abweichen) beweist selbst gegen die allgemeine Lüge, wenn nicht alles nur Repetition einer und derselben Grundlüge sein sollte; aber auch das wäre eine starke Annahme.

Eine Mutter wollte ihrem Kinde nichts mehr zu essen geben, und behauptete, es habe Bauchweh, da es selbst vielmehr noch Appetit zu haben versicherte. Das Kind konnte sich nun bloß auf sein unsichtbares inneres Gefühl und darauf berufen, daß es ja von Appetit nicht reden würde, wenn es ihn nicht hätte; die Mutter aber bewies ihm experimental sein Bauchweh, indem sie es ihm äußerlich am Bauch abfühlte; und so behielt sie Recht. So erweisen wir durch äußerliche Experimente, daß die Somnambulen in unserm Sinn sehen, hören, ungeachtet sie selbst das Gegenteil versichern, und wir behalten Recht, weil die Somnambulen so wenig als das Kind äußerlich beweisen können, was sie innerlich fühlen.

Inzwischen gestehen wir immer zu, zu den absichtlichen Täuschungen in diesem Gebiete können Selbsttäuschungen, schlechte Beobachtungen, ungeeignete Darstellungen, Übertreibungen, Verschweigungen, Nachbeterei, unwillkürliches Zurechtlegen im Sinne vorgefaßter Ansichten von seiten der Beobachter wie der Somnambulen selbst treten, und all das hat unstreitig ein großes, kritisch leider unentwirrbares Spiel hier getrieben. Und man muß jedenfalls nicht eher neue Wunder annehmen wollen, als bis die Prinzipien, die uns bisher in der Erklärung der alten Wunderwelt der Natur richtig geführt haben, uns ganz im Stiche lassen. Hierin liegen äußere und innere Gründe genug, welche den exakten Forscher mit Recht bestimmen, das ganze Gebiet dieser wunderbaren Erscheinungen mit starken Zweifeln zu betrachten, obwohl sie ihn meines Erachtens nicht zu etwas mehr berechtigen können. Sicher ist nicht alles Gold, was in diesem Gebiete dafür ausgegeben wird; doch würde es schwerlich so viel nachgemachtes und falsches Gold geben, wenn es nicht auch ein weniges echtes gebe. Diese Ansicht von der Sache, welche dem Zweifel volle Gerechtigkeit widerfahren läßt und selbst in unbestimmtem Grade denselben teilt, ist jedenfalls Grund, weshalb ich immer nur mit Rückhalt auf dies Gebiet eingehe, und, so sehr es unsrer Lehre zu statten kommt, doch keine eigentliche Stütze derselben darin suchen mag.*) Diese suche ich vielmehr nur in

---

*) Um so mehr finde ich mich, ungeachtet entgegenstehenden theoretischen Interesses, veranlaßt, auf dem Standpunkte objektiven Zweifels hinsichtlich der Wunder des Somnambulismus noch stehen zu bleiben, als eigene, freilich nicht sehr ausgedehnte Erfahrungen eine Stimmung in dieser Richtung begünstigen. Eine Somnambule (die Hempel), welche eine Zeitlang in Dresden Aufsehen machte, gab mir Gelegenheit (während etwa 8 Tagen) mancherlei Beobachtungen und Prüfungen über diesen Gegenstand anzustellen; ich muß aber gestehen, nur negative Resultate erhalten zu haben. Keine Probe gelang; obwohl sie sich bereit zu den Proben erklärte und ihr Magnetiseur (Dr. R.) mit großer Gefälligkeit darauf einging, indem er allerdings erinnerte, daß das Vermögen des Hellsehens nicht immer gleich sicher sei. Sie erriet

klaren Tatsachen und Gesichtspunkten, welche dem wachen Diesseits entnommen sind, und wieder dafür Anwendung finden, zugleich aber die
Betrachtung darüber hinauszuleiten dienen. Aber diese Begründungsweise
unsrer Lehre selbst führt auf Bezugspunkte zu jenem Gebiete, deren Berücksichtigung um so weniger abzuweisen war, als die Wahrscheinlichkeit der

---

weder richtig, was ihr Magnetiseur auf meine Anordnung im andern Zimmer tat,
noch was in verschlossenen Paketen enthalten war, die ihr in die Hand gegeben
wurden, noch was den entfernten Kranken fehlte, über deren Zustände ich sie befragte:
obwohl es ihre Hauptbeschäftigung war, über das Leiden und die Heilung entfernter
Patienten Auskunft zu geben; ja sie erriet nicht einmal die Wunde, die ich zufällig
am Arme hatte, als ich sie um den Zustand desselben befragte, nachdem ich mich mit
ihr in Rapport gesetzt. Dabei überzeugte ich mich, daß andre, welche sie wegen der
Zustände ferner Patienten konsultierten, ihr vielfach selbst auf die Sprünge halfen,
und daß in ihrer Umgebung eine große Geneigtheit bestand, alles zusammenzusuchen
und aufzufassen, was in ihren Aussagen zutraf oder den Schein des Zutreffens hatte,
das Nichtzutreffende aber nicht zu berücksichtigen, so daß die daher rührenden Berichte
über sie freilich viel Wunderbares zu enthalten schienen: auch mochte darin manches
wirklich wunderbar sein; nur ich selbst habe nichts konstatieren können. Sie sah auch
Engel und machte Wanderungen durch die Gestirne, was sie aber von diesen berichtete,
waren Absurditäten. Dabei kann ich nicht zweifeln, daß es eine wirkliche Somnambule war, um die es sich hier handelte; das im wachen Zustande sehr gewöhnlich aussehende Bauermädchen nahm im somnambulen Zustande eine Art verklärtes Aussehen
an, zeigte einen edlern Ausdruck im Sprechen, namentlich eine große Geläufigkeit in
Reimen zu sprechen, und überhaupt ein ganz andres Wesen, als im gewöhnlichen
wachen Zustande; Umstände, die mir immerhin sehr merkwürdig erschienen sind, so
daß ich, unter der Mitrücksicht auf andre Umstände, wenigstens die subjektive Überzeugung hatte, daß hier ein absonderlicher Zustand vorliege.

Auch in der an schlichten Tatsachen reichen Schrift von Siemers: Erfahrungen
über den Lebensmagnetismus, Hamb. 1835, werden die mannigfachsten Fälle angeführt (S. 148. 149. 161. 168. 169. 171. 172. 173. 189. 192. 193. 196. 274 ff.),
daß Somnambulen sich in Betreff der Beurteilung des krankhaften Zustandes teils
ihrer selbst, teils andrer, wie auch in Voraussagen und Fernsichten irrten; während
allerdings andres in bemerkenswerter Weise zutraf.

So wenig nun die vorigen negativen Erfahrungen zu Gunsten der Wundererscheinungen des Somnambulismus sprechen und einen kritiklosen Glauben daran
rechtfertigen würden, so wenig können doch aber anderseits noch so viele negative
Erfahrungen hinreichen, die Beweiskraft positiver zu entkräften, falls sie der Art sind,
daß man wirklich etwas dadurch konstatiert halten kann; ich kann aber nicht umhin,
in dieser Hinsicht manchen Erfahrungen andrer wenigstens subjektiv so viel Gewicht
beizulegen, als meinen eigenen negativen, wenn ich auch noch keinen exakten objektiven
Beweis dadurch geführt finden kann. Aber wie schwer ist es überhaupt, einen solchen
zu führen, der allen Anforderungen genügt; wie schwer sogar in der Physik; vieles
jetzt Alltägliche hat Jahrtausende darauf warten müssen: geschweige in einem von
Natur so schwankenden Gebiete. Und man kann nicht auf festem Boden gehen wollen,
wo es nun einmal von Natur nur Wellen gibt.

Manche Somnambulen (wie die Kachler an vielen Stellen der S. 242 angeführten
Schrift, gestehen übrigens selbst die große Leichtigkeit der Täuschungen im somnambulen Zustande zu, indes sie doch darauf bestehen, daß es auch eine wahre Fernsicht
und Voraussicht, welche die gewöhnlichen Schranken des Diesseits überschreitet, in
erhöhten Graden dieses Zustandes gebe.

bezweifelten Phänomene selbst dadurch wächst, daß wir auf ihre Statthaftigkeit
n einem andern als dem diesseitigen Gebiete des Seins durch die Gesetze
dieses diesseitigen Seins selbst geführt werden, und ein abnormes Über=
greifen der Verhältnisse beider in einander nach ihrem Zusammenhange wohl
möglich halten dürfen. Wenn in normalem Zustande nur die Leber Galle
absondert, in abnormen Zuständen (Gelbsucht) auch die Haut es tut, nur
schwächer und unvollständiger, so kann auch wohl eben so das, was im
normalen Zustande nur im Jenseits geschieht, im abnormen Zustande un=
vollkommen im Diesseits geschehen; wenn doch der Zusammenhang von
Jenseits und Diesseits mindestens so organisch innig ist, als der von zwei
Gebieten in unserm Körper. Dann aber auch umgekehrt, wenn sich von
den Forderungen, die wir an das Jenseits stellen, in abnormen Zuständen
des Diesseits schon etwas wirklich erfüllt zeigt, so können wir an der
möglichen Erfüllung dieser Forderungen auch für das Jenseits nicht mehr
zweifeln, und die Lehre, welche diese Forderungen stellt, gewinnt ihrerseits
dadurch an Wahrscheinlichkeit. So vermögen zwei an sich zweifelhafte und
dunkle Gebiete doch wechselseitig etwas zu ihrer Unterstützung und Er=
läuterung beizutragen, wie zwei schief stehende Balken sich durch ihr Lehnen
gegen einander halten.

Die Wechsel zwischen dem Hauptsitze unsers Bewußtseins pflegen
schon während des Lebens in nnserm engern Leibe schnell ohne lang=
weilige Übergänge zu erfolgen. Vom aufmerksamen Gebrauche des
Auges zum aufmerksamen Gebrauche des Ohres gehen wir meist nicht
durch langsame, sondern kurze Vermittelung über, zwei ganz verschiedene
Zustände folgen sich fast plötzlich. Desgleichen bedarf es nur eines
Moments, daß der Schlaf des engern Leibes sich in Wachen verwandle
und umgekehrt. Wenn nun im Tode das Bewußtsein durch einen ähn=
lichen schnellen Wechsel vom engern Leibe auf den weitern übergeht, der
Schlaf des weitern Leibes sich hiemit in Wachen wandelt; so tritt dies
also nur unter Gesetze, die wir in unserm diesseitigen Leibe und Leben
selbst schon verfolgen können.

Inzwischen ist alles überhaupt, was wir aus der Betrachtung der
in unserm Jetztleben und jetzigen engern Leibe unterlaufenden kleinen
Wechsel und Wendepunkte entlehnen, nicht so bedeutungsvoll und wert=
voll für die Stützung unserer Ansicht, als was wir aus der Betrachtung
eines ähnlichen großen raschen Wechsels und Wendepunkts, wie der Tod
selbst ist, zu Anfange des Lebens entnehmen können; denn man muß
zugestehen, daß doch im ganzen unser Leben in einem Flusse fließt, in
welchem alle noch so mannigfaltigen Veränderungen fast verschwindend
klein zu nennen sind gegen die totale Umwälzung aller Bedingungen
und Verhältnisse, die mit dem Erwachen zum künftigen Sein plötzlich

eintreten muß; und es möchte gewagt erscheinen, anzunehmen, daß sich etwas derartiges mit uns begeben könne, ohne uns zu vernichten, wenn uns noch kein Beispiel davon vorläge. Hat sich aber schon einmal etwas dergleichen mit uns ohne Gefahr, ja mit Gewinn, begeben, so kann es sich auch ein zweitesmal begeben. Dies leitet uns zu den Betrachtungen des folgenden Abschnitts.

XXV. Analogien des Todes mit der Geburt.

Die Geburt ist es, welche jedem Menschen das Beispiel einer plötzlichen Umwälzung aller seiner Verhältnisse, des scheinbaren Abbruches aller seiner bisherigen Lebensbedingungen schon einmal gegeben hat. Aber sie hat ihm damit zugleich das Beispiel gegeben, daß, wenn dies heißt, ein Leben beendigen, es zugleich heißt, ein neues Leben auf höherer Stufe beginnen. Alle Menschen führen schon ein zweites Leben, durch ein gewaltsames Ereignis aus einem frühern niedrigern, unvollkommenern hervorgegangen. Eine einmalige Umwälzung, anstatt einer zweiten zu widersprechen, verspricht aber vielmehr eine solche. So baut die Natur ein Glied der Pflanze über das andere auf mit zwischenliegenden Knoten, jedes höhere erwächst aus dem niedern und übersteigt das niedere; und so baut sie eine Lebensstufe des Menschen über die andre auf mit zwischenliegenden Knotenpunkten; jede spätere erwächst aus der niedern und übersteigt die niedere.

Wir halten gewöhnlich Geburt und Tod für etwas in ihrer Bedeutung Entgegengesetztes, und müssen sie freilich so lange dafür halten, als wir wie gewöhnlich bloß die unserm Jetztleben zugekehrte Seite davon in Betracht ziehen, d. i. von der Geburt die Seite des Erwachens zum neuen Leben, vom Tode die Seite des Erlöschens des alten; und es ist kein Wunder, daß wir so tun, da wir zwischen beiden stehen. Aber wenn die Geburt ihre Rückseite im Untergange eines frühern Lebens hat, wird der Tod auch seine Vorderseite in dem Aufgang eines neuen Lebens haben können. Hiermit aber nehmen Geburt und Tod, von so entgegengesetzter Bedeutung sie für unser Jetztleben

erscheinen, eine analoge Bedeutung für unser ganzes Leben an. In
beiden erlischt ein früheres Leben, erwacht ein neues eben vermöge dessen,
daß das frühere erlischt, indem das neue Leben das Erzeugnis des
frühern zu einer neuen Daseinsform in sich aufhebt.

In Wahrheit, warum sollten wir unsern Tod mehr fürchten, als das
Kind seine Geburt, da das Kind in keiner Weise seine Geburt weniger
zu fürchten hatte, als wir unsern Tod? Das Kind weiß so wenig wie
wir, was es im neuen Leben gewinnen wird; noch ist keine Brücke dazu
da, etwas davon zu erfahren; es fühlt nur im Momente der Geburt
was es verliert, und zunächst scheint es, daß es alles verliere. Aus dem
warmen Mutterleibe, aus dem es alle Lebensbedingungen sog, wird es
plötzlich herausgerissen; alle Organe, durch die es mit dem Mutterkörper
in Beziehung stand, Nahrung aus ihm schöpfte (velamenta und placenta)
werden grausam zerrissen, und verfaulen alsbald so gut, als unser Leib
im Tode verfault, ja sie welken schon vor der Geburt, wie unser Leib
im Alter welkt und bereiten dadurch die Geburt selbst vor; gewiß mag
das Kind zumeist nicht ohne Schmerzen geboren werden, wie wir zumeist
mit Schmerzen in das andere Leben hinübergehen. Aber eben der Tod
eines Teils seines Systems ist mit dem selbständigen Erwachen eines
andern Teils zum Leben verknüpft, des Teils, der früher weniger das
Treibende als das Hervorgetriebene war, mit dem Erwachen zu einem
neuen, lichtern, freiern Leben. So wird auch der Tod eines Teils
unsers Gesamtsystems das Erwachen eines andern Teils mitführen,
der jetzt weniger das Treibende als das Hervorgetriebene ist; das
Erwachen zu einem neuen, lichtern, freiern Leben.

Ob vielleicht der Bildungsprozeß des Kindes von sinnlichen instinkt-
artigen Gefühlen begleitet ist, läßt sich begreiflicherweise durch Erfahrung
weder beweisen noch leugnen, da, wenn solche vorhanden wären, doch
eine Erinnerung daran noch weniger ins jetzige Leben hinüberreichen
würde, als von den ersten Zuständen nach der Geburt ins Alter, weil
eine rein sinnliche Existenz noch kein Erinnerungsvermögen einschließt.
Aber wie dem auch sei, so könnten höchstens an der Art des Hervortreibens und Bildens der Organe (wenn überhaupt) sich derartige Gefühle
knüpfen; das Kind kann aber die Augen, Ohren, Arme, Beine, die es aus
dem Keime hervortreibt, vor der Geburt nicht in dem Sinne als seine
fühlen, wie nach der Geburt, weil es sie ja noch nicht eben so brauchen
kann. Sie liegen noch eben so, als jetzt unsre Werke für uns, wie
fremdgewordene Werke, Bildungsprodukte für dasselbe da, die es zwar
immer mit neuen Zuwüchsen vermehrt, fortgehends ausarbeitet, wie

dasselbe jetzt von uns mit dem Kreise unsrer Wirkungen und Werke geschieht; aber ohne je mehr als (höchstens) die Tätigkeit des Hervortreibens, Schaffens als die seine fühlen zu können, wie dasselbe auch bei uns der Fall. Nun aber, wenn es geboren wird, die bisherige treibende Kraft erlischt, erkennt es plötzlich, daß diese Welt ihm vorher äußerlicher Schöpfungen sein eigener Leib geworden ist, daß alles, was außer und hinter ihm zu liegen schien, in ihm und vor ihm, d. h. als Bedingung seiner Zukunft erscheint. Es erkennt nun den Gebrauch dieser Gliedmaßen, dieser Sinnesorgane, und freut sich derselben, wenn es sie zuvor gut gebildet hatte. Entsprechendes mögen wir also auch von unsrer Geburt zum folgenden Leben erwarten.

Und so mögen wir wohl Mut fassen, wenn uns das Todesgefühl mit der Gewißheit alles dessen, was wir verlieren und der Ungewißheit dessen, was wir dafür gewinnen werden, ängstigen will. Wir haben diesen Fall schon einmal erlebt; erwarten wir vom zweiten Falle, der uns bevorsteht, das, was wir schon im ersten erfahren haben. Der Tod ist im Grunde bloß ein alter Bekannter, der wiederkehrt, nicht, um uns die Lebenssprosse, die er uns früher hinaufgeführt, wieder herabzustoßen, sondern die Hand zum Aufsteigen auf eine höhere zu reichen, indem er die untere zertritt, damit wir nie wieder absteigen können. Das Zertrümmern unsres Leibes ist nur wie das Zertrümmern des Schiffes hinter uns, das uns in ein neues Land erst gefahren hat, damit wir nie mehr zurückkönnen; wir müssen das neue Land erobern. Dies neue Land ist unser neues Leben.

Das Kind lebt im Mutterleibe einsam, abgeschlossen von seines Gleichen, ganz ungesellig; es tritt mit der ersten Geburt hinaus in die freie Gemeinschaft mit andern Menschen, aber doch durch seine, wenn auch nur scheinbare, Leibesgrenze in gewisser Weise von neuem abgeschlossen von ihnen. In der zweiten Geburt wird auch diese Schranke fallen; danach werden wir alle einen und denselben Leib haben, den gemeinschaftlichen Leib der Erde, nur jeder wird ihn in anderm Sinne haben. Unser Verkehr wird in Folge dessen eine ganz andere Freiheit und Leichtigkeit gewinnen als jetzt, wie wir es früher schon betrachtet haben.

Wie schön wär's, hörte ich jemand sagen, die Frische der Jugend mit der Reife und Fülle des entwickelten Geistes verbinden zu können. Nun, diesen Vorteil wird uns der Tod gewähren, uns mit allen bisher gewonnenen Schätzen unsres Geistes als Kinder in ein neues Leben setzen, wo wir das hier Gewonnene und Gereifte mit neuer Jugendkraft und unter neuen Verhältnissen nutzen werden.

Der Vergleich des Todes mit der Geburt ließe sich noch weiter ausführen; aber wir müssen auch hier wieder, wie bei den früheren Vergleichen, nicht vergessen, daß er nicht vollständig sein kann, und der Seite der Ungleichheit dabei Rechnung tragen. Und zwar hängt diese Seite hier an einem analogen Umstande wie bei dem Vergleiche, der uns zuerst und zumeist beschäftigt hat. Das Anschauungsleben, das wir jetzt in einem höhern Wesen führen, ist schon ein gesteigertes gegen das, welches die Anschauungen in uns führen, weil das höhere Wesen selbst gegen uns gesteigert ist. Und so muß sich auch das Erinnerungsleben, das aus jenem höhern Anschauungsleben erwachsen ist, gegen das Leben der Erinnerungen in uns steigern. Nun eben so ist das Leben, das wir jetzt führen, schon ein gesteigertes und zwar hoch gesteigertes gegen das, welches wir vor der Geburt geführt haben, und so werden wir auch in dem Leben, das wir künftig führen werden, nicht bloß eine Wieder-holung, sondern eine Steigerung der früheren Steigerung zu erwarten haben. Ich will aber den Gesichtspunkt der Verschiedenheit eben so wenig ins einzelne hier durchführen, wie den der Ähnlichkeit.

Unstreitig liegt es am Nächsten und ist am sichersten, den Vorblick in unserer Zukunft auf Rückblicke in unsre eigene vergangene Entwicklungs-geschichte vielmehr als die von andern Wesen zu gründen, weil unstreitig jedes andere Wesen sich in anderer eigentümlicher Weise nach einem besondern, nur in sich konsequenten Plane entwickelt; doch wird es auch etwas Gemeinschaftliches · in den Gesetzen aller Entwickelung geben; und so finden wir die allgemeinen Grundzüge dessen, was wir an uns sehen, im weitesten Kreise der lebenden Geschöpfe wieder. Alle Pflanzen ent-wickeln sich erst still im Samen und erwachen ˙dann unter Durchbruch und Zerstörung der Hülle in einem neuen Reiche der Luft und des Lichtes; alle Tiere entwickeln sich erst still im Ei, sei es in oder außer einem Mutterleibe, wie wir, und treten unter Durchbruch und Zerstörung ihrer Hülle mit uns und allen Pflanzen in dasselbe Reich. Ja wir sehen bei vielen Geschöpfen sich schon jetzt Stufen über Stufen bauen, woraus man von jeher Bilder für ein künftiges Leben geschöpft hat. So, nachdem die Pflanze an Luft und Licht getreten ist, eröffnet sich ihr später nochmals ein ganz neues Leben, indem sie die Blüte dem Genuß des Lichtes auftut. So durchbricht der Schmetterling, nachdem er seinen Eizustand, seinen Raupen- und Puppenzustand durchlaufen, die Puppenhülse und gewinnt Flügel für die trägen Füße, tausendfache Augen für das blöde Gesicht der Raupe.

Es kann bemerkt werden, daß selbst der Periode des Embryolebens, und zwar, so viel wir wissen, in allen Tieren wie im Menschen, noch eine frühere Periode, so zu sagen ein früheres Leben, das der Bildung des Eies selbst vorausgeht, und der Übergang aus dem Zustande der Unbefruchtung in den der Befruchtung, von wo an eine neue Entwickelung beginnt, ebenfalls durch Zerstörung von dem bezeichnet wird, was in der ersten Periode als das Vornehmste und Hauptsächlichste, als der zentrale Hauptkern erschien, durch Zerstörung des Keimbläschens nämlich. Dieses bildet einen um so größern Teil des Eies, je jünger das Ei ist, wird aber zu der Zeit, wo das Ei den Eierstock verläßt, um sich nun zum Embryo zu entwickeln, zerstört, man weiß noch nicht recht wie, und ob im Momente oder kurz vor der Zeit des Austritts aus dem Eierstock.

Manches, was wir schon beim Menschen sehen konnten, erblicken wir nun gleich allgemeiner:

Dieselbe materielle Welt, in welcher der Same gezeugt und dann geborgen wird, ist es auch, in welcher die Pflanze aufschießt und wurzelt. In derselben materiellen Welt, in welcher das Ei liegt und die Raupe kriecht, fliegt auch noch Vogel und Schmetterling; in derselben materiellen Welt, welche den Menschenfötus umschließt, lebt auch der geborene Mensch; der Mutterleib ist ja selbst nur ein Teil, ein engerer Bezirk dieser Welt. Nicht etwa hier wird der Same in die Erde gelegt, und auf einem andern Planeten schießt die Pflanze auf, nicht hier wird das Ei gelegt, und der Vogel findet sich nach dem Durchbruch der Schale an einem Orte über der Milchstraße. Sondern Samen und Pflanzen, Eier und Vögel, menschliche Embryonen und Menschen leben zwischen, neben, ja in einander. Überall hat die spätere Entwicklungsstufe dieselbe Räumlichkeit der Welt mit der frühern noch gemein; die höhere Entwicklungsstufe erkennt auch dies; nur die niedere erkennt es nicht.

So sollen wir auch nicht meinen, daß wir durch unsern Tod in eine ganz andere Welt hinausgerückt werden; sondern in derselben Welt, in der wir jetzt leben, werden wir fortleben, nur mit andern neuen Mitteln sie zu erfassen, und mit größerer Freiheit sie zu durchmessen. Es wird die alte Welt sein, in der wir einst fliegen werden, und in der wir jetzt kriechen. Wozu auch einen neuen Garten schaffen, wenn in dem alten Garten Blumen blühen, für die sich im neuen Leben ein neuer Blick und neue Organe des Genusses öffnen. Dieselben irdischen Gewächse dienen Raupen und Schmetterlingen, aber wie anders erscheinen sie dem Schmetterling als der Raupe, und indes die Raupe sich an eine Pflanze heftet, fliegt der Schmetterling durch den ganzen Garten.

Wir erblicken jetzt nichts um uns von den Wesen, die uns in das
künftige Dasein vorausgegangen sind, oder glauben nichts von ihrem
Dasein zu erblicken; aber fragen wir uns doch, ob denn die Raupe
etwas vom Leben des Schmetterlings, das Hühnchen unter dem Gewölbe
des Eies etwas vom Leben des Vogels unter dem Himmelsgewölbe,
der Menschenfötus im engen Mutterleibe etwas vom Leben des Menschen
im großen Weltorganismus weiß. Der Schmetterling fliegt bei der
Raupe vorbei, streift an sie an; er scheint ihr ein fremder Körper; sie
müßte ja erst die Augen des Schmetterlings selber haben, um ihn als
ihres Gleichen zu erblicken. Im Hühnchen des Eies sind die Augen
schon vorgebildet; es kennt ihren Gebrauch noch nicht; es müßte sie erst
öffnen und der Schale, die es umschließt, erst ledig werden, um den
Vogel mit sich unter demselben Himmelsdache zu erblicken. Wird es
mit uns anders sein? Dürfen wir nicht auch erwarten, daß mit dem
Zerbrechen der Schale unsres jetzigen Leibes Mittel der Wahrnehmung,
die unser jetziges Leben in uns schon vorgebildet hat, sich öffnen werden,
womit wir nun erst die erblicken können, die vor uns in das neue Leben
geboren worden, wenn sie immerhin auch schon jetzt zwischen und um, ja
in uns wohnen und wirken?

Der Same wird nach dem Durchbruche selbst zu einer ähnlichen
Pflanze, wie die ist, von der er getragen worden, das Ei zu einem
ähnlichen Vogel, wie der ist, der das Ei einst in sich trug, der Menschenfötus einst zu einem ähnlichen Menschen, wie der ist, der das Ei des
Menschen oder den Fötus in sich trug. Was ist es, was nach der
Analogie, die uns jetzt leitet, den Menschen selbst wie ein Ei in sich
trägt; es ist die Gesamtheit der ihn umgebenden irdischen Natur;
und so dürfen wir erwarten, daß nach unserm Durchbruche unser Geist
auch einen der umgebenden Natur ähnlichen Leib finden wird, den er
erkennend durchdringen und handelnd bewegen wird. Wir werden
einst zu einer ähnlichen Natur erwachsen, wie die ist, die uns jetzt
umgibt.

Nicht zwar der Materie nach wird für jeden Menschen nach seinem
Durchbruche eine andre Natur gemacht; der Materie und dem Raum-
umfange nach bleibt immer nur eine Natur bestehen, aber diese eine
Natur wird für jeden von selbst eine andre sein, je nachdem er sie auf
andre Weise, nach andern Beziehungen, in anderen Formen durchdringt,
erkennt, erregt. Die Art, wie er dies künftig tun wird, wird aber
vorausbedingt durch die Art, wie er jetzt sich mit ihr in Beziehung setzt.

Freilich, die Blume verwelkt zuletzt, der Schmetterling stirbt doch zuletzt. Sollen wir nach unsrem künftigen Leben auch endlich noch verwelken, sterben?

Aber kehren wir die Betrachtung lieber um. Sollte jenes Welken, Sterben nicht für die Seelen von Pflanze und Tier so scheinbar sein, wie unsres für uns?

Läßt uns nicht schon der gewöhnliche Glaube bereinst in einem Paradiesgarten gehen? Woher kommen aber die Blumen, die Schmetterlinge, die Vögel in den Garten? Ich denke, woher die Menschen in den Garten kommen. Der Mensch wird nicht allein mit dem Tode in ein höheres Reich erhoben; sondern der ganze Zusammenhang beseelter Wesen nach einem in sich zusammenhängenden Plane. Das Obere wird von dem Untern bevölkert. So ist auch der Naturglaube der Völker.

Es scheint mir in der Tat für den Unsterblichkeitsglauben sehr mißlich, die Unsterblichkeit des Menschen zur exzeptionellen Sache zu machen, oder selbst, wie von manchen geschieht, an besondere höhere Vorzüge des Menschen zu knüpfen, so daß nur geistig oder moralisch bevorzugte Menschen der Unsterblichkeit teilhaftig würden. Die rohsten Völker scheinen mir hier das Richtigste getroffen zu haben. Der Lappe glaubt sein Renntier, der Samojede seine Hunde im andern Leben wiederzufinden, und wer von uns einen treuen Hund hat, wird ihn auch bereinst gern wiederfinden. Sollte es überhaupt keine Geschöpfe, tiefer stehend als der Mensch, im andern Leben geben? Wenn aber, so ist es nur natürlich, daß diese Geschöpfe, denen der Mensch dort begegnet, aus denen erwachsen sind, denen er hier begegnet ist. So bleibt alles im natürlichen Zusammenhange. Inzwischen gebe ich zu, daß durch diese kurzen Betrachtungen der Gegenstand nicht abzufertigen ist.

XXVI. Über die gewöhnlichen Versuche, die Unsterblichkeitslehre zu begründen.

Unstreitig gibt es keinen sichereren, ja überhaupt keinen andern haltbaren Schluß auf die Zukunft, als aus den in der Gegenwart und Vergangenheit gültigen Bedingungen derselben. Bis jetzt nun haben wir die Verhältnisse und Bedingungen unsrer jenseitigen Zukunft, ob zwar immer im Felde von Tatsachen, doch mehr an verwandten Fällen erläutert und aus Analogien unsre Folgerungen gezogen, als mit direkten

Schlüssen unsre Aufgabe angegriffen. Und unstreitig kann es nicht nur
zur Erläuterung, sondern auch Stützung unsrer Lehre wesentlich beitragen,
wenn sie die Verhältnisse, die sie zwischen unserm Jetzt und Einst fordert,
tatsächlichen allgemeinern Verhältnissen des Jetzt und Einst unterzuordnen, unsern Fall mit andern analogen Fällen vergleichbar zu
machen weiß, bei welchen nicht nur das Jetzt, sondern auch das Einst
noch in die Beobachtung fällt. Aus diesem Gesichtspunkte verglichen
wir unser künftiges Erinnerungsleben im höhern Geiste mit dem Leben
der Erinnerungen in unserm Geiste; den Schlaf und das Wachen unsres
dereinstigen weitern Leibes mit dem Schlaf und Wachen unsers jetzigen
engern Leibes; unsre Geburt in das neue Leben mit unsrer vorausgegangenen Geburt in das jetzige Leben, und verglichen nicht nur beides,
sondern zeigten auch, wie beides in einer höhern und größern Sphäre
des Seins und Wirkens zusammenhängt. Die Betrachtung dieses Zusammenhanges und der Stellung, welche beide Glieder des Vergleiches
darin einnehmen, gab uns zugleich das Mittel, die Analogie beider und
die Abweichung beider von der Analogie, so weit sie statt findet, zu
erklären und letztere nach dem Prinzip des Schlusses vom ungleichen
Grunde auf die ungleiche Folge in Rechnung zu ziehen. Aber die
Betrachtung, der Schluß läßt sich allerdings auch enger auf unsern
Gegenstand zusammenhalten, direkter darauf richten. Jeder Tag ändert
an uns, doch fühlen und in sofern behalten wir unsre Individualität
durch alle Änderungen durch noch als dieselbe. Der Tod wird noch
mehr an uns ändern; wollen wir also schließen, ob wir auch durch
diese Änderung durch noch unsre Individualität retten werden, so
sehen wir zu, woran nur erst im Jetztleben unsre individuelle Forterhaltung durch allen Wechsel durch hängt. Was uns durch alle Angriffe
des Lebens durch als dieselben forterhält, nichts von unserm Wesen
verloren gehen läßt, trotz dem, daß sich unser Leib beständig auflöst, ein
Bewußtseinsmoment nach dem andern schwindet, wird uns auch durch
den nur größern Angriff des Todes durch als dieselben forterhalten,
retten müssen; falls wir anders zu retten sind. Es fragt sich also nur,
was dies im Grunde sei. Fassen wir bei dieser Untersuchung, die uns
noch anzustellen übrig bleibt, die den direktesten Weg einschlägt, der zu
Gebote steht, eben wie bei den frühern analogischen, Tatsachen und nur
Tatsachen ins Auge und befriedigen und täuschen uns nicht mit Worten
und Wortspielen, wie es nur zu häufig geschieht. Zwar nicht bloß auf
die Tatsachen, auch auf die Forderungen des Jetztlebens haben wir
dabei zu achten; aber zunächst handelt es sich erst um die theoretische

Begründung unsrer Lehre; auf die praktische kommen wir noch später (XXVIII), und es können beide richtig gefaßt nie in Widerstreit treten (XIX, A).

Inzwischen ehe wir (im folgenden Abschnitt) den Kreis unsrer theoretischen Betrachtungen mit dieser direktesten Betrachtung abschließen, durchlaufen wir erst kurz noch die Wege, auf denen bisher unser Gegenstand gefaßt worden ist; um so leichter wird sich dann ynsre Abweichung davon zugleich erklären und rechtfertigen.

Hat man wohl den Weg, den wir in dieser Beziehung für den allein richtigen halten, überhaupt bisher schon eingeschlagen; d. h. die Tatsachen und die Gesetze des folgenden Lebens durch die Tatsachen und Gesetze des diesseitigen zu begründen gesucht? Unbewußt unstreitig überall; denn bei der großen Verbreitung des Unsterblichkeitsglaubens haben außer den praktischen Motiven auch stille Analogien und Induktionen von dem, was überall vorliegt, sicher ihre Rolle gespielt; aber so wie man mit Bewußtsein diesen Weg einzuschlagen versuchte, schien der Hoffnung auf ein Jenseits fast mehreres zu widersprechen, als ihr zu dienen; und so hat man meist vielmehr den entgegengesetzten Weg eingeschlagen, sie auf Widersprüche mit der jetzigen Wirklichkeit, ja mit der Möglichkeit jetzigen Denkens zu gründen. Was Wunder dann freilich, wenn eine solche Weise der Betrachtung, anstatt die Zukunft zu erhellen und zu sichern, irre Scheine in die Gegenwart selbst warf. Um eine trübe Hoffnung auf das Jenseits zu erhalten, geben wir die klarsten Gesichtspunkte des Diesseits auf, legen wir der freien Forschung Fesseln an. Was hat sich nicht die Lehre von Leib und Geist gefallen lassen müssen, um nur den Forderungen zu genügen und nicht über die Forderungen hinauszugehen, die man im Interesse des Unsterblichkeitsglaubens ohne Rücksicht und zum Trotz der Erfahrung an sie stellen zu müssen glaubte.

Ich sage zwar nicht, daß alle auf den Irrwegen gegangen sind, von denen ich jetzt zu reden habe, doch sind es die gewöhnlichen, geläufigsten Wege, die man betritt, so geläufig, daß davon abzuweichen selbst den meisten ein Irrweg scheint, und wenn er selbst zum Ziele führte. Denn wer einmal seinen Weg für den rechten hält, nennt Ziel nur, was an dessen Ende liegt, und wäre es auch nur ein leerer Schein, wäre es ein Nichts. So sind denn viele zu dem Scheine und viele zu dem Nichts gekommen, das sie noch Unsterblichkeit nennen. Und haben manche Verständigeres gedacht oder Richtigeres geahnt, zur Reise oder zur Verwendung ist die Frucht nicht gediehen.

Manche meinen, daraus, daß die Seele hienieden an einen Leib
gekettet sei, folge ja noch nicht, daß sie es auch immer sein werde.
Vielmehr werde sie denselben im Tode wie ein Kleid oder eine Hülle
abstreifen, sich desselben wie einer Fessel oder einer Last entledigen, und
fortan ein rein körperloses Dasein führen. Es ist leicht, dies zu sagen,
vergeblich, in der diesseitigen Erfahrung einen Anhalt für die Möglichkeit
eines solchen Daseins zu suchen, unmöglich, sich eine Vorstellung davon
zu machen. Jeder Versuch solcher Vorstellung läßt doch noch unwillkürlich ein verblaßtes leibliches Schemen übrig, oder die Vorstellung
des Seelendaseins schwindet selbst in nichts, ja sie verblaßt schon, wie
jenes Schemen blasser wird.

Zwar diese Meinung ist nur ein Extrem, wozu jetzt nicht leicht
jemand in vollem Ernste noch seine Zuflucht nimmt; doch nähert man
sich ihm von verschiedenen Seiten.

Manche sagen: hat sich doch die Seele von vorn herein den Leib
gebaut; was kann es sie kümmern, wenn der Leib zerfällt; sie wird sich
wieder einen neuen bauen, die Materie neu um sich sammeln und sich
ihr einbilden. Aber wo hat man je gesehen, oder woraus hat man je
schließen können, daß eine Seele einen Leib gebaut hat, außer mit schon
oder noch zu Dienste stehenden leiblichen Mitteln; also dürfte man ihr
doch den Leib nicht erst nehmen wollen, um sie nachher einen neuen
Leib bauen zu lassen, sondern man muß sie den neuen Leib mittelst
des alten bauen lassen. Das aber ist eben unsre Ansicht, die man doch
nicht im Auge hat.

Hier ein Beispiel dieser Vorstellungsweise:

„Wie das Leben in seinem Ursprunge und Wesen geistig ist, so erwächst
die Seele nicht aus dem Gehirne, vielmehr bildet sie es als ihren beharrlichen räumlichen Ausdruck: und so ist denn ihre Vernichtung keineswegs
die notwendige Folge der Vernichtung des Gehirns und der übrigen Organe.
Wie die Kraft des selbständigen Lebens bei der Fortpflanzung dem gestalt-
losen Keime mitgeteilt wird, daß er zu einem organischen Gliederbaue sich
entwickelt, so vermag auch die Seele sich nach dem Tode ein neues Organ
zu schaffen; und zwar kann sie dies, ohne eines besonders organisierten
Stoffes zu bedürfen, bloß durch Fixierung in irgend einem räumlichen Dasein,
denn wir wissen, daß auch aus den Elementarstoffen oder den allgemeinen
Formen der Materie organische Wesen erzeugt werden können. Sie wird
aber in diesem Falle der Materie, an welcher sie ihr individuelles Dasein
behauptet, ihren Charakter aufprägen, wie das Leben überall seinen Typus
durch Bildung organischer Teile aus fremdartiger Materie verwirklicht, und
wie bei der Zeugung der Charakter des väterlichen Lebens auf das künftige
kindliche Leben übertragen wird ohne einen materiellen Übergang, vielmehr
durch einen bloß dynamischen Akt." (Burdach, Physiol. III. S. 785 f.)

Eine der gewöhnlichſten Anſichten iſt die, daß bei Zerſtörung des Leibes im Tode doch etwas für die Seele Grundweſentliches unzerſtört von ihm übrig bleibe, was ihr fortgehends eine Anknüpfung gewähre. Aus allgemeinem Geſichtspunkte ſcheint ſich hiefür anführen zu laſſen, daß man ja mancherlei vom Körper wegnehmen kann, ohne daß man etwas von der Seele wegnimmt, Arme, Beine u. ſ. w. Alſo ſcheint es nur darauf anzukommen, wenn doch die Seele nicht ganz ohne Körper beſtehen kann, den weſentlichen Teil zu finden, der noch bleiben muß, damit die Seele bleibe, und dieſen ins folgende Leben zu retten. Nur daß man freilich nach und nach alle Teile des Leibes wegnehmen kann, ſelbſt die des Gehirns, wenn man es nur einzeln tut; jetzt die rechte, jetzt die linke Seite des Gehirns, wie früher betrachtet. Zwar, wenn man an den Übergangsteil des Gehirns zum Rückenmark (das ſog. verlängerte Mark) kommt, welcher dient, die Atemfunktionen zu unter- halten, dieſes verletzt, ſtirbt der Menſch aus Atemnot, was man aber unſtreitig nicht als Beweis wird anſehen wollen, daß hier ein Teil ruhe, der den Menſchen unſterblich macht. Das ganze Gehirn, ja das ganze Nervenſyſtem ohne übrigen Leib vermag überhaupt eben ſo wenig der Seele diesſeitig zu dienen als der ganze Leib ohne Nervenſyſtem und Gehirn. Welcher Verſuch bewieſe alſo, daß im einen mehr als im andern das liegt, worauf es bei Forterhaltung der Seele ankommt? Die Integrität des einen zeigt ſich nur in kleinen Teilen weſentlicher als die des andern, die Seele im Diesſeits zurückzuhalten.

In Betracht dieſer Umſtände und in Rückſicht, daß der ganze Körper handgreiflich im Tode zerfällt, alſo die Anknüpfung der Seelenintegrität an die Integrität eines beſondern Gehirnteils uns nicht einmal zu ſtatten kommen würde, ſelbſt wenn ſie ſtatthaft wäre, ſucht man den Teil des Körpers, der im Tode unzerſtört bleiben ſoll, gewöhnlich in etwas nicht Handgreiflichem.

So iſt mancher geneigt, die Seele in ein bevorzugtes Atom oder einen unzerſtörbaren Kern, klar oder unklar vorgeſtellt, zu verlegen, welcher der Fäulnis trotze, und an welchem haftend die Seele den Weg ins neue Leben finde. Der Stein der Weiſen, den man ſo lange als äußerliches Mittel der Unſterblichkeit ſuchte, wird hiemit gewiſſermaßen in den Körper ſelbſt verlegt. Der Aberglaube aber wird dadurch nicht geringer. Denn welcher Zauber könnte an ein ſtarres Atom das Leben einer Seele heften?

Andre hegen die Anſicht, daß ein feiner ätheriſcher Leib in dem gröbern enthalten ſei, der ſich bei Zerſtörung des gröbern frei mache

und uns unsichtbar ins neue Leben entschwebe. Vielleicht ist diese Ansicht unter allen die gewöhnlichste. Schon manche Heiden hegten dieselbe, indem sie eine feurige Natur der Seele annahmen, welche ihr
gestatte, nach dem Tode zum Himmel zu entfliegen; besonders aber hat
sie unter den Christen auf Grund teils der paulinischen Vorstellung
von dem verklärten Leibe des Jenseits, teils mancher physiologischen
Vorstellungen über das Wirksame im Nervensystem vielfachen Eingang
und Ausbildung gefunden. Der Kirchenvater Origenes gehört zu ihren
Vertretern, und später ist sie von Burn, Priestley, Jani*), Töllner**),
Schott***), Leibniz†), Sulzer und vielen andern in Schutz genommen und
neuerdings von Fr. Groos in einigen kleinen Schriften entwickelt worden.

Nicht ohne Interesse dürfte es sein, die Ansicht von Leibniz über diesen
Gegenstand mit seinen eigenen Worten (nach Schilling, Leibniz als Denker)
hier mitgeteilt zu finden.

„Warum sollte die Seele nicht immer einen feinen, nach seiner Weise
organisierten Körper behalten können, der sogar bereinst bei der Auferstehung
von seinem sichtbaren Körper das Nötige wieder aufnehmen kann, da man
ja den Seligen einen verklärten Körper zuschreibt, und auch die alten Väter
den Engeln einen verklärten Körper zugestanden haben. Diese Lehre stimmt
übrigens mit der Ordnung der Natur, wie sie durch Erfahrungen bekannt
ist, überein. Denn wie die Beobachtungen von sehr guten Beobachtern uns
zu der Einsicht bringen, daß die Tiere nicht anfangen, wenn die große
Menge dies glaubt, und daß die Samentierchen oder die belebten Samen
schon seit dem Anfange der Dinge bestanden haben, so will die Ordnung und
die Vernunft, daß das, was seit dem Anfange existiert habe, auch nicht endige,
und daß also, gleichwie die Zeugung nur eine Vermehrung eines umgebildeten
und entwickelten Tieres ist, auch der Tod nur eine Verminderung eines
umgebildeten und zusammengefalteten Tieres sei, und das Tier selbst
während der Umbildung immer bleiben wird, sowie der Seidenwurm und
der Schmetterling dasselbe Tier ist." (Aus Leibniz, Betrachtungen über die
Lehre von einem allgemeinen Geiste.)

Fr. Groos hat in der Schrift: „Meine Lehre von der persönlichen Fortdauer des menschlichen Geistes nach dem Tode" aus physiologischen Gründen
wahrscheinlich zu machen gesucht, daß in unserm physischen Organismus als
Kern und Keim, der sich durch Fleisch und Blut und Bein nur (wie die
Pflanze durch die Kräfte des Bodens) nähre, erwachse und ausbilde, ein

---

*) Jani, Kleine theolog. Aufs. eines Laien. Stendal, 1792. S. 109 ff.

**) Töllner, Syst. theolog. dogm. p. 708. sq.

***) Schott, Epit. theolog. chr. dogm. p. 125. Schott hält es für wahrschein-
lich: „corpore humano subtilius idemque nobis invisibile contineri animi
nostri involucrum. Organon, cujus usum animus et in hac vita terrestri
faciat et statim post mortem libertate majori sit facturus."

†) S. unten.

„unverweslicher, wahrscheinlich lichtstofflicher Leib" eingepflanzt sei, und im
Tode zugleich mit dem Geiste durch „progressive Energie" mehr aktiv als
passiv in ähnlicher Art wie der Fötus aus dem Mutterleib sich von dem
physischen Organismus loslöse, um fortan dem Geiste als alleinige Hülle zu
dienen. Als Fortsetzung dieser Schrift ist erschienen: „Der zweifache, der
äußere und der innere Mensch." Mannheim 1846.

Einen scheinbaren Anhaltspunkt kann die vorstehende Ansicht darin
finden, daß nach vielfachen, wenn auch nicht über das Hypothetische
hinausführenden Andeutungen unser Nervensystem wirklich der Behälter
für ein feines ätherisches unwägbares Agens sein mag, das für die
Betätigung unsrer Seele im Leiblichen eine besonders wichtige Rolle
zu spielen und gewissermaßen der Vermittler für die dieselbe zur gröbern
Leiblichkeit zu sein scheint. Nun hindert nichts, in der Vorstellung dies
ätherische Wesen auch nach Wegfall seiner groben Unterlage noch übrig
bleibend als einen feinen Lichtleib oder verklärten Leib zu denken.

Aber abgesehen von dem Hypothetischen, was in der Annahme eines
solchen Nervenagens liegt, weist nichts in der Wirklichkeit darauf hin,
daß ein unwägbarer Leib noch abgetrennt von einem wägbaren Leibe
gestaltet fortbestehen und sich fortentwickeln und wirken könne. So weit
wir in die Natur blicken, sehen wir die Organisation des Unwägbaren
an die des Wägbaren geknüpft. Einen für sich bestehenden ätherischen
Leib annehmen wollen, heißt daher nicht nur eine neue Existenz, von der
wir nichts sehen, sondern auch neue Bedingungen der Existenz, von denen
wir das Gegenteil sehen, annehmen. Ein andres, wenn, wie in unsrer
Ansicht, der unwägbare Leib sich im Zusammenhange mit einem wägbaren formt. Aber so meint man es nicht.

Alle vorigen Ansichten haben das gemein, daß sie uns von den
Mitteln des Jetzlebens, mittelst deren wir aus einer Außenwelt schöpfen
und auf eine Außenwelt wirken, nur etwas nehmen, ohne uns neue
Mittel dafür wiederzugeben, unser künftiges Leben gegen das jetzige ärmer
machen, statt es zu bereichern. Kann aber auch ein Schmied mehr
leisten als vorher, wenn man einfach nichts tut, als ihm seine Werkzeuge nehmen? Nun kann man zwar neue Mittel für das künftige Leben
erwarten. Dann fragt sich, auf welchem Wege sie erwarten. Das, dünkt
mich, führt eben wieder zu unsrer Ansicht, welche die neuen Mittel durch
die alten vorbereiten läßt, und die alten Mittel dann nicht teilweise,
sondern ganz fallen läßt, nachdem sie schon gedient haben, die neuen
zu schaffen. Das Werkzeug unsres Körpers wird während unsres Lebens
fortwährend repariert, bis das damit zu schaffende neue zu seiner Be-

stimmung fertig ist. Dann wird nicht ein Stück des alten Werkzeugs
noch zurückbehalten, sondern das neue ganz an seine Stelle gesetzt. Man
soll nicht einen alten Lappen auf ein neus Kleid setzen und den neuen
Most in alte Schläuche füllen. So tun die, welche noch ein altes
Stück vom alten Leibe in das neue Leben retten wollen.

Manche halten dadurch viel für die Unsterblichkeit gewonnen, daß
sie eine Abhängigkeit der Seele vom Körper nur ihren niederen Funktionen
nach zugeben; dagegen meinen, daß sie sich in Betreff der höhern (des
Geistigen im engern Sinne) frei über das Körperliche erhebe; der selbst=
bewußte Geist, um dessen Rettung es uns doch eigentlich zu tun sei,
anstatt dem Körper untertan zu sein, sei vielmehr Gebieter desselben
und mithin auch von der Zerstörung desselben unbeteiligt. Immerhin
möge ein gewisser Teil, eine gewisse Seite des Geistes, so zu sagen die
Schale desselben, der Zerstörung mit dem Körper unterliegen, aber nicht
der Kern, das Wesentliche des Geistes.

Schon unter den alten Philosophen kommt diese Vorstellung vielfach
vor; hier ein Beispiel, wie dieser Gegenstand neuerdings gefaßt wird.
Hüffell in seinen Briefen über die Unsterblichkeit (worin übrigens eine
sehr achtenswerte Gesinnung anzuerkennen ist) sucht dem Einwand, daß ja
die Geisteskräfte schon mit dem Alter abnehmen, also wahrscheinlich im Tode
ganz verlöschen, dadurch zu begegnen, daß er sagt, was abnehme und ver=
schwinde, sei bloß die äußere Seite des Seelenlebens, Gedächtnis, Ein=
bildungskraft, Verstand, Scharfsinn, Witz, Talente u. s. w.; was fortleben
werde, sei der Kern der Seele oder der innere Mensch, bestehend in Selbst=
bewußtsein, in der Vernunft. Jene äußere Seite sei mehr für dieses
Erdenleben berechnet, daher auch mehr oder weniger mit dem Körper, beson=
ders mit der Nervenkraft, im Zusammenhange und davon abhängig, könne
auch recht gut mit dem Körper zu= und wieder abnehmen, ohne daß das
innere Wesen des Geistes verändert werde. Dies über alle Veränderungen
erhabene, selbständige Wesen werde im Tode vom Körper getrennt oder besser
zu einem neuen Leben geboren, und gehe dahin, wo ihm Gott eine neue
Laufbahn öffnet.

Hier hat man zwei widernatürliche Trennungen auf einmal, erstlich die
des Geistes vom Körper, dann die des Geistes in sich, gegen deren Möglich=
keit die diesseitige Erfahrung in gleicher Weise streitet.

Nun wird man freilich zugeben können, daß das höhere Geistige
sich über die Sphäre des sicher an das Körperliche geknüpften Sinnlichen
und Sinnbildlichen hoch erhebe; aber bleiben wir nicht bei der zwei=
deutigen Faßbarkeit des Wortes Erhebung stehen, sondern sehen zu, wie
sich dieselbe in der Wirklichkeit gestaltet, so finden wir, um an früher Er=
örtertes zu erinnern, daß das höhere Geistige selbst nur in Entwickelungen,

22*

Beziehungen, tätigen Relationen des Niedern existiert und waltet, abstrakt davon gar nicht real vorhanden ist. Die Melodie ist ein Höheres als das Sinnliche der einzelnen Töne; aber was ist sie ohne das Sinnliche der einzelne Töne? Der philosophischste Geist des Menschen bedarf der Sinnlichkeit, um hier zu existieren, er reflektiert zwar über das Sinnliche, ja über sich selbst, aber er kann doch, um über das Sinnliche zu reflektieren, dieses nicht verlassen; es sind nur Beziehungen von Beziehungen, die in ihm tätig und kräftig werden, aber die unterste Basis davon bleibt immer ein selbst kräftiges und tätiges Sinnliches. Wo wir auch höheres Geistige sich entwickeln sehen, es übersteigt das niedere Sinnliche nicht wie eine Seifenblase, die von der Spitze einer Pyramide ins Blaue geblasen wird, sondern wie die Spitze der Pyramide selbst, in der alle ihre Seiten sich verknüpfen, die aber doch nur Spitze mittels der Basis bleiben kann; nicht wie ein Schmetterling, der sich über die Blume erhebt, sondern wie die Blume selbst sich über Wurzel und Stengel erhebt, alle Säfte und Kräfte derselben in sich verarbeitet, aber, statt unabhängig davon bestehen zu können, dieselben notwendig braucht, um mit dem nährenden Boden in Beziehung zu bleiben. Diese Be- trachtungsweise der Verhältnisse des höhern zum niedern Geistigen ist nicht aus dem Worte, sondern aus der Anschauung des geistigen Lebens selbst geschöpft und nur hierauf können wir fußen. Sehen wir hier niemals das höhere Geistige sich vom niedern ablösen, sondern nur in angegebener Weise dasselbe übersteigen, immer durch das Niedere selbst an das Leibliche gekettet bleibend, so ist es wieder eine Annahme ins Leere und Blaue, widersprechend der Erfahrung, ja dem klaren Bedenken der Erfahrung, daß es sich im Übergange zum künftigen Leben davon frei machen oder bei dem Verfall des Niedern fortbestehen könne; und gesetzt es geschähe, so bleibt wieder die Schwierigkeit übrig, wie es leiblos gedacht werden könne, oder wie es nach Entäußerung von seinen frühern leiblichen Mitteln sich einen neuen Leib schaffen könne, da jetzt der Geist doch nur mit den ihm schon gegebenen leiblichen Mitteln wirkt.

Selbst unter den rohen Völkern kommt zwar die Ansicht einer Teilbarkeit der Seele mit Bezug auf den Übergang ins Jenseits vor; nur daß sie solche dann auch schon vor für das Diesseits geltend machen, konsequenter in dieser Beziehung als wir, sofern sie hiemit wenigstens eine Übereinstimmung zwischen der Natur der Seele im Diesseits und Jenseits erhalten. So glaubten die heidnischen Grönländer in sich zwei Seelen, den Schatten und Odem, deren letzter immer im lebenden

Körper verbleibe, während erster aus ihm auswandern, spazieren, auf die
Jagd, zum Tanz, Besuch oder Fischfang gehen, oder auch, wenn die
übrige Person verreist, zu Hause bleiben könne; desgleichen kommt bei den
kanadischen und andern amerikanischen Wilden der Glaube an zwei Seelen
vor, deren eine im Tode und Traume auswandert, während die zweite
bei dem Körper bleibt, ausgenommen, wenn sie in einen andern Körper
einkehrt. Wir lassen die Seele, auch das Höhere darin, den Geist
engern Sinns, hienieden immer zu Hause bleiben; aber was nützt uns
nun unsere ganze behauptete Unabhängigkeit derselben vom Körper für
das Jenseits, da es eben keine Unabhängigkeit der Art ist, welche eine
Trennung vom Körper gestattete? Wir suchen uns durch ein Wortspiel
zu täuschen. Unabhängigkeit des Geistes vom Körper kann verschieden
gefaßt werden. Erst fassen wir sie in einem, dann im andern Sinne.

Philosophen heutzutage werden zwar nicht leicht mehr auf eine
reale Trennbarkeit der Seele in einen vernünftigen und sinnlichen Teil
eingehen, dagegen sie gern in der Vernunft, dem Selbstbewußtsein, eine
Gewähr der Unsterblichkeit finden, wodurch namentlich der Menschengeist
sich von der Tierseele unterscheide. Erst mit der Vernunft erwache die
Bedingung und Berechtigung zur Unsterblichkeit.

Inzwischen, da die Tierseele ohne Vernunft schon aus einer ersten
in eine zweite Daseinsstufe übergehen kann, wie der Schmetterling beweist,
so sehe ich nicht ein, warum nicht auch in eine dritte. Die Frage nach
der Dauer der individuellen Seele scheint mir überhaupt unabhängig von
der Frage nach der Stufe, die sie einnimmt. Doch hat uns dies jetzt
nicht weiter zu beschäftigen.

Einer der gewöhnlichsten, schon von den alten Philosophen ein-
geschlagenen, aber auch noch heute beliebten Wege, die Unsterblichkeit der
Seele zu retten, ist die Seele für ein einfaches Wesen zu erklären. Nun ist
wahr, ein einfaches Wesen läßt sich nicht zerstören; aber nur, weil es
nichts darin gibt zu zerstören. Aber in der Seele gibt es eine große
Mannigfaltigkeit von Bestimmungen, Empfindungen, Gefühlen, Trieben,
Motiven, deren Einheit alle die Seele in sich begreift, was mit der
Vorstellung, daß ihre Einheit die eines einfachen Wesens sei, in offnem
Widerspruch steht. Und Einheit und Einfachheit ist doch zweierlei.
Es ist nur eben keine Vielfachheit im Sinne der körperlichen Zusammen-
setzung, was in der Seele als solcher vorkommt, aber doch eine Viel-
fachheit des geistigen Zusammen- und Nacheinander.

Bei der Gesichtsanschauung habe ich sicher ein unterscheidbares Vielfache zusammen im Bewußtsein. Ich kann sogar von einem Nebeneinander

in der Anschauung sprechen, obwohl man diesen Ausdruck lieber auf das materielle Objekt als das geistige Subjekt bezieht. Aber dies tut nichts zur Sache; nur durch das geistige Miteinander wissen wir jedenfalls vom materiellen Nebeneinander; eins repräsentiert uns das andre. Nun ziehe man in Erwägung, daß selbst unsre abstraktesten Begriffe immer mit einer gewissen Veranschaulichung oder Versinnbildlichung gedacht werden und nur so gedacht werden können, sollen sie für sich gedacht werden. Wollte man daher selbst das mannigfaltige Zusammen ursprünglich nur auf sinnliche Wahrnehmungen erstrecken, (was doch schon genügen würde, die Einfachheit der Seele zu widerlegen,) so überträgt es sich doch hiedurch auch höher hinauf. Vom zeitlichen Nacheinander wird von vorn herein niemand leugnen, daß es ein Mannigfaltiges enthält; und ist die Seele wesentlich ein zeitliches Wesen, so könnte sie, wenn sie selbst nur in dieser Richtung Mannigfaltiges enthielte, doch nicht einfach genannt werden; so wenig ich eine Linie etwas an sich Einfaches nennen kann, weil sie nicht auch nach der Dimension der Fläche zusammengesetzt ist.

Zwar ist man geneigt, die Seele in ihrer zeitlichen Fortbestimmung zum Mannigfaltigen so vorzustellen, wie eine Bewegung, die durch immer neue Impulse, welche sich mit der Wirkung der frühern zusammensetzen, immer neue Richtungen nimmt, doch bleibt sie in jedem Momente immer eine Bewegung in einfacher Richtung. Oder so: die einfache Qualität der Seele ändert sich zwar durch immer neue Bestimmungen von außen und durch Selbstbestimmungen; aber wird doch dadurch immer nur zu einer neuen einfachen Qualität fortbestimmt. Aber abgesehen davon, daß das Faktum unsrer Gesichts-Anschauungen dem widerspricht, läßt sich auch ein mannigfaltiges Nacheinander der Seele gar nicht vorstellen, ohne ein mannigfaltiges Miteinander, aus dem es hervorgeht. Ein Punkt muß, um mannigfaltige Richtungen im Raume nach einander anzunehmen, mannigfachen Impulsen unterliegen, wozu wenigstens noch ein Punkt außer ihm gehört; soll aber ein Wesen auch innerlich durch sich und in sich tätig sein, wie eine Seele, so muß die gleichzeitige Mannigfaltigkeit, von der das mannigfaltige Nacheinander darin abhängt, in ihm selbst gedacht werden, denn ich wüßte absolut nicht, nach welchem Schema eine einfache Qualität sich durch sich selbst zu etwas Neuem fortbestimmend gedacht werden könnte. Das in sich Einfache ist eo ipso in sich unveränderlich.

Sagen kann man freilich immer, es sei dies eben die Eigentümlichkeit der Seeleneinfachheit, eine Vielheit von Momenten, Bestimmungen einzuschließen, aber denken kann man es nicht; zuletzt bleiben der Begriff der Einfachheit und innern Vielheit sich schlechthin widersprechend. Nun kümmert man sich gewöhnlich nicht um diesen Widerspruch, reflektiert jetzt auf die Einfachheit, wenn es gilt, das ewige Leben der Seele zu beweisen, und auf die Vielfachheit, wenn es gilt, ihr zeitliches Leben darzustellen; aber im Interesse klaren Denkens liegt es, beides in Zusammenhang und in Verbindung vorstellen zu können; was keine in sich widersprechenden Begriffe gestattet. Am wenigsten wüßte ich mich mit den widerspruchsvollen Vorstellungen Herbarts in dieser Hinsicht zu vertragen.

Gewöhnlich zwar fußt man auf folgender Betrachtung: in aller Mannigfaltigkeit und allem Wechsel der Bewußtseinsphänomene bleibt doch das Gefühl oder Bewußtsein unsers Ich etwas einfach Identisches, gar nicht weiter Analysierbares. Und dieses ist das Wesentlichste unsrer Seele. Bleibt dies unzerstört, als Einfaches ist es aber unzerstörbar, so sind wir geborgen.

Aber diese Einfachheit nicht unsrer Seele, sondern eines Abstraktums unsrer Seele, denn was ist das einfache Bewußtsein ohne die konkrete Mannigfaltigkeit seiner Bestimmungen, verbürgt uns in der Tat nichts. Ja bestände die ganze konkrete Seele aus nichts als dem einfachen Selbstgefühl oder Selbstbewußtsein unsers Ich, so möchte sie, weil einfach, unzerstörbar sein. Aber das Selbstgefühl oder Selbstbewußtsein des Ich ist nur etwas dem ganzen Seeleninhalt und Tun Immanentes, abstrakt ohne die Mannigfaltigkeit seiner Bestimmungen nicht Bestehendes. Selbst wenn wir auf die Einfachheit unsres Ich reflektieren, ist dies nur ein einzelner Gedanke unsers Ich, eine besondere Bestimmung unsers konkreten Ich, nicht das ganze, an so vielen Bestimmungen reiche konkrete Seelen= Ich. Jedes abstrakte Einfache schwindet aber, wie das konkrete Mannig= faltige schwindet oder zerfällt, dem es immanent ist, und seine Einfachheit kann dessen Schwinden oder Zerfallen nicht hindern.

Wie ist es denn mit dem Mittelpunkt des Kreises, dem Schwerpunkt eines Körpers? Da haben wir auch etwas Einfaches, inwohnend einer konkreten Mannigfaltigkeit, abstrakt ohne sie wohl denkbar, aber nicht abstrakt ohne sie bestehend. Gerade wie das Ich in Bezug auf die Mannigfaltigkeit der Bestimmungen, die es einigt. Ja selbst, wäre die ganze konkrete Seele wirklich etwas Einfaches; so bestände sie doch nur in und mit der konkreten Mannigfaltigkeit des Körpers. Wie oft hat man das einfache Seelenwesen wirklich mit dem Zentrum oder Schwer= punkt in einer leiblichen Mannigfaltigkeit verglichen. (Waitz nennt sie geradezu Zentralwesen in Bezug darauf. Eben so stellt Carus in seiner Physis sie als Zentrum des Körpers dar.) Hindert nun wohl die Ein= fachheit des Kreismittelpunktes, des Schwerpunktes, daß der Kreis, der Körper zerfalle? Und wo bleibt dann der Mittelpunkt, der Schwerpunkt selber? Ich sehe nicht ein, wie uns die Einfachheit des abstrakten Ichs oder Selbstbewußtseins oder selbst der ganzen, vom Körper abstrakt gedachten, Seele im geringsten sicherer stellen kann, als die Einfachheit des abstrakten Kreismittelpunktes oder Schwerpunktes diesen selbst. Es wird vielmehr erst gelten nachzuweisen, daß der Kreis selbst nicht zerfallen kann, damit sein Mittelpunkt bestehe, oder daß der Mittelpunkt aus andern Gründen imstande ist, sich seinen Kreis zu erhalten, da aus seiner Einfachheit an sich in dieser Beziehung gar nichts folgt.

Dasselbe läßt sich noch auf andere Weise erläutern. Ist nicht die Seeleneinheit eine Beziehung zwischen allen Momenten der Seele? Ist nicht auch das Verhältnis $^5/_6$ eine Beziehung zwischen den Zahlen 5 und 6? Dies Verhältnis ist auch ein einfaches, immanent einer Mannigfaltigkeit. Aber hindert diese Einfachheit, daß der Bruch in seine Glieder zerfallend gedacht werde?

Auf solche Weise also ist nichts zu gewinnen. Die ganze konkrete Seele ist nicht das Einfache, wofür man sie ausgibt; das Abstrakte aber, worin man das Wesen der Seele zusammenfaßt, zentralisiert, mag noch so einfach sein, ja selbst die ganze Seele möchte noch so einfach sein, so ist damit keine Gewähr gegeben, daß das Konkrete, Mannigfaltige, dem das Einfache innewohnt, und hiermit das Einfache selbst fortbestehe.

Hier ein Beispiel der Argumentation im vorigen Sinne:

„Der Tod vernichtet den Menschen nicht, sondern — was wirkt er? Was den Leib des Menschen betrifft, so lehrt dies der Augenschein. Er wird in seine Elemente zersetzt, aus denen er nach und nach sich gebildet hat. Der Geist des Menschen aber — kann er auch aufgelöst, zersetzt werden? Der Geist des Menschen ist ein identisches, einfaches Wesen. Er ist Ich = Ich. Sein Selbstbewußtsein ist der Beweis seiner Einfachheit. Hat er auch eine Vielheit in sich, so ist diese doch lediglich nichts als die mannigfaltige Weise seiner Selbstbeziehung auf sich. Das Identische Einfache aber kann nicht aufgelöst werden, denn es hat keine Teile, aus denen es bestünde und in die es wieder zersetzt werden könnte. Der Geist besteht also fort; der Geist ist die Substanz des Menschen; folglich bleibt dieser auch nach dem, was wir Tod nennen." (Wirth in Fichte's Zeitschrift XVIII. S. 29.)

Die Einfachheit des Geistes wird hier trotz der Vielheit, die er in sich hat, behauptet, weil diese Vielheit lediglich „nichts als die mannigfaltige Weise seiner Selbstbeziehung auf sich" sei. Ich sehe inzwischen nicht ein, wie eine vielfache Weise der innern Selbstbeziehung mit der innern Einfachheit eines Wesens soll verträglich sein, da in einem einfach gedachten Wesen gar kein Anlaß und Anhalt für Selbstbeziehungen, sondern nur für Beziehungen auf andres ist. Das heißt, die Sache hinter dem Worte verstecken. Im leiblichen Organismus gibt es viele innere Selbstbeziehungen. Sie hängen aber alle daran, daß er ein nicht einfaches Wesen ist, indem sich dies auf das, oder das einzelne auf das Ganze in ihm bezieht; aber eine Beziehung des einfachen Ganzen auf das einfache Ganze bliebe immer nur dieselbe einfache Identität. Nun ist die Seele zugestandenermaßen nicht in demselben Sinne ein räumlich materiell zusammengesetztes Wesen wie der leibliche Organismus, aber deshalb doch immer kein geistig einfaches Wesen, und

die Mannigfaltigkeit der Seelenbestimmungen hängt selbst mit der Mannig=
faltigkeit der Körperbestimmungen zusammen.

Vielleicht würde man weniger auf dem Begriff der Einfachheit der
Seele bestanden haben, wenn man überall folgende Betrachtung angestellt
hätte. So wie etwas im Begriffe recht wohl einfach und doch real ver=
gänglich sein kann, wie wir gesehen, so kann umgekehrt etwas dem
Begriffe nach zusammengesetzt und doch real unzerstörbar sein. Nicht
alles, was gedacht werden kann, geschieht. Es fragt sich, ob die
Bedingungen dazu in der Natur der Dinge liegen. Es können Be=
dingungen in der Welt sein, gewisse Verbindungen zu erzeugen, nicht
aber solche aufzulösen, vielmehr sie nur fortzuentwickeln, indem die
Bedingungen der Erzeugung die der Forterhaltung und Fortentwickelung
selbst einschließen. So ist es nach uns mit unsrer jetzigen Leiblichkeit,
die aus ihrem lebendigen Zusammenhange heraus einen neuen Zusammen=
hang erzeugt. Ist es aber mit dem Leibe so, so wird natürlich auch
die Seele, troß dem, daß sie nicht einfach ist, in dem stets sich erneuernden
leiblichen Zusammenhange selbst einheitlich fortbestehen können, da ihre
Einheit vom körperlichen Zusammenhange getragen wird.

Eine ähnliche Betrachtung ist schon früher angestellt worden. In:
Knappii Script. varii argumenti, Ed. 2. 1823. p. 85 sqq. findet sich z. B.
folgende Stelle:

„Sed fac animum ex pluribus esse naturis seu partibus concretum:
concedas tamen necesse est, deum pro summa potentia sua etiam
prohibere posse, quo minus partium dissipatio atque interitus con=
sequatur.“

— — — —

Es sind das Bisherige wohl die gewöhnlichsten Wege, die Unsterblich=
keitsfrage zu behandeln. Ich spreche nicht von denen, die nur von
einzelnen Philosophen und Theologen eingeschlagen worden sind, und
die keine verbreitete Geltung gefunden haben. Es gibt hier einige
Betrachtungsweisen, mit denen wir uns wohl befreunden mögen; ich
komme darauf in einem folgenden Abschnitt (XXIX.); nur daß sie
nicht zur vollen Entwickelung gediehen und wegen unvollständiger oder
zu abstruser Begründung zu keinem Einfluß gelangt sind.

Überblickt man das Bisherige, so scheint mir, daß wir, die gebildetsten
Völker, in Betreff der theoretischen Begründung und Gestaltung des
Unsterblichkeitsglaubens uns im ganzen durch wenig andres über die
rohesten Völker erhoben haben, als durch eine künstlichere Verwickelung
und Versteckung von Widersprüchen und Unklarheiten, die im Glauben

von jenen einfach und offen zu Tage liegen; ja daß manches in grober
Form und gerade zutappend richtiger von ihnen getroffen ist, als von
uns mit unsern subtilen Schlüssen.

Wozu aber all das Winden und Mühen und Verleugnen derselben
Prinzipien, die wir sonst unsern Schlüssen auf Zukünftiges zu Grunde
legen? Alles um einem an sich sehr gerechten praktischen Interesse zu
genügen, welches, nachdem die jetzt geltenden Ansichten von Natur und
Geist uns den Weg verlegen, auf dem allein es voll und leicht befriedigt
werden könnte, nicht anders scheint gewahrt werden zu können, als durch
solche theoretische Unzulänglichkeiten. Der Mensch will fortleben über
das jetzige Leben hinaus, und braucht die Aussicht auf das künftige
Leben zu den wichtigsten normierenden Gesichtspunkten für das jetzige.
Und für den praktischen Gewinn hievon scheut er keinen theoretischen
Verlust. Ohne das würde er weder darauf verfallen sein, je den Geist vom
Leibe loszureißen, noch den Geist in sich zu zerreißen, noch den Geist
einen neuen Leib ohne leibliche Mittel dazu bilden zu lassen, noch ihn
in ein starres Atom, eine einfache Monade zu sperren, noch die Existenz
eines ätherischen Leibes ohne die Bedingungen zu seiner Erhaltung anzunehmen, noch Einheit und Einfachheit der Seele mit einander zu vermengen oder die konkrete Fortexistenz an ein Abstraktum zu knüpfen.

Begreiflich nun, daß vielen solche Wege der Begründung nicht
zusagen. Und was Wunder dann, wenn sie entweder in Bevorzugung
des theoretischen vor dem praktischen Interesse die Hoffnung auf die
Unsterblichkeit gar aufgeben und sich im Diesseits ohne dieselbe so gut
zu behelfen und einzurichten suchen als möglich; oder in umgekehrter
Bevorzugung des praktischen vor dem theoretischen Interesse alle Begründung des praktisch geforderten Glaubens durch Gründe prinzipiell
verwerfen. Doch beides hat sein Schlimmes. Der Ungläubige sagt:
der Hinblick auf das Jenseits störe nur die rechte Aufmerksamkeit und
Tätigkeit für das Diesseits; aber in Wahrheit ist der rechte Vorblick
ins Jenseits der wahre und gedeihliche und tröstliche Führer durchs
Diesseits. Der religiös Gläubige sagt: wozu überhaupt schließen; haben
wir nicht die göttliche Offenbarung? Es möchte sein, wenn es nicht in
der Natur der Sache läge, daß die Offenbarung Gottes in der Schrift
selbst nur nach Maßgabe festen, sichern, allgemeinen Glauben verdienen
und erzeugen kann, als sie auch durch die Offenbarung Gottes in Natur
und Leben, durch das ewig Tatsächliche darin gestützt, nicht ihm widersprechend erscheint. Und wenn man die Tatsachen der Natur und des
Lebens nicht für den Glauben an die höchsten und letzten Dinge zu

nutzen weiß, so wenden sie sich ganz von selbst gegen denselben, bekämpfen die Wirksamkeit der praktischen Gesichtspunkte, statt mit ihnen Hand in Hand zu gehen. Nicht jeder bringt es dahin, seine Augen ganz zuzudrücken, wenn er im Alter, in Irrenhäusern und bei den Experimenten der Physiologen die Seele mit dem Körper sich zugleich abschwächen oder irren sieht und nirgends Seele ohne Körper sieht. Nicht jeder vermag seiner Vernunft Schweigen zu gebieten in Betreff der Folgerungen, die sie sofort daraus zu ziehen geneigt ist; nicht jeder beruhigt sich bei den oberflächlichen Abweisungen dieser Folgerungen, die freilich im Leben wie in der Wissenschaft gleich geläufig geworden sind; da, je mehr sich die Tatsachen im Zusammenhange aufbrängen, je tiefer sie verfolgt werden, desto bestimmter auch sich der durchgreifende, tiefe, grundwesentliche Zusammenhang des Geistigen und Leiblichen herausstellt. Dann verlangt aber auch die scheinbare Zerstörung des Leibes im Tode gebieterisch ihre Deutung, und der Zweifel kann nur besiegt werden, indem man seine Gründe besiegt.

Hiemit soll dem Werte einer Überzeugung kein Abbruch geschehen, die noch auf andern Quellen als wissenschaftlich entwickelten Gründen fußt. Der praktische Gesichtspunkt, welcher unabhängig von aller Theorie gewisse Überzeugungen fordert, und selbst den Glauben an noch andere Autoritäten als die partikuläre Vernunft des einzelnen fordert, hat so viel Recht als der theoretische. Aber auf welchen andern Motiven als wissenschaftlichen auch ein Glaube fuße, er wird nicht der rechte sein können, ja den Quell, aus dem er geflossen ist, selbst verdächtigen müssen, wenn er den klaren Blick der Wissenschaft zu scheuen hat, wie hinwiederum die Wissenschaft nicht die rechte sein könnte, die uns zu Folgerungen führte, welche unsern praktischen Interessen widerstreben. So liegt es in der obersten Verknüpfung des Guten und Wahren, die wir früher betrachtet haben (XIX, A). Darum gilt es herüber und hinüber zu blicken, und ob wir jetzt den theoretischen oder praktischen Gesichtspunkt zum leitenden machen, keine Abirrung von dem Wege, der durch den andern geboten ist, zu gestatten.

Wenn nun der theoretische Weg bis jetzt noch so wenig zu in sich befriedigenden und zugleich mit den praktischen Forderungen einstimmigen Ergebnissen geführt hat, liegt meines Erachtens der Grund in den Grundvoraussetzungen, die man über die Beziehungen von Leib und Seele, menschlichem und göttlichem Geist gehegt hat, darin, daß man gerade das als Grund des Verderbens gescheut hat, was vielmehr die Hoffnung unsrer Erhaltung am festesten stützen kann.

So zeigte es sich schon in Betreff der Ansicht, daß der Menschengeist einem höhern und höchsten Geiste angehöre; so gilt es auch von
der Ansicht einer festen und durchgehenden Verknüpfung von Leib und
Geist.

Ich gebe ein Bild: wer vom Dome zu Cordova, in dem „dreizehn-
hundert Riesensäulen tragen die gewalt'ge Kuppel" bloß hier und da
eine Säule in Betracht zöge, der müßte ihn freilich schon im Geiste
stürzen und sich unter den Säulen begraben sehen. Nun möchte er, wäre er
töricht genug, wohl gar lieber die Kuppel in der Luft schwebend, die
Säulen, die ihm Gefahr drohend erscheinen, ganz weggerissen haben; und
je mehr er solcher Säulen vereinzelt sieht, desto mehr fürchtet er sich.
Wie ruhig und sicher aber wird derselbe wandeln, wenn er, seine Augen
weit öffnend, alle Säulen auf einmal ragen, und die Kuppel sicher und
herrlich darüber geschwungen sieht. Je mehr Säulen, desto sicherer wird
er sich dünken. Diese Kuppel ist die Unsterblichkeit, die Säulen aber
sind die Beziehungen zwischen Leib und Seele.

Ich will sagen: man glaubt, durch je mehr Bande der Geist an
den Leib gekettet, je strenger, durchgreifender seine Verknüpfung damit
gefaßt werde, desto mehr drohe unsrer dereinstigen Fortexistenz Gefahr; nur
im Nachlaß von dieser Strenge, in gelockerter Fassung dieser Bande, sei
Hoffnung und Heil; während meines Erachtens gerade in der vollsten
rücksichtslosesten Strenge und strengen Durchtreibung dieser Verknüpfung
der sicherste, ja der einzig zureichende Weg einer vollen Begründung
unsers Unsterblichkeitsglaubens liegt, ohne solche aber derselbe stets mehr
oder weniger in die Luft gebaut bleiben wird. Nur eben zur ausnahms-
losen Konsequenz gilt es, sich zu entschließen, nur nichts halb durchzuführen, nur wirklich allem Geistigen seine Bahn und seinen Kahn im
Flusse leiblicher Bestimmungen zu gestatten, und alle Natur als geist-
tragend zu erachten, dazu alle Ursache als Ursache einer Folge zu
betrachten, die sich ändert, wie die Ursache, so werden wir auf dem
natürlichsten Wege von diesem Leben als Ursache in das folgende Leben
als dessen sachgemäße Folge übergeführt; und die Betrachtung des Leiblichen unterstützt in aller Weise die des Geistigen; wir können keinen
Grund für ein künftiges Leben mehr auf dem einen Gebiete finden, der
nicht seine Hilfe oder sein Äquivalent im andern fände. Ja die ganze
Ansicht von der durchgreifenden Verknüpfung des Leiblichen und Geistigen
bliebe ohne die Annahme eines künftigen Lebens verstümmelt und haltlos, indes die halbdurchgeführte Ansicht nicht über den Tod hinaus zu
kommen weiß.

Hat man einmal das breite Fundament gewonnen, auf daß ich hier hinweise, so fällt es dann nicht schwer zu erkennen, wie alles, was man von Widersprüchen und Inkonsequenzen in die Lehre von Leib und Seele um der Unsterblichkeitsfrage willen eingeführt hat, in der Tat nicht durch die Natur der Sache, sondern nur durch seine eigene Unhaltbarkeit gefordert wird. Ist es doch überall so, daß eine Inkonsequenz nur entweder durch eine andere Inkonsequenz oder durch Aufgabe aller Inkonsequenz korrigiert werden kann, soll das verlangte Resultat erscheinen. Was auf ersterm Wege erreicht werden kann, ist aber nur die Stabilität eines Kreisels, der sich durch Schwanken und Drehen nach allen Seiten eine Zeit lang hält, indem er die Fallbewegung nach einer Richtung immer wieder durch eine entgegengesetzte aufhebt. Zuletzt muß er doch fallen.

XXVII. Direkte Begründung der Unsterblich= keitslehre.

Werfen wir uns jetzt bestimmter jene Frage auf, auf die es bei gründlichster Betrachtung unsers Gegenstandes zuletzt ankommen muß: Woran hängt es, daß der Mensch auch nur im Diesseits durch allen Wechsel äußerer und innerer Verhältnisse hindurch er selbst bleibt? Was ihn durch alle äußern und innern Angriffe durch im Diesseits als denselben forterhält, wird ihn auch ins Jenseits hinein durch den größern Angriff des Todes durch als denselben forterhalten müssen, falls er anders forterhalten werden soll.

Aber wie wunderbar ist zuvörderst die Tatsache selbst, um die es sich hier handelt. Alles scheint am Menschen schon hienieden zu wechseln, und doch glaubt er in gewisser Hinsicht, und gerade der Haupthinsicht, ganz derselbe geblieben zu sein. Es scheint sich hier etwas geradezu zu widersprechen. Der Geist eines Greises und der Geist eines Kindes, wie verschieden sind sie in jeder Beziehung? Und doch gibt es zu jedem Geist eines Greises den Geist eines Kindes, mit dem er sich für ganz denselben hält. Es kann einer aus dem Unwissendsten zum Wissendsten werden, aus heller Lust in trübste Schwermut fallen, einst ganz erfoffen in Sünden sich ganz zu Gott bekehren, und hält sich doch noch für denselben Menschen. Nichts, so scheint es, ist beim Alten geblieben, und doch ist ganz das alte Ich geblieben und hiermit eben das geblieben, worin der Mensch sich selber sucht. Es scheint unmöglich, und doch ist es so.

Was macht es möglich? Etwas muß doch zuletzt wirklich ungeändert bleiben, sonst wär's kein scheinbarer, sonst wär's ein wirklicher Widerspruch.

Das macht es möglich, darin liegt's, wenigstens drücken wir's so aus, daß hinter allem Wechsel der geistigen Bestimmungen doch die Einheit des Geistes, in der sich jedes Menschen Wesen zusammenfaßt, immer noch unverändert, unversehrt, unangegriffen bleibt, ja sich selbst im Wechsel der Bestimmungen und durch denselben immer neu betätigt. Nur hätten wir unrecht, diese Einheit der Seele als einen toten Kern, ein einfaches konkretes Wesen in mitten seiner Bestimmungen und ablösbar davon zu fassen; es ist vielmehr eine lebendige, der Gesamtheit und dem Flusse aller Bestimmungen der Seele gleich innerliche Einheit des Wirkens, die alle unter sich verknüpft, vermöge deren alles Gleichzeitige im Geiste sich wechselbestimmt und jeder spätere Zustand hervorwächst aus dem frühern, dessen Fortwirkungen in sich tragend. Erläutern wir es etwas näher.

Wenn ich Baum, Haus, Berg, See zugleich sehe, nimmt sich jedes anders in der landschaftlichen Zusammenstellung aus, als wenn ich jedes einzeln sehe, ihr Eindruck greift wechselseitig bestimmend auf einander über, und daß so jedes auf jedes tut, spür' ich im Totaleindruck der Landschaft. Eins kann nicht anders in der Landschaft erscheinen, ohne daß in gewisser Weise alles anders erscheint, und hieran hängt ein Gesamteindruck, der sich vom Ganzen wieder auf das einzelne reflektiert. Beschreiben kann man's freilich eigentlich nicht, nur im Bewußtsein zeigen. Wie es aber hier mit den Momenten einer und derselben Anschauung ist, ist es mit allen Momenten der Seele, die man als gleichzeitige in ihr annehmen mag, bewußten und unbewußten zugleich. Eins kann nicht anders in der Seele erscheinen, ohne daß alles anders in der Seele erscheint, und hieran hängt ein Gesamteindruck, der sich auch vom Ganzen wieder aufs einzelne reflektiert. Mit dem Gefühl dieser Wechselbestimmtheit alles dessen, was in unsrer Seele ist, ist zugleich das Gefühl ihrer Einheit unabtrennlich gegeben. Die Seele spürt die mannigfaltigen Momente ihrer Selbsterscheinung in tätiger Wechselbestimmung, und die tätige Wechselbestimmung alles dessen, was in der Seele, kann nur mit dem Einheitsgefühle derselben bestehen.

Nun aber findet nicht bloß eine Wechselbestimmtheit, sondern auch Folgebestimmtheit dessen, was in der Seele ist und geht, statt, die jedoch mit der Wechselbestimmtheit selbst zusammenhängt. Die Wechsel= bestimmtheit äußert sich nämlich nicht bloß durch den Gesamteindruck, der unmittelbar damit gegeben ist, sondern auch durch Folgen, die daraus hervorgehen. Durch die tätige Wechselbeziehung, in welcher der Bestand der Seele steht, geht ein neuer Bestand der Seele als Folge des vorigen hervor. Und wie mit jener Wechselbestimmtheit zusammenhängt, daß der Mensch das gleichzeitige Mannigfaltige in einer Seeleneinheit ge= bunden fühlt, nicht in der Mannigfaltigkeit zerfährt, so mit der Folge= bestimmtheit, daß er auch das sukzessive Mannigfaltige so gebunden fühlt, daß er eins bleibt im Mannigfaltigen nach einander. Der spätere Geist fühlt sich noch eins mit dem frühern und ist in sofern noch derselbe wie früher, als er noch die Fortwirkungen des frühern in sich hat. Alles, was ich als Kind gesehen, gedacht, gefühlt, ob ich mich dessen auch nicht mehr erinnere, seine Folgen nicht mehr einzeln unter= scheide, ist doch nicht umsonst gewesen für mein spätestes Alter. Ja nichts, auch nicht das Kleinste, was mir in frühester Jugend begegnet und was in mir begegnet, ist umsonst fürs späteste Alter; klein, wie es ist, macht es mich auch nur anders in etwas Kleinem, aber nur das Nichts zieht nichts in mir nach sich. Der alte Geist kann solchergestalt seinen Zustand ganz und gar ändern; er muß ihn sogar ändern; denn in Änderungen besteht das Leben des Geistes; aber sofern es Änderungen sind, hervorgehend aus der früheren Wirkungseinheit des Geistes, an die sich das Gefühl des Bestandes der Geisteseinheit und hiemit des Ich knüpft, fühlt auch der Geist in seinem neuen Zustande sich immer als hervorgewachsen aus dem alten Geiste, als dessen Fortsetzung, fühlt er einen Identitätsbezug zwischen dem frühern und dem spätern Ich.

Es sind daher im Grunde nur verschiedene Ausdrücke, aber nicht verschiedene Dinge, wenn wir einmal sagen: der Geist bleibt derselbe im Fluß und Wechsel seiner Bestimmungen, weil sich die geistige Einheit doch durch allen Fluß und Wechsel der Bestimmungen unverrückt erhält, oder sagen, er erhält sich als derselbe, weil der Wirkungszusammenhang aller frühern Bestimmungen des Geistes sich durch eine zusammenhängende Folgereihe von Wirkungen ins Spätere fortsetzt. Denn eben das Wirken des Frühern ins Folgende hinein ist das, was beides in der Zeit einigt; es ist eine tätige Einheit, die der Seele; abstrakt faßbar, doch nicht ab= strakt bestehend.

Unser Identitätsgefühl in Bezug auf die Zeitfolge ist selbst

wesentlich identisch mit dem Identitätsgefühl in Bezug auf das Gleich=
zeitige; es ist dasselbe Ich, was in einer Gegenwart Verschiedenes
zusammenfaßt, und was das Verschiedene in der Aufeinanderfolge einigt,
und es läßt sich nicht einmal denken, daß diese Identität sich je lösen
könnte, da ja die tätige Folgebeziehung selbst nur ein Erfolg der tätigen
Wechselbeziehung ist, und die tätige Wechselbeziehung sich dadurch
wesentlich als solche charakterisiert, daß sie in die tätige Folgebeziehung
ausschlägt.

Nicht zwar rein aus sich, durch sich selbst setzt sich der Menschen=
geist vom Frühern ins Spätere fort. Da bliebe er immer nur ein
dünner Faden, wenn das, womit er als Kind beginnt, die ganze Basis
der Fortwirkungen in seinem Geiste bleiben sollte. Immer neue Be=
stimmungen schöpft er vielmehr durch die Sinne als neue Zuwüchse,
die nicht selbst Folgerungen dessen sind, was früher in ihm war, uner=
klärlich vielmehr durch alles Frühere in ihm sind, wohl aber neue
Folgerungen in ihm zeugen und ihn immer mehr bereichern. Indem so
etwas neu an uns tritt, was nicht geflossen aus unserm frühern Besitze,
haben wir dann auch das Gefühl, daß etwas Äußeres an uns trete;
doch verlieren wir uns selbst nie in dem neu Zutretenden. Sondern
indem sich durch alles neu an uns Tretende die Folgerungen des früher
Gewonnenen und des Angeborenen erhalten, fühlen wir uns durch alles
Neue noch die Alten, fühlen das Neue nur als Fortbestimmungen des
Alten. Durch die Folgen des Frühern in uns erhalten und entwickeln
wir uns fort, durch das neu an uns Tretende aber gewinnen wir immer
neue Anfänge der Entwickelung, denn die Entwickelung selbst geschieht
doch in uns, durch uns.

Die identische Forterhaltung des Ich diesseits durch allen innern
und äußern Wechsel hängt also kurz gesagt an der Forterhaltung des
ursächlichen oder Kausalzusammenhanges zwischen unsern geistigen Phä=
nomenen. In sofern etwas als geistige Folge aus dem fließt, was
unserm Ich früher angehörte, gehört es auch von selbst noch demselben
Ich an, erhält sich das Ich darin von selbst fort, wenn auch die
Erscheinungen selbst noch so sehr wechseln. Die allgemeinste Anwendung
hiervon können wir auf Gott selbst machen. Sind unsre Geister, wie
dies überall zugestanden wird, wirklich ursächlich aus Gott hervor=
gegangen, so genügt das, sie auch in Gott zu erhalten. Der ursächliche
Zusammenhang selbst erhält sie seinem Ich. Wer es anders meint,
verläßt die erfahrungsmäßige Basis des Schlusses, die uns zu Ge=
bote steht.

Was aber folgt daraus für unser künftiges Leben? Dies: die Fort-
bauer unsers Geistes ins Jenseits leugnen, hieße nichts anders, als die
fortdauernde Gültigkeit des ursächlichen Zusammenhanges im geistigen
Gebiete über das Diesseits hinaus leugnen, leugnen, daß die geistigen
Ursachen, die jetzt in uns liegen, auch über das Diesseits hinaus geistige
Folgen haben werden. Nichts in der ganzen Welt aber verrät uns, daß
Ursachen je aufhören können, ihnen gemäße Wirkungen zu zeugen; auch
sehen wir sogar genug von den geistigen Nachwirkungen der Menschen,
nur freilich bloß in Wirkungen, die wir empfangen, was aber doch Wirkungen, die geäußert werden, voraussetzt. Überall erscheint der Geist
als solcher ja nur sich selbst, und wir können den Geist eines andern
in seinem jenseitigen Dasein nicht unmittelbarer sehen wollen als im
diesseitigen, zumal so lange wir selbst noch auf diesseitigem Standpunkte sind.

Alle Besorgnisse, daß die Folgen unsers Geistes bloß einem höhern
Geiste, aber nicht mehr unsrer Individualität zu Gute kommen möchten,
erledigen sich hiermit. Freilich kommen sie ihm auch zu Gute, aber nicht
anders, als ihm schon unser jetziges geistiges Ursächliche zu Gute
kommt, womit doch unsre Individualität besteht. Als Folgen unsrer
selbst bleiben sie unser, und seine nur, in sofern wir schon jetzt sein
sind und bleiben.

Oder sollte man verlangen, daß noch besondere Bedingungen für
Erhaltung des Grundcharakters, der individuellen Eigentümlichkeit
gewahrt werden? Aber sie sind eben damit schon im vollsten und eigentlichsten
Sinne gewahrt, daß der Geist sich durch seine Folgen forterhält. Denn
die Natur der Ursachen bestimmt überall die Natur der Folgen, und es
wäre etwas nicht Folge einer andern Ursache, wenn es nicht anders erfolgte, und es wäre etwas nicht andere Ursache, wenn es nicht andere
Folgen erzeugte. So individuell geartet also unser Geist jetzt ist, so individuell geartet und zwar in demselben Sinne individuell geartet, muß
er auch bleiben in Ewigkeit, sofern er nur überhaupt fortgehends Folgen
aus Folgen gebiert. (Vgl. Bd. I. S. 216.)

Indes nun alle Folgen dessen, was der Geist hatte, sein bleiben,
wächst er aber auch, wie wir sahen, durch etwas, was er nicht hatte,
und daß, was am meisten scheinen könnte, ihn zu stören oder zu zerstören, die Einwirkungen der Außenwelt, dient nur am meisten, ihn
reicher und höher zu entwickeln. In welche neue Außenwelt also auch
die geistigen Folgen unsers Jetzt eingehen mögen, als Folgen unsers
Ich bleiben sie immer unserm Ich, und alle Eingriffe der neuen

Außenwelt können nichts tun, als neue Bereicherungen dieses Ich mitführen.

Wir bleiben also von beiden Seiten sicher gestellt: keine Änderung, die aus uns selbst kommt, kann unser Ich ändern, sondern es bloß fort= erhalten und fortentwickeln; keine Änderung, die durch etwas außer uns kommt, kann unser Ich ändern, sie kann es bloß mit neuen Anfängen der Entwickelung bereichern. Woher soll uns dann Gefahr kommen?

Zwar, könnten nicht die Folgen unsers jetzigen bewußten Geistes unbewußte sein? Wie viel habe ich als Kind gelernt, und es wirkt nur noch in unbewußten Folgen in mir fort. Gewiß, aber wie schon früherhin betrachtet, nur, weil seine Folgen in die spätern Bewußtseinsphänomene eingegangen und darin aufgegangen sind; es sind nicht solche, die dein Bewußtsein nicht mehr berührten, nur solche, die es nicht mehr gesondert für sich berühren; doch aber beitragen, dein bewußtes Ich in bestimmter Weise fortzuerhalten. So mag denn auch vieles, was dich jetzt bewußt berührt, in spätern Bewußtseinsphänomenen des Jenseits wieder unter= gehen; aber eben nur in Bewußtseinsphänomenen, die wiederum dir gehören; weil alle Fortbestimmungen deines Bewußtseins, die dies Unter= gehen mit sich führen könnten, seien sie aus dir gekommen, oder von außen an dich gekommen, ja auch dir gehören. Dein früheres Bewußt= sein kann bloß in deinem spätern Bewußtsein erlöschen, aber nicht in einem Allgemeinbewußtsein, das dich nichts mehr anginge. Denn solltest du auch mit dem Tode durch das ganze Allgemeinbewußtsein fortbestimmt werden, so würde dies eben nur eine Bereicherung deines Bewußtseins durch die ganze weite Sphäre seiner Bestimmungen, nicht einen Verlust deines Bewußtseins an das Allgemeinbewußtsein bedeuten; sonst müßtest du schon hienieden im Flusse der Bestimmungen, die dein Bewußtsein von außen empfängt, dich zu verlieren wenigstens beginnen.

In der Tat haben wir zu glauben, daß unsre Beziehungen zum Allgemeinbewußtsein sich mit dem Tode erweitern werden; aber es wird ein Gewinn, nicht ein Verlust für uns sein; und wie wir erweiterte Be= stimmungen durchs Allgemeinbewußtsein empfangen, wird dieses solche durch uns empfangen.

Das bleibt wahr, da ein Wechsel der Bewußtseinsstärke und =höhe, selbst mit zeitweisen Unterdrückungen des Bewußtseins, unsern Geist im ganzen schon hienieden betrifft, ja in seiner Natur liegt, so steht in dieser Beziehung allgemein gesprochen auch für die Zukunft jede Möglich= keit frei; nur nicht die, daß das Bewußtsein überhaupt fortan für uns

aufhöre. Die Abwechselung im Steigen und Sinken des Bewußtseins
hienieden mag in Ewigkeit wieder eine Abwechselung im Steigen und
Sinken nachziehen, so ist es die Natur periodischer Funktionen; aber mit
einem dauernden Erlöschen des Bewußtseins erlöschten die Folgen des
Geistigen selbst, hörte die geistige Ursache überhaupt auf, Folgen zu zeugen,
der Kausalzusammenhang im Geistigen wäre abgebrochen, weil ein
Geistiges ohne Bewußtsein in Ewigkeit kein Geistiges mehr wäre. Nur
schlafen oder in Ohnmacht liegen kann der Geist zeitweise, um noch
als existierend zu gelten. Dann sind die Folgen der frühern bewußten
Ursache nicht erloschen, sondern es liegt nur eben in der Natur der
periodisch sich hebenden und senkenden bewußten Ursache, entsprechende
Folgen zu zeugen.

Aber, kann man fragen, müssen denn die Wirkungen des Geistes
auch eben wieder geistige sein? Kann der Geist nicht auch materielle
Wirkungen, Bewegungen, zeugen und in diesen materiellen Wirkungen er=
löschen?

Gewiß kann es so sein, wenn, wie man gewöhnlich meint, der Geist
immer abwechselnd leibliche und der Leib geistige Wirkungen vor sich
hertreibt, ohne daß eins zugleich das andre wesentlich mitführt. Dann
setzt sich bald die geistige Bewegung in materielle, bald die materielle in
geistige um; und wir können in jedem Augenblick eben so erwarten, den
Geist in der Materie untergehen, als aus der Materie Geist entstehen
zu sehen. Aber anders stellt sich's, wenn, wie wir es meinen, alle
geistige Wirkung selbst von materieller getragen wird, kein Gedanke und
Wille ohne leibliche Regung ist. Dann wird auch die geistige Folge
durch eine materielle Folge zwar getragen werden, aber nicht durch sie
ersetzt werden können; und der Nachweis der materiellen Folgen wird
nicht die Abwesenheit, sondern das Dasein der geistigen beweisen. Hier
haben wir eine Haupt=Frucht der Anerkennung eines durchgreifenden Zu=
sammenhanges von Geist und Leib. Und je tiefer wir in die Tatsachen
des Jetzlebens eingehen, so mehr werden wir auf diesen Zusammenhang
wirklich hingewiesen.

Also in Betreff der Bedingungen, die das Geistige für sich selbst
zu seiner Fortexistenz zu erfüllen hat, sind wir so sicher von allen Seiten
gestellt, als wir nur immer nach den Tatsachen und Denkbarkeiten
unsres Jetzlebens wünschen können. Es ist nicht nur nichts, was im
Jetzleben uns das einstige Aufhören unsres Geistes drohte, sondern
nichts, was es uns überhaupt möglich erscheinen ließe. Wir müßten
annehmen, daß Ursachen Folgen zu zeugen aufhören, oder daß Geistiges

23*

und Leibliches sich in einander wandeln können, um zu glauben, daß
wir als geistige Individuen aufhören werden fortzuexistieren.

Inzwischen sind wir nicht allein auf Betrachtung der Bedingungen
gewiesen, welche im Geistigen selbst liegen. Sondern da unser Geist
hienieden eines leiblichen Trägers, einer leiblichen Unterlage zum Wirken
faktisch bedarf, haben wir außer den geistigen eben auch leibliche
Bedingungen unsrer Existenz hienieden in Betracht zu ziehen, und sollten
diese zerstört werden, so möchte aller Hinblick auf das Geistige allein
nicht genügend erscheinen. In unsrer Ansicht, daß aller Geist von etwas
Leiblichem getragen wird und nur auf Grund dieses Trägers besteht,
tritt die Frage nach der Forterhaltung dieses Trägers um so bringender
auf. Aber die Antwort ist auch um so bereiter. So wenig das Geistige
ohne Folgen sein kann, wodurch es sich forterhält, so wenig auch das
Leibliche, wovon es getragen wird; und welches immer die Folgen des
Leiblichen sein mögen, das unsern Geist jetzt trägt, sie werden auch der
Ursach adäquat die Fortsetzung des Geistigen tragen müssen, das jetzt
von unserm Leibe getragen wird. Aber kommen wir diesem allgemeinen
Schlusse mit der direkten Betrachtung dessen entgegen, was uns im
Dießseits unsern Leib durch alle Veränderungen desselben durch fortgehends als identischen Träger einer identischen Seele erscheinen läßt,
um von da aus, wie vorhin, die Frage für das Jenseits zu beantworten,
zu sehen, ob dasselbe auch die Katastrophe des Todes überdauert.

Überall finden wir hier analoge Verhältnisse wie auf geistiger
Seite. Unser Leib schließt eine große Mannigfaltigkeit von Teilen
und Bewegungen ein, aber der organische Wirkungszusammenhang läßt
uns ihn als einen zusammenfassen; die Einheit unsrer Seele findet
ihren Ausdruck oder Träger in der organischen Einheit unsres Leibes,
in dem sich auch alles wechselbestimmt; und wie wir auch zeitlich immer
denselben Geist zu behalten glauben, trotz dem, daß er sich beständig
ändert, glauben wir immer denselben Leib zu behalten, trotz dem, daß
er sich beständig ändert; was wieder sachlich zusammenhängt; denn was
noch die alte Seele trägt, gilt uns eben noch als der alte Leib, und es
ist dieselbe Frage: was läßt uns den Leib fortgehends als denselben
halten trotz aller Änderungen, und, was befähigt ihn, trotz aller
Änderungen fortgehends dieselbe Seele zu tragen?

In manchem nun kann es nicht liegen: nicht in Zurückhaltung
derselben Materie; denn diese wechselt während des Lebens kontinuierlich;
der Greis besteht aus total andrer Materie als das Kind, und glaubt
doch noch denselben Leib und dieselbe Seele behalten zu haben. Nicht

in Forterhaltung derselben Form; denn auch diese ändert sich kontinuierlich
von der Jugend zum Alter und im Grunde ist nichts noch ganz in
derselben Form im Leibe des Greises und Kindes, indes doch der Greis
sich immer noch für ganz denselben Menschen hält. Nicht in der
Bewahrung irgend eines besondern Stückes des Leibes, da man nach
und nach jedes beliebige Stück des Leibes wegnehmen kann, ohne daß,
so weit wir es überhaupt im Diesseits beobachten können, die Identität
des Individuums dadurch Eintrag erleidet. Betrachten wir überhaupt
den alten Menschen gegen den jungen. Er ist ein andrer Haufe Materie,
in einem andern Raum, einer andern Zeit, von einer andern Größe,
einer andern Form als der junge, sei es auch noch mit irgendwelchen
Ähnlichkeiten der frühern Form; aber das davon getragene Ich ist
ganz dasselbe geblieben. Was ist noch übrig, das den Leib noch zum
Träger desselben Ich stempelte? Ein einziges bleibt übrig, und zwar,
was sich dem Umstande, den wir als Bedingung der Forterhaltung des
Ich auf geistigem Gebiete erkannten, ganz entsprechend zeigt, so daß es
eben wieder als Ausdruck oder Träger dieser Bedingung im Leiblichen
gelten kann. Wie der spätere Geist aus dem frühern erwachsen muß,
um sich noch als derselbe zu fühlen, muß auch der Leib, der den spätern
Geist trägt, aus dem erwachsen sein, welcher den frühern trägt, um noch
als Träger desselben Geistes und hiemit als derselbe Leib zu gelten.
Alles kann wechseln und wechselt wirklich zwischen dem Bestande des
frühern Leibes wie des Geistes, nur der ursächliche Zusammenhang muß
sich stetig forterhalten, und erhält sich wirklich stetig fort. Was in mir
als Kind wirkte, wirkt in seinen Folgen noch heute in mir, dem
Erwachsenen, fort, leiblich eben so wie geistig. Wie anders auch die
Form des Greises sei als die des Kindes, doch konnte die bestimmte
Form eines Greises nur aus einer bestimmten Kindesform erwachsen.
Jede Bewegung, die je einmal im Organismus war, erstreckt, wenn auch
nie wieder in der ursprünglichen Form auftauchend, doch ihren Einfluß
so gut durch alles Spätere fort, wie die Bewegung eines Planeten in
irgend einem Momente ihren Einfluß durch alle Ewigkeiten forterstreckt;
das Spätere trägt die Fortwirkungen des Früheren in sich, und würde
anders sein, als es eben ist, wenn es sie nicht in sich trüge. Der
gesamte jetzige Zustand des leiblichen Organismus ist in ganz entsprechender Weise aus dem frühern hervorgewachsen, wie der geistige Zustand
aus dem frühern. Eben so wenig zwar rein aus sich selbst. Die Außenwelt
gibt auch hier fortgehends neue Bestimmungen. Aber durch alle neuen
Bestimmungen erhalten sich die Fortwirkungen des früher Gewesenen fort.

Wir sehen also die vollkommenste Analogie zwischen den Bedingungen des Fortbestehens unsrer Individualität auf geistiger und leiblicher Seite. Aber es ist mehr als Analogie; beides hängt in Wechselbedingtheit, ja Wesenseinheit, zusammen. Die geistigen Vorgänge fließen selbst nur nach Maßgabe aus einander, wie die leiblichen aus einander fließen, von denen sie getragen werden; der Fluß des Geistigen ist ja nur die Selbsterscheinung des leiblichen Flusses.

Was folgt nun daraus wieder für unsre Zukunft, wenn wir die Tatsachen des Jetzt maßgebend dabei halten wollen?

Daß der Leib unsrer Zukunft, um der Forterhaltung unsers jetzigen Ich dienen zu können, aus dem Leibe des Jetzt eben so ursächlich hervorgegangen, hervorgewachsen sein muß, als schon der Leib des Jetzt fortgehends aus dem, der das Ich früher trug, ursächlich hervorwächst.

Diese Bedingung erfüllt der weitere Leib in dem Sinne, wie wir ihn früher betrachtet haben, und erfüllt nichts anders, als dieser weitere Leib. Man wird umsonst etwas anders suchen. Wollen wir also Unsterblichkeit nicht ins Leere annehmen, so werden wir sie nur auf dieser Grundlage finden können.

Überblicken wir nochmals das ganze Verhältnis, das hierbei in Betracht kommt.

Die kausale Fortsetzung der Tätigkeiten des frühern Leibes, woran sich unser früheres Ich knüpfte, liegt nur zum Teil im jetzigen Leibe. Zum Teil liegt sie in der Außenwelt. Alles, was in irgend einem Momente in uns tätig ist, teilt sich so zu sagen in zwei Teile, deren einer innerlich fortwirkt, der andere nach außen greift. Jener dient, unser jetziges engeres leibliches System als Träger unsers jetzigen bewußten Lebens fortzuerhalten und dabei durch Einwirkungen der Außenwelt immer neu bereichert, fortentwickelt zu werden, dieser dient, ein neues leibliches System zu schaffen oder unser engeres in ein weiteres auszudehnen, das uns zum Träger unsrer Zukunft aufgehoben wird und jetzt noch im Unbewußtsein für uns liegt. Aber auch alles, was innerlich in uns fortwirkt, zeitweis darin kreist, setzt sich doch endlich über kurz oder lang in Wirkungen an die Außenwelt um, der mit dem Tode noch das Letzte von uns zugeworfen wird; so gehen wir nach und nach ganz an die Außenwelt über, setzen uns ganz und gar in das weitere System der Außenwelt um. Der Knoten des engern Leibes löst sich zwar nie, denn die Verwickelung der ursächlichen Bewegungen muß sich auch durch alle Folgen durch forterstrecken, wie mehrfach erörtert, aber die im engern Leibe festgezogenen Schlingen werden so zu sagen weit herausgezogen.

Vergeht endlich der engere Leib ganz, so erwacht nach den Gesetzen des Antagonismus und der Periodizität, die wir besprochen haben, der weitere dafür.

Man sieht wohl, daß der Grundpunkt, auf den es bei Forterhaltung des Individuums ankommt, hier wesentlich anders gefaßt wird als gewöhnlich. Wenn bei den meisten Ansichten, die wir im vorigen Abschnitt kennen gelernt haben, nur etwas identisch vom Geiste und Leibe forterhalten werden soll, worin eben das Wesentliche des Geistes und Leibes liege, so liegt es dagegen im Wesen der vorigen Ansicht, daß der ganze Leib und Geist sich in demselben Sinn identisch forterhält, als es schon jetzt geschieht, indem das Wesentliche für die Identität hier in den Wirkungszusammenhang und davon abhängigen und ihn fortführenden Kausalzusammenhang des ganzen leiblich-geistigen Organismus gesetzt wird, welcher Wirkungszusammenhang aber für jeden individuellen Organismus selbst ein charakteristisch und individuell verschiedener ist und der Natur des Kausalzusammenhanges nach so bleiben muß, wenn immer die Folgen den Ursachen gemäß erfolgen sollen.

Unrecht würde man haben, dem Kausalzusammenhange die Erhaltung eines Ich zuzumuten, wo keins ist. Nur sofern ein Ich da ist, kann es sich durch seine Kausalität forterhalten. Vieles kann also in der Welt in besonderer Weise kausal erfolgen, ohne daß sich darin ein besonderes Ich forterhält; doch wird diese Kausalität immerhin beitragen, das allgemeinste göttliche Ich fortzuerhalten, dessen Bestand an den Wirkungszusammenhang und dessen Forterhaltung an den Folgezusammenhang aller Dinge in der Welt gebunden ist. Wo kein besonderes Ich ist, kann es sich auch durch seine Folgen nicht als solches forterhalten. Doch kann die Entstehung von besondern Ichs niederer Stufen in einem Kausalzusammenhange höherer Ordnung begründet liegen.

Natürlich weicht unsre Ansicht auch sehr von denen ab, welche das Wesentlichste und Eigentümlichste des Geistes in einer Art Freiheit suchen, die demselben gestatte, sich von den Gesetzen des Kausalzusammenhanges zu emanzipieren, da vielmehr nach uns am Kausalzusammenhange der geistigen Erscheinungen die Forterhaltung der geistigen Identität selbst hängt, und was aus dem Kausalzusammenhange eines Geistes fiele, aus dem Geiste selbst fiele. Mag eine Freiheit in jenem Sinne statt finden, oder nicht, so ist alles, was mittelst einer solchen im Geiste begegnet, gar nicht als durch den Geist geschehen, nicht als seine Fortsetzung, Forterhaltung, anzusehen; begegnet dem Geiste wie etwas Fremdes. So ist es mit den Einwirkungen, die er von einer Außenwelt erfährt, und man kann billig bezweifeln, ob es noch etwas anders der Art gibt. Hiemit aber wird die Freiheit des Menschen nicht geleugnet, denn es hindert nichts, wie früher (XIX. B) gezeigt, in das Kausalgesetz selbst das Grundprinzip der Freiheit, um das es dem Menschen zu tun ist, mit aufzunehmen. Diesen Gegenstand aber verfolgen wir hier nicht weiter.

XXVIII. Praktische Gesichtspunkte.

Im Bisherigen galt es der Frage, was können wir aus unserm jetzigen Leben für das künftige schließen; fragen wir uns nun, was können die so begründeten Vorstellungen vom künftigen Leben auf das jetzige wirken. Es ist die praktische Seite der Frage, die uns jetzt nach der theoretischen zu beschäftigen hat; und nur die übereinstimmende Befriedigung unsrer theoretischen und praktischen Interessen kann uns nach unsren Ansichten sicher stellen, daß wir den rechten Weg getroffen.

Zuvörderst aber die Vorfrage: wird unsre Lehre denn überhaupt je eine praktische Wirksamkeit für das Leben gewinnen können? Ist sie nicht dazu viel zu unbestimmt und zu verblasen, zu weitläufig und schwierig für Darstellung und Auffassung? Mit einer praktischen Unfähigkeit, Eingang zu gewinnen, bewiese sie aber nach uns selbst zugleich eine theoretische Unzulänglichkeit. Denn eine Lehre von den höchsten und letzten Dingen ist nicht nur bestimmt, im engen Kreise nutzenbringend, sondern im weitesten Kreise heilbringend zu sein, dazu muß sie aber auch im weitesten Kreise angenommen und geglaubt werden können. Und könnte sie es nicht, so könnte sie auch theoretisch nicht die richtige sein. So liegt es in unserm allgemeinsten Prinzip der Verknüpfung des Guten und Wahren (XIX. A).

Inzwischen, wie es sich auch in Betreff der Faßlichkeit, Bestimmtheit, Darstellbarkeit mit unsrer Ansicht verhalten möge, gegen die bisherigen Ansichten steht sie jedenfalls darin nicht in Nachteil. Und konnten diese dennoch Platz greifen, sollte es die unsrige weniger können? Denn was kann schon unbestimmter, verblasener, schwerer zu fixieren sein, als die gewöhnlichen Vorstellungen über die künftige Existenz? Ja kann

man überhaupt von bestimmten Vorstellungen hier sprechen? Gibt es
nicht hier bloß schwebende und nebelnde, weder recht zu fassende noch zu
lassende traumhafte Gedanken? Hat die Seele künftig noch einen Leib
oder hat sie keinen? Verläßt sie den alten ganz oder behält sie etwas
davon und was behält sie davon? Oder wie und woher bekommt sie
einen neuen, und wie ist er beschaffen? Schläft sie nach dem Tode
oder geht sie gleich zum Himmel? Wie gelangt sie dahin? Was gibts
da für neue Verhältnisse? Was hat man sich unter dem Himmel selbst
eigentlich zu denken; einen Ort auf einem Weltkörper, oder den Raum
zwischen den Weltkörpern, oder einen Raume über allen Weltkörpern,
oder hört die Beziehung der Seele zum Raum überhaupt auf? Ist von
all diesem nur das Geringste in der gewöhnlichen Vorstellung fixiert?
Und dazu ist es vergeblich, diese Fixierung versuchen zu wollen; da, je
mehr man darauf ausgeht, um so grellere Inkongruenzen und Wider=
sprüche dieses ganzen Vorstellungskreises hervortreten. Dagegen ich meine,
daß unsre Ansicht sich gerade um so mehr fixiert und bestimmter gestaltet,
je mehr wir uns in dieselbe vertiefen.

Jede Ansicht von den göttlichen und jenseitigen Dingen wird zuletzt
durch Anthropomorphismus und Versinnbildlichung der rohen Auffassung
näher gebracht werden müssen; aber gerade unsre Ansicht bietet die viel=
seitigsten Anknüpfungspunkte dazu dar, solche, daß das Bild die Wahr=
heit vielmehr ausdrücke als verhülle; ja sie kann dieses Hülfsmittels
wohl mehr als jede andere entbehren, weil sie die Realbeziehungen des
künftigen Lebens mit dem jetzigen nicht durchschneidet, sondern verfolgt;
und hiemit der Auffassung der Verhältnisse des Jenseits den natürlichsten
Weg bahnt.

Und hierin suche ich einen Hauptvorteil unsrer Ansicht nach
praktischer Beziehung, noch abgesehen von dem Inhalte derselben, gegen
die gewöhnlichen Auffassungen und Darstellungen der Unsterblichkeitslehre.
Was kann eine Ansicht vom Jenseits für das Diesseits leisten, wie kann
sie richtungsgebend darauf wirken, Leitpunkte dafür entwickeln, wenn sie
keine Folgerung von dem, was hier gilt, auf das, was dort gelten wird,
zuläßt, jeden Realzusammenhang damit abbricht, oder gar die Hoffnung
der Zukunft auf Widersprüche mit den Tatsachen und Möglichkeiten
des Jetzt begründet; wenn wir in einen unbestimmten Himmel oder auf
ferne Planeten in Verhältnisse versetzt werden, die mit den jetzigen sich
nicht mehr berühren? Da sieht man nicht, und so geht es uns auch
nicht zu Herzen, wie das, was jeder hier tut, mit dem, was jeder einst
haben und erfahren wird, zusammenhängt. Lohn und Strafe erscheinen

grunblos angedroht oder verheißen, fremdartig zugemeffen, und wo man nicht einfieht, wie etwas kommen muß, ja kommen kann, bezweifelt man nur zu leicht, daß es kommen wird. Eins hängt ganz notwendig am andern. Wie die Realbezüge für das Wiffen, gehen die Wiffensbezüge für das Handeln verloren. Und wie wertvoll auch die Zusicherungen und Andeutungen sein mögen, die wir aus den Quellen unfrer Religion und einem ahnenden Gefühle schöpfen können, ja wie sehr sie selbst die notwendige Voraussetzung aller Theorie bilden, so droht doch die theoretische Blindheit und Verwirrung, in der wir uns in Betreff des Zusammenhanges des jetzigen Lebens mit dem künftigen befinden, immer, das unkräftig zu machen, was uns von diesen Seiten geboten wird. Ja was helfen dem, der einmal nicht glauben gelernt hat, alle Versicherungen und Drohungen, wenn sie ihre Wirkfamkeit nur auf einen vorhandenen Glauben stützen, aber solchen nicht erzeugen können.

Sehen wir dagegen klar ein, daß und wie unser künftiges Leben aus dem jetzigen hervorwächst, nach einer Erweiterung nur desselben Prinzips hervorwächst, nach dem schon jetzt jeder spätere Lebenszustand aus dem frühern, so erscheint hierdurch ganz von selbst alles, was wir im Jetztleben sind und tun, als eben so vorbedingend und bedeutungsvoll für unser künftiges Dasein, wie es mein heutiges Sein und Tun für das morgende, meine Jugend für mein Alter erscheint; und entstehen hierdurch ganz von selbst die kräftigsten Motive, auch so zu handeln, wie es für das folgende Leben am besten ist. Wenn nun dieselbe Ansicht zugleich als notwendige und planfte Folgerung einschließt, daß dasselbe Handeln, was der Zukunft am meisten frommt, auch das ist, was dem Jetzt am meisten frommt, so wird hierdurch in das Ganze unfrer praktischen Intereffen die schönste und beste Einstimmung kommen. Und so findet sich's in unfrer Lehre, wie sich durch das Folgende von selbst herausstellen wird.

Weiter aber muß man die umständliche, in Argumenten sich abmühende Form, in der unfre Lehre hier aufgetreten, nicht mit der verwechseln, in der sie vor der Maffe aufzutreten hätte. Ein Prediger bringt nicht vor das Volk auch die Studien zu seiner Predigt, da würde niemand in der Kirche bleiben; doch waren diese Studien nötig. Nur Studien sind hier gegeben, nicht Predigt, oder nur wenig Predigt mit viel Studien. Wie viel hätte dazu gehört, alle Gründe zu entwickeln, warum das Glauben verdient, was die Bibel von den höchsten und letzten Dingen sagt; sie verzichtet darauf und das Volk glaubt ihr nur um so lieber, wenn es nicht etwa mit Fleiß zum Unglauben angeleitet

wird. Doch fragt der Denkende auch nach den Gründen. Verstehen
wir unter Volk überhaupt kurz die große Zahl derer, die vielmehr durch
anderer, als durch eigene Vernunft geleitet werden, so wird dem Volke
der Glaube überhaupt wenig durch Gründe eingepflanzt, jeder Grund ist
für dasselbe gut, meist fragt es nicht danach, es glaubt eine Sache,
indem es einer Schrift oder Person, die sich Autorität bei ihm zu
erwerben gewußt, glaubt, es glaubt, was es von Kindheit an zu glauben
gewöhnt ist, glaubt so oft das Absurdeste und Schädlichste, am leichtesten
aber das Anschaulichste und Versprechendste. So wird all der große
Apparat, mit dem wir hier unsre Ansicht einzuführen und zu begründen
gesucht haben, das Volk zwar nicht kirren, aber auch nicht irren können,
vielmehr vor ihm wegfallen können und müssen. Vor ihm und vor der
Kinderwelt würde es gelten, die Sache grundlos, schlicht und einfältig,
aber in anschaulichster Form vorzubringen, so daß das Heilbringende
des Glaubens daran einleuchtet, mit Gleichnissen und Bildern, die ja
auch Christus nicht verschmähte, wo es sich um die Lehre vom Himmelreiche handelte (Matth. 13, 34). Und Form und Inhalt steht unsrer
Lehre dazu zu Gebote; die Form von Christi Lehre selber steht ihr zu
Gebote, weil ihr Inhalt selber der von Christi Lehre ist; sie kennt ja
keine andern Heilsbedingungen als diese; ihr Neues liegt nicht darin,
daß sie von der christlichen Lehre weicht, nur darin, daß sie das in
dieser noch Verschlossene offen zeigt und einen Wissensweg eröffnet zu
dem Glaubenswege.

———————

Was wir vor allem im praktischen Interesse vom künftigen Leben
zu verlangen haben, ist eine Gerechtigkeit, deren Aussicht beitragen soll,
uns zum Guten anzutreiben, vom Bösen zurückzuhalten. Schon jetzt
zwar ist eine solche Gerechtigkeit in der Anlage sichtbar, im allgemeinen
fährt der Gute besser, der Böse schlechter, vermöge der auf ihn zurückschlagenden Folgen seiner Handlungen; aber unser Leben erschöpft den
Kreislauf der Folgen nicht, das meiste von den Folgen unsrer Handlungen
greift zu weit über uns hinaus, um in Betracht der Kürze und Enge
unsers diesseitigen Lebens zur gerechten Rückwirkung auf unser bewußtes
Teil hienieden zu gelangen, und so ist oft dem Guten eben so sein
Lohn, wie dem Bösen seine Strafe vorenthalten; ja gerade für das
großartigste Gute wie Böse gilt dies am meisten. Deshalb haben alle
Religionen, die diesen Namen verdienen, eine Ergänzung im folgenden
Leben gesucht, wo dem Guten eben so der Lohn, wie dem Bösen die

Strafe voll zugewogen wird, die ihm hier verkürzt ist. Aber meist stellt man es so: während jetzt Gutes und Böses sich durch Folgen lohnt und straft, die nach der natürlichen Verkettung der Dinge und darauf gegründeten menschlichen Ordnung auch naturgemäß auf uns zurück= schlagen, soll das, was an der gerechten Vergeltung noch fehlt, im künftigen Leben wie von fremder Hand zugelegt oder überboten werden. Nach uns aber fällt die Ergänzung des Lohns und der Strafe im folgenden Leben unter dasselbe Prinzip, wie Lohn und Strafe im Jetzt= leben, da künftiges und Jetztleben selbst einen Zusammenhang bilden; ja es zeigt sich erst hiermit die Erfüllung und volle Durchführung dieses Prinzips. Auch im künftigen Leben werden es nur die aus dem Zusammenhange, in dem wir existieren, auf uns naturgemäß zurück= schlagenden Folgen von unserm jetzigen Tun und Lassen sein, welche uns lohnen und strafen. Während aber die Folgen dessen, was wir im Jetztleben mit Bewußtsein wirken, nur unvollständig auf unser bewußtes Teil im Diesseits zurückschlagen, schlägt nach dem Tode die Gesamt= heit der Folgen unsers bewußten Jetztlebens auf unser bewußtes Teil zurück, indem die ganze Sphäre der Folgen unsers jetzigen bewußten Lebens fortan die Sphäre unsers neuen bewußten Lebens bildet. Sind es gute Folgen, werden wir sie als gute spüren, sind es schlechte Folgen, werden wir davon leiden. Statt für unsre bisherigen Werke werden wir durch unsre bisherigen Werke bezahlt.

Keine Ansicht kann eine strengere, vollständigere, unverbrüchlichere, naturgemäßere Gerechtigkeit aufstellen; keine besser den Worten entsprechen, daß jeder ernten wird, was er gesäet hat; er säet in seinen Wirkungen und Werken jetzt sich selbst und erntet dereinst daraus wieder sein Selbst; keine besser der Mahnung, sein Pfund nicht zu vergraben; jeder ist selbst das Pfund, das sich austut, wie das, was ihm einst mit seinen Zinsen zurückgezahlt wird. In keiner legt sich besser das Wort aus, daß uns unsre Werke nachfolgen werden, ja sie werden uns nachfolgen, wie dem Kinde bei der Geburt seine Glieder nachfolgen, d. h. während unsre Werke jetzt hinter uns zu liegen, nur von uns äußerlich gemacht erscheinen, werden wir mit dem Tode erkennen, daß wir damit uns selbst gemacht haben. Denn im Kreise unsrer Wirkungen und Werke wohnen wir fortan, als wär' es unser eigner Leib, mit Bewußtsein. Das künftige Leben wird so alles erfüllen, was das Gewissen jetzt fernher droht und verheißt, gerechter noch, als es das Gewissen droht und verheißt. Mancher schließt jetzt noch sein Auge vor der fernher drohenden Geißel des Übels, das er durch sein Wirken gegen sich selbst heraufbeschworen, und vergißt zuletzt, daß sie droht; aber beim Erwachen im folgenden Leben wird er sie in seinem Fleische und Blute wüten fühlen und sie nicht länger vergessen können.

Was jeder innerlich gesäet hat, wird er auch innerlich ernten, was jeder äußerlich gesäet hat, wird er auch äußerlich ernten; was er aber innerlich geerntet hat, wird ihm auch wieder neue Saaten nach außen geben können; und was er von außen erntet, wird er doch in sein Inneres hinein ernten. D. h., was wir hienieden für die Welt um uns wirken, wird uns künftig in Bedingungen einer mehr äußerlichen, was wir in uns selbst wirken, in Bedingungen einer mehr innerlichen Existenz zu statten kommen; jenes in Mit= und Gegenwirkungen, die wir als von außen uns begegnend fühlen, daß sind künftig unsre äußern Güter, dieses in solchen Folgen, die wir unmittelbar in uns selbst entwickelt fühlen; das sind künftig unsre innern Güter, so weit sie wirklich gut. Nicht Geld und Ländereien werden es künftig sein, was als äußeres Gut noch gilt, die lassen wir dahinten, sondern gute Rückwirkungen unsers nach außen gegangenen guten Handelns, der Rückschlag des Segens, den wir um uns erzeugt haben, auf uns, die wir fortan im Kreise der von uns erzeugten segensreichen Wirkungen selber mit Bewußt= sein wohnen; nicht vergängliche Freuden unsers Innern werden es sein, was fortan als inneres Gut zu betrachten, sondern eine gute Gestaltung unsers Innern selbst und hiermit gute Stellung zu dem Innern des höhern und höchsten Geistes, die ihren Segen in sich selber trägt und äußeren wieder zeugt. Hat nun einer bloß auf seine innere Bildung hienieden Bedacht genommen, und nichts für die Welt um sich getan, so wird er auch an innern Gütern des Geistes reich, an äußerlichen Gütern arm in die folgende Welt treten. Hat einer viel um sich geschafft, aber wenig an sich selbst gebildet, so wird er äußerlich reich, innerlich arm in die folgende Welt übergehen. Da mag dann noch eine Ergänzung dessen frei stehen, was er hier versäumt hat; je harmonischer aber sein Trachten nach beiden Richtungen für ihn gewesen ist, desto besser wird es für ihn sein. So wird es dort wie hier eine Seite des äußern Glücks und Unglücks geben, die wir hier bezugsreich zu einander, wie hier nicht notwendig in Verhältnis zu einander, doch im ganzen in Verhältnis zu dem hiesigen Verdienst sein werden.

In der Tat, der Kreis unsrer Wirkungen und Werke greift in die übrige Welt ein, in schlechtem oder gutem Sinne, und erfährt ent= sprechende Rückwirkungen, die unser Bewußtsein jenseits als Fort= bestimmungen aus dem Diesseits betreffen werden, nach Maßgabe als die

Wirkungen von unserm Bewußtsein diesseits ausgingen; denn an die Folgen unsers diesseitigen Bewußtseins heftet sich unser jenseitiges Bewußtsein. Der Natur des Guten und Bösen nach aber ist gut nur, was im Sinne, und böse nur, was wider den Sinn des höchsten Wollens und Trachtens geht, das die Weltordnung beherrscht, und so muß das gute Handeln mit seinen Folgen den fördernden Mitwirkungen, das Schlechte den hemmenden und strafenden Gegenwirkungen dieses Wollens, Trachtens und der dadurch beherrschten Weltordnung begegnen; ist's nicht sofort, doch sicher über kurz oder lang; da die Gerechtigkeit sich nicht auf einmal, sondern nur im Laufe der Zeit vollzieht. So wird der Kreis dessen, was wir hier an der Welt um uns gebessert oder verschlechtert haben, uns durch die in der Weltordnung hervorgerufenen Mit- und Gegenwirkungen eine günstige oder ungünstige äußere Lebensstellung sichern.

Demnächst aber werden wir auch unsre Gesinnung, unsre Neigungen, unsre Einsicht und geistige Kraft als innere Fortwirkungen unsers diesseitigen bewußten Seins selbst mit hinübernehmen und ferner fortentwickeln. Hiervon wird unsre innere Lebensstellung abhängen und je nachdem unser Inneres im ganzen und in der Hauptrichtung im Sinne oder wider den Sinn des höhern und höchsten Geistes geht, werden wir bei den lichter gewordenen Bewußtseinsbeziehungen zu ihm auch ein unmittelbares Gefühl der Einstimmung oder des Widerstreits mit ihm als ein Gefühl innerer Seligkeit oder Verdammnis tragen, und hierin zur äußern Vergeltung eine innere finden, die mit der äußern zugleich voller und treffender werden wird als diesseits. Denn in Betreff der äußern schlägt nun auf uns zurück, was längst von Folgen unsers Handelns über uns hinaus schien, in Betreff der innern wird, was jetzt als Gewissensfreude und Gewissenspein nur erst ein kleiner, ja oft unter schwarzer Kohle sich ganz versteckender Funke ist, mit dem Verlöschen unsrer Sinnlichkeit zur hellen Flamme angeblasen werden, die uns den innern Himmel mit allgemeinem Lichte überglänzt, oder als verzehrende Fackel in uns wütet, bis zu Asche gebrannt ist alles, was des Himmels unwert.

Endlich aber, und das ist noch das Dritte, werden wir aus unserm Innern heraus, so gut oder schlecht wir es ins Jenseits mitbringen, auch jenseits, wie wir diesseits tun, tätig wirken nnd so das Jenseits uns durch unser eignes Handeln, je nachdem es im Sinne oder wider den Sinn der höhern und höchsten Ordnung ist, zum Himmel oder zur Hölle vollends machen. Teils wirken wir noch aus dem Jenseits auf die Verhältnisse der diesseitigen Anschauungswelt zurück, mit der wir verwachsen sind, und ändern dadurch deren Rückbestimmung auf uns im Jenseits selbst ab, teils weben und wirken wir an Verhältnissen und Werken, die nur für die höhere Erscheinungswelt des Jenseits selbst Bedeutung haben, wie wir es früher schon betrachtet haben.

Wie also hienieden unser Glück und Unglück von drei Umständen abhängt, einmal der äußern Lebensstellung, in die wir uns mit der Geburt versetzt finden und den Geschicken, die sich naturgemäß aus dieser Stellung ferner entwickeln, zweitens von den guten oder schlechten innern Anlagen, die wir mitbringen und ferner in uns entwickeln, und drittens von unserm Handeln aus diesem unserm Innern heraus, wodurch wir uns unsre äußere Lebensstellung noch ferner abändern, indem wir teils auf die Natur wirken, aus der wir ursprünglich selbst hervorgegangen sind, teils Werke und Verhältnisse schaffen, die nur für den Kreis des menschlichen Lebens Bestand und Bedeutung haben; also wird es künftig sein. Unser Inneres, d. i. unsere Gesinnung, Neigung, Tatkraft, Einsicht im diesseitigen Leben wird aber von all dem der Grund und treibende Kern bleiben. Denn nach Maßgabe, als dies unser Inneres hier beschaffen ist, werden wir auch hier nach außen handeln, wodurch wir uns den Ausgang und die Grundlage der künftigen äußern Lebensstellung bereiten; dieses Innere wird uns auch ins Inseits folgen, und aus demselben Innern heraus werden wir auch im Jenseits handeln und diese Lebensstellung ferner abändern. So kommt es vor allem darauf an, dies Innere diesseits gut zu gestalten; so ist die gute Gestaltung unsers innern und äußern Zustandes jenseits zugleich die natürliche Folge davon.

Dabei mag von den äußern Glücksbedingungen, die wir durch unser Wirken diesseits ins Jenseits hinein uns schaffen, manches unabhängig von unsrer diesseitigen Gesinnung, unserm Willen bleiben, ja manches anfangs noch als Zufall oder gar als Ungerechtigkeit erscheinen; können wir doch unsren besten Absichten hienieden oft nicht Folge nach außen geben; der Kranke, Gefangene, was kann er überhaupt für die Welt um sich tun; sind doch die Rückwirkungen der Welt gegen das Gute und Schlechte nicht immer sofort gerecht. Doch Zufall und Ungerechtigkeit schwinden, wenn wir zugleich auf die andern Seiten und den Fortgang der Vergeltung achten; darin gleicht sich alles zur vollen Gerechtigkeit im höchsten Sinne aus. Also sollen wir auch nicht allein auf jene eine Seite und jenen Anfang der Vergeltung achten.

Überhaupt stellen sich Lohn und Strafe im künftigen Leben nach

unsrer Lehre nicht als etwas ein= für allemal Auszuzahlendes und
Abgemachtes dar. Sondern das, was wir ins folgende Leben als Ent=
gelt unsers jetzigen innern und äußern Tuns mitbekommen, sind bloß
die dadurch beschafften innern und äußern günstigen oder ungünstigen
Ausgangsbedingungen für das neue Leben. Es kann aber einer, der im
diesseitigen Leben nur wenig für seine künftige äußere Lebensstellung zu
tun vermochte, in seiner Gesinnung, seiner Tatkraft, seinem Wollen, solche
innere Bedingungen mit hinübernehmen, die ihm die günstigste Wandelung
auch der äußern Verhältnisse sichern, sofern er sie von seinem Innern aus
nun ferner fortbestimmt.

Irrig denken viele, das Gute und das Böse des Menschen hienieden
werde im letzten Gerichte auf allgemeiner Wage gegen einander abgewogen,
und nur für den reinen Überschuß des einen oder andern Lohn oder
Strafe in eben so allgemeiner Münze von Seligkeit oder Unseligkeit
herausgezahlt; so reiche es also hin, für das Schlechte in einem Sinn
ein Äquivalent des Guten in einem andern Sinn zu tun, so seien
wir hiermit quitt vor Gott, und tun wir etwas mehr des Guten, so
genießen wir des überschüssigen Lohns dafür ohne Beschwer. Aber so
ist es nicht. Dann erhielten viele gar nichts überhaupt. Jedes Gute,
das Kleinste wie das Größte, soll es anders diesen Namen verdienen,
ist, im Zusammenhang des Ganzen erwogen, Quell von Folgen oder
wirkt mit an einem Quell von Folgen, die der Welt zum Frommen
sind, und jedes Böse eben so von solchen, die ihr Nachteil bringen;
jedes aber, sofern es selbst besonderer Art ist, zeugt auch die guten
und schlimmen Folgen von besonderer Art. Wer nun in einer Hinsicht
gut ist und gut handelt, wird die segensreichen innern und äußern Folgen
dieses Guten dereinst ohne Abzug genießen, sofern er sie nicht selbst durch
eine schlechte Gegenwirkung beschränkt; aber er wird nebenbei auch die
schlimmen Folgen des Bösen in vollem Maße zu tragen haben, was er
neben dem Guten tat. Es wird uns nichts geschenkt, kein Lohn, keine
Strafe, nichts gegen einander abgewogen, als die Folge gegen die Ursache.
Also beruhige sich keiner mit dem Gedanken: es wird mir zu schwer, dies
Böse zu lassen, ich mache es gut auf andere Weise; das Böse läßt sich
nur gut machen durch selbsteigenen Zwang des Bösen; wo nicht, so wird
es durch die Strafe einst gezwungen.

So müssen auch, die in der Hauptsache guten Herzens und guten
Handelns waren, jedoch des Fehlens und der Fehler noch nicht ledig,
im Jenseits erst durch ein Fegefeuer hindurch zur Sühnung ihrer Sünden
und Läuterung ihres Wesens; d. h. sie müssen durch die Strafen, welche

die Folgen ihrer Fehler sind, der allgemeinen Gerechtigkeit die Schuld abtragen und selbst zur Besserung genötigt werden, wenn sie sich nicht selber zwingen oder gezwungen haben.

Nun aber, wie werden es die haben, die grundböse innerlich und mit bösen Werken hinter sich in die andere Welt treten? Sie werden alles innerlich und äußerlich wider sich haben. Ihre Lüste, ihr Haß, ihre Selbstsucht, ihr Neid, ihr Zorn folgen ihnen nach in eine Ordnung der Dinge und wollen sich da befriedigen, wo niemand Befriedigung findet als der Tugendsame, Friedfertige und Gerechte; was sie in und außer sich verwüstet haben, liegt in und außer ihnen für sie nun wüste; sie sehen sich umgeben von der Lust des Himmels und vermögen nichts davon zu kosten; denn die himmlische Lust ist nur schmackhaft für einen himmlischen Sinn; die Folgen ihrer bösen Taten holen sie nun nach einander ein; jetzt sind sie noch fröhlich, so lange das Gewissen schläft, die Strafe zaudert; wo soll fortan die Fröhlichkeit für sie noch her-kommen, da das Gewissen um so wacher wird, je tiefer es schlief, die Strafe um so mehr Kraft gesammelt hat, je länger sie zauderte? So ergreift sie nun die innere und äußere Pein; eine unnachlaßliche, ja sagen wir, eine ewige Pein, d. h. die keinen Augenblick ihnen Ruhe läßt, bis daß der letzte Heller ihrer Schuld bezahlt, der böse Sinn von Grund aus gebrochen ist. Der Wurm nagt unaufhörlich fort, bis er seine böse Speise ganz aufgezehrt hat. Der Himmel aber ist über der Hölle, d. h. größer und mächtiger als die Hölle und zwingt die Hölle durch die Hölle selbst. So wird dann auch zuletzt kein böser Sinn wider-halten können.

Vermögen wir nun aber auch die Freuden der Guten und Gerechten zu schildern? Nur dies und das können wir davon ahnen. Die Guten und Gerechten werden, wenn sie gebüßt, was noch zu büßen, geläutert sind vom Irrtum und Fehler in den allgemeinsten Bezügen, denn bis ins einzelne vollkommen wird kein endlich Wesen, fühlen, wie die Macht des höhern und höchsten Geistes mit ihnen ist, sie werden eine Ruhe, eine Sicherheit und Klarheit und Einigkeit in sich und mit den andern seligen Geistern spüren, wie sie nimmer Sache des verworrenen Lebens diesseits; sie werden dem Höchsten bauen und ordnen helfen die Geschicke dieser diesseitigen Welt selbst, teil gewinnend an den allgemeinen und höhern Gesichtspunkten desselben, also daß sie auch im Übel schon vornweg den Keim des · Guten erkennen und das Übel zum Guten wenden helfen; sie werden dem Höchsten kämpfen helfen gegen alles, was wider seinen Sinn geht, schon froh und sicher des bereinstigen

Sieges, doch wissend, daß er nur durch ihre Kraft gelingt, und darin stets einen Sporn der Tätigkeit behaltend; sie werden helfen die Bösen zur Sühne mit dem Himmel führen; und werden die Verhältnisse des Himmels selber immer schöner ausbauen, indem sie mit den Kräften, Erkenntnissen, Fähigkeiten, Gesinnungen, die sie hienieden erworben, nun um sich wirken. Und alle Früchte des Guten, das sie ins Diesseits gesäet, werden in ihren Himmel hinaufwachsen und ihnen von selber in den Schoß fallen.

Himmel und Hölle sind, wir haben es schon gesagt, nicht als verschiedene Örtlichkeiten zu betrachten, sondern nur als wesentlich unterschiedene, ja entgegengesetzte Zuständlichkeiten und Beziehungen zu dem höhern und höchsten Geiste, in welchen sich die Geister des Jenseits befinden. Von eigentlich räumlicher Trennung der jenseitigen Existenzen im Sinne des Diesseits kann ja überhaupt nicht mehr die Rede sein. Wohl aber mag jene Unterschiedlichkeit oder Entgegensetzung der Zustände und Verhältnisse der guten und bösen Geister im Jenseits durch eine räumliche Trennung und Gegenüberstellung wie von oben und unten, von einem Orte der Seligkeit und Pein, auf einfachste und faßlichste Weise versinnlicht werden. Dazu wissen wir, daß, obwohl wir künftig alle mit unsern Existenzen dieselbe Welt durchdringen und erfüllen, doch nicht eine gleichgültige Beziehung aller mit allen stattfinden wird, vielmehr sehr mannigfaltige Verhältnisse der Erscheinung und Begegnung daraus hervorgehen können. Unstreitig nun, wie jetzt der Gute vorzugsweise in guter, der Böse vorzugsweise in böser Gesellschaft lebt, ungeachtet doch beide mit und zwischen einander in derselben Welt wohnen und in mannigfachste tätige Beziehungen zu einander treten, wird es künftig sein; ja es mögen sich die Geister des Jenseits künftig noch mehr nach innern Wertbeziehungen zu einander gesellen und von einander scheiden als jetzt (vgl. S. 222); doch wird eine Scheidung der Wohnplätze der Guten und Bösen dazu auch nicht mehr nötig sein als jetzt und eine Beziehung ihres Lebens dadurch eben so wenig aufgehoben sein. Kann doch eine gegensätzliche Beziehung so kraftvoll und lebendig sein wie die Beziehung der Einstimmung. Der Himmel soll sich die Hölle untertan machen; aber damit er es im vollsten, höchsten und besten Sinne könne, muß er nicht der Hölle äußerlich gegenüber sein, sondern im Sinne schon früherer Betrachtungen ihre Disharmonie als Moment seiner Erhabenheit und Schönheit selbst in sich fassen, so daß die Aufhebung, Auflösung dieser Disharmonie zu dieser Erhabenheit und Schönheit beiträgt. Dasselbe Feuer, in dem die Bösen brennen, wird den Guten

leuchten und die Guten wärmen, nicht zwar als das höchste, schönste
Himmelsfeuer, aber wie auch hier irdisches Feuer zum höhern Himmelsfeuer brennt. Die Bösen aber brennen nur, daß das Böse an ihnen
verbrenne; dann steigen sie heraus zu den Guten; so kann die Guten
ihre Qual nicht quälen. Die Mittel, durch welche die Strafe und
Besserung des Bösen vollzogen, und durch welche der Gute gelohnt und
höher hinaufgeführt wird, hängen selbst so in eins zusammen, daß sie
nicht an zwei verschiedene Orte verlegt gedacht werden können. Daß der
Böse in einem übermächtigen Himmel wohnt, wider den er will und
nicht kann, ist seine größte Pein; und zu den Geschäften und Fort-
bildungsmitteln der seligen Geister des Jenseits gehört selbst, die Ordnung des Himmels wider die Bösen aufrecht zu erhalten und diese zur
Ordnung zurückzuführen. Nur daß ihnen das besser im Jenseits gelingen
wird als im Diesseits; weil eben das Jenseits die höhere Vollendung
des Diesseits. Auch das kleine Erinnerungsreich in uns steht in dieser
Beziehung über dem Anschauungsreiche in uns. Was im Anschauungsreiche noch roh, widerspruchsvoll, wiederspenstig gegen die Ordnung unsers
Erinnerungsreiches scheint, muß, selbst Erinnerung geworden, doch endlich
sich der Ordnung fügen; der Geist ruht ja nicht eher, bis es gelungen,
alles im Sinne seiner allgemeinen Ordnung zurecht zu legen, und was
am widersprechendsten erschien, gewährt oft zuletzt die wertvollste Bereicherung. Wie viel mehr dürfen wir das Entsprechende von der Ordnung des höhern und höchsten Geistes erwarten.

Man sieht, wie zu den mannigfachen realen Trennungen, die nach
den gewöhnlichen Ansichten bestehen, für uns sich aber schon aufgehoben
haben (vgl. S. 229), auch die von Himmel und Hölle kommt. Indes nach
der gewöhnlichen Vorstellung die Hölle dem Himmel entgegensteht, wie Schatten
dem Licht, ist nach uns die Hölle im Himmel inbegriffen wie Schatten in
einer schön erleuchteten Landschaft. Was wäre die Landschaft ohne Schatten?
Wenn nach gewöhnlicher Vorstellung der Himmel oben, die Hölle unten,
räumlich getrennt sind, ist nach uns der Himmel oben, die Hölle unten in
jenem oft von uns gebrauchten Sinne des Obern und Untern, da das Obere
das Untere als untergeordnetes Moment einschließt.

Man kann sagen: Was aber wird aus der Gnade Gottes bei solcher
Gerechtigkeit? Hat sie noch Platz?

Aus einer Gnade, die der Gerechtigkeit Gottes widerspräche, wird
nichts; freilich häufig will man diesen widersprechenden Begriff.

Aber in der Gerechtigkeit, wie sie sich nach unsrer Lehre darstellt,
liegt das Beste, was man von der Gnade verlangt, viel mehr eingeschlossen,
als man es zumeist verlangt.

Alle Sünde muß Strafe haben, dies ist gerecht; aber alle Sünde
soll Vergebung finden; dies verlangt die Gnade. Nun, diese Gnade
finden wir in unsrer Ansicht wieder, nur nicht außer der Gerechtigkeit,
sondern vermöge der Gerechtigkeit selbst. Es wird nicht gestraft, um
zu strafen, sondern so gestraft, daß der Sünder sich bessern muß; der
Böseste wird am härtesten gestraft, weil es das meiste bei ihm zu überwinden gilt; aber nicht aus Rache, sondern eben um der Besserung
willen; dann ist ihm vergeben.

Der Gang dieser Gerechtigkeit und Gnade ist nicht der abgemessene
Gang eines Uhrwerks, ist weder diesseits noch jenseits bestimmt ins
einzelne, vielmehr auf tausend verschiedenen Wegen und mit tausend
Umwegen möglich, bei jedem andern anders sich vollziehend, also daß
alle Mannigfaltigkeit und aller Wechsel und alles Spiel des Lebens
Platz hat, nur in der Richtung zu dem letzten Ziele und in dem gerechten
Gesamtmaß der Vergeltung nach dem Verdienst eines jeden unverbrüchlich bestimmt. Wie sich der Lohn verschiebt, wie sich die Strafe
verzögert, steigern sich zugleich die Bedingungen des Lohns und der
Strafe, und je besser es der Böse, je schlimmer es der Gute hat, desto
größer ist bereinst der Umsturz; wie sich's zwischen Diesseits und Jenseits
verteilt, ist ungewiß, aber zuletzt hat jeder, was im gebührt; wer es
also nicht im Diesseits hat, hat es sicher im Jenseits zu erwarten; ja
der Übergang ins Jenseits ist selbst dazu mit da, das, was unter den
Bedingungen des Diesseits in dieser Hinsicht nicht zu erzielen ist, unter
neuen Bedingungen möglich zu machen. Der Tod bildet einen Abschnitt
zwischen Diesseits und Jenseits, wie der Abend zwischen zwei Tagen
eines Arbeiters. Der Herr stand seitwärts oder war im Haus verborgen;
der Arbeiter meinte wohl, der Herr kümmere sich nicht um das Werk:
aber der Herr sah alles und bescheidet den heimkehrenden Arbeiter vor
sich und rechnet ab mit ihm; dem wird nun auf einmal kund, was er
für sein Tagewerk noch zu empfangen hat; nicht daß er auch den Lohn,
die Strafe sofort auf einmal ganz empfinge; doch erfährt er auf einmal
die Summe des Betrags. Das ist jenes mit dem Tode laut werdende
Gefühl des Gewissens, das des bisherigen Lebens Wert in eine Ziffer
faßt, eine Ziffer, die in innerer Freude oder Pein vornweg zählt, was
kommen wird; denn nach der Rechnung dieser Ziffer beginnt nun die
fernere Vergeltung sich zu entwickeln; der Gute lebt fortan im zweiten
Leben vom Lohne seines frühern Lebens, der Böse in der Strafe für
sein früher Leben; wenn aber doch keiner ganz gut und keiner ganz böse
ist, lebt jeder von dem Lohne und in der Strafe seines frühern Lebens,

und die Mannigfaltigkeit und der Wechsel und das Spiel des Lebens
macht sich neu in der Austeilung dieser Gerechtigkeit und der Verflech-
tung mit dem, was im neuen Leben neu verdient und neu vergolten
wird, geltend.

Vielleicht sagt jemand: bei all dem kommt aber Gott nicht in Betracht; nicht Gott ist's, der Lohn und Strafe zuwägt nach Verdienst;
sondern alles folgt von selbst im natürlichen Gange des Geschehens; man
braucht an Gott dabei gar nicht zu denken. Und sollen wir nicht vielmehr in Gott den ewigen Vergelter sehen?

Aber was sich in andern Lehren widersprechen oder nicht berühren
mag, trägt und fordert sich in der unsern. Das oberste Gesetz, nach
welchem die Gerechtigkeit sich vollzieht, ist trotz seiner Unverbrüchlichkeit
nicht das mechanische Gesetz eines toten Naturvorganges, sondern das
lebendige Gesetz eines obersten geistigen Waltens selbst. Der natürliche
Gang der Dinge, des Geschehens, ist ja nach uns selbst von göttlichem
Bewußtsein durchdrungen, und die oberste Richtung desselben folgt dem
obersten Trachten. Wer von Gottes geistigem Wirken dabei abstrahiert, tut
dasselbe, wie der, der beim natürlichen Gange der Bewegungen in unserm
Leibe, unserm Gehirn, davon abstrahiert, daß derselbe nur unter dem
Einfluß einer Seele, eines Geistes, so natürlich lebendig geht. Gerade
in unsrer Lehre tritt die Gerechtigkeit, die eines jeden wartet, in die
innigste Beziehung zu Gottes Willen und Wesen, eine viel innigere und
tiefere, als in so vielen andern Lehren. Denn in andern Lehren hängt
diese Gerechtigkeit wohl von Gottes Willen ab, mit einem Anschein, als
könnte er sie auch nicht wollen, in unsrer aber hängt sie mit der Natur
von Gottes Willen selbst zusammen, er will sie, weil es so im Wesen
seines Willens liegt. Ein so unverbrüchliches Gesetz unsers eigenen
geistigen Lebens und Strebens es ist, aber eben damit kein totes Gesetz,
daß unser Geist die Bedingungen dessen, was ihm zusagt, zu fördern
strebt, den Bedingungen dessen, was ihm widerstrebt, seinerseits widerstrebt, so unverbrüchlich ist dasselbe Gesetz in dem höhern Geiste und
Gott, und ist also auch da kein totes, sondern vielmehr wie in uns
ein Band und eine Richtschnur seines Lebens, Strebens, Wollens selbst.
Das letzte Maß des Guten und Bösen in der Welt ist das Gefallen
oder Mißfallen selbst, das Gott daran findet, dies aber steht mit dem
Glück und Unglück, dessen Quell das Gute und Böse in der von Gott
getragenen und Gott tragenden Welt ist, in direktem Zusammenhange.
Also werden auch Gottes Mit- und Gegenwirkungen gegen das Gute
und Böse sich nach dem Glück und Unglück, dessen Quell es im ganzen

ift, abmeſſen. Wie aber das Gute und Böſe ſeine Folgen nur allmählich entwickelt, und dieſe ſich mannigfach verſchränken und verſchieben, ſo auch die Mit= und Gegenwirkungen. Selbſt wir gehen nicht immer gerade auf unſer Ziel los, wenn wir überſehen, daß der Umweg beſſer iſt im ganzen, ja wohl ſelbſt etwas von dem Ziele auf dem Umwege liegt. Um ſo weniger geht Gott mit ſeiner größern Einſicht immer gerade= wegs auf das Ziel ſeiner Gerechtigkeit los, nur daß er doch immer darauf losgeht und ihr im ganzen genügt, das iſt unverbrüchlich. Iſt aber dies Unverbrüchliche der Endgerechtigkeit etwas, das mit der Natur der Einſicht und des Willens Gottes geiſtesgeſetzlich zuſammenhängt, ſo müſſen natürlich auch alle Vermittelungen derſelben ſich dieſem Geſetze fügen.

Es iſt aber auch nicht gleichgültig für unſere künftige Vergeltung, ob wir im Denken und Handeln bewußten Bezug auf Gott nehmen oder nicht. Es möchte jemand ſagen: wenn mein Handeln ſich durch ſeine Folgen lohnt, ſo wird es nur hinreichen, gut überhaupt zu handeln, und die guten Folgen werden für mich dieſelben ſein, ob ich mich irgend dabei um Gott kümmere, auch nur an Gott glaube. Aber ſo kann wohl jemand ſprechen, der den Gedanken überhaupt für einen leeren ſpurlos ſchwindenden Hauch hält, aber nicht wir, die auch auf die Folgen der Gedanken achten, wohl jemand, der Gott für ein dem Weltgang und Gedankengange ſeiner Geſchöpfe fern ſtehendes Weſen hält, nicht wir, die einen in der Welt lebendigen Gott, ein Weben und Wirken unſrer Gedanken in Gott und Gottes in uns anerkennen. Auch der Gedanke, den wir, die einzelnen, an den ganzen Gott richten, iſt etwas Wirkliches und wirkt Folgen, die ins Jenſeits hinüber reichen, Folgen, die nach Maßgabe wichtiger für unſer Heil ſind, als der Gedanke ſelbſt wirklich mehr die Richtung auf Gott als den höchſten und letzten Hort und Quell des Heils nimmt. Wiſſen, daß wir Gott durch ein gutes Handeln genug tun und aus Liebe zu ihm ſo handeln, das iſt überhaupt das Höchſte, wozu es der Menſch bringen kann, und wird am höchſten gelohnt werden, wenn wir dereinſt in ein bewußteres Verhältnis zu Gott treten werden, als jetzt, durch ein Gefühl der Seligkeit und Befriedigung höchſter Art, wie es keiner wird genießen können, der aus irgend welchen andern Gründen gut handelt. Auch der zwar wird ſeinen Lohn haben; er wird bezahlt werden, wie es ihm gebührt; wer aber Gott zu Liebe handelte, wird über der anderweiten Bezahlung auch noch mit Gottes Gegenliebe bezahlt werden und dieſelbe im Gefühl einer ſo reinen un= getrübten Seligkeit verſpüren, als ſonſt nimmer erworben werden kann.

Der Unterschied, ob du das Gebotene tust, indem du dabei Gott vor Augen und im Herzen hast um seiner Liebe willen, oder nur, um der Forderung eines abstrakten Pflichtgebotes zu genügen und aus Furcht, beim Bruch desselben den strafenden Wirkungen einer toten Weltordnung anheimzufallen, ist derselbe, ob jemand einem guten Herrn Dienste leistet in und aus wahrer Liebe zu ihm, oder ob er als Sklave eines geschriebenen Vertrages und aus Furcht, der Strafe seines Bruches anheimzufallen handelt. Der letzte wird erhalten, was ihm nach dem Vertrage zukommt; aber der erste wird darüber die Liebe seines Herrn erhalten, und nicht nur im Gefühl und Bewußtsein inniger Beziehungen zu ihm etwas haben, was der andere gar nicht ahnen, mithin auch nicht nach seinem wahren Werte schätzen kann; sondern auch durch den innigen Anschluß an seinen Herrn in eine günstige äußere Stellung treten, die der andre nie gewinnen kann. Der Glaube an einen guten Gott und die Vereinigung in den Beziehungen zu ihm hält überhaupt den Glückszustand der Welt nach allgemeinster Hinsicht zusammen; wer sich also von diesem Glauben, diesen Beziehungen in irgend einer Hinsicht absondert, sondert sich damit auch in irgend einer Hinsicht vom Mitgenuß dieses Glückszustandes ab; das wird schon hier spürbar; aber dereinst noch mehr.

Wie aber kann in solcher Lehre Christus noch der Vermittler unsrer Seligkeit und unser Richter heißen? Das wollen wir näher da betrachten, wo wir die Beziehungen unsrer Lehre zum Christentum besonders in das Auge fassen.

Die vorigen Gesichtspunkte lassen noch eine weite Entwickelung nach mannigfachen Richtungen zu. Wir wollen aber kein System hier geben, sondern nur einiges des Nähern noch erörtern.

Die Folgen eines einzelnen menschlichen bewußten Wirkens laufen scheinbar ununterscheidbar mit den Wirkungen der ganzen übrigen Welt zusammen, und umsonst würden wir hienieden berechnen wollen, was darin speziell von jedem Menschen abhängt; aber jenseits wird es jeder ohne Berechnung unmittelbar fühlen, erfahren. Die Folgen dessen, was jeder hier mit individuellem Bewußtsein gedacht, getan, werden jenseits dasselbe individuelle Bewußtsein wieder angehen, in der Außenwelt nicht verschwimmen, sondern teils durch deren Mit- und Gegenwirkungen, teils in sich selbst harmonisch oder disharmonisch fortbestimmt werden.

Die Lust und das Leid, das Glück und Unglück, das durch unser bewußtes Tun hienieden in andern entstanden ist, werden wir als eigene Luft und als eigenes Leid, als eignes Glück und Unglück im Jenseits teilen; eben wie wir die Ideen noch teilen, die durch uns in andre hineinerzeugt worden sind, so zwar, daß Luft und Leid für uns jenseits in andern Beziehungen auftreten, als in ihnen diesseits, aber doch von uns wie von ihnen gefühlt werden. Denn nach Maßgabe als des Menschen Gemüt hier von Luft oder Unluft betroffen wird, wirkt es harmonisch mit oder disharmonisch gegen das, was ihm Luft oder Leid macht, im Verhältnis der Größe der Luft oder des Leides; und die bewußtgewordene Ursache spürt im Jenseits diese Mit- oder Gegen= wirkung in gleicher Luft oder gleichem Leide. Aller Segen, der von dem Menschen ausgeht, fällt so dereinst auf ihn zurück; aber auch aller Fluch. Jede Verwünschung, die einem Toten nachgerufen wird, wird von ihm gefühlt; jeder Segensruf nicht minder; aber ob ihm auch nichts in besondern Worten nachgerufen wird, — was still als Folge seines bewußten Tuns in Glück und Leid hienieden in andern fortwirkt, wird eben so still in Glück und Leid an seinem jenseitigen Dasein wirken.

So erklärt sich nun auch, in wiefern Gott die Sünden der Eltern noch in ihren Kindern straft. Er straft in ihren Leibern und Geistern eben die Eltern selbst. Was die Eltern in den Kindern Böses gezeugt haben, zieht Strafen nach sich, die den Eltern mit anheim fallen. So weit das Böse in den Kindern von der Eltern bewußtem Leben abhängt, trifft auch der Eltern bewußtes Leben dereinst die böse Folge dieses Bösen. Schlimm freilich für die Kinder, wenn nicht die Weltordnung die Mittel in sich trüge, alles Böse dereinst zum Guten zu lenken. Jeder von uns hat mit an den Fehlern der Vorwelt zu tragen; jeder soll selbst etwas dazu beitragen, sie zu sühnen und zu bessern, und wird durch die Weltordnung dazu angetrieben, es zu tun. Aber eine seltsame Gerechtig= keit der Weltordnung wäre es, wenn andere die Strafen unsrer Sünden tragen müßten, und es ist doch gewiß, daß sie sie tragen müssen, ohne daß wir selbst sie noch mit zu tragen hätten.

Mancher überlegt wohl, dies oder das gehöre doch gerade nicht unter den Begriff seiner Pflicht, so läßt er es, weil's ihm ein Opfer kostet; aber Pflicht oder nicht Pflicht, wenn er das gute Werk tut, so wird er alles Gute seiner Folgen einst genießen, und wenn er es nicht tut, wird er einst die Lücke spüren, sofern er nicht statt zu diesem guten Werke die zu Gebote stehende Zeit und Mittel zu einem andern verwendet hat.

In der Durchdringung mit dieser Gewißheit wird der Mensch über= haupt den kräftigsten Antrieb finden, alle Folgen seiner Handlungen für

andere und für die Zukunft eben so zu bedenken, als wenn er selbst
eins mit diesen andern wäre, und diese Zukunft einst Gegenwart für
ihn werden würde, seinen Nächsten wie sich selbst zu lieben, keinen Unterschied zwischen seinem und ihrem Glück zu machen.   Da aber die Folgen
der Handlungen im einzelnen überhaupt sich nicht wohl berechnen lassen,
so wird er zugleich den stärksten Anlaß erhalten, sich nach Regeln
umzusehen, welche seine Handlungsweise im ganzen zu guten Erfolgen
im ganzen leiten; und die moralischen Grundregeln werden ihm in
dieser Hinsicht als die obersten und wichtigsten entgegentreten, als welche
das Eigentümliche haben, daß ihre standhafte Befolgung zwar oft wohl
einzelne nahe liegende Nachteile in die Welt bringt, aber im ganzen
sichere und weitgreifende Vorteile.   So wird er diese Regeln nicht
mehr als lästige Bande, sondern als sichere Führer zu seinem dereinstigen
und ewigen Wohle achten lernen, als was sie auch von jeher gegolten
haben.   Nun aber wissen wir auch, wodurch sie es sind.

Überhaupt kann nur das dem Menschen im Jenseits sicher und
dauernd frommen, was von sichern und dauernden segensreichen Folgen
überhaupt ist; auf flüchtige und zufällige Folgen kann er nur flüchtig
und als Zufall auch im Jenseits rechnen, und ein ernsthaftes Trachten
ist also auf solche nicht zu richten.   Ein rechtes Handeln aus guter
Gesinnung heraus in standhafter Befolgung der moralischen Grundregeln
ist aber eben der sicherste Quell dauernd segensreicher, d. i. den Glücks-
und Friedenszustand der Welt im ganzen erhaltender und fördernder
Folgen.   Der Mensch kann auch nicht darauf bauen, daß ihm gerade
jede einzelne gute Handlung auch einzeln gut dereinst bezahlt wird.
Wer kann behaupten, daß jede gute Handlung, was man so nennt,
einzeln genommen die Welt, und mithin ihn selbst, den Handelnden,
dereinst glücklicher mache? Wahrhaft gut ist etwas überhaupt nur im
Zusammenhange des Ganzen und in Anbetracht aller Folgen für das
Ganze.   Und so wird eine Handlung, wenn auch einzeln gefaßt vielmehr Nachteil als Vorteil versprechend, doch als Ausfluß, Betätigung
und Forterhaltung derjenigen Gesinnung, Grundsätze und Regeln, welche
die allgemeinsten sichersten und dauernsten Grundlagen des Glückszustandes der Welt sind, selbst auch dem Handelnden im ganzen mehr
zum Segen gereichen, als der Erfolg der Handlung, einzeln erwogen,
ihm zum Nachteil gereichen kann.   Wobei noch in Betracht zu ziehen,
daß nicht bloß das Handeln aus der Gesinnung, sondern auch die
Gesinnung selbst etwas ist, was als eine Realität seine realen Folgen
für das Jenseits haben wird, nur, wie wir gesagt, mehr innerliche und

auf das Verhältnis zu Gott bezügliche, indes das Handeln nach außen mehr äußerliche.

Keine Ansicht kann geeigneter sein, uns von einer Seite mehr zur Berechnung der fernsten und besondersten Erfolge unserer einzelnsten Handlungen anzutreiben, falls wir bestimmte Zwecke und Wünsche über das Grab hinaus befriedigt wünschen, keine aber auch mehr warnen, daß wir nicht unser höchstes und letztes Heil auf die Berechnung irgend welcher besonderen Einzelerfolge gründen, unsre ganze Hoffnung an solche hängen; nur an die allgemeinsten, höchsten und letzten Bedingungen des Heils dürfen wir sie hängen; alles Besondere, was wir anstreben, kann mißlingen, alle Rechnung aufs einzelne, die wir anstellen, kann fehlschlagen; nur die Rechnung auf die allgemeinste, höchste und letzte Gerechtigkeit kann nicht mißlingen, nicht fehlschlagen. Aber das Besondere, was wir anstreben, wird doch um so weniger leicht mißlingen, mit je mehr Einsicht, Umsicht, Vorsicht, Eifer, Liebe wir danach trachten, und je mehr es hinein tritt in den allgemeinen Sinn des Besten; und auch wenn es mißlingt, werden wir noch die Früchte der im guten Sinne geübten Kraft in innern Gütern davon tragen, die uns ein anderweites Gelingen sichern werden.

Man kann einwenden, die hier geltend gemachte Rücksicht auf die eigenen Vorteile, die wir aus dem Handeln für das Wohl der Welt einst schöpfen werden, führe ein egoistisches Prinzip ein. Allein das ist nicht Egoismus, sein Glück durch das Wirken für das möglichste Glück aller begründen wollen, sondern ist vielmehr der Sinn der umfassendsten Liebe. Egoismus ist nur, sein Glück auf Kosten von andrer Glück gründen wollen; aber gerade das Prinzip hiervon wird durch unsre Lehre gänzlich ausgerottet. Es ist unstreitig die schönste Einrichtung der Welt, daß das Handeln im Sinne des eigenen und des allgemeinen Wohles sich faktisch gar nicht scheiden lassen, falls wir auf die ins Jenseits übergreifenden Folgen unsres Handelns mit Rücksicht nehmen, und die Anerkennung hiervon wird durch unsre Lehre eben so gefordert als begründet. Es mag zwar sein, daß die verstandesmäßige Betrachtung anfangs noch beides wird scheiden wollen, für andre handeln wollen und für sich gewinnen wollen; aber die konsequente Verfolgung unsrer Ansicht und Durchdringung damit läßt die Scheidung nicht bestehen. Wer im Wollen und Handeln den Bezug auf sich in den Vordergrund, und die Absicht, andern zu dienen, in den Hintergrund stellt, steht eben noch nicht auf dem Standpunkt, auf den ihn unsre Ansicht stellen muß. Denn ein solches Voranstellen seiner selbst wird notwendig einen solchen Einfluß auf das Fühlen, Wollen und Handeln haben, das in letzter Instanz weder der Welt noch dem Handelnden selbst am besten frommt.

Man sieht nun wohl, welche Bedeutung die Regel des Handelns, die ich in meiner Schrift „Über das höchste Gut“ als die oberste, nicht in

Widerspruch, sondern zur praktischen Auslegung oder Ergänzung des höchsten christlichen Gebotes hingestellt, für unser künftiges Leben gewinnt. Diese Regel ist, daß wir so viel Lust oder Glück als möglich in das Ganze der Zeit und des Raums zu bringen suchen sollen, was von selbst die möglichste Wahrung der allgemeinsten obersten und dauernsten Quellen des Glücks= zustandes der Welt einschließt. Was nun die Welt in dieser Beziehung durch uns gewinnt, gewinnen wir dereinst aus ihr; und dienen so in eins uns, der Welt und Gott zugleich am besten; weil Gott beim Glückszustande seiner Welt selbst in allgemeinster Weise beteiligt ist. Es versteht sich immer, daß unter Lust und Glück nicht bloß gemeine Sinneslust und äußer= liches Glück zu verstehen.

· Die Regel, liebe und übe die Tugend ·nur um ihrer selbst willen, wäre eine ganz leere vergebliche, wenn die Tugend es nicht um uns zu verdienen wüßte, daß wir sie so lieben und üben. Sie verdient es aber eben dadurch, daß das Lieben und Üben der Tugend ohne alle berechnende Sonderrücksicht auf uns die allgemeinste Rücksicht auf uns von selbst berechnet schon einschließt. Eine solche Liebe ist zugleich die größte Entäußerung des Menschen von allem Selbstischen und die sichere Wahrung des vollsten Gewinns, den er in alle Ewigkeit für sein Selbst machen kann. Versteht aber jemand die Regel, übe und liebe die Tugend um ihrer selbst willen, so: übe und liebe sie, trotzdem, daß du wüßtest, du würdest ewige Nach= teile davon haben, so gerät er in eine theoretische und praktische Absurdität zugleich; in eine theoretische, weil es dem Wesen der Tugend an sich wider= spricht, ewige Nachteile für den Tugendhaften nachzuziehen, in eine praktische, weil er etwas der Natur des Menschen nach Unmögliches ver= langte. Dessenungeachtet wird die Regel nicht selten in diesem absurden Sinne verstanden.

Unsre Lehre fordert weder, daß der Mensch sich andern, noch das Diesseits dem Jenseits opfere; es fragt sich überall, wird mehr ins Ganze gewonnen, ob du zunächst dir oder andern dienst, den Gewinn jetzt ergreifst oder verschiebst. Wollte der Mensch seine Pflichten gegen sich versäumen, oder sich die rechte Freude jetzt versagen, so würde im ganzen nur verloren. Nur mache der Mensch kein einzelnes Rechenexempel aus dem, was nur durch eine allgemeine Rechnung, oder Regeln, die solche entbehrlich zu machen bestimmt sind, richtig sich ergibt. Es ist nicht alles durch Berech= nung zu finden. (Vgl. meine Schrift „Über das höchste Gut" S. 32.)

Ich sage, unsre obige Regel, nur möglichst viel Glück überhaupt in die Welt zu bringen, aus der alles Vorige von selbst fließt, ist bloß die praktische Auslegung oder Ergänzung des obersten christlichen Gebots, welches das ist, Gott über alles und seinen Nebenmenschen gleich sich selbst zu lieben. Beide Gebote treffen nur von verschiedenen Seiten her in Forderung derselben Heilsbedingungen zusammen. Unser Gebot richtet sich nämlich in gleich allgemeinster Weise und in demselben Sinne auf den Zweck des Handelns, als das christliche auf die Gesinnung, aus der wir handeln sollen, und nur, daß man die Gesinnung in Beziehung auf den Zweck betätigt, erfüllt wirklich das praktische Erfordernis. So ist jedes von beiden Geboten unzulänglich ohne das andre. Doch kann man in jedem von beiden das andere mitverstanden oder eingeschlossen erachten.

In der Tat, zunächst fragt sich bei dem christlichen Gebote noch, was sollen wir um der Liebe Gottes und unsrer Nebenmenschen willen tun. Und hierauf läßt sich keine allgemeinere Antwort geben, als die unser Gebot gibt. Denn es ist die Natur der Liebe, sein Glück darin finden, das Glück dessen zu fördern, den man liebt. Wüßte man es aber nicht zu fördern, so würde man ihm doch möglichst zu Willen sein wollen. Den Glückszustand Gottes kann man aber nicht anders fördern, kann Gott nicht anders zu Willen sein, als dadurch, daß man den Glückszustand seiner Welt und der darin begriffenen Geschöpfe fördert, da Gottes Bewußtsein alles Bewußtsein der Welt und der darin begriffenen Geschöpfe selbst inbegreift; und auch, wenn man Gott über dem Glückszustande seiner Welt in der Art erhaben denken wollte, daß er selbst nicht eigentlich davon berührt würde, doch seine Allgüte selbst ihn kein andres Gebot stellen lassen könnte, als unser oder ein demselben gleichgeltendes Gebot, wir also mit dessen Befolgung seinem Willen am besten nachkommen würden. Wenn wir aber in dem Trachten, das Größtmögliche in Förderung des Glückszustandes der Welt zu leisten, unsern eigenen Glückszustand mit dem unsrer Nebenmenschen nur auf gleiche Stufe stellen, sie oder uns immer nur nach Maßgabe bevorzugen, als das Glück der Welt überhaupt mehr dadurch gewinnt: handeln wir zugleich so, wie es die Liebe zum andern gleich uns selbst in Unterordnung unter die Liebe zu Gott, der das möglichste Glück des Ganzen will, nur immer verlangen kann. Also spricht unser Gebot offen aus, was im christlichen schon verborgen liegt. Nun aber sollen wir nicht bloß nach dem Verstande so handeln, sondern eine Herzenssache daraus machen, aus Gesinnung so handeln, denn sonst würde es selbst unmöglich sein, das Größtmögliche, was unser Gebot fordert, zu erreichen, und so liegt auch in unserm Gebote wieder verborgenerweise das christliche inbegriffen, welches möglichste Liebe zu dem fordert, für den man handelt.

Ins Bereich des veränderlichen Ganges, auf dem die Gerechtigkeit sich vollzieht, gehört der Umstand, daß beim Tode eines Menschen bald mehr bald weniger von den über ihn hinausgreifenden Folgen seines bisherigen Lebens schon verlaufen sind, und sein Bewußtsein erwacht nun erst für die übrigen. So scheint es Zufall, ob er von manchen guten oder bösen Folgen seines Handels wirklich getroffen wird; sie sind zum Teil bei seinem Tode schon vorüber. Aber sind gewisse Folgen vorüber, so werden fernere Folgen eintreten, die der Gerechtigkeit im Ganzen genügen. Wäre die Strafe für den Bösen im Jenseits nicht gleich so weit bereit, daß sein böser Wille gezwungen würde, weil ein Teil der bösen Folgen, die ihn strafen könnten, schon vergangen, so würde er fortfahren zu sündigen, bis die bösen Folgen doch den bösen Willen überwüchsen; und fände der Gute nicht gleich seinen Lohn, so

würde ein längeres Ausharren im Guten die Bedingungen dieses Lohnes
nur ferner steigern. Nun aber setzen sich die guten Folgen des Handelns
um so sicherer durch alle Zeiten fort, ja wachsen um so mehr mit der
Zeit, je mehr im Sinne des wahrhaft Guten, je besser es im ganzen
Zusammenhange war, und der echt und wahrhaft Gute darf daher nicht
sorgen, daß er beim Eintritt ins künftige Leben seinen Lohn schon
vertan finde und nun erst wieder warten müsse. Auf den Lohn
einzelner Handlungen soll aber niemand rechnen. Den Bösen aber
ist in der Zwischenzeit bis zu seinem Tode noch Frist gegeben,
die Folgen seines bösen Tuns so viel als möglich zu sühnen und zu
heilen.

Äußere Reichtümer hinieden werden uns jenseits nach Maßgabe
wieder in äußern Reichtümern (was nämlich im Jenseits dafür gilt)
zu statten kommen, als wir im Erwerb oder in der Verwendung der
diesseitigen Reichtümer eine segensreiche Tätigkeit nach außen entfalteten:
und zugleich in innern Reichtümern, nach Maßgabe, als wir Geist, Herz,
Willen, Tatkraft durch den Erwerb oder die Verwendung in gutem
Sinne entwickelten und bildeten. Und wohl kann der Erwerb und die
Verwendung diesseitiger Reichtümer nach beiden Seiten uns auch im
Jenseits frommen. Nur kommt es dabei nicht auf den Besitz und die
Größe der Reichtümer an sich an. Und ob einer mit all seinen
Arbeiten auch nur sich selbst mühevoll durchs Leben bringen kann und
nie einen Groschen übrig hat, je saurer es ihm wird, sich durchs Leben
zu bringen, desto mehr Tätigkeit mußte er in die Welt hinein entwickeln,
einen desto größern Schatz findet er an den Folgen dieser Tätigkeit,
war es nur eine Tätigkeit in gutem Sinne, in jener Welt, wo das
Tun eben nicht mehr mit äußerlichem Gelde, sondern mit den Folgen
des Tuns bezahlt wird. Ob er auch diese Folgen hier nicht verfolgen
kann, sie sind doch da und müssen da sein. Wie viel reicher wird er
sein, als jener, welcher ererbte Schätze mühelos und zwecklos zerstreute;
die Schätze, die wir ererben, gehören ja gar nicht zu unserm Ich, so
werden auch die Folgen des Daseins dieser Schätze nicht unserm Ich
anheimfallen. Nur die Sorgfalt, der Fleiß und die Arbeit, womit wir
sie erwerben, und die Absicht, in der wir sie verwenden, gehören unserm
Ich, und nur mit den Folgen hiervon kann sich einst der Reiche Lohn
im Jenseits erwerben; der Arme hat es aber hierbei in gewisser Hinsicht
sogar besser als der Reiche, weil jener zu Fleiß, Sorgfalt, Achtsamkeit,
Anstrengung aller geistigen und leiblichen Kräfte eine Aufforderung hat,
die der Reiche nicht hat, der nur zu leicht verführt ist, seine Hände in

den Schoß zu legen und über der Gelegenheit zu eignen Genüssen das
Elend andrer zu vergessen. Manche bedeutungsvolle Sprüche Christi
beziehen sich auf den großen Segen, den der Arme vor dem Reichen in
dieser Hinsicht voraus hat. Aber wenn der Arme hier seine Kräfte in
schlechtem Sinne verwendet, so wird er so gut als der Reiche dereinst
die schlechten Früchte davon zu genießen haben, und wenn ein Reicher
ist, der trotz der Verführung, die der Reichtum zur Lässigkeit gewährt,
seine Kräfte und Mittel groß und gut und rüstig verwendet, so wird er
auch herrliche und reiche Früchte ernten. So kann jeder sich sowohl die
Armut zum Segen machen, indem er dem Sporn zur Tätigkeit im
rechten Sinne, der darin liegt, folgt, als den Reichtum, in dem er zu
den Mitteln der Tätigkeit einen innern Sporn bringt.

Gewinn in Spiel und Lotterie sind für unser Jenseits fast immer
nur Verlust. Meist zerrinnt solcher Gewinn schon hienieden, wie er gewonnen
ist, sicher aber mit dem Tode, und läßt noch eine Lücke. Nur sofern der
Gewinnende eine gleich nützliche Tätigkeit in der Verwendung des Gewinns
entwickelt, als eigentlich der Erwerb gekostet hätte, wird er ihm zum gleichen
Gewinn; aber der mühelose Gewinn ist in der Regel mehr geeignet, die
fruchtbringende Tätigkeit des Menschen zu vermindern. Da nun überdies
bei jedem Gewinn im Spiele der eine nur das gewinnen kann, was ein
andrer oder andre verlieren, so wird durch solchen Gewinn der Glückszustand der Welt überhaupt im ganzen nicht gefördert (wie es durch nützliche
Tätigkeit der Fall wäre), und es kann einer auf solchen Gewinn im
Diesseits keinen Gewinn im Jenseits gründen, wo er eben das als Glücksgut
erlangt, was durch ihn am Zustande der Welt gebessert und in gutem
Zustande erhalten wird. Sonst setzt Erwerbung und Verwaltung eines
Vermögens im allgemeinen eine nützliche Tätigkeit voraus; da nach den
Gesetzen des menschlichen Verkehrs einer in der Regel nichts gewinnen
kann, ohne daß im Tausch der Mittel und der Tätigkeiten andre zugleich
von einer andern Seite gewinnen; Spiel, Betrug, Diebstahl macht aber eine
Ausnahme. Auch ist noch ein großer Unterschied, wie ein Geizhalz und
wie ein Mensch voll Humanität und Liebe ein Vermögen erwirbt und
verwaltet. Auch dem Geizhalz wird der Lohn dessen, was an ihm gut,
und durch ihn gut geworden, nicht verkümmert werden. Er wird den
Lohn seiner ausdauernden Tätigkeit und Enthaltsamkeit nicht nur in
guten innern Folgen spüren, sondern auch in guten äußern, so weit
die Welt von der Tätigkeit, mit der er sein Vermögen erworben, Nutzen
zog, aber auch den Erfolg seiner Härte und Lieblosigkeit in schlechten Folgen
spüren, und diese schlechten Folgen werden überwiegen; denn wenn es nicht
der Fall, so wäre er eben kein Geizhalz, sondern höchstens ein sparsamer
Mann.

Der Mühselige und Beladene, der Leidende, mag überhaupt Trost
aus unsrer Ansicht schöpfen, sofern er sein Leiden recht trägt und Mut

und Aufforderung schöpfen, es recht zu tragen. Je mehr wir jetzt mit
Widerwärtigkeiten zu kämpfen haben, und je mehr wir unsre Stand=
haftigkeit, unsre innere und äußere Tätigkeit dagegen aufbieten, desto
stärker und kräftiger und desto gesicherter innerlich und äußerlich gegen
alle Widerwärtigkeiten in demselben Sinne, desto fröhlicher und mutiger
werden wir in das folgende Leben treten; indem alle Stärke und Kraft,
die wir im jetzigen Leben innerlich und äußerlich aufwandten, das Übel
zu besiegen oder auch nur zu tragen, im künftigen Leben als Ver=
stärkung unsres Wesens, unsrer innern und äußern Mittel gegen ferneres
Übel von uns wird gewonnen werden, und, wenn das Übel mit dem
Tode schwindet, ein entsprechendes Wohlgefühl, entsprechende Kraft und
Rüstigkeit uns zuwege bringen wird. Freilich das Übel, von dem ein
dauernder Grund in unserm bewußten wollenden Wesen liegt, wird mit
dem Tode nicht von selbst schwinden, da vielmehr das Übel, das aus
dem Willen kommt, auch nur durch Wirkungen, die den Willen zwingen,
dauernd besiegt werden kann; wohl aber werden alle die Übel, deren
Angriffspunkte eben nur in der besondern Art unsres diesseitigen äußern
Seins begründet liegen, von selbst wegfallen, wenn diese Art des Seins
wegfällt, wie insbesondere die Übel, die mit körperlicher Krankheit und
äußrer Dürftigkeit oder Hemmnis zusammenhängen. Sehen wir doch
schon hienieden öfters mit Annäherung des Todes die größten Schmerzen
und Beängstigungen schwinden, wenn das Organ durch Brand zerstört
wird, das die Leiden bisher brachte; und so, wenn im Tode unser
ganzer diesseitiger Leib zerstört wird, werden alle Schmerzen und
Beängstigungen schwinden, die überhaupt an seinem Dasein hingen.

Man könnte zwar meinen, ein krankhafter Leib diesseits müsse auch
wieder einen krankhaften Leib ins Jenseits hinein als Folge erzeugen.
Aber schon hienieden erzeugt jede Krankheit kritische Bestrebungen, d. h.
sucht sich durch ihre Folgen vielmehr zu heben. Oft gelingt es nicht so,
daß das jetzige Leben noch bestehen kann. Dann bleibt eben nur der Tod
als letzte Krise übrig, die alle Leiden hebt, welche an der jetzigen Form
der Körperlichkeit haften, indem sie diese Form selbst zerstört und hiemit
zugleich das jetzige Leben in das künftige wandelt. Weßhalb die Natur
diese Krise so viel als möglich zurückschiebt, ist früher berührt worden
(S. 296). Was wir körperliche Krankheit nennen, ist überhaupt nur Krank=
heit für das Diesseits und kann keine krankhaften Folgen über den Tod
hinaus erstrecken, weil der Tod eben diejenige Folge der Krankheit ist, durch
welche die Krankheit wenn alles sonst nicht fruchtet, sich selbst hebt. Hat
hier einer eine schlechte Lunge und atmet deshalb schlecht, so schadet ihm
dies nichts ins Jenseits, wo überhaupt nicht mehr in dem Sinne fort=
geatmet wird wie jetzt. Was die geistigen Störungen anlangt, so ist ein

Unterschied. Wird alles Geistige von Körperlichem getragen, so werden auch alle geistige Störungen von körperlichen getragen werden; aber es fragt sich, ob von solchen, die mit unsrer Willensverkehrung (moralische Störungen) zusammenhängen, oder unwillkürlich uns begegnen. Erstere werden nur durch Zwang unsres Willens dereinst gehoben werden können, und der Tod ist nichts, was unsre Willensrichtung an sich änderte. Die Krisis solcher Störungen kann nur durch die Strafen des folgenden Lebens bewirkt werden; aber wenn eine geistige Störung z. B. durch eine Kopfverletzung oder sonst äußerlich bewirkte Störung im Kopfe eintritt, so wird sie auch durch Zerstörung des Kopfes im Tode gehoben werden.

Wenn einer hier recht bitter leidet, so sage er sich nur, daß er mit der standhaften Ertragung dieses Leidens, der Anspannung seiner Kräfte und Tätigkeit dagegen, sich gleichsam einen harten Panzer anzieht, der ihn eisenfest gegen ferneres, wenn auch in anderer Form drohendes Übel im künftigen Leben erscheinen läßt, unter Dornen dort Rosen suchen und finden läßt, ja Rosen eben als Frucht der Dornen gewinnen läßt, die ihn hier verletzt haben; dagegen der, der hier schwächlich allen Leiden nachgab, die Übung seiner Kraft versäumte, nichts tat, als sich mit Klagen wehren, seine Schwäche im folgendem Leben spüren und, wenn ihn auch der Tod zunächst von einem äußern Übel befreit, doch jedem Angriffe neuer Übel um so leichter ausgesetzt sein wird, als er hier nichts getan hat, Angriffen in diesem Sinne zu begegnen.

Selbst der Kränkste, der nichts tun kann, kann dieses tun, daß er den Mut aufrecht hält, aufrecht hält eben in der Gewißheit, daß ihm sein Mut einst in seinen Folgen angerechnet werde. Es ist ihm in seiner Krankheit, seinen Leiden eine Gelegenheit gegeben, sich etwas zu erwerben, das sich auf keinem andern Wege erwerben läßt. Kann er, weil körperlich krank und schwach, jetzt nichts für die Außenwelt und mithin seine künftige äußere Lebensstellung tun, so bescheide er sich, daß Gott ihn jetzt nur in die Lage gesetzt hat, etwas für sein Inneres zu tun, was ihn dereinst leicht alles nachholen läßt, was er hier versäumt hat; denn der Gestählte braucht sich vor nichts mehr zu scheuen.

Hiemit sehen wir denn auch den Unterschied zwischen dem, welcher, dem Übel weichend, sich selbst das Leben nimmt, und dem, der es opfert zum allgemeinen Besten. Jener wird, wenn auch augenblicks dem Übel entrinnend, solchem alsbald wieder in andrer Form unterliegen; da er sich seiner Widerstandskraft entäußert hat und nun mit einer vermehrten Schwäche in das andere Leben tritt. Dieser wird das Gute, um dessentwillen er sich mit Selbstüberwindung opfert, um das

innere Gute einer innern Stärke vermehrt als sein Entgelt im folgenden
Leben empfangen. Wehe euch, die ihr den Strick um den Hals schlingt,
euch aus diesem Leben zu retten, haltet aus, haltet aus; daß ihr aus-
haltet in allem Jammer, der euch schuldig oder unschuldig trifft, daß
ihr noch bessert, sühnt, was in euren Kräften steht, das allein kann euch
einst den Jammer vergüten und verhüten, sonst tretet ihr aus einer
Marterkammer nur in eine größere Marterkammer, worin ihr doch
gezwungen seid auszuhalten, denn der Mensch wird so lange gehämmert,
bis er hart geworden ist, Übles zu tragen und Gutes zu tun ohne
Beschwer. Was nicht hier sich härten will, wird dort gehärtet mit
immer stärkern Schlägen.

Es scheint im Sinne unsrer Lehre natürlich, wenn jemand, der ein
gutes, großes und schönes Werk im Sinne oder begonnen hat, sei's eine
nützliche Einrichtung, ein Kunstwerk, eine Schrift, die Erziehung eines
Menschen oder was es immer sei, nicht gern sterben mag, ehe er das
Beabsichtigte oder Begonnene wirklich ausgeführt; es geht ihm in dem
Nutzen oder Gefallen, welche das unvollendete Werk nun nicht erzeugen
kann, ein Gewinn für die künftige Welt verloren; und dieser Gedanke
soll uns wirklich antreiben, unsre Zeit hienieden möglichst zu nutzen und
es nicht gleichgültig zu halten, ob wir etwas bloß anfangen oder durchführen; bringen wir es nicht so weit, daß es überhaupt Früchte trägt,
so trägt es auch uns dereinst keine Früchte. Doch achten wir auch
darauf, daß uns durch solche Unvollendung nur ein nach äußeren
Beziehungen wichtiger Erwerb verloren geht; daß aber die ganze Bildung,
die ganze Gesinnung, die ganze Übung der Tätigkeit, die wir an das
Werk setzten, auch wenn dasselbe mit unsrem Tode unvollendet und
fruchtlos blieb, uns in innern Folgen zu Gute kommen und im künftigen
Leben wohl in den Stand setzen wird, neue Güter im gleichen Sinne
zu erwerben. Auch ist dies nur im Sinne dessen, was wir schon hier
sehen. Es können uns wichtige Schätze, auf deren Erwerb wir großen
Fleiß verwandten, schon hier verloren gehen; was kann ein Brand
vernichten! Es ist ein Schmerz für uns, doch nur ein Antrieb mehr,
unsre Kräfte aufs Neue anzustrengen, womit nur unser innerer Erwerb
gesteigert wird und der äußere Verlust ersetzt werden kann.

Erwarten wir überhaupt von der Zukunft kein anderes Prinzip der
Gerechtigkeit, als was schon im Diesseits waltet, nur dieses zu seiner
Vollendung geführt. So straft sich schon jetzt Irrtum so gut als
Sünde, wenn auch in andrer, das Gewissen nicht so beteiligender,
minder einschneidender Weise als Sünde; wer aber hätte nicht wirklich

an den Folgen seiner Irrtümer mit zu tragen, oft schwer genug zu tragen; und wie bei der Sünde soll diese Strafe des Irrtums durch die Folgen eben dazu dienen, den Irrtum zu bessern, zu heilen und bei andern und in andern Fällen zu verhüten. Nie wird er sich ganz verhüten lassen, und es mag uns hart erscheinen, daß wir die Strafe für etwas tragen müssen, was uns unverschuldet scheint; aber es handelt sich nicht darum, überhaupt wegzuleugnen, daß Übel den Menschen unverschuldet treffen kann, das ist einmal so, sondern diesen Umstand aus dem bestmöglichen und den Sinn der Weltordnung am besten treffenden Gesichtspunkte zu fassen, welches nach schon früherer Betrach= tung eben der ist, daß das Übel sich selbst durch seine üblen Folgen hebe und in das entgegengesetzte Gut überschlage. Daß es aber so ist, beweist sich im ganzen Gange der Weltordnung, und Besseres können wir, wenn einmal Übel ist, nicht wollen.

Also mögen auch nach dem Übergange in die folgende Welt die Menschen wohl noch die üblen Folgen ihrer Irrtümer zu tragen haben; der Heide z. B. der nichts dafür kann, daß er nicht so sicher das Rechte erkennen lernte, als der Christ, wird minder günstig gestellt sein, als der Christ*), der schlechter Erzogene oder mit schlechtern Anlagen Versehene wird noch von dem durch seine Handlungen in die Welt gebrachten Schaden zu leiden haben, ungeachtet er seine schlechte Erziehung und Anlagen nicht verschuldet. Und es soll schon jetzt hierin ein Antrieb für uns liegen, alle Kräfte aufzubieten, den Irrtum möglichst zu ver= meiden und andere Menschen möglichst zur richtigen Erkenntnis des Guten zu führen, uns selbst durch Nichtverschuldung hindurch ins Reine und Klare emporzuarbeiten und jeden Schaden, der aus Irrtum durch uns in die Welt gekommen, möglichst vor unserm Tode zu vergüten. Auch in dieser Hinsicht regt unsre Ansicht kräftiger an als jede andere; denn nur zu leicht versinkt der Mensch in Schlaffheit, wenn er glaubt, was er aus Irrtum, aus Versehen tut, werde ihm nicht zugerechnet. Er soll vielmehr auch den Irrtum und das Versehen möglichst ver= meiden lernen. Nur zu leicht auch meint einer: genug nur, wenn ich selbst nicht irre; daß andre irren, was schadet's mir? Aber was er an andern versäumt zu bessern, versäumt er an seinem eigenen künftigen Zustande zu bessern. Zugleich aber schließt unsere Ansicht die besten

---

*) Sagt doch Christus (Luc. 12, 47. 48): „Der Knecht aber, der seines Herrn Willen weiß, und hat sich nicht bereitet, auch nicht nach seinem Willen getan, der wird viele Streiche leiden müssen. Der es aber nicht weiß, hat doch getan, das der Streiche wert ist, wird wenige Streiche leiden." Also doch auch Streiche!

Trostgründe für den Menschen ein, wenn er mit redlichem Eifer, das
Beste zu finden, doch sich sagen muß, daß er nicht allen Irrtum vermeiden könne. Denn sofern nur sein Streben stetig nach dem Wahren
und Rechten gerichtet ist, wird es ihm ja auch in das andre Leben als
ein bleibender Charakterzug folgen müssen und dort die Hebung der
Übel vollends durchsetzen, die sein Irren hier mitführte, um so leichter,
da die Erkenntnisquellen sich für ihn dort erweitern. Nur, wenn er
auch den Trieb, den Willen nicht besäße, nichts täte, den Irrtum zu
vermeiden, würde er auch in das andere Leben nichts mitbringen können,
um die Folgen des Irrtums zu beseitigen, und erst durch eine Steigerung
der üblen Folgen würde der Trieb dazu in ihm entwickelt werden können
und endlich müssen.

Noch anderweite Gesichtspunkte von praktischem Interesse und praktischer Wirksamkeit bieten sich in unsrer Ansicht dar.

Wie das Leben der Menschen im Jetztleben sich verschwistert, so
verschwistert wird es, wie früher betrachtet, nach der Aufnahme in das
Jenseits fortbestehen und sich ferner entwickeln. Was sich hier in Liebe
begegnet hat, wird sich dort in Liebe wiederbegegnen, was hier seinen
Haß nicht ausgekämpft und beschwichtigt hat, wird ihn dort noch auskämpfen und beschwichtigen müssen, da der Haß zu den Übeln gehört,
die sich durch ihre Folgen einst selbst zerstören müssen. So suche nun
jeder, sich hier Liebe zu erwerben, damit er nicht einsam und geflohen
von andern im Jenseits dasteht. So hüte sich jeder, unversöhnt mit
der Welt aus der Welt hienieden zu scheiden und jemand unversöhnt
mit sich daraus scheiden zu lassen; der Mißklang, den er hier auszugleichen
versäumt hat, wird ins Jenseits überklingen und dort noch seine Ausgleichung fordern.

Auch mit den Geistern der Vorwelt, die jetzt auf unsere Bildung
Einfluß haben, werden wir beim Eintritt ins Jenseits in nähere Beziehung treten; aber es wird eine bewußtere Beziehung als jetzt sein,
da wir, auf gleiche Existenzstufe mit ihnen gelangt, nun ihnen wie jetzt
unsres Gleichen werden begegnen können. So suche sich jetzt jeder die
besten Führer und Freunde unter den Toten aus, mit denen er am
liebsten im Jenseits verkehren möchte. Er kann es, indem er sich mit
ihren Ideen befreundet, in ihrem Sinne handelt und wirkt.

Die mit uns gelebt und vor uns hinübergegangen, bleiben doch in
Beziehung zu uns, denn durch das, was sie in uns hineingewirkt, wurzelt
ihre Existenz in der unsern, und durch das, was wir in sie gewirkt,
die unsre in der ihren. Wir können nicht mehr auseinander, obwohl

diese Verknüpfung eine weniger oder mehr bewußte sein und werden kann. Jeder Gedanke an einen Vorstorbenen, der in uns entsteht, ist selbst eine Nachwirkung, die der Verstorbene in uns hinterlassen; ja schon die Möglichkeit, sich seiner zu erinnern, oder die schlummernde Erinnerung hängt an einer Nachwirkung seines frühern Daseins in uns, und wenn schon diese Möglichkeit eine stille unsichtbare Gegenwart desselben voraus= setzt, so dürfen wir glauben, daß der bewußte Gedanke an ihn uns denselben noch in lebendigerer Weise nahe bringt. Doch ist auch da noch zu unterscheiden. Wenn wir uns nur an Äußerlichkeiten desselben erinnern, werden wir nicht zu glauben haben, daß wir damit sein Bewußtsein auch anregen, weil diese Erinnerung selbst nicht Folge seiner bewußten Tätigkeit; er kann uns gegenwärtig sein, wie jemand, den wir sehen, ohne daß er weiß, wir sehen ihn; wenn aber eine Erinnerung an ihn in uns erwacht, die selbst durch sein bewußtes Tun oder dessen Folgen in uns hineinerzeugt worden, so dürfen wir glauben, daß unser Bewußtsein und sein Bewußtsein in demselben Akt sich kreuzen, und je lebendiger wir uns seines bewußten Wirkens oder was davon abhängt erinnern, je lebendiger sich also die Wirkung desselben in uns erweist, desto lebendiger wird auch sein Bewußtsein durch uns erweckt werden und sich nach den Beziehungen, in denen wir daran denken, bestimmt finden.

Wenn also sich jemand eines lieben Toten recht lebendig erinnert, so ist dieser auch gleich lebendig bei ihm, und so kann die Gattin den Gatten, der vor ihr heimgegangen, wieder zu sich locken, und kann wissen, daß er um so mehr bei ihr ist, je mehr sie bei ihm ist, und so bewußter bei ihr ist und ihrer selbst gedenkt, je mehr sie seiner bewußten Beziehungen zu ihr gedenkt; ja der Wunsch, daß er ihrer denken möchte, wird hinreichen, ihn an sie denken zu machen, und je heftiger sie es wünscht, desto lebendiger wird sein Gedanke an sie sein; und wenn sie ihr Leben ganz der Erinnerung und dem Handeln in seinem Sinne widmet, so wird sein Leben auch immer in innigster und bewußtester Beziehung zu dem ihren bleiben.

Hierdurch erwachsen uns überhaupt die schönsten Gesichtspunkte über einen Verkehr der Lebendigen mit den Toten. Die Toten sind gar nicht so weit von uns, als wir zumeist meinen, in einem fernen Himmel, sondern noch unter uns, nur nicht mehr so wie wir an einzelne Stellen gebunden, sondern frei, wie sich ihre Wirkungen durch das irdische Reich ergießen, wandeln sie einher dahin und dorthin, und wenn einer der Lebenden hier und der andere da an denselben Toten denkt, so ist dieser bei beiden; hat so gewissermaßen Teil an der Allgegenwart Gottes.

„Wir glauben allein zu sein und sind's nie: wir sind mit uns selbst nicht allein; die Geister andrer abgelebter Schatten, alter Dämonen, oder unsrer Erzieher, Freunde, Feinde, Bildner, Mißbildner, und tausend zubringender Gesellen wirken in uns. Wir können nicht umhin, ihre Gesichte zu sehen, ihre Stimmen zu hören; selbst die Krämpfe ihrer Mißgestalten gehen in uns über. Wohl ihm, dem das Schicksal ein Elysium und keinen Tartarus zum Himmel seiner Gedanken, zur Region seiner Empfindungen, Grundsätze und Handlungsweisen anwies; sein Gemüt ist in einer fröhlichen Unsterblichkeit gegründet." (Herder in s. Zerstr. Bl. 4te Samml. S. 162.)

Auch an einen noch Lebenden und im Sinne eines noch Lebenden können wir denken und handeln; aber der Unterschied, wenn wir dies in Bezug zu einem Toten tun, ist der, daß wir des Lebenden Bewußtsein nicht so unmittelbar dadurch anregen können wie des Toten, weil des Lebenden Bewußtsein noch nicht wach ist in Bezug auf das, was von ihm als Folge seines bewußten Seins in andern fortwirkt. Wohl aber können wir uns dadurch, daß wir unser Bewußtsein mit einem Lebenden beschäftigen, daß wir die Wirkungen seines bewußten Daseins selbst mit Bewußtsein aufnehmen, fortspinnen, Anknüpfungspunkte für einen engern bewußten Verkehr mit ihm dereinst verschaffen.

Es leuchtet ein, welch tiefergehende lebendigere Bedeutung jetzt die Gedächtnisfeiern und Denkmale gewinnen, welche den Toten von den Lebenden gewidmet werden, als die wir ihnen gewöhnlich beilegen. Wir halten sie nur für Mittel, das Andenken der Toten und hiemit das Bewußtsein der Wirkungen, welche sie geäußert haben, in uns den Lebenden wach zu erhalten, aber es sind zugleich Mittel, die Toten selbst in Bewußtseins-Beziehung zu den Lebenden zu erhalten. Das Diesseits und Jenseits reicht sich durch solche Vermittelungen wehmütig feierlich die Hände, und es ist nicht der Druck einer lebendigen und einer toten Hand, sondern zweier Hände, die sich aus verschiedenen Lebenskreisen fassen. Wir können glauben, wenn das Fest eines großen Toten von einem Volk, oder eines werten Toten von einer Familie begangen wird, so ist er mitten dabei, und denkt an die, die seiner denken, und genießt der Dankbarkeit und Liebe, die sie ihm zollen. Und je mehrere eines Toten denken und je lebhafter sie seiner denken, desto mehr beweist sich sein Dasein unter, ja in ihnen, und desto lebhafter wird sein Bewußtsein hinwiederum von ihnen angeregt.

Bei vielen Völkern wird das Andenken der Toten viel mehr gefeiert als bei uns, und der Totendienst überbietet bei manchen sogar den Gottesdienſt, tritt jebenfalls überall in nahe Beziehung damit. Es ſcheint hiebei ein natürlicher Inſtinkt zu walten, der nur heutzutage gerade bei den kultivierteſten Völkern am meiſten zurückgetreten iſt, wie dies von ſo vielem Inſtinktartigen gilt.

Zu den verbreitetſten Vorſtellungen gehört die Anſicht, daß die Nachgelaſſenen noch etwas für die Verſtorbenen tun können, und man barf vielleicht ſagen, daß nur bei ¿unſerer proteſtantiſchen Lehre dieſe Vorſtellung ganz verlaſſen worden iſt; dagegen noch der katholiſche Prieſter ſeine Meſſen für die Seelen der Verſtorbenen lieſt, und die Verwandten und Freunde für deren Heil beten. Ähnliches, ja viel mehreres findet ſich bei vielen andern Völkern vor; es iſt faſt keins, wo ſich nicht bei der Beſtattung oder in nachfolgenden Gebräuchen auf dieſe oder jene Weiſe eine Sorge der Nachgelaſſenen für das Heil der abgeſchiedenen Seele ausſpräche. Eitel Abſurdität das alles, wenn es ſo wäre, wie wir zumeiſt meinen. Was können alle Sühnen, Opfer, Stiftungen, Gebete dem frommen, der ohne Beziehung zu uns in einem fremden Himmel iſt? Aber wenn es ſo iſt, wie wir meinen, ſo bekommt alles dies nicht nur ſeinen Geſichtspunkt, ſondern auch ſein leitendes, reinigendes, berichtigendes und erweiterndes Prinzip. Die Verſtorbenen tun nicht nur viel in uns, ſondern wir können auch viel für ſie wie anderſeits gegen ſie tun, unbewußt tun wir's ohnehin, aber auch bewußt und mit Abſicht können wir's tun, indem wir ihre Werke fortführen, in ihrem Sinne weiter handeln, die üblen Folgen ihrer Handlungen ſühnen und beſſern, oder das Gegenteil von all dem tun; und nach Maßgabe als wir's mit Bewußtſein in Bezug auf ſie tun, wird auch das Bewußtſein der Verſtorbenen in Bezug auf uns angeregt werden, und werden wir beim Eintritt ins Jenſeits ſie demgemäß geſtimmt gegen uns finden. Wir können ſo für oder gegen ſie handeln nach unſerm Willen, nur daß unſer Wille ſelbſt ſich nicht dem Wirken im Sinne der höchſten und letzten Gerechtigkeit und Geſetzlichkeit entziehen kann. Weſſen Vergehen wir nach ſeinem Tode ſühnen, der wird es im Diesſeits oder Jenſeits irgendwie um uns oder andere verdient haben; aber daß gerade wir uns mit Willen zu Werkzeugen der Sühne für ihn machen, verdient uns immer ſeinen Dank, ſtimmt ſeinen Willen wieder günſtig gegen uns. Durch ein hergeplappertes Gebet, durch Gold in den Opferkaſten werden wir freilich weder dem Guten noch dem Böſen im Jenſeits frommen. Das ſind Abirrungen von einem rechten Wege, der uns bisher durch kein Licht des Verſtandes erhellt war, und den uns ein blinder Inſtinkt doch auch nicht ganz hat verfehlen laſſen.

Finden diese Vorstellungen Eingang, so wird mit dem erwachten Bewußtsein von den Verhältnissen und Bedingungen des Verkehrs zwischen Diesseits und Jenseits eine neue Epoche für diesen Verkehr beginnen, und unser äußeres und inneres Leben davon den vielseitigsten und tiefsten Eingriff erfahren. Es ist hier wie oft. Viele Dinge werden durch das Bewußtsein ihrer Möglichkeit erst möglich und wirklich. Der Wechselverkehr zwischen Diesseits und Jenseits besteht zwar schon lange; aber daß wir wissen, er besteht und wie er besteht, wird ihm einen neuen Schwung und eine sichere Richtung in dem Sinne geben können, der sowohl für das Diesseits als Jenseits der beste. In der Tat nicht nur dem Diesseits, sondern auch Jenseits wird dieser Aufschwung zu statten kommen. Alle Keime dessen, was im Jenseits gewußt wird, liegen im Diesseits, aber im Jenseits die Blüten, aus welchen neue keimende Samen wieder hervorgehen. So werden auch diese Ideen über den Verkehr des Diesseits und Jenseits, die hier aufgestellt werden, in ihrer Entwickelung und Betätigung aus dem Diesseits ins Jenseits hinein blühn; aber das Diesseits hat sie selbst erst aus dem Jenseits. Denn wie viel Ideen vergangner Geister leben und wirken mit fort in diesen Ideen, die hier gesäet werden!

XXIX. Vergleichung.

Unstreitig kann es unsrer Ansicht nur zu statten kommen, wenn sich im Folgenden zeigen wird, daß die scheinbar große, in gewisser Hinsicht wirklich große Abweichung, die sie von den meisten bisherigen Ansichten über die künftigen Dinge darbietet, im Grunde doch nur darin besteht, daß sie sich über die Divergenzen derselben erhebt, und hiermit selbst der Wahrheit aller so weit genügt, als es bei den Widersprüchen derselben unter einander und in sich immer möglich ist. Nur freilich, indem sie der Wahrheit aller genügt, kann sie nicht auch den Widersprüchen aller genügen, und die Form ihres Scheffels kann nicht in die Form jeder Metze passen.

Dabei erkennt sie gern an, daß sie zur christlichen Ansicht vielmehr in einem Verhältnisse der Dienstbarkeit steht, indem der Grundkern der christlichen Ansicht der Grundkern ihrer eigenen Entwickelung geworden ist, ihr letztes leitendes und treibendes Prinzip nur vom Christentum her ist, wie viel des Stoffes sie auch andersher aufgenommen hat. Hiervon aber sprechen wir besonders im nächsten Abschnitt, und schließen daher von der jetzigen Vergleichung die christliche Ansicht ausdrücklich aus.

1) Es ist schon eine alte Rede und im Grunde gar keine neue Behauptung, daß der Mensch in den Wirkungen und Werken, Ideen, Erinnerungen fortlebe, die von ihm hinterbleiben, daß in nichts anderem seine Unsterblichkeit bestehe. Nur daß man es nicht so ernsthaft mit dieser Art der Unsterblichkeit meint, wie wir, so daß die, welche bloß eine solche anerkennen wollen, vielmehr für Leugner der Unsterblichkeit gelten und sich selbst dafür halten. Aber unstreitig müssen Gründe vorliegen, welche den Begriff der Unsterblichkeit hier gewissermaßen aufdrängen. Es ist hier wie oft, wir werden unwillkürlich auf die Wahrheit geführt, und bekennen sie, fast ohne es selbst zu wollen. Mit dem Leben der Natur, sahen wir, war es auch nicht anders.

Diese unwillkürliche Erkenntnis der Wahrheit spricht sich noch entschiedener in dem tiefgehenden Gefühle aus, welches den Menschen nicht gleichgültig sein läßt gegen das, was er nach seinem Tode hinter sich läßt. Aber nach uns läßt er es eben nach dem Tode nicht hinter sich, sondern gewinnt es erst recht zum Eigentum, und dies, meine ich, ist es, was wir zum Voraus ahnen, wenn wir Großes, Schönes, Rechtes als unsere Werke hinterlassen möchten. Wir ahnen, daß wir uns damit eigene Schätze für die Zukunft sammeln, ja daß wir uns damit für die Zukunft selbst erbauen.

„Es gibt eine Unsterblichkeit des Namens und Nachruhms, die ich die historische und dichterische oder die Kunst-Unsterblichkeit nennen möchte. Sie scheint von großem Reiz. Edle, jugendliche Seelen opfern gern vor ihrem Altar; manche leidenschaftliche Menschen haben sie gar zum einzigen Ziel ihrer Gedanken gewählt und so zu sagen ihr gelebt. In den Jugendzeiten der Welt nämlich war allerdings auch der süße Traum erlaubt, mit seinem Namen, in seiner Person und Gestalt auf die Nachwelt überzugehen und ein leibhafter Gott zu werden." (Herder in s. Zerstr. Bl. 4te Samml. S. 150.)

Sofern nun manche Leugner der Unsterblichkeit eben da, wo wir die wirkliche Unsterblichkeit sehen, doch einen Schein derselben zu erblicken glauben, aber auch nichts mehr als einen Schein, indem sie tot und äußerlich fassen, was wir lebendig und innerlich fassen, entsteht die eigene

Erſcheinung, daß ſie wohl gar die Unſterblichkeit mit denſelben Worten
leugnen und beſtreiten, mit denen wir dieſelbe behaupten und erläutern;
ſo daß man ſagen möchte, unſre Anſicht genüge mit den For=
derungen der Gläubigen zugleich denen der Ungläubigen. So weit ſie
noch von Unſterblichkeit ſprechen, ſprechen ſie mit unſern Ausdrücken
davon.

Zum Belege einige Stellen aus Feuerbachs Gedanken über Tod und
Unſterblichkeit, der bekanntlich zu den entſchiedenſten Leugnern der Unſterblich=
keit gehört.

S. 279. „Die Phantaſie (Einbildung, Erinnerung, — Unterſchiede,
die hier gleichgültig —*) iſt das Jenſeits der Anſchauung, worin der Menſch
zu ſeiner größten Überraſchung und Entzückung wieder findet, was er
dießſeits, d. h. in der ſinnlichen, wirklichen Welt verloren.“

S. 271. „Wenn daher der Unſterblichkeitsglaube wirklich in der
menſchlichen Natur ſelbſt begründet wäre, wie käme der Menſch dazu, den
Toten ewige Wohnungen, wie die Römer die Grabmäler, wenigſtens die
Mauſoleen nannten, zu errichten und jährliche Feſte zur Erneuerung ihres
Andenkens zu feiern — Feſte, die wie die Grabmäler und alle ſonſtigen
Formen und Gebräuche, des Totendienſtes zuletzt, d. h. abgeſehen von den
Zuſätzen abergläubiſcher Furcht, eben keinen andern Zweck haben, als dem
Menſchen auch noch nach dem Tode eine Exiſtenz zu verſchaffen . . . . Die
ängſtliche Sorge der Völker für ihre Toten iſt darum nur ein Ausdruck
von dem Gefühl, daß die Exiſtenz derſelben von den Lebenden abhängt.“
(Vgl. S. 328.)

S. 268. Feuerbach ſucht ausführlich zu zeigen, wie überall die rohen
Völker das Bild, das in ihnen vom Verſtorbenen fortbeſteht, oder in der
Erinnerung wiederkehrt, für deſſen wirkliche fortbeſtehende Perſon halten, und
fährt fort (S. 268): „Der Unglaube der Bildung an die Unſterblichkeit unter=
ſcheidet ſich alſo von dem angeblichen Glauben der noch unverdorbenen,
einfachen Völker an die Unſterblichkeit nur dadurch, daß jener das Bild des
Toten als Bild weiß, dieſer aber als Weſen ſich vorſtellt, alſo nur dadurch,
wodurch ſich überhaupt der gebildete oder gereifte Menſch von dem ungebildeten
oder noch kindlichen Menſchen unterſcheidet, nämlich, daß dieſer das Unper=
ſönliche perſonifiziert, das Lebloſe belebt, während jener zwiſchen Perſon und
Ding lebendig und leblos unterſcheidet.“

S. 263 f. Freilich glauben die meiſten Völker an Unſterblichkeit: „aber
es kommt darauf an, zu ſehen, was dieſer Glaube denn eigentlich ausdrückt.
Alle Menſchen glauben an Unſterblichkeit, das heißt: ſie ſchließen nicht mit
dem Tode eines Menſchen deſſen Exiſtenz, aus dem einfachen Grunde, weil
damit, daß ein Menſch aufgehört hat, wirklich, ſinnlich zu exiſtieren, er
noch nicht aufgehört hat, geiſtig, d. h. im Andenken, im Herzen der Über=
lebenden zu exiſtieren. Der Tote iſt für den Lebenden nicht nichts

---

*) Einſchaltung des Originals.

geworden, nicht absolut vernichtet, er hat gleichsam nur die Form seiner Existenz verändert."

2) Die häufige Ansicht, daß die Seele sich ihren künftigen Leib selbst erbaue, ist ganz die unsre, nur daß nach uns die Seele die Werkzeuge des Baues nicht eher wegwirft, als bis sie ihr neues Haus gebaut hat. Aber sie wirft sie dann weg. In dieser Beziehung können wir uns auch der so gewöhnlichen Vorstellung anschließen, daß die Seele im Tode aus dem Leibe ausfahre, aber sie fährt nicht ins Leere oder Wüste aus, sondern in einen schon fertig zubereiteten Leib.

Selbst die von gewisser Seite der unsern gerade entgegengesetzte Ansicht, daß die Seele als unzerstörbar einfaches Wesen (wenn nicht wirklich, doch schematisch) in einem Punkte zu denken sei, verträgt sich doch von andrer Seite ganz mit der unsern. Denn immer könnte die Seele, in einem Punkt oder als Monade gedacht, doch nur in Bezug zu einem geordneten organischen Leibe ein selbst geordnetes Leben führen. Also müßte sie auch, wenn sie nach Zerstörung des jetzigen Leibes unversehrt aus ihm hervorträte, einen solchen wiederfinden, oder sich schaffen. Nach unsrer Ansicht aber findet sie ihn wirklich, eben mittels des frühern Leibes geschaffen, vor.

3) Wenn man doch so oft den Tod als Befreiung der Seele von den Banden des Leibes erklären hört und meint, sie müsse nachher eine reiner geistige Existenz haben als jetzt, so kommt unsre Ansicht auch dieser Vorstellung so nahe wie nur möglich, ohne die Seele geradezu ins Leere zu stellen und der Mittel äußern Wirkens zu berauben. In der Tat erscheint die Seele, das Bewußtsein nun nicht mehr an einen so engen Leib gebunden wie jetzt, und wir so der Allgegenwart Gottes und hiermit Gott selbst um eine Stufe näher.

4) Der ätherische Leib der Zukunft, den so viele als feinsten Auszug aus dem jetzigen gröbern Leibe wollen, fehlt auch bei uns nicht. So wahr wir im Jetzt einen solchen eingeschlossen in unserm gröbern Leibe vermuten mögen, so wahr werden wir einen im folgenden Leben zu erwarten haben, nur nicht nackt und blos und eng begrenzt, wie nach unserm Wissen kein ätherischer Leib bestehen kann, sondern in einer neuen, nur weitern, leiblichen wägbaren Unterlage. Es wird uns aber diese schwere leibliche Unterlage nicht wie jetzt belasten, weil wir sie nicht wie jetzt fortzutragen haben.

Es ist immer im Auge zu behalten, daß die Ansicht einer ätherischen leiblichen Unterlage für die Seele im Jenseits für uns so hypothetisch bleibt wie im Diesseits. Unsre Ansicht fußt aber nicht auf dieser Hypothese, sondern darauf, daß, was auch im Diesseits die Seele leiblich tragen mag,

und wie auch das Verhältnis zwischen Leib und Seele zu denken sei, so
erstreckt sich das, was im Diesseits in dieser Beziehung gilt, durch seine
Fortwirkungen ins Jenseits. Alles, was hypothetisch ist im Diesseits, bleibt
also auch so für das Jenseits. Darin liegt eine große Sicherstellung für
unsre Ansicht, daß sie nicht auf partikulären Voraussetzungen von zweifelhafter Triftigkeit fußt.

5) Die Gestalt, in der die Geister des Jenseits erscheinen, stellt sich
nach vielen Ansichten als ein leichtes, frei schwebendes Bild der jetzigen
Gestalt dar. So stellt sie sich auch nach unsrer Ansicht dar; als
Erinnerungsbild der anschaulichen Gestalt.

6) Bei den meisten Völkern, die sich noch dem Naturzustande näher
finden, besteht der Glaube, daß die Verstorbenen noch dieselben Geschäfte,
Krieg, Jagd, Fischfang fortsetzen, die sie hier getrieben haben; nur in
etwas modifizierter Weise. Unsere Ansicht entspricht auch dieser Vorstellung so gut als möglich. Der Mensch lebt in denselben Sphären
des Wirkens fort, in denen er hier gelebt hat, nur anders darin fort,
als er hier darin gelebt hat. Der Philosoph lebt in den Ideen fort,
die er verbreitet hat, — durch den Jäger, Fischer, Krieger ist
vieles anders geworden in den Menschen und den Dingen in Bezug
auf die Sphäre der Jagd, des Fischfanges, des Kriegswerkes, darin
lebt er, aus dem Jenseits ins Diesseits wirkend, noch fort.

7) Auch die Ansicht von einem Schlaf vor dem neuen Erwachen
findet mit unsrer Ansicht Berührungspunkte. Wir nehmen nur nicht an,
daß wir nach dem Tode erst eine Zeit lang schlafen werden, um dann
zu erwachen, sondern daß uns dieser Schlaf dadurch erspart sei, daß
unser zukünftiger Leib schon während des Jetztlebens schläft, um mit dem
Tode ins künftige Leben zu erwachen. Ja wir können es als eine Art
Auferstehung betrachten, daß all das im Laufe unsers Lebens Unbewußt-
gewordene, in Schlaf Versenkte, mit dem Tode die Fähigkeit wieder-
erhält, ins Bewußtsein zu treten oder auf dasselbe Einfluß zu gewinnen.
So wie etwas von unsern Wirkungen jetzt über uns hinaus ist, versinkt
es in den schlafenden Leib, der erst im Tode für das Bewußtsein erwacht.
Unstreitig ist dies keine Auferstehung im wörtlichen Sinne; wer aber
faßt Auferstehung heute noch so? Ich komme hierauf im folgenden
Abschnitt zurück.

Einen eigentlichen Schlaf vor dem Erwachen nach dem Tode anzunehmen, liegt nach Früherm kein Grund vor, und man weiß, daß selbst
unsre Kirchenlehre vielmehr einen Schlaf unsres Leibes, als unsrer Seele
nach dem Tode behauptet; die Seele gelange gleich nach dem Tode an einen
Ort der Belohnung oder Bestrafung, und vereinige sich nur später wieder

mit dem Leibe bei deſſen Auferſtehung. Freilich einer der ſtreitigſten Punkte, wenn es gilt, ihn nach der Bibel zu entſcheiden.

8) Man vermißt vielleicht in unſrer Anſicht den Hades, den Himmel; ſie ſcheint bloß ein irdiſches Jenſeits zu geben; aber in der Tat gibt ſie alles zuſammen, und· nur eben, weil ſie alles gibt, kann eins nicht ſo einſeitig hervortreten, wie in den Anſichten, die bloß eins von dieſen haben. Wir können ſagen, und werden es gleich näher erläutern, etwas, und etwas Schauerliches, Negatives von uns fällt im Tode dem Hades oder Scheol anheim, das Meiſte der Erde, das Beſte und, ſofern die Erde ſelbſt mit des Himmels, das Ganze dem Himmel.

In Zuſammenhang mit der verſchiedenen Örtlichkeit, welche bei verſchiedenen Völkern den Seelen im Hades oder Himmel angewieſen wird, ſteht die doppelte Anſicht, daß das künftige Leben gegen das jetzige ein abgeſchwächtes, verblaßtes, büſteres, oder daß es ein höher geſteigertes, lichteres, ſchönern Hoffnungen insbeſondere für den Rechtſchaffenen Raum gebendes ſein wird, wozwiſchen viele Mittelanſichten ſtehen. Es wird nach uns beides ſein, das dieſſeitige ſinnliche Anſchauungsleben wird verblaſſen, das höhere Erinnerungsleben ſich ſteigern; der Verluſt des alten Lebens wird ſeine Seite des Traurigen haben; der Gewinn des neuen Lebens doch für den Rechtſchaffenen bald in Freude überwiegen. Die verſchiedenen Seiten unſrer Anſicht kommen nur im Glauben verſchiedener Völker und Zeiten geſondert vor.

In der Tat, mögen wir die leibliche oder geiſtige Seite unſers Lebens ins Auge faſſen, bevor der Gewinn des neuen Lebens recht geſpürt werden kann, wird das Opfer des alten geſpürt werden müſſen, die Nacht des Todes vor dem Lichte des neuen Lebens. Es entſteht ſo zu ſagen für den Moment eine Lücke in dem ganzen Leibe, von welchem der engere ein Teil war. Jeder Verluſt eines ganzen Leibesteils aber wird geſpürt, nur daß, wenn es ein Verluſt iſt, der in den natürlichen Entwickelungsgang gehört, die Wunde ſchnell heilt und der Anlaß und Ausgang neuer poſitiver Entwickelung wird. Es muß aber die Lücke, welche der Tod mitbringt, anfangs um ſo härter empfunden werden, als es den Verluſt des Teils galt, an den die Seele bisher ihre ganze Tätigkeit geknüpft fühlte, und nur, wenn der Menſch durch Alter oder Schwäche ſtirbt, mithin am herabgekommenen Leibe nichts Erhebliches mehr verloren wird, mag dieſes Gefühl des Verluſtes merklich fehlen. Dagegen bei Todesarten, die den Menſchen im Gefühl der Kraft betreffen, es einen Moment geben mag, wo das Gefühl gewaltſamer Vernichtung ganz und gar die Seele befängt, alle Schrecken des Todes uns über-

kommen; ja wir fühlen dergleichen wirklich schon in der Annäherung
dazu. Allmählich oder plötzlich aber wird dies Gefühl in das Gefühl des
Erwachens zum neuen Leben überschlagen. Doch ist zu erwarten, daß
mindestens so viel Zeit dazu gehören wird, sich nach dem Tode auf das
neue Leben zu besinnen, als im Todeskampfe, die Besinnung des jetzigen
zu verlieren, und daß die Nachwehen und Schmerzen der Wunde, die
uns mit dem Tode geschlagen wird, überhaupt nur allmählich, obwohl
nach Umständen sehr verschieden, verschwinden werden, so rascher, je
weniger wir am alten Leben zu verlieren hatten. Ja wer nur einen
leidenden Körper zu verlieren hatte, mag sofort Erleichterung im Tode
spüren. Doch nicht bloß bei dieser sinnlichen Empfindung des erlittenen
Verlustes wird es sein Bewenden haben. Sollte es nicht der Mutter
und Gattin noch eine Zeit lang leid sein, aus den alten Verhältnissen
zu den Ihrigen gerissen zu sein, dem unternehmenden Geiste leid sein,
der Fortführung seiner Unternehmungen mit den bisherigen Mitteln
absagen zu müssen, bis die ganze Macht und Fülle des neuen Lebens und
das Bewußtsein, daß die zerrissenen Beziehungen sich in anderer höherer
Weise wieder anknüpfen, uns überkommt?

Jenes Erstgefühl, daß alles das matt und kraftlos in uns geworden
ist, was früher in uns rege und lebendig war, knüpft sich nun eben
daran, daß unser jetziger Leib sich nicht mehr selbst regen kann, daß er
sich passiv unter die Erde legen lassen muß und dort den Mächten der
Verwesung Preis gegeben ist, oder, wenn er nicht begraben wird, doch
seinen Stoffen nach ihr anheim fällt. Nicht, daß der verwesende Leib
dies für sich selbst empfinden könnte, so wenig ein schon zerstörter
Teil unsers engern Leibes seine Zerstörung selbst empfindet, aber der
übrige Leib empfindet sie, und so mögen wir auch mittelst unsers
weitern Leibes, noch ehe er sich selbst recht in positiver eigener Tätigkeit empfindet, die Zerstörung des engern, und alles, was sich daran
knüpft, empfinden, dies so zu sagen seine erste bewußte Gefühlstat
sein. Insofern bleibt die Verwesung unsers Leibes, vermöge des Kausal-
bezugs zu uns, Mitbedingung eines Gefühls, aber des Gefühls einer
Negation.

Wenn man nun auf dies Moment einseitig achtet, so kommt man
auf die Vorstellung vom traurigen Leben der Seele im Hades oder
Scheol, welche nicht nur den alten Griechen und Juden eigentümlich
war, sondern auch sonst bei vielen rohen Völkern wieder gefunden wird.
Wie der engere Leib Träger unsers jetzigen wachen Lebens ist, und wir
unsere Seele da suchen, wo dieser Leib ist, so wird auch, wenn wir von

sich aufnimmt, in der die Individualität des Menschen wie früher fort=
besteht, schwerlich ein philosophischer Einwand erhoben werden, außer
von seiten derer, welchen der Allgemeingeist vielmehr ein solcher ist,
der die Individualitäten im Tode verschluckt und hiemit vernichtet, als
höher entfaltet, um sich selbst hiemit höher zu entfalten. Nur daß von
uns versucht ist, auch die Modalität des ganzen in Betracht kommenden
Verhältnisses in Zusammenhang mit den Verhältnissen des Jetztlebens
zu entwickeln.

a) Schelling.

„Anhaltendes Nachdenken und Forschen hat bei mir nur dazu gedient,
jene Überzeugung zu bestätigen, daß der Tod, weit entfernt, die Persönlich=
keit zu schwächen, sie vielmehr erhöht, indem er sie von so manchem
Zufälligen befreit; daß Erinnerung ein viel zu schwacher Ausdruck ist für
die Innigkeit des Bewußtseins, welche den Abgeschiedenen vom vergangenen
Leben und den Zurückgelassenen bleibt; daß wir im Innersten unsres Wesens
mit jenen vereinigt bleiben, da wir ja unserm besten Teile nach nichts
andres sind, als was sie auch sind, Geister; daß eine künftige Wieder=
vereinigung bei gleichgestimmten Seelen, die das Leben hindurch nur Eine
Liebe, Einen Glauben und Eine Hoffnung gehabt, zu den gewissesten Sachen
gehört, und namentlich von den Verheißungen des Christentums auch nicht
Eine unerfüllt bleiben wird, so schwer begreiflich sie auch einem mit bloßen
abgezogenen Begriffen umgehenden Verstande sein mögen. Täglich erkenne
ich mehr, daß alles weit persönlicher und unendlich lebendiger zusammen=
hängt, als wir uns vorzustellen vermögen." (Schelling in einer nur Freunden
mitgeteilten Schrift. 1811. S. J. Kerner, Seherin von Prevorst. S. 6.)

b) Der ältere Fichte.

„Das Eine und sich selber gleiche Leben der Vernunft*) wird lediglich
durch die irdische Ansicht und in derselben zu verschiedenen individuellen
Personen zerspaltet, welche Personen nun durchaus nicht anders, als in
dieser irdischen Ansicht und vermittelst derselben, keineswegs aber an sich
und unabhängig von der irdischen Ansicht da sind und existieren . . . . .
Die irdische Ansicht dauert, als Grund und Träger des ewigen Lebens,
wenigstens auch in der Erinnerung ins ewige Leben fort, somit alles, was
in dieser Ansicht liegt, daher auch alle individuelle Personen, in welche durch
diese Ansicht die eine Vernunft zerspalten wurde; weit entfernt daher, daß
aus meiner Behauptung (die Vernunft sei das einzig mögliche, auf
sich selber beruhende und sich selber tragende Dasein u. s. w.) etwas gegen
die individuelle Fortdauer folge, gibt diese Behauptung vielmehr den einzigen
haltbaren Beweis für sie her." (J. G. Fichte, sämtl. Werke VII. S. 25.)

---

*) Die Vernunft selbst wird von Fichte erklärt (S. 28) als „das einzig mögliche,
auf sich selber beruhende und sich selber tragende Dasein und Leben, wovon alles,
was als daseiend und lebendig erscheint, nur die weitere Modifikation, Bestimmung,
Abänderung und Gestaltung ist."

bedingungen unfers gegenwärtigen Zuſtandes jede Rezeptivität und Aſſimi=
lationskraft für dieſelben gerade ausſchließen müſſen."

S. 159. So bleibt auch unſerm künftigen Zuſtande ſein Lebens=
element, weil wir abſolut organiſierende Macht geblieben, mit Korporations=
kraft begabt ſind. Aber es iſt dies kein Ätherleib, mit dem die
Seele wie mit einem Fremden, äußerlich Zubereiteten ſich zu umkleiden
hätte: — dies verworrene Phantasma widerſpräche durchaus aller Natur=
analogie. Jeder Naturzuſtand entwickelt vielmehr den folgenden, nicht
ſprung= und ſtoßweiſe, ſondern nach ebenmäßiger Gliederung aus ſich her.
So entwickelt ſich zugleich auch mit dem Fallenlaſſen der alten Lebensmedien
die Fähigkeit, neue, jetzt ihm homogene Elemente organiſierend an ſich
heranzuziehen, und die alſo wiedergeborene Individualität hat daher auch
nicht mehr den alten Prozeß einzugehen, aus unentwickelten, leiblich=ſeeliſchen
Anfängen erſt allmählich ſich aufzubauen und, wie in dieſem Leben, ſo dort
zu einer neuen Kindſchaft zu erwachen: ſondern, indem ſeine gegenwärtige
Korporiſation zugleich die für immer ausgewirkte Entwickelung ſeines
Geiſtes geworden, nimmt ſie dieſe ganze einmal gewonnene Lebensſtufe
vollſtändig und rückhaltslos in die neue Exiſtenz mit ſich hinüber. Sie
ſetzt das gegenwärtige Daſein, nur entſchiedener und ausgeprägter, fort in
dem folgenden: ein Gedanke, der jedoch erſt bei der Frage nach der nähern
Beſchaffenheit des zweiten Lebens einige Aufhellung erwarten kann."

S. 165. „Im Sterben vollendet die Individualität die Einkehr in
ihren Urſtand: ſie iſt zum erſten Male völlig allein mit ſich in der Stille
des Todes und auf jenen geheimnisvollen Ertrag angewieſen. Die Summe
ihrer innern und äußern Werke, welche ſie ſich eingelebt — (und dieſen
ſeeliſch=geiſtigen Prozeß und die Selbſtentwickelung daran erkannten wir als
die Bedeutung des gegenwärtigen Lebens) — ihre Leidenſchaften und
Strebungen, ihre Tüchtigkeiten wie Untugenden nimmt ſie als geiſtig ein=
gebildete Gewohnheit oder Grundrichtung mit ſich fort. Das Selbſt=
gefühl dieſer Lebensſumme begründet damit eben zugleich den Seelenzuſtand
nach dem Tode, und wie dies ſchon im Alter mit dämmerndem Bewußtſein
hervorzutreten anfing, macht es jetzt die Bedingung der neuen Exiſtenz und
die Baſis der künftigen Leiblichkeit. Wie wir den Pfad des Lebens hier
angetreten haben, ſo müſſen wir dort ihn fortſetzen; ſei's in immer tiefer
ſich verhärtender Verkehrtheit oder in natur= und gottgemäßer Entwickelung.
Jede Individualität nimmt in ſich ſelbſt ihr Gericht mit hinüber, zur Ruhe
der Seligkeit oder zu immer unſeliger zerreißendem Widerſpruche."

S. 172. „Es iſt keine Urſache vorhanden, und durchaus von innerer
Wahrſcheinlichkeit entblößt, daß die Pſyche, indem ſie durch eigenen Lebens=
prozeß ihre äußere Leiblichkeit fallen läßt, zugleich nun durch irgend eine,
notwendig ihr fremde, Gewalt in völlig andre Regionen des Daſeins und
in heterogene Lebensbedingungen verſetzt werden ſ͏   ͏ten ſind
uns gewiß näher und gegenwärtiger, als wir m͏   ͏ine um
uns her zur abſoluten Leerheit und Bedeutu   ͏lt ſein
ſollten, iſt ohnehin nicht zu denken; und ſo dür   ͏ich der
Seelen in unſrer unſichtbaren Nähe un͏   ͏s von

der einen Natur, und der neuen Lebensbedingungen aus ihr eben so
genießend, wie wir der unsern. Und wie die Hoffnung, nach einem gesunden,
gott= und naturgemäßen Leben ausruhen zu können von der durchkämpften
Gegenwart und klar zu genießen, was hier mühsam errungen worden, uns
die höchste Lebensverheißung werden muß, wie man von Wiedererwachten
erzählt, daß sie eine nicht zu stillende Sehnsucht zurückbehalten nach der
seligen Ruhe des Geisterreiches, dessen Schwelle sie berührt: so hat es auch
für die Phantasie etwas Vertrauenerweckendes, sich sterbend nicht in ferne
Regionen hinausgestoßen zu wissen, sondern in der bekannten, traulich zu=
gewohnten Welt, nur neue Seiten ihres, wie des eigenen Daseins aus ihr
zu entwickeln."

S. 208. „So ist das Universum der Schauplatz unendlich sich be=
kleidender Seelen; und gleichwie nach einer kaum abzuweisenden Symbolik
die uralte Begeisterung für die Natur, mochte sie nun in der Form der
Religion oder der Poesie sich aussprechen, die sichtbare Schöpfung als das
Gewand Gottes betrachtete, das er um seine unergründliche Herrlichkeit
geschlagen; so ist jede Sichtbarkeit die Spur einer Seele, das Symbol
irgend eines Geistesmysteriums. Darin hat allein die Welt, das Land
der Seelen, ihre wahrhafte Bestimmung; dem höchsten Gesetze der Geistes=
ökonomie ist sie durchaus unterworfen; denn „das Fleisch ist kein nütze."
Wie uns aber schon aus ihr hohe Weisheit entgegentritt, so ist diese selbst
doch nur das Abbild jener geheimnisvollen Harmonie die alle erschaffenen
Geister, von dem Höchsten herab bis zur einfachsten Pflanzenseele, in dem
Urgeiste verbindet."

d) Martensen (Christl. Dogmatik S. 518).*)

„Im Vergleich mit dem gegenwärtigen Zustande befinden sich die
Abgeschiedenen in einem ruhenden Zustande, einem Zustande der Passivität,
in der Nacht, in welcher niemand wirken kann. Ihr Reich ist nicht ein
Reich der Taten und Handlungen, denn es fehlen die äußern Bedingungen
für dieselben. Nichtsdestoweniger leben sie ein tiefes geistiges Leben; denn
das Totenreich ist ein Reich der Innerlichkeit, der stillen Selbstbesinnung
und Selbstvertiefung, ein Reich der Erinnerung im vollen Sinne des
Wortes, in dem Sinne, daß die Seele hier in ihr eigenes Innere hinein
und auf den Grund des Lebens zurückgeht, zu dem wahren Innern des
Alls. Und gerade hierauf beruht die läuternde Bedeutung dieses Zustandes.
Während in der gegenwärtigen Welt der Mensch sich in einem Reiche der
Äußerlichkeit befindet, wo er unter der zeitlichen Zerstreuung, unter dem welt=
lichen Treiben und Getümmel der Welterkenntnis nicht entfliehen kann, tritt
in jenem Reiche das Entgegengesetzte ein. Der Schleier, den diese Sinneswelt
mit ihrer bunten, unablässig bewegten Mannigfaltigkeit beruhigend und
mildernd ausbreitet über den strengeren Ernst des Lebens, der aber auch so
oft dienen muß, dem Menschen zu verbergen, was er nicht sehen will, —

---

*) Der Verfasser stellt hier dar, wie er sich den Zustand der Abgeschiedenen
nach dem Tode im Hades bis zur Auferstehung denkt.

der Seele nach dem Tode nichts als jenes negative Moment in Betracht ziehen, ihr Ort da zu denken sein, wo die leibliche Bedingung jenes negativen Moments zu suchen, d. i. in ober unter der Erde, wo der Leichnam verwest; denn als Bedingung dieses Gefühlsmoments gehört auch der Leichnam noch zu uns; wäre er noch lebendig wie früher, so würden wir es nicht haben.

Es ist von Interesse, zu sehen, daß die Entwickelung des Glaubens an ein künftiges Leben denselben Gang genommen hat, als ihn nach dieser Ansicht die Entwickelung des künftigen Lebens selbst nimmt. Mit dem Glauben an Scheol oder Hades bei Juden und Griechen hat die Gestaltung des Unsterblichkeitsglaubens begonnen, die in ihrer Fort-entwickelung einst die Welt beherrschen wird. Allmählich erst kam die Menschheit dazu, sich zu besinnen, daß das Grab des Diesseits zugleich die Wiege des Jenseits sei, und die Seele erstand aus dem Scheol. Nun ging sie in den Himmel über; ja man vergißt wohl der kurzen Nacht des Hades, und läßt sie jetzt sich gleich einen Platz im Himmel suchen. Aber was ist der Himmel, wohin sie nach dem jetzt gewöhnlichen Glauben geht?

Es bleibt unbestimmt. Wir aber haben unsre Ansicht darüber. Die ganze Lebenssphäre des Menschen hat sich im Tode um eine Stufe erweitert. Statt daß früher nur ein Teil der Erde seinen Leib, als Träger seiner bewußten Tätigkeit, darstellte, ist jetzt die ganze Erde in diesem Sinne sein Leib geworden, sei es auch, daß er ihn mit andern teilen muß. Demgemäß setzen wir voraus, daß er auch an den Be-ziehungen der ganzen Erde zum Himmel bewußtern Anteil nimmt als jetzt. Es ist nicht rätlich, sich über die nähern Verhältnisse und Be-dingungen dieses Verkehrs mit dem Himmel, den er mit der Erde teilt, in viele Erörterungen und Vermutungen einzulassen. Lassen auch wir das Nähere unbestimmt. Aber nicht bloß die Sonderbeziehungen zu den nächsten Himmelskörpern werden an Entwickelung gewinnen, sondern auch unsre allgemeinen Beziehungen zum ganzen Himmel und zu Gott, der ihn erfüllt. So werden wir also zwar der Erde bleiben, aber in andrer Weise als bisher, indem wir sie nun als himmlischen Körper selbst bewohnen, während wir früher nur einen irdischen Leib an und auf ihr bewohnten. Mit Recht können wir in sofern sagen, daß wir von der Erde in den Himmel versetzt sind, indem aber die Erde selbst uns als Stufe zu diesem Aufsteigen dient.

In solcher Weise schließt unsere Ansicht natürlich von selbst die Vorstellungsweisen mit ein, nach · denen der Aufenthaltsort der Seelen

auf der Erde gesucht wird; und auch deren gibt es unter rohen Völkern
genug. Nach manchen schweben sie in Lüften, in Wäldern, auf Bergen,
in Höhlen, unter dem Meere, unter der Erde, fahren in andre Menschen,
in Tiere, in Pflanzen, in Steine.*) Kaum ist etwas, worin man nicht
die Geister der Verstorbenen gesucht hätte. Alles das ist einzeln
genommen unzulänglich; alles zusammen deckt unsre Ansicht. Die
künftige Existenz ist eben nicht mehr auf einen einzelnen irdischen Ort
eingeschränkt.

9) Lessing, Schlosser, Jean Paul, neuerdings Droßbach und
Widenmann**) haben die Ansicht aufgestellt, daß der Mensch nach seinem
Dahinscheiden in kleinern oder größern Zwischenzeiten ins diesseitige
irdische Dasein zurückkehre, um so nach und nach die verschiedenen
Entwickelungsstufen irdischen Daseins zu durchlaufen, wozu ein einmaliges
Dasein nicht hinreiche. Man sieht, daß unsere Ansicht denselben Zweck
nur in ohne Vergleich vollständigerem Grade erreichen läßt, da sie den
jenseitigen Menschen fortwährend sich an der Entwickelung der diesseitigen
Welt mit beteiligen läßt, und zwar in größerm Umfange, als es im
diesseitigen Leben selbst sein kann.

„Warum sollte ich nicht so oft wiederkommen, als ich neue Kenntnisse,
neue Fertigkeiten zu erlangen geschickt bin? Bringe ich auf einmal so viel
weg, daß es der Mühe wieder zu kommen etwa nicht lohnt?" (Lessing.)

Jean Paul meint, nach langen Wanderungen möchten alle gemeinschaftlich unter Einsturz der jetzigen irdischen Welt eine neue Welt zur
Behausung finden.

Droßbach und Widenmann bewegen sich in weit hergeholten und zum
Teil abstrusen Erörterungen, um ihre Vorstellungen zu begründen.

10) Die auffallenden Bezugspunkte, welche unsre Ansicht 'mit den
Ansichten Schwedenborgs und der alten Rabbiner hat, sind an ihrem
Orte dargelegt worden.

11) Mit philosophischen und theologischen Ansichten der Neuzeit
berührt sich die unsre vielfach und es wird gegen ihren allgemeinen
Gesichtspunkt, daß der allgemeine Geist sich durch den Menschengeist fortbestimmt und im Tode denselben nur zu einer höhern Daseinsform in

---

*) Vgl. Simons Geschichte des Glaubens an das Hereintragen einer Geisterwelt
in die unsrige.

**) Lessing in s. Erziehung des Menschengeschlechts. Sämtl. Schriften. X.
S. 328. — Schlosser über die Seelenwanderung in s. kl. Schriften. 8. Teil. —
Jean Paul in s. Selina. — Droßbach, Wiedergeburt oder die Lösung der Un-
sterblichkeitsfrage auf empirischem Wege nach den bekannten Naturgesetzen. Olmütz 1849.
— Widenmann, Gedanken über die Unsterblichkeit als Wiederholung des Erden-
lebens. (Gekrönte Preisschrift.) Wien 1851.

ſich aufnimmt, in der die Individualität des Menſchen wie früher fort=
beſteht, ſchwerlich ein philoſophiſcher Einwand erhoben werden, außer
von ſeiten derer, welchen der Allgemeingeiſt vielmehr ein ſolcher iſt,
der die Individualitäten im Tode verſchluckt und hiemit vernichtet, als
höher entfaltet, um ſich ſelbſt hiemit höher zu entfalten. Nur daß von
uns verſucht iſt, auch die Modalität des ganzen in Betracht kommenden
Verhältniſſes in Zuſammenhang mit den Verhältniſſen des Jetztlebens
zu entwickeln.

a) Schelling.

„Anhaltendes Nachdenken und Forſchen hat bei mir nur dazu gedient,
jene Überzeugung zu beſtätigen, daß der Tod, weit entfernt, die Perſönlich=
keit zu ſchwächen, ſie vielmehr erhöht, indem er ſie von ſo manchem
Zufälligen befreit; daß Erinnerung ein viel zu ſchwacher Ausdruck iſt für
die Innigkeit des Bewußtſeins, welche den Abgeſchiedenen vom vergangenen
Leben und den Zurückgelaſſenen bleibt; daß wir im Innerſten unſres Weſens
mit jenen vereinigt bleiben, da wir ja unſerm beſten Teile nach nichts
andres ſind, als was ſie auch ſind, Geiſter; daß eine künftige Wieder=
vereinigung bei gleichgeſtimmten Seelen, die das Leben hindurch nur Eine
Liebe, Einen Glauben und Eine Hoffnung gehabt, zu den gewiſſeſten Sachen
gehört, und namentlich von den Verheißungen des Chriſtentums auch nicht
Eine unerfüllt bleiben wird, ſo ſchwer begreiflich ſie auch einem mit bloßen
abgezogenen Begriffen umgehenden Verſtande ſein mögen. Täglich erkenne
ich mehr, daß alles weit perſönlicher und unendlich lebendiger zuſammen=
hängt, als wir uns vorzuſtellen vermögen.“ (Schelling in einer nur Freunden
mitgeteilten Schrift. 1811. S. J. Kerner, Seherin von Prevorſt. S. 6.)

b) Der ältere Fichte.

„Das Eine und ſich ſelber gleiche Leben der Vernunft*) wird lediglich
durch die irdiſche Anſicht und in derſelben zu verſchiedenen individuellen
Perſonen zerſpaltet, welche Perſonen nun durchaus nicht anders, als in
dieſer irdiſchen Anſicht und vermittelſt derſelben, keineswegs aber an ſich
und unabhängig von der irdiſchen Anſicht da ſind und exiſtieren . . . . .
Die irdiſche Anſicht dauert, als Grund und Träger des ewigen Lebens,
wenigſtens auch in der Erinnerung ins ewige Leben fort, ſomit alles, was
in dieſer Anſicht liegt, daher auch alle individuelle Perſonen, in welche durch
dieſe Anſicht die eine Vernunft zerſpalten wurde; weit entfernt daher, daß
aus meiner Behauptung (die Vernunft ſei das einzig mögliche, auf
ſich ſelber beruhende und ſich ſelber tragende Daſein u. ſ. w.) etwas gegen
die individuelle Fortdauer folge, gibt dieſe Behauptung vielmehr den einzigen
haltbaren Beweis für ſie her.“ (J. G. Fichte, ſämtl. Werke VII. S. 25.)

---

*) Die Vernunft ſelbſt wird von Fichte erklärt (S. 23) als „das einzig mögliche,
auf ſich ſelber beruhende und ſich ſelber tragende Daſein und Leben, wovon alles,
was als daſeiend und lebendig erſcheint, nur die weitere Modifikation, Beſtimmung,
Abänderung und Geſtaltung iſt.“

c) Der jüngere Fichte (in f. Idee der Perſönlichkeit).

S. 150. „Daß nun der Körper, welcher uns äußerlich als feſte
Maſſe erſcheint, vielmehr in ſtetem Fluſſe und in ununterbrochener Selbſt-
erneuerung begriffen iſt, ſteht als unbezweifelte phyſiologiſche Tatſache feſt,
und iſt die einzige faſt, die uns hier wichtig zu werden verſpricht. Er
vergeht und erneuert ſich in jedem Augenblick aus den Elementen. Dieſe
hindurchflie ßenden, urſprünglich ihm fremden chemiſchen Stoffe daher, welche
in ſeinen Aſſimilationskreis gezogen und zum Dienſte der Organiſation
gezwungen vorübergehend ſeine Natur annehmen, ſind gar nicht der eigentliche Leib, noch weniger der Menſch — ſondern die ewig wechſelnde und
ſich umbildende Erſcheinung deſſelben, die, wie ſie von der Aſſimilation
ewig unterworfen wird, ſo doch unaufhaltſam ſich wieder losmacht und ins
Allgemeine zurückweicht. Leib iſt wahrhaft nur die darin ſich erhaltende
und ſie bezwingende organiſche Identität, — wie der Geiſt die ſelbſt-
bewußte iſt, — die Dauer des Individuums in jenem ununterbrochenen
Stoffwechſel: und der Kohlen- und Stickſtoff, der in den Phänomenen der
Hand oder des Fußes gegenwärtig iſt, bleibt uns urſprünglich eben ſo fremd,
als der äußerliche Stoff, welcher uns zur Nahrung wird: dieſer ſoll erſt
organiſch unterworfen werden, jener iſt es ſchon; beide aber entweichen
unaufhörlich und ſind uns durch die Wandlung, in die ſie für den Augenblick eingegangen, um nichts eigener geworden.“

S. 156. „Sehen wir ab von der grundloſen Meinung, daß eine
gänzliche Trennung und Kluft ſich befinde zwiſchen dem gegenwärtigen und
nachfolgendem Zuſtande, — eine Meinung, die, wiewohl ſie namentlich auch
mit den gegenwärtigen religiöſen Vorſtellungen tief verwachſen iſt, dennoch
nicht ſowohl zu widerlegen, da ſie gar keine Gründe für ſich hat, als bloß
zurückzuweiſen und zu vergeſſen iſt.“

S. 157. Wir können nicht einmal fragen, was da vom Menſchen
übrig bleibe im Tode, weil Ihm, ſeinem weſentlichen Selbſt, dadurch gar
nichts entzogen wird. Das als inneres Reſultat des Lebens Gewonnene,
die verwirklichte Individualität bleibt ihm unverſehrt in der Unteilbar-
keit des Geiſtes, der Seele und der innerlichen Leiblichkeit: nur im dar-
ſtellenden Medium dafür betritt er eine neue Sphäre, die freilich von dem
gegenwärtigen Zuſtande aus als eine ſchlechthin andre und jenſeitige
erſcheinen mag, darum jedoch nicht minder in unmittelbarſter Wirklichkeit
uns vorbereitet ſein kann. Wie nämlich auch hier keine wahre Trennung
zwiſchen der Gegenwart und Zukunft beſteht, wie wir auch künftig lediglich
dieſer Natur angehören können, die überall Eine und die göttliche iſt, ſo
ſind auch die künftigen Lebensmedien ſchon in der Gegenwart als vorhanden
zu erachten; ſie mögen uns umgeben und durchdringen, ohne daß wir dieſelben faktiſch gewahr zu werden vermöchten, weil ſie, nach Analogie der
bisher betrachteten organiſchen Stufen, ohne Zweifel Elemente höherer, ver-
geiſtigter Stofflichkeit ſind. — Daß wir unmittelbar von dem Daſein derſelben nichts gewahren, iſt kein Grund gegen dieſe Annahme; vielmehr liegt
dieſe faktiſche Unwiſſenheit ſogar in der Natur der Sache, weil die Lebens-

bebingungen unsers gegenwärtigen Zustandes jede Rezeptivität und Assimi=
lationskraft für dieselben gerade ausschließen müssen."

S. 159. So bleibt auch unserm künftigen Zustande sein Lebens=
element, weil wir absolut organisierende Macht geblieben, mit Korporisations=
kraft begabt sind. Aber es ist dies kein Ätherleib, mit dem die
Seele wie mit einem Fremden, äußerlich Zubereiteten sich zu umkleiden
hätte: — dies verworrene Phantasma widerspräche durchaus aller Natur=
analogie. Jeder Naturzustand entwickelt vielmehr den folgenden, nicht
sprung= und stoßweise, sondern nach ebenmäßiger Gliederung aus sich her.
So entwickelt sich zugleich auch mit dem Fallenlassen der alten Lebensmedien
die Fähigkeit, neue, jetzt ihm homogene Elemente organisierend an sich
heranzuziehen, und die also wiedergeborene Individualität hat daher auch
nicht mehr den alten Prozeß einzugehen, aus unentwickelten, leiblich=seelischen
Anfängen erst allmählich sich aufzubauen und, wie in diesem Leben, so dort
zu einer neuen Kindschaft zu erwachen: sondern, indem seine gegenwärtige
Korporisation zugleich die für immer ausgewirkte Entwickelung seines
Geistes geworden, nimmt sie diese ganze einmal gewonnene Lebensstufe
vollständig und rückhaltslos in die neue Existenz mit sich hinüber. Sie
setzt das gegenwärtige Dasein, nur entschiedener und ausgeprägter, fort in
dem folgenden: ein Gedanke, der jedoch erst bei der Frage nach der nähern
Beschaffenheit des zweiten Lebens einige Aufhellung erwarten kann."

S. 165. „Im Sterben vollendet die Individualität die Einkehr in
ihren Urstand: sie ist zum ersten Male völlig allein mit sich in der Stille
des Todes und auf jenen geheimnisvollen Ertrag angewiesen. Die Summe
ihrer innern und äußern Werke, welche sie sich eingelebt — (und diesen
seelisch=geistigen Prozeß und die Selbstentwickelung daran erkannten wir als
die Bedeutung des gegenwärtigen Lebens) — ihre Leidenschaften und
Strebungen, ihre Tüchtigkeiten wie Untugenden nimmt sie als geistig ein=
gebildete Gewohnheit oder Grundrichtung mit sich fort. Das Selbst=
gefühl dieser Lebenssumme begründet damit eben zugleich den Seelenzustand
nach dem Tode, und wie dies schon im Alter mit dämmerndem Bewußtsein
hervorzutreten anfing, macht es jetzt die Bedingung der neuen Existenz und
die Basis der künftigen Leiblichkeit. Wie wir den Pfad des Lebens hier
angetreten haben, so müssen wir dort ihn fortsetzen; sei's in immer tiefer
sich verhärtender Verkehrtheit oder in natur= und gottgemäßer Entwickelung.
Jede Individualität nimmt in sich selbst ihr Gericht mit hinüber, zur Ruhe
der Seligkeit oder zu immer unseliger zerreißendem Widerspruche."

S. 172. „Es ist keine Ursache vorhanden, und durchaus von innerer
Wahrscheinlichkeit entblößt, daß die Psyche, indem sie durch eigenen Lebens=
prozeß ihre äußere Leiblichkeit fallen läßt, zugleich nun durch irgend eine,
notwendig ihr fremde, Gewalt in völlig andre Regionen des Daseins und
in heterogene Lebensbedingungen versetzt werden sollte. Unsre Toten sind
uns gewiß näher und gegenwärtiger, als wir meinen; daß die Räume um
uns her zur absoluten Leerheit und Bedeutungslosigkeit verurteilt sein
sollten, ist ohnehin nicht zu denken; und so dürfen wir wohl das Reich der
Seelen in unsrer unsichtbaren Nähe uns vorstellen, umfaßt gleich uns von

der einen Natur, und der neuen Lebensbedingungen aus ihr eben so
genießend, wie wir der unsern. Und wie die Hoffnung, nach einem gesunden,
gott= und naturgemäßen Leben ausruhen zu können von der durchkämpften
Gegenwart und klar zu genießen, was hier mühsam errungen worden, uns
die höchste Lebensverheißung werden muß, wie man von Wiedererwachten
erzählt, daß sie eine nicht zu stillende Sehnsucht zurückbehalten nach der
seligen Ruhe des Geisterreiches, dessen Schwelle sie berührt: so hat es auch
für die Phantasie etwas Vertrauenerweckendes, sich sterbend nicht in ferne
Regionen hinausgestoßen zu wissen, sondern in der bekannten, traulich zu=
gewohnten Welt, nur neue Seiten ihres, wie des eigenen Daseins aus ihr
zu entwickeln."

    S. 203. „So ist das Universum der Schauplatz unendlich sich be=
kleidender Seelen; und gleichwie nach einer kaum abzuweisenden Symbolik
die uralte Begeisterung für die Natur, mochte sie nun in der Form der
Religion oder der Poesie sich aussprechen, die sichtbare Schöpfung als das
Gewand Gottes betrachtete, das er um seine unergründliche Herrlichkeit
geschlagen; so ist jede Sichtbarkeit die Spur einer Seele, das Symbol
irgend eines Geistesmysteriums. Darin hat allein die Welt, das Land
der Seelen, ihre wahrhafte Bestimmung; dem höchsten Gesetze der Geistes=
ökonomie ist sie durchaus unterworfen; denn „das Fleisch ist kein nütze."
Wie uns aber schon aus ihr hohe Weisheit entgegentritt, so ist diese selbst
doch nur das Abbild jener geheimnisvollen Harmonie die alle erschaffenen
Geister, von dem Höchsten herab bis zur einfachsten Pflanzenseele, in dem
Urgeiste verbindet."

d) Martensen (Christl. Dogmatik S. 518).*)

    „Im Vergleich mit dem gegenwärtigen Zustande befinden sich die
Abgeschiedenen in einem ruhenden Zustande, einem Zustande der Passivität,
in der Nacht, in welcher niemand wirken kann. Ihr Reich ist nicht ein
Reich der Taten und Handlungen, denn es fehlen die äußern Bedingungen
für dieselben. Nichtsdestoweniger leben sie ein tiefes geistiges Leben; denn
das Totenreich ist ein Reich der Innerlichkeit, der stillen Selbstbesinnung
und Selbstvertiefung, ein Reich der Erinnerung im vollen Sinne des
Wortes, in dem Sinne, daß die Seele hier in ihr eigenes Innere hinein
und auf den Grund des Lebens zurückgeht, zu dem wahren Innern des
Alls. Und gerade hierauf beruht die läuternde Bedeutung dieses Zustandes.
Während in der gegenwärtigen Welt der Mensch sich in einem Reiche der
Äußerlichkeit befindet, wo er unter der zeitlichen Zerstreuung, unter dem welt=
lichen Treiben und Getümmel der Welterkenntnis nicht entfliehen kann, tritt
in jenem Reiche das Entgegengesetzte ein. Der Schleier, den diese Sinneswelt
mit ihrer bunten, unablässig bewegten Mannigfaltigkeit beruhigend und
mildernd ausbreitet über den strengeren Ernst des Lebens, der aber auch so
oft dienen muß, dem Menschen zu verbergen, was er nicht sehen will, —

---

    *) Der Verfasser stellt hier dar, wie er sich den Zustand der Abgeschiedenen
nach dem Tode im Hades bis zur Auferstehung denkt.

dieſer Schleier der Sinnlichkeit zerreißt vor dem Menſchen im Tode, und die Seele befindet ſich im Reiche der reinen Weſenheiten. Die mannigfaltigen Stimmen des Weltlebens, die im irdiſchen Leben mit denen der Ewigkeit zuſammenklangen, verſtummen, die heilige Stimme klingt nun allein, ohne vom weltlichen Lärm gedämpft zu werden, und deswegen iſt das Totenreich ein Reich des Gerichtes. „„Es iſt dem Menſchen geſetzt, einmal zu ſterben und hernach das Gericht.“ “*) Weit entfernt, daß die menſchliche Pſyche hier aus dem Letheſtrom trinken ſollte, muß man vielmehr ſagen, daß ihre Werke ihr nachfolgen, daß ihre Lebensmomente, welche im Strom der Zeiten vorübergegangen und zerſtreut ſind, hier auferſtehen, geſammelt in der abſoluten Gegenwart der Erinnerung, eine Erinnerung, welche ſich zum zeitlichen Bewußtſein verhalten muß, wie die wahren Viſionen der Poeſie ſich zur Proſa der Endlichkeit verhalten, eine Viſion, die ſo zur Freude wie zum Schrecken werden kann, weil ſie die eigene tiefſte Wahrheit des Bewußtſeins iſt, und daher nicht bloß beſeligende, ſondern auch richtende und verdammende Wahrheit ſein kann. Indem aber ſo den Abgeſchiedenen ihre Werke nachfolgen, leben und regen ſie ſich nicht bloß im Element der Seligkeit oder Unſeligkeit, was ſie ſelber in der Zeitlichkeit bereitet oder ausgewirkt haben**), ſondern ſie fahren ſogleich fort, einen neuen Inhalt des Bewußtſeins aufzunehmen und zu verarbeiten, indem ſie geiſtig ſich ſelbſt beſtimmen zu den neuen Offenbarungen des göttlichen Willens, die ihnen hier entgegentreten, und ſo entwickeln ſie ſich zum letzten, zum jüngſten Gerichte hier.

Fragt man, wo die Entſchlafenen nach dem Tode ſich befinden, ſo iſt freilich nichts irriger, als zu meinen, daß ſie durch eine äußere Unendlichkeit von uns getrennt ſind, ſich auf einem andern Weltall befinden u. ſ. w. Auf dieſe Weiſe hält man die Toten innerhalb der Bedingungen dieſer Sinnlichkeit feſt, aus denen ſie eben herausgetreten ſind. Was ſie von uns trennt, iſt nicht eine ſinnliche Schranke; denn die Sphäre, in der ſie ſich befinden, iſt toto genere verſchieden von dieſer ganzen materiellen zeitlichen und räumlichen Sphäre u. ſ. w.“

12) Faſt alle, die ſich mit den Erſcheinungen des ſogenannten Lebensmagnetismus oder Somnambulismus näher beſchäftigt haben, ſind auf den Gedanken gekommen, daß eine nahe Beziehung dieſer Zuſtände zu denen das Jenſeits ſtattfinde, wie denn auch die Somnambulen ſelbſt eine ſolche Beziehung häufig und gern geltend machen. Unſre Lehre führt auf dieſelbe Beziehung zurück, und zwar von ſehr verſchiedenen Seiten, wie an mehreren Orten dieſer Schrift gezeigt worden.

---

*) Hebr. 9, 27.
**) Die Parabel von Lazarus und dem reichen Manne.

XXX. Bezugspunkte unsrer Lehre zur christlichen Lehre insbesondere.

Die früher (XIII.) betrachteten Bezugspunkte unsrer Lehre von den Dingen des Himmels zur christlichen Lehre ergänzen sich durch die jetzt zu betrachtenden, in welchen unsre Lehre von den Dingen des Jenseits dazu steht. Und zwar sind diese der Art, daß wir füglich sagen können, unsre Lehre von diesen Dingen sei nichts andres, als ein Versuch, den Glaubensforderungen der christlichen Lehre mit Wissensgründen zu Hilfe zu kommen, den Schrein ihrer Mysterien dem Verstande aufzutun, die in ihr liegenden noch schlafenden Keime zu entwickeln und das Zerstreute darin einheitlich zu fassen. Nicht zwar, daß die Entwickelung unsrer Lehre in bewußter Weise von den Lehren des Christentums aus-gegangen wäre; aber mit Erstaunen ist sie, nachdem sie lange ihres Weges für sich zu gehen meinte, gewahr geworden, daß das, was sie selbst ganz neu aus der Natur der Dinge hergeholt zu haben glaubte, eben so gut aus den Mysterien der christlichen Lehre herzuholen war, und daß das Mysterium derselben nicht in etwas liegt, was sich hinter dem Worte versteckt, sondern darin, daß der Verstand hinter dem Worte etwas versteckt suchte, statt das Wort beim Worte zu nehmen; und ist sich endlich bewußt geworden, daß sie auch ihr ursprünglich treibendes und leitendes Prinzip dem Christentum selbst verdankt, von dem wir so vieles haben, was wir von uns oder dem Weltverstande zu haben meinen. Dieses treibende und leitende Prinzip aber liegt in der aller unsrer Theorie vorausgegangenen und in aller unsrer Theorie teils still, teils offen mitwirkenden praktischen Forderung eines Jenseits in Christi Sinn. Ohne diese Forderung, in der wir alle erzogen worden, gab es keinen Antrieb zur Entwickelung dieser Lehre; ohne diesen Sinn konnte der Weg nicht eingeschlagen oder nicht eingehalten werden, den sie ein-geschlagen und eingehalten hat.

Aber, fragt sich, was ist der Sinn von Christi Lehre? Daß es möglich ist, verschiedene Ansichten darüber zu haben, beweist das Faktum dieser verschiedenen Ansichten selbst. Ja, über keinen Teil der christlichen Lehre herrschen wohl so viele abweichende und streitige Ansichten, als gerade über die Lehre von den letzten Dingen, zwar nicht nach allen, aber nach vielen Punkten.

„Die Eschatologie gehört unter die Teile der neutestamentlichen Theologie, welche am meisten gequält, entstellt, nach dogmatischen Vorurteilen und spätern Voraussetzungen ausgedeutet worden sind. Welche unglaubliche Gewaltsamkeiten und Künsteleien, welche Sprach= und Gedanken= Verrenkungen, welche logischen und psychologischen Unmöglichkeiten sind nicht aufgewendet worden, nur allein, um die Nähe der Parusie, diesen Pfahl im Fleisch einer dogmatisch befangenen Exegese, wegzubringen! Der übrigen bedenklichen Punkte, des Gerichts, der Auferstehung, der ewigen Höllen= strafen nicht einmal zu erwähnen." (Zeller in Baur und Zeller, Theolog. Jahrb. VI. S. 890.)

Ich meine nun, die Unklarheiten, ja gestehen wir es immer zu, die wirklichen Widersprüche, die wir in der biblischen Darstellung von Christi Lehre über die letzten Dinge finden, lagen nicht in Christi ursprünglicher Fassung, sondern in der Auffassung durch seine Jünger und deren Nachfolger, da aus den Evangelien selbst erhellt, wie Jesus hauptsächlich nur durch Bilder und Gleichnisse, die doch immer eine verschiedene Auslegung zulassen, mit seinen Jüngern darüber sprach, und sicher bestimmten seine Jünger manches von ihm unbestimmt Gelassene selbst verschieden in ihrem verschiedenen, nicht in Christi einigem Sinne.

Ich meine ferner, auf alles, was in den uns mitgeteilten Aus= sprüchen Christi und der Apostel schwankend, widersprechend und mög= licherweise als bildliche Einkleidung erscheint, ist kein besondres Gewicht zu legen, keine Grundlage darin zu suchen, vielmehr dasselbe im Sinne der bestimmtern, deutlichern und das Wesentliche treffenden Aussprüche selbst näher zu bestimmen, zu erläutern oder auch geradezu fallen zu lassen, wenn es entweder Tatsachen der Geschichte oder der Natur der Dinge widerspricht. Christus und seine Jünger sprechen von einem Himmelreiche, einer Hölle, einer Auferstehung, einem Gericht in mancherlei Wendungen und Einkleidungen. Diesen Vorstellungen liegt ein tiefer wesentlicher Gehalt unter, sicher der beste, den wir wollen und wünschen können; aber dieser hängt nicht an der besondern Örtlichkeit des Himmelreiches und der Hölle, noch der äußerlichen Modalität der Auferstehung und des Gerichts; die deskriptive Bestimmung dieser Äußerlichkeiten war gar nicht das, warum es Christus zu tun, und es ist gar nicht zu entscheiden, und auch keiner Mühe wert, es genau entscheiden und unterscheiden zu wollen, wie viel in den von ihm gebrauchten Ausdrücken, so weit sie sich auf das Äußerliche beziehen, bildlich war oder nicht; wie viel insbesondere der durch die Sach= und Zeit= lage gebotenen Benutzung der geltenden Vorstellungen über Himmel und Hölle, Auferstehung und Gericht in dieser Versinnbildlichung beizumessen.

Unmöglich aber würde es sein, alles wörtlich so anzunehmen, oder zu verstehen, wie es gesagt ist. Wir brauchen nur an die Schilderung des beim jüngsten Gerichte stattfindenden äußerlichen Pomps zu erinnern.

In dieser Beziehung ist demgemäß jedem Ausleger freies Spiel gelassen, die Aussprüche Christi und seiner Jünger teils zu deuten, wie es im Zusammenhange der Gesamtauffassung der christlichen Lehre am angemessensten erscheint, teils vom Eingehen darauf, teils selbst der Zustimmung dazu Umgang zu nehmen, sofern nicht wesentliche Punkte dadurch getroffen werden. Man dient der ewigen Sache nicht, wenn man die unhaltbaren und vergänglichen Beiwerke und Nebensachen zu verewigen, sondern die Hauptsache und den Kern zu erhalten und fruchttragend zu machen sucht.

Ich muß mich hier auf diesen freien Standpunkt stellen, weil es in der Aufgabe dieser Schrift liegt; aber ich sage damit nicht, daß dieser Standpunkt auch der Standpunkt sein soll, von dem aus man dem Volke in öffentlicher Lehre und Predigt die Bibel auslegen soll. Da gilt es nicht zu erwägen das Für und Wider, nicht zu unterscheiden, was echt, was unecht, was Hauptsache und was Nebensache, nichts anzutasten, nichts zu beschönigen, sondern das im ganzen ewig gute Buch nach seinem guten Inhalt auszunutzen und auf seiner Anerkennung als göttlichen Glaubensquell im ganzen, ohne Mäkeln am einzelnen, zu fußen und zu bringen. Könnte es wenigstens so sein! Aber das Volk ist fast schon über jenen kindlichen Glauben hinaus, der diesen Gebrauch der Bibel verträgt und fordert und wahrlich segensreicher für dasselbe war, als die jetzt von ihm selbst geübte Kritik. Alles Sichten, selbst wenn es die an sich unwesentliche Zutat triftig ausscheidet, zerstört doch das Ganze für den gegenwärtigen Gebrauch; und die Religion ist zum gegenwärtigen Gebrauch. An das Gefäß der Religion möchte ein besserer Henkel gesetzt werden, diese oder jene Zierrat mag nicht richtig gebildet sein, aber wer sie wegbricht, verhunzt und durchlöchert das Gefäß, um so mehr, wenn jeder etwas andres wegbricht; und aus einem so verunehrten und durchlöcherten Gefäße wollen die sog. Freien den Wein des Christentums dem Volke einschenken, das ihn nun lieber ganz verschmäht; oder den Wein gar ohne Gefäß einschenken; nun zerläuft er ihnen zwischen den Fingern. Aber einst mag sich das Gefäß, lebendig wie der Wein, im ganzen aus dem Ganzen neu gestalten; wer kann berechnen, durch welches Ereignis, gleich wie sich des Menschen Leib im Tode, es ist kein wahrer Tod, im ganzen neu wiedergebiert, und ist doch nur eine Fortsetzung des alten; vorher aber muß man ihm nicht die Gelenke brechen. Daß diese Wiedergeburt um so zeitiger eintrete, dazu tragen die selber bei, die das alte Gefäß, den alten Leib, verderben; aber es gilt, was Christus sagt: es muß Übel in die Welt kommen, doch wehe denen, durch die es kommt. Aber auch positiver Vorbereitungen der Wiedergeburt bedarf es, die, anstatt den Verfall des alternden Lebens der Religion zu beschleunigen, es pflegen und zu erhalten suchen so lange als möglich, indeß sie zugleich Bedingungen eines neuen Lebens in die Zukunft hinein erzeugen, in dem sich das alte wieder verjüngen möge, da es sich doch einst verjüngen muß. Zu diesen Vorbereitungen möchte sich auch dies Unternehmen rechnen.

Der Kern von Christi Lehre über das Jenseits, mit dem wir die Einkleidung und Schale nicht gleicher Würde und Wichtigkeit halten dürfen, liegt nun meines Erachtens teils in den praktischen Gesichtspunkten derselben, teils den Lehren vom persönlichen Verhältnis des dahingegangenen Christus zu seiner Gemeine, seiner Gegenwart bei den Sakramenten, der Vermittelung der künftigen Seligkeit durch Christus, seinem Richteramt und in der Auferstehungslehre.

In allen diesen Hinsichten aber tritt unsre Lehre in die christliche hinein; indem sie nach den wichtigsten Beziehungen dieselbe so streng wörtlich faßt, als kaum die Gläubigsten getan; wo aber widersprechende oder der Auslegung noch bedürftige Vorstellungen darin uns begegnen, den Grundsinn des Christentums mit den Grundforderungen der menschlichen und aller Natur zugleich ins Auge faßt.

Zuvörderst anlangend die praktischen Gesichtspunkte, so haben wir schon oben in der praktischen Forderung eines künftigen Lebens nach Christi Sinn das ursprünglich treibende und leitende Prinzip der Entwickelung unsrer Lehre selbst anerkannt. Und daß sie diesem Grunde ihrer Entwickelung treu geblieben, erhellt daraus, daß die höchsten und letzten praktischen Forderungen und Folgerungen von Christi Lehre auch die ihren geworden sind, ja daß sie gar keine passendern Worte, ihre Forderungen und Folgerungen auszudrücken, hat finden können, als Christi eigne Worte (XXVIII.). Was sie anders oder mehr hat oder zu haben scheint, läßt sich teils nur als eine Auslegung von Christi Worten, teils als ein Versuch betrachten, auf Grund einer gegen früher gewachsenen Erkenntnis von der Natur der Dinge auch den Vermittelungswegen nachzugehen, auf denen sich das erfüllen kann, was sich nach Christus erfüllen wird und muß und soll.

Ein Punkt zwar, und ein Punkt von hoher Bedeutung, liegt vor, in Betreff dessen unsre Lehre von der protestantischen wie katholischen Auffassung der christlichen Lehre abweicht; obwohl mit mancher ältern und neuern Auffassung derselben übereinkommt, was schon beweist, daß hier ein Punkt zweifelhafter Auslegung vorliegt. Es ist die Frage nach der Ewigkeit der Höllenstrafen, um die es sich handelt, welche von der Kirchenlehre bejaht, von uns verneint wird. Meines Erachtens aber, während die Aussprüche, auf welchen die Kirchenlehre hierbei fußt, auch

wohl noch eine andre Deutung zulassen, gibt es so manche Aussprüche
Christi und der Apostel, die sich nur im Sinne unsrer Ansicht deuten
lassen. Und unstreitig, wenn uns die Wahl frei steht, welche Deutung
wir im ganzen vorziehen sollen, wird es die sein, welche uns die
Gerechtigkeit Gottes mit seiner Gnade und Barmherzigkeit vereinbar
erscheinen läßt.

Freilich scheinen alle die zahlreichen und immer wiederkehrenden Ausdrücke vom ewigen Feuer, ewiger Pein, dem Wurm, der nie stirbt u. s. w.
für die Ewigkeit der Höllenstrafen ohne weiteres zu entscheiden; aber man
kann zweifeln, ob sie wörtlich zu verstehen, da ewig sehr oft auch bei uns
nur ein hyperbolischer Ausdruck für das ist, wovon man das Ende nicht
bestimmt absieht, oder was ununterbrochen in der Gegenwart fortwirkt, ohne
damit ein Ende schlechthin auszuschließen (wie, wenn ich sage: das dauert
ja ewig; oder: ich leide ewig an Kopfschmerz). Am natürlichsten aber ist,
bei diesen Ausdrücken eine einfache Bezugnahme von Christus auf die schon
herrschenden Vorstellungen von ewigen Höllenstrafen vorauszusetzen; Vorstellungen, die Christus in der Tat nicht selbst erst begründet hatte, die
aber auch gerade da besonders zu widerlegen nicht der Ort war, wo es
vielmehr galt, die Schrecken der Höllenstrafen hervorzuheben. Doch widerlegt Christus selbst sie wirklich, indem er mehrfach und in unmittelbarem
Zusammenhang mit Androhung dieser Strafen auf Bedingungen und Mittel
hinweist, unter welchen und durch welche eine Erlösung der Verdammten
doch noch erfolgen kann. Hiezu kommen anderweite Schriftstellen, in welchen
ganz entschieden und allgemein eine endliche Überwindung alles Bösen,
Einigung der Bösen mit den Guten in Christi Sinne, Zerstörung der Hölle
durch die Hölle ausgesagt wird, was ganz mit unsrer Lehre übereinstimmt,
daß das Übel sich endlich durch das Übel zerstören, die Strafe nur dienen
werde, die endliche Besserung und einstige Erlösung herbeizuführen.

In der Parabel vom bösen Mitknecht (Math. 18, 34) findet sich die Stelle:
Und sein Herr ward zornig, und überantwortete ihn den Peinigern,
bis daß er bezahlte alles, was er schuldig war.

Sofern nun hier unter der Überantwortung an die Peiniger die
Überantwortung an die höllischen Strafen bildlich verstanden wird, geht
aus dieser Stelle hervor, daß noch eine Abtragung der Schuld in der Hölle
möglich ist, über welche hinaus die Strafe nicht angedroht ist.

Folgende ähnliche Stelle findet sich in Math. 5, 25. 26. (Auch
Lucas 12, 58. 59.)

Sei willfertig deinem Widersacher bald, dieweil du noch bei ihm auf
dem Wege bist, auf daß dich der Widersacher nicht dermaleins überantworte
dem Richter, und der Richter überantworte dich dem Diener, und du werdest
in den Kerker geworfen.

Ich sage dir: wahrlich, du wirst nicht von bannen herauskommen, bis
du auch den letzten Heller bezahlest.

Auch hier wird also die Möglichkeit der Erlösung aus dem Kerker, der
hier eben so die Hölle versinnlicht, vorausgesetzt.

Weiter findet man in 1. Petri 3, 19 folgende Stelle:

In demselbigen (Geist) ist er auch hingegangen und hat geprebigt den Geistern im Gefängnis, die etwa nicht glaubten.

Sofern nun unter Gefängnis hier der Ort der Verdammten verstanden wird, kann man aus dieser Stelle schließen, daß noch eine Besserung und Erlösung der Bösen durch Christi Einwirkung im Jenseits möglich sei.

Endlich sind besonders folgende Stellen geeignet die Ansicht als biblisch herauszustellen, daß es irgend einmal ein allgemeines Gottesreich geben wird, dem alle, auch die Bösen, nach Überwindung ihrer Bosheit, einverleibt werden

Col. 1, 20. Und alles durch ihn versöhnt würde zu ihm selbst, es sei auf Erden oder im Himmel, damit, daß er Frieden machte durch das Blut an seinem Kreuz durch sich selbst.

1. Cor. 15, 25. Er muß aber herrschen, bis daß er alle seine Feinde unter seine Füße lege.

Phil. 2, 10. Daß im Namen Jesu sich beugen sollen aller derer Knie, die im Himmel und auf Erden und unter der Erde sind.

Ephes. 1, 10. Da die Zeit erfüllet war, auf daß alle Dinge zusammen unter ein Haupt verfasset würden in Christo, beides, das im Himmel und auf Erden ist, durch ihn selbst.

Apokal. 20, 14. Und der Tod und die Hölle wurden geworfen in den feurigen Pfuhl, das ist der andre Tod.

Unter den alten Kirchenvätern hat namentlich Origenes auf Grund dieser Stellen das endliche Aufhören aller Höllenstrafen in der sog. Wiederbringung aller Dinge behauptet und angenommen, daß die Lasterhaften sich einst noch bessern und nebst den bösen Engeln selig werden würden, worin ihm viele Ältere und Neuere gefolgt sind.

Welche Waffen gegen die Religion benen, die eben nur den gesunden Menschenverstand zu Rate ziehen, durch die Aufstellung ewiger Höllenstrafen in die Hand gegeben werden, mag folgende Stelle aus Diderot's Add. aux pensées philos. zeigen.

No. 48. „Il y a long-temps qu'on a demandé aux théologiens d'accorder le dogme des peines éternelles avec la miséricorde infinie de Dieu, et ils en sont encore là!"

49. „Et, pourquoi punir un coupable, quand il n'y a plus aucun bien à tirer de son châtiment?"

50. „Si l'on punit pour soi seul, on est bien cruel et bien méchant."

51. „Il n'y a point de bon père qui voulût ressembler à notre père céleste."

52. „Quelle proportion entre l'offenseur et l'offensé? Quelle proportion entre l'offensé et le châtiment? Amas de bêtises et d'atrocités!"

53. „Et de quoi se courrouce-t-il si fort, ce Dieu? Et ne dirait-on pas que je puisse quelque chose pour ou contre sa gloire, pour ou contre son repos, pour ou contre son bonheur?"

54. „On veut, que Dieu fasse brûler le méchant, qui ne peut rien contre lui, dans un feu qui durera sans fin, et on permettrait à

peine à un père de donner une mort passagère à un fils qui com-
promettrait sa vie, son honneur et sa fortune!"

„O chrétiens! vous avez donc deux idées différentes de la bonté
et de la méchanceté, de la vérité et du mensonge. Vous êtes donc les
plus absurdes des dogmatistes, ou les plus outrés de pyrrhoniens."

Der zweite Hauptpunkt, in dem unsre Lehre mit der christlichen
übereinstimmt, bezieht sich auf das Verhältnis des dahingegangenen
Christus zu seiner Gemeine und seiner Gegenwart bei den Sakramenten.
Nach uns lebt Christus in der von ihm gestifteten Gemeine und Kirche
noch fort, hat darin seinen jenseitigen Leib. Die zahlreichsten Aussprüche Christi und seiner Jünger stimmen aber wörtlich hiermit überein;
es gilt eben bloß, sie auch wörtlich zu nehmen. Anderweite Aussprüche
gestatten hiervon die Übertragung auf die Existenzweise auch andrer
Menschen in unserm Sinne zu machen. Gerade das also, was vielen
für den ersten Anblick so fremdartig in unsrer Ansicht erscheinen mag,
das jenseitige Fortleben in einer Wirkungssphäre, die einen großen
Komplex von Menschen und Dingen des Diesseits enthält, ist die wörtliche christliche Lehre.

In der Tat nach den entschiedensten Aussprüchen des neuen
Testaments lebt Christus in seinen Jüngern, seine Jünger in ihm nach
Maßgabe dessen, was sie von ihm aufnehmen; er lebt in ihnen bis an
der Welt Ende, geht durch ihre Vermittelung auch in andre über. Ja
die Gemeine, die Kirche Christi wird geradezu der Leib Christi genannt,
und jeder, der Christi Sinn sich zu eigen gemacht, ein Glied des Leibes
Christi genannt; manchmal auch wohl Christus als das Haupt des
Leibes, den er in seiner Gemeine hat, dargestellt, wie auch wir den
Geist, obwohl bezüglich auf den ganzen Leib, hauptsächlich im Haupte
suchen. In den Sakramenten, der Schrift und dem Worte werden die
vornehmsten materiellen Träger der geistigen Nachwirkungen von Christi
Dasein bezeichnet, wodurch der Leib Christi immer neue Glieder gewinnt
und sich forterhält. Kurz, die Gemeine und hiermit Kirche Christi tritt
in den Aussprüchen des neuen Testaments ganz in dem Sinn des
weitern Leibes auf, wie wir ihn dargestellt, und das Fortwirken des
Geistes Christi in diesem Leibe fällt nicht minder ganz unter die Gesichtspunkte unsrer Lehre.

1. Joh. 3, 24. Und wer seine Gebote hält, der bleibt in ihm, und
Er in ihm. Und daran erkennen wir, daß er in uns bleibt an dem Geist,
den er uns gegeben hat. (Ähnlich 1. Joh. 4, 13.)

Math. 18, 20. Denn wo zween oder drei versammelt sind in meinem
Namen, da bin ich mitten unter ihnen.

Math. 28, 20. Und siehe, ich bin bei euch alle Tage bis an der Welt Ende.

Joh. 13, 20. Wahrlich, wahrlich, ich sage euch: wer aufnimmt, so ich jemand senden werde, der nimmt mich auf; wer aber mich aufnimmt, der nimmt den auf, der mich gesandt hat.

Joh. 15, 4. 5. Bleibet in mir und ich in Euch. Gleichwie der Rebe kann keine Frucht bringen von ihm selber, er bleibe denn am Weinstock; also auch ihr nicht, ihr bleibet denn in mir.

Ich bin der Weinstock, Ihr seid die Reben. Wer in mir bleibet, und ich in ihm, der bringet viele Frucht; denn ohne mich könnt ihr nichts tun.

1. Cor. 4, 15. Denn ob ihr gleich zehntausend Zuchtmeister hättet in Christo, so habt ihr doch nicht viele Väter. Denn ich habe euch gezeuget in Christo Jesu, durch das Evangelium.

1. Cor. 12, 12—17. 20. 27. Denn gleich wie Ein Leib ist und hat doch viele Glieder, alle Glieder aber Eines Leibes, wiewohl ihrer viele sind, sind sie doch Ein Leib: also auch Christus.

Denn wir sind, durch Einen Geist, alle zu Einem Leibe getauft, wir seien Juden oder Griechen, Knechte oder Freie, und sind alle zu Einem Geiste getränket

Denn auch der Leib ist nicht Ein Glied, sondern viele.

So aber der Fuß spräche: Ich bin keine Hand, darum bin ich des Leibes Glied nicht; sollte er um deswillen nicht des Leibes Glied sein?

Und so das Ohr spräche: Ich bin kein Auge, darum bin ich nicht des Leibes Glied, sollte es um deswillen nicht des Leibes Glied sein?

Wenn der ganze Leib Auge wäre, wo bliebe das Gehör? So er ganz Gehör wäre, wo bliebe der Geruch?

. . . . .

Nun aber sind der Glieder viele; aber der Leib ist einer.

. . . . .

Ihr seid aber der Leib Christi, und Glieder ein jeglicher nach seinem Teil.

1. Cor. 6, 15. 17. Wisset ihr nicht, daß eure Leiber Christi Glieder sind? Sollte ich nun die Glieder Christi nehmen und Hurenglieder daraus machen? Das sei ferne!

Wer aber dem Herrn anhanget, der ist Ein Geist mit ihm.

Röm. 12, 4. 5. Denn gleicher Weise, als wir in Einem Leibe viele Glieder haben, aber alle Glieder nicht einerlei Geschäfte haben, also sind wir viele Ein Leib in Christo, aber unter einander ist einer des andern Glied.

Ephes. 1, 22—23. Und hat ihn gesetzt zum Haupt der Gemeinde über alles.

Welche da ist sein Leib, nämlich die Fülle des, der alles in allem erfüllt. (Vgl. auch Ephes. 2, 11—18.)

Ephes. 3, 20. 21. Dem aber, der überschwenglich tun kann über alles, das wir bitten oder verstehen, nach der Kraft, die da in uns wirkt. Dem sei Ehre in der Gemeine, die in Christo Jesu ist, zu aller Zeit, von Ewigkeit zu Ewigkeit. Amen.

Ephef. 4, 11—18. Und er hat etliche zu Aposteln gesetzt, etliche aber zu Propheten, etliche zu Evangelisten, etliche zu Hirten und Lehrern.

Daß die Heiligen zugerichtet werden zum Werk des Amts, dadurch der Leib Christi erbauet werde.

Bis daß wir alle hinein kommen zu einerlei Glauben und Erkenntnis des Sohnes Gottes, und ein vollkommener Mann werden, der da sei in der Maße des vollkommenen Alters Christi.

Ephef. 4, 15. 16. Lasset uns aber rechtschaffen sein in der Liebe, und wachsen in allen Stücken an dem, der das Haupt ist, Christus.

Aus welchem der ganze Leib zusammengefüget, und ein Glied am andern hänget, durch alle Gelenke; dadurch eins dem andern Handreichung tut, nach dem Werk eines jeglichen Gliedes in seiner Maße, und machet, daß der Leib wächset zu seiner selbst Besserung; und das alles in der Liebe. (Ähnlich Ephef. 5, 28.)

Ephef. 5, 29. 30. 32. Denn niemand hat jemals sein eigenes Fleisch gehasset, sondern er nähret es und pfleget sein, gleichwie auch der Herr die Gemeine.

Denn wir sind Glieder seines Leibes, von seinem Fleisch und von seinem Gebeine.

Das Geheimnis ist groß: ich sage aber von Christo und der Gemeine.

Col. 1, 24. Nun freue ich mich in meinem Leiden, daß ich für euch leide, und erstatte an meinem Fleisch, was noch mangelt an Trübsalen in Christo, für seinen Leib, welcher ist die Gemeine.

Col. 2, 19. Und hält sich nicht an dem Haupt, aus welchem der ganze Leib durch Gelenk und Fugen Handreichung empfängt, und an einander sich enthält, und also wächst zur göttlichen Größe.

Gal. 2, 30. Ich lebe aber; doch nun nicht ich, sondern Christus lebet in mir. Denn was ich jetzt lebe im Fleisch, das lebe ich im Glauben des Sohnes Gottes.

Natürlich, wenn Christus wirklich in seiner Gemeine fortlebt und fortwirkt, kann sein Platz nicht in einem unbestimmten fernen Himmel gesucht werden, wie wohl meist geschieht, wenn man in der Bibel liest, daß er zur Rechten Gottes sitze. Aber die Rechte Gottes ist nach uns nicht über der Erde, sondern waltet auf und in der Erde, und so fällt der Widerspruch weg, wenn man auf unsre Lehre von den Dingen des Himmels mit eingeht; dagegen man nicht einsieht, wie der Widerspruch sich heben soll bei einem außerweltlichen Gott. Christus lebt in der= selben Gemeine fort, in der auch Gott lebendig waltet, und indem wir Christus aufnehmen, nehmen wir Gott auf in einem höhern als dem gemeinen Sinn, in dem ihn schon jeder in sich hat.

Christus selber spricht sich darüber aus in jenem schon oben angeführten Spruche Joh. 13, 20: Wahrlich, wahrlich, ich sage euch, wer aufnimmt, so ich jemand senden werde, der nimmt mich auf, wer aber mich aufnimmt, der nimmt den auf, der mich gesandt hat. Auch kann man hieher ziehen:

Joh. 14, 20. An demselbigen Tage werdet ihr erkennen, daß ich in meinem Vater bin, und ihr in mir, und ich in euch.

Joh. 17, 21—23. Auf daß sie alle eins seien, gleich wie du, Vater, in mir, und ich in dir; daß auch sie in uns eins seien, auf daß die Welt glaube, du habest mich gesandt.

Und ich habe ihnen gegeben die Herrlichkeit, die du mir gegeben hast, daß sie eins seien, gleichwie wir eins sind.

Ich in ihnen und du in mir, auf daß sie vollkommen seien in eins, und die Welt erkenne, daß du mich gesandt hast, und liebest sie, gleichwie du mich liebest.

Nach allem erscheint unsre Lehre von der jenseitigen Existenz nur in sofern neu, als wir das, was die Schrift mit ausdrücklichen Worten von der jenseitigen Existenzweise Christi aussagt, eben so ausdrücklich auch auf die Existenzweise aller Menschen ausdehnen. Aber obwohl die Schrift selbst dies nicht tut, finden wir doch das Recht dazu in den Schriftworten selbst, durch welche die jenseitige Existenzweise Christi mit der der andern Menschen in solchen Beziehungen dargestellt wird, daß man unauflösliche Widersprüche in die Schrift setzen würde, wollte man die Existenzweise der andern Menschen anders als die von Christus fassen. Denn im allgemeinen wird Christus in Betreff der Art des Überganges ins Jenseits und der Existenzweise darin als Beispiel und Vorbild für die andern Menschen aufgestellt. Vielfach lesen wir, daß Christi Jünger und Getreue nach dem Tode eben da sein werden, wo er ist, und wenn die, die nichts von Christus wissen wollen, vielmehr als Verstoßene betrachtet werden, so sollen sie ja auch nach uns von der Gemeinschaft, die durch das Eingehen auf Christi Sinn begründet und der Seligkeit, die dadurch erworben wird, ausgeschlossen sein, bis die in der Bibel selbst anerkannte Wiederbringung sie dieser Gemeinschaft einverleibt; aber das hindert nicht, daß sie der seligen Existenzweise gegenüber eine unselige nach einem Prinzip führen, das beide Existenzweisen in einem Zusammenhange trifft, wie denn die Beziehung, in die Christus im Jenseits mit den unseligen Geistern tritt, selbst biblisch durch sein Predigen im Gefängnisse bezeichnet wird.

Luc. 22, 29. 30. Und ich will euch das Reich bescheiden, wie mir's mein Vater beschieden hat.

Daß ihr essen und trinken sollt über meinem Tische in meinem Reich.

Luc. 23, 42. 43. Und (der Missetäter) sprach zu Jesu: Herr gedenke an mich, wenn du in dein Reich kommst.

Und Jesus sprach zu ihm: wahrlich ich sage dir, heute wirst du mit mir im Paradiese sein.

Joh. 12, 26. 32. Wer mir dienen will, der folge mir nach; und wo

ich bin, da soll mein Diener auch sein. Und wer mir dienen wird, den
wird mein Vater ehren.

Und ich, wenn ich erhöhet werde von der Erde, so will ich sie alle
zu mir ziehen.

Joh. 14, 3. Und ob ich hinginge, euch die Stätte zu bereiten, will ich
doch wiederkommen, und euch zu mir nehmen, auf daß ihr seid, wo ich bin.

Joh. 17, 24. Vater, ich will, daß, wo ich bin, auch die bei mir seien,
die du mir gegeben hast, daß sie meine Herrlichkeit sehen, die du mir
gegeben hast.

Röm. 8, 29. Denn, welche er zuvor versehen hat, die hat er auch
verordnet, daß sie gleich sein sollten dem Ebenbilde seines Sohnes, auf daß
derselbige der Erstgeborene sei unter vielen Brüdern.

2. Cor. 5, 8. Wir sind aber getrost, und haben vielmehr Lust, außer
dem Leibe zu wallen, und daheim zu sein bei dem Herrn.

Phil. 3, 21. Welcher unsern nichtigen Leib verklären wird, daß er
ähnlich werde seinem verklärten Leibe nach der Wirkung, damit er kann
auch alle Dinge ihm untertänig machen.

Col. 1, 18. Und er ist das Haupt des Leibes, nämlich der Gemeine,
welcher ist der Anfang und der Erstgeborene von den Toten, auf daß er
in allen Dingen den Vorrang habe.

Ephes. 2, 5. 6. Da wir tot waren in den Sünden, hat er (Gott)
uns samt Christo lebendig gemacht (denn aus Gnaden seid ihr selig
geworden).

Und hat uns samt ihm auferweckt, und samt ihm in das himm=
lische Wesen gesetzt, in Christo Jesu.

Ephes. 4, 8—10. Darum spricht er: Er ist aufgefahren in die Höhe,
und hat das Gefängnis gefangen geführt, und hat den Menschen Gaben
gegeben.

Daß er aber aufgefahren ist, was ist es, denn daß er zuvor ist
heruntergefahren in die untersten Örter der Erde?

Der hinunter gefahren ist, das ist derselbige, der aufgefahren ist über
alle Himmel, auf daß er alles erfüllete.

Was, dünkt mich, entscheidend sein muß für die Auffassung der
christlichen Lehre vom Jenseits in unserm Sinne, ist die Bedeutung,
welche den Sakramenten und insbesondere dem Abendmahl von Christus
und seinen Jüngern selbst ist beigelegt und durch alle Jahrhunderte als
ein unerklärliches Geheimnis festgehalten worden. Außer diesem Sinne
wäre alles eitel Aberglaube, Gleichnis, hohles Symbol dabei, und die
meisten halten es dafür; nun aber dürfen wir die helle Wahrheit darin
sehen. Was so lange von den Spöttern des Christentums demselben
als größte Absurdität vorgeworfen wurde, zeigt sich nun nach unsrer
Lehre nur als ein offenbar gewordenes Geheimnis, an dem der Verstand
aller jener Spötter zu Schanden werden muß, da es sich ja doch dem
Verstande offenbaren läßt. Ja, wir genießen Christi Leib, indem wir

das von ihm eingesetzte Mal genießen, so wahr alles zu Christi Leib im Jenseits gehört, wodurch sich sein Wirken auf die diesseitige Nachwelt fortpflanzt. Das Brod und der Wein werden wirklich durch die Konsekration des Priesters, die darüber ausgesprochen wird, erst zu Christi Leib, weil diese Worte das letzte Glied der Kette sind, durch die sich Christi Wirken mittelst einer langen Reihe von Jüngern und Priestern zu uns im Genuß des Abendmahls forterstreckt, und Christus lebt wirklich darin fort, und zwar in bewußterm und höherm Sinne fort, als in vielen andern Wirkungen, die sein Dasein hinterlassen. Denn indem Christus das Abendmahl im bedeutungsvollsten Momente seines Lebens mit dem gesteigertsten Bewußtsein, worin er den ganzen Inhalt und Zweck seines Lebens zusammenfaßte, zu einer Erinnerung seiner einsetzte, machte er auch das Abendmahl zum Vermittler einer der bedeutendsten und bewußtesten Wirkungen seines Lebens. In jeder Erinnerung an einen Toten ist aber der Tote als in einer von ihm hinterlassenen Wirkung selbst mit gegenwärtig; und je bedeutsamer und bewußter der Ursprung der Erinnerung selbst ist, mit einem desto wichtigern bewußten Teile seines Wesens ist er dabei gegenwärtig; also daß es nicht ein gemeiner Leibesteil ist, mit dem Christus im Abendmahl erinnernd in uns eingeht, sondern ein solcher, der zum Träger seines höhern geistigen Lebens gehört. Es gehört nur, damit wir Christum im Abendmahl aufnehmen, auch der Wille und Glaube dazu, ihn aufzunehmen; sonst geht nur eitel Mehl und irdischer Trank in uns ein. Wer meint, daß das Brot und der Wein im Abendmahl nichts als solches ist, für den ist es auch nur solches, weil er die Wirkung, die Christus an das Abendmahl geknüpft hat, nicht erfährt, und hiermit nichts von Christus erfährt. Wer aber das Brot und den Wein genießt mit dem Glauben der Gegenwart Christi dabei und der Aufnahme Christi damit, bei dem oder vielmehr in dem wird wirklich Christus um so mehr gegenwärtig sein, in den wird er wirklich um so mehr eingehen, je lebendiger sich jener die Vorstellung und den Glauben machen kann; denn eben hiermit beweist sich eine um so lebendigere Wirkung des Daseins Christi in ihm.

Um die volle Bedeutung des Abendmahls richtig zu würdigen, mögen noch einige Betrachtungen zutreten.

Die ganze Gemeine, die ganze Kirche Christi gehört zu Christi Leib, insofern sie lebendiger Träger der von ihm ausgegangenen Wirkungen ist; aber als lebendiger Leib will derselbe Nahrung, er will neue Glieder sich aneignen und die alten erhalten und stärken, und wenn ersteres hauptsächlich durch die Taufe geschieht, geschieht letzteres zwar keineswegs ausschließlich, aber in bevorzugtem Sinn, durch das Abendmahl. Denn im Grunde ist jedes Mittel, woburch sich die Kirche Christi ausbreitet und erhält, die Wirkung Christi sei es in die Menschen fortgepflanzt oder der Zusammenhalt der Menschen in Christi Kirche vermittelt und bekräftigt wird, ein Nahrungs=, Erhaltungs= und Belebungsmittel seines Leibes, aber nicht jedes von gleicher Wichtigkeit und Bedeutung.   Die vorzugsweise Bedeutung nun, welche dem Abendmahl beiwohnt, hängt nicht allein daran, daß sich mittelst desselben nur überhaupt eine Wirkung vom bedeutungsvollsten und bewußtesten Momente in Christi Leben in uns hinein forterstreckt, sondern auch daran, daß Christus selbst es ausdrücklich zum Träger des Gedankens gemacht hat, er verleibe sich hiemit uns ein; so daß wir uns nun dessen im Abendmahl mehr bewußt werden, und seinem eigenen Bewußtsein, daß er in uns eingehe, mehr begegnen können, als in jeder andern Wirkung desselben.   Es ist die Einverleibung Christi mit dem Bewußtsein dieser Einverleibung, was durch den Einsetzungsakt des Abendmahls für uns und Christus zugleich begründet ist. Das Eingehen wird hier durch den Gedanken an das Eingehen selbst vermittelt. Und nachdem Christus einmal mit dem Willen das Abendmahl dazu eingesetzt hat, können wir nicht mehr nach unserm Willen eine andere Zeremonie die= selbe Stelle vertreten lassen, weil unser Eingehen auf seinen Willen, seine bewußte Absicht hiebei selbst der Vermittelungsweg ist, auf dem wir seinem Bewußtsein, daß er in uns eingehe, mit unserm Bewußtsein begegnen. Hätte Christus statt des Abendmahls eine andere Zeremonie zu demselben Zwecke eingesetzt, so wäre diese statt des Abendmahls der Träger der entsprechenden Wirkung geworden, aus dem einfachen Grunde, daß er es so gewollt, und diesen Willen im Einsetzungsakte in der Art zur Geltung gebracht, daß er auch demgemäße Folgen in anderer Bewußtsein zu erzeugen vermochte. Doch war hiebei nicht alles willkürlich, und gerade die Zeremonie des Abendmahls vereinigte nicht nur die wesentlichsten, sondern auch die günstigsten Bedingungen für den zu erreichenden Zweck. Es ist hiemit eben so, wie jemand ein beliebiges Wort oder beliebiges Zeichen zum Träger einer beliebigen Bedeutung oder Idee machen und mittelst desselben dann diese Idee, als eine bestimmte geistige Wirkung, auf andere übertragen kann, wenn er nur so zu sagen in einem bestimmten Stiftungsakte diese Bedeutung mit ihnen festgesetzt. Er hätte wohl auch ein anderes Wort oder Zeichen dazu wählen können. Doch ist unter sonst gleichen Umständen die Wahl eines Wortes oder Zeichens vorzuziehen, welches in seinem Klange, in seiner Fügung, Form oder Bewegung eine derartige Analogie, Verwandtschaft oder symbolische Beziehung zu dem Gegenstande hat, daß es hiedurch allein schon beiträgt, ihn zu vergegenwärtigen. Diesem Zweck war hier, wo es galt, durch den Gedanken an das Eingehen Christi in uns das wirkliche Eingehen desselben in uns zu vermitteln, dadurch aufs Beste genügt, daß dieser Gedanke an den wirklichen Genuß von Brot und Wein, des Nötigsten und Edelsten von Speise und Trank, geknüpft wurde. Und zwar an den Genuß in Gemeinschaft unsrer Mitchristen. Das Wesentlichste von Christi Lehre, seine Hauptbedeutung für uns, besteht ja darin, daß wir unter seiner Vermittelung alle eine Gemeine zu höhern Zwecken, einen Leib, worin Christus der Geist, zu bilden haben; so muß auch den Gliedern dieses Leibes in möglichster Gemeinschaft das nährende Brot und der stärkende Wein zufließen. So stiftete nun Christus gleich das Abendmahl in der Gemein=schaft, aus der alle christliche Gemeinschaft ferner erwachsen ist; er speiste und tränkte zuerst den noch im Kleinen zusammengehaltenen Kern seines weitern Leibes, von wo aus sich Saft und Kraft dann weiter ergoß. Das gebrochene Brot und der getrunkene Wein erinnern dazu an den zu Liebe dieser Gemeinschaft gebrochenen Leib und das vergossene Blut Christi, und hiemit, daß wir Christus nur nach Maßgabe aufnehmen, als wir eine ent=sprechende Gesinnung als Wirkung desselben in uns aufnehmen, welche uns zu Liebe der Gemeinschaft, der wir angehören, auch den Tod nicht scheuen läßt. Endlich aber erscheint allerdings auch als wesentlich für die Bedeutung und Wirkung des Abendmahls, daß es erst zu Ende von Christi Laufbahn und mit Vorblick auf seinen Tod, im wichtigsten Wendepunkte seines Lebens, wo schon das Jenseits in den Vordergrund für ihn zu treten begann, und mit Rücksicht auf diesen Wendepunkt eingesetzt ward; so pflanzt nun auch die Wichtigkeit, die dieser Wendepunkt für Christus hatte, seine Wirkung auf uns im Abendmahl bei der Erinnerung daran fort. Wie viel weniger hätte das Abendmahl nur wirken können, hätte er dasselbe zu Anfange seiner Laufbahn eingesetzt; da sein ganzes Wirken noch vor ihm, nichts hinter ihm lag, und also auch nichts davon in der Erinnerung und dem Fortwirken der Erinnerung zusammengefaßt werden konnte, da der Blick sich nur erst vorwärts auf das Diesseits lenken konnte. Das Hochzeitsmahl zu Kanaan hinterläßt uns wohl ein heitres Bild; aber mehr kann es nicht in uns hinterlassen.

1. Cor. 10, 17. Denn ein Brot ist es, so sind wir viele ein Leib, dieweil wir alle eines Brotes teilhaftig sind.

1. Cor. 10, 16. 17. Der gesegnete Kelch, welchen wir segnen, ist der nicht die Gemeinschaft des Blutes Christi? Das Brot, das wir brechen, ist das nicht die Gemeinschaft des Leibes Christi? Denn Ein Brot ist es, so sind wir viele Ein Leib, dieweil wir alle Eines Brotes teilhaftig sind. (Vgl. die Einsetzungsworte: Matth. 26, 26. Mark. 14, 22. Luk. 22, 19. 20. 1. Cor. 11, 28.)

Wenn nach vorigem das Abendmahl das Sakrament ist, durch dessen Vermittelung wir unsre Beziehungen zu Christus, als Glieder seines Leibes, in bewußtester Weise forterhalten, ist die Taufe das Sakrament, durch welches wir sie zuerst einleiten und begründen. Wer nicht erst Glied von Christi Leib oder Kirche geworden ist, kann nicht aus ihm geistig leiblich Säfte und Kräfte anziehen. Und so läßt uns denn die Taufe zuerst in Christi Gemeine oder Kirche eintreten, woraus wir dann auch das heilige Abendmahl und die übrigen Mittel, durch die wir uns Christum ferner aneignen sollen, empfangen. Zwar auch ohne Taufe, scheint es, könnten wir christlich von christlichen Eltern erzogen und Christus so einverleibt werden. Aber die Stiftung Christi hat die Taufe zum Vermittler eines derartigen Eintritts gemacht, daß auch dieser

Eintritt in seiner vollen Kraft und nach seiner ganzen Bedeutung ins Bewußtsein sei es des Täuflings, wenn er erwachsen ist, oder derer, die den Täufling christlich zu erziehen haben, zu treten vermag, was dann auch wieder eine bewußte Teilnahme Christi an diesem Akte voraussetzt und Folgen äußert, die einer andern Eintrittsweise nicht beigelegt werden können, vorausgesetzt natürlich, daß die Taufe mit rechten Sinne vollzogen und empfangen werde. Die Taufe übergehen, da sie Christus doch eingesetzt hat, als das Mittel, sich ihm zuerst einzuverleiben, wäre ein Bruch in diese Einverleibung selbst.

Gal. 3, 27. 28. Denn wie viele euer getauft sind, die haben Christum angezogen.

Hier ist kein Jude noch Grieche, hier ist kein Knecht noch Freier, hier ist kein Mann noch Weib, denn ihr seid allzumal Einer in Christo Jesu.

Ephes. 4, 4—5. Ein Leib und ein Geist, wie ihr auch berufen seid auf einerlei Hoffnung eures Berufes.

Ein Herr, Ein Glaube, Eine Taufe.

Auch die (vom H. Bernhard zu den Sakramenten gerechnete) Fußwaschung (Joh. 13, 6—9 u. 12—15) ist von Christus selbst in ähnlichem Sinne betrachtet worden wie Abendmahl und Taufe. Während aber das Abendmahl die gemeinschaftliche Teilnahme der Glieder an dem Leibe Christi diesen selbst zum Bewußtsein zu bringen hat, so die Fußwaschung die Dienste, die sich die Glieder eines und desselben Leibes wechselseitig leisten sollen, in Anbetracht und nach dem Beispiele der Dienste, die ihnen Christus selbst allen gemeinschaftlich leistet.

Noch neuerdings hat D. W. Böhmer in Breslau in einer besonders diesem Gegenstand gewidmeten Abhandlung in den Theol. Stud. u. Krit. 1850 H. 4. S. 829 die sakramentale Bedeutung der Fußwaschung wieder hervorgehoben, obwohl, wie mich dünkt, das Spezifische dieser Bedeutung nicht klar genug herausgestellt. Er sagt zum Schluß: „daß die protestantische Kirche das Fußwaschen Christi nicht als Sakrament anerkannt hat, ist ein Vergehen gegen die heilige Schrift, welches um so mehr auffällt, als diese Kirche den Quellpunkt ihres Christentums und die einzige Richtschnur ihres Glaubens in der heiligen Schrift erblickt. Die Kirche kann ihr Vergehen lediglich dadurch einigermaßen wieder gut machen, daß sie dem Fußwaschen Christi, wie es von der Schrift dargestellt wird, volle Gerechtigkeit wiederfahren läßt, d. h. die sakramentale Würde desselben anerkennt."

Das Fortleben von Christi Geist in seiner Gemeine und Kirche, die Darstellung von Christi Gemeine und Kirche als Leib Christi, die Bedeutung, die demgemäß die Sakramente annehmen, sind auch bei ältern und neuern Kirchenlehrern ganz geläufige Dinge; und wie sollte es nicht der Fall sein? Die Worte der Bibel sind ja unzweideutig. Nur sucht man teils ein unerklärliches Geheimnis darin, wie Christus, der in den Himmel gegangen, doch auch auf Erden in seiner Gemeine fortleben solle, teils sucht man eine Ausnahme darin für Christus, teils versteht man die Worte der Schrift nicht eigentlich.

Die Einwendung der Gegner aber, daß sonach Leib und Blut Christi allgegenwärtig sein müsse, was doch mit der Natur eines menschlichen Leibes streite, sucht die Konkordienformel dadurch zu widerlegen, daß sie p. 752 ff. nach Luther dem Körper Christi im Stande seiner Erhöhung, vermöge der communicatio idiomatum, Allgegenwart zuschreibt, nämlich ein solches unbegreifliches und geistiges Sein („Alicubi esse"), nach welchem er an keinem Orte eingeschlossen sei, sondern alle Kreaturen durchbringe und auch im Abendmahle gegenwärtig sei." (Bretschneider, Dogmatik II. S. 768.)

„Der gen Himmel Gefahrene ist nicht bloß eine geschichtliche, sondern eine übergeschichtliche Person, die zugleich fortfährt, die Geschichte mit ihrer Gegenwart zu durchdringen und zu erfüllen, indem alle Wiedergeburt und Heiligung fortwährend ausgehen von ihrem persönlichen Einfluß. Gegen diese Lehre wendet der sinnliche Verstand ein, daß die materiellen Schranken der Sinnlichkeit eine Scheide setzen müssen zwischen Christus, der im Himmel ist, und uns, die auf Erden sind. Er faßt daher unser Verhältnis zu Christus nur als ein geschichtliches Verhältnis der Erinnerung, kennt keine andern Wirkungen Christi als solche, die sich als Nachwirkungen seiner Erscheinung auf Erden begreifen lassen; er kennt kein gegenwärtiges Verhältnis zu Christo. Die gläubige Auffassung von der Person Christi aber muß notwendig erkennen, daß diese materielle Sphäre der Zeit und des Raums, in welcher die menschliche Psyche ihr Dasein führt, diese Sphäre, die ihrem ganzen Begriffe nach nur eine zeitliche Zwischenbedeutung hat und bestimmt ist, niedergerissen und verwendet zu werden, unmöglich undurchdringlich sein kann für die höhere himmlische Sphäre, in welche sie aufgehoben werden soll, und für ihn, der die Mitte ist nicht blos der Menschheit, sondern des Alls. Dieses fortdauernde organische Verhältnis zwischen der Kirche und ihrem unsichtbaren Haupte ist das Grundmysterium, auf dem die Kirche ruht, und alle einzelnen Mysterien beruhten auf diesem einen. Hierauf beruht das Geheimnis der Erbauung in der Versammlung der Gemeine — „„ich bin bei euch alle Tage"" und „„wo Zwei und Drei in meinem Namen versammelt sind, da bin ich mitten unter ihnen;"" hierauf beruht das Geheimnis der Sakramente, hierauf endlich alle christliche Mystik oder die individuelle Gemütserfahrung von einer persönlichen Gemeinschaft mit dem himmlischen Erlöser (unio mystica), was besonders der Apostel Johannes schildert mit der ganzen Innerlichkeit des christlichen Gemüts." (Martensen, Christl. Dogm. S. 365.)

„Der absolute Kanon für alles Christentum ist nun gewiß kein andrer als Christus selbst, in seiner seligen erlösenden Person, und fragen wir nun, wie wir Christus haben, so ist unsre nächste Antwort dieselbe, wie die katholische: in der Kirche, die der Leib und Organismus Christi ist, deren lebendiges, stets gegenwärtiges Haupt er ist. In der Kirche, in ihrem

Bekenntnis und Verkündigung, ihren Sakramenten, ihrem Kultus, ist der erhöhete, verklärte Erlöser gegenwärtig, und gibt von sich selber ein lebendiges Zeugnis für alle diejenigen, welche glauben, durch die Kraft des heiligen Geistes." (Ebendas. S. 471.)

„Das göttliche Wort, vom Geiste getragen, und die Sakramente, durch das göttliche Wort gestiftet und in dasselbe gefasset: das sind die Gnaden= mittel, aus welchen die Gemeine, der Leib Christi, Dasein und Bestand hat. Wäre es das Wort allein, so entschiede über die Zugehörigkeit zum Leibe Christi der Glaube; es kommen aber zu der kirchenbildenden Kraft des Wortes, welches nur den Glauben mitteilt, was es bezeugt, die beiden kirchenbildenden Mächte der Sakramente, welche in alle, die sie hinnehmen, ohne weitere Bedingung dasjenige einsenken, was sie in sich schließen. Da der Geist auch außerhalb der Sakramente seine widergebärende Kraft mittelst des Wortes ausübt, so ist Gliedschaft an dem Leibe Christi auch schon vor Empfang der Sakramente möglich; aber einesteils ist diese nur durch das im Glauben aufgenommene Wort vermittelte Gliedschaft keine für uns sicher erkennbare, und darum keine solche, die uns einen festen Anhalt böte, anderenteils können wir sie nach Gottes Ordnung nur als eine solche ansehen, welche der vollendenden Ergänzung bedarf, die sie angesichts der Gemeine in den Sakramenten zu suchen hat . . . . . Ich habe Teil am Tische des Herrn — darum kann ich getrost in den Ausruf der Gemeine einstimmen, die ihr Wesen und Leben aus Christo hat, wie die Männin aus Adam: Wir sind Glieder seines Leibes, von seinem Fleische und seinen Gebeinen! Und will ich wissen, ob der oder jener meiner Miterlösten ein Glied sei vom Leibe des Erlösers; ich brauche mich nicht zum Herzenskündiger aufzuwerfen oder über seinen Seelenzustand zu richten. Wer nur immer getauft ist und Teil nimmt an des Herrn Mahle, der ist ein Glied am Leibe Christi. Der Leib Christi ist die Gesamtheit aller derer, die zu einem Leibe getauft und zu einem Geiste getränkt sind." (Aus Delitzsch, Vier Bücher von der Kirche.)

Auch unter denen, welche neuerdings versucht haben, das Christentum philosophisch zu konstruieren, finden sich solche, welche dem Worte nach ganz auf unsre Auffassungsweise von Christi künftiger Existenzweise eingehen, wenn gleich nicht der Sache nach. So wird in: Gihr, Jesus Christus, nach der Darstellung von L. Noak (Basel. 1849) gesagt, daß das Grab zwar Christi entseelten Leib aufgenommen habe, aber sein Geist sei auferstanden in jedem der Seinigen und weile beständig im Himmel jedes zu Gott verklärten Menschenherzens. Aber die Feier des Abendmahls wird gesetzt in den Gedanken an „die Vergänglichkeit des irdischen Lebens, die nur im dämmernden Schein später Erinnerung den Menschen heimatlich umwalle." Das meinen wir freilich anders.

Gehen wir zu den andern Hauptpunkten der christlichen Lehre vom Jenseits über.

Zahlreiche Stellen kommen in der Bibel vor, nach denen der Weg zum Leben, zur Seligkeit, zum Vater nur durch Christum gehen soll.

(Joh. 3, 16. 8, 12. 51. 10, 9. 14, 6. 15, 13. 17, 3. Mark. 16, 6. Luk. 19, 10. Apost. 4, 12. Ebr. 7, 25.)

Wie kann dies sein, fragt man. Wie verträgt es sich mit der göttlichen Gerechtigkeit und Barmherzigkeit, daß die, die vor Christus gelebt haben, und die noch jetzt abseits von Christus leben, die nichts von Christus erfahren konnten, nicht sollten auch selig werden können?

Unstreitig werden sie es nach Maßgabe werden können, als sie ohne von Christus etwas zu wissen, in Christi Sinn, d. i. in rechtem Sinne, dachten und handelten, und viele Heiden haben viel mehr so gehandelt, als viele Christen oder die sich Christen nennen. Aber um es zur Fülle der Seligkeit, deren der Mensch im Jenseits fähig ist, zu bringen, der Seligkeit im eigentlichen engern Sinne, werden sie auch das Höchste und Beste leisten müssen, dessen der Mensch fähig ist, und sich demgemäß Christi Sinn erst voll aneignen müssen, der auf die einträchtige Vereinigung aller mit allem in der Liebe Gottes und zu einander hingeht; weil sonst immer etwas an ihrem innern und äußern Frieden fehlen wird. Hiezu aber können die Menschen in der Tat nur durch Christus gelangen, weil durch ihn erst die Idee solcher Einigung in der Menschen=Welt bewußt geworden ist, und ohne das Bewußtsein davon auch die reine Erfüllung weder für den einzelnen noch im ganzen möglich ist.

Wie gut und rechtschaffen daher auch ein Heide vor, mit und nach Christus gewesen sein mag, ohne das Handeln aus diesem Bewußtsein wird er zwar den Lohn seiner Tugenden genießen, aber nicht den vollsten und höchsten Lohn der vollsten und höchsten Tugend, die nur aus diesem Bewußtsein heraus möglich ist, erlangen können. Alles Handeln ohne dies Bewußtsein ist mehr oder weniger blind und kann zwar in der Hauptsache den rechten Weg treffen, denn von vielen Seiten findet sich der Mensch nach diesem Wege hingewiesen; aber ohne den lichten Weiser über dem Wege, der denselben auf einmal in eins erleuchtet und beherrscht, wird der Mensch doch immer bald nach dieser, bald nach jener Seite abweichen und die Folgen seines Irrtums spüren. Nun aber sind die Heiden darum, daß sie hienieden nichts von Christus und nicht den rechten Weg durch Christus erfahren konnten, nicht auf ewig von der Seligkeit ausgeschlossen; weil Christi Lehre und Leben und Kirche nicht bloß eine Sache des Hienieden ist, sondern aus dem Diesseits in das Jenseits reicht, und wer im Diesseits noch nicht ihm angehören konnte, wird ihm einst im Jenseits gewonnen werden, und wer ihm erst nur äußerlich gehörte, wird ihm einst noch innerlich gehören, getrieben durch die Mangelhaftigkeit der Seligkeit selbst, die abseits von Christus, und die Fülle der Seligkeit, die mit und in ihm besteht; und nach Maßgabe, als er durch Christus Christi Sinnes wird, wird er auch der davon abhängigen Heilsgüter teilhaftig werden. So kann, ja muß jeder des Anteils Unseligkeit, den er noch hatte, endlich ledig werden und Christus wird zuletzt der Erlöser aller sein.

Wie er aber der Erlöser aller im höchsten und letzten Sinne ist, so auch der Richter.*) Denn die Forderungen, die er an die Welt gestellt, werden der letzte Maßstab und das Richtscheit sein, wonach wir dereinst gemessen werden**), und zwar nicht wie mit einer toten Elle; sondern Christus selber, in seiner Gemeine fortlebend, seine Forderungen fortstellend, wird vor allen und über alle urteilen, ob den Forderungen auch genügt ist, und hienach eines jeden Verdienst bemessen. Es mag einer nach vielen einzelnen Beziehungen gerecht erfunden worden sein, die auch bei den Heiden gerecht machten, zuletzt wird er vor Christus treten müssen; — denn keiner wird vermeiden können, endlich mit den Forderungen Christi in Berührung zu treten — und so lange er ihnen nicht voll gerecht werden kann, wird er auch vor Christus nicht als voll gerecht gelten und etwas von seiner vollen Seligkeit vermissen müssen.

Man sage nicht, dasselbe Gericht würde auch ohne Christus ausgeübt werden; denn die höchsten Forderungen bestehen abgesehen von Christi Persönlichkeit, und die mangelnde Erfüllung dieser Forderungen werde allezeit ihrer Natur nach dem Menschen sein Heil verkümmern. Freilich ist das Letzte wahr; aber ehe nicht die Forderungen mit Bewußtsein als die höchsten ausgesprochen sind, kann der Mensch auch nicht danach mit Bewußtsein als nach solchen gerichtet werden; die Folgen machen sich von selbst; nur ein bewußter Richter aber ist ein wahrer Richter. Also ist in der Tat durch Christus das höchste Gericht über die Menschen gekommen, und Christus ist selbst der höchste Richter, das Gericht kann nur unter seiner Vermittelung, in Abhängigkeit von ihm, wenn auch durch noch so viele Vermittler und Vertreter, ausgeübt werden, weil, wo und wie es auch in Folge seines vorgängigen Daseins diesseits, jenseits, ausgeübt wird, er selbst in dieser Folge fortlebt, fortwirkt, und, sofern es eine bewußte Folge seines bewußten Lebens ist,

---

*) Math. 25, 31. Joh. 5, 27. Apost. 10, 42. 2. Cor. 5, 10. 2. Theff. 1, 7. 8. 2, 8. 1. Petr. 4, 5 u. f. w.

**) Ephef. 4, 7. Einem jeglichen aber unter uns ist gegeben die Gnade nach dem Maß der Gabe Christi.

mit Bewußtsein fortlebt, fortwirkt. Wer in seinem Sinne richtet, der richtet unter Christi Mitwissen, tut es unter Christi Anregung, und Christus fühlt sich dabei als der Anregende; sofern und soweit aber jemand nicht in Christi Sinne richtet, wird Christus selbst sein Urteil noch richten und berichtigen.

Wenn man Christi Person gleichgültig bei diesem Gerichte hält, so hat man nur in sofern Recht, als das höchste Gericht überhaupt nicht verfehlen konnte, einmal über die Menschen verhängt zu werden, sei es durch wen es sei. Aber sollte Christus darum weniger für uns gelten, daß er eben dazu erwählt wurde? Vielmehr gerade, daß er der Träger der göttlichen Notwendigkeit geworden, muß ihm die höchste Würde verleihen.

Einen wesentlichen Bestandteil der christlichen Lehre vom Jenseits bildet der Glaube an eine Auferstehung des Leibes. Aber die Modalität derselben ist in der Bibel nicht näher bestimmt. Eigne Aussprüche Christi darüber sind nicht mitgeteilt, und schwerlich hat er sich bestimmt darüber ausgesprochen. So blieb nach ihm abweichenden Vorstellungen Raum, unter denen leicht grob sinnliche vorkommen mochten. Die letzten lassen wir fallen; halten dagegen das Wesen der Auferstehung in schon früher erwähntem Sinne fest. Unser enger Leib hienieden ersteht dereinst wieder als weiterer Leib, der, aus dem engern selbst hervorgetrieben, alles das von Stoffen und Kräften enthält, was einst dem engern zugehörte, und im Diesseits dem Schlafe oder scheinbaren Tode anheim gefallen war. Nun erwacht es wieder zu neuem Bewußtsein.

Wir sagen nicht, daß diese Auffassungsweise der Auferstehung in der Bibel schon zu der Klarheit und mit den Konsequenzen entwickelt sei, wozu wir geführt worden sind. Aber gerade die geläutertsten Ansichten von Paulus treten am meisten in dieselbe hinein, ja können gar nicht besser als im Sinne derselben gedeutet werden, wobei nicht in Abrede gestellt werden kann, daß Paulus in mehrern Beziehungen auch Vorstellungen hegt, die unvereinbar damit sind*), womit sie aber zugleich schwer vereinbar mit sich selbst werden.

Paulus erklärt den Leib des Diesseits für das Samenkorn, aus dem der Leib des Jenseits auferstehe; der letzte ist ihm etwas mit dem ersten wesentlich zusammengehöriges, natürlicherweise daraus folgendes, nur von geistigerer Natur als ersterer; der Mensch findet das Haus, damit

---

*) Ich rechne hieher, daß Christus der erst Erstandene sei, und daß die Auferstehung der übrigen Menschen in einer plötzlichen allgemeinen Katastrophe gleichzeitig erfolgen werde. 1. Cor. 15.

er künftig überkleidet werden soll, im Tode schon vor, und zwar als ein himmlisches Haus nach dem irdischen. Was dem Menschen jetzt nur wie äußerlich im Spiegel erscheint und hiemit dunkel, unvollständig erscheint, davon gewinnt er nachher eine unmittelbare Erkenntnis, er erkennt, wie er erkannt wird. Alles dies, wenn gleich nicht ausdrücklich in unserm Sinne verstanden, wozu unsre Ansicht eben selbst erst hätte mit Bewußtsein entwickelt sein müssen, läßt sich doch mit derselben in Bezug setzen, wenn wir dabei unter dem geistigen Leibe das geistige Bild, in dem die Gestalt des Menschen nach uns im Jenseits erscheinen wird, unter dem himmlischen Hause nach dem irdischen die Erde als Himmelskörper nach dem jetzigen Leibe als irdischen Körper verstehen, und an die lichtern Erkenntnisbeziehungen denken, in die wir dereinst zu andern und zu Gott treten werden.

1. Cor. 15, 35—38. Möchte aber jemand sagen: wie werden die Toten auferstehen? Und mit welcherlei Leibe werden sie kommen?

Du Narr, das du säest, wird nicht lebendig, es sterbe denn.

Und das du säest, ist ja nicht der Leib, der werden soll, sondern ein bloßes Korn, nämlich Weizen oder der andern eins.

1. Cor. 15, 44—46. Es wird gesäet ein natürlicher Leib und wird auferstehn ein geistlicher Leib. Hat man einen natürlichen Leib, so hat man auch einen geistlichen Leib.

Wie es geschrieben steht: der erste Mensch, Adam, ist gemacht in das natürliche Leben, und der letzte Adam in das geistliche Leben.

Aber der geistliche ist nicht der erste; sondern der natürliche, darnach der geistliche.

2. Cor. 5, 1. Wir wissen aber, so unser irdisches Haus dieser Hütte zerbrochen wird, daß wir einen Bau haben, von Gott erbaut, ein Haus, nicht mit Händen gemacht, das ewig ist, im Himmel.

Und über demselbigen sehnen wir uns auch nach unsrer Behausung, die vom Himmel ist, und uns verlanget, daß wir damit überkleidet werden.

1. Cor. 18, 12. Wir sehen jetzt durch einen Spiegel in einem dunkeln Wort, dann aber von Angesicht zu Angesicht. Jetzt erkenne ich es stück-weise, dann aber werde ich es erkennen, gleich wie ich erkannt bin.

Überhaupt meine ich nicht, in Christi und der Apostel Lehre seien schon aller Vorstellungen vom Jenseits so deutlich ausgesprochen und ent-wickelt gewesen, als sie sich in unsrer Lehre dargelegt; die vielmehr erst ihres vorgängigen Grundes zur Entwickelung bedurfte. Das Geheimnis ist groß, sagt Paulus (Ephes. 5, 32). Aber die Anlage zu dieser Ent-wickelung war in ihrer Lehre von vorn herein gegeben. Es lagen Grundgedanken darin, die im Versuche, sie in Beziehung mit der realen Natur der Dinge in ihren Konsequenzen zu verfolgen, zu diesen Entwickelungen führen mußten, wie umgekehrt der Versuch, die Lehre vom Jenseits aus der Natur der Dinge konsequent zu entwickeln, zu ihren Grundgedanken zurückführen mußte. Und in sofern halte ich unsre ganze Ansicht von der künftigen Existenzweise zwar nicht für eine Wiederholung oder bloße Exposition, aber für ein Wachstum von Christi und seiner Jünger Lehre, in jenem frühern Sinne des Wortes Wachstum, da nämlich an dem Wachsenden nichts fremdartig und bloß äußerlich anschießt, sondern aus der Natur der Dinge, aus welchem der Keim selber ursprünglich stammt, neue Kräfte und Säfte angezogen werden, vermöge deren das, was im Keim schon verborgenerweise vorbegründet lag, sich entfaltet und weitere Wurzeln schlägt, Zweige und Blätter und Blüten trägt, unter Abwerfen mancher frühern unwesentlich gewordenen Hüllenblätter.

In sofern aber die Entwickelung doch den Keim schon voraussetzt, unsre Lehre selbst sich nur auf dem Grunde des Christentums, namentlich nur unter Führung der höchsten praktischen Gesichtspunkte, die Christus aufgestellt hat, entwickeln konnte, hierin das letzte treibende Prinzip liegt, das allen Stoff unsrer Betrachtungen in seine Richtung und Form gezwungen hat, ist auch Christus selbst noch dabei beteiligt gewesen. Christi und seiner Jünger bewußtes Leben diesseits war ja selbst nur der Keim ihres höhern bewußten Lebens jenseits; wir spüren aber ihr jenseitiges Fortwachsen im Diesseits und tragen selbst dazu bei, in Betracht der früher entwickelten Beziehungen zwischen Diesseits und Jenseits. Meine doch niemand, daß er etwas durch sich allein kann. Wie Christi Stamm höher hinauf ins Licht des Jenseits wächst, müssen auch seine Wurzeln im Diesseits sich ausbreiten und verstärken, und wir selbst müssen diesseits dazu beitragen und mitwirken; wir tun es aber durch das, was wir an seiner Lehre tun, in seinem Sinne tun.

Natürlich hat man es sich nicht so vorzustellen, als ob durch eine triftige Entwickelung von Christi Lehre über das Jenseits hienieden seine Erkenntnis vom Jenseits selbst noch erweitert und berichtigt werden könnte, die ja eine unmittelbare ist, nachdem er in das Jenseits hinübergegangen. Aber indem die Lehre vom Jenseits, die er diesseits aufgestellt hat, durch die er mit uns in Beziehung getreten ist und noch mit uns in Beziehung steht, sich diesseits fortentwickelt, entwickeln sich auch diese Beziehungen fort, durch die er im Jenseits noch mit uns zusammenhängt. Auch dürfen wir uns nicht wundern, daß seine unmittelbare Erkenntnis vom Jenseits uns doch nicht zu gute kommt, ungeachtet er in uns mit wohnt und wirkt; er wohnt und wirkt in uns eben nur nach Seiten dessen, was von seinem diesseitigen Wirken in uns hinterblieben, und sich auf Wegen des Diesseits fortbestimmt. Der schon früher gebrauchte Vergleich mit der Pflanze ist in

dieſer Beziehung ſehr erläuternd. Die ins Licht erwachſende Pflanze bedarf
doch immer noch der Wurzelung in demſelben Boden, in dem ſie einſt ganz
befangen war, der Zuflüſſe daraus, und die Wurzeln, mit denen ſie in demſelben haftet, gehören noch zu ihr; ſie führt aber oberhalb des Bodens ein
ganz ander Leben, als unterhalb, und was ihr oberhalb geſchieht, kann nicht
unterhalb in derſelben Weiſe ſpürbar werden; inzwiſchen hängt doch, was
oberhalb und unterhalb in ihr geſchieht, ſtets in tätigen Beziehungen
zuſammen. Das Schickſal alſo, was Chriſti Lehre dieſſeits erfährt, iſt nicht
gleichgültig für ſeine Exiſtenz jenſeits; und ein Wachstum, eine Entwickelung,
eine Hebung ſeiner Lehre dieſſeits kann uns ſtets als ein Zeichen eines
entſprechenden Wachstums, einer entſprechenden Entwickelung, einer entſprechenden Hebung ſeines Lebens jenſeits gelten, ungeachtet es bloß zum
untern Teile dieſes Lebens gehört, und was oben geſchieht, uns nicht im
Beſondern abſpiegeln kann.

Wir dürfen es ferner auch nicht ſo faſſen, als ob doch Chriſti jenſeitiges
Bewußtſein durch das, was ſeinen Wurzeln dieſſeits geſchieht, nicht mehr
beteiligt würde, ſeine Wurzelung im Dieſſeits nur ein unbewußter Teil
ſeines Lebens wäre, ſein Bewußtſein fortan blos vom höhern Lichte Beſtimmungen erfahre. Vielmehr ſind es Verhältniſſe ſeines Bewußtſeins, die wir
hier betrachten, iſt es eben ſein Bewußtſein, was noch im untern Gebiete
wurzelt, davon Beſtimmungen aufnimmt, die aber dortan im höhern Lichte
in einem höhern Sinne verarbeitet werden, in einem Sinne, der aus den
Beſtimmungen von unten nicht allein erklärlich iſt, ſondern nur aus den
Beziehungen zum höhern allgemeinen Lichte, das die Welt erfüllt.

XXXI. Überblick der Lehre von den Dingen des Jenſeits.

1) Wenn der Menſch ſtirbt, ſo verſchwimmt ſein Geiſt nicht wieder
in dem größern oder höhern Geiſte, aus dem er erſt geboren worden oder
ſich heraus individualiſiert hatte, ſondern tritt vielmehr in eine heller
bewußte Beziehung damit, und ſein ganzer bisher geſchöpfter geiſtiger
Beſitz wird ihm lichter und klarer. Als höhern Geiſt können wir hiebei
die uns zunächſt übergeordnete Geiſtesſphäre der Erde oder Gott ins
Auge faſſen, denn eins tritt in das andre hinein, wenn wir daran
denken, daß wir eben durch die Geiſtesſphäre des Irdiſchen Gott angehören (XXI. XXII).

2) Das jenseitige Leben unsrer Geister verhält sich zu dem dies=
seitigen ähnlich wie ein Erinnerungsleben zu dem Anschauungsleben,
aus dem es erwachsen ist. Ja wir können es so ansehen, als ob der
größere Geist selbst, dem wir angehören, uns im Tode mit unserm
ganzen Gehalt und Wesen aus seinem niedern Anschauungsleben in sein
höheres Erinnerungsleben aufnimmt. Wie wir ihm aber schon jetzt im
Anschauungsleben angehören, ohne daß unsre Individualität und relative
Selbständigkeit in ihm erlischt, wird es auch im Erinnerungsleben der
Fall sein (**XXI. XXII**).

3) Das Reich der jenseitigen Geister hängt mit dem Reich der
diesseitigen Geister im höhern Geiste zu Einem Reiche durch Beziehungen
zusammen, die denen analog sind, welche zwischen den Gebieten der
Erinnerung und der Anschauung in unserm eigenen Geiste statt finden.
Wie das Reich unsrer Anschauungen eine höhere Begeistung aus unserm
Erinnerungsreiche empfängt, umgekehrt unsre Erinnerungen durch An=
schauungen, an die sie sich assoziieren, fortbestimmt werden, so greift auch
das Reich der jenseitigen Geister in das der diesseitigen ein, erhebt es
durch sein Hineinwirken schon jetzt zu etwas Höherem, als es ohnedem
sein würde, und erhält seinerseits Fortbestimmungen daraus. Plato lebt
noch in den Ideen fort, die er in uns hinterlassen hat, und erfährt das
Schicksal dieser Ideen. Doch ist das Leben der jenseitigen Geister nicht
auf die Wurzeln beschränkt, mit denen sie noch im Diesseits haften,
sondern ein höheres freieres Leben erhebt sich darüber in den Beziehungen
zu dem höhern Geiste und ihrem eigenen Verkehr (**XXII, B**).

4) So wenig eine Erinnerung in unserm Haupte noch eines so
umschriebenen leiblichen Bildes zur Unterlage bedarf wie die Anschauung,
wird es mit uns der Fall sein, wenn wir aus dem Anschauungsleben
in das Erinnerungsleben des größern Geistes übergehen. Unser Geist
wird sich von nun an nicht mehr an ein einzelnes besonderes Stück
irdischer Materie gebunden finden, obwohl der leiblichen Unterlage des=
halb nicht bar sein, wie auch die Erinnerung in uns noch eine solche
hat. Wie aber der leibliche Träger der Erinnerung in uns, welcher
Art er immer sei, jedenfalls erwachsen ist aus dem leiblichen Träger der
Anschauung (vom Bilde im Auge erstrecken sich Wirkungen ins Gehirn,
die künftig die Erinnerung begründen, jedoch erst nach Erlöschen der
Anschauung dieselbe entstehen lassen), so wird auch die leibliche Existenz,
die unser künftig geistig Leben trägt, erwachsen sein aus der, die es jetzt
trägt. Wir verleiben uns, während wir noch im Anschauungsleben sind,
durch unsre Wirkungen und Werke dem größern Leibe, dem wir angehören,

vor allem der Erde, und hierin vor allem dem obern Reiche derselben,
in eigentümlicher Weise ein, sie muß in gewissem Zusammenhange nach
gewissen Beziehungen das Gepräge unsers Wesens annehmen, und nun
findet unsre künftige geistige Existenz eben nach der Hinsicht, nach der
es geschehen ist, daran noch einen Träger, so weit sie eines solchen
überhaupt noch bedarf. In so weit die Welt durch unser diesseitiges
Sein fortbestimmt worden, wird sie unser jenseitiges Sein tragen, und
zwar unser bewußtes Sein im Jenseits tragen, sofern sie durch unser
bewußtes Sein im Diesseits fortbestimmt worden (XXIII).

5) Unsere künftigen Existenzen verlaufen, stören, verwirren sich
deshalb nicht, daß wir uns mit unsern Wirkungen und Werken alle
derselben Welt, demselben großen Leibe einverleiben. Auch jetzt greifen
unsre Existenzen schon wirkend in einander über, und das begründet
nur unsern Verkehr, der nach der Weise, wie unsre Existenzen künftig
in einander übergreifen werden, nur noch inniger, vielseitiger, bewußter
werden wird. Auch unsre Erinnerungen verlaufen und irren sich nicht,
trotz dem, daß das, was sie trägt, im selben Gehirne durcheinandergreift
(XXIV, C).

6) Wenn man eine bestimmte Gestaltung unsrer künftigen leiblichen
Existenz vermißt, so ist zu erinnern, daß den Geistern des Jenseits ihre
leibliche Existenz nicht anschaulich so zerlaufen und verblasen erscheinen
wird, als sie uns noch auf dem Standpunkt der diesseitigen Betrachtung
erscheint. Sondern eben wie die Erinnerung einer Anschauung in unserm
kleinen Erinnerungsreiche trotz dem, daß ihr das begrenzte leibliche Bild
im Auge nicht mehr wie früher unterliegt, doch noch die anschauliche
Erscheinung des Bildes wiederspiegelt, von dem sie abstammt, wird unsre
Erscheinung im jenseitigen Erinnerungsreiche des höhern Geistes die
diesseitige anschauliche Erscheinung unsres Leibes widerspiegeln, woher
sie stammt; unsre jenseitigen Gestalten werden sich als die Erinnerungsgestalten der diesseitigen verhalten; doch wie Erinnerungen durch Phantasie
umgestaltet werden können, auch noch einer fernern Umgestaltung .fähig
sein (XXIII, B).

7) Die Schlüsse, welche aus der Analogie des jenseitigen Lebens
mit einem Erinnerungsleben gezogen werden können, finden ihre Unterstützung in denen, welche die Analogie des Todes mit der Geburt
gewährt (XXV).

8) Nicht minder sprechen direkte Betrachtungen in demselben Sinne.
Schon im Jetztleben sehen wir den Leib, der unsern Geist zu irgend
einer Zeit trägt, erwachsen aus dem Leibe, der unsern Geist früher

getragen hat, und wir müssen glauben, daß dies ihn demselben Geiste
fortgehends eignet. So wird auch der leibliche Träger unsres zukünftigen
geistigen Daseins erwachsen sein müssen aus dem leiblichen Träger unsers
jetzigen geistigen Daseins, um noch ferner Träger unsrer Individualität
zu sein. Der Kreis unsrer Wirkungen und Werke, in rechter Voll-
ständigkeit und rechtem Zusammenhange gefaßt, erfüllt aber diese Bedingungen, indem sich darin alles von Stoffen, Bewegungen und Kräften
wiederfindet, was in unserm Leibe während unsers diesseitigen Lebens
selbst wirksam gewesen (XXVII).

9) Die Zerstörung unsers jetzigen Leibes ist selbst als Grund
anzusehen, daß das Bewußtsein, das bisher an denselben geknüpft war,
auf jene Fortsetzung desselben übergeht; indem ein ähnlicher Antagonismus
zwischen dem Bewußtsein unsers engern Leibes und dieser Fortsetzung
desselben statt findet, wie wir schon innerhalb unsers engern Leibes selbst
zwischen verschiedenen Sphären beobachten (XXIV, D).

10) Der praktische Gesichtspunkt unsrer Ansicht liegt darin, daß
jeder sich die Bedingungen eines seligen oder unseligen jenseitigen
Daseins in den Folgen seines diesseitigen (innern und äußern) Tuns
und Treibens selbst erzeugt, sofern die Folgen seines diesseitigen Daseins
die Unterlage seines jenseitigen bilden werden. Wer sich also hier im
Sinne der guten göttlichen Weltordnung ausgebildet und in diesem
Sinne gehandelt hat, Gutes gefördert hat in sich und der Welt, wird
die nach der Natur des Guten überwiegend heilsamen Folgen desselben
für sich als Lohn gewinnen; wer aber sein Sinnen und Trachten aufs
Böse gerichtet hat, wer Unheil in die Welt gebracht, der wird es eben
so in seinen Folgen als Strafe spüren, Folgen, die so lange wachsen
werden, bis der Mensch umwendet (XXVIII).

11) Die hier aufgestellte Lehre widerspricht den Grundlehren des
Christentums nicht; vielmehr, indem sie unwesentliche Äußerlichkeiten
fallen läßt, ist sie geeignet, dem Kern derselben einen neuen fruchtbaren
Boden zu lebendigster Entwickelung zu gewähren, da sie die, bisher meist
nur in uneigentlichem Sinne verstandene und geglaubte Lehre Christi,
daß der Mensch das selbst ernten wird, was er gesäet hat, daß Christus
selbst in seiner Gemeine seinen Leib habe und in den Sakramenten
gegenwärtig sei, in lebendigerm und eigentlichen Sinne fassen, auch sein
Erlöser und Richteramt und die Auferstehungslehre in angemessener
Weise verstehen läßt (XXX).

12) Zugleich verknüpft unsre Lehre von mannigfachen teils heidnischen, teils philosophischen Ansichten so viel, als es bei dem Wider-

ſpruch derſelben unter einander und mit der chriſtlichen Anſicht immer
möglich iſt, und tritt mit manchen bisher noch rätſelhaften Erſcheinungen
des Diesſeits in wechſelſeitig erläuternde Beziehung (XXIX).

XXXII. Glaubensſätze.

Alles, was in dieſer Schrift über die höchſten und letzten Dinge
enthalten, iſt direkt unweisbar in Erfahrung, unbeweisbar durch Mathe=
matik, und ſomit bleibt hier immer ein Feld des Glaubens. Meinen
eigenen Glauben nun an die Triftigkeit der hier dargelegten Anſichten
ſtütze ich darauf, daß das theoretiſche und praktiſche Intereſſe, was uns
nötigt, auf die Betrachtung dieſes Gebiets überhaupt einzugehen, durch
dieſe Anſichten auch in beſter Einſtimmung befriedigt wird. Aber ob
dies der Fall ſei, iſt abermals Glaubensſache; und je nachdem man in
dieſem letzten Glauben mit mir übereinſtimmt oder nicht, wird man
auch mit den Anſichten dieſer Schrift übereinſtimmen, in welcher jener
Zuſammenhang und jene Einſtimmung ſtets als maßgebend gegolten hat.

Zum Abſchluſſe der ganzen Schrift nach ihren beiden Abteilungen
faſſe ich nun noch dasjenige vom Inhalt und den leitenden Geſichts=
punkten derſelben zuſammen, was vorzugsweiſe in Beziehung tritt mit
dem jetzt geltenden und herrſchenden Glauben in höchſten und letzten
Dingen, alſo daß dieſe Beziehung möglichſt deutlich hervortritt. So
wird am leichteſten erhellen, ob etwas von dem, worin der Wert des
bisherigen Glaubens liegt, von uns verworfen oder verkümmert, nicht
vielmehr manches erweitert und vertieft wird. Manches freilich auch,
was dem Wortlaute hiernach gleich klingt mit dem, was alle im Munde
führen, mag doch dem Sinne nach von uns etwas anders gefaßt werden.
Dieſer Sinn muß ſich durch die Schrift ſelbſt erläutern. Man ſehe zu,
ob es ein ſchlechterer iſt.

1) Ich glaube an einen einigen, ewigen, unendlichen, allgegenwärtigen,
allmächtigen, allwiſſenden, allgütigen, allgerechten, allbarmherzigen Gott,
durch den alles entſteht und vergeht und iſt, was da entſteht und
vergeht und iſt, der in allem lebt und webt und iſt, wie alles
in ihm; der alles weiß, was gewußt wird und gewußt werden kann,

der alle seine Geschöpfe in eins liebt, wie sich selber, der das Gute will und das Böse nicht will, der alles im Laufe der Zeiten zu gerechten Zielen führt, der sich auch des Bösen erbarmt, also daß er die Strafe selbst nur zum Mittel seiner Besserung und endlichen Beseligung macht (XI. XII. XXVIII).

2) Ich glaube, daß Gott an besondere Geschöpfe besondere Teile oder Seiten seiner geistigen Wesenheit dahingegeben hat, darunter auch an die von ihm geschaffene Erde, also daß aller irdische Geist sich in diesem Teile der göttlichen Wesenheit einigt, welcher sich wieder austut in besonderer Weise an die besondern irdischen Geschöpfe, so daß wir alle, Menschen, Tiere und Pflanzen, Kinder Gottes aus diesem Geist, in diesem Geist und kraft dieses Geistes sind, mit dem Gott in das Irdische eingegangen ist, die Menschen aber solche, die sich auch des Willens ihres ewigen Vaters und der Einigung in einer höhern geistigen Gemeinschaft bewußt werden können und sollen (I—XI).

3) Ich glaube, daß Christus ein Sohn Gottes aus jenem Geiste, in jenem Geiste und kraft jenes Geistes, mit dem Gott in das Irdische eingegangen, nicht bloß neben und unter, sondern über uns allen ist, weil wir durch sein Mittleramt noch in einem höhern Sinne Kinder Gottes in und aus einem Geiste zu werden bestimmt sind, als wir es von Natur und Geburt schon waren (XIII).

4) Ich glaube, daß in Gottes Weltordnung nichts Unnatürliches und Übernatürliches geschieht, daß aber ungewöhnliche und nie dagewesene Wirkungen durch ungewöhnliche und nie dagewesene Ursachen erfolgen, also daß auch Christi ganzes Auftreten, Dasein und Wirken nichts Übernatürliches noch Unnatürliches gewesen, aber daß er als eine auf Erden nie dagewesene und nie wiederkehrende, also in ihrer Art einzige Ursache nie dagewesener und ewig fortgehender und sich immer mehr ausbreitender Wirkungen aufgetreten ist (XIII).

5) Ich glaube, daß der einzige und wahre Weg des Heils für die Menschheit in der durch Christus gebotenen rechten und sich in rechter Weise betätigenden Liebe zu Gott und dem Nächsten liegt, und daß die Einigung in dieser Liebe und das Handeln im Sinne derselben eben das ist, was uns in höherm Sinne eines Geistes werden läßt (XIII. XXVIII. XXX).

6) Ich glaube, daß Christi Lehre und Kirche nicht abnehmen, sondern wachsen wird, also daß alle Menschen sich dereinst darunter einigen werden, und wem es hier nicht gegeben wird, dem wird es jenseits gegeben werden (XIV. XXX).

7) Ich glaube, daß die Gemeine und hiemit Kirche Christi der Leib ist, in dem Christi Geist waltet allezeit, und daß die Lehre Christi, in seinem Sinne verkündigt, geschrieben, ausgelegt, aufgenommen und befolgt, Taufe und Abendmahl in seinem Sinne verrichtet, empfangen und wirkend, die hauptsächlichsten Vermittelungen sind, Christus leiblich geistig in der Gemeine und hiermit Kirche lebendig fortzuerhalten, die Menschen als Glieder ihm zu eigen zu machen und als solche zu stärken und geeignet zu erhalten (XXX).

8) Ich glaube an eine Auferstehung und ein ewiges Leben des Menschen in Folge dieses zeitlichen Lebens, nach dem Musterbilde Christi, also, daß der jetzige Leib und das jetzige Leben des Menschen nur ein kleines dunkles Samenkorn eines künftig daraus erstehenden freiern und lichtern Leibes und Lebens sei; da unsre Seele mit einem größern Bau überkleidet werden wird, einem Hause, nicht mit Händen gemacht, das ewig ist, im Himmel, da offenbar werden wird alles, was jetzt verborgen ist, da wir klar erkennen werden, was wir hier nur stückweis und wie durch einen Spiegel im dunkeln Wort erkannten, da wir uns alle von Angesicht zu Angesicht einander und Christo Jesu gegenüber finden werden, die wir hier mit ihm und durch ihn im Geiste zusammengehangen haben. Ich glaube, daß dies zeitliche Leben eine Vorbereitung auf das ewige ist, also daß sich jeder durch seine gute oder schlechte Gesinnung und guten oder schlechten Werke die Bedingungen eines seligen oder unseligen Daseins im jenseitigen Leben selbst erschafft, daß seine Werke ihm nachfolgen werden und er ernten wird, was er gesäet hat (XXVIII. XXX).

9) Ich glaube, daß der Sinn der göttlichen Gebote nicht der ist, des Menschen Glück und Freude zu verkümmern, sondern ihren Willen und ihr Handeln so zu ordnen und zu richten, daß das größtmögliche Glück aller in Zusammenstimmung bestehen könne. Ich glaube, daß der Mensch in diesem Sinne sein Wollen und Handeln nach allen Beziehungen auszubauen hat, als wodurch er dem Sinn der göttlichen Gebote auch da genügen wird, wo sie nichts geboten haben. Ich glaube, daß der Mensch nicht im Sinne des größtmöglichen Glückes aller handeln kann, ohne im Sinne seines eignen größtmöglichen Glücks zu handeln (XI. XVIII).

10) Ich glaube, daß das Übel Folgen erzeugt, durch welche es im Laufe der Zeiten sich selbst straft, das Gute Folgen, durch welche es im Laufe der Zeiten sich selbst lohnt. Ich glaube, daß die Folgen des Diesseits ins Jenseits hinausreichen und dort die Gerechtigkeit vollzogen

wird, die hier nur angehoben oder verschoben ist. Ich glaube, daß die Strafe des Bösen und der Lohn des Guten, je länger verschoben, endlich so stärker hereinbrechen und dereinst so lange wachsen, bis der Böse zur Umkehr genötigt ist, der Gute sich im ewigen Zuge der göttlichen Gnade fühlt. Ich glaube, daß der freie Wille des Menschen nur den Weg zu diesem Ziele, nicht das Ziel selbst ändern kann. Ich glaube, daß dies der Sinn nicht einer toten Weltordnung ist, sondern daß es das lebendige Wohnen des göttlichen Geistes in der Welt ist, was ihrer Ordnung diesen Sinn einpflanzt (XIX. D. XXVIII).

11) Ich glaube, daß vor Gott nur ein gutes Wissen bestehen kann, also daß jede Erkenntnis vergeblich, verwerflich ist und einst verworfen wird, die nicht dem Besten dient, und das Wahre und Gute im höchsten Sinne Eins und dasselbe (XIX. A.).

12) Ich glaube, daß die Vernunft der Unmündigen sich zu bescheiden hat vor einer höhern Vernunft, die ihr Recht bewährt hat in der Geschichte durch die Erziehung der Mündigen. Ich glaube, daß die Vernunft der Mündigen des eignen Irrtums Möglichkeit gedenk bleiben und acht haben soll, daß sie nicht, bessern wollend an dem, was bisher feststand, die Grundlagen des Guten selber erschüttert, die vor allem und über alles zu erhalten. Ich glaube, daß alles Neue, was bestehen soll, nur erwachsen kann aus dem, was schon bestanden hat, nicht durch den Umsturz, sondern die Fortbildung oder die Verjüngung des Bestehenden oder Bestandenen. Ich glaube, daß in der Verjüngung nur fallen können altgewordene Hüllen, doch frischer, höher, weiter treiben muß der alte Kern (XIX. A.).

Namenverzeichnis.

Änderungen im Text der dritten Auflage.

I. Band.

6,1 erkennt] erkennte ‖ 12,17 u. und sonst: Weisheit des Brahmanen] Lehrged. ‖ 29,20 wie] als wie ‖ 38,13 u. nur] nun ‖ 45,3. 4 u. sie würden so] so würden sie ‖ 46,4 1852] 1851 ‖ 52,19 u. dagegen ist] dagegen ‖ 53,15. 16 beim Jupiter 2c.] bei Mars ¹/₁₆, beim Jupiter ¹/₁₄, beim Saturn ¹/₉, beim Uranus ¹/₁₀ ‖ 53,19 in] im ‖ 55,3 Verhältnis der Achsen] Verhältnis ‖ 58,6 zu einem] im ‖ 58,7 16—18] 16 ‖ 65,13 83] 53 ‖ 65,23 venustatis] utilitatis ‖ 72,1 u. würde] wurde ‖ 81,19 sie] ihr ‖ 81,1 u. 61, 60] 60, 61 ‖ 82,1 wasser=erkälteten] wasserkälteten ‖ 82,7 329f.] 329 ‖ 85,12 u. Zusammengehören] Zusammengehör ‖ 89,13 u. 88a] 88 ‖ 91,21 84a] 94 ‖ 99,9 und die] und der ‖ 109,13 es in] in es ‖ 129,13 u. Selbst Melanchthon] Melanch= thon ‖ 129,3 u. 385f.] 385 ‖ 137,2 Dazwischen] zwischen ‖ 138,14 u. nun] nur ‖ 141,10 um] nun ‖ 148,9 u. gewichtigsten] wichtigsten ‖ 150,19 40] 49 ‖ 150,3 u. 661] 66 ‖ 155,1 u. ist] steht ‖ 158,3 sie eben] eben ‖ 160,10 u. nach der Erschöpfung des bewußten Geist] die Erschöpfung des bewußten Geistes ‖ 184,4 abschließt] abschließen ‖ 184,16 möchte] möchten ‖ 199,8 u. 22f.] 23 ‖ 217,10 u. Sache nach] Sache ‖ 224,11 u. wenn und wo] wenn, wo ‖ 228,17 nun] um ‖ 255,11 II. S. 21] I. S. 22 ‖ 261,8 u. Zergliederung der Erscheinungen] Zergliederung ‖ 312,13 u. J. H.] F. H. ‖ 324,7 u. 2, 4] 2. 4 ‖ 336,3 animalia] animata ‖ 336,7 profectum] perfectum ‖ 336,18 supposititius] suppositius ‖ 336,24 nec] et ‖ 336,27 alias fassus] aliis fessus ‖ 341,8 u. Meiners] Meiner's ‖ 342,13 u. Päonier] Phönizier ‖ 342,8 u. Hist. de] de ‖ 342,7 u. l. c. p. 104] II. ‖ 342,2 u. du] de la ‖ 343,5 u. δέ] τε ‖ ἀνέχουσιν ανεχυσιν ‖ 343,2 u. Schr. (1754)] Schr. ‖ 344,21 d'un] d'une ‖ 347,8 C. 14] C. 15 ‖ 347,10 C. 16] C. 15 ‖ 347,13 continerentur] continentur.

II. Band.

10,4 können] könne ‖ 29,2 470] 476 ‖ 31,13 örtliche] örtlichen ‖ 85,11 u. Edwards, De l'] Edward's sur ‖ 47,15. 16 Fortentwidlung der früheren, andre durch neue ...] neue ..., andre durch Fortentwidlung ... ‖ 78,11 Auges] Auges ist ‖ 79,13 dem Blid] ben Blid ‖ 82,11 u. fortpflanzen könnte] fortpflanzen ‖ 83,11 vorkommen.] vor= kommen. Dies würde für unser kleines Gehörorgan keinen Ton von bestimmter Höhe entstehen lassen. (Dieser Satz wurde gestrichen, weil ihn Fechner in den Berichtigungen als „untriftig“ bezeichnet hat. Des Zusammenhanges wegen auch 88,13 die Worte hinter Erde: „bei ihrer andern Einrichtung doch“) ‖ 88,9 derselbe] dieselbe ‖ 88,6 ihm] ihr ‖ 95,8 9] 10 ‖ 95,2 u. K. S. Gef. der Wiff. (math.-phyf. Klaffe) zu Leipzig] Leipziger Sozietät ‖ 122,2 u. zu noch] zu noch zu ‖ 127,10 u. der] ben ‖ 128,15 u. J. G.] F. G. ‖ 134,10 u. die] als ‖ 162,10 u. dasselbe] desselben ‖ 174,17 u. (1846) S. 109] S. 109 ‖ 181,10 verknüpfendes Wesen] verknüpfender Geist ‖ 202,6 u. des] das ‖ 205,22 46f.] 46 ‖ 206,10 u. Froriep, Notizen ꝛc.] Fror. Not. ‖ 207,10 u. Justinus] J. ‖ Die Seherin von Prevorst I.] Seherin von Pr. ‖ 225,22 in ihrer Gesamtheit heißen] heißen ‖ 225,10 u. denn] davon ‖ 225,6 u. Weisheit] Wahrheit ‖ 226,16 u. Alle in] in ‖ 227,8 wie von] von ‖ 227,6 u. bekundet] begründet ‖ 227,8 u. in sich inne] inne ‖ 235,12 u. künftig, ich weiß nicht, wo oder wann,] künftig ‖ 236,13 Einfließen] Einflüsse ‖ 236,6 u. vielleicht] vielleicht nicht ‖ 236,6 u. sprächen] sprechen ‖ 237,24 u. Vorsehung] Versicherung ‖ 239,22 u. handelt, wie] handle? Warum ‖ 239,10 u. physisch-historische] physische und historische ‖ 264,12 u. 67f.] 62 ‖ 272,30 Erinnerungsleben zum Anschauungsleben] Anschauungsleben zum Erinnerungsleben ‖ 275,6 u. seinem] seinen ‖ 277,19 494] 491 ‖ 290,11 u. worden] werden ‖ 305,16 des Lichtes] Lichte ‖ 315,16 u. II. S. 55] S. 292 ‖ 320,16 u. Schlafens] Schlafwachens ‖ 321,22 II. S. 6] S. 251 ‖ 335,6 verblaßtes] verblasenes ‖ 337,1 u. facturus] futurus ‖ 346,14 je den] je ‖ 346,17 ein] einen ‖ 352,6 u. es] sie ‖ 373,13 wie der, der] als der ‖ 398,13 u. S. 263] S. 176 ‖ 398,15 u. fort (S. 268):] fort: ‖ 400,16 besten] bewußten ‖ 400,19 u. S. 6] S. 5 ‖ 410,16 u. No. 48] No. 18.

Kurd Laßwitz.

Verlag von **Leopold Voß** in **Hamburg**.

Gustav Theodor Fechner
im Urteil unserer Zeit.

Wilhelm Wundt. Gründlich geschult in der Naturforschung seiner Zeit, hat Fechner ein Weltbild entworfen, in dem die verworrenen Ideen der früheren Naturphilosophie in einer abgeklärten, wissenschaftlichen Gestalt wiederkehrten; er war der Erneuerer und Vollender der romantischen Naturphilosophie des neunzehnten Jahrhunderts.

G. Th. Fechner, Rede zum hundertjährigen Geburtstage.

Friedrich Paulsen. Fechner der Physiker, ein sehender und nachdenkender Physiker, hat von seinen Voraussetzungen aus in voller Reinheit und Klarheit dieselben Anschauungen entwickelt, zu der so viele Philosophen von metaphysischen und erkenntnistheoretischen Betrachtungen aus gelangt sind. — Man muß entweder zum reinen Materialismus zurückkehren, oder sich entschließen, vorwärts zu gehen zu einem objektiven Idealismus, der die physikalische Weltanschauung nicht überhaupt verwirft, aber als eine einseitige Betrachtung der allgemeinen philosophischen Weltansicht ein- und unterordnet, vorwärts zu Fechner. **Philosophia militans.**

Otto Liebmann. Fechners Zend-Avesta, ein höchst seltsames Buch, deutet wie andere Schriften dieses originellen Kopfes zweifellos auf eine tiefe, teleologisch bedeutsame Wahrheit hin. — Eine solche Aufrüttelung der hergebrachten Begriffe, eine solche Durchbrechung der Eisdecke starrer Schulmeinungen hat nicht nur etwas Faszinierendes, Bestrickendes, sondern etwas Heilsames als erfreuliches und befreiendes Gegenteil zu den Plumpheiten des Positivismus, der nicht müde wird, feierlich und trocken die Versicherung zu geben, daß die Welt genau da zu Ende sei, wo der Horizont unseres empirischen Wissens liegt. **Gedanken und Tatsachen. Bd. I.**

Bernhard Riemann. In Fechners Lehre ersteht so mancher Gedanke aus seinem Scheintode zu neuem Leben, der einst im Entwickelungsgang der Menschheit zwar mächtig wirkend, in uns nur noch durch Überlieferung fortdauerte. Unaussprechlich erweitert sich vor unserem Blick das Leben in der Natur; unaussprechlich erhabener erscheint es als bisher. Was wir als den Sitz sinn- und bewußtloser Kräfte betrachteten, das erscheint jetzt als die Werkstatt der höchsten geistigen Tätigkeit.

Gesammelte mathematische Werke.

Lightning Source UK Ltd.
Milton Keynes UK
UKHW051245010219
336432UK00012B/92/P